Einaudi Tascabili. Letteratura
238

Dello stesso autore nel catalogo Einaudi

L'isola di Arturo
Lo scialle andaluso
Il mondo salvato dai ragazzini e altri poemi
La Storia
Aracoeli
Diario 1938

Elsa Morante
Menzogna e sortilegio
Romanzo

Introduzione di Cesare Garboli

© 1948 e 1994 Giulio Einaudi editore s. p. a., Torino

Prima edizione «Supercoralli» 1948

ISBN 88-06-13602-x

Introduzione
di Cesare Garboli

Menzogna e sortilegio, il primo in ordine di tempo dei romanzi di Elsa Morante, fu scritto alla fine della seconda guerra mondiale, negli anni tra il '44 e il '48, in via Sgambati a Roma. Erano gli anni della libertà, gli anni in cui tutto il mondo rinasceva, e l'orrore nazifascista si avviava a diventare anche in Italia un ricordo. La Morante aveva allora trent'anni, e viveva con il marito, Alberto Moravia, in un appartamento di due stanze: in una stanza Moravia scriveva *La romana*, nell'altra lei terminava «un libro» – sono le sue parole – «che avevo vagheggiato di scrivere fin da quando, posso dire, ero bambina». Il matrimonio con Moravia era stato, sotto il profilo economico, un grande sollievo. La Morante era passata dalle dure ristrettezze in cui aveva trascorso la giovinezza a una vita piú agiata e serena. Dal giorno del matrimonio, dal 14 aprile 1941, aveva potuto abbandonarsi alla sua vocazione e alle sue fantasie. Poteva oziare, e poteva sognare. Alla fine di quell'anno era uscito il suo primo libro, la raccolta di racconti *Il gioco segreto*. Un abbozzo di romanzo, col titolo *Vita di mia nonna*, aveva preso forma nel 1943. Era il primo nucleo di *Menzogna e sortilegio*. Ma la stesura fu interrotta dal precipitare degli avvenimenti di quell'estate: dopo l'8 settembre, la Morante fuggí da Roma insieme a Moravia, indiziato di antifascismo, e lasciò i quaderni manoscritti in casa di un amico, il regista Carlo Lodovico Bragaglia, il quale le «promise di conservarli con cura». Dopo un anno o quasi di clandestinità trascorso sulle montagne di Fondi, in Ciociaria, e un breve soggiorno a Napoli, la Morante ritornò nell'estate del '44 a Roma (la città era stata liberata in giugno da

v

gli Alleati) e riprese il lavoro. Riscrisse il romanzo di sana pianta e lo finí quattro anni dopo.

Mentre gli occhi di tutto il mondo si giravano verso il futuro e puntavano diritti sulla realtà, lo sguardo della Morante si distraeva dal presente, attirato e affascinato dalla profondità di uno scenario spettrale e lontano. In quello sguardo non c'erano né la realtà né il domani. C'era il bisogno selvaggio di voltarsi indietro e visitare un sepolcro, una «magione di morti». Simile a un eroe ariostesco, vittima e prigioniero di un sortilegio, la Morante viveva invasa e come posseduta da un passato immaginario cui davano vita quelle voci tenaci, i ricordi, i racconti che si odono bisbigliare o gridare in famiglia come un segreto che brucia e va spinto sempre piú giú, sempre piú in fondo nel pozzo dell'anima. Un romanzo famigliare, una storia sepolta, metà vera e metà inventata, di quelle che il tempo, dopo averle sotterrate, trasforma nelle ombre di un sogno o nella tirannia di un funesto incantesimo. I fantasmi, le immaginazioni, le bugie ammaliatrici che accompagnavano la stesura di *Menzogna e sortilegio* avevano l'effetto ipnotico di una droga. Imponevano, dice la Morante, «la negazione della realtà in cambio di un mondo larvale».

È questa una delle tante singolarità, la prima, sulla quale la favola di *Menzogna e sortilegio*, favola di fuoco fantastico e fatuo, incandescente al punto da diventare subito cenere senza misure e passaggi intermedi, ci invita a riflettere. Questo romanzo cosí centrale nella storia letteraria del nostro secolo, cosí radicato nella vita e nei costumi di chi parla la nostra lingua, sembra nato fuori dalla Storia, nato e ideato nella piú completa ignoranza della tragedia che si era appena compiuta e ancora si consumava nel nostro paese. Ha dichiarato la Morante, in un testo autobiografico databile piú o meno al 1959, di avere incontrato la maturità con la guerra. Lo stesso testo attribuisce a *Menzogna e sortilegio* un significato simbolico, come se il romanzo ci raccontasse per figure il passaggio dalle fantasie giovanili alla coscienza.

> Le mie immaginazioni giovanili – riconoscibili nei racconti del *Gioco segreto* – furono stravolte dalla guerra, sopravvenuta in quel tempo. Il passaggio dalla fantasia alla coscienza (dalla giovinezza alla maturità) significa per tutti un'esperienza tragica e fondamentale. Per me, tale esperienza è stata anticipata e rappresentata dalla guerra: è lí che, precoce-

mente e con violenza rovinosa, io ho incontrato la maturità. Tutto questo, io l'ho detto nel mio romanzo *Menzogna e sortilegio*, anche se della guerra, nel romanzo, non si parla affatto.

Vedremo piú avanti in quale prospettiva debba essere letta una confidenza cosí veritiera, e quale sia il senso piú giusto da darle. La caduta dei vapori fantastici e delle maligne fole sulle quali si fonda il romanzo, simile a una terribile cerimonia del nulla, è certamente paragonabile, per intensità e tragicità, alla barocca dissolvenza delle mitologie e dei sogni del Cavaliere dalla Trista Figura nel gran romanzo donchisciottesco. «Sí, sono un'assassina», dice la protagonista di *Menzogna e sortilegio* a conclusione della sua storia, con la voce sottile e gelata di chi esce da un incantesimo, mentre «nelle sue pupille assenti e solitarie s'ingrandiva una paurosa veggenza» – assassina involontaria e perversa di un marito affettuoso e devoto, «respinto per amare uno spettro». Ciò che è immaginario e ciò che è reale, ciò che accende e tiene sveglia la fantasia e quello che la spegne e la opprime, sono i grandi protagonisti in perpetua battaglia nel romanzo della Morante.

Sotto questo aspetto, non c'è dubbio che la drammaticità della guerra abbia contribuito ad accelerare, con la sua «violenza rovinosa», un processo di conoscenza e di scoperta adulta della realtà. Questo processo è il fondamento stesso di un romanzo che si presenta intenzionalmente come la costruzione e insieme la decostruzione di un tenebroso castello di magie. Ma se vogliamo dare alle parole della Morante un valore meno simbolico e piú storico, allora il nesso tra realtà della guerra e messaggio romanzesco diventa assai meno unitario. Dovranno passare molti anni prima che nella Morante si manifesti un'aperta consapevolezza dei propri interessi civili e politici. Quando questo fenomeno si dichiarerà, esso occuperà tutto lo scenario: *La Storia* (1974), il terzo dei romanzi morantiani, va letto anche come il risarcimento di una tardiva presa di coscienza politica, come un rimorso e quasi una penitenza.

Sulla stesura di *Menzogna e sortilegio* sopravvivono alcune testimonianze. Moravia ci ha raccontato della disperazione in cui versava la Morante nel rifugio di Fondi, per non avere il suo manoscritto con sé. A quella data, il romanzo (che cambiava titolo, come risulta dal manoscritto, a ogni mutare d'umore e d'accento: «Coro di morti», «La fenice», «Ricordi immaginari», «Rubino e diamante», «La morte del padre», «Memorie infedeli», «Storia bugiarda», «Vanità e sacrilegio», ecc. ecc.) era ancora all'inizio e non sappiamo fino a che punto fosse già tutto ideato nelle sue linee generali. Ma qualcosa ci viene detto da una tarda testimonianza d'autore, sicuramente fededegna. Un giorno, nel 1968, a chi le chiedeva notizie sul click che aveva dato origine a una storia cosí complicata, la Morante rispose con semplicità facendola risalire a un pietoso stratagemma ideato per addolcire le sofferenze di una madre di guerra. Ricordava che a una vecchia signora cieca era stato ucciso un figlio, forse in Etiopia, e i famigliari le nascondevano la verità. «Le leggevano delle lettere facendole credere che fossero del figlio. Tutto il romanzo è nato da qui».

Come i romanzi gialli, e come tutti i grandi romanzi, anche *Menzogna e sortilegio* è dunque nato dalla fine. Soltanto a un passo dall'epilogo, quando la vicenda è sul punto di sciogliersi (in apertura della sesta e ultima parte, «Il Postale»), lo stratagemma delle finte lettere s'insinua tra le pagine con grande naturalezza, come un ornamento in piú – un tropo, si direbbe. L'episodio, a prima vista, occupa uno spazio che non altera né scompone l'ordine, l'economia, il passo di una narrazione che ha già preso il tono e l'andamento annalistico e quasi diaristico della cronistoria o relazione di famiglia raccontata dalla sola sopravvissuta, l'ultima di tre generazioni, Elisa. Non bisogna mai dimenticare che *Menzogna e sortilegio* è raccontato da una sola voce narrante, ma in due registri diversi: le prime quattro parti («L'erede normanno», «La cuginanza», «L'anonimo», «Il butterato»), formano tutte insieme una «commedia degli spiriti» – dice la Morante: un favoloso e remoto antefatto trasmesso da un coro di voci defunte alla medianica relatrice, la testimone Elisa; mentre i fatti raccontati nelle due ultime parti («Inverno» e «Il Postale»), provengono dai ricordi diretti della stessa Elisa ormai adulta. La stesura e la lettura delle finte lettere, di cui veniamo a conoscere il contenuto solo per via indiretta e per sommi capi attraverso l'emozione che esse provocano (e soprattutto attraverso la straordinaria analisi critica cui esse vengono inaspettatamente sottoposte), cade a metà delle due ultime parti e trasforma il romanzo da racconto di fatti accaduti (o che accadono ritualmente) nella messa in onda diretta di un'azione che si svolge sotto i nostri occhi. Di qui in poi, il tempo, il ritmo diventeranno precipitosi. Eppure l'episodio non viene presentato né trattato come una «sorpresa». In un romanzo cosí romanzesco, proprio l'episodio piú debitore alla tipologia del romanzo popolare viene fatto rientrare stilisticamente nel tono cronachistico, nel resoconto dei fatti accaduti in un dato anno. Come se il ron-ron di un racconto «secondo il tempo» nascondesse nel suo involucro una tragedia che non può manifestarsi se non a condizione di bucare l'involucro, di uscire da un utero. All'episodio che imprimerà una svolta alla narrazione e la accompagnerà allo scioglimento, viene messa d'istinto una sordina.

Le finte lettere sono il nodo, l'intrico su cui si avvolge *Menzogna e sortilegio*, ma sono anche il solo capo di gomitolo da cui il romanzo può essere decifrato e snodato. L'episodio è preparato da una variazione d'atmosfera e di clima: la stagione è cambiata. È finito l'inverno ed è venuta la primavera. Al primo tepore, Anna, la sdegnosa, superba, malmaritata Anna Massia di Corullo, parente povera dei nobili e «normanni» Cerentano, abbandona le sue abitudini di reclusa e si spinge in lunghe passeggiate verso il centro della città. Ma non è solo la buona stagione, o un capriccio, a stanarla dal suo vile quartiere di periferia. Un misterioso nervosismo motorio la porta a ripetere sempre lo stesso percorso. Come un uccello dal volo basso «in arie burrascose», Anna insegue una preda. Ha forse un presentimento. Vuole notizie del cugino troppo e lungamente amato – «amato come uno spettro». La sua meta è l'antico palazzetto dei Cerentano, dalle finestre rade e i balconcini di marmo, i festoni d'edera e tralci, le decorazioni a draghi e grifoni, in fondo a una tonda piazzetta che si apre nei vicoli. Come sempre nella Morante, il percorso di Anna ci è raccontato con minuziosa precisione topografica. Là, finalmente, davanti al piccolo portone del palazzetto, avvengono la rivelazione e l'incontro.

La rivelazione: Edoardo, il cugino, il grande e maniacale amore di Anna, è morto. E l'incontro: dal portoncino del palazzo escono tre signore in lutto, tre neri, tetri animali da fiaba. Un velo nero gettato sulla spalla della piú vecchia delle tre, donna Concetta Cerentano, la madre di Edoardo – accompagnata dalla figlia e dalla governante – fa capire ad Anna la verità. Il giorno dopo, stessa scena. Ma questa volta, mentre figlia e governante passano oltre gettando su Anna un'occhiata distratta, la vecchia si volta verso di lei, «quasi ad un richiamo della mente». Donna Concetta sa dei trascorsi lontani, miserabili e infelici della nipote. E getta su Anna un'occhiata torbida e ilare da vampira, un'occhiata intima e famigliare. Ha capito che potrà succhiare dalla nipote un po' del sangue del figlio.

«Ti ha scritto?», «Hai la lettera?». Anna è subito complice. Si abbandona alla finzione e al gioco con lo stesso ilare vampirismo della vecchia – vampirismo erotico, sociale, fatto di risarcimento e di oscuro trionfo. Scriverà lei le lettere del cugino, le scriverà a se stessa. Rifiuterà sdegnosamente di passare alla vecchia quelle già preparate dai parenti. Le farà leggere le proprie. E il vento del romanzo, che sembrava calato durante l'inverno, ricomincia a soffiare con forza sconosciuta e improvvisa. Sembrava che la narrazione si stesse consumando, e sta rinascendo dalle sue ceneri. Ai primi caldi d'estate, la lettura delle lettere esplode come una sorpresa a lungo trattenuta. Ma non è una lettura pia. Non si tratta di un artificio edificante, che nasce da un bisogno di carità. Le finte lettere del cugino, destinate a colmare la perdita di un figlio adorato, sono lettere incantatorie ma anche derisorie e tetre. Trasudano erotismo dolciastro, malvagia puerilità, e sono la parodia dell'amore. La loro lettura è un rito blasfemo. Partita da uno spunto edificante, la Morante lo ha completamente stravolto. Nelle lettere scritte a se stessa, lettere futili e mondane di un fantasma infantile, Anna può finalmente identificarsi con l'immagine che in tanti anni di sogni esaltati e di amore respinto si è fatta senza saperlo del cugino: un folletto satanico, spensierato e crudele. L'effetto spiritoso di queste lettere, se la grazia e la capricciosità dell'amore possono farsi parodiare, è di tipo mozartiano. È questa la droga con la quale Anna seduce e conquista Concetta Cerentano. La zia svanita e bigotta, la nipote pazza e atea, «le teste accostate e chine sui fogli, come due compagne di collegio intente a leggere una corrispondenza proibita», diventano le due complici sacerdotesse di una medesima religione. Al centro del rito, il tema androgino, ermafrodito, che attraversa in chiave materna tutta la letteratura (e non solo la letteratura) della Morante; tema apertamente dichiarato in *Alibi*: il viluppo carnale di madre e figlio, inseparabili, stretti in una creatura sola. Non è affatto strano ritrovare annunciato nel primo dei romanzi morantiani un topos destinato a cosí grande fortuna. Piú strano è che la maternità ci appaia in *Menzogna e sortilegio* coi tratti perversi e deformi di una caricatura. Principio e fine si toccano: anche in *Aracoeli* la maternità, nei rapporti di Aracoeli con Manuel, sarà una parodia. Ma una parodia piena di dolore, la parodia di un bene perduto; mentre la mostruosità viziosa e dolciastra dei rapporti tra Concetta Cerentano e il figlio ha il sapore e lo stupore di una scoperta. *Menzogna e sortilegio* è un libro fatto di donne (scritto per gli uomini); un romanzo dove le donne regnano e imperversano. Ma a tirare i fili è uno spiritello indemoniato e fatuo, il piccolo Edoardo invidioso di ogni salute e di ogni gioia di vivere. Questo burattinaio è una falsa pista. Sulle gracili spalle del capriccioso eroe di *Menzogna e sortilegio* la Morante ha riversato tutto il carico indistinto di profondità e di futilità che si nasconde nell'immaginario femminile. Una libido di cui il piccolo Edoardo è solo il cordoncino diabolico, il prolungamento camuffato, il travestimento in chiave di perfido Cherubino. *Menzogna e sortilegio* è un romanzo che si traveste, si abbiglia, si trucca; e per fargli cadere la maschera bisognerebbe spogliarlo, ucciderne i suoni e le voci, spegnere quell'imprecisabile aria seduttrice e canora (il «declamato», diceva Giacomo Debenedetti; l'emozione adagiata e diffusa nella scrittura «imbevuta di risonanze», diceva Cecchi) e lasciarlo tintinnare come uno scheletro. Bisognerebbe sottrarlo alla favola e al meraviglioso che vi è profuso e guardarne solo la carcassa. Si può anche tentare di farlo, perché no? Ma non prima di aver dato risposta a un interrogativo quasi persecutorio: dove ci troviamo, in *Menzogna e sortilegio*? Dove, quando si svolgono i fatti che ci vengono raccontati in termini cosí imprecisati e cosí precisi?

2.   Uno dei tranelli che il romanzo della Morante, mezzo secolo fa (ma la trappola continua a mietere vittime) tese ai suoi critici e recensori, fu l'ambiguità della sua ambientazione storica. Non si perdonava facilmente a un romanzo del 1948 di essere al tempo stesso favoloso e realistico, debitore alla realtà e al suo contrario, raccontato con una meticolosità da orefice e trattato con le tinte forti di un feuilleton. Tempo e luogo del romanzo sembrarono inventati e fan-

tastici, mentre erano precisissimi: la storia di *Menzogna e sortilegio* riempie un arco di tre generazioni tra gli ultimi decenni dell'Ottocento e il primo del Novecento. L'azione si svolge in Sicilia prima della guerra '14-'18, mentre gli antefatti risalgono a molto piú indietro. In due parole, la *belle-époque*. Ma una *belle-époque* stravolta, sventrata, che non ha piú nulla delle sue immagini proverbiali, quanto piú le conferma e resta loro fedele; una *belle-époque* distorta, vista con tutta naturalezza da un'angolazione povera, dalle feritoie e dai buchi di un miserabile inferno piccolo-borghese cosí da risultare di segno invertito rispetto al suo cliché storico, e quindi non meno realistica che irriconoscibile. I tetri tavoli di osteria (che saranno un giorno quelli di Davide Segre), le discariche ai margini dell'abitato, i bicamere e cucina con vista sul palmizio ingiallito al centro del cortile non escludono ma sollecitano le immagini di un'epoca felice. Per quanto capovolta rispetto all'ottica abituale, e ricondotta alla realtà «verista» di un'oscura popolazione di bottegai, contadini, mediatori, puttane, impiegati di Stato, amministratori di grandi famiglie latifondiste, ecc. ecc., si tratta pur sempre di *belle-époque* con tutte le sue mitologie e i suoi spettacoli. Eppure, quanti occhi si sono aguzzati sul referente storico di *Menzogna e sortilegio* come se si trattasse di un rebus! «L'epoca dei fatti – indagava Cecchi –non è lontana. C'è il telegrafo. Ci sono i treni e l'ambulante postale. C'è il grammofono che strilla in fondo a un cortile». Si può anche aggiungere il disegno vuoto di un dirigibile in mezzo al cielo. Non ci sono aerei né automobili. La Russia è quella della Zarina e dello Zarevic. E, soprattutto, c'è l'*Estero*. Perché le luci della *belle-époque* non sono meno luminose e famigliari per il fatto di brillare a tanta distanza. Per l'immaginario della società evocata dalla Morante, i sogni e i disastri convivono come nella «Domenica del Corriere», dove le sue Altezze Reali passano in carrozza a pochi metri dalle belve e dai minatori. L'*Estero* di *Menzogna e sortilegio* è uno di questi Eldoradi, di questi luoghi felici inventati dall'epoca in cui s'inaugurarono i sogni collettivi, e le illusioni furono fatte credere, come i biglietti vincenti delle lotterie, un paradiso alla portata di tutti.

Il referente storico di *Menzogna e sortilegio* è dunque estremamente preciso, e immediatamente identificabile. Ma, appunto per questo, mai precisato esteriormente attraverso correlativi «d'epoca» come farebbe un dilettante di romanzo storico o un qualunque regista in vena di far «vero». Non un mondo defunto, trattato e restituito «come se fosse attuale», ma una realtà oggettiva, di fatto esistita e accertabile, nella quale la Morante si muove con rabdomantica cognizione dei particolari e infallibile senso di contemporaneità come se si trovasse a casa propria. E allora, romanzo storico? storico secondo Lukács? secondo Manzoni? I Viceré o la Monaca di Monza? O semplicemente una storia in costume come il Gattopardo ancora di là da venire? Il fatto è che l'ambiguità dell'ambientazione storica di *Menzogna e sortilegio* non appartiene al referente. Appartiene allo stile. Sebbene l'epoca dei fatti non sia lontana, «le figure – diceva Cecchi – sembrano muoversi in un'atmosfera remotissima». L'ambiguità è questa. Il referente storico è il primo Novecento. Ma il risuonare delle carrozze, la costante attrazione all'indietro esercitata dagli antefatti, le mode e le abitudini di una volta trattate con veggente disinvoltura come perfettamente attuali, unite al favoleggiare, a quel modo della Morante di lavorare tra la sarta e la chiromante, e alla vastità del fantastico che occupa tutti gli spazi delle realtà, trascinano l'intreccio lontano nel tempo, sprofondandolo come in un abisso di memoria. L'azione viene avanti in piena luce, colpita dalla luce, ma nasce anche da una profondità remota, fasciata e incrostata di tenebre come in un Caravaggio (dove, diceva il Berenson, non si sa mai dove ci si trovi).

Quest'effetto stilistico di retrodatazione di un tempo relativamente recente (o, se si preferisce, lo slittamento di un'età storica in un'altra trapassata e remota – fuori, per cosí dire, dal calendario), proviene anche dall'attenzione costantemente rivolta dalla Morante ai fatti sociali. Può sembrare strano, ma, a dispetto di un romanzo lavorato come una favola, l'età rappresentata in *Menzogna e sortilegio* è fortemente, ossessivamente marcata dalle contraddizioni sociali. I conflitti sociali interessano ogni piú piccola cellula del romanzo e ne promuovono le grandi storie passionali. Ma da un punto di vista piú generale, questo tipo di contraddizione, o di dinamica, ruota intorno all'asse nobiltà-piccola borghesia, nobiltà e contadini, signori e cafoni, ceto aristocratico e ceto subalterno e servile, fattori, amministratori, artigiani, avvocati, funzionari di Stato. Siamo nel Sud, in Sicilia, e manca il terzo stato. Manca la grande borghesia industriale, e quindi mancano le fabbriche (solo solfatare e qualche vetreria) e gli operai organizzati (vola qualche idea anarchica e socialista). Questa società arcaica e retriva, che si è conservata tal quale da secoli e che ripete, quasi ne fosse la caricatura, le rigide strutture dell'ancien-régime, fa di *Menzogna e sortilegio* un romanzo che potrebbe anche svolgersi non solo «prima della Rivoluzione», ma prima di *ogni* rivoluzione, in un tempo in cui le determinazioni sociali esprimevano la volontà del cielo e della fatalità e il mondo si divideva, come le sorelle delle favole, senza troppi distinguo e senza tante sfumature, in ricchi e poveri come in belli e brutti: da una parte i privilegi atavici, e dall'altra gli umiliati e offesi.

Si configura qui uno degli aspetti piú sorprendenti di *Menzogna e sortilegio*. La piccola, infima borghesia che ha cosí tanta parte nel romanzo – quell'oscura moltitudine di esseri subalterni che è cosí debitrice, nella formazione della Morante, alle instancabili letture giovanili di Kafka – è sentita dalla Morante da una parte come uno squallido formicaio, e dall'altra come lo stereotipo dell'umanità. Da una parte, questa infima borghesia forma nel suo insieme mobile e variegato una classe sociale storica; dall'altra essa è dilatata a società universale, sentita come il luogo promiscuo e irredento, ma fraterno, dove si gioca (e si gioca eternamente) il destino di tutti. Sotto questo profilo, la società subalterna di *Menzogna e sortilegio* è il precedente immediato e ancora inconsapevole della *Storia*, l'antefatto della squallida cornice sociale in cui s'iscriverà quell'episodio da cronaca nera del «Messaggero» che è il ritrovamento dei corpi di Ida Ramundo e di Useppe. Ma da un altro punto di vista, non meno importante, l'ambientazione sociale del romanzo torna a riflettersi sull'ambiguità dello stile. *Menzogna e sortilegio* è un romanzo carico di tradizione, largamente debitore non solo alla grande narrativa dell'Ottocento ma anche al romanzo popolare, al romanzo d'appendice e al feuilleton. Lo si potrebbe definire un romanzo dell'Ottocento scritto nel Novecento. Ma, per colmo di paradosso, è un romanzo dell'Ottocento retrodatato «a prima», risucchiato da civiltà letterarie (la favola!) anteriori all'Ottocento. *Menzogna e sortilegio* è un romanzo che ignora le scoperte del romanzo: il montaggio, il colpo di scena, i contrapposti drammatici, le sorprese, i meccanismi. In una parola, ignora la modernità. È raccontato in modo uniforme, pacifico, senza urti, senza correre, con quel gesto ampio e senza tempo della filatrice che avvolge e svolge la matassa e con quel fare *entertaining*, da commentatore svagato, ironico e disimpegnato della materia trattata che è dei romanzieri anteriori alle scoperte dell'Ottocento, i narratori del Sei e Settecento da Cervantes al Defoe di *Moll Flanders* e di *Lady Roxana*, o al Marivaux del *Paysan parvenu*. «Un che di Settecento, – diceva il Pancrazi –, è avvertibile in tutta l'impalcatura e la condotta del romanzo» – e pensava ai mottetti e alle cabalette d'accompagnamento, a Laclos e Marivaux (mentre la fonte, che la Morante sapeva insuperabile, era il raccontare di Mozart). Si può misurare da qui l'ambiguità di stile del romanzo. Applicare a un romanzo dell'Ottocento, e per giunta a un feuilleton, uno stile d'intrattenimento «secondo favola» che esclude la scoperta ottocentesca e romantica del «destino» come primaria funzione romanzesca, è il grande colpo di genio che ha dato origine a *Menzogna e sortilegio*. Esso è stato tale da avere dato origine anche agli equivoci e alle incomprensioni che regnano tuttora intorno al romanzo.

3. Quel che vale per le categorie temporali e per l'ambientazione storico-sociale, vale anche per la topografia. La *belle époque* di *Menzogna e sortilegio* si vive sordidamente a Palermo; ma una Palermo lontana dal mare, metà vera e metà fantastica, attorniata da squallidi sobborghi sui quali si proiettano – secondo la mia opinione del tutto personale – i ricordi dei quartieri romani di Testaccio, di Monteverde Nuovo e della vecchia Stazione Termini dove, di trasloco in trasloco, la Morante visse durante l'infanzia coi genitori. Soprattutto l'appartamento con vista sul misero palmizio al centro del cortile, dove vanno a vivere, dopo le nozze, i genitori di colei che si finge la Narratrice, Elisa, e la bottega di Gustavo, dove il padre di Elisa sfoga nel vino la sua infelicità di marito umiliato, trovano forte riscontro nei casamenti popolari e nelle osterie del Testaccio, il quartiere che sarà di Ida e di Useppe. Prima o poi, si finisce sempre, nei romanzi della Morante, per ritrovarsi dalle parti del ponte Sublicio. Ma si tratta di supposizioni che io formulo qui senz'altro supporto che di lettore dei romanzi della Morante, e di conoscitore delle strade e dei quartieri di Roma. La Morante viaggiò in Sicilia, e visitò Palermo, nel 1937, passati da poco i vent'anni, e tutto mi fa credere

che da quel viaggio, e dai ricordi della sua infanzia nei quartieri poveri di Roma, sia nata la città di Anna, di Edoardo e del butterato. Chi ne volesse la prova, potrebbe trovarla nella sigla P. con la quale viene designata, sia nel testo a stampa sia nei quaderni manoscritti (XII, pp. 1071 e 1094), la città dove si svolge l'azione e verso la quale uno dei personaggi, il butterato, piú o meno a metà del romanzo, torna a mettersi in viaggio dopo un soggiorno nelle campagne non troppo lontane che lo hanno visto nascere. Un giorno, parlandomi della sua famiglia e di suo padre (il padre naturale, Francesco Lo Monaco), la Morante me lo descrisse sommariamente e mi disse di avere messo qualcosa di lui nel personaggio di Nicola Monaco, l'amministratore dei beni Cerentano. E mi sembra che il Lo Monaco, amico e frequentatore di casa Morante, fosse proprio palermitano. Era invece di Santa Margherita di Belice, a sud di Palermo, nell'entroterra, il padre anagrafico della Morante – cosí da dare qualche fondamento all'ipotesi che nelle terre del Belice siano da riconoscersi i luoghi imprecisati, rivisitati dalla fantasia, dove la Morante ha collocato le piccole proprietà di Damiano, il padre anagrafico di Francesco De Salvi, il personaggio del butterato. Se si combinassero i dati biografici della Morante con gli indizi offerti dalla topografia del romanzo, i luoghi di *Menzogna e sortilegio* verrebbero a identificarsi con la regione sud-occidentale della Sicilia: il Belice, non troppo lontano da Palermo, a sua volta filtrata attraverso i ricordi di Roma.

La relazione tra la topografia del romanzo e il suo quadro storico, e i forti, coerenti nodi sociali con cui una società arcaica ci viene rappresentata nella sua decrepitezza, in termini tutt'altro che trasognati, non sfuggirono a due giovani lettori «da sinistra» del romanzo, Natalia Ginzburg e Italo Calvino. Entrambi redattori della casa editrice Einaudi, sia la Ginzburg che Calvino (Calvino, a quel tempo, con funzioni di ufficio-stampa) ebbero tra le mani il romanzo della Morante prima che uscisse, e lo accolsero con una meraviglia che non escludeva, insieme all'ammirazione, le riserve. Molti anni dopo, nel 1985, la Ginzburg rese testimonianza della sua lettura:

Nel '48, credo nell'inverno, mi arrivò una lettera di Elsa Morante. Mi diceva che aveva appena finito un romanzo e mi chiedeva se me lo poteva mandare. Io abitavo allora a Torino e lavoravo nella casa editrice Einaudi [...] Cosí ebbi il dattiloscritto di *Menzogna e sortilegio*: lo ricevetti per posta. C'erano correzioni a mano, in inchiostro rosso. Ricordo con quanto stupore lessi i titoli dei capitoli, perché mi parve un romanzo d'un'altra epoca. [...] Lessi *Menzogna e sortilegio* d'un fiato e lo amai immensamente; però non so dire se ne capii chiaramente, allora, l'importanza e la grandezza. Sapevo soltanto che lo amavo e che da lungo tempo non avevo letto nulla che mi desse tanta vita e felicità. Fu per me un'avventura straordinaria scoprire, fra quei titoli di capitoli che mi erano sembrati ottocenteschi, il tempo e le città che erano i nostri e che avevano, della nostra esistenza quotidiana, l'intensità lacerata e dolorosa.

È qui indicato con grande precisione un doppio aspetto di *Menzogna e sortilegio*. Da una parte, il rapporto intimo, la funzionalità reciproca tra i luoghi e il tempo del romanzo; dall'altra, la mobilità storica dell'ambientazione, continuamente tesa, allentata e tirata, con grande naturalezza, tra il passato e il presente, insomma la tendenza del romanzo – nella sua indifferenza ai problemi del romanzo storico – a spostarsi verso l'attualità non meno che a farsi risucchiare da un'età trapassata e remota («mi parve un romanzo d'un'altra epoca»). A differenza dei lettori e dei critici «da destra», propensi non senza fondamento a spostare il romanzo verso il prima, verso esperienze di stile anteriori all'Ottocento, la Ginzburg corregge subito la sua prima impressione e intuisce la linea di forza contraria. Piú o meno, è la stessa posizione di Calvino, per quanto il giovane Calvino del dopoguerra paghi all'ideologia e agli interessi di parte molti piú debiti della Ginzburg. Anche Calvino liquida il romanzo storico e attira il romanzo verso l'oggi:

... la storia da questo libro è bandita per partito preso, e non sembra lambire la chiusa vicenda familiare che vi si racconta. I personaggi si muovono in un Ottocento non ben precisato e in una non meglio precisata Sicilia. Ciononostante, *Menzogna e sortilegio*, che pure sembra prender le mosse da un gioco fiabesco raffinatissimo e artificioso, è un romanzo sul serio, pieno d'esseri umani vivi, e, pur senza scoprire intenzioni di polemica sociale, è penetrato fino all'osso, interamente, disperatamente, della dolorosa condizione d'una umanità divisa in classi, non dimentica per un istante la situazione della società in cui si muove. S'aggiunga che, pur guardandosi bene dall'indulgere al paesistico o al pittoresco, la Morante scopre una Sicilia calcinosa, barocca e tetra, quanto mai nitida nei suoi lineamenti e (cosa ancor piú difficile dopo tanti ed insigni precedenti) quanto mai nuova.

Se si toglie quel po' di polvere lasciata cadere da un entusiasmo e uno zelo da scuola di Partito, la diagnosi «sociale» di Calvino («non dimentica per un istante la situazione della società in cui si muove») ha un oggettivo fondamento critico. Essa si allinea alle dichiarazioni della Morante, che abbiamo già incontrato, circa il significato del romanzo come metafora di maturità e di presa di coscienza storica. Purtroppo il pulviscolo neorealista (è il momento di Visconti e di Vittorini) è lí che intorbida l'aria e irrita gli occhi di quel giovane e già grande lettore. Calvino è infastidito dalla fantasticheria, dal bisogno tragico e fanatico di finzione, dalle menzogne e dal sortilegio del romanzo. Gli piacciono i personaggi «in allegro», anche se un po' di maniera, come la prostituta Rosaria, perché in sintonia con la salute e la vitalità del mondo che rinasce e avanza. Non gli piace la «follia». Ma la lettura di Calvino è monca. Quel vivere di fantasmi e di spettri, il delirio che fa di *Menzogna e sortilegio* una tragicommedia di esseri posseduti dall'irrealtà, quel vivere sepolti, che Calvino chiama «le paludi della follia», giudicandolo un «espediente narrativo sempre insidioso», è l'anima stessa del Novecento, chiusa dentro un romanzo concepito all'antica. È la faccia sconosciuta e sotterranea della società piccolo-borghese che nel romanzo figura cosí pervicacemente rappresentata. Non era facile, nel 1948, accorgersi che il fantasticare estatico e come drogato della Morante attingeva al serbatoio sociale che ha alimentato quasi tutto l'immaginario del Novecento, quel buio regno di incubi e sogni piccolo-borghesi (regno che in Kafka è in bianco e nero, e nella Morante è visitato dai colori) dove si consumano e covano le follie che non hanno limite nel tempo e che possono durare non solo una vita, ma un lungo scorrere di generazioni.

4. Che cosa racconta *Menzogna e sortilegio*? Debbo confessare che mi riesce estranea l'immagine complicata e artificiosa che molta critica si è fatta di questo romanzo. Non mi sembra che la sua matassa sia cosí ingarbugliata e piena di nodi. Se dovessi tornare ai tempi

del mio liceo, e piú indietro ancora, al beato e santo obbligo di stendere i riassunti – i «sunti» – dei canti del *Furioso* o della *Gerusalemme*, credo che con *Menzogna e sortilegio* me la caverei in meno di una pagina. I fatti narrati si estendono molto nel tempo (occupano tre generazioni e coprono piú di un trentennio) ma si restringono, quanto all'azione, a una scaletta (uno scheletro, un *squelette*) di ossatura estremamente ridotta.

Tre generazioni: l'ultima nata, Elisa, scrive e racconta; la madre, Anna, si è sposata per fame; la nonna, Cesira, la incontriamo in apertura – mirabile creaturina negativa e maligna – e subito l'accompagnamo alla tomba. Il romanzo si apre su queste tre femmine «dalla puerizia alla decrepitezza», come recita la gaia filastrocca che Elisa ha imparato a scuola; tutte e tre mantenute dal giovane sposo di Anna, il butterato e falso barone Francesco De Salvi. Quale malefica provvidenza ha portato il quartetto e dividere un'esistenza fatta solo di disperazione e di malumori? Bisogna risalire indietro, ai tempi di una goffa e maldestra *mésaillance*. Cesira, la minuscola e deliziosa Cesira, maestrina di paese dalle volgari ambizioni sociali mascherate da delicati sogni romantici, si è lasciata sedurre, o ha sedotto, un attempato e decaduto nobiluomo, Teodoro Massia di Corullo; ma giunta a nozze, tutti i sogni s'infrangono davanti alla miseria materiale e alla pochezza morale del poveruomo. Nasce però una figlia, Anna, che adora il padre e detesta la madre. Un giorno, passeggiando per il Corso, il padre regala ad Anna un mazzetto di ciclamini, e le indica, issato come un piccolo re sulla carrozza di donna Concetta Cerentano, nata Massia di Corullo, il cugino Edoardo: un bambino biondo e ridente, dai riccioli che gli cascano sulle spalle. L'apparizione è per Anna la folgore che incendierà e brucerà la sua vita. Passano gli anni. I due cugini si rivedono pronuba una ragazzata in un giorno di neve; e subito nasce un amore breve e malato, di acerba perversità come succede tra adolescenti, per i quali le perversioni della sessualità sono quasi un fiore di conoscenza. Ma Anna è bruscamente licenziata, senza spiegazioni, dal cugino annoiato. Un altro amore lo incalza; l'amicizia per un giovane bastardo, il figlio naturale del fattore, caduto in disgrazia, dei Cerentano: il butterato Francesco De Salvi.

Come nelle favole, la crudeltà del destino mostra il suo volto in antifrasi, nelle divine fattezze del biondo cugino. Il piccolo Satana è all'opera. Non sa creare, e allora trasforma e manipola. Scambia due coppie. Distrugge la coppia felice e voluta da Dio (il butterato e la sua allegra ragazza traviata) e la sostituisce con un'altra malaugurata e maledetta. Getta il butterato nelle gelide braccia di Anna, e con un fatato e infausto anello a due pietre, diamante e rubino, compra l'amore e la fedeltà della prostituta Rosaria – tanto perché l'amico impari che non bisogna mai fidarsi delle puttane. Assolto il suo compito, il cugino si eclissa, ospite incurabile di tutti i sanatori d'Europa. Non lo vedremo più, se non nei sogni del butterato. Ma intanto è nata Elisa. Gli antefatti sono esauriti. E con la loro conclusione, siamo a due terzi del romanzo.

Quel che succede di qui in poi, raccontato in presa diretta da Elisa, rotola giù a precipizio. Anna e il butterato sono vicini ai trent'anni. La bambina ne ha dieci. È quasi estate. Anna ha il presentimento di cui ho già parlato. Vola e plana a larghi giri davanti a palazzo Cerentano: Edoardo è morto; la madre, Concetta, ne aspetta e reclama le lettere. Di notte, approfittando dei viaggi di lavoro estivo del marito sull'ambulante postale, Anna scrive, a nome del cugino, delle furiose lettere d'amore a se stessa. Scoppia la gelosia. Anna è cambiata, innamorata; ma di chi? Le domande che il marito le rivolge non possono avere risposta. Anna è posseduta da un male sconosciuto, da una forza nemica e divina, da un fantasma bello come Narciso. Il suo amante è uno spettro. E tuttavia, Anna si confessa; non dice la persona e il nome, ma il fatto. È innamorata, ha un amante, ma tace che l'amante è un fantasma. Una sera, improvvisamente, si arrende al piacere. Ma si abbandona al marito come una sonnambula si darebbe a un fantoccio. La mente, il desiderio sono altrove, anche se il corpo è indemoniato e pieno di fuoco. Dopo l'amore volano parole feroci, di crudeltà incomprensibile, di dileggio, di scherno. L'aria, nel piccolo appartamento, si fa irrespirabile. La stagione è sempre più calda. Viene il mese in cui saltano i nervi e scoppiano le rivoluzioni, luglio. C'è un incidente: il butterato scivola dal treno postale in corsa e muore travolto. Anna, consumata la lunga menzogna che l'ha tenuta in vita, si ammala e muore dopo un attimo di lucidità. Il sortilegio è finito.

Come si vede, un *feuilleton*. Una di quelle storie imperniate su uno scambio fatale, su un equivoco del destino, che non sfigurerebbero nelle biblioteche popolari. «Volevo, – diceva la Morante, – che il romanzo contenesse tutto ciò che era stata la sostanza del romanzo dell'Ottocento: i parenti poveri e quelli ricchi, le orfanelle, le prostitute dal cuore generoso...» Un romanzo d'appendice, e, quindi, per definizione, un romanzo d'amore. Può sembrare strano, ma chi ha visto e riconosciuto in *Menzogna e sortilegio* l'amore, e ha saputo stanarlo da un groviglio di odi, farneticazioni, interessi e sogni repressi o sbagliati, è stato il lettore piú ideologo, il piú refrattario alla «follia». Calvino. Quale grande lettrice è la gioventú! «L'amore: un attaccamento smisurato e anch'esso fanatico» – dice Calvino – che lega ognuno dei personaggi a un altro, «figli a madri, innamorate a innamorati, mariti a mogli, in un aggrovigliato labirinto d'affetti».

Ma si può chiamare amore l'amore rappresentato in *Menzogna e sortilegio*? Non si finirebbe mai di girare intorno a questo interrogativo. La sindrome dell'amore morantiano non è facilmente classificabile. L'amore, nella Morante, è una passione sublime ma infetta; è il vento che tutto travolge, ma è anche la pianta inseparabile dalla sua oscura e interrata radice sociale. Il nesso tra le passioni del cuore e la loro determinazione sociale è uno dei tratti piú originali di *Menzogna e sortilegio*. Esso divide e allontana il romanzo dai codici narrativi dell'Ottocento quanto piú lo riporta a quella matrice. Per il romanziere dell'Ottocento, il contesto sociale è un dato, il muro contro il quale le passioni urtano e si abbattono. E il piú delle volte, l'amore o si rassegna o finisce per soccombere. Ma nella Morante non c'è conflitto né dialettica. L'amore nasce, vive, si nutre di condizionamento sociale. Tra il nascere di una passione e il suo regime sociale c'è una complicità cosí intima da risultare, nella costruzione del romanzo, una funzione primaria e molecolare. Ogni personaggio viene a configurarsi come una cellula ma anche come un microcosmo, un organismo assoluto. I due elementi, quello sociale e quello sentimentale, agiscono *insieme*. È probabilmente questa una delle ragioni che hanno spinto un critico come Lukács a esprimere nei confronti di *Menzogna e sortilegio* tutta la sua ben nota ammirazione (anche nel senso di meraviglia che si prova per un prodigio).

La conseguenza immediata di questa sindrome socio-passionale è di natura duplice. Da una parte, l'infezione sociale che affligge l'amore è la prima causa della sua patologia. Ma dall'altra, l'infezione stessa fortifica l'amore. Lo fa esplodere con la furia di un elemento, e lo fa esistere come una passione antica e selvaggia, che non si allontana da terra ma, al contrario, tende a presidiare la realtà. La patologia «sociale» restituisce all'amore proprio quella forza, quella capacità di occupare e di saccheggiare la realtà che l'appartenenza delle passioni al regno dei sogni vorrebbe toglierli. L'amore, nella Morante, è un'irrealtà che non ha nulla di chimerico; una menzogna che non ha nulla di bugiardo. È come dire che l'amore, in *Menzogna e sortilegio*, si comporta secondo il codice fissato nelle tragedie. La forza, la malattia dell'amore si manifestano nel romanzo secondo tradizione teatrale, confermando e smentendo il feuilleton. *Menzogna e sortilegio* è un romanzo di gioventú. I personaggi sono tutti giovani. L'amore riempie tutta la vita di Anna e del butterato. Entrambi i protagonisti muoiono che non hanno ancora trent'anni. E come nelle storie di giovani, o nelle favole pastorali, l'amore descrive un minuetto, una figura di danza, una controdanza di amanti e di innamorati di ceto alto e basso incrociati e contrapposti (il butterato e Rosaria, Edoardo e Anna), non senza produrre una geometria da «cosí fan tutte». La costruzione di *Menzogna e sortilegio* si fonda sopra una ripresa, una ripetizione di schema, il matrimonio per interesse (prima Cesira, poi Anna). È un altro dei paradossi riconducibili a una dialettica tra secoli e stili diversi. Il romanzesco viene smentito dalla presenza di uno schema di tradizione, da una geometria di segno forte (il teatro) che precede l'apparizione di quel genere informe e ibrido che è il «romanzo».

La cosa strana è che quest'amore simile a un elemento, che ha la forza e la realtà di una passione antica, ignora la qualità primaria degli elementi: la semplicità. L'amore, nella Morante, non semplifica; complica; anzi, è la complicazione stessa («a difficili amori io nacqui», recita un verso di *Alibi*). L'amore complica perché, se c'è, è sempre in eccesso. Colei (o colui) che ama si sente indegno e vile e ama per questo, per liberarsi dall'indegnità; e cosí regala all'oggetto amato l'immagine che vorrebbe avere di sé. Tortuoso, perfido meccanismo! Esso miete le sue vittime proprio tra coloro che non sanno di avere gli occhi disperatamente, ciecamente puntati sulla propria immagine. La persona amata, il partner o non esiste o esiste troppo;

l'amore è solo uno specchio. È da questa sindrome che nascono tutte le complicazioni «romanzesche» di *Menzogna e sortilegio*. Il romanzo deve la sua costruzione, il suo intreccio, il suo «intrigo» a una fenomenologia del narcisismo e del sadomasochismo. Ma deve a questa fenomenologia anche la stravaganza della sua «forma». Se la realtà dell'amore è complicata, infetta, perversa, la sua rappresentazione non può che trasformare il piú miserabile dei drammi piccolo-borghesi in un palcoscenico dove dei personaggi simili a semidei si scambiano le loro battute difficili davanti allo sguardo stupefatto di un coro (il romanzo può permettersi la «tinta forte» grazie alla voce di Elisa, che fa da coro e da sordina, e quindi spiazza il feuilleton). Sotto questo punto di vista, *Menzogna e sortilegio* è la continua metamorfosi di un romanzo d'appendice in una tragedia dai concetti sublimi. Anna, Cesira, il butterato, Rosaria, tutti i personaggi piccoli-borghesi di *Menzogna e sortilegio* sono piccoli-borghesi ma sono anche re e regine; e sono re e regine ma sono anche piccolo-borghesi. «Ognuno, – dice un verso di Sandro Penna, – è nel suo cuore un immortale». Contro ogni coerenza formale, il romanzo d'appendice parla in uno stile da eroi e da dei, e si veste di linguaggio nobile, sublime, prezioso, antiquario, ricco e sontuoso come lo sono i costumi delle epopee e delle tragedie antiche. Un po' come si vedono in Rembrandt i poveracci di Amsterdam o le donne di casa abbigliate da profeti e profetesse, Danai e Betsabee cosparse di ori falsi, eroi col cimiero e il turbante da attori girovaghi. I personaggi di *Menzogna e sortilegio* stanno al proscenio e cantano come attori di melodramma, la loro anima è regale e augusta come le storie raccontate nei libri della biblioteca di Elisa o di Teodoro Massia. Ma il teatro stesso, che toglie un romanzo cosí novecentesco al suo secolo e gli regala la sua tinta fosca, un'aura barocca, la penombra e la tenebra di altri secoli, può cambiare di stile e gettare a un tratto la maschera. Ogni regalità si dissolve. Il palcoscenico si riempie di un riso severo e beffardo, silenzioso come il lazzo dei comici dell'arte. E le voci della tragedia si perdono sopraffatte, corrotte come da un sospetto di farsa.

5. Che *Menzogna e sortilegio* sia uscito dai filtri e dalle erbe di una fattucchiera, è ormai quasi un luogo comune. La concertazione

di stili opposti, sentiti come funzioni complementari, presiede a un invisibile processo di mistificazione. Ma piú interessante è adesso un'altra domanda. Fino a che punto la Morante era consapevole che il bisogno di truccarsi, cambiare vestito, mistificare e sofisticare gli elementi semplici del romanzo lasciandolo lí a cuocere a fuoco lento dentro la pentola riflette la piú spontanea delle vocazioni femminili? È piú facile che una romanziera si atteggi a strega, prima di riconoscersi come donna? In proposito, il capitolo non-scritto di *Menzogna e sortilegio* – le famose finte lettere di Anna – ci fornisce una pista. Ma ce la fornisce nel momento stesso in cui ce la toglie, con speciose e tortuose argomentazioni. Ho già detto che queste lettere sono censurate, ne abbiamo solo notizia indiretta. Per tutto l'arco di un lungo capitolo, la Morante si finge filologa, e butta sulle capaci spalle della sua alter-ego, Elisa, il compito di dibattere un'impervia problematica di *editor*. Elisa è piena di dubbi. Ha davanti agli occhi i manoscritti ingialliti e sgualciti della madre: una ventina di lettere scritte su fogli ordinari, in grafia un po' scolastica e con inchiostro di cattiva qualità. Pubblicarle o no? Censurarle o farle conoscere per fedeltà al patetico romanzo materno e alla sua «cronaca veritiera»? Il problema è la loro ambiguità. Le lettere non serbano nessuna traccia dell'emozione che davano quando la madre le leggeva ad alta voce nelle sale di palazzo Cerentano. Allora si udiva suonare – dice Elisa – «una rivelazione sibillina dei misteri cui mia madre era chiamata durante le sue veglie». Ma – continua Elisa – «dov'io spiavo il mistero e la malizia», ora, svanito l'incantesimo, si legge in quei fogli solo la noia mortifera e ripetitiva della follia. Ogni seduzione si è persa. Il volto di Anna, «preziosa fenice», ci ritorna imbruttito e stravolto: «un oggetto di miseria e di pietà».

Richiudere nel cassetto, piano piano, con delicatezza, delle lettere che erano state cosí roventi, e spargervi sopra un velo pietoso lasciandole solo intuire è certamente da parte della Morante un artificio narrativo di grande istinto e grande sapienza. Ma il discreto, laborioso processo di censura va seguito fino in fondo dal punto di vista di Elisa. È la pietà a vincere? O la scadente, volgare qualità dell'epistolario? Nelle lettere, dice Elisa, regna un'enfasi a buon mercato, «imitata dai romanzi a dispense». Lo spirito che le attraversa è «maligno, dissoluto e perverso». Tutto il carteggio spira «martirio, mortificazione e castigo». Lo stesso fatale cugino vi appare come un'ombra lamentosa e piangente, eternamente bisognosa di commiserazione. Solo il privilegio può consolarlo, solo l'esercizio del potere sentito come bisogno di profanazione e d'ingiustizia. Le città da cui scrive sono tutte uguali, un «mondo di notte» per il quale non ci sono parole. Uno specimen: «Oh, mia sposa, come descriverti questa metropoli indiana, tenebroso connubio di fasto e di degradazione...» La tetraggine e la crudeltà s'intensificano nella descrizione della futura casa nuziale, già preparata in vista dell'ormai prossimo ritorno: «una reggia, inventata dalla cupa malinconia germanica, costruita in luogo alto e inaccessibile», simile però «a una magione sotterranea». La casa ha tutti i muri *chiusi*. Nessuna uscita o comunicazione col di fuori. Niente luce naturale, però gran pompa di fiaccole, candelabri, lampadari. E saloni, aule, navate, alcove. Niente giardini, altane o terrazze. «Nessun luogo posto in cielo aperto». Gemme, pietre, diamanti, rubini, ma niente piante, fiori o animali. La sposa è una sacerdotessa cui vengono consigliate, «col linguaggio delicato e scrupoloso di un pio confessore», delle bassezze o vergogne, «come non fossero colpe, ma doveri, o, addirittura, meriti». E sacrifici «crudeli e astrusi» come ferirsi le palme o bruciarsi con un ferro da ricci le mammelle. Sacrifici non molto diversi da quelli che vengono compiuti per idolatria fra le tribú primitive.

Dov'era la virtú delle lettere? Dove quel magico Pensiero di felicità e di malizia, quel «Sire luminoso e screziato» che spadroneggiava come un prodigio alato per le stanze di palazzo Cerentano? Le lettere erano testi visitati da un incantesimo? testi drogati? prodotti da una scommessa col demonio come i lineamenti di Dorian Gray? Si pensa, naturalmente, alla caduta di ogni energia e ogni piacere di vivere in seguito all'abuso di droga. O al percorso fatale che compie il desiderio, secondo la descrizione che ne ha data una volta per sempre la poesia di Penna: il desiderio che fa sfavillare il mondo, prima che il dio ci abbandoni. Ma nella Morante c'è qualcosa di piú. Non è la voragine di tristezza e di *vanitas* in cui può sprofondare la nostra anima, una volta separata dai sogni e dalla vivacità della carne, a spingere Elisa a censurare le lettere. Elisa ha un sospetto: dietro la tragedia di Anna, dietro il mistero tenebroso della madre, che ci sia, perverso fin che si vuole, un romanzo per signorine? il *Segretario ga-*

lante? Tutto il castello di favole su cui si regge *Menzogna e sortilegio* crollerebbe sollevando un fungo di polvere. Ma, d'altra parte, la censura va dritta al cuore del romanzo. Che cosa si cela in quelle lettere? Cercherò di spiegarlo con un ricordo personale, e con l'autorità di una sensazione.

Molti anni fa, ero in partenza, un giorno come tanti altri, dalla città dove sono nato. Uscito di casa, mi ero avviato alla stazione facendo un lungo giro. Avevo preso tempo, il treno sarebbe partito di lí a un'ora. Cosí passeggiavo per il lungomare, guardavo le botteghe, i caffè, salutavo qualche passante, sotto il sole forte e caldo che intiepidiva una gelida giornata di tramontana. Tutto era limpido, tutto invitava a godere dello spettacolo, anche il chiosco dei giornali sfavillante sull'orlo appena buio della grande piazza d'Azeglio folta di lecci. Mi avvicinai per leggere i titoli, attirato, come al solito, dai carrelli dei libri intorno all'edicola. Non so perché, in quel ritaglio di tempo, mi fermai con curiosità su certe confezioni tipo Harmony, su certi libri erotici di genere porno-dolciastro e sui romanzi rosa di Liala o simili, i cui titoli avevo sempre letto distrattamente. Libri di questo genere ne ho avuti tra le mani da bambino. L'ultima delle mie sorelle (ne ho avute cinque) leggeva di nascosto i romanzi della Delly: di nascosto, perché i romanzi della Delly erano dileggiati dalle sorelle maggiori, le quali li avevano già divorati da un pezzo. Bene, a un tratto decisi di dedicarmi alla lettura con zelo professionale. Avevo tempo. In piedi, cominciai a leggere saltando le pagine, sempre piú invaso da una curiosità insipida, ottusa e leggera come l'effetto di un tranquillante. La mancanza di luce naturale, i muri *chiusi*, l'aura inviolabile e sacra del rito erotico, i dialoghi come dentro una cuffia, la realtà riferita «in sogno», lo scenario artificiale mi ricordavano qualcosa che non riuscivo a decifrare. Guardai l'orologio, avevo letto un terzo, che dico, una metà del libro. Ero sicuro che avrei perso il treno. Ma no: le lancette erano piú o meno nella stessa posizione. La lettura era durata sí e no tre o quattro minuti. Fu questo stupore a risvegliare la memoria: Sade, i libri di Sade. Non sono uno specialista, ma ho letto tutto Sade e l'ho letto non solo con turbamento ma spesso in erezione. Ne conosco bene la droga e le tecniche. Risparmio al lettore le concordanze tra lo scenario rosa che avevo sotto gli occhi e il tetro, perverso immaginario sadiano, anche perché esse si trovano sottilmente dichiarate dalla Morante nella diagnosi delle lettere scritte da Anna a se stessa. Alle molte fonti settecentesche di *Menzogna e sortilegio*, generalmente inventate, ne andrà aggiunta un'altra che ha il vantaggio di essere denunciata o comunque indicata dalla stessa Morante attraverso un'estesa e elegante criptocitazione. Ma non è questa l'importanza delle finte lettere. Nel contaminare l'immaginario sadiano con quello dei romanzi per signorine, la Morante ha creato un campione di letteratura nonscritta dove si celebra la profonda correlazione, a livello di rappresentazione inconscia, tra immagini di pornografia nera e pornografia rosa. Su questa correlazione, che forse abita nelle viscere femminili in forma di sempre saputa e sempre rimossa identità, la Morante ha voluto che Elisa stendesse il suo velo pietoso.

6. A volte mi rivolgo su *Menzogna e sortilegio* delle domande futili, psicologiche, come se le potrebbe fare un lettore adolescente. Mi chiedo, per esempio, quale rapporto intrattenga il romanzo di Anna, Cesira, Concetta, Rosaria, Augusta, Alessandra con la figura femminile nella sua totalità. Gli uomini di *Menzogna e sortilegio* sono poveri esseri umiliati e avviliti. Le donne o sono pazze e malvagie, o sono delle povere di spirito. Una puttana di buon cuore non basta a redimere la categoria. Ricordo che negli ultimi anni della Morante, e poi negli ultimi anni della vita di Natalia Ginzburg, mi meravigliava il giudizio sul proprio sesso che a volte sentivo affiorare nelle loro parole. Queste due grandi donne erano giunte a sospettare e a diffidare della natura femminile e a contemplarla con una certa sazietà e forse insofferenza. La Ginzburg con uno sforzo di compassione, la Morante con derisoria animosità. E mi chiedo se *Menzogna e sortilegio* non sia un romanzo misogino. Ma non voglio pronunciarmi. Ho già troppo introdotto questo romanzo. Il lettore si pronunci da sé. Decida lui.

CESARE GARBOLI

14 luglio 1994.

Menzogna e sortilegio

Dedica per Anna

ovvero

Alla Favola

Di te, Finzione, mi cingo,
fatua veste.
Ti lavoro con l'auree piume
che vestí prima d'esser fuoco
la mia grande stagione defunta
per mutarmi in fenice lucente!

L'ago è rovente, la tela è fumo.
Consunta fra i suoi cerchi d'oro
giace la vanesia mano
pur se al gioco di *m'ama non m'ama*
la risposta celeste
mi fingo.

Introduzione alla Storia della mia famiglia

Capitolo primo

Una sepolta viva e una donna perduta.

Son già due mesi che la mia madre adottiva, la mia sola amica e protettrice, è morta. Quando, rimasta orfana dei miei genitori, fui da lei raccolta e adottata, entravo appena nella fanciullezza; da allora (piú di quindici anni fa), avevamo sempre vissuto insieme.

La nuova luttuosa ormai s'è sparsa per l'intera cerchia delle sue conoscenze; e, cessate ormai da tempo le casuali visite di qualche ignaro che, durante i primi giorni, veniva ancora a cercar di lei, nessuno sale piú a questo vecchio appartamento, dove sono rimasta io sola. Non piú d'una settimana dopo i funerali, anche la nostra unica domestica, da poco assunta al nostro servizio, si licenziò con una scusa, mal sopportando, immagino, il deserto e il silenzio delle nostre mura, già use alla società e al frastuono. Ed io, sebbene l'eredità della mia protettrice mi consenta di vivere con qualche agio, non desidero provvedermi di nuova servitú. Da varie settimane, dunque, vivo rinchiusa qua dentro, senza vedere alcun viso umano, fuor di quello della portinaia, incaricata di recarmi le spese; e del mio, riflesso nei molti specchi della mia dimora.

Talora, mentre m'aggiro per le stanze, in ozio, il mio riflesso mi si fa incontro a tradimento; io sussulto, al vedere una forma muoversi in queste funebri acque solitarie, e poi, quando mi riconosco, resto immobile a fissar me stessa, come se mirassi una medusa. Guardo la gracile, nervosa persona infagottata nel solito abito rossigno (non mi curo di portare il lutto), le nere trecce torreggianti sul suo capo in una foggia antiquata e negligente, il suo volto patito, dalla pelle alquanto scura, e gli occhi grandi e accesi, che paion sempre aspettare incanti e apparizioni. E mi domando: «Chi è questa donna? Chi è questa Elisa?» Non di rado, come solevo già da bambina, torco la vista dal vetro, nella speranza di vedervi rispecchiata, appena lo ri-

11

guardi, una tutt'altra me stessa; ché, scomparsa la mia seconda madre, la sola cui piacque di lodarmi, e perfino di giudicarmi bella, rinasce in me, e si rafforza ogni giorno, l'antica avversione per la mia propria figura.

Tuttavia, devo riconoscere che questa figura familiare, benché poco amabile, non ha un'apparenza scostumata o disonesta. Il fuoco dei suoi occhi, neri come quelli d'una mulatta, non ha nulla di mondano: esso ha talora la vivacità irrequieta che può ritrovarsi negli occhi d'un ragazzo selvatico, e talora la mistica fermezza dei contemplanti. Questa goffa creatura che ha nome Elisa può sembrare a momenti una vecchia fanciulla, a momenti una bambina cresciuta male; ma in ogni suo tratto, non si può negarlo, essa esprime la timidezza, la solitudine e l'altèra castità.

Ora, un visitatore sconosciuto che entrasse in queste stanze noterebbe certo, non senza meraviglia, un curioso contrasto fra la mia persona e il mio alloggio. Mi risparmio di descrivervi questa fiera del pessimo gusto e della vergogna; questi mobili stipati, gonfie e dozzinali imitazioni degli stili piú diversi; e le tappezzerie chiassose e sporche, i cuscini, i fantocci pretenziosi e le rigatterie; le fotografie ritoccate all'acquerello, e nere di polvere, accompagnate spesso da dediche triviali; e le stampe e statuine le cui figure e atteggiamenti sono spesso tali da fare arrossire ogni persona onorata che vi posi lo sguardo (nel caso inverosimile che una persona di tal sorta càpiti qui). In verità, la defunta proprietaria e arredatrice di questo alloggio non sembra darsi la pena di nascondere, ma ostentare, piuttosto, la propria vita svergognata, e proclamare per tutte queste sue stanze, con vanto e frastuono, d'essere stata quel che nei nostri paesi chiamano una *mala femmina*. Tale fu, invero, la mia seconda madre: tale essa fu dalla sua prima giovinezza fino alla morte, che la colse nella sua maturità fiorente, all'età di quarantaquattro anni. Ed io non ignoro, purtroppo, che queste stanzette ora abbandonate e luttuose videro, durante i lunghi anni ch'ella le abitò, quanto basterebbe per dannare all'inferno mille donne, non una.

Detto ciò, potrà sembrare ancor piú strano, e quasi incredibile, che, sotto questo medesimo tetto, colei che scrive abbia vissuto, dal giorno che vi fu accolta bambina fino ad oggi, un'esistenza altrettanto ritirata e casta che se fosse stata in un convento di clausura. E la mia madre adottiva, pur non risparmiandomi talvolta le sue beffe (bonarie quasi sempre, ma in qualche occasione crude e brutali), tuttavia rispettò le mie consuetudini e non permise a nessuno di turbarle. Veramente, sui primi tempi della nostra vita comune, ella aveva cercato di

12

guarirmi della mia selvatichezza e modestia. Quasi subito, non sopportando di vedersi intorno colori cupi e smorti, m'aveva tolto gli abiti a lutto, e, giudicandomi troppo pallida, usava talora di ravvivarmi con un poco di belletto le guance. Mutò inoltre la mia pettinatura, sciogliendo i miei folti capelli, ch'io portavo stretti in due trecce; e acquistò per me dai chincaglieri varî anellini, collane e fermagli falsi, e un paio d'orecchini, falsi pur essi, che soleva appendermi agli orecchi per mezzo di due fili di seta, avendo mia madre trascurato, alla mia nascita, di farmi forare i lobi. Cosí, dopo avermi pettinata, agghindata, e un pochino dipinta, ella mi chiamava nel salotto, se c'eran visite, per mostrarmi alle signore sue amiche. Ed io, per ubbidienza, mi presentavo tosto, palpitante e muta: simile, nella mia grande crespa capigliatura, a una bestiola dalle membra minute, irrisorie, e dall'enorme pelliccia, avvezza a climi barbarici. I presenti, ricordo, commentavano con risa e motteggi la mia scontrosità; ma non infierivano mai troppo contro di me, pur avendone forse gran voglia, poiché sapevano bene con qual violenza, e addirittura ferocia, la mia protettrice sapeva difendere ciò che le apparteneva. Nonostante la loro moderazione, però, ai loro scherzi io mi facevo di fuoco; e i miei sguardi sperduti e timidi cercavan quelli della mia protettrice, fra le cui vesti mi rifugiavo tremando tutta, come avessi la febbre.

Simili scene, ripeto, potevan darsi nei primi tempi; ma poi la mia protettrice finí con l'abbandonarmi ai miei umori meditativi e solitari, e rinunciò a contrastare le mie inclinazioni, le quali erano, d'altronde, per lei, mia ospite, le meno importune del mondo. Via via, le mie comparse in mezzo alla sua società divennero sempre piú rare e fugaci, e i frequentatori della casa non si occuparono piú della mia persona e della mia esistenza quasi invisibile. Considerandomi, suppongo, una ragazza un po' folle, inoffensiva, che la padrona teneva in casa per un suo capriccio, come altri alleva una malinconica civetta, o una tartaruga.

Cosí, dei personaggi senza numero che si aggirarono intorno a me per questa casa durante i trascorsi anni, delle loro feste e litigi e scenate, e delle signore in curiosi costumi, e di tanto gesticolare, e chiasso e vocío, m'è rimasto nella memoria un quadro imbrogliato, stravagante e convulso, privo di significato alcuno. Non troppo diverso, io credo, apparirà un teatro coi suoi scenari e maschere e luminarie, e attori e ballerini, a una scimmietta, o ad un cagnòlo, o magari ad un timido coniglio che deva, secondo i dettami del copione, sostenere in una scena un còmpito di fugace comparsa.

Qui, il mio lettore vorrà sapere che sorta di casi m'abbia condotta a trovar rifugio fra queste mura: e a ciò si darà risposta nel corso della presente storia. Ma lo stesso lettore, immagino, domanderà, non senza qualche ironia: come mai, dunque, una fanciulla tanto schiva e virtuosa, poté, giunta all'età della ragione, rimanere ospite di una dama tanto indegna, e accettare i suoi benefici? non basta: come può essa accettare di vivere, ancora oggi, con l'eredità di denari cosí mal guadagnati?

A simili domande, io non so dare alcuna risposta che mi giustifichi. Riconosco la mia ignavia passata e presente, contro la quale nessuna scusa da me addotta potrebbe valermi il perdono; e altro non posso fare che tentar di spiegarla descrivendo i miei giorni e il mio carattere. Ma peraltro non ignoro che la mia spiegazione non varrà certo a farmi assolvere: piuttosto a confermare la mia condanna.

Ebbene: io non cerco il perdono e non spero nell'altrui simpatia. Ciò ch'io voglio, è soltanto la mia propria sincerità.

Senza pretendere ad altro merito, incomincerò col dirvi che la mia madre adottiva fu, dopo la mia madre vera, la persona da me piú amata. Or il mio cuore potrebbe rassomigliarsi a quegli antichi Principati in cui per il popolo vigeva una diversa legge che per i Grandi: sí che questi erano in certo modo inattaccabili non soltanto dal castigo, ma addirittura dalla colpa. E quelle medesime azioni che agli umili eran delitto, eran lecite e giuste ad essi.

Insomma, io non ebbi mai da perdonare alle persone amate i loro vizi, perché non vidi mai nessun vizio in loro. Nella loro sostanza luminosa, come nel fuoco, i medesimi peccati che odiavo in altri perdevano la propria forma, consumandosi in fervore e purezza; e la vita dell'amato era ai miei occhi un altèro splendore. Cosí i delitti della mia protettrice perdevano il lor significato delittuoso; e alle infamie di lei non davo il nome d'infamie. Se udivo qualcuno, in un alterco, gridarle il nome ch'ella purtroppo meritava, io me ne sdegnavo come d'un'empietà; e in simile mia stoltezza non farà meraviglia ch'io non abbia mai tentato, e neppur vagheggiato, una redenzione, utopistica peraltro, della mia benefattrice. Aggiungo che ancora oggi, mentre la mia ragione mi suggerisce l'esatto giudizio sulla defunta, io seguito, mio malgrado, a vederla nella forma innocente e radiosa che le prestai finché fu viva. E nel momento stesso che affermo: « di certo è dannata », provo una specie d'arguta esultanza; come se la mia affermazione fosse uno scherzo, e, in segreto, io non dubitassi che la mia ridanciana, sontuosa defunta siede in Paradiso; né può dimorare altrove. Questa è, in realtà, l'estrema prova della mia stoltezza, e s'aggiunge alle mie colpe. Sospettare mio complice il Cielo! e pretendere ch'esso

14

adegui la propria giustizia ai miei privilegi e glorifichi gli amori della sciocca Elisa!

La mia protettrice, da parte sua, m'amava anch'ella d'un tenero affetto: il quale, come piú tardi vedremo, era nato in lei durante una tragica estate della mia fanciullezza; e durò fino alla sua morte. Difatti, pur essendo per inclinazione e gusto suoi propri (non per nequizia della società o del destino), un'avventuriera dissoluta, ella si serbava tuttavia costante e devota nei suoi veri sentimenti. Era questa la piú amabile contraddizione del suo carattere; ma s'intende che, malgrado il suo affetto, ella, per i suoi passatempi molteplici e intricati, poteva concedermi soltanto una piccolissima parte delle sue giornate e delle sue attenzioni.

Ciò mi fu causa, durante la fanciullezza, d'amaro dispetto e tormento. Onde non posso dire, in tutta sincerità, di non aver detestato nella giusta misura le dissipazioni della mia diletta; soltanto, quel che odiavo in esse non era la rovina della sua anima, ma la mia gelosia.

Tale gelosia rafforzò la mia inclinazione alla solitudine; e in questa io trovai cosí valida medicina e ristoro che da ultimo ero giunta, pur amando la mia protettrice, a rifuggire spesso da lei. Preferendo la sua presenza immaginaria (trasfigurata e domata dalla mia immaginazione secondo i miei desiderî), alla sua presenza carnale.

Ed eccomi appunto a spiegarvi la piú segreta ragione della mia ignavia: che è poi, si potrebbe affermare, anche la ragione di questo libro, e dei molti personaggi che si muovono in esso.

Santi, Sultani e Gran Capitani in camera mia.

(S'annuncia il misterioso Alvaro).

Le poche stanze che compongono il nostro appartamento dànno, tutte meno una, su un lungo corridoio: il quale da ultimo piega ad angolo retto e finisce in un piccolo vano celato da una tenda di velluto e contenente valige accatastate, vecchi lumi inservibili ed altri oggetti di scarto. Da un lato di questo ripostiglio s'apre l'uscio d'una cameretta che veniva riservata un tempo alla domestica, ma alla mia venuta qui fu allestita per mio uso, e la domestica relegata in cucina. In quell'occasione, la mia protettrice vi apportò varî abbellimenti che posson vedersi ancora oggi: quali il parato di carta turchina e oro, e l'acquasantiera (in forma d'aureo colombo con le ali aperte e il capo raggiato), ch'ella medesima riforniva assiduamente, al pari della sua propria, d'acqua benedetta. Da allora (quindici anni fa), questa fu e rimase la mia camera, e lo è tuttora.

La congerie d'oggetti che ingombra il ripostiglio ostruisce quasi, a somiglianza d'una barricata, l'accesso alla cameretta, di cui l'uscio può aprirsi soltanto a mezzo. E quest'uscio, e la tenda pesante del mio minuscolo vestibolo attutiscono alquanto ai miei orecchi i rumori delle altre stanze.

L'unica finestra della cameretta dà su un cortile; non, però, sul cortile principale del casamento, vasto e chiassoso, ma su una stretta corte secondaria, per dove non passa quasi nessuno. Il casamento s'innalza per dieci piani, e in questa corte, chiusa fra quattro altissimi muri di cemento, come una sorta di torre scoperta in cima, il sole non entra mai, per nessuna ora o stagione; sul suolo, fra le pietre sparse d'immondizie, spunta un'erba scolorita.

Oltre alla mia, s'affacciano sulla corte poche e rade finestre, donde s'ode il canto malinconico di qualche povera serva di paese che si sporge talora a battere un tappeto, e, la domenica, appende un suo

16

piccolo specchio all'impannata per mirarsi mentre s'acconcia i capelli. Un verdone in gabbia, ospite d'una casa senza sole, viene talora esposto fuor del davanzale all'aria della corte, sulla cui cima scoperchiata, e quasi vertiginosa, s'incrociano rondini stridenti. E, da stanze remote, rauche voci di grammofono giungono talora fino a me.

In questa cameretta io ho consumato, quasi sepolta, la maggior parte del tempo che ho vissuto in questa casa. In compagnia dei miei libri e di me stessa, come un monaco meditativo: straniera a tutto quanto avveniva nelle prossime stanze, priva d'ogni società e passatempo e immune dalle frivolezze che non risparmiano, per solito, neppure le fanciulle piú semplici. Ma non si deve credere, perciò, che questa camera solitaria sia stata il rifugio d'una santa: piuttosto d'una strega.

E davvero, oggi, mi par l'effetto d'una stregoneria la velocità del tempo che ho vissuto qui rinchiusa: tre lustri interi son corsi via con un moto cosí rapido che, a ripensarli, mi sembrano un unico giorno. Anzi, un'ora ferma di pomeriggio estivo, nella luce senza sole che fuori è bianca, riverberando sui muri di calce del cortile; e dentro, riflessa dal colore del parato, ha un cupo tono elettrico. Solo mio compagno, dentro la stanza, è Alvaro, il quale è una creatura vivente, sí, ma non umana (altro di costui non voglio dirvi, per ora, né che cosa, né chi sia, riserbandovi la spiegazione del mistero, come nei romanzi polizieschi, alla fine del volume).

Ma siccome, per gli uomini, la compagnia d'un Alvaro non conta, io sono, in breve, sola. Odo a momenti il canto del verdone, a cui risponde la povera serva di paese, e dalle stanze vicine mi arrivano echi attutiti; ma anche simili voci non contano: intorno a me c'è silenzio.

In realtà, la mia vita (intendendo con la parola *vita* quelle prove, incontri ed eventi che compongono l'esperienza d'ognuno), la mia vita s'arresta al giorno che mi vide, bambina di dieci anni, entrar qui per la prima volta. Ero convalescente d'una malattia mortale, e la mia venuta in questa casa era la conclusione d'avventure luttuose, e quanto mai bizzarre per una ragazzetta. L'estate era sul declino; ma io, fatta sensibile e morbosa da straordinarie commozioni, tendevo ancora ogni mio pensiero, come bandiera che proceda contro vento, verso la torrida stagione che mi lasciavo indietro, e che aveva stravolto la mia fanciullezza, e mutato la mia sorte. Ancora oggi, in certo modo, io sono rimasta ferma a quella fanciullesca estate: intorno a cui la mia anima ha continuato a girare e a battere senza tregua, come un insetto intorno a una lampada accecante.

17

Fu in quell'estate ch'io rimasi orfana d'entrambi i miei genitori. La loro fine inattesa e rapida, che li aveva còlti, l'uno e l'altra, in età di circa trent'anni, mi lasciava sola e senza risorse. Ma vedremo a suo luogo le circostanze della loro fine: qui devo dirvi soltanto ch'essa mi avvinse ai miei genitori con assai piú forza che se questi fossero rimasti in vita. Inoltre, seguí ad essa, in me, una crudele trasformazione. Ero stata, prima d'allora, una fanciulletta savia, accorta, e perfino pedante; ed ecco, fui visitata da spiriti stravaganti e perversi, e accerchiata da vapori lunari. Ero stata, benché timida e ombrosa per natura, amica dei miei simili; e divenni una sorta di monaca romita, indemoniata e pazza.

Questo mio cambiamento non fu improvviso, ma procedette adagio, e con molta amarezza, come una malattia di consunzione. E origine di tutto ciò fu l'eredità lasciatami dai miei genitori: un'eredità impalpabile, ma molteplice; e, se non m'inganno, inesauribile, giacché, nello stesso tempo che la consumo, io consumo me stessa.

Prima di tutto, i miei genitori mi lasciavano un enigma. La loro morte era stata preceduta da alcune circostanze che, pur non essendo, invero, a riguardarle con mente adulta, né straordinarie né favolose, tali erano apparse a me bambina. La vicenda della mia famiglia, col passar degli anni, rimaneva per me indecifrabile, e certi documenti e testimonianze, da me conservati, non me la spiegavano, ma la rendevano anzi piú arcana, poiché offrivano un ricco lavoro alla fantasia. La fugace apparizione dei miei genitori, durata per me quanto durò l'infanzia, era stata d'una specie tanto conturbante che, in seguito, la mia memoria trasformò il loro dramma piccolo-borghese in una leggenda. E, come avviene ai popoli senza storia, su questa leggenda io mi esalto.

La seconda eredità lasciatami dai miei fu una singolare qualità di paura. Bisogna sapere che io, per mia sorte, fui sempre di quelli che s'innamorano in modo eccessivo e inguaribile, e dei quali nessuno mai s'innamora. Mia madre era stato il primo, e il piú grave, dei miei amori infelici; e, in virtú di lei, fin dalla mia prima infanzia io conoscevo le piú amare prove degli innamorati negletti. Avevo sempre, tuttavia, sostenuto coraggiosamente ogni prova della mia sorte, poiché, pur nelle piú crudeli, m'era tuttavia concessa una speranza. La fine di qualsiasi speranza, ecco la prova che non avevo ancor conosciuta, allorché mia madre morí. Incapace di credere alla severa indifferenza dei morti, per gran tempo ancora io m'attendevo di riveder mia madre, e mi ripromettevo la sua fredda compagnia, la sua perfidia. Ma niente, neppure lo strazio dell'amore infelice m'era piú concesso; niente, ella mi negava pure il suo disdegno, sfuggiva fino alla mia speranza piú esigua, estrema. Questa feroce esperienza, mai prima concepita, mi rese la piú debole e servile delle creature, tale che, ripensandoci, avrei voglia di ridere, se non provassi una certa pietà. Ero ridotta simile a una invalida, la cui ferita, non chiusa, ad ogni urto ricomincia a sanguinare.

Al primo, pungente senso d'amore ch'io provassi per uno del mio prossimo, lo sterminato paesaggio del dolore amoroso, fino all'ultima voragine della morte, mi si apriva davanti; e da esso, come da un feudo, si misurava per me il potere dell'amato. Da questo momento, io avevo un padrone, il quale poteva soddisfare su di me, quanto gli piacesse, il gusto del comando. M'avvenne cosí, ricordo, durante il primo autunno seguíto all'estate famosa, d'ubbidire come una serva agli ordini d'una insipida e petulante scolaretta, mia compagna di scuola, sol perché i miei occhi l'avevan giudicata al primo sguardo la piú bella della nostra classe. E fu durante quello stesso autunno che, imbattutami un giorno, per la strada, nel mio professore prediletto, il quale, distratto, non s'avvide di me, io lo seguii dappresso per molti metri, affannosa per adeguarmi ai suoi passi, come un piccolo pertinace accattone. Mendicando in silenzio, con gli occhi supplici levati verso di lui, un suo frettoloso saluto.

Ma la coscienza d'un potere illimitato, come tutti sanno, può svegliare il gusto della crudeltà nei sovrani meno crudeli. La crudeltà del prossimo nei miei confronti era una conseguenza inevitabile della mia schiavitú; e io, dalla mia parte, ero diventata invece cosí sensibile che una parola sgarbata bastava a farmi piangere, una piccola offesa mi feriva come un grave oltraggio; e potevo anche ammalarmi, se maltrattata.

Un giorno, invitata a una festa di bambini della mia stessa età, ne fui ricondotta a casa piangente, e cosí sconvolta da averne poi la febbre. E ciò perché un minuscolo indiano, ch'io non conoscevo affatto, ma che avevo subito preferito a tutte le altre maschere per il suo splendido costume, s'era involato nella danza, quasi al mio primo entrar nella sala, fra le braccia d'una spagnola.

In breve, gli incontri piú casuali, i piú insignificanti colloqui, diventavano per me eventi drammatici. Fu cosí che si sviluppò nel mio cuore una costante paura dei miei simili: o meglio, non precisamente di loro stessi, ma delle mie proprie passioni per loro, e della vendetta ch'essi prenderebbero su di me per queste mie passioni. La mia timida apprensione finí col vedere in essi non piú la loro persona reale, ma l'immagine del loro potere su di me, e della mia sofferenza. Per esempio, come già vi dissi, la cara persona della mia madre adottiva mi si travestí con le sembianze crudeli della mia gelosia.

19

Fu cosí che, sulle soglie appena dell'adolescenza, per troppo amore io diventai misantropa. Se la necessità mi conduceva fra i miei simili, io passavo nella loro società come un cerbiatto appena svezzato in mezzo a una muta di cani: tanto la nuova paura mi aveva resa vile e fantastica.

Per tali motivi, ben presto la mia protettrice dovette rinunciare alla sua ambizione di farmi continuare gli studi. E d'altra parte, vedendomi sempre sui libri, ella non dubitava, nella sua ignoranza, ch'io sarei diventata una grande sapiente anche senza maestri.

Ma chi fugge per amore non può trovar quiete nella solitudine; e si può intendere facilmente quanto, in simile stato, io fossi infelice. Perennemente contesa fra le nostalgie, le tentazioni, le paure, assediata da ombre e da sospetti inverosimili, io passavo le mie giornate nella noia e nel pianto.

Ma ecco, via via che mi facevo piú grande, la compagnia del mio prossimo, da me fuggita a mio proprio dispetto, si spogliò per me d'ogni attrattiva. M'accadeva di partecipare sempre meno alla vita che si svolgeva intorno a me, e perfino sotto i miei occhi. Se mi trovavo in società, le voci dei circostanti mi giungevano come echi, le loro fisionomie come riflessi, e tutto quanto era presente e reale mi sembrava passato da gran tempo, e lontano nello spazio, e senza nesso alcuno con la mia persona. Il mio tempo e il mio spazio, e la sola realtà che m'apparteneva, eran confinati nella mia piccola camera.

Io ero, difatti, venuta in possesso dell'ultima e piú importante eredità lasciatami dai miei genitori: la menzogna, ch'essi m'avevano trasmessa come un morbo. Veramente, i loro casi funesti, che nell'infanzia m'avevano tanto turbata, erano i piú adatti a immunizzarmi dal nostro morbo ereditario. Essi mi mostravano, infatti, la disumana, solitaria fine riserbata a chi rifiuta la sorte assegnatagli in questa vita; e si finge uno scenario e una compagnia di menzogne, eleggendole a sua sola verità. E partecipa ad esse, come un demente condotto a teatro, il quale si spaventa alla tragedia rappresentata, e urla vedendo la primadonna trafitta, e vuol precipitarsi sulla ribalta ad uccidere il tiranno. Ma il povero folle ha per sua giustificazione, se non altro, la propria inesperienza di finzioni e di teatri, o, quanto meno, il non aver lui medesimo assistito o cooperato all'allestimento dell'inganno. Mentre colui del quale io parlo adora e crede vere delle maschere fabbricate da lui stesso; e per esse rinnega la propria esperienza terrena, e quindi anche il fine celeste, cui questa è mezzo.

La sorte dei miei genitori, dico, poteva servirmi d'ammonimento. Ma il loro esempio non poté nulla contro la nostra disposizione nativa.

Il male velenoso della menzogna serpeggia per i rami della mia famiglia, sia paterna che materna. Esso vi apparirà sotto molti aspetti, evidenti o larvati, in diversi personaggi della presente storia, e voi non dovrete addebitarlo a vizio della medesima, essendo questa appunto intesa a raccogliere le testimonianze veritiere della nostra antica follia.

Tuttavia, se ricerco fra i miei ascendenti toccati da un simile contagio, m'avvedo che per solito in loro esso prende una forma benigna. Quando non serve addirittura ai loro fini pratici, in molti casi la menzogna non è per loro che millanteria, pretesto, o dissipazione leggera. Ma anche nei casi piú seri, e perfino in quelli mortali, il malato, in fondo alla propria coscienza, non cessa dallo stimar la menzogna un surrogato della realtà. Certo, egli cambierebbe volentieri la propria favola con una realtà corretta secondo i suoi voti; e il suo patto con la menzogna gli sembra un'ingiustizia e una maledizione.

Ma farsi adoratori e monaci della menzogna! fare di questa la propria meditazione, la propria sapienza! rifiutare ogni prova, e non solo quelle dolorose, ma fin le occasioni di felicità, non riconoscendo nessuna felicità possibile fuori del non-vero! Ecco che cosa è stata l'esistenza per me! ed ecco perché mi vedete consunta e magra al pari dei ragazzetti mangiati dalle streghe di villaggio. Essi dalle streghe, e io dalle favole, pazze e ribalde fattucchiere.

E sebbene voi dobbiate aspettarvi, o lettori, di conoscere attraverso questo libro piú d'un personaggio contagiato dal nostro morbo fantastico, sappiate che il malato piú grave di tutti lo avete già conosciuto. Esso non è altri se non colei che qui scrive: son io, Elisa.

Or se può interessarvi un caso tanto grottesco, e inconcludente, cercherò di spiegarvi qual forma il nostro antico morbo ha preso in me.

Come vi dissi, in questa casa v'è un territorio nel quale mi fu sempre concesso di regnare indisturbata; vale a dire, la mia camera. A toglierne le immagini sacre, i ritratti e i libri, questa camera non è molto mutata dal giorno che vi entrai la prima volta. Chi la veda, può supporre ancora oggi ch'essa appartenga a una bambina ordinata, molto studiosa e amante della lettura. Soprattutto di quelle letture in cui l'esistenza terrestre non è descritta quale si mostra ogni giorno ai mortali assennati; bensí piena di prodigi, di stravaganze e di follia. Quasi che il petulante autore, simile piú ad un burattinaio ubriaco che ad un veggente, giudicasse insipido il Creato, e intendesse opporre il proprio dissonante scompiglio all'ordine musicale della natura.

La mia preferenza per libri cosiffatti appare evidente a chi esamini la mia biblioteca. Quasi tutte le opere che la compongono, benché nate in diversi climi, appartengono al genere fantastico: le pazze leggende dei Tedeschi vi prevalgono, insieme alla fiabesca malinconia scandinava, e alle felici epopee degli antichi, e agli amori orientali. Inoltre, vi troverai numerose vite di santi: nelle quali, però, sebbene io mi pretenda devota, ciò che mi piace non è la testimonianza del potere divino, manifestantesi attraverso un'umile creatura, per virtú della Grazia. No, quel che mi piace, mio malgrado, in esse, è una sorta di nefasta illusione che mi vince durante la lettura; e per la quale, dimenticandomi di Dio, che volle e operò quei beati prodigi, io finisco per attribuirne la gloria all'intermediario, vale a dire al solo uomo. Come se la volontà umana, senza la Grazia, potesse il miracolo, e una cieca fede nella propria anima vivente potesse sostituire la fede in Dio, vincendo la morte e ogni altra angoscia. In breve, a me quei libri edificanti non raccontano la vita d'un santo, ma d'un eroe. Non consolano il mio sgomento della realtà con una spiegazione celeste; ma con la presunzione che un uomo possa, volendo, regnare sui fenomeni che a me fan tanta paura. Da quest'ultima frase potrete intendere, almeno, che la mia follia non mi conduce fino alla speranza di potere io stessa, Elisa, compiere simili prove. Al contrario, io covo un acerbo disdegno verso la mia nullità, e proprio la mia convinzione d'esser nulla m'incoraggia a saziarmi dei trionfi altrui.

Di simile nutrimento io ho vissuto dalla mia fanciullezza fino ad oggi; ma, per saziarmi, non mi bastava la semplice lettura delle mie fole, la quale anzi mi lasciava tutta amara e insoddisfatta. Mi sentivo come un cantante fallito che in silenzio, nella sua camera solitaria, vada leggendo partiture d'opera; e fu di nuovo il genio della menzogna che venne in mio soccorso.

Dapprima (ero appena una ragazzetta ancora), il mio non parve che un gioco, o un dilettoso esercizio. Richiusi i miei libri, io mi compiacevo di architettare, nella fantasia, vicende e storie di mia propria fattura, modellate, s'intende, sulle mie favole predilette. Or sebbene le trame da me immaginate variassero secondo i miei umori quotidiani, i protagonisti di esse, invece, eran sempre simili l'uno all'altro (se non proprio uguali), e quasi congiunti da una stretta parentela. Naturalmente, si trattava sempre di re, condottieri, profeti, e gente, insomma, d'altissimo rango. Quando non vestivano un'armatura o un saio, i miei personaggi indossavano costumi d'insuperabile fasto, e quando non eran cinti d'aureola, per lo piú eran teste coronate. Ma sotto qualsiasi armatura, o divisa, o gala, si potevan riconoscere in loro sempre le medesime fattezze; che erano, precisamente, le fattezze a me familiari dei miei propri parenti, vivi o morti, e di coloro che, pur non essendo uniti a me da legami di sangue, avevan lasciato nel mio passato un

22

segno profondo, or d'amore or d'odio. Questo sapermi discendente o affine dei miei eroi mi faceva partecipe della loro gloria, sebbene io mi tenessi del tutto in ombra, e cioè la mia propria effige non apparisse mai, sotto nessuna veste, nelle mie immaginazioni. O impareggiabile prosapia! Mia madre fu una santa, mio padre un granduca in incognito, mio cugino Edoardo un ras dei deserti d'oltretomba, e mia zia Concetta una profetessa regina. Si fissarono cosí, in solenni aspetti a me familiari, le maschere delle mie futili tragedie. Ben presto, le mie fantasie persero il loro carattere frammentario e svagato; e nel segreto della mia mente io tramai di giorno in giorno una sorta di epopea la quale, pur nel complesso e intricato disegno, seguiva un unico filo e aveva a costanti protagonisti i suddetti eroi familiari. In tal modo, il mio interesse per il fantastico esercizio raddoppiò, e la mia stramba epopea (la quale come certi romanzi pubblicati a dispense, non giungeva mai a conclusione), la mia stramba epopea, dico, m'avvinse al punto che la sera, addormentandomi, io smaniavo di giunger presto alla mattina, per riprendere il filo dell'avventura interrotta.

Quanto alle gesta da me architettate, esse eran le meno originali, e le piú assurde e barbare che possan darsi nel loro genere; e non val certo la pena di parlarne. Vi basti sapere ch'esse si distinguevano per tracotanza e teatralità, e per uno sfoggio indescrivibile di feste e di trionfi. Già vi dissi che i miei genitori, morendo, m'avevan lasciato un enigma; e che, grazie a tale insoluto enigma, io potevo costruire mille fole al posto del loro dramma borghese. Or dunque, sepolta nella mia camera, io fantasticavo per i miei morti impossibili riscatti, miracolose resurrezioni; e mentre, secondo ogni evidenza, la loro fine era stata sotto il segno della sconfitta, adesso, in questa cameretta di servizio, essi ricevevano corone di vittoria dalla lor figlia Elisa.

Non occorre dirvi ch'io non comunicavo a nessun vivente le mie fantasie, che anzi ricevevano il loro maggior incanto, e veleno, proprio dall'esser segrete. E neppure fui tentata a imitare i miei prediletti scrittori fermando le mie visioni sulle carte; giacché la qualità piú nefasta e aberrante del mio fantasticare stava in ciò, ch'esso, a somiglianza d'una droga, mi privava d'ogni potere d'azione, gettandomi in una stupefazione estatica, durante la quale il tempo, e le leggi naturali non esistevano piú per me.

Chi m'avesse veduta immobile per intere giornate, gli occhi spalancati e sognanti, m'avrebbe potuta credere immersa in qualche celeste meditazione; e invece, come un bevitore maniaco, io giravo nella macchinosa tregenda delle mie bugie.

Bugie per qualsiasi cervello assennato; ma non per quello d'Elisa.

Infatti con l'andar del tempo, io credetti nelle mie favole come in una specie di Rivelazione, e i loro personaggi non furono piú, per me, delle ombre, ma quasi delle anime incarnate. La mia fede prestò sostanza e forma alla loro vacuità: essi affollarono la mia camera, e questo territorio angusto s'allargò senza limite, rifulse delle loro armi e ghirlande, rimbombò dei loro nomi titolati, ch'eran poi i *nostri* nomi. Dotata, quasi, di nuovi sensi immaginari, io vedevo le mie maschere combattere e amarsi dinanzi a me, rimiravo le loro bellezze, ascoltavo le lor voci modulate, mi deliziavo al loro grazioso incesso, e al loro superbo caracollare. Nei loro avventurosi giorni si bruciavano i miei, cosí poveri di storia; e in simile fanciullaggine m'esaltavo come nella preghiera.

Infine, alla guisa d'un asceta che si macera e si esilia per gustare la conversazione degli angeli, io rifuggii dai vivi, e non volli altri compagni che i fantastici morti.

Grazie alla mia menzogna, io potevo vendicarmi, adesso, dei miei amori non ricambiati, potevo saziare i miei segreti orgogli, neri e sotterranei come inferni. Solo le mie maschere, queste Hidalghe generose, erano al par di me, amare, e superbe nel vanto, e feroci nello sdegno. Esse erano le mie consanguinee e le mie uguali; e nessuna società era degna di me, fuorché la loro.

E la mia maggior gloria stava in ciò: che pur credendo in esse, e professandomi ipocritamente lor suddita e fedele, io mi presumevo la loro imperatrice, e quasi la loro dea, né dubitavo di stringere fra le mie dita il filo delle loro vite arroganti.

Ma quelle larve si vendicarono della mia presunzione, e fecero, nel tempo stesso, le vendette della ragione e della realtà sulla stolida Elisa.

Da compagne che m'erano state in principio, divennero le mie tiranne. M'inseguirono fin nel riposo, simili piú spesso a incubi che a sogni; e di giorno e di notte, tutte in giro come per un assedio, grandi, subdole, m'insinuarono senza tregua i loro intrighi, i loro inganni crudeli. In compenso d'avermi assunta al loro orgoglioso ceto, m'imposero la loro disciplina, sdegnosa d'ogni promiscuità. Se talora m'accadde, trovandomi in qualche ricevimento o ritrovo, di partecipare alla conversazione comune e, dimentica di me stessa, abbandonarmi un poco agli svaghi, agli interessi del mondo, ecco uno dei miei gelosi fantasmi apparirmi sulla porta. Simile ad un severo cerimoniere che richiami agli usi di corte una damigella sventata, quel Cavaliere dalla Trista Figura mi ghiacciava sulle labbra il riso e le parole. Grazie al suo potere stregato, subito i discorsi che udivo intorno mi parevano sterili, e i piú graziosi aspetti insipidi e grossolani, e la gente viva mi sembrava morta. Io non guardavo né ascoltavo piú nessuno, consumata dall'impazienza di tornare di là, nella mia camera, insieme al mio fantasma capriccioso: allo stesso modo che, in una folla d'ospiti estranei, gli amanti si cercano con gli occhi affrettando il momento di ritrovarsi soli, e già trasalgono al pensiero del prossimo abbraccio.

Dopo essersi fatte credere la mia consolazione, la mia festa e il mio riscatto di contro all'inquietante realtà, le mie maschere m'imposero la negazione d'ogni realtà, in cambio del loro mondo larvale. Esse mi liberarono, è vero, dalla mia antica, dolorosa passione per i miei simili; ma nel tempo stesso mi resero insensibile fino all'umana simpatia, fino alla carità. A tal punto che, Dio mi perdoni, io non ho pianto alla morte della mia madre adottiva; poiché, per me, essa era morta da tempo nei miei affetti, e, in luogo di lei vera, io amavo un suo fantastico Doppio, una signora senza corpo che frequentava la mia camera. La quale era identica a lei nell'aspetto, al par di lei gaia, esuberante e fastosa; ma era, a differenza di lei, fedele.

Capitolo terzo

Gli ultimi Cavalieri dalla Trista Figura.

Ma da quando, accompagnata la salma della mia protettrice al cimitero, io son tornata sola in questa casa, i miei tiranni mi si son rivelati traditori. La mia camera, già popolata dalle lor mille larve, ora è deserta; or ch'io son sola senza rimedio in questa casa della morte, essi m'abbandonano. E se li cerco, io credo di scorgere per la camera sconvolta, in luogo delle loro abbaglianti figure, flosce spoglie senza vita. Simili a costumi abbandonati in disordine dagli attori, alla fine dello spettacolo, in un retroscena d'infimo teatro. Questi eran dunque i miei trofei di gloria, i miei grandi amori? io mi ritrovo quale uno straccione ubriaco, che ritornando in senno dopo i propri delirî di grandezza, riconosce i cenci che lo coprono.

Or nel tempo stesso che le mie fantasie si disfanno, i miei sensi paion essersi bizzarramente acuiti. Mentre per tanti anni le cose presenti o prossime m'apparvero remote, e quasi spente, m'accade adesso, nel silenzio della mia camera, d'afferrare voci e rumori sonanti in qualche stanza lontana del palazzo, e fin d'ascoltare dialoghi d'invisibili casigliani, o di gente in crocchio nella strada. Questi dialoghi mi raggiungono attraverso porte e muri, e sebben trattino per lo piú d'argomenti insignificanti, acquistano nel mio cervello uno straordinario risalto.

Allorché la portinaia mi reca il pranzo, o la povera serva s'affaccia di fronte, odo fin l'impercettibile battito del loro cuore, e credo leggere i loro pensieri come fossero i miei stessi. Ogni mutamento dell'aria o della luce, il levarsi del vento, una pioggia improvvisa, il calare della notte, mi scuotono violentemente, come succede a certi ombrosi animali; e anche ad occhi chiusi, avverto il passaggio d'una nuvola sul mio capo.

Tutto ciò, lo so bene, non è segno ch'io possieda qualità soprannaturali: ma soltanto che i miei nervi sono malati. La notte soffro d'insonnia; ma il giorno seguente non avverto stanchezza. Al contrario, si direbbe che l'insonnia, quale un misterioso accordatore notturno, tenda i miei nervi, per farli meglio vibrare.

In queste notti di veglia, al posto dell'antica menzogna ho una nuova compagna: la memoria. Trascorro l'intera notte a ricordare eventi passati. Non soltanto il *mio* passato, e in particolare l'infanzia, e l'ultimo anno vissuto coi miei parenti, che ritrovo intatto e vivido come fosse di ieri; ma anche il *loro* passato, quello di mio padre e di mia madre, e della mia famiglia defunta. Non posso usare altro verbo che *ricordare*: infatti tutto ciò che ignoravo di loro mi si spiega naturalmente, e io ripercorro fin dal principio le loro vite come se tutte fossero episodi della mia. Allo stesso modo di chi, ridestatosi da un sonno letargico, ritrovi ad una ad una, dopo una breve incertezza, le circostanze della propria vita da sveglio.

Risorge la vecchia città meridionale dove nacqui, e vissi fino all'età di dieci anni. Le sue mura sono affumicate e grige per quanto il suo giorno è abbagliante, e non so ricordarla altrimenti che nel pieno sole meridiano. Gli abitanti, intimiditi dalla troppa luce, vestono per lo piú di nero, le donne del popolo non vanno a capo scoperto, ma s'avvolgono in fazzoletti e veli che nascondono talora perfino il loro volto. Dal quale i begli occhi, neri e fuggevoli, e sempre un po' diffidenti, vi guardano. Le signore vanesie, invece, escono in grandissima pompa, in gara coi nostri soli africani: sí che, al loro passaggio, la strada si tramuta in un teatro.

A momenti, questa città mi sembra una fossa dell'inferno, e a momenti, invece, un giardino del paradiso terrestre. E quantunque io sappia ch'essa non è caduta in polvere, ma sussiste intera, e che il suo nome è scritto sulla carta geografica del nostro paese, non so pensarla se non come una Tule irraggiungibile, fatta solo di memoria. Fra la sua folla, abitano eternamente i personaggi della mia parentela: spogli dei costumi fittizi che prestò loro la mia menzogna, essi vestono per lo piú abiti dimessi e consunti. Ecco la mia vera prosapia! Potrai conoscervi qualche affaccendato bottegaio; due o tre maestre di scuola dal cappello messo in fretta, dalle guance infiammate, dalla gola rauca; una madre di famiglia, sudicia, dal corpo deformato, dall'ardente viso cristiano; e un paio di pallidi impiegati in giacche d'alpaga nera. Non vi manca neppure una frotta di piccoli vagabondi, servi e facchini dei ricchi turisti; né qualche sottomesso, ipocrita contadino. Infine, come una schiera di pavoni in un campo selvatico, s'aggirano fra simile compagnia dei gran signori sgargianti.

Tale è l'oscura stirpe di Elisa: questi, e altri consimili, sono i parenti-eroi di cui saprete fra poco il nome e la storia. Ad uno ad uno io li riconosco tutti, e tutti, come fiamme, si riaccendono nella mia mente; ma quattro giganteggiano fra gli altri, come statue fra minuscoli passeggeri.

La prima è Anna, la mia madre vera, la quale, per certi suoi caratteri e per altri motivi che si vedranno, potrebbe chiamarsi « La notte ». Sulla sua piccola mano marmorea sfolgora un anello d'oro, adorno d'un diamante e d'un rubino. Riconosco questo anello, la cui doppia luce sfolgorò per molti anni nel mio ricordo come una lampada spettrale. L'ultima volta che lo vidi, avevo dieci anni, e, da allora, esso entrò nel novero dei fantasmi che lavorarono alla mia seduzione. Spesso, queste due pietre m'invitarono nella loro tana sotterranea, come i minerali sepolti invitano i cercatori: non offrendomi, però, la ricchezza, ma soltanto il sonno. Eppure, tal potere avevano di stregarmi, che non di rado avrei preferito le loro luci ad altre piú vere, e per la loro tomba avrei rinunciato al Paradiso.

La seconda è Rosaria, la mia madre adottiva, ch'io potrei chiamare « Il giorno »: anzitutto per la sua forma chiara e radiosa, e poi perché, scomparsa da poco, non ha ancor vestito sembianze d'ombra. Il terzo è « Il butterato », il cui volto, non fosser le cicatrici che lo deturpano, par quasi un oscuro riflesso del mio. Fra tutta questa folla di ritornanti, costui, certo, è il personaggio piú ispido e intrattabile.

Il quarto è « Il cugino », vero colpevole, e, potrei dire, inventore di tutta la nostra vicenda, e subdolo tessitore d'ogni nostro intrigo. Egli mi nasconde il volto, forse per vergogna d'avermi, in altri tempi, insidiata e schernita; o forse per qualche sua nuova malizia.

Al declinare della notte, io cado spesso in un sonno leggero; e nei sogni incontro le medesime persone e la medesima città dei miei ricordi. Molti di questi sogni si ripetono, con particolari quasi identici, per piú notti; ma allorché simile monotonia si rompe, e mi visita un sogno nuovo e diverso, io provo una straordinaria commozione.

Dal sonno mi riscuotono voci familiari che, accosto ai miei orecchi, col tono incalzante di quando, ai tempi della scuola, mi si svegliava alla mattina presto, chiamano: Elisa! Elisa! Ma al mio primo aprir gli occhi, mi par d'udire un debole strido di spavento e di intravvedere, nelle prime luci del giorno, una frotta di esseri effimeri che fuggono confusamente dalla stanza, come uno sciame di tignole all'aprirsi d'un armadio polveroso.

Io mi sento punger da un'angoscia sottile e perfida; e non di rado, piango sulla mia strana solitudine, e invoco i nomi delle persone che amavo.

Cosí mi agito nel mio letto, finché per il casamento s'odono le prime voci mattiniere, passi affrettati, sbatter di porte, e dalle strade giunge il fracasso dei primi autocarri e lo scampanellío delle biciclette che portano al lavoro gli operai.

Allora, come se il tempo della scuola fosse tornato, io, levatami dal letto, mi siedo al tavolino, e tendo l'orecchio all'impercettibile bisbiglio della mia memoria. La quale, recitando i miei ricordi e sogni della notte, mi detta le pagine della nostra cronaca passata; ed io, come una fedele segretaria, scrivo.

Tale, certo, è la volontà dei miei. Riconosco infatti, nell'insistente bisbiglio che ascolto, le loro molteplici voci, e questo libro m'è dettato, in realtà, da essi. Son essi che, in cerchio attorno a me, bisbigliano. S'io levo le pupille, dileguano; ma se, usando un poco d'astuzia, sogguardo appena intorno senza farmi scorgere, distinguo le loro figure strane e incerte; e vedo, nella sostanza trasparente dei loro volti, il movimento febbrile e ininterrotto delle loro lingue sottili.

Tale è la fonte della storia che m'accingo a narrarvi. La quale non tratta di gente illustre: soltanto d'una povera famiglia borghese; ma in compenso, per quanto bizzarra possa apparirvi qua e là, è veritiera dal principio alla fine.

Forse, ricostruendo cosí tutta la nostra vicenda vera, io potrò, finalmente, gettar da un canto l'enigma dei miei anni puerili, e ogni altra familiare leggenda. Forse, costoro son tornati a me per liberarmi dalle mie streghe, le favole; attribuendo a se medesimi, e a nessun altro, la colpa d'aver fatto ammalare di menzogna la savia Elisa, voglion guarirla.

Ecco perché ubbidisco alle lor voci, e scrivo: chi sa che col loro aiuto io non possa, finalmente, uscire da questa camera.

Ai personaggi

Voi, Morti, magnifici ospiti, m'accogliete
nelle vostre magioni regali,
i vostri miniati volumi
sfogliate graziosamente per me.

Lo so: io, donna sciocca e barbara,
non altro che suddita e ancella a voi sono.
Ma pure il nastro d'oro delle vostre
imprese, e arroganti amori,
orna la mia fronte servile
o Sultani infingardi.

Altro io non sono che pronuba ape
fra voi, fiori straordinari e occulti.
Ma sulle effimere mie elitre
pur vaga una traccia rimane
del vostro polline celeste.
E il vostro miele
è tutto mio!

PARTE PRIMA

L'erede normanno

Capitolo primo

Una città retriva.
Presentazione della mia famiglia.
La cena sulla neve.

Avanti d'incominciare a scrivere le mie cronache familiari mi sembra opportuno descrivervi la mia città, e presentarvi la mia famiglia, come la ritrovo nei primi ricordi della mia puerizia.

La mia città nativa, in cui si svolse tutta, o quasi, la vicenda del presente libro, giace in mezzo a una pianura interrotta da scarse colline, sterposa, e povera d'acque. Questa pianura sembra sterminata al viandante; ma a chi la percorra con mezzi veloci bastano due o tre ore di viaggio per trovare, se si procede verso settentrione, il mare, e se si procede verso il sud, delle montagne di mediocre altezza che sembrano però, a quella gente meridionale, vere grandi montagne; come pure veri montanari si considerano i loro abitanti, guardati con un certo sprezzo dalla gente di pianura.

La città ch'io dico, malgrado la sua vasta superficie e la popolazione numerosa, serba il costume e l'aspetto d'una città di provincia. E ciò si deve in parte all'indole degli abitanti, fedeli ad antiche superstizioni, e soggetti da secoli alla supremazia dei feudatari; e in parte alla posizione stessa della città, nel centro di campagne inaridite e avare, e lontana da ogni industria (vi si trova solo qualche cava di zolfo, o fabbrica di vetri). Nella città non sono molti i ricchi; e questi son tutti di casato antico, e devono la loro ricchezza alle grandi proprietà ereditate dagli avi. I loro feudi sono, per lo piú, lontani dalla città dov'essi vivono, e si estendono per terre e paesi abbracciando cosí largo spazio, che a qualche erede indolente avviene di conoscere i propri possessi soltanto di nome, o forse neppur di nome. Oltre a questi dominî patrizi, vi son quelli della Chiesa; e il clero divide coi grandi signori, che del resto gli sono, la piú parte, devoti, il rispetto cieco e mistico della poveraglia.

35

Le condizioni suddette, che han fermato, come suol dirsi, il cammino del tempo nella mia città, non si opposero, a quanto sembra, in altri secoli, al fiorire d'una civiltà ricca e severa. Ciò è testimoniato dalla parte piú antica della città, quélla che vien chiamata «città vecchia», e serba da un lato, ancora intatto, un tratto delle mura ond'era ricinta. Gli edifici che la compongono, la piú parte decaduti o trascurati, son costruiti nel marmo e nella pietra, di forma altèra, nobile, ma pesante e cupa anche nel fasto. Soltanto alcuni palazzetti patrizi, sorti, in epoca un poco piú tarda, verso il limite segnato dalle mura, son di uno stile piú leggiadro e fantastico, e, direi, piú profano.

Intorno alla città vecchia son sorti, in quest'ultimo secolo, quartieri piú moderni. Da una parte, verso oriente, là dove il lento elevarsi d'una collina rende l'aria piú fresca e aperta, si stende un signorile quartiere di ville, abitate da signori stanchi dei loro tetri palazzi, da prelati capricciosi o di salute cagionevole, e da forestieri romantici innamorati del mio triste mezzogiorno. Il quartiere è attraversato da viali di palme, di platani e di oleandri, e la sua linda tranquillità non è violata da nessuna bottega, o negozio, o traffico volgare. Esso si conchiude verso il lato di meridione coi giardini pubblici, che sorgono sul punto piú alto della collina, avendo al loro piede l'intera città. Questi giardini furono un tempo la villa privata d'una ricchissima dama straniera, la quale li lasciò in eredità alla cittadinanza, esigendo nel tempo stesso che la palazzina eretta in mezzo al parco, e da lei stessa abitata in vita, fosse trasformata in pubblico museo. Giardini e museo sono intitolati entrambi al nome della generosa donatrice, un nome straniero ch'io da bambina stentavo a pronunciare.

Dall'alto dei Giardini si vede il panorama dell'intera città, e si scorge pure, verso ponente, la via ferrata che s'inoltra nella campagna. Lungo la via ferrata si ammassano numerosi casamenti, la cui costruzione risale a meno d'un secolo fa, ma che appaiono tuttavia già cadenti nella loro squallida architettura. Essi furono costruiti con materiali economici, ad uso di piccoli borghesi, impiegati, operai, modesti bottegai della città. Son alti palazzoni popolati da centinaia di famiglie, e intersecati da straducce anguste e maltenute; quivi sorge la caserma dei soldati di stanza nella città, come pure varî uffici della polizia. Numerose vi si aprono le osterie, le taverne, e vi si trovano alcune case malfamate di cui sentii parlare da bambina con un tono di sacro odio. Fu questo il quartiere che ospitò Rosaria nella sua prima giovinezza, e quivi pure, non troppo lungi da lei, la mia nonna Cesira insieme a mia madre ancor fanciulla trascorse molti anni della casta sua vita.

Sul lato settentrionale della città, infine, sorge un quartiere non meno povero di quello ora descritto, ma piú moderno. Al tempo della mia infanzia, esso era ancora in via di formazione; molti dei suoi grossi caseggiati serbavano ancora odore d'intonaco, e nelle strade, abbastanza larghe, s'incontravano cumuli di mattoni, e pozzi di calce. Poco fuori dal portone di casa si trovavano i prati, dove giocavano con gran chiasso i figli dei minatori, dei ferrovieri, e insomma della gente del popolo; mentre che ai figli degli impiegati, gente povera ma pretenziosa, non era lecito di stare cosí per le strade. Sebbene nuova, tuttavia questa zona della città, nella sua modernità promiscua, misera e indiscreta, è forse di tutte la piú squallida. Là io nacqui e trascorsi l'infanzia, in un piccolo appartamento al terzo piano, insieme a mio padre, a mia madre, e a Cesira, mia nonna materna.

La prima ad andarsene fu mia nonna: ella durò cosí poco, e cosí poco fece notare la sua presenza, da essere, nella mia vita, un personaggio trascurabile.

Debbo ritornare ai miei primi anni per ritrovarla; e allora, eccola, essa è là, seduta sulla sua sedia di paglia in un angolo della cucina. La cosa che prima rivedo sono i suoi stivalini, chiusi da una fila di ganci e da una di bottoncini rotondi; poi la sua gonna d'un nero rossiccio, che nessuno stirava mai, e, sopra a questa, la lunga giacca di seta nera. I suoi capelli che si diradavano mostrando, come sotto un nero-argenteo velo d'ovatta, la cute d'un rosa pallido, erano divisi nel mezzo da una scriminatura, anch'essa rosea. Il suo viso era pallidissimo, chiuso in sé, e cosí minuscolo da far pensare a quei visetti scolpiti per bizzarria dentro a un mezzo guscio di noce. E cosí pure la sua persona era minuscola e sottile.

Nella nostra famiglia, ella viveva da parassita e da intrusa. Infatti, non possedeva nulla al mondo, e, come mia madre mormorava talvolta, doveva agli altri «fino il suo respiro». È vero che, sempre a dire di mia madre, «mangiava meno d'una mosca». Rifiutava di sedersi a tavola e rimaneva là nell'angolo come un genio scontroso; spesso, dichiarava di volere, per pranzo, null'altro che pane e acqua, e faceva tale dichiarazione con un certo accento di riscatto, come chi intenda: «Non potete accusarmi di costarvi troppo», ma pure come una ragazzina che voglia far dispetto. In verità, non si può negare che quella esigua persona biascicante il suo pane ammollito nell'acqua aveva sempre l'aria di chi vive per dispetto. Col suo passo di gatta, appariva nelle stanze inavvertita, scegliendo, si sarebbe detto, proprio i momenti in cui mia madre discuteva con mio padre intorno agli interessi e alle faccende familiari. All'apparir della vecchia, mia madre strascicava l'ultima frase, con disappunto, e interrompeva il proprio discorso, gettando a mio padre un obliquo sguardo d'intesa. Ella era convinta che mia nonna ci spiasse, e che, taciturna e subdola, fosse a noi tutti nemica. Per quanto mi riguarda, è un fatto, la vecchia non faceva che criticarmi, malignando sul mio conto, e disprezzando il pallore delle mie guance, e i miei occhi intenti che « mi mangiavano la faccia ». Inoltre, non m'interpellava mai col mio nome di battesimo, chiamandomi semplicemente « Bambina ».

Di solito, ella se ne stava muta per ore ed ore, e il suo viso dai tratti regolari, dritto contro l'angolo, pareva di sfinge. Una volta mia madre, esasperata dal suo contegno, le disse ciò che tante volte mormorava in disparte, e cioè: – Pensa che non sei padrona di niente, neppure dell'aria che respiri, e che devi agli altri anche il minimo boccone che porti alla bocca! – A questo mia nonna si alzò dalla sedia e agitò convulsamente la testa, con un sorriso stregato: – Ah, ti maledico! – disse a mia madre con voce acuta e piena di spasimo, – ricordati, è tua madre che ti dà la maledizione. Ascolta, Dio, la maledico, – e, vinta da aridi singhiozzi, si batté furiosamente la testa coi pugni. – Nonna, nonna, – gridai, tutta in lagrime; e allora mia madre, in piedi, con gli occhi fissi e scintillanti, adirata mi scosse per le braccia.

Io ero atterrita soprattutto perché, dopo quella maledizione, ero piú che mai sicura che mia madre fosse dannata. Questa certezza mi perseguitava da tempo, ed erano state le mie maestre, le suore francesi, ad instillarmela, con le loro sospirose allusioni. Mia madre infatti non andava alla Messa, e per di piú, i suoi modi non piacevano alle suore. Malgrado che il suo nome di ragazza fosse uno dei piú illustri della città, ella, per la sua vita umile, aveva acquistato maniere brusche, quasi da popolana; ma aveva conservata intatta la sua superbia, che non l'abbandonava neppure in presenza delle sacerdotesse di Dio. Per esempio, ella si rifiutava di fare il baciamano, fosse pure a una Badessa, e chiamava le suore non già *madre*, o *sorella*, ma sempre, con un certo sprezzo, *signora*. E la sera, coricandosi con me nel letto di ferro, non diceva le sue preghiere né si faceva il segno della croce. Io non osavo ammonirla; ma di sotto le coltri la guardavo trepidando mentre, alta nella sua camicia da notte di mussola bianca, a piedi nudi, ella s'intrecciava con dita svelte i capelli. Poi si muoveva qualche minuto per la camera, superba negli atti, le trecce nere oscillanti sulla grande e nobile schiena. E s'infilava a sua volta sotto le coltri, rimanendo poi supina, la fronte corrugata, senza rivolgere il minimo saluto a Dio. Quello era il momento in cui segretamente io mormoravo la preghiera insegnatami dalle suore: « Signore, illumina coloro che non credono in Te, perché hanno occhi e non vedono, hanno orecchi e non odono ». Un pudore ansioso mi possedeva durante quest'orazione, cosí che la recitavo tenendomi rannicchiata e nascosta sotto il lenzuolo, cantilenando con impercettibile murmure. Ed anche il mio segno di croce era frettoloso e succinto.

Sovente meditavo, affinché mia madre fosse salva, d'aspettare che dormisse e di farle quindi con le dita, io stessa, un piccolo segno di croce sul viso; ma a ciò mi mancava l'audacia, e, d'altronde, sempre m'addormentavo prima di lei. Sapevo che le suore alludevano a lei quando mi suggerivano le parole: « hanno occhi e non vedono, hanno orecchi e non odono ». Ma dunque che cosa vedevano mai quei suoi occhi scintillanti, aperti con ferma avidità nella penombra della camera? e che udivano mai quei suoi minuti orecchi, leggermente arrossati, col piccolo foro vuoto dell'orecchino? Tutti gli anni, quando mio padre riceveva, per le feste natalizie o pasquali, lo stipendio doppio, mia madre riappendeva agli orecchi due perle, che la sera distaccava e posava sul tavolino da notte, dov'io con delizia, nel dormiveglia, le guardavo brillare. Ma presto, a distanza di qualche giorno, d'un mese al massimo, ella riportava in pegno al Monte di Pietà quei graziosi e ricchi pendagli, insieme alle fedi d'oro, ad altre piccole gioie, e alle medaglie d'argento (datemi in premio dalle mie maestre), su cui si leggevano incise le lettere B. M. (*Bon Mérite*).

Dunque, mia madre giaceva accanto a me, lasciando ch'io m'addormentassi pian piano, senza darmi alcun bacio. Nel frattempo, s'udiva dal vicino salotto, dove mio padre si coricava ogni sera sul divano-letto, il fruscío dei giornali ch'egli leggeva prima di dormire.

Quanto a mia nonna, possedeva una camera sua propria, cosí stretta che, oltre al letto, non c'era posto per un armadio, ed ella teneva la sua roba in una canestra. Era gelosa assai delle proprie cose: quando mia madre s'aggirava in quello stanzino per le sue faccende, lei la seguiva di sulla soglia con occhi diffidenti e inquieti: – Si direbbe abbia paura, – diceva mia madre con una smorfia, – ch'io voglia rubarle i suoi stracci! – Ogni sera mia nonna ripiegava accuratamente la gonna e la giacca, e ogni mattina, con un po' di vergogna, si presentava in cucina a chiedere la scatoletta del lucido da scarpe, con cui lucidare i suoi stivalini. Dentro la canestra, teneva alcune paia di vecchie calze rammendate, pochi capi di biancheria di mussola adorna di pizzo da pochi soldi, e qualche lettera, unita ad antiche carte. Inoltre, come si vedrà, possedeva alcuni gioielli, rinchiusi a chiave dentro uno scrigno.

Si coricava prestissimo, sebben rimanesse, a suo dire, per tutta la notte a occhi aperti; la teneva sveglia, cosí ella affermava, un continuo spasimo alle membra e in ispecie alle giunture, tale che le pareva d'avere il corpo trafitto da mille spilli. Spesso, durante il giorno, ella ritornava col discorso alle proprie malattie, ma nessuno le badava; mia madre affermava, con un'alzata di spalle, che da anni la vecchia non parlava d'altro argomento se non delle proprie malattie; ma ciò nonostante era probabile che, in futuro, sarebbe lei a sotterrarci tutti.

Cosí diceva mia madre, a bassa voce; la vecchia però non afferrava le sue parole e dandoci un'occhiata obliqua, la testa piegata da un lato, seguitava a raccontarci che il suo sangue era acqua e veleno, e che le sue vene s'indurivano ogni giorno di piú, e un bel giorno si sarebbero spezzate come rami secchi, grazie a Dio. Guardavo allora le sue lunghe manine incrociate, su cui l'intrico delle vene sporgeva con una evidenza crudele, quasi perversa; ma non avevo pietà della maligna vecchia. Il solo che talvolta le prestasse un poco d'attenzione, era mio padre; ma nel darle, per indulgenza, qualche consiglio: – Uscite un poco all'aria aperta, provate la tal medicina, – egli sogguardava mia madre, e arrossiva, vedendola silenziosa e ironica.

Verso mia madre, la bella, la sprezzante, mio padre usava modi, piú ancor che devoti, servili; pure, egli non mancava d'orgoglio. Da parte sua, mia madre lo trattava come un servo; e dal tono della sua voce perennemente impastata di rancore quando si rivolgeva a lui, si sarebbe detto ch'ella gli rimproverava un qualche segreto crimine, impossibile a perdonarsi. Nei litigi, con risate piene d'astio e di beffa, lo chiamava talvolta « Barone », gettandogli sul viso questa parola come un insulto; la udii pure gridargli « Butterato », per via ch'egli aveva il volto deturpato dai segni del vaiolo.

Mentre cosí gridava e rideva, lagrime di rancore le rigavano le guance, e con fredda furia si passava le dita sull'anulare della sinistra, segnato da un cerchio piú bianco là dove aveva cinto la fede d'oro. Una cosa ella rimproverava apertamente al marito: ed era la nostra povertà.

Mio padre era impiegato alle Poste; spesso, la sera, egli s'attardava negli uffici, per eseguirvi dei lavori *straordinari*, e da ultimo, si era assunto il servizio dei treni postali, per cui sovente partiva o rincasava nel cuor della notte. Come s'è detto, egli non dormiva in camera assieme a mia madre, ma nel salotto attiguo, donde s'udiva spesso nella notte, attraverso l'uscio chiuso, la sua tosse di fumatore; e la mattina, dopo ch'egli era uscito, mia madre irosamente spalancava la finestra del salotto, per iscacciarne l'odore del fumo.

V'eran dei momenti che, in atto quasi di disperazione, egli stringeva mia madre a sé ripetendo: – Anna... Anna mia... Anna... –, ma ella con orgoglioso fastidio, si scioglieva da lui. Soltanto di rado, pareva dimenticarsi di se stessa, e s'illanguidiva, pensosa, sulla spalla del marito. In tal caso mia nonna, s'era presente, rideva compiaciuta, e nei suoi occhi s'accendeva una inattesa felicità. A lei piaceva che la gente s'amasse. Era attirata dall'amore come certe creature selvatiche son attirate dalla musica, o dal fuoco.

Un pomeriggio, raccontò a mia madre, in confidenza, un fatto di quand'era giovane. Io non posso ripensare a quel pomeriggio senza una gioia ardente. S'avvicinava la Pasqua, mio padre aveva ricevuto la sua *gratificazione* pasquale, e mia madre, com'era solita, aveva ritirato dal Monte di Pietà tutti i suoi gioielli. Portava dunque le due perle agli orecchi, la fede al dito, e anche, all'anulare della destra, un altro anello più piccolo, sparso di pietruzze rosse. Intorno al collo, aveva una collana d'agate chiare, e sul petto un cammeo recante inciso un profilo di donna dall'alta pettinatura. Mia nonna ed io le sedevamo accanto, nel salotto, il quale dava sulla parte di ponente, e le stanze a ponente, nei tardi pomeriggi assolati, sono meravigliose. Ma quel che più ci rallegrava, tutte e tre, erano i gioielli di mia madre (noi tutte donne della mia famiglia sempre idoleggiammo i fronzoli preziosi e gli ori). Stavamo dunque, mia nonna e io, davanti alla bella ingioiellata: la quale, compiaciuta, piegava la sua fronte severa, e i cigli, fitti come quelli d'una bambola.

D'improvviso, lieta in cuor suo della stagione e della luce, e delle proprie gemme, mia madre ebbe voglia di scherzare un poco, e parlar d'amore. Onde chiese a mia nonna se mai, prima del matrimonio, fosse stata innamorata; e gli occhi di mia nonna brillarono, i suoi pomelli s'accesero, come ogni volta che si toccava l'argomento d'amore.

– Tuo padre, lo sai, non l'ho mai amato, – disse, – ma quando ero ancora ragazza, e abitavo coi miei genitori, un ufficiale austriaco mi faceva la corte. Non che mi parlasse, ma passeggiava sotto le mie finestre, avanti e indietro, tutto vestito di bianco, e ogni momento alzava gli occhi. Questo durò parecchio tempo; era un bellissimo ufficiale, alto, con la vita stretta, e gli occhi pieni d'una cortesia straordinaria. Un giorno, mia madre ed io eravamo uscite al passeggio, e mia madre si tratteneva sulla piazza a conversare con le sue conoscenti, quando passò lui. Piegò il suo viso delicato e mi chiamò piano: «Cesira!» Non disse altro, e non so nemmeno da chi avesse saputo che mi chiamavo così. Ma disse: «Cesira!» con un tale amore che, guarda, sono vecchia, son passati più di quarant'anni, eppure a ripensarci mi si raggriccia la pelle. Guarda! – e mia nonna rabbrividendo scoperse, per mostrarlo a mia madre, l'esiguo braccino bianco. – E tu chiedi se sono mai stata innamorata! – soggiunse. Poi spiegò che, partiti dalla città gli Austriaci, anche l'ufficiale partí.

– Cosí non lo vedesti mai piú? – s'informò mia madre, alquanto distratta nel suo splendore. Controvoglia, mia nonna, dopo un attimo d'incertezza, ammise di non avere mai piú rivisto quel giovane; ma come mia madre ebbe, a tale conclusione, una risata non priva d'ironia, parve ribellarsi. Ci sogguardò, con uno strano sorriso, un'occhiata di sbieco simile a quella d'una mezzana d'amore: – Eh, – mormorò, – anche se ci fu dell'altro, non potrei dirlo adesso, in presenza della bambina –. E scosse il capo con un'aria furbesca, piena di fervore e di sottintesi. – Ah, – disse mia madre, cui le confidenze intime ripugnavano; e s'irrigidí come una statua. Mia nonna tacque.

Del resto, sentii dire piú tardi in famiglia che probabilmente la storia dell'ufficiale austriaco era inventata. Nelle cronache della mia parentela fanno a volte la loro comparsa tali personaggi romanzeschi, mai esistiti altrove che nella nostra invenzione, e che pure ci accompagnano da un'età all'altra. Una mia bisava, la gaia Costanza, si serviva di tali personaggi immaginari per ingelosire gli amanti. Una sorella di mio nonno si consolò per tutta la vita dell'esser zitella inventando, nei discorsi con le amiche, un fidanzato il quale, in seguito a un dramma imitato da un romanzo in voga e troppo lungo a narrarsi qui, s'era ucciso per lei.

Ma torniamo a mia nonna. Del tempo ch'ella era viva, ritrovo pochi altri episodi, alquanto puerili e privi d'importanza. Negli ultimi tempi era diventata sorda, e questo la rendeva, oltre che piú silenziosa, ancor piú diffidente: infatti, non udendo nulla, sempre ella sospettava che noialtri parlassimo di lei, e se ci vedeva ridere ci sbirciava, ostile e impaurita, stringendosi nella sua mantellina di gatto nero che negli ultimi tempi portava sulle spalle anche d'agosto. Io solevo, in quegli anni, divertirmi inventando filastrocche, per lo piú sequele assurde di parole, prive di significato. A lungo ripetevo questi miei canti, meditabonda, ritta in piedi nelle mie scarpe di cencio. Poi stanca di cantarli a me sola, mi accostavo alla nonna, urlandole negli orecchi quei versi. Con fatica, dai vaghi suoni afferrati, ella tentava capire quel ch'io volessi da lei; mentre io, deliziata dei suoi equivoci, delle sue repliche spropositate, a gola spiegata ridevo. Ed ella offesa, rannicchiata nella sua pelliccia, gettava occhiate malsicure di sotto le palpebre appassite.

Una mattina, le suore m'avevano insegnato le età dell'uomo, che io, all'uscita dalla scuola, canticchiavo fra me in forma di filastrocca:

42

Infanzia e puerizia
fanciullezza e adolescenza
giovinezza e virilità
maturità e vecchiezza
DECREPITEZZA!

Cosí cantando, mi divertivo, fra me, a classificare secondo le loro credute età i miei parenti e maestri; fra gli altri la nonna, alla quale giunta a casa, volli comunicare la mia sapienza. E correndo a lei, febbrilmente le annunciai negli orecchi: – Nonna! voi siete Decrepitezza! – Al che ella, senza capire né rispondere, e senza muovere le due mani incrociate, mi guardò dalla sua silenziosa regione, come si guarda un nemico.

Non soltanto, invero, io bambina, ma chiunque avesse veduto Cesira l'avrebbe giudicata, all'aspetto, decrepita; e invece, il giorno che morí ella non aveva neppur sessant'anni!

Io, mio padre e mia madre eravamo seduti a tavola, nella cucina, e mia nonna, secondo il solito, se ne stava isolata sulla sua sedia, in un angolo. A un certo punto levò gli occhi, e io m'accorsi che s'eran coperti d'una patina opaca, e somigliavano a quelli d'un passero che una volta avevo trovato sulla strada: ancor dritto nelle sue piume arruffate e umide, ma già vinto dal ribrezzo della morte. Quello sguardo mi colpí, ma non dissi nulla: un minuto dopo, mia nonna abbassò le palpebre e scivolò giú dalla sedia, dando un tonfo leggero. Mia madre si voltò con un breve grido, e restò ritta presso la tavola, con le pupille fisse a quell'angolo, mentre mio padre correva là, e sollevava la caduta sulle braccia. I piedi di lei, negli stivalini bene abbottonati, pendevano da una parte; dall'altra, arrovesciata indietro, la testa liscia, dalla minuscola crocchia.

Tutta la famiglia passò nella camera di mia nonna. Mia madre singhiozzava, con suono amaro e arido, quasi a dire: « No, no, come tutto questo è brutto, com'è infame ». Mio padre adagiava la nonna; e io guardandola, fui vinta da una terribile pietà, giacché non potevo dimenticare d'aver veduto poco prima, io sola, quegli occhi in agonia. Mi pareva udir negli orecchi dei rintocchi frettolosi che ripetevano: – È morta! È morta.

E tuttavia, quella prima volta che m'apparve, la morte non assunse, per me, aspetti paurosi, né funerei. Bisogna sapere che fra le colpe di mia nonna c'era la seguente: ella possedeva dei gioielli, anzitutto una catena da cui pendeva un grazioso piccolo scrigno d'oro (a sollevare il coperchio dello scrigno appariva un musaico figurante un pavone minuto); e inoltre, due sottili anelli d'oro sparsi di schegge di diamanti.

43

Ora, come vi ho detto, mia madre nei tempi difficili era usa impegnare i suoi propri gioielli, e ciò avveniva periodicamente; ma la vecchia, sebbene, come si sa, non possedesse beni di fortuna, e fosse mantenuta dai miei genitori, sempre, con la massima testardaggine, si rifiutò d'impegnare i suoi gioielli. E non che li usasse; ma, gelosa, li teneva sempre dentro uno scrigno, chiuso a chiave; né volle mai prestarli a mia madre che se ne adornasse, nemmeno per un'ora.

Mia madre dunque disse che, dopo aver vestito mia nonna per la bara, l'avrebbe adornata di quei suoi gioielli, affinché ella, che li aveva tanto amati, potesse portarseli via con sé. Disse questo con accento prepotente, con occhio superbo, quasi rivendicasse un suo proprio diritto.

Decise altresí di rivestire e agghindare mia nonna con la massima cura, poiché lei da viva teneva tanto alla propria eleganza. E si accinse a far ciò coi gesti d'una madre severa che nutra in sé un inesprimibile, superbo disegno. Tale era il suo pallore, non inferiore a quello della morta, che si sarebbe detto ella dovesse, di momento in momento, venir meno; ma i suoi occhi scintillavano come gli altri giorni.

Quand'io fui, dunque, riammessa a vedere la nonna, la trovai ben vestita e composta sul suo letto di ferro, ma senza apparato funebre, né candele. Piú d'ogni altra cosa mi stupí la piccolezza dei suoi piedi, in sottili calze di seta grigia, accostati sulla coperta all'uncinetto. Ella era vestita alla moda delle vecchie signore, con gonna di seta nera lunga fino ai piedi, attillata giacchetta di velluto e pettorina di pizzo; intorno al collo aveva un nastro di velluto. Sotto i capelli quasi tutti d'argento, con poche ciocche d'un nero profondo, i tratti del viso, come spesso accade, parevano fioriti in delicatezza e fragilità, cosí che si sarebbero detti di porcellana; le alette delle narici, appena sollevate, le davano un'aria un po' sdegnosa. Ella portava la sua catena col minuscolo scrigno chiuso, e alle dita lunghette i due anelli d'oro. Le invidiai quei preziosi ornamenti. Non troppo diversa, invero, da una bambola mi appariva la nonna nel suo vestito della festa. E quei preparativi segreti, dopo i quali mia madre m'aveva detto: – Vieni a vederla, – mi richiamavano a feste del convento, allorché le suore, preparato il presepio, chiamavano noi compagne: – Venite! Venite! – L'ho detto, la Morte prese per me, la prima volta che m'apparve, un aspetto amabile e cerimonioso, quasi per non turbare, con tragici e squallidi aspetti, la mia mente ancora infantile. E in realtà, la morte di mia nonna segna quasi la fine dell'infanzia per me: la salma di Cesira è, nei miei ricordi, l'ultima apparizione placida, favolosa e innocente.

Dopo la morte della vecchia, quasi che la presenza di lei servisse in certo modo da schermo, s'accrebbe il rancore di mia madre verso mio padre. Mia madre non s'era sposata per amore, ma piuttosto, direi, per odio; come pure mia nonna, ai suoi tempi, non s'era sposata per amore. Adesso, dopo piú di sedici anni dalla sua fine, io credevo di serbare soltanto un'immagine sbiadita di Cesira; e invece, colei che della mia famiglia fu la prima a lasciarmi, è ritornata a me per prima. Non eran passati molti giorni dalla scomparsa della mia protettrice Rosaria, allorché per la prima volta, com'è spiegato nell'introduzione di questo libro, io ritrovai nel sogno la casa dei miei genitori. Ed ecco il sogno che ebbi: nel luogo della mia infanzia era caduta la neve, davanti alla mia casa paterna era distesa una sorta di pianura stepposa ricoperta di neve, e su questa pianura noi tutti imbandivamo la tavola per la cena. Pure mia nonna veniva a sedersi con noi, ed io stupita le dicevo: – Ma, nonna, non avrete freddo? Vi gelerete –. Al che lei, con un piccolo sorriso furbesco, rispondeva: – Macché! Senti come sono calda! – e scopriva il suo bianco braccino perché io glielo toccassi. Credendo di trovarlo ghiacciato, io lo stringevo, e, in realtà, stupita, lo sentivo caldo, d'un calore vivace quasi ardente.

E ora, con le memorie, appunto, di Cesira, diamo inizio al romanzo dei miei.

Capitolo secondo

(*Si dà inizio alle mie Storie familiari*).

Mia nonna fa un matrimonio d'interesse.

Di famiglia assai modesta, Cesira, dopo la morte dei suoi genitori, si guadagnò la vita, fino ai suoi ventisette anni, facendo la maestra in piccole scuole di paese. Ella sdegnava, però, sin da bambina, la rozza società nella quale era costretta a vivere, e di cui si considerava una ospite passeggera, convinta che il proprio posto fosse altrove. Cosí, benché non le mancassero i pretendenti, alcuni dei quali sarebbero stati giudicati ottimi partiti da qualsiasi altra ragazza nelle sue condizioni, respinse come un insulto ogni offerta di sistemazione in quella indegna società. Ella viveva nell'attesa d'una fortuna secondo i suoi meriti; ma la fortuna non passava volentieri per quei paesucci e villaggi dove la maestra consumava i suoi giorni; e, d'altra parte, Cesira non aveva, di fronte all'azione, una risolutezza pari alla sua ambizione spietata. Fu cosí che giunse all'età di ventisette anni senz'esser mai stata fidanzata, né mai essere uscita dalla sua provincia.

Ma all'età di ventisette anni (ch'era giudicata, a quei tempi, una tarda età per una donna nubile), le si offerse un'occasione di mutamento, ed ella si risolse ad approfittarne, compiendo un atto che le parve oltremodo rischioso, se non addirittura eroico. Avendo saputo dall'intendente di certi gran signori residenti in città che costoro cercavano un'istitutrice per le loro figliolette, chiese licenza d'un paio di giorni alla sua scuola, e partí per la città, dove si presentò ai suddetti signori come aspirante a quel posto. Grazie alla sua civile apparenza e alle buone informazioni raccolte su di lei, fu assunta; e, lasciata la sua cattedra di pubblica insegnante, s'allogò nella casa patrizia.

Or non eran passati due mesi dalla sua assunzione, allorché, in quella casa appunto, un signore di famiglia feudale la conobbe e s'invaghí di lei.

Era un uomo celibe sui cinquant'anni, si chiamava Teodoro Massia, e il suo casato, Massia di Corullo, era uno dei piú illustri della regione. Teodoro, per solito, non frequentava volentieri i salotti dei suoi pari, e in particolare i padroni di Cesira non erano avvezzi a vederlo piú di due volte l'anno. Ma dopo la scoperta della bella istitutrice egli divenne un visitatore assiduo della casa, e mostrò un paterno interesse per le bambine (di cui prima non s'occupava per nulla), seguendo i loro progressi negli studi, portando loro dei regali, ecc.

L'istitutrice non tardò ad accorgersi che quel personaggio elegante e d'alto ceto si valeva delle bambine come d'uno schermo per mirar lei stessa; e nel suo cuore nacquero le piú folli speranze. Ella sembrava, a quell'epoca, assai piú giovane che non fosse, ed era, nelle sue proporzioni quasi infantili, una rara e perfetta bellezza: ora, ubriacata dalla speranza, aggiunse alle proprie attrattive naturali le risorse della civetteria.

Appena le avveniva di trovarsi in presenza di Teodoro, immediatamente cambiava contegno, e le sue piccole allieve non sapevano come fare per attenersi agli umori variabili dell'istitutrice. La severa persona ch'erano avvezze a conoscere si trasformava da un momento all'altro in una festosa compagna di giochi, in una maestra fantasiosa e indulgente; ma le loro menti ingenue, incapaci di collegare tale felice trasformazione con la casuale presenza del vecchio celibe, rimanevano amaramente deluse quando, allontanatosi costui, l'affatturata allegria dell'istitutrice cadeva altrettanto rapidamente di com'era sorta.

Teodoro Massia, non meno delle piccole allieve, si lasciava ingannare da quell'amabilità artefatta. Nel volto dell'istitutrice, fra i delicati virginei colori gli occhi splendevano d'una luce esaltata; uno strenuo, mordace spirito le animava le gracili membra. E la sua vita innocente (vera, questa, non già ingannevole), unita alla sua goffaggine provinciale davano a quella straordinaria vivacità un che di patetico e bizzarro, che incantava Teodoro. Anche l'evidente civetteria della fanciulla lo lusingava: non v'era dubbio, infatti, ch'era dedicata a lui. Senonché, essa non era ispirata dalle attrattive di Teodoro, bensí dall'ambizione e dall'interesse. Ma Teodoro non se ne rendeva conto: egli era stato, a suo modo, un sentimentale fin dalla giovinezza; e adesso, come avviene a certuni dopo una vita dissipata e gaudente, inclinava agli ingenui eccessi del sentimentalismo maturo. D'altra parte, fino a pochi anni prima, egli, noto per il suo libertinaggio, aveva goduto di grandi successi presso le donne: e non gli era difficile presumere che le proprie grazie decadute bastassero tuttavia per abbagliare una povera maestra.

Al tempo che questa lo conobbe, egli era stato già ammogliato due volte. La prima, appena uscito dalla minore età e contro il volere dei suoi parenti, a una fanciulla nobile, ma poverissima e malaticcia, che pochi anni dopo le nozze l'aveva lasciato vedovo (e si diceva che fossero stati i torti dell'infedele marito a schiantarle il cuore, traendola precocemente alla tomba). La seconda volta, a una ricca e avventurosa straniera, da lui conosciuta e impalmata all'estero. Costei, dopo aver generosamente pagato i debiti dello sposo e aver dissipato con lui parte della propria fortuna, aveva potuto, grazie alle leggi del suo paese, ottenere il divorzio.

Teodoro, in gioventú, era stato bellissimo d'aspetto (come la maggior parte dei Massia, uomini e donne). Di persona grande, alta e ben fatta, aveva tratti regolari, disegnati con una singolare mollezza dei contorni; occhi grandi, liquidi e luminosi e un pallore tale che, su un volto di donna, avrebbe fatto credere a un artificio. A tali suoi romantici pregi s'aggiunga quella eloquenza amorosa, fra tenera ed eroica, ch'è propria di certi sensibili meridionali: alla quale non nuoceva troppo un leggero inceppamento del discorso che talvolta, seppur di rado, sopravveniva a Teodoro, in ispecie nei momenti d'emozione. Era questo il solo difetto di lui; ma, in una persona tanto gradevole, esso pareva quasi una grazia di piú.

Non essendo, Teodoro Massia, uno dei personaggi principali nella nostra storia, ci risparmieremo di raccontare la vita che condusse fino ai cinquant'anni. Basterà accennare che fin dalla giovinezza mostrò noncuranza, anzi, meglio, dispregio, per i favori della sorte e le costumanze e i pregiudizi di casta; ma errerebbe chi gli supponesse, con ciò, la vocazione della santità o dell'eroismo. Purtroppo, egli non apparteneva alla schiera degli eletti, e, al contrario, d'altro non s'occupò che di coltivare i propri vizi, fra i quali la dissolutezza teneva il primo luogo.

Attraverso i suoi molti peccati, Teodoro non ismentí mai, però, il suo carattere precipuo: una generosità avventata e cavalleresca, la quale, malgrado la sua frivolezza in amore, gli meritava il perdono e, in certi casi, fin la gratitudine, delle sue stesse vittime. Con grandiosità senza pari, egli si spendeva tutto intero in ogni avventura, anche nelle piú effimere: se amava una donna, foss'anche per un sol giorno, per la durata di questo giorno era il suo schiavo, ed era capace di commettere ogni sorta di vistose e costose follie per una fiamma passeggera ed esigua. Inoltre, egli possedeva il dono delle parole, e, di piú, il dono di credere in esse: grazie al magico uso d'un vocabolario poetico, romanzesco, e, badate bene, sincero, egli trasmutava, nel concetto suo proprio e in quello delle credule amanti, una comune tresca in una tragedia. E nessuna delle sue amanti (qualsiasi fossero stati le amarezze e gli strazi inflittile, per crudeltà della sorte, da Teodoro), alla fine, almeno, non rimaneva senza l'estrema soddisfazione d'aver vissuto, non già una mediocre avventura, ma un'esperienza magnifica, e d'aver rappresentato una parte sublime.

A Teodoro non piaceva di lasciare alcuno con la bocca amara: e ciò non solo a motivo della sua naturale mitezza, ma anche perché l'ideale amoroso, sul quale egli avrebbe voluto modellarsi, non era di perfidia, ma di cortesia e magnanimità. Egli preferiva di rappresentare dopotutto, e a dispetto, magari, d'ogni verisimiglianza, la parte della vittima; e vi riusciva con tanto successo che si dette il caso d'amanti da lui tradite, disonorate e abbandonate che s'impietosirono meno sulla propria sorte che sulla sua.

Infatti, ai loro occhi, e, in certo modo, anche nella realtà, egli era non già un traditore o un dongiovanni, bensí l'uomo che si sacrifica perennemente a un ideale (da parte nostra noteremo che, a voler precisare la figura di questo nebuloso ideale, si scoprirebbe soltanto, temiamo, l'effige dell'ozio, dello sperpero e dell'ignoranza). Era il cavaliere di ventura il quale non può fermarsi, anche se a partire gli si spezza il cuore, perché la sua missione è di correre sempre a nuove gesta (le quali gesta di Teodoro, a ricercarne poi le cronache, risulterebbero essere, ad esempio, un adulterio, o una gita di piacere, o una semplice partita a carte). Era il ribelle che sprezza convenzioni, rango e denaro, e lo spensierato che getta la propria esistenza allo sbaraglio (e se getta l'esistenza propria, sarebbe troppo chiedergli di risparmiare l'altrui).

Detto ciò, nessuno potrà disconoscere che, malgrado tutto, la condotta di Teodoro fu leale. Non soltanto a parole, ma coi fatti, egli non si risparmiò mai, sacrificando alle proprie mutevoli gesta tutto quanto possedeva: bellezza, giovinezza e salute, società e sostanze. Quando Cesira lo incontrò, il Teodoro che abbiamo qui sopra descritto era, in lui, irriconoscibile. Aveva ormai cinquant'anni, ma ne mostrava sessanta, e sulla sua magra persona quasi difforme le tracce dell'antica bellezza accrescevano, a ravvisarle, il sentimento di squallore e di malinconia: come alla vista d'un bello e nobile palazzo ridotto a ospitare una bisca, o una casa malfamata. Le spalle e la schiena gli s'erano arrotondate e incurvate, e i tratti, flaccidi e sconvolti dalle rughe, avevano un'espressione singolare, mescolata d'informe immaturità e senile disfacimento. Lo sguardo intorbidato, sotto le pesanti palpebre, appariva per solito umido, vischioso come quello d'un cane; ma s'accendeva, a volte, d'una infatuazione d'adolescente che, in tale viso, sembrava quasi grottesca. Con un aspetto cosiffatto e coi suoi modi, ch'erano un ibrido miscuglio d'incoscienza, di decadimento e di passione, Teodoro destò fin da principio nella maestrina un sentimento che somigliava, in verità, piuttosto alla repulsione che all'indifferenza o, tanto meno, alla simpatia. Ma Cesira evitava, fin nel segreto dell'anima, d'analizzare il proprio sentimento. La sua mente, quasi ossessa, non vedeva piú altro che la possibile, inebriante metamorfosi della maestra Cesira in una gran dama; e dei sentimenti di questa Cesira non s'occupava piú di quanto una grande sarta creatrice s'occuperebbe dei sentimenti d'un manichino di legno.

Bisogna aggiungere che all'avidità e all'astuzia ella accoppiava una ingenuità singolare. Teodoro era un signore: portava un nome di signore, vestiva da signore e frequentava le case dei signori. In virtú di tali attributi pareva a lei ch'egli possedesse le chiavi di tutte le beatitudini: né ella si curava d'indagare oltre a questo postulato magico. Fra la servitú taluno, in sua presenza, aveva pure alluso a Teodoro Massia come a un personaggio in qualche modo bacato, o tenuto in disparte, o rovinato. Ma anzitutto, nel concetto mitico di lei, la rovina d'un gran signore non poteva, tuttavia, non equivalere a un fastigio ancora altissimo per i comuni mortali. In secondo luogo, Cesira non dubitava che quella gente parlasse cosí per malignità o invidia. E infine, ella era troppo fiera per confidarsi coi servi o dar credito alle loro ciarle: alle quali concesse la medesima attenzione che una sibilla in preda al dèmone sacro potrebbe concedere al ronzío d'una mosca.

La sua mente pura non seppe scorgere, nelle guaste sembianze di Teodoro, gli effetti visibili d'una vita smodata e corrotta. Né, ignorante com'era dell'alta società, ella si rese conto che se il nobiluomo ostentava disdegno verso i propri pari, di rimando la maggioranza di costoro lo aveva, a motivo dei suoi scandali, ripudiato già da tempo; e una piccola minoranza lo tollerava ancora a mala pena. Di questa minoranza, appunto, facevan parte i signori della casa; ma il senile invaghimento del loro ospite e l'esaltazione eccessiva dell'istitutrice non rimasero a lungo occulti a quei signori. Tosto essi lasciarono intendere a Teodoro che avrebbe fatto cosa opportuna diradando alquanto le sue visite. E come, poco tempo dopo, giunse ai loro orecchi notizia che Cesira aveva ricevuto una lettera di Teodoro, recata a mano, e non l'aveva respinta, licenziarono l'incauta istitutrice. Per un caso fortunato in quei giorni appunto una loro parente monaca era stata nominata superiora d'un convento cittadino in cui s'educavano le fanciulle: essi tolsero occasione da questa nomina per inscrivere le bambine al convento, quali allieve esterne, e ciò serví loro di pretesto per licenziare la maestra senza scandalo. Tale opportuna scusa fu porta a Cesira con garbo, sí che la fanciulla fece mostra, anche con se stessa, di credervi, e ricevette il suo licenziamento intempestivo senza troppa mortificazione. In piú dello stipendio dovutole ella si ebbe dai signori, come viatico, una piccola somma di denaro; e cosí, lasciato il nobile palazzo che l'aveva ospitata per alcuni mesi, si trovò sola e con poche risorse nella città.

Avrebbe forse potuto, abbastanza agevolmente, ottenere un nuovo posto di maestra di scuola nella provincia o nella campagna; ma poiché troppo le ripugnava di lasciare la città ove dimoravano tutte le sue speranze, decise di rimanere quivi ad ogni costo. E, presa in affitto una cameretta ammobiliata nella « città vecchia », presso un'onesta vedova, si mise alla ricerca di lezioni private, per vivere del proprio lavoro, nell'attesa propiziatrice d'un miglior destino.

Fu questo il secondo atto eroico della sua vita. E la fortuna parve premiare il suo coraggio: il vagheggiato destino, che si chiamava poi Teodoro Massia, non tardò a ricercare la bella licenziata al suo nuovo indirizzo. Egli incominciò a farle una corte insistente, inviandole messaggi oltremodo fervidi che turbavano, però, il freddo cuore della destinataria soprattutto in virtú della carta stemmata sulla quale erano scritti. In essi, l'innamorato supplicava mille volte la grazia d'un colloquio; ma Cesira, non tanto per un'accortezza da civetta, quanto per il suo naturale riserbo, esitò alcuni giorni avanti di concedere una risposta. Impaziente come un giovinetto, Teodoro si dette allora a passeggiare lungamente sotto le sue finestre, o presso il portone della sua casa, in attesa d'incontrarla. Finché un bel giorno Cesira s'indusse, non senza rossori, a fermarsi e a udirlo, e gli dette convegno ai Giardini per il pomeriggio del giorno dopo.

Qui le toccò una sorpresa terribile. Ella, s'è già accennato, malgrado i suoi ventisette anni, serbava, per certi rispetti, l'ingenuità di una bambina: e al modo, appunto, d'una bambina, non aveva mai sospettato che alcuno potesse corteggiarla con altra mira che le giuste nozze. Nei suoi messaggi, in verità, Teodoro non s'era ancor pronunciato su questo punto; ma, in essi, l'amore s'esprimeva con accenti tanto rispettosi e ideali da non suscitare diffidenza alcuna. Ora, come si trovò alla presenza di Cesira, egli le tenne dei discorsi nuovi, che suonarono oscuri e pieni di stranezza agli orecchi di lei. La voce di Teodoro, appassionata e adescatrice, la empiva d'un incerto disagio; e aumentava il suo malessere quel leggero inceppamento delle parole di cui Teodoro aveva sofferto, benché di rado, fin da giovane, e che adesso era diventato in lui frequente e penoso. Poiché, confusa, ella non gli rispondeva, Teodoro, dal suo silenzio, si credette incoraggiato a manifestare le proprie intenzioni. E attraverso le sue frasi enfatiche e cerimoniose la fanciulla intese alfine, senza piú dubbi, che egli le faceva delle proposte disoneste.

Un rossore violento le salí alle gote; e il suo viso, cadutane l'espressione contegnosa e ipocrita d'un istante prima, si dipinse di vera stupefazione, di sdegno, e di ripulsa selvaggia. Un osservatore piú acuto avrebbe letto, in quel viso, anche un subitaneo rancore, abbastanza prossimo all'odio; ma Teodoro, cieco a tale spontaneo prorompere di un'avversione riposta, vi lesse solo la rivolta dell'onore offeso. Egli non ebbe, del resto, il tempo d'osservare quell'amabile furia: ché, dopo l'intervallo d'un attimo, Cesira, senza una parola, s'allontanava da lui, rifacendo a passi rapidi, quasi precipitosi, la via del ritorno.

Poco piú tardi Cesira, rinchiusa nella sua camera d'affitto, singhiozzava sulla propria fierezza umiliata, e sulla rovina delle proprie ambizioni. Mentre, nel proprio palazzetto, Teodoro, in preda all'esaltazione e al rimorso, le scriveva una drammatica lettera, in cui, supplicandola di concedergli il perdono, le chiedeva l'onore di diventare suo marito.

Chi, non conoscendone l'autore, avesse letto quella lettera, avrebbe potuto crederla d'un adolescente, non d'un uomo d'età matura, quasi abbrutito dai peccati. E Teodoro infatti ubbidiva a un sentimento che non ricordava d'aver piú provato da quando, contro la volontà della famiglia, aveva condotto all'altare la sua prima sposa. Era un sentimento pieno di foga giovanile e di generoso impegno: un fuoco che si presume d'avvampare non solo per la bellezza, ma per cingere e difendere l'onestà disarmata, e l'orgogliosa povertà. Teodoro s'era convinto di nutrire un tal fuoco nel momento stesso che Cesira aveva arrossito alle sue proposte indegne, per fuggir poi, tremante, dai suoi occhi. Ripensando al sincero orrore di quel viso, egli non sapeva perdonarsi d'aver offeso una creatura tanto innocente, trattandola come una cortigiana. Rivedeva poi nella mente le pretenziose, ma assai povere vesti di lei; e si rimproverava d'avere, con la propria condotta imprudente, peggiorato la sua misera condizione. Difatti, se molti avevan creduto al pretesto addotto dai padroni per licenziare la signorina, a Teodoro la sua stessa coscienza suggeriva la vera cagione di quel licenziamento inaspettato. Insomma, il fuoco di Teodoro veniva alimentato da mille nobili pensieri; ed egli fu persuaso, come al tempo del suo primo matrimonio, di concepire un amore virtuoso, e nuziale.

Ora, chi ricercasse nelle cronache di venticinque anni prima, verrebbe a sapere che Teodoro, avanti di chiamar fidanzata la fanciulla nobile, ma senza dote, che doveva esser la sua prima moglie, aveva, come si dice, abusato delle sue virtú. E che la fanciulla disponeva di numerosi fratelli, i quali andavano giurando per la città di vendicare col sangue l'onore della sorellina, se Teodoro non lo riscattava col matrimonio. Essi promettevano, precisamente, al seduttore della fanciulla, una pistolettata in pieno viso; ed erano personaggi usi a mantenere ogni promessa.

Detto ciò, e lasciando da parte il passato, per tornare al tempo di cui si parla, e al caso di Cesira, saremmo tentati a chiederci quanto poté, sul nobile impulso matrimoniale di Teodoro Massia, la subitanea convinzione di non poter soddisfare che con le nozze il proprio capriccio per la bella donna. In verità, chi conosca, al par di me, Teodoro, è tentato a farsi di queste domande; ma poiché egli era schiettamente convinto delle proprie ragioni virtuose, vorremo noi intorbidare il suo candore con la nostra malizia?

Il fidanzamento, per volontà di lui, fu breve. Nel periodo ch'esso durò, alla disadorna camera della maestra giungevano ogni giorno ceste di fiori degne d'una granduchessa o d'una gran cortigiana, e regali d'ogni specie. Ma la fidanzata non sapeva che in simili omaggi Teodoro spendeva, per cosí dire, i suoi ultimi spiccioli: a quel tempo, infatti, il suo patrimonio personale era già da un pezzo esaurito. Egli viveva ancora, tuttavia, nel proprio palazzetto sul Corso, benché, a causa dei debiti, non potesse piú ritenersene il proprietario; e disponeva d'una carrozza e d'un cocchiere (il quale soleva ubriacarsi volentieri, sull'esempio del padrone, e in simili occasioni sparlava di lui). Tali appariscenti avanzi d'una ricchezza che non esisteva piú bastavano per ingannare Cesira, povera borghesuccia di provincia. E Teodoro, da parte sua, le nascose la verità: sia perché presentisse che l'amore di lei, si sarebbe, alla rivelazione, alquanto smorzato: o sia perché sperasse di durare ancora a lungo, per via di debiti, d'espedienti e di fortuna, nella solita vita ricca.

Quanto alla fidanzata, ella si credeva un'eroina simile alle protagoniste dei romanzi popolari che soleva divorare in passato, la sera, e la notte, nella propria cameretta di paese. E sebbene le avvenisse, accanto al fidanzato, solo a dargli il braccio, di rabbrividire leggermente, nascondeva con arte ipocrita questa ripugnanza: sí che egli attribuiva a verginale riserbo certi subitanei geli, e credeva trasporti amorosi certe effusioni in cui ella rideva, gridava, e pareva folle. Invece, era il pensiero di diventare una gentildonna, di andare in carrozza e in palco adorna di brillanti che la trasportava; ed ella era, sí, in quei momenti, innamorata, ma non d'altri: lo era delle balenanti immagini di se stessa, come Narciso.

Arrivò dunque il giorno delle nozze: le quali furon celebrate con tutto lo sfarzo che Cesira aveva potuto vagheggiare nelle sue fantasie vanitose. Ma nessuno dei nobili parenti (conosciuti solo di nome da Cesira), aveva, nonché partecipare alla festa, neppur mandato i complimenti, o i doni augurali. Già da prima Teodoro, considerato la vergogna della famiglia, veniva tenuto in disparte e avversato dai suoi (ch'eran gente di costumi rigidi, e attaccati alla Chiesa); ma adesso, il suo matrimonio troncò per sempre ogni suo legame con essi. Nessuno di quei signori volle piú saper nulla né di lui, né della sua maestrina; nessuno volle conoscerla. E del resto, fin dalla giovinezza Teodoro preferiva cercare in tutt'altra società che la loro i propri amici.

Gli invitati che assistettero alle nozze appartenevano ad una società mescolata e bizzarra, dalle prodighe abitudini e dalle apparenze fastose; la sposina però, inesperta com'era, non dubitò si trattasse di veri gentiluomini. Alcuni di loro, la mattina della cerimonia, avevan gli occhi rossi e cerchiati per non aver dormito la notte; parecchi s'ubriacarono al banchetto nuziale e vi fu perfino qualcuno che disse delle sconcezze. Donne ce n'erano poche, e quelle poche erano sguaiate, e parve alla sposa che si beffassero di lei. Piú tardi, toltasi, davanti allo specchio, la corona già mezzo appassita, Cesira la porse alla cameriera, una ragazza dall'aria malfida e indolente. Le sembrò che costei malmenasse, nel riporli, quei fiori delicati; sí che, per il gusto di spadroneggiare e di sfogare su qualcuno l'amarezza occulta che già la mordeva, ella batté i piedi e gridò stupida alla ragazza. Questa s'inalberò e con una familiarità insultante le rispose di farsi servire da qualcun altro, se non era contenta; e Cesira avrebbe voluto ribatterle, schiaffeggiarla magari, ma ebbe d'un tratto il senso, ancora impreciso, d'esser sola e disarmata in balía di quella insolente e dei personaggi volgari che avevano assistito alle nozze. Un subitaneo rossore le bruciò la pelle, e tacque, ma spogliandosi, aiutata da quella donna, per indossar l'abito da viaggio, tremava come una febbricitante.

Se la parentela abbandonò Teodoro a motivo del suo matrimonio, vi fu, al contrario, un'altra classe di persone che per lo stesso motivo s'affrettò ad assalirlo: e furono i suoi innumerevoli creditori. Fino a quel giorno, essi avevano sperato, forse, ch'egli, decisosi a rompere nuovamente il celibato, potesse trovare in cambio del suo nome illustre una ricca dote, e come già altra volta, riassestare con un buon matrimonio le proprie finanze in rovina. Oppure che l'età domasse infine i suoi spiriti, e ch'egli si convertisse a una vita religiosa e sobria:

nel qual caso, forse, la parentela si sarebbe indotta a perdonargli, e a pagare, almeno in parte, i suoi debiti, riscattando cosí, insieme al pentito Teodoro, l'onore del nome. Simili speranze, per quanto esili, unite al rispetto che s'aveva in città per la nobile casa di lui, eran bastate, fino allora, a tenere i creditori abbastanza tranquilli. Ma poiché la nobile parentela ostentò quasi, con disprezzo, il proprio ripudio (i genitori di lui erano morti, e dei molti suoi fratelli e sorelle gli restava solo il fratello maggiore, abitante in una città del Nord e piú d'ogni altro feroce nei suoi riguardi; oltre a una sorella maritata, molto piú giovane di lui, e sua nemica), poiché si vide che Teodoro Massia era del tutto isolato e senza piú famiglia né speranza, i creditori persero ogni discrezione. Al ritorno dal viaggio di nozze, Teodoro e Cesira trovarono i sigilli del sequestro sul portone del loro palazzetto, e la servitú dileguata, compreso il famoso cocchiere. Il quale, nella sua solita osteria, s'ubriacava coi denari rubati a Teodoro nel corso del suo lungo servizio; e ad un pubblico imbambolato svelava i segreti del suo padrone, sposatosi, a suo dire, con una cantante di caffè, una donnaccia sfacciata, coi capelli tinti.

Pochi mesi dopo il matrimonio, i due sposi si aggiravano nelle stanze del loro palazzetto, deserto e smobiliato, cosí che i passi riecheggiavano contro le pareti. Non vi erano rimasti che i letti, e qualche filo di paglia, sparso sui pavimenti di marmo e di musaico. Anche il palazzo, del resto, piú volte ipotecato, passò tosto in proprietà dei creditori. E i due sposi andarono ad abitare un appartamentino di poche stanze, fuori le mura della città, nel quartiere occidentale lungo la via ferrata. Cesira dovette adattarsi a dare lezioni private, e Teodoro a rimediare con espedienti; ma non eran piú i buoni espedienti d'una volta, erano espedienti modesti e decaduti, ché l'abituale società di Teodoro, la società, voglio dire, ch'era intervenuta alle sue nozze, rifuggiva dal suo triste aspetto, e velocemente dileguò, insieme alla fortuna.

In questo tempo, nacque ai due sposi la loro unica figlia, Anna, colei che poi fu mia madre. La natura si vale di bizzarri accordi: e da quel disgraziato matrimonio nacque la bambina piú rara, sana e bella di cui possa vantarsi una madre nella stirpe dei Massia. La bellezza della sua razza paterna, corrottasi in Teodoro, aveva certo succhiato nuovo vigore nel giovane sangue plebeo di Cesira; ma fuor di questa forza intatta, Anna non aveva preso nulla da sua madre, ritraendo alla perfezione il tipo femminile della sua famiglia paterna. Si ritrovava in lei quel colore bianco della pelle, quell'esile e lungo fiorire delle membra, che poi, con la maturità, come una candida rosa che s'apre, si compongono in una maestosa languida grassezza. E quegli occhi, che nelle donne della famiglia variano sui grigi, fino al nero, e ch'essa aveva d'un grigio cupo, a volte duro e metallico, a volte morbido e sognante. E quei piccoli polsi, e minuscole mani, e piedini, nell'alta persona. Pure nel carattere mia madre somigliava alle altre: cosí noncuranti e disordinate nei vestiti, e cosí innamorate dei gioielli. In alcune di loro, quest'amore si consumò in una mistica religiosità, volta però piuttosto agli altari che a Dio. Furono queste adoratrici degli altari che donarono alle chiese i calici d'oro incisi, le croci tempestate, le pianete intessute di gemme. Da secoli, la fantastica voluttà del loro sangue riluce sui nostri altari.

Capitolo terzo

Progetti per l'Estero.
Primo saluto del cugino ad Anna.

Le giornate non erano allegre né tranquille nella casa di Cesira e Teodoro. Il loro appartamento faceva parte d'un palazzo abitato per lo piú da famiglie d'impiegatucci o d'operai, le cui mogli, discinte, conversavano la mattina sul ballatoio. Le scale erano anguste e sudice, di pietra. E nelle vie circostanti, in chiassosa promiscuità, s'aggiravano ragazzetti scalzi, galline, venditori ambulanti e lattai seguíti dalla loro capra. Le vie, per buona parte non lastricate, eran coperte di polvere nell'estate e di fango nell'inverno: onde spesso Cesira tornava dalle sue lezioni con la gonna inzaccherata, e ciò bastava a provocare le sue furie. Gli allievi di Cesira erano per lo piú i figli dei borghesucci o popolani del quartiere e Cesira, cui l'ambizione non era bastata a riscattarsi da quella povertà, piú che mai li disprezzava in cuor suo. Invelenita dalla sua sorte, era una maestra severa e rabbiosa: i suoi scolari ne avevano paura e la odiavano. Il suo viso grazioso, dai lineamenti altezzosi e puerili, appariva già sciupato dal rancore.

La sua vita di ricca gentildonna era durata poco piú di un mese: dopo questo tempo, ella aveva dovuto via via spogliarsi dei begli abiti e dei gioielli, come una comparsa che abbia rappresentato in una commedia la parte d'una regina. Era pur sempre vanitosa; la sera, malgrado l'acerba stanchezza, mai rinunciava a farsi i ricci per la mattina seguente. E il suo abbigliamento era troppo vistoso e frivolo per una maestra. Perciò si bisbigliava di lei che avesse degli amanti; ma questo non fu mai vero. Anzitutto, come si sa, ella era sempre stata di costumi rigidi, malgrado la sua civetteria. E inoltre, i gentiluomini che soli le parevano degni, ella non poteva frequentarli; e disprezzava troppo i poveri del suo ceto per abbassarsi fino a loro.

Adesso, ella non aveva piú alcun fine interessato per nascondere al marito la propria ripugnanza; e in lei covava una disperazione furente, bramosa di prorompere ad ogni occasione, sí che quasi ogni discorso fra i due finiva in un litigio. Ella pareva inebbriarsi di quel veleno: le sue sottili vene azzurre s'inturgidivano sotto la pelle delicata, le sue pupille si dilatavano, come affascinate dall'immagine del proprio odio. E con le labbra scolorate, asciutte, ella accusava il marito d'essere un mentitore, un fallito e un baro. Lo accusava d'averla ingannata, nascondendole la propria rovina, e d'aver approfittato della sua inesperienza per legarla a sé: – Ma tu, – domandava a questo punto, – credesti davvero di piacermi? – e s'abbandonava a un riso che pareva produrle un acuto spasimo. Gli svelava allora d'aver sempre recitato la commedia con lui, per farsi sposare, credendolo ricco; e gli dichiarava a voce alta d'averlo in tale orrore che fino il tocco della sua mano, fino il suono balbuziente della sua voce le erano insopportabile noia. Qui ella cadeva spesso in crisi di singhiozzi sterili, senza lagrime: – Ah, sono perduta! M'ha perduta! non ho piú speranza! non ho piú speranza! – gridava; e si spettinava, si graffiava, si batteva coi pugni il volto.

Mentr'ella imperversava in tal modo, lui la fissava, scosso da un penoso e strano tremito senile. Dopo la sua ultima rovina, era incredibilmente invecchiato; nella commozione dell'ira, la voce gli usciva stentata e roca, e gli saliva al viso un rossore nerastro. L'udir quei propositi venali, degni d'una sgualdrina, su una bocca da lui già creduta onesta, lo feriva piú ancor delle acri delusioni e degli oltraggi. Egli perdeva ogni misura e fin l'antica generosità in una volontà di rivendicazione meschina e crudele: – Ah pazza! tu dunque mi accusi! tu accusi me! – esclamava, in un faticoso tumulto di parole quasi indistinte. – Come se non fossi tu, proprio tu la causa della mia rovina! e non fosse stato questo insensato matrimonio a farmi perdere parentele e amicizie! non ricordi dunque che cos'eri quando ti conobbi? eri poco piú che una domestica in casa dei miei amici! e io che mi sono degradato sposandoti... che ho creduto alle tue smorfie, alle tue finte virtú, alle tue grazie... Ma guàrdati nello specchio, adesso non hai piú neppur quelle... Sei sciupata, brutta, sei brutta! – Ferita nella propria vanità, Cesira, di rimando, rinfacciava allora a lui la sua decadenza fisica, enumerandogli tutte le sue bruttezze, e guasti, e miserie, con una sottigliezza perversa. In tal modo s'accaniva fino ad esserne esausta: allora, di solito, s'abbatteva sul letto, dove restava per ore, coi capelli sciolti in disordine, lo sguardo incantato.

Teodoro invece, dopo un litigio, usciva di casa e andava a raggiungere i propri compagni, alla bettola o al caffè. Infatti egli non sapeva vivere senza compagni; e, perduti di vista la maggior parte dei vecchi, ne aveva trovati dei nuovi. I quali, sebbene d'un ceto alquanto piú umile dei primi, appartenevano pur sempre alla sua società prediletta: quella, cioè, della gente d'origini dubbie, che vive d'ignoti proventi e ama l'ozio e le fantasie.

Le compagnie di Teodoro eran del tutto straniere e ignote a Cesira, la quale, del resto, non gli chiedeva conto né dei suoi affari né dei suoi passatempi, e s'augurava solo ch'essi lo trattenessero fuori di casa il maggior tempo possibile. Soltanto in assenza del marito, infatti, lei poteva concedere al proprio cuore un po' di riposo e di tregua. La semplice vista di Teodoro bastava a irritarla. Allorché s'udiva sul ballatoio il passo faticoso di lui che rientrava, e poi lo scatto della serratura, ella aveva un leggero trasalimento nei muscoli. Quanto a lui, le scenate e il contegno della moglie avevano finito con l'inaridire gli ultimi resti della sua creduta passione, ch'era stata, in realtà, solo un capriccio violento e passeggero. Non si può dire, tuttavia, che Teodoro odiasse sua moglie, essendo egli, per sua natura, incapace di odio. Ma la evitava, come si fugge un triste, maligno spirito, e con l'andar del tempo, prese anche a temerla; poiché la miseria e le infermità lo avevan reso debole, inquieto e vile.

Talvolta, dopo uno di quei litigi, ella era invasa da una smania di tentare ancora, di esaltarsi, di vivere. Uscito Teodoro, febbrilmente si metteva in moto per la camera; e si pettinava, si rifaceva i riccioli, si profumava. Se le sembrava d'esser troppo pallida, inumidiva un cencio di seta rossa e con esso si soffregava le guance. Poi s'agghindava con tutta la cura e la civetteria possibili, indossando il suo abito piú vistoso, il cappellino piú adorno, i piú sottili scarpini. In questo affaccendarsi, parlava tra sé, con sorrisi amari, e ripeteva: « Ad ogni costo... non è finita... ad ogni costo... » Ma, come chi parte per una avventura indicibile, non osando d'uscir sola, prendeva per mano la figlia Anna, a quel tempo ancor piccolina, e s'avviava con lei. La sua mano nervosa stringeva quella di Anna fino a farle male; e se Anna, pur correndo, non sapeva tener dietro al suo passo frettoloso, Cesira la trascinava, strapazzandola con rimbrotti. Questa gran fretta, come un ruscello vertiginoso che poi confluisce con altre acque a formare un lento fiume, si placava appena giunti alla mèta. Era questa il Corso della città. Là sorgevano, guardati da portieri in livrea, quei palazzi che Cesira avrebbe voluto abitare non da sottoposta ma da signora; là, dietro le vetrine delle botteghe, su cuscini di velluto e di damasco, posavano dove un'aurea pantofola, dove un ventaglio di merletto, dove un diadema, dove un cappello simile a un giardino pensile, o ad un nido. Là passavano le carrozze scoperte, recanti le signore semidistese, che sorridevano, si salutavano l'una con l'altra, scherzavano coi loro cagnolini. Brune, pigre, ingioiellate come odalische, esse conversavano dalle carrozze, scambiandosi i loro vanti. E le venditrici di garofani, accoccolate sui marciapiedi vicino ai propri canestri, protendevano con la mano i mazzi, e ripetevano cantilenanti: – Signora! volete? Signora!

Composta, fiera, Cesira passeggiava, atteggiando a un lieve broncio mondano le labbra che fino a poco prima si era tormentate coi morsi. Anna le teneva dietro a piccoli passi. All'angolo del Corso con una viuzza laterale, Cesira sostava presso una fioraia, e, scelto con cura dal canestro un mazzolino di garofani bianchi, se lo appuntava sul petto, in atto dignitoso e amabile.

Di tanto in tanto, si fermava davanti alle vetrine come Eva davanti ai cancelli chiusi del paradiso terrestre. Il desiderio di quegli ornamenti proibiti si torceva in lei simile a furia, e nel pensiero ella infrangeva le vetrine, s'impadroniva delle merci preziose e, carica, ridendo e gridando come una baccante, si gettava su una di quelle carrozze e supplicava: « Aiutatemi ». Di questo intimo tumulto, non appariva in lei che un pallore fugace e una collera misteriosa, per cui stringeva piú forte le malmenate dita di Anna, e, magari, fingendo una colpa inesistente di lei, le graffiava i polsi con le unghie. Accadeva a volte che il suo desiderio compresso la esaltasse al punto da farle perdere ogni ritegno. « A qualunque costo! » ella imponeva a se stessa. E allora, se in una carrozza passava un gentiluomo solo, dai baffi bene arricciati, dalla lucida scriminatura, d'un tratto ella lo fissava con uno sguardo sfacciato, da cortigiana. Colui restava interdetto al curioso invito, e si voltava a riguardare, non senza un certo stupore, la signora agghindata per mano alla bambina bellissima. Però, se qualcuno, attirato, rispondeva con un sorriso, o un inchino, o magari ordinava alla propria carrozza di fermarsi, uno spavento invincibile afferrava Cesira. Ella abbassava gli occhi, e affrettava il passo, senza piú guardare né le carrozze né i passanti; e quasi fuggendo ritornava a casa.

Qui giunta, lasciava finalmente la rossa e intormentita mano della figlia, e si lasciava cadere sopra una sedia, nella propria camera; le pupille dilatate e fisse, incominciava a gemere, e ad uno ad uno strappava coi denti i garofani del suo mazzo. – No... no... – ripeteva, – basta... basta... – e singhiozzando si mordeva a sangue le mani. Senza capire, stanca della passeggiata tumultuosa, Anna la osservava: e i suoi occhi si fermavano su quelle mani violente, insanguinate dai morsi, senza pietà, ma solo con una curiosità nemica. Non diversamente da come io, tanti anni dopo, dovevo guardarle, quando mia nonna si lamentava del proprio male.

Cesira non tardò a stancarsi di quelle vane e folli passeggiate; e parve, sí, rassegnata, ma come un dannato può rassegnarsi all'inferno. Trascorrevano interi giorni senza che rivolgesse parola al marito; muta, ostile, s'aggirava attraverso le stanze, e usciva per le sue lezioni passando altezzosa fra le vicine dei ballatoi, che non degnava d'uno sguardo. Esse la seguivano con commenti beffardi, aspri: maligne leggende e calunnie correvano su lei. Se ella trovava, tuttavia, degli scolari, ciò avveniva perché le famiglie si facevano un vanto d'avere per maestra una signora titolata.

D'altra parte, ella era scrupolosa e precisa nel suo lavoro, come pure nelle faccende domestiche. Contrariamente alle donne dei Massia, fu sempre d'indole ordinata. Era, anzi, addirittura pedante, e legata ai propri oggetti da un'avara gelosia. Chiudeva i propri cassetti a chiave, e se, mentr'ella si trovava in altra stanza della casa, la figlia o il marito entravano nella sua camera, la si vedeva tosto accorrere sospettosa e ansiosa per sorvegliare di sulla soglia l'intruso, finché non se ne andasse.

Dal giorno che Teodoro le disse: – Ti sei sciupata, sei brutta, – ella prese l'abitudine di studiarsi attentamente nello specchio, come un malato a morte che esamini ogni giorno sul proprio viso i nuovi segni del male incalzante. Insieme spaurita e severa, scrutava i propri tratti uno ad uno, e chiamava Anna per chiederle: – Vedi qui? c'è una ruga? – rimanendo sospesa ad attendere la risposta della figlia come un verdetto di condanna. Se poi, mentre era allo specchio, il marito le rivolgeva la parola, ella evitava di rispondergli, e, pallida, le pupille ingrandite, mormorava a bassa voce preghiere strane; giacché s'era persuasa che il marito le gettasse la mala sorte.

È un fatto che, in quello specchio, il suo viso le appariva di giorno in giorno invecchiato. Come se le sue fallite ambizioni la bruciassero dal di dentro, si consumava e appassiva. Già, nel tempo di cui parlo, le prime rughe segnavano il suo volto, sul quale era sceso un arido pallore. Quando compié i trentacinque anni, aveva ormai l'aspetto d'una vecchia. E quand'io la conobbi, come sappiamo, pur non avendo compiuto i sessanta, pareva decrepita.

Fin dalla prima infanzia, Anna parteggiò per il padre, e i motivi di questa predilezione erano molteplici. Anzitutto, mentre Cesira pareva considerar la figlia null'altro che un peso di piú nella sua vita già troppo gravosa, Teodoro, al contrario, l'adorava: si può dire, anzi, che per la prima volta dacché era vivo egli fosse innamorato d'un amore vero, innocente e inguaribile. La grazia della piccola figlia (in cui gli pareva di rivedere, piú belle e delicate, le fattezze delle sue sorelle bambine), suscitava in lui quell'orgoglio familiare e di casta ch'egli aveva già condannato in altri. L'espansivo ardore del suo carattere, non spento in lui dall'età, poteva consumarsi alfine in un sentimento fedele, e senza peccato. Inoltre, l'età, e la perdita delle antiche attrattive, gli avevan portato una nostalgia di affetti, e un trasporto verso la gioventú, ai quali si doveva in parte, pur nella mescolanza di sentimenti piú torbidi, la sua unione con l'ingenua maestrina. Adesso, la sincera tenerezza rifiutata da Cesira egli poteva offrirla, intatta e piú limpida, ad Anna; e il suo candido idillio con Anna gli dava delle gioie che nessun altro legame gli aveva dato mai.

La sua voce roca, interrotta dalla balbuzie, non si stancava di vezzeggiare la bambina, volgendole nomignoli e lodi che parevano esprimere, piú che l'affetto paterno, una specie di mistico rapimento. Essi non suoneranno strani, del resto, a chi conosca i modi della nostra popolazione meridionale. – Cuore mio, – le diceva, – bella santa, carne mia, sangue mio, madonnuccia del padre tuo, – e le copriva di fitti baci le mani, e le dita una per una, e lo spazio fra dito e dito, solleticandola dolcemente sotto la palma per farla ridere. – Colombella! – le diceva udendo il suo riso e, perfino, componeva in onor suo dei piccoli madrigali come: – Di chi è la piú bella figlia della città? È mia! La gente passa e dice: «Come profuma questo giardino di rose!» E il papà dice: «Non è un giardino, ma una sola rosa colombella. È Anna mia».

A lei piaceva d'ascoltare suo padre mentre parlava cosí, e ancor di piú le piaceva d'ascoltarlo quando, improvvisando arie e motivi, egli le volgeva i propri complimenti in forma di canzoni; e presala sulle ginocchia la faceva dondolare secondo il ritmo di quelle musiche. Anna, divertita, rideva, rovesciando indietro il capo, e suo padre canticchiava: «*Bocchina rosa e denti gelsomini!*»

Egli aveva temperamento musicale, e voce intonata, come quasi tutta la gente dei nostri paesi; ma le note uscivano ormai dalla sua bocca tremule e spente. Anna, tuttavia, se ne deliziava, e nemmeno il tenore piú celebre, o il piú prezioso violino, le sarebber parsi cantori piú bravi di suo padre.

Simili festosi colloqui avevan luogo per lo piú quando Cesira era fuori, ché la presenza della moglie intimoriva e raggelava Teodoro, il quale senza dubbio, credo, avrebbe disertato per sempre la sua triste casa coniugale, non fosse stato per Anna. Talvolta, come farebbe un ragazzo con una sua sorella minore, egli proponeva alla figlia di fuggirsene insieme, loro due soli, e andarsene per il mondo. Gli piaceva di concertare lungamente, con Anna, i piani romanzeschi di questa fuga; e poiché nel passato aveva, in realtà, viaggiato molto, rievocava all'attonita bambina le nazioni e le contrade visitate già da lui solo, avanti che lei nascesse, e dove adesso ritornerebbero insieme. Per non confondere con nomi astrusi la mente infantile dell'ascoltatrice, egli soleva raccogliere, nei suoi racconti, tutti quei paesi remoti e stranieri sotto l'unico nome di: *Estero*. E le descriveva i favolosi itinerari che rifarebbero insieme, montando or su carrozze a quattro cavalli, ora su treni, ora su slitte trainate da cani, ora su navi e battelli, ora, infine, per l'aria, sul dirigibile; e le città ove si fermerebbero, le città dell'*Estero*, che si chiamavano *Parigi*, *Venezia*, *Pechino*, *Calcutta*, *Nuova York*, *Pietroburgo*. A lungo Teodoro si fermava a descrivere queste città; ma, vuoi per soccorrere con la fantasia la propria memoria indebolita, vuoi per meglio commuovere l'immaginazione di Anna, si atteneva solo in parte, nelle sue descrizioni, alla scienza geografica e alle proprie veraci esperienze. Le città da lui descritte erano strane contaminazioni d'opposte metropoli, nelle cui piazze imperiali la Leggenda e l'Utopia sedevano in mezzo a uno sciame di scherzose favole paterne. Ma Anna ascoltava simili descrizioni e progetti con una fiducia religiosa, non dubitando ch'egli manterrebbe, prima o poi, le sue promesse, e la condurrebbe seco all'*Estero*. Intanto, sebbene lui le ripetesse che le città dell'Estero, per quanto si cerchi d'immaginarle appaion sempre diverse da come ci si aspettava, ella andava costruendo tuttavia, su quei racconti paterni, una sua geografia strabiliante.

Sovente fantasticava intorno a queste meraviglie, e bramava che suo padre si risolvesse presto a rapirla, e a condurla in giro per l'Estero, secondo i loro progetti comuni. Talvolta, non senza timidezza, s'indusse a sollecitarlo; ma a tali sollecitazioni suo padre, mortificato, rispondeva di non avere, sul momento, abbastanza denaro per il viaggio: aggiungendo subito, però, d'aver intrapreso degli affari donde sperava grandi guadagni, per cui si potrebbe partire, forse, l'anno prossimo. Detto ciò, egli cadeva in pensose e taciturne malinconie; e Anna, sospirando fra sé, rinunciava a insistere.

Gli *affari* di cui parlava Teodoro Massia, oltre ad esser d'una specie alquanto dubbia, gli procuravano, in realtà, magrissimi guadagni. Di questi, una gran parte egli la spendeva per comperare alla figlia vestiti e regali, e ciò provocava molti litigi, perché un simile sciupío, quando in casa mancava il necessario, esasperava Cesira.

A lui piaceva di vestire Anna come una sposa, e di condurla a passeggio, per farla vedere alla città. Simili passeggiate col padre erano assai diverse da quelle, descritte, in compagnia di Cesira. Le passeggiate col padre erano tutte a onore e gloria di Anna. Egli adattava il proprio passo a quello di lei, e si chinava per conversare allegramente insieme. Le mostrava piazze, palazzi e strade narrandogliene la storia e celebrandole i fasti e le ricchezze dei Massia. Quando lei, per la sua piccola statura, non riusciva a vedere bene, egli la sollevava sulle braccia, sebbene anche quel lieve peso fosse sufficiente a farlo ansimare. E la conduceva nelle pasticcerie piú eleganti, dove lei stessa, come una dama, ordinava ciò che piú le faceva voglia, subito ubbidita dal cameriere, il quale, fattole un inchino, le recava sopra un vassoio tutto quanto ella aveva chiesto. Sul Corso, il padre sapeva dirle il nome di quasi tutti i signori che passavano in carrozza: talvolta, anzi, li salutava, con una scappellata e un inchino cerimonioso. Alcune gaie signore gli rispondevano con gesti festosi d'addio; ma la maggior parte di quella gente gli rispondeva con un freddo, infastidito cenno dei sopraccigli, o magari voltava la testa per non salutare affatto. Anna, estasiata, non poteva avvertire simili ingiurie, né egli, da parte sua, ne sembrava ferito. Recava per mano Anna come una sfida alla sua sprezzante società, con l'aria di dire: « Ecco, a voi, guardate la mia bella figlia ».

Come Cesira, anche lui si fermava presso il canestro d'una fioraia, e, dopo aver invitato Anna a sceglersi un mazzolino, voleva lui stesso infilarglielo nella cintura, e diceva: – Per la regina mia.

Un giorno (a quel tempo ella aveva sei anni), Anna, trascelto appena dal canestro il suo mazzo di ciclamini violetti, se lo rigirava fra le dita, ferma, in attesa che suo padre pagasse la fioraia. Ma Teodoro indugiava, distratto dallo spettacolo del passeggio; a un tratto si volse ad Anna, e le disse con fervore:

– Guarda, guarda tua zia Concetta e tuo cugino Edoardo!

C'era un crocchio di gente intorno a quella fioraia; e Anna, impedita dalla sua piccolezza, non riusciva a veder bene. Allora Tcodoro la sollevò in alto sulle braccia, e tenendola cosí sospesa al disopra della gente, le spiegava:

– Li vedi? sono nella terza carrozza, quella coi due cavallini bruni.

Anna guardò, e vide perfettamente, nella carrozza indicata, una signora dall'aspetto pigro e opulento, dalla pelle bianca; di sotto al cappello di velluto, abbassato davanti, le sporgeva sulla nuca una grande crocchia nera, un po' allentata. Ella teneva gli occhi bassi, con un riserbo che sembrava piuttosto d'orgoglio che di modestia. E il suo vestito poco appariscente, quasi trasandato, non nascondeva tuttavia la nobiltà del suo rango. Vicino a lei sedeva un fanciulletto circa dell'età di Anna: il quale, cosa rara a vedersi in quei paesi, aveva una capigliatura bionda che gli scendeva in lunghi riccioli sulle spalle, come a una bambina. Gli occhi erano irrequieti e lucenti, d'un bruno dorato;

egli dondolava le gambe, chiuse, fino a mezzo polpaccio, in candidi stivalini, e nelle mani minute, grassocce come tutta la sua persona, stringeva un tamburo verniciato di cui pareva oltremodo gloriarsi. – Li vedo, li vedo, – bisbigliò Anna. – Allora, salutalo, Annuccia, salutalo, – la esortò suo padre, con voce affannosa per la fatica di sorreggerla, – digli: addio, Edoardo.

Anna impallidí per l'emozione; ridente, agitò il suo mazzolino, e gridò: – Edoardo! addio.

La signora della carrozza levò gli occhi a questo richiamo; ma, scorti Anna e suo padre, s'imporporò in viso e di scatto volse il capo per non rispondere. A bassa voce, ella ammoní il bambino; ma questi non volle udirla. Guardò Anna incuriosito, e sembrò esilararsi a tale vista. Acceso, ridente, agitò a sua volta il proprio tamburo, gridando: – Addio! addio!

La madre, turbata, ripeté con maggior forza l'ammonimento; ma, invece d'intimorirsi, il bambino, stimolato dal divieto, si esaltò. Poiché la carrozza aveva oltrepassato l'angolo della fioraia, egli si levò in piedi sul sedile, e, di dietro il mantice ripiegato, agitò ancora il suo tamburo ripetendo addio.

– Edoardo! Edoardo! – gridò Anna esaltata a sua volta; ma in quel punto suo padre, stanco, la depose a terra, ed ella non poté piú scorgere la carrozza.

Lungo la via del ritorno, padre e figlia non parlarono che del cugino. Anna si stupiva soprattutto di quei capelli cosí biondi, e suo padre le spiegò che fra le famiglie della città ve n'erano alcune discendenti dai Normanni i quali, molti secoli prima, avevano invaso la regione. In tali famiglie, i biondi non erano rari. Il padre di Edoardo, di nome Ruggero Cerentano, era appunto uno di questi: egli aveva sposato Concetta Massia, sorella minore di Teodoro, e ne aveva avuto due figli. La maggiore, una fanciulla, che veniva educata in un convento di suore, era bruna come la madre; il minore, invece, Edoardo, rassomigliava in tutto al padre.

D'altra parte, soggiunse Teodoro, egli non poteva raccontarle, intorno a questo cugino, molto piú di quanto la stessa Anna aveva visto. Soltanto per via indiretta gli arrivavano notizie di sua sorella e degli altri parenti, coi quali, da molti anni, aveva interrotto ogni relazione. E qui, in tono drammatico, accennò a misteriosi dissidi. Vedendo poi l'interesse di Anna allorché si parlava del cugino, le disse scherzando: – Scommetto che ne sei già innamorata. Benissimo, sarà tuo marito. Cosí riprenderai nel mondo il posto che ti spetta per esser nata signora –. Anna, rossa in volto, rise follemente, al punto che gli occhi le si empirono di lagrime. Calmatosi, però, questo riso, ella si aggrondò, quasi offesa, e non volle piú parlare di suo cugino. Per molti giorni, tuttavia, non cessò di pensare a lui; se voleva, in segreto, rallegrarsi, vagheggiava il ricordo di quelle due mani grassottelle, simili, per il loro candore, a garofani o mughetti, che si agitavano per salutarla. Poi si ripeteva le parole: *sarà tuo marito*, e rideva convulsamente fra sé. Oppure si faceva rossa ripensando a quando, inebbriata e audace, lo aveva chiamato: Edoardo! Edoardo! In segreto, a bassissima voce, e piena di timore, pronunciava talvolta questo nome: e le pareva che il dire: Edoardo, la investisse d'un'arcana autorità. Subito, a quel nome misterioso, le si spalancavano le porte, ed ella veniva assunta alle regioni, per lei sovrumane, dei signori che andavano in carrozza sul Corso e abitavano i palazzi. A questo punto, si ripeteva, quasi a confermarselo: *Siamo cugini*, e tale verità la colmava d'uno sbigottimento ineffabile: simile a quello d'un povero pastore che ignora le proprie origini e infine, da un genio, apprende d'essere un semidio, figlio di dèi.

Purtuttavia, suo cugino restava sempre in una regione celeste, troppo piú alta di quella sua, di Anna. E s'ella riandava al momento del loro saluto, allorché una festosa corrispondenza s'era svolta fra loro, ciò le pareva un miracolo. Quella confidenza effimera le dava un brivido di delizia.

Ogni volta che usciva a passeggio, sebbene, per fierezza, non lo dicesse, ella spiava avidamente fra le carrozze, in cerca di lui. Questa semplice ricerca la faceva impallidire e tremare: « Se lo vedo, – pensava, – cadrò in terra svenuta, o fuggirò via ». Ma non rivide piú la carrozza di Concetta e di Edoardo: finché Teodoro, un giorno, le svelò che il padre di Edoardo, al quale Anna, nel suo pensiero, aveva messo nome *il Normanno*, era morto precocemente, dopo una lunga malattia. Per cui la sua famiglia, in lutto, non poteva farsi vedere nelle strade.

Anna rinunciò dunque alla speranza di rivedere il cugino al passeggio. D'altra parte le passeggiate con suo padre, come già quelle con Cesira, si fecero sempre piú rade, finché non cessarono del tutto. In quegli anni, infatti, la salute di Teodoro, già gravemente scossa, andò rovinando, ed egli dovette negarsi fino a quell'ultima gloria d'uscire in città con la bambina. Il suo passo faticoso e l'affanno di cui soffriva non gli permettevano di spingersi piú in là del proprio sudicio quartiere dov'egli terminava, per solito, in una delle tante osterie le sue solitarie passeggiate. Cosí, di giorno in giorno, il nostro bel moschettiere d'un tempo finí con l'incanaglirsi del tutto e perdere ogni rispetto di se medesimo e ogni apparenza di decoro. Passavano delle intere settimane senza che si radesse il volto o si mutasse i panni. Spesso, rincasando la sera brillo, si coricava tutto vestito, e come Cesira lo scuoteva dal sonno esortandolo rudemente a spogliarsi («secondo le usanze della gente civile»), egli le ubbidiva, ma penosamente e quasi in sogno. In quei gesti abituali di scalzarsi e di svestirsi la sua persona bianca e scheletrica appariva un oggetto di terribile pietà, come d'un vagabondo agonizzante forzato a levarsi da un letto ove si gettò per morire. La piccola Anna provava in modo oscuro un sentimento cosif-fatto; e non poteva perdonare a Cesira la sua severità.

In quell'epoca, in verità, uno straniero che avesse visto per le vie l'ossuta, allampanata figura di Teodoro Massia, in quei suoi abiti in-formi e incollati, la barba cresciuta sul volto malinconico e scarno, avrebbe potuto crederlo un malato levatosi dal suo letto d'ospedale, o un prigioniero fuggito da un campo d'umiliazione e di tortura. Invece, si trattava solo d'un ubriacone, che si faceva quasi in tutto mantenere dalla moglie, una povera maestra, e, adesso, se ne tornava a casa dall'osteria dove aveva passato il pomeriggio a bere e a giocare alle carte.

Il pensiero di Anna non lo lasciava. Non v'era giorno che rinca-sando, magari ubriaco, non le portasse dei piccoli doni, i quali si face-vano, ohimè, sempre piú miseri. Anna, tuttavia, mostrava gratitudine per questi regali; e sospettiamo addirittura che li supponesse, malgrado la lor modesta apparenza, oggetti costosi e di pregio, poiché le veni-vano da lui.

Talvolta egli la chiamava a sé, e le domandava, con voce avvinaz-zata e commossa, s'ella ricordava ancora i bei pomeriggi che uscivano a passeggio insieme. Ella accennava di sí, e lo fissava; e lui, leggendo forse in quegli occhi puerili una domanda, aggiungeva, con accenti pa-tetici, che purtroppo quei bei tempi eran finiti: lui s'era fatto troppo brutto, spiegava, e certo una bambina bella come lei si vergognava a mostrarsi in città con un uomo tanto brutto. A queste parole, Anna alzava una spalla e rideva amaramente, incredula: il fatto è che a lei Teodoro pareva sempre bellissimo.

Appena egli usciva, ella correva alla finestra, e come vedeva la figura di lui sbucar fuori del portone sottostante nella piazzetta, e internarsi in un vicolo, provava un'acuta invidia e nostalgia. Non dubitava che i siti ignoti ai quali egli s'incamminava, per il solo motivo d'esser fre-quentati da lui fossero ricchi e magnifici. E temeva sempre che, di quel passo, egli se ne partisse fuggitivo per l'Estero, secondo i loro progetti comuni, senza portarla con sé. Un giorno, in assenza di Cesira, non re-sistendo all'amaro pungolo di questi sospetti ella uscí sola sola di casa, e si mise alla ricerca di suo padre per le vie del quartiere. Dopo aver vagabondato invano per quasi mezz'ora, in un vicolo s'imbatté in lui che usciva da una botteguccia di droghiere dove aveva acquistato, per portarle in dono a lei stessa, certe pastiglie attaccaticce di zucchero rosa. Anna si fece raggiante a tale vista; e tenuta per mano da suo padre, stringendo nella destra il cartoccetto dei dolciumi, passo passo tornò a casa insieme a lui, come ai loro bei giorni.

In casa, l'atteggiamento di Cesira, ch'era nel tempo stesso, davanti a lui, quello d'un giudice e d'una vittima, teneva il marito in uno stato di continuo timore e dipendenza. Solo il vino lo liberava da simile disagio, e d'ogni altro ritegno. La sua esistenza sciagurata, i suoi vizi e le sue vergogne parevan allora diventare uno spettacolo ai suoi propri occhi. La considerazione della propria miseria lo traeva a una sorta d'entusiasmo; egli si batteva enfaticamente il petto coi pugni, e, chiamata Anna a gran voce, invocava la sua testimonianza: – Anna, guarda a che cosa han ridotto tuo padre! – esclamava, – guarda che cosa han fatto di Teodoro Massia di Corullo! Anna! tu vedi in tuo padre un uomo che preferí sempre la magnanimità alla vendetta; ma la vendetta è meglio del disonore. Le colpe esigono giustizia e riparazione! Anna, tuo padre non è finito, no, *essi* mi credono finito, ma io non sono finito ancora! L'ora della rivincita non è suonata, no, *essi* non sanno ancora, ma sapranno ben presto chi era tuo padre! E tu guardami, Anna: sotto quest'aspetto di paria, d'ebreo errante che non ha dove posare il capo, di soldato mercenario della cieca avventura, di MALEDETTO la cui risata non è se non l'eco d'un singhiozzo, ah, in questo petto batte sempre lo stesso cuore! È il cuore di colui che t'ha dato un gran nome, il cuore di Teodoro Massia di Corullo, che non muta per mutare d'eventi e di fortuna, e che grida vendetta! – Di qual sorta di vendetta egli parlasse, e chi fossero i misteriosi avversari cui alludeva, è difficile dirlo, né, probabilmente, avrebbe saputo dirlo lui stesso. Secondo il solito, i nomi delle cose bastavano a lui per inspirargli i veraci sentimenti delle cose medesime. Un dolore sincero per la giustizia offesa, un sincero sdegno, e una sincera sfida ai nemici suoi propri e di Anna scuotevano la sua persona gesticolante e la sua voce ebbra. Né meno sincero egli era allorquando, un minuto dopo, dalla rivolta e dall'esecrazione cadeva in un accesso di grandezza: e prometteva ad Anna magnifici giorni avvenire, onori e ricchezze degni d'una Massia. Lui, Teodoro, avrebbe riconquistato per lei tutto ciò che le spettava di diritto. Anna doveva soltanto attendere ancora un poco, fidando ciecamente in suo padre: ché lui s'occupava di ciò giorno e notte, aveva i propri disegni infallibili. Ella era nata con un nome di signora, ma suo padre la farebbe regina! Qui Teodoro toccava la nota culminante delle sue declamazioni; e, se un simile vocabolo non fosse disadatto all'abbrutita immagine dell'ubriachezza, diremmo che si trasfigurava. Quasi nel medesimo punto, finiva col prorompere in singhiozzi. La consapevolezza d'aver tratto nella propria disgrazia la bambina amata, lo stringeva d'improvviso, e i suoi scenari crollavano, le grandi parole si svuotavano per lui d'ogni prestigio. Fra i singhiozzi, chiedeva perdono ad Anna, con accenti febbrili e invasati, ripetendo d'esser maledetto, e giungeva fino a piegare i suoi magri ginocchi davanti alla bambina. Costei lo mirava confusa, ché non vedeva nessuna colpa né maledizione in suo padre, e non sapeva se giudicare un atto di supplica o di omaggio quella specie di mistica riverenza nella quale, a dispetto delle membra malferme, egli spirava una grazia antica. Invaghita e timida, Anna non sapeva trovare una degna risposta. Quanto a Cesira, a scene cosiffatte i suoi tratti stanchi e invecchiati s'impietrivano in un sorriso d'accusa e d'ironia.

Piú d'una volta, negli alterchi, Anna aveva udito Cesira gridare al marito: ubriacone. Ma questa parola, come ogni altra accusa che toccasse a lui, l'aveva indignata contro sua madre, senza oscurare affatto le virtú di Teodoro ai suoi occhi. Non di rado le era accaduto, percorrendo le povere viuzze in cui viveva, d'imbattersi in uomini ubriachi; ma le sarebbe parsa empietà e follia paragonare dei personaggi cosí ignobili a suo padre. Poiché Cesira, d'altronde, s'ostinava, per motivi di decoro, a ignorare le bettole e cantine dove suo marito spendeva i propri dopopranzi, ciò rimase avvolto nel segreto anche per Anna. Ma non v'è dubbio che se cosí non fosse stato, Anna, al vedere Teodoro seduto in una bettola, lo avrebbe creduto intento a un qualche misterioso rito paterno; nei poco brillanti compari che lo circondavano avrebbe supposto celarsi dei gran signori travestiti; e avrebbe invidiato quel covo d'ubriachi e l'aria infetta che si respirava là dentro.

Gli spettacoli d'ubriachezza dati da suo padre apparivano ad Anna quali manifestazioni d'una sorta di morbo sacro, e affascinante. È un fatto che Teodoro sapeva esaltarsi sulle proprie sconfitte come in passato s'esaltava sulle proprie rivolte; egli solennizzava anche la propria degradazione, e, come gli ingenui animali gustano il sangue delle ferite, gustava il sapore del decadimento. Infine, lui medesimo, e non altri, era stato l'inventore della sua presente rovina e bruttezza; alla sua natura esuberante non eran bastati l'ozio e gli onori che la nascita gli riserbava; e, pur di rappresentare una parte piú ricca, egli aveva preferito d'assumersi nella vita la parte del proprio diavolo. Per questo, l'immagine di lui non era d'un vinto (come tale, Anna l'avrebbe disprezzato, perché ella nutrí sempre, nei riguardi dei vinti e degli umiliati, un istintivo disprezzo); l'immagine di lui somigliava a quella d'un fanatico che alimenta il fuoco nel quale vuol esser consunto. E sua figlia, durante le scene su descritte, lo contemplava con inesausta ammirazione.

Tuttavia, passata la prima infanzia, ella incominciò a rendersi conto che il vino era nemico a suo padre, e, dunque, a lei medesima. Tanto piú che le manifestazioni, per dir cosí, eroiche dell'ubriachezza, diventavano in suo padre sempre piú rade. Avveniva ch'egli tornasse a casa come istupidito e reso muto da una stanchezza mortale, sí da esserne, talvolta, costretto al letto per alcuni giorni. Una sera, poco dopo il crepuscolo, tornò con una tempia sanguinante da una piccola ferita; sua moglie non c'era, e ad Anna egli raccontò d'avere urtato contro lo spigolo d'un muro nel salire su per la scala male illuminata: com'era avvenuto in realtà. Ma Anna sospettò che nei luoghi dov'egli si recava a bere vi fosse della gente a lui nemica, intesa ad assalirlo per fargli del male, o addirittura ucciderlo. Ella meditò allora di seguirlo non veduta, e quindi appostarsi nell'ombra, non discosto da lui, per accorrere a difenderlo appena fosse necessario. E un bel giorno, attese ch'egli fosse uscito, e come lo vide, dalla finestra, sbucare fuor del portone, si precipitò giú per le scale e si mise a seguirlo guardinga, alla distanza di qualche passo. Ma, fatti appena pochi metri, fu presa da vergogna all'idea di spiare suo padre come un malfattore; onde lo rincorse e, tutta in fiamme, quasi piangente nell'emozione dell'audacia, gli chiese dove andasse. Sorpreso, Teodoro le rispose che si recava presso certi amici, i quali dovevano aiutarlo a rifarsi ricco; tali amici, soggiunse, non ricevevano fanciulline come Anna, essendo tutti uomini e di grave età; ma se Anna preferiva ch'egli rinunciasse oggi ad andare da loro e tornasse con lei a casa, lui le avrebbe ubbidito, per farla contenta. A questo, Anna si vergognò di accettare un favore cosí splendido, e, scotendo con violenza il capo, lasciò suo padre e fuggí via. Da quel giorno, però, egli uscí assai piú di rado, scegliendo di solito i momenti che in casa non c'era nessuno per recarsi inosservato alla sua mèta solita. Ma il cammino da farsi per arrivarvi, e, peggio ancora, per tornarne indietro, era diventato un gravoso viaggio per lui, soprattutto quelle sei o sette rampe di scale, nella cui salita, certe volte, egli impiegava piú di mezz'ora. Arrivava a casa barcollante, affannoso; e s'aggirava per le stanze ripetendo frasi insensate e urtando contro i mobili.

Quand'egli rincasava in tale stato, Cesira si rinchiudeva nella propria camera, donde la si sentiva inveire. Accadeva che, sola fra una bambina e un uomo ubriaco, non trovando una creatura ragionevole con cui sfogare la propria ira, ella cadesse a volte in un vero deliquio.

Come sentiva questo malore avvicinarsi, presa da paura, e non senza intenzione, ella riapriva l'uscio della propria camera, quasi a chiamare a testimoni la figlia e il marito; poi la si vedeva abbattersi a terra sulla soglia. Pur nella sua mente oscurata, Teodoro si spaventava e chiamava la moglie per nome; Anna le scuoteva le braccia e le asciugava la fronte sudata. In pochi secondi, sua madre rinveniva, e Anna pensava, disdegnosa: «Fu tutta una commedia».

Sempre piú, col passar del tempo, Anna diventava ostile a sua madre. Anzitutto, perché nei litigi fra i due coniugi, Teodoro era sempre meno violento, e riceveva le piú gravi offese; e inoltre perché, dalle accuse ch'egli gettava contro la moglie, Anna aveva dedotto la convinzione che la persona di sua madre contaminasse la famiglia. Mentre le accuse di Cesira al marito suonavano al cuore di Anna come calunnie, le repliche esasperate di lui erano per Anna altrettante rivelazioni. – Mi son degradato sposandoti, – egli ripeteva, e Anna credette vedere nella persona di sua madre il principale ostacolo che separava loro due altri dai magnifici personaggi delle carrozze. Sua madre era in tutto diversa da suo padre e da lei: era di statura piccola, e aveva occhi d'un lucido azzurro. Camminava quasi di corsa, sebbene a piccoli passi, e cosí pure parlava frettolosamente. Né mai soleva confidarsi con la figlia, raccontandole di se stessa e del proprio passato, come faceva Teodoro; evidentemente, il suo passato era oscuro, e tale da tenersi occulto. I suoi stessi sacrifici, lo stesso accanito lavoro cui si sottoponeva, ella aveva l'aria d'imporli a se medesima come un dovere odiato, e agli altri come un'accusa o una vendetta. Fra i malevoli gruppi delle casigliane, Anna aveva sorpreso, al passaggio di sua madre, qualche voce chiamarla *strega*. Inoltre, ella soffriva di accidenti bizzarri, che accrescevano la diffidenza di Anna, invece di sedurla col loro mistero, come avveniva per suo padre: a volte, per esempio, lei cosí seria e triste, per una inezia qualsiasi aveva assalti d'un riso convulso, irrefrenabile, che la faceva lagrimare. Da principio, trascinata, Anna rideva a sua volta; ma poi vedeva la madre, pur nella folle ilarità, premersi il petto e la fronte gemendo: – Ah Dio, ah Dio, mi fa male –. Né era troppo raro il caso che tali risate si risolvessero in amari singhiozzi.

Altre volte, sebbene in piena salute, Cesira veniva còlta da ribrezzo come accade a chi soffre di febbri. Le sue mani incominciavano a scuotersi come due foglie in balía del vento invernale, e i denti le battevano. Quasi compiaciuta da questo fenomeno, ella diceva con voce rotta: – Anna, guarda, guarda come tremo. Non posso frenarmi, non posso... – E aveva, nel dir ciò, un sorriso maligno, quasi a significare: «È colpa vostra se sono cosí».

Si era fatta misantropa; né usciva mai dal suo severo riserbo se non per offendere o per ferire. Di rado, poteva accadere che, in occasione di una visita, si animasse, e, tutta agghindata, arricciati i capelli, tinte di rosso le guance, diventasse gaia e vivace. C'era però, in questa sua frivolezza, un che di smanioso e ambiguo, che metteva il disagio. E ben presto, ella usciva in qualche cattiveria che le inimicava il visitatore. Per Anna, ella era pressoché un'estranea se non addirittura un'intrusa; in cuor suo, Anna la disprezzava. Tali suoi sentimenti verso la madre diventarono ancora più acuti da quando Anna incolpò Cesira della malattia che condusse a morte Teodoro. In realtà, già da tempo la sorte di Teodoro era segnata; e l'accidente, cui nella sua mente puerile Anna attribuiva la colpa della crisi, non fu invece altro che un'occasione.

Ad ogni modo, l'occasione scelta dalla sorte per finire Teodoro, fu proprio una di quelle liti domestiche tanto frequenti in casa Massia. Avvenne un giorno che Teodoro, tornato a casa in preda al vino, si spingesse fino alla stanza ove sua moglie teneva scuola a due ragazzette, e, aperto l'uscio, di sulla soglia pronunciasse non so quali sciocche parole con la sua voce ubriaca. Le due scolare si guardarono, e inutilmente si sforzarono di trattenere il riso; ma Cesira, alla vista del marito, aveva gettato un grido quasi avesse scorto un fantasma. Poi si volse alle due ragazze, e, vedendole ridere, si levò come sferzata: – Via, sfacciate, stupide! – gridò, – via di qui! – Le ragazze, spaurite, s'affrettarono ad uscire, e Cesira ebbe dinanzi solo il suo avversario (Anna accorse poco più tardi alle grida). In verità, quell'avversario pareva, a vederlo, non troppo diverso da un'ombra, ma, come certi furiosi animali che, per manía di risse, s'avventano contro le ombre, Cesira, protesa, urlante, si dette a inveire contro lo spettrale ubriacone. Ai soliti vecchi insulti ella, fuor di sé, mescolava parole inaudite e triviali, di quelle che le infime popolane sogliono urlarsi a vicenda nelle loro baruffe. Probabilmente le aveva apprese da bambina, nell'umile mondo della sua famiglia, e adesso, godeva a liberarsi d'ogni ritegno, pari a una cavalla sfrenata. Sembrava che in questa indegnità, in questo brutale strazio ch'ella faceva della rispettabile signora Cesira, il suo odio contro il marito, alfine, trovasse intero sfogo. Né ella prevedeva certo, in quel momento, che per l'ultima volta, oggi, le veniva concessa una simile soddisfazione.

Nella sua strana voluttà, la donna quasi non vedeva più il suo nemico; il quale, aggrappato a un battente dell'uscio, gli occhi sanguigni fissi su di lei, si sforzava di raccogliere la propria ragione vacillante per una adeguata risposta. Ma d'un tratto l'espressione di lui, febbrile e intenta, si tramutò nell'inerme terrore di chi domanda aiuto. Egli cercò di parlare, ma soffocò; e, abbattuto il capo sul petto, stramazzò sul divano vicino.

Per qualche minuto, la moglie e la figlia lo credettero morto; ma com'egli riaprí lentamente gli occhi stravolti e opachi, Anna, curva su di lui, volse a sua madre uno sguardo cattivo, col quale, freddamente, la scacciava dal capezzale di Teodoro. Con quello sguardo, la fanciullina di undici anni iniziò il suo dominio sulla mente confusa di Cesira. Fu lei, da quel momento, la padrona. La sua fanciullezza finí, e Cesira non poté mai piú liberarsi, in presenza della figlia, da un sentimento di soggezione servile e pavida: non dettato però dall'amore.

Per molti giorni, Teodoro non poté articolare né le membra né la voce. Poi riacquistò la parola e, in parte, i movimenti del busto; ma non gli guarí piú la paralisi delle gambe. Egli dovette cosí trascorrere sulla sua poltrona d'infermo gli ultimi due anni di vita che gli restavano: e Anna, che sempre fu crudele ed egoista col suo prossimo, ma disperata nel sacrificio allorché era vinta dall'amore, fu la compagna di quella sua lunga agonia.

Capitolo quarto

Nicola Monaco diffama il Cugino e tesse imbrogli.

Senza amore, stimolata soltanto da un dovere spietato, Cesira provvedeva, in quel periodo, al sostentamento della famiglia, e alle cure necessarie all'infermo, incapace, se privo d'aiuto, perfino di levarsi dal letto. Una beffarda, fiera sorte la costringeva agli uffici di suora di carità verso un uomo che non destava in lei neppure la pietà, ma solo fastidio e rancore senza perdono. Tuttavia, dal momento che Teodoro cadde malato, ella cessò le accuse e i lamenti abituali; né mai, da quel giorno, trascurò i propri doveri verso di lui. Compieva tali doveri come incalzata da un intimo suo despota, e già paurosa dei castighi cui la sua stessa mente malata l'avrebbe sottoposta nel futuro. Però mai sul viso di quella gelida, trista suora compariva un sorriso, un cenno di compassione e di conforto, a rendere il suo soccorso piú umano. Una eguale, continua espressione d'indifferenza, mista all'ironia e ad un vago ribrezzo, accompagnava i suoi gesti esatti. A volte l'infermo, bramoso d'illudersi, cercava di dar vita a quella fredda apparizione con la propria gratitudine; e, discorrendo con Anna, lodava il sacrificio, la diligenza di Cesira. Ma sempre, a questo discorso, vedeva la bambina corrugare le ciglia severe e irrigidirsi. Egli capiva, da tale silenzio, il sentimento della figlia, ch'era anche il suo; e fra loro, per un momento, correva un amaro disagio.

Anna non lasciava mai suo padre. Molti furono i pomeriggi ch'essi trascorsero soli in quella stanza al terzo piano, che pareva sospesa sul grande campo della terra, pieno di chiasso e di brusío. Furono pomeriggi ricchi e memorabili. Un rimorso continuo pungeva Teodoro per la fanciullezza di Anna da lui sacrificata lassú; ma la gelosia, e la paura della solitudine, lo rendevano codardo se pensava di privarsi, anche per poco, di lei. Dunque, accettava quella dedizione; ma ad ogni costo voleva renderla meno grave con l'essere un fantastico, brillante com-

74

pagno. La sua mente, dacché egli non poteva piú avvelenarla col vino, aveva riacquistato in parte l'antica vividezza; e gli spiriti che avevano abbandonato le sue membra parevano essersi raccolti nella sua conversazione. Egli chiamava in aiuto le risorse del suo passato di conquistatore per piacere alla figlia, e divertirla; facevano insieme i giochi di società allora in uso nei salotti, si proponevano indovinelli e sciarade. E spesso la risata della bambina coronava quei giochi, subito seguíta dal felice, estatico riso di Teodoro. Oppure, Anna teneva lettura ad alta voce. Si leggevano per lo piú traduzioni di avventurosi romanzi francesi che costituivano, in massima parte, la biblioteca di Teodoro (molto ristretti, infatti, erano a quei tempi i pascoli letterari d'un gentiluomo del Mezzogiorno). E a simili storie di moschettieri e di regine, di malfattori magnanimi e di geniali segui, di aristocratici fortunosi e di donzelle, Teodoro si ispirava per narrare alla figlia le sue proprie trascorse avventure. Egli era stato sempre un buon amico delle frottole; ma in queste occasioni, poi, non rifiutava nessuna invenzione che gli si offrisse alla mente per brillare agli occhi di sua figlia. Raccontava intrighi, duelli e congiure, dai quali sempre usciva col massimo onore, sia come vincitor trionfante, o sia come nobile vittima; e si esaltava in tali false memorie, e nel viso emaciato, divorato dalla barba che vi cresceva in disordine, un fulgore morboso gli accendeva le pupille, illuminando la sua fronte sconvolta. Le sue storie talvolta si contraddicevano a vicenda, tal'altra erano sconclusionate e senza nesso. Ché, già toccata dalla morte, spesso la mente di Teodoro si smarriva in una caotica e balenante folla di visioni, e correva urtandosi dall'una all'altra. Ma Anna, per amore, non s'accorgeva di nulla, e credeva ciecamente alle romanzesche memorie di suo padre, attribuendone le apparenti lacune alla propria ignoranza dell'alta società, e alle consuetudini irreali di coloro che avevan carrozza e cavalli.

Un argomento su cui padre e figlia, per una muta intesa, non eran tornati piú, era il loro antico progetto di fuga, e di viaggi comuni: ché in quella stanzetta d'invalido non v'era piú luogo per una tal fragorosa, alata speranza. Anna, tuttavia, seguitava a vagheggiare in segreto il famoso viaggio, dicendosi che forse suo padre, appena guarito, ricorderebbe la vecchia promessa; e non voleva rassegnarsi a relegare questa promessa di lui fra i giochi e le leggende infantili.

Nel mezzo delle loro allegre conversazioni, Teodoro diventava, a volte, pensoso e melanconico; ed era quando il suo discorso cadeva sulle congiure di non ben precisati nemici, i quali, egli affermava, usando a fini malvagi la stessa magnanimità di lui, gli avevano alienato la famiglia paterna. Per questa sua famiglia, da lui rinnegata in passato, egli mostrava sovente una nostalgia fanciullesca; ma nondimeno s'indusse di lí a poco a ribadire, con un'ultima offesa, il proprio dissidio coi suoi.

Fra i pochi visitatori che salivano a vedere il malato, c'era un tale Nicola Monaco, ragioniere. Teodoro lo conosceva già da molti anni, ma la loro amicizia era piuttosto recente. Questo Monaco reggeva la carica d'amministratore in casa dei Cerentano, in casa, cioè, di Concetta, sorella di Teodoro: appunto colei che Anna aveva veduta passare in carrozza, col piccolo Edoardo. Erano molti anni ormai che Nicola Monaco aveva assunto quella carica; ma, dacché era morto Ruggero Cerentano, marito di Concetta, gli affari della famiglia eran del tutto nelle sue mani. Infatti, oltre che dalle cure per il figlio Edoardo, suo prediletto, Concetta era tutta presa dalle pratiche religiose, beneficenze a conventi e a parrocchie: giacché era una zelante cattolica. Molte notizie sulla famiglia di sua sorella, Teodoro le aveva apprese, in quegli anni, proprio da Nicola Monaco: il quale, all'insaputa dei suoi padroni, coltivava relazioni con una società equivoca e gaudente di cui Teodoro faceva parte. Certi gusti comuni, e certe curiose somiglianze della loro indole avevano ispirato a Teodoro simpatia e amicizia per colui ch'egli aveva trattato un tempo da padrone a sottoposto. Nicola Monaco era piú giovane di lui di parecchi anni: al tempo di cui si parla, era ancor nel fiore della virilità. Era ammogliato, e padre di numerosa famiglia; ma ciò non si sarebbe detto a vederlo, né egli amava di farne mostra. Il piacere di vivere, e una foga entusiasta, si alternavano in questo personaggio con un fiero scetticismo, o addirittura con un pessimismo ostentato. Egli era di persona alta e vigorosa, e la bella armonia dei suoi tratti veniva resa ancor piú attraente dalla salute e dalla vivacità. I suoi capelli, e la barba tagliata corta e ben ondulata, erano biondi con riflessi rossicci, gli occhi grandi, color azzurro vivo. Nella risata, rimbombante e musicale, scopriva la bella dentatura sana e intera, fra le gengive rosse come quelle d'un adolescente. C'era, in questa sua risata, un che di belluino, ma insieme un'eco di giovinezza inesausta che gli attirava la simpatia. Il suo profilo somigliava a quello di certi imperatori incisi su antiche medaglie; ma i suoi modi, e quelle sue spalle larghe, e il petto che si dilatava nel respiro, facevano pensare piuttosto a un cantante che sostenga in un melodramma una parte d'imperatore o d'eroe. Difatti, egli soleva ripetere che la sua vocazione era sempre stata quella del cantante; ma suo padre, agrimensore in un piccolo paese, lo aveva costretto a studiare da ragioniere, e, ancora ragazzo, gli aveva dato moglie, causando in tal modo la rovina della sua carriera

76

e di tutta la sua vita. Non di rado, dava prova delle proprie virtú musicali cantando con una voce di baritono, magnifica sebbene incolta, romanze e pezzi d'opera. Da lui preferiti eran quei pezzi le cui parole suonavano eresia, ribellione o invettiva. Per esempio, egli amava intonare il *Credo* di Jago:

> Credo in un Dio crudel che m'ha creato
> simile a sé, e che nell'ira io nomo...
> ... vile son nato
> perché son uomo...

La sua voce raddoppiava la *enne* iniziale di *nomo*, e calcava su *vile* con un gusto empio ed irruente. Un sorriso beffardo gli increspava le labbra quasi che egli intendesse veramente lanciare una sfida a Dio; e nel tempo stesso fare intendere agli ascoltatori quali amare profondità contemplasse in quella sua canora bestemmia. Similmente, egli adornava la sua conversazione di scettici aforismi, quali: *Chi disse donna disse danno, Homo homini lupus, L'abito fa il monaco,* oppure dichiarava: *Il giusto pecca sette volte al giorno e il prete settantasette volte,* o citava: *Beati i poveri di spirito ché per essi è il regno dei cieli,* non già, però, secondo il significato evangelico, bensí con ironica intenzione: sottolineata dall'aggiunta ch'egli faceva, in tono sarcastico: *e della terra.*

Quando alludeva a sua moglie, che beffardamente chiamava *la mia signora,* lo faceva come chi parli d'una sorta d'inguaribile cancrena o di perpetuo inciampo. Affermava infatti esser la famiglia, e in particolare la sua propria, la maledizione dell'uomo; ma invero, dal numero d'avventure da lui vantate e dalla vita ch'egli menava non si sarebbe detto che la famiglia lo intralciasse troppo nella sua libertà. Di sua moglie, ch'egli mostrava malvolentieri, si diceva che fosse una povera donna ridotta al semplice ufficio di serva e abbrutita dalle fatiche e dalle gravidanze. Si diceva pure, sebbene non se ne avessero le prove, ch'egli la maltrattava e la insultava in presenza dei figli, mai sazio di rammentarle quanto fosse sudicia, e vecchia, e brutta. Chi l'aveva vista, la descriveva come una donna dal corpo ingrossato fuor di misura, e disfatto; dal viso, invece, scarno, in cui gli occhi bruni, malevoli e diffidenti, evitavano di guardare l'interlocutore. Ella s'infagottava sempre in gonne di fustagno dai colori vivaci e stinti, in larghi scialli sfrangiati e ròsi dalle tarme. Quando s'era sposata, ella aveva sedici anni, e Nicola diciotto. Durante la giovinezza, la gelosia del marito l'aveva tenuta rinchiusa nelle poche stanzette della loro casa come una monaca di clausura, non permettendole nemmeno d'affacciarsi alla finestra.

Ella non sapeva né leggere né scrivere, e non dubitava che la propria sorte fosse giusta e fatale per legge di natura, né che il proprio marito fosse il piú ammirevole degli uomini. Era persuasa, altresí, che fosse un suo proprio dovere servire il marito e i figli, quello perché suo padrone incontestato, e questi perché *sangue suo*. Sebbene incurante della eleganza propria e di quella dei figli, aveva somma cura degli abiti del marito, giacché sapeva che questi amava d'apparire elegante, magari per piacere ad altre donne. E similmente non gli moveva alcun rimprovero dell'aver egli, forse per altre donne, sperperato in poco tempo la sua dote.

V'era solo una questione sulla quale costei non ubbidiva al marito: e cioè la questione religiosa. Era riuscita a far battezzare di nascosto tutti i suoi figli e quando, in gioventú, suo marito le proibiva di recarsi in chiesa, ripeteva in solitudine interminabili preghiere e genuflessioni dinanzi a un'immagine sacra da lei conservata nella federa del proprio guanciale. Aveva avuto nove figli, dei quali i tre maggiori, che adesso avrebbero potuto esserle di qualche aiuto, erano morti in un terremoto che alcuni anni avanti aveva devastato la sua regione nativa. Dei sei rimasti, le tre piú grandi, tutte femmine, erano ancora ragazzette; e i tre maschi avevano tutti meno di sette anni. Ognuno di loro recava sempre con sé, cucita nell'interno dei vestiti, una immagine sacra, e cosí pure Nicola, sebbene non lo sospettasse davvero, ne portava una, raffigurante la Vergine delle Sette Piaghe, celata sotto la fodera della giacca. Nel fare le proprie faccende, in assenza di Nicola, la moglie si divagava recitando il rosario, o ripetendo le litanie della Vergine, e gli inni liturgici, con lamentosa monotonia. Non di rado, a questa sua continua cantilena s'univano i figli e le figlie, da lei medesima ammaestrati. Ella li ammoniva a non dir nulla al padre di tali orazioni, ed essi non la tradirono mai: giacché erano tutti suoi complici, e a lei perdutamente devoti. La loro apparenza, come quella della madre, era di sudici straccioni.

Ciò è quanto mi è pervenuto circa la signora Pascuccia Monaco.

Ma, per tornare a Nicola, noteremo che le sue brillanti qualità gli attiravano l'ammirazione, soprattutto delle donne e dei fanciulli. Voglio dire dei fanciulli estranei ché i suoi, malgrado il rispettoso timore che gli portavano, non potevano perdonargli le violenze e le ingiurie contro la madre, da loro prediletta. Del resto, egli non risparmiava, a quanto sembra, neppure ai figli le violenze e le brutalità e, nelle sue brevi apparizioni in casa, esercitava sulla famiglia una fiera tirannide. La maggior parte del suo tempo lo trascorreva, però, in casa Cerentano, o in viaggio attraverso le terre di quella gente ricca, allo scopo

78

di sorvegliare i lavori, raccogliere i proventi e i tributi, comperare o vendere secondo il caso. Di ritorno da questi viaggi, aveva sempre da raccontare avventure d'amore pittoresche e strane con belle contadine, fattoresse e perfino monache. Molti di questi racconti erano inventati, e tutti modificati e coloriti dalla sua fantasia; e ciò non perché la vita di Nicola non fosse ricca, in realtà, d'avventure simili, ma per la ragione ch'era impossibile a Nicola di raccontare un fatto senza aggiungervi alcunché di suo. Carattere precipuo di tal narratore era, poi, la nessuna importanza da lui concessa alla singola sorte dei suoi personaggi. Egli si compiaceva di descriverli con tinte vivaci o fosche allo stesso modo che si descriverebbe un paesaggio o un oggetto; quasi che essi fossero là esclusivamente per fare da specchio o da paragone alla sua propria gloria. Per esempio, fra gli aneddoti piú comici del suo repertorio (s'intende che scegliamo il nostro esempio fra quelli piú castigati, non volendo fare arrossire i lettori), v'era il seguente. Un contadino, uomo ammogliato e padre di molti figli, tutti ancora bambinetti, si assenta per qualche giorno da casa, dovendo recarsi alla fiera del bestiame. La moglie sua approfitta di quest'assenza per correre nelle braccia di Nicola, che la aspetta in una capanna distante di là un tre chilometri; ma prima di andarsene ella chiude in casa a chiave tutti i suoi bambini, affinché non si sperdano, e li provvede di pane per un giorno e una notte: ché tanto conta di restare insieme a Nicola. Or costui, con le grazie e le arti sue proprie, le fa invece dimenticare figli, marito e casa trattenendola nella capanna per tre giorni e piú. Il terzo giorno, il marito, di ritorno dal suo viaggio insieme a una mucca e un asino comperati alla fiera, si presenta a casa, e trova porte e finestre serrate come se tutta la famiglia fosse morta di peste. Bussa, e nessuno gli apre; ma dall'interno s'odono stridi rochi, e spenti piagnucolii, come di anime del purgatorio. Da parte loro, l'asino e la mucca, stufi del viaggio, e smaniosi di riposarsi nella stalla, incominciano a urlare e a sbraitare come diavoli infernali; e il contadino chiama, tempesta, gira intorno alla casa, credendosi capitato dentro un racconto di streghe. Finalmente, ha la buona idea di mettere il muso a una fessura e di chiamare con quanta voce gli resta in corpo. E attraverso quella fessura, finalmente, ode il suo figlio maggiore spiegargli, con una vocina d'agonia, che mamma è *partuta*, finestre e porte sbarrate, il pane mangiato. All'udir ciò, il contadino si decide a sfondar l'uscio a colpi d'accetta, e si trova davanti i suoi bastardelli affamati e sfiatati, con le bocche spalancate come tanti ranocchi. Or in quel punto stesso, ecco la moglie di ritorno, che sale su dal viottolo, con le braccia in croce, il capo sul petto e un cero in mano: – Eh! – urla il marito, – donde vieni, maledetta, assassina del sangue tuo?

– Che vai urlando, pazzo? – risponde la moglie tenendolo lontano, – non lo vedi che sono in atto di voto e di disciplina? Sono stata in pellegrinaggio, per compiere un voto a san Nicola.

– E lasci la casa abbandonata, i figli a digiuno!

– La casa non era abbandonata perché stava sotto la protezione di san Nicola, e i figli li ho lasciati a digiuno perché si purgassero. Difatti il comando di san Nicola, che m'apparve in sogno, fu: « Va' pellegrina per tre giornate, recando un cero in mano, ripetendo le preci di san Nicola, e lascia la casa chiusa e i figli a purgarsi, se vuoi che l'asino e la vacca di tuo marito si ritrovino sani e salvi dalla fiera ».

– Su questo, – risponde il marito, rabbonito alquanto, – non c'è niente da dire. Le due bestie suddette sono in perfetto stato, quel che mi spiace è d'avere sfasciato la porta. E voi, figli, abbiate pazienza, ché quanto avete sofferto è stato sofferto per la santità. Lumi spenti e senza cena, purch'io dorma in grazia di Dio.

Detta l'ultima battuta, Nicola chiudeva simili racconti con una risata armoniosa e gioviale, alla quale tutti i presenti, vinti dal contagio, facevano coro. Né, s'intende, egli raccontava solo amori di campagnole e contadine. Poteva vantarsi d'avventure con signore d'ogni sorta, galanti e del gran mondo: ma in quest'ultimo caso prendeva, per fare i suoi racconti, un'aria confidenziale e misteriosa, e ostentava di tacere il nome delle protagoniste.

Ricordiamo pure com'egli amasse d'infiorare la propria conversazione di citazioni storiche e letterarie, dette con un tono che significava: « Che uomo geniale son io, che cultura versatile possiedo ». Ma la virtú che piú lo rendeva simpatico al prossimo, era la sua straordinaria prodigalità. A costo di lasciare la propria famiglia nelle strettezze, mai egli si recava in una casa ove fossero delle signore senza un omaggio di fiori o di dolciumi. Al caffè, si considerava insultato se gli amici seduti al suo tavolino rifiutavano ch'egli pagasse per tutti. Amava esser vestito all'ultima moda, e spendere i propri denari in superfluità e gingilli che poi distribuiva alle amiche. Le donne che piú gli piacevano erano quelle che gli costavano di piú, sebbene ostentasse di parlarne col massimo cinismo. Cosí pure, benché d'indole gelosa, prediligeva le infedeli, ed era anzi attirato, soprattutto, da quelle che per il loro stesso mestiere o condizione si trovavano nella necessità di esserlo: come le attrici, le cantanti, e le ragazze di allegri costumi. La sua massima ambizione era di farsi vedere dagli amici in compagnia di una qualche cortigiana famosa, vistosamente adorna. Ma le sue finanze modeste non glielo permettevano, tanto piú ch'egli avrebbe sdegnato di dividere queste dame coi loro ricchi protettori e di accontentarsi d'una parte piú oscura, anche se piú dolce. Grazie alle sue qualità, fra simili dame non poche ve n'erano che gli avrebbero volentieri offerto il cuore; ma era proprio la parte di protettore quella cui Nicola ambiva: ed essa gli era preclusa. Tali ferite alla sua vanità provocavano in lui non di rado invettive e beffe contro i signori e contro la società ingiusta. Coi suoi conoscenti piú intimi egli non si stancava mai di raccontare episodi nei quali risaltasse la stupidità, l'ignoranza e l'indegnità dei ricchi, da lui descritti con gli accenti della piú crudele satira, a diletto degli ascoltatori. Ma non eran certo la carità e la giustizia che parlavano in lui: si capiva ch'egli avrebbe senza esitare applaudito a una società nella quale tutti fossero servi, e lui solo, Nicola Monaco, signore e tiranno. D'altra parte coi padroni da lui condannati egli era capace d'una tale ipocrisia, ch'essi, quasi tutti, non dubitavano della sua fedeltà e onestà e rifiutavano come calunnie le voci a lui contrarie. Egli aveva continuamente in bocca le parole *onore*, *vita integerrima*, e nel dare la sua *parola di galantuomo*, *sacra e onorata*, assumeva un'aria solenne, e traeva dal petto una voce profonda e persuasiva. I piú avveduti, non si può negarlo, diffidavano, a momenti, di lui; ma erano una minoranza facilmente sopraffatta: tanto imponente era la sua figura e forte il suo fascino.

Ci si può stupire che con simili qualità egli non fosse arrivato piú lontano. Ma in fondo alla sua natura c'era una tale imprevidenza e disinteresse e incapacità di volere che, nonostante il suo perfetto egoismo, egli sperperò se stesso e la sua vita. Nicola preferiva immaginare il gran personaggio che avrebbe potuto essere, piuttosto di darsi pena per diventarlo; e al minimo piacere presente sacrificava ogni felicità avvenire. A sentirlo, colpevole di tutto era suo padre, che non lo aveva incoraggiato a studiare il canto e gli aveva dato moglie troppo presto; ma in realtà, l'unico attivo impulso in tutta la sua vita gli era stato dato dal suo defunto padre. A lui Nicola doveva il proprio diploma di ragioniere, ed era rimasto poi sempre fermo a questo punto, cosí forte era in lui l'accidia. Se suo padre non gli avesse dato moglie, lui presto avrebbe sposato la prima sgualdrina che lo volesse. La sua bella voce, cosí vantata, preferiva esaurirla cantando romanze agli amici piuttosto che preoccuparsi d'educarla. Tutte le sue vivaci qualità, le sprecava giorno per giorno in chiacchiere, frasi ed effimere avventure. La furberia, di cui non era privo, la usava per i piccoli espedienti quotidiani, imbrogli, commedie e raggiri, nei quali si consumava ogni sua energia e intellettuale risorsa. Seppure, stanco della mediocrità, si fosse deciso a imbastire qualche espediente di maggiore impegno, il venir meno della voglia, o della prudenza, o della pazienza, l'assenza di metodo e il suo stesso egoismo troppo sfacciato gliel'avrebbero fatto cadere in pezzi prima della conclusione: ciò gli avvenne, difatti, non appena volle tentarlo. In verità, egli era condannato fin dalla nascita, non solo per sorte ma per natura, a restare eternamente povero aspirando alla ricchezza e a vegetare nelle bassure della società malgrado l'amore della potenza.

Fra coloro ch'egli aveva saputo affascinare va annoverato Ruggero Cerentano, marito di Concetta Massia: il quale, piú giovane di lui, fortemente apprezzava il suo spirito, la sua intelligenza e soprattutto la sua nobiltà di cuore: virtú di cui Nicola medesimo faceva cosí gran vanto, da destare in Ruggero cieca ammirazione e fiducia. Ruggero aveva un carattere sensibile e sognatore, che la salute incerta rendeva pigro e nervoso. Egli non chiedeva di meglio che d'esser lasciato alle proprie svogliate immaginazioni, affidando a Nicola le cure degli affari e della proprietà. La forte salute di Nicola, e la baldanza e sicurezza di sé da lui mostrate a ogni occasione, davano a Ruggero un senso riposante e insieme vivace, assai gradevole. La sua presenza lo animava, la sua conversazione lo divertiva; e Ruggero non disdegnava tavolta d'intrattenersi con lui, benché fosse un sottoposto. Concetta invece non divideva la simpatia del marito: nonostante l'ipocrisia di Nicola, ella aveva finito per conoscere il suo disprezzo verso la Chiesa e la religione, e ciò le spiaceva assai. Non ignorava neppure che Nicola trascurava la propria famiglia e perfino le eran giunte all'orecchio delle voci sulle sue avventure galanti; ma Ruggero respingeva ogni accusa contro Nicola come una calunnia. Da parte sua, Nicola alludeva non di rado, con accenti drammatici, agli invidiosi e ai malevoli che con le lor frecce avvelenate cercan di trafiggere il petto onorato d'un galantuomo. Egli si dichiarava un incompreso, fatto d'una materia troppo diversa da quella altrui, perché la maggioranza potesse apprezzarlo. Tutto ciò raffermava l'ingenua ammirazione di Ruggero. E Concetta, sebbene assai rigida sul riguardo della morale e dei costumi, aveva preferito non indagar troppo nella vita privata dell'amministratore, per non contrariare il marito, che amava teneramente. Rimasta vedova, le sarebbe parso d'offender la memoria di Ruggero, licenziando Nicola: il quale, del resto, eseguiva da parecchi anni ormai le proprie mansioni in casa Cerentano, senza che i padroni avessero ad accusare danno alcuno ai propri interessi. Aggiungiamo che Concetta, come già s'è accennato piú sopra, dopo la sua vedovanza si distaccò sempre piú da simili questioni terrene, dedicandosi tutta alle pratiche religiose, divenutele quasi una manía, e all'amor materno, che s'accentrava peraltro in lei sul solo Edoardo (giacché, simile a molte madri della sua razza, ella prediligeva i figli maschi, e sprezzava le femmine). Per quel che concerneva gli affari e la proprietà, le bastavano i rendiconti superficiali e affrettati dell'amministratore.

Vi fu, però, un fatto, che riattizzò la sua antipatia e diffidenza verso costui. Ciò accadde quattro o cinque anni dopo la morte di Ruggero, nel periodo, appunto, che Teodoro cadde malato, e Nicola prese l'abitudine di visitarlo.

La cameriera personale di Concetta, un'orfana allevata in convento, apprezzata dalla signora per il suo carattere modesto e religioso, mutò d'un tratto umore. Fattasi animosa, irascibile, sembrava sempre dominata da una paura o da una speranza, impallidiva o arrossiva per nulla. Rivelò, inoltre, una civetteria inattesa, studiando ogni giorno delle nuove vistose pettinature pei suoi ricchi capelli, che prima teneva sempre lisci e stretti; e sforzandosi d'abbellire il proprio vestito disadorno con bordure di finto merletto o collane di vetro colorato. A Concetta che la rimproverò, ordinandole di togliersi quei frivoli ornamenti, rispose con un tono ardito, assolutamente nuovo. Poi, sebbene a malincuore, si dispose a ubbidire; ma nello sfilarsi la collana, ebbe uno sguardo in cui scintillava, oltre al dispetto, una sorta di sfida impudica. Or la signora, col passar dei giorni, notò che alla ragazza quei suoi insoliti rossori e pallori sopravvenivano particolarmente allorché si nominava l'amministratore, o s'udiva la voce di lui, o magari solo se ne sospettava la presenza in qualche stanza non lontana. I bisbigli delle altre cameriere confermarono la signora nei suoi sospetti; ma come, minacciosa, ella interrogò la ragazza, questa ruppe in lagrime e con passione respinse ogni accusa. Il suo pianto sembrava, però, di paura e non d'innocenza; e quando la padrona le impose di giurare sul Vangelo, sconvolta rifiutò, pretendendo d'essersi obbligata una volta, con voto, a non giurare mai per nessuna ragione. Le indagini di Concetta si fermarono, pel momento, qui; ma nel suo contegno verso l'amministratore ella incominciò a mostrare un'attenzione fredda e indagatrice, che tradiva la sua diffidenza. Questo mutamento non sfuggí a Nicola, il quale attribuí, però, la diffidenza della padrona a motivi tutti diversi dal vero (l'amministratore aveva sulla coscienza pecche di diverso genere). Sentendo pericolare la propria posizione in casa Cerentano, egli cercò allora la vendetta e il soccorso in un progetto, in cui meditava d'associarsi Teodoro; e a ciò si deve la sua assiduità presso il malato.

In casa di Teodoro, Nicola non godeva il favore delle donne. Cesira, nonostante le galanterie con le quali egli cercava conquistarla, lo disprezzava per la sua posizione di sottoposto in casa di signori: posizione che lei stessa aveva tenuta e che aveva ripudiata. Ella era tuttora schiava delle proprie ambizioni deluse, sí da esser cieca ad ogni pregio o virtú umana che non fosse il privilegio sociale. Nicola, poi, serviva proprio quei suoi parenti che la disdegnavano tenendola per inferiore; quindi accordandogli la propria confidenza le sarebbe sembrato, in certo modo, di dare ragione al loro disprezzo. Per simili motivi, Cesira non compariva quasi mai nella stanza di Teodoro quando Nicola era presente. E se vi era costretta, serbava un contegno distante e riservato, irrigidendosi ancor di piú allorché egli, forse per accendere la curiosità di lei, parlava dei Cerentano. Giacché per fierezza ella non voleva lasciar trapelare il proprio interessamento verso i parenti nobili; né tanto meno dare il sospetto che bramava la loro amicizia. Ferma nel suo proposito d'apparire gran signora dinanzi a quel plebeo, pareva sorda ai pettegolezzi di lui: i quali, certe volte, ottenevano addirittura l'effetto di farla uscire dalla stanza con un freddo saluto.

Quanto ad Anna, l'amicizia dimostrata da suo padre a Nicola e le brillanti qualità di costui certo avrebbero messo Nicola fra i suoi favoriti; senonché ella non gli perdonava i commenti maligni e le beffe contro la zia Concetta e soprattutto contro il cugino Edoardo, per lei rimasto un idolo. Il suo volto infantile s'imbronciava allorché Nicola incominciava le proprie chiacchiere su tale argomento; ma ella non osava ribellarsi, timorosa che altri scoprisse il suo segreto amore per il cugino. D'altro canto, ella era pure attratta da quelle notizie che le ravvivavano e riavvicinavano l'immagine quasi svanita di Edoardo; sí che le visite di Nicola avevano per lei un amaro fascino. Ella non sapeva, né seppe mai, per quali occulti legami sarebbe unita fino alla morte con questo visitatore passeggero.

Nei riguardi dei padroni, sia per un suo vero rancore che per cortigianeria verso Teodoro, Nicola dimostrava una beffarda malevolenza. Li chiamava unicamente con soprannomi da lui stesso foggiati, quali: *la monaca grassa* per Concetta, *la monaca magra* per Augusta, la figlia maggiore, e il *Giovin Signore* per Edoardo; e nel pronunciare *Giovin Signore*, la sua bocca s'increspava a un sarcasmo diabolico. Egli descriveva, infatti, l'erede Cerentano come un personaggio irritante, un parassita capriccioso e crudele, favorito in tutti i suoi vizi dalla condiscendenza materna. Concetta, che educava la propria figlia cosí austeramente da vietarle pur gli onesti, semplici ornamenti della persona soliti alle fanciulle della sua società, Concetta dimenticava i propri severi principî appena si trattava d'Edoardo. I vestiti di costui venivano ordinati a Parigi, a una elegantissima sartoria che lavorava soltanto per i bambini. Fin dalla mattina presto, allorché, simile ad una innamorata, correva a dare il buon giorno al figlio, Concetta non si stancava di baciarlo e di vezzeggiarlo, chiamandolo coi piú amorosi nomignoli e lodandolo a ogni minuto per le sue bellezze, il suo spirito, le sue grazie. Ella lo aveva allevato nella convinzione che nessun bambino sulla terra poteva paragonarsi a lui. Poiché Edoardo mostrava gusto per le arti, un gusto, però, volubile, come tutte le sue predilezioni, la madre lo celebrava alla pari d'un prodigio. I suoi disegni venivano chiusi in cornici preziose e appesi al muro come pitture di maestri, i suoi versi bambineschi venivan letti dalla madre in salotto per la meraviglia delle signore. Fin dalla sua prima età, subito dopo la morte di suo padre Ruggero, egli era considerato il monarca assoluto della casa, e non soltanto la servitú, ma anche la sorella Augusta, durante le proprie vacanze dal collegio, dovevano ubbidire a tutti i suoi comandi. La sorella, del resto, educata dalla madre a questa idea, non dubitava ch'egli fosse una specie di monarca per diritto divino.

Bambino di pochissimi anni, quando ancora, secondo l'usanza antica, vestiva le gonnelle, Edoardo aveva dato segni manifesti del suo carattere infido. Valga da esempio il seguente episodio. Egli s'era affezionato a una sua governante straniera al punto da volerla sempre accanto a sé e da protestare con lagrime e gridi s'ella mostrava a qualcun altro affezione o semplice cortesia. Edoardo non s'addormentava se la governante non gli carezzava i capelli cantandogli certe canzoni del suo paese, incomprensibili per lui; appena sveglio, la chiamava a gran voce e l'abbracciava con fervore, dichiarandole la propria ammirazione in mille modi: – Come sei bella, – le ripeteva, – come sei benvestita, ah, come odorano i tuoi capelli... – ecc. Aveva perfino composto, in onor di lei, delle poesie, nelle quali essa veniva celebrata sotto il nome di Bella Bionda. La ragazza, naturalmente, ricambiava con la piú tenera gratitudine queste effusioni del suo pupillo, e gli si affezionava ogni giorno di piú, sottomettendosi, con gioiose risate, alla tirannide di lui. Ma certi giorni, preso da umori del tutto opposti, egli la disdegnava non meno di quanto il giorno prima l'avesse prediletta. Rifiutava di vederla, e addirittura, per sopprimerla dai propri sguardi, si copriva gli occhi con le sue grasse manine e strillava: – Mandàtela via! – Oppure le volgeva, in luogo dei soliti complimenti, i peggiori insulti, chiamandola brutta, e sporca, e respingendola perfino con dei calci s'ella s'accostava al suo letto. Per via ch'ella aveva le chiome d'un biondo chiaro come i filamenti del bozzolo, egli l'accusava d'esser canuta al pari d'una vecchia, mentre il giorno prima aveva paragonato quelle medesime chiome all'oro e all'argento. E com'ella una volta, con ridente audacia, gli fece osservare che lui stesso era biondo, si ribellò furiosamente gridando: – Non è vero! Bugiarda! Non sono uguale a te! – D'indole ottimista e bonaria, ella rideva tuttavia di simili maltrattamenti, sapendo che presto Edoardo sarebbe ritornato agli altri suoi umori. Ma infine accadde, invece, ch'ella, senza motivo, gli venne del tutto a noia. Tutte le sue qualità, già ragione di lode, si trasmutarono in altrettanti difetti agli occhi di lui, al punto ch'egli tremava per l'avversione. D'inverno, la ragazza soffriva di geloni alle dita, e ciò aveva suscitato, in altri tempi, la pietà di Edoardo, che trepidante accarezzava quelle mani piagate, o vi strisciava contro la propria guancia per riscaldarle un poco, offrendo in dono, affinché si proteggessero dal freddo, le proprie sciarpe, e maglie, e berretti di lana. Ma adesso, al contrario, questo male della povera governante provocava solo il suo disgusto: – Non toccarmi con le tue manacce rosse! – gridava, – mi fanno schifo! non toccarmi! non toccarmi! – e singhiozzava per l'odio come in preda a uno spasimo. – Scacciala! Scacciala! – ingiungeva a sua madre; finché costei si decise a licenziare davvero la ragazza. Del resto, si può sospettare che simile soluzione non dispiacesse a Concetta, perché quella grande predilezione del figlio l'aveva spesso ingelosita. La governante dunque, tutta in lagrime, fece i suoi bagagli; ma prima di partire, di nascosto corse alle stanze del suo diletto allievo, sperando d'averne, almeno, un addio che in qualche modo ricordasse la loro passata amicizia. Era mattina, e un'altra ragazza, una cameriera, stava vestendolo: – Addio, Edoardo, – disse la governante con voce piangente, – me ne vado per sempre. Addio. Non ci rivedremo mai piú.

– Addio, – egli le disse, senza guardarla, conservando un'aria grave, e dondolando il suo piedino nudo. – Non vuoi... darmi un bacio? – ella chiese timidamente. Allora egli volse la testa dall'altro lato, con una smorfia di cosí evidente ripugnanza che la ragazza non osò neppure accostarsi. – Addio, allora, – ripeté ella a mezza voce. – Addio, vattene, adesso! – egli le rispose, impaziente, con gli occhi che lampeggiavano; ed ella, desolata, si ritirò. Allora, la cameriera che aveva assistito alla scena, rimproverò a Edoardo la sua cattiveria contro la povera governante, a lui già tanto cara e che gli si era tanto affezionata. – Ma è brutta, non mi piace! – esclamò Edoardo con una fremente risatina di sprezzo. – E poi non sa parlare, – soggiunse, alludendo all'idioma straniero della ragazza, – essa parla, parla, e non significa mai nulla! – A questo punto s'oscurò in viso, trovando forse ch'era indiscrezione, da parte della cameriera, l'intromettersi in faccende non proprie. E orgogliosamente le impose: – Ma tu, sta' zitta! – come a rammentarle qual fosse il suo posto. Da quel momento, non si parlò piú della governante; e pochi giorni piú tardi, Edoardo l'aveva già dimenticata.

Un'altra volta, sempre nell'infanzia, egli s'era affezionato ad un cane ancor cucciolo, nato in casa: e il suo sentimento era, al solito, egoistico ed esclusivo. Il cucciolo dormiva nella camera di Edoardo, ai piedi del suo letto, divideva i pasti con lui; ma in cambio di tali attenzioni gli si chiedeva un'assoluta schiavitú. Esso doveva sottostare alle violente effusioni d'Edoardo, che lo cavalcava, gli mordeva per gioco le orecchie e si rotolava in terra con lui; se recalcitrava, Edoardo lo colpiva col suo stesso guinzaglio, dimenticando nell'ira la tenerezza delicata di cui lo faceva oggetto altra volta. Cosí pure, se Edoardo indisposto non poteva alzarsi, il cane, invece di scorrazzare per il giardino come voleva il suo giovane istinto, doveva rimanere in camera a fargli compagnia; e anche in questo caso, se gli avveniva di lamentarsi e smaniare udendo salir dal giardino le voci dei suoi fratelli cuccioli, Edoardo lo maltrattava e lo copriva d'oltraggi. Perfino in giardino, mentre gli altri cani della sua covata si sfogavano in giochi e capriole, non di rado esso era costretto al guinzaglio per ammirare il suo padrone che disegnava o per accompagnarlo al passeggio. Mansueto per natura, mostrava l'intima ribellione soltanto con sordi gemiti, o con un nervoso scalpitare, ma non si rivoltò mai contro Edoardo, al quale anzi diventava ogni giorno piú devoto. Lo seguiva dovunque, lo fissava con occhi ardenti e gentili, gemeva se, per un suo passeggero malumore, Edoardo lo escludeva dalla propria presenza. E all'apparire di lui, s'abbandonava ai moti festosi e pazzi coi quali i cani esprimono la loro devozione.

Ora un giorno, io non so se per lo stato d'eccessiva ubbidienza in cui era tenuto, o perché il suo destino fosse di morir giovane, il cane s'ammalò. Simile evento provocò in Edoardo una furiosa disperazione. Vedendo il suo prediletto giacere con occhi tristi e velati, senz'altra voce che un angoscioso, rotto sospiro, e senz'altro moto che un continuo tremito, Edoardo singhiozzava, gridando il nome dell'amico in tono d'istigazione febbrile: forse per convincerlo, con quei gridi, a riaversi, e a balzare come nei passati giorni. Ora il malato, ad ogni richiamo, agitava debolmente la coda, in atto di suprema risposta; e ciò aumentava lo strazio del suo proprietario infelice. Al quale nessuna promessa, né lusinga poteva recar conforto; vi fu chi ebbe l'idea, per consolarlo, di portargli un altro cucciolo della covata, ma Edoardo a tale vista si rivoltò e scacciò l'incauto in malo modo, gridando: – Non voglio questo! Voglio il mio! Il mio! – Per tutta intera la giornata egli rifiutò di lasciare il giaciglio del suo cane, accarezzando il malato, balbettandogli mille blandizie, mormorandogli nell'orecchio, fra molte lagrime, i loro bei ricordi comuni, e tentando di fargli inghiottire le medicine e il latte. Ma al tramonto del sole, la sua sollecitudine sparí. Egli diede ordine di togliere la cuccia del cane dalla sua camera, e non s'interessò piú affatto alla sorte del malato, abbandonandolo alle cure altrui. Per due giorni, non ne chiese neppure notizie, come se il suo diletto non fosse mai esistito. Il terzo giorno, poiché una cameriera imprudentemente gli rivelò che il cagnòlo era morto, Edoardo impallidí e prese a tremare. Ma si capí subito che non il dolore provocava in lui simile scossa; era solo un pensiero di morte che lo inorridiva. Infatti, con febbrile impazienza, egli disse: – Allora, andate, presto! Buttàtelo via, buttàtelo via!

Col trasformarsi, di bambino, in fanciullo, Edoardo non dava prova di mutar carattere, se non in peggio. Al tempo di cui si parla, aveva circa dodici anni, e questa difficile età, che suol chiamarsi *ingrata*, meritava davvero un tale attributo nel caso dell'erede Cerentano. Edoardo non era piú grassottello e florido come nell'infanzia; s'era fatto esile e nervoso come già suo padre Ruggero, al quale assomigliava; e la sua turbolenta allegrezza tradiva spesso un'irrequietudine amara, quasi morbosa. Egli rifiutava assolutamente di seguire un corso regolare di studi, e vano era stato ogni tentativo di dargli un precettore. Soleva dichiarare che i ragazzi poveri han ragione d'assoggettarsi agli studi; ma un Cerentano deve fare quel che gli piace. Era oltremodo orgoglioso del proprio nome, ritenendosi in cuor suo poco meno che un rampollo di famiglia reale; e dalla sua condotta appariva chiaro ch'egli considerava la servitú, i sottoposti, la sorella e la madre stessa nient'altro che umili cortigiani alla mercè dei suoi capricci. Se si escludano le sue predilezioni effimere, vòlte ora a un servo, ora a un amico, ora ad un cavallo o ad un cane, egli non amava, in realtà, nessuno; e sua madre veniva male ripagata della propria idolatria per il figlio. Anche le festose, ardenti effusioni di lui, che la facevano beata, erano dovute solo ad una brama ch'egli aveva di riversare su qualcuno la smodata violenza del suo sangue. Tali effusioni, del resto, erano volubili e contraddittorie; non di rado, anzi, egli mostrava compiacenza del dolore altrui, e questo dolore provocava con una sottigliezza e una malizia superiori alla sua età. Per esempio, si divertiva ad offendere sua madre nella fede religiosa; già da tempo, egli sdegnava le orazioni e le preghiere, da lui tenute alla stregua delle favole puerili, e ormai ripudiate, come la Befana e gli incantesimi. Ed ora, usava della confidenza concessagli da sua madre per ferirla in ciò che piú le era caro, insinuandole con aria di gioco ogni sorta di empietà. Spaventata, e temendo per l'anima di suo figlio, dopo aver cercato inutilmente di persuaderlo al rispetto della fede, spesso ella scoppiava in pianto. Ed egli a volte pareva infastidito da queste lagrime, a volte abbracciava la madre mescolando al pianto di lei le proprie risa fanciullesche, quasi che si trattasse di scherzi o di futilità. Quando la sorella si affezionava a un'amica, egli si sforzava, con aspri commenti e beffe, di rendergliela odiosa; e, se per questa via non otteneva il proprio scopo, esigeva dalla sorella il sacrificio di quell'amicizia con tali preghiere, e dispetti, e lagrime e persecuzioni, che la sorella era costretta infine a rompere ogni rapporto con la sua prediletta. Va notato a questo punto che Augusta, aspra con la servitú, superba con gli estranei, e timida e paurosa di fronte a sua madre, mostrava per il fratello una docile tenerezza. Le parzialità di tutta la famiglia a favore di lui non destavano alcun risentimento nel suo cuore, sembrandole naturali e giuste. Ella ammirava e amava Edoardo sopra ogni persona al mondo; ma il fratello non sembrava mai pago delle sue grandi prove d'affetto. Accadeva, per esempio, che, chiacchierando con Edoardo, ella attendesse nel medesimo tempo a qualche gradevole lavoro appreso nel convitto, come ricamare al telaio, o dipingere un acquerello. Or se le veniva fatto, per un momento, di concentrarsi nel suo lavoro dimenticando la conversazione, Edoardo si risentiva di ciò come d'una grave offesa. Egli perdeva ogni misura, sí da inveire contro la sorella, e magari da strapparle, nell'amaro impeto, la sua piccola opera d'arte. Giacché Edoardo era geloso anche di coloro che non amava; salvo a sentire infine sazietà della loro soggezione e liberarsene con fastidio.

Anche adesso che Augusta era grande, si dava il caso ch'egli la percuotesse; ed ella, che, maggiore d'età e piú robusta, avrebbe potuto sopraffarlo senza fatica, invece non pensava a difendersi, ma rompeva in lagrime come fosse ancora bambina. Né la sorella era la sola a subire simili violenze; i servi, gli amici devoti, e chiunque s'opponesse a Edoardo, conosceva gli smodati effetti del suo sdegno. In verità, era strano vedere come degli avversari grandi e forti sottostavano alle offese d'un gracile fanciullo, che un loro colpo sarebbe bastato ad abbattere; ma egli aveva per armi i suoi privilegi di casta, l'ingiustizia e la fortuna, e si faceva prode di queste armi sleali, compiacendosi della propria crudeltà e della debolezza altrui.

C'era, naturalmente, chi tentava di resistergli; ma costui si condannava senza rimedio a cadere in disgrazia presso donna Concetta. Inoltre, un tentativo di ribellione provocava in Edoardo cosí disperate crisi di furore, da scoraggiare i piú audaci.

In casa Cerentano tutti ancora ricordano, come la data d'una rivoluzione storica, il giorno che un'istitutrice, stanca dei capricci di lui, gli lasciò andare un piccolo schiaffo. Edoardo, per l'ira e l'orgoglio offeso, impallidí a tal punto, che parve prossimo a svenire; e l'istitutrice osservava ciò spaventata, allorché il fanciullo le si avventò contro sí ch'ella credette doversi difendere da una tigre. Le grida di lei richiamarono donna Concetta, e parte della servitú; e a fatica la signora riuscí a staccare suo figlio dalla sciagurata istitutrice. Ma Edoardo, sentendo che le proprie deboli forze non gli eran bastate a vendicarsi, piangeva e sussultava, fra le braccia materne, gridando come un forsennato: – Ammazzàtela! Ammazzàtela! – e nel mezzo di quella piccola folla sbigottita e severa, la donna si credette davvero sul punto, come raccontò in seguito, di venire lapidata o linciata. Piangendo, ella s'accingeva a confessare all'assemblea il proprio delitto; ma Edoardo all'udir ciò raddoppiò le furie, e le ingiunse di non parlare di quella cosa, se non voleva, nell'istante stesso, cadere uccisa per le sue mani. Solo piú tardi, quando già l'aveva raggiunta un ordine di licenziamento da parte di Concetta offesa, la donna raccontò ai servi fra le lagrime la causa della propria disgrazia. Ella affermava che il suo schiaffo era stato cosí leggero da non potersi dire nemmeno uno schiaffo; ma nessuno potrà mai testimoniare s'ella mentiva o no, giacché dalla bocca d'Edoardo non uscí mai cenno alcuno sulla questione.

In conseguenza d'un simile carattere, Edoardo, malgrado la propria fierezza aristocratica, preferiva la compagnia dei sottoposti o della gente di modesto rango, o dei deboli, o delle donne, di tutti coloro insomma che, inferiori a lui per qualche motivo, gli offrivano un'intera sottomissione. Egli si compiaceva, come già s'è detto, di vedere l'altrui debolezza scoprirsi e palpitare dolorosamente dinanzi a lui. E invece di nascondere questa sua viltà, se ne faceva un vanto e uno svago. Inoltre, amava sopra ogni cosa le lodi; sovente s'indugiava davanti allo specchio, come una ragazza, e alla madre, alla sorella, alle cameriere, domandava: – Ti piace il colore dei miei occhi? E i miei capelli, di', si sono molto scuriti? Te lo ricordi, tu, com'ero io da piccolino? Ero *molto* piú biondo d'adesso? Forse, ero piú bello? – e mendicava i complimenti con un sorriso languido, grazioso e umile. Un giorno, volle misurare le proprie ciglia e quelle dei presenti, per vedere chi le avesse piú lunghe; e poi che una piccola sguattera dai begli occhi, da lui stesso chiamata per la gara, risultò averle un poco piú lunghe delle sue, egli s'adombrò, e incitò donna Concetta, parlandole piano all'orecchio, a tagliare quei cigli rivali. Per sua fortuna, la povera lavapiatti subodorò l'intrigo, e, fattasi rossa rossa, fuggí.

Una volta, a una cameriera che gli domandò se non si vergognasse a mostrarsi cosí vano, egli chiese di rimando, rattristandosi in viso: – Perché parli di vergogna? Dunque non sono bello, io? ti paio forse brutto? – e attese la risposta di lei con un'aria cosí preoccupata e innocente, che la ragazza scoppiò a ridere, e lo baciò.

Faceva scene e litigi per il colore d'una camicia, o la piega d'un vestito, o il nastro d'un cappello. Non amava, però, darsi la pena di scegliere lui stesso il proprio corredo, essendo spensierato e disordinato per natura, e preferendo lasciare ogni cura agli altri. Egli voleva trovare ogni cosa già pronta secondo i suoi gusti, ignorando qualsiasi sollecitudine materiale; convinto, certo, che il mondo fosse stato creato per disporsi naturalmente alla guisa dei suoi piaceri.

Ciò che piú irritava la gente dal cervello sano era il vedere come Edoardo incontrasse sempre qualche folle disposto a favorirlo non già per forza, ma con gioia. Fra i servi, ce n'era sempre uno ciecamente fedele a lui; fra le cameriere non mancavano mai le stupide che si facevano una gloria di vestirlo e di pettinarlo, e magari si contendevano con le unghie un tale onore. Fra gli amici, ve n'erano alcuni che, quasi godendo dei propri tormenti, languivano di tristezza fuori della sua compagnia. E v'erano coloro che, da lui respinti un bel giorno, soffrivano di non esser piú schiavi. E coloro che, non per servilismo e interesse, ma per una sincera quanto stolta convinzione, ribadivano in lui, con lodi e vagheggiamenti senza fine, l'alta opinione ch'egli aveva di se stesso.

Edoardo ricusava d'assoggettarsi a qualsiasi orario, volendo usare del tempo secondo il proprio capriccio. E accadeva spesso che tutti nella casa dovessero modificare i programmi e le consuetudini per adattarsi alle fantasie d'un bambino. Egli cresceva, dunque, senza norma né rispetto, e, se si tolgono le sue spontanee, disordinate esercitazioni, ignorante come un capraro.

Nicola era uno dei pochissimi ai quali Edoardo mostrava rispetto se non addirittura ammirazione. Con lui era sempre amabile e poiché fin da bambino aveva grande passione per la musica, sovente lo pregava di cantargli delle romanze: non s'appagava, però, di udirle una volta, le richiedeva due, tre volte di seguito, finché non le aveva imparate lui stesso. Egli amava molto di cantare, accompagnato al piano dalla sorella; e pretendeva cantare le parti da tenore e da baritono, dandosi le arie d'un virtuoso. Ora, a tanta presunzione, Nicola durava pena a non ridere; poiché la voce del *Giovin Signore*, ancora, somigliava a quella d'una bambina.

Nicola, già lo si è visto, non ricambiava la simpatia del suo piccolo padrone, e non dimostrava nessuna gratitudine per il privilegio d'una cosí rara benevolenza. Con Edoardo, egli era forzato a mostrarsi cortese; ma non perdeva nessuna occasione di denigrarlo, e assicurava che, se ne avesse avuto il potere, avrebbe saputo bene, lui, come domarlo subito. Nell'intenzione, egli schiaffeggiava Edoardo, lo sottoponeva al digiuno e alla frusta, lo chiudeva nel collegio dei discoli. E, insieme a lui, rinchiudeva tutti quei pazzi che lo viziavano. Tutto ciò che riguardasse la vita e la persona di Edoardo sembrava irritare terribilmente Nicola: forse perché, senza confessarselo, egli avrebbe voluto essere al posto del *Giovin Signore*, e comportarsi come lui.

Anna, al sentir cosí trattato il suo idolo, s'incolleriva in cuor suo contro Nicola, considerandolo un malvagio calunniatore. Certo quel gentile bambino, che in un giorno memorabile aveva risposto cosí festevolmente al suo saluto, non poteva essere il diabolico personaggio dipinto da Nicola. L'infanzia di Anna trascorreva solitaria: ella non era mai stata a scuola, accontentandosi di qualche impaziente lezione materna (piú tardi, durante la malattia, Teodoro s'era occupato di arricchire la sua istruzione con sistemi immaginosi quanto disordinati). L'intransigenza sociale di Cesira le aveva impedito pure di legarsi con gli scolari che frequentavano la casa, o coi figli dei vicini; e del resto, l'orgoglio e il disprezzo sociale erano il solo sentimento su cui madre e figlia si trovassero d'accordo. Era accaduto perciò che, in quella sua infanzia senza compagni, la fugace visione del cugino, ravvivata dai suoi pensieri, aveva continuato ad abitare la memoria di Anna. Ancora, nei gradevoli sogni che la rallegravano in segreto, le due candide manine di lui s'agitavano per festeggiarla, simili a due colombi. Adesso, le chiacchiere di Nicola davano corpo a questi fantasmi, rendendo la speranza di Anna piú acuta e amara. Tali chiacchiere non erano lusinghiere per Edoardo; ma Anna, quando non rifiutava come falsità le accuse di Nicola, giustificava in cuor suo tutti gli atti del cugino, con una appassionata, indulgente parzialità. E tutti coloro che avevano il privilegio di stare accanto al cugino e di toccarlo non le parevano mortali, ma santi e beati, pur se si trattava d'una semplice cameriera, o d'un cane; lo stesso Nicola, nonostante la diffidenza e antipatia che le ispirava, si trasfigurava ai suoi occhi allorché le appariva al fianco del cugino, in atto di cantargli le romanze. Di piú, ella invidiava perfino coloro che soffrivano per colpa del cugino, o venivano maltrattati da lui; né le sarebbe parso amaro di sottoporsi, come la sorella Augusta, ai colpi e alle ingiurie di Edoardo: – Ah, perché non sono sua sorella! – si ripeteva; e chiudeva gli occhi, raccogliendo la propria volontà e i propri spiriti, per non essere piú se stessa, ma Augusta, ed ecco, Edoardo le è vicino. Allorché Nicola esprimeva quei crudeli propositi contro Edoardo, ella, dopo la prima indignazione, si figurava che davvero Edoardo potesse trovarsi alla mercè di Nicola. Questi lo maltratta, lo strazia, ma ecco Anna si leva contro di lui: – Che fai? – gli grida, – lascia mio cugino, o guai a te, guai a te, fellone! – Nicola le risponde con la sua risataccia beffarda e minacciosa. E Anna fa mostra di fuggire, ma riappare poco piú tardi, guidando uno squadrone di cavalieri armati: – Arrenditi! – ella comanda all'oppressore; e costui non ride piú, trema e domanda misericordia. – Gli sia risparmiata la vita, – ordina Anna ai suoi uomini, – ma sia condotto, scalzo e ammanettato, sotto buona scorta, fuori dai nostri confini, pena la testa se mai piú comparirà in queste terre –. Udito ciò, Nicola porge i polsi alle manette, e sibila fra i denti: – Mi vendicherò! – ma Anna alza una spalla ridendogli in faccia. Intanto Edoardo appare, ancor pallido, sanguinante, e le tende la sua bianca manina: – Grazie, cugina cara, – esclama, – ti devo la vita. Che cosa chiedi in cambio? – Nulla, – dice Anna, – addio! dopo averti medicato le tue ferite, sparirò nelle tenebre donde apparvi. – No! – grida Edoardo, – io non posso piú vivere senza di te. Tu sarai la mia sposa –. E partono avvinti, passando sotto le spade incrociate dei cavalieri, mentre i trombettieri intonano una marcia nuziale.

Le maldicenze di Nicola intorno ai Cerentano, e le sue spiritose battute, venivano ascoltate attentamente da Teodoro, che non mancava mai di commentarle con risate e approvazioni. Questi segni di consenso gli eran però dettati piuttosto dal desiderio di compiacere Nicola che da un sentimento sincero. Egli capiva che Nicola gli prodigava tutte quelle chiacchiere per secondare un suo supposto rancore verso Concetta; e un tale rancore, se si pensa alle sue relazioni con l'unica sorella, era logico e verisimile. Ma in realtà, s'è già detto che la malattia provocava in lui vaghi rimpianti per certi affetti lontani e già ripudiati. I frizzi di Nicola sui Cerentano talvolta pungevano Teodoro come offese dirette a lui stesso; ma egli riteneva, nella propria mente confusa, quasi un'onta il sentirsi offeso, e celava quest'onta sotto un'apparente complicità con Nicola. D'altra parte, egli si ribellava alle debolezze del cuore, e richiamava alla propria mente tutte le offese ricevute da Concetta e dalla parentela, per cui le sue fuggevoli tenerezze si mescolavano d'odio. E ciò ch'egli aveva sempre sdegnato o sperperato, gli onori e il denaro, adesso li invidiava, li rimpiangeva, per Anna. Allorché Nicola parlava dei giovani Cerentano, s'accendeva in Teodoro una paterna rivalità. Egli voleva sapere d'Augusta, se fosse bella; e alla descrizione di Nicola (che la dipingeva non bella, perché troppo pallida, e un po' curva di spalle, e nel viso, fatta eccezione degli occhi, ch'eran gli stessi della madre, dura e priva di grazia), guardava sua figlia. Il suo sguardo era cosí eloquente, che Nicola, leggendovi il suo pensiero, aggiungeva subito, con una smorfia sprezzante all'indirizzo d'Augusta: – Non sarebbe degna neppure di farle da serva, alla vostra! – La compiacenza paterna, l'invidia, e il rimorso verso Anna, s'urtavano come nubi sul viso di Teodoro. Quando poi si parlava d'Edoardo, egli dava amaro sfogo alla propria ribellione. Le grazie di Edoardo infiammavano la sua gelosia; e per oscurare tali grazie, egli s'accaniva sui difetti del nipote. Non era ingiusto, egli chiedeva a Nicola, che a quel viziato, a quel fastidioso, toccassero tutti i privilegi della terra, e una bambina come la sua, Anna, non avesse niente? Eran questi i soli momenti che Anna s'imbronciava contro suo padre; ma gli perdonava tosto, pensando ch'egli giudicava l'angelico Edoardo dai falsi, calunniosi racconti del nemico Nicola.

Quanto a Teodoro, egli dimenticava, in quelle sue momentanee rivolte, d'essere lui stesso la causa di tanta ingiustizia ai danni di sua figlia. La coscienza, tuttavia, gli rammentava questa verità molto spesso; ed egli, incapace di sopportare tante amarezze da solo, s'apriva con Anna, spiegandole a sazietà ch'ella aveva nella propria bellezza una ricchissima, superba dote e che doveva mirare a un destino degno dell'illustre nome dei Massia, rifiutando la sorte degli umili. Ma pure incoraggiandola in tal modo, egli non sapeva nascondere le proprie paure riguardo all'avvenire, e i suoi discorsi, per quanto fingessero fiducia, eran sempre intorbidati dall'ambascia della morte che già lo incalzava. Sí che ad Anna il destino appariva spesso in aspetto di personaggio subdolo, grave e luttuoso, ed ella preferiva scacciarne l'apparizione.

Ora in quei giorni appunto nella stanzetta dell'infermo venne concertato un piano, che Teodoro non confidò alla figlia per timore che qualcosa ne trapelasse a Cesira. Si trattava d'un progetto di Nicola Monaco a favore di lui, Teodoro Massia. E nel disordine dei suoi sentimenti e volontà l'infermo affidò a un tal progetto le proprie confuse speranze.

S'è già detto come Nicola si fosse accorto che la fiducia della padrona gli sfuggiva. Egli sentí approssimarsi l'ora in cui gli verrebbe chiesto un pieno rendiconto della sua amministrazione, e ciò lo mise in allarme. Infatti, sebbene un tale evento fosse da prevedersi naturalmente, e inevitabile, da due o tre anni in qua egli aveva preferito non prospettarselo, e quasi obliarlo. E la mancanza d'ogni serio controllo da parte di Concetta aveva favorito la sua inerzia nativa.

Bisogna dire che i sistemi amministrativi di Nicola non erano mai stati dei piú onesti; ma negli ultimi due o tre anni, come se la sua fortunata impunità dovesse durare eterna, egli non s'era dato piú neppure la pena di coprire con qualche accorgimento le proprie malefatte. Adesso, le conseguenze della spensieratezza passata gli apparvero imminenti, e certe. E poiché non aveva né il tempo né i mezzi di rimediare ai propri falli, o almeno di nasconderli; poiché, d'altronde, gli ripugnava d'attendere, inerte, la vendetta dei Cerentano, concepí un curioso piano di battaglia il quale, se non poteva evitargli la disfatta imminente, gli offriva la possibilità, o almeno la speranza, di porre qualche condizione ai suoi signori e nemici. Questo piano fu da lui architettato durante una notte insonne; ma l'idea gliene era già balenata in mente alcuni mesi prima, benché soltanto come una fantasia oziosa. Adesso, egli s'aggrappò a questa fantasia, la quale, non foss'altro, gli forniva pur sempre un argomento d'azione e gli dava un'ultima illusione d'autorità.

Alcuni mesi prima, in un suo giro attraverso i possedimenti dei padroni, Nicola s'era trattenuto un paio di giorni in un'antica e disabitata villa di campagna, posta in mezzo a una vasta tenuta che Concetta aveva ereditato in gioventú da un suo zio paterno. Là, rovistando oziosamente fra vecchi mobili, l'amministratore aveva scoperto alcune lettere ingiallite e dimenticate, nelle quali, a proposito della tenuta stessa, il defunto proprietario faceva i nomi dei due nipoti cadetti Concetta (ancora ragazza a quel tempo), e Teodoro. L'amministratore non aveva attribuito lí per lí a tali vecchi documenti, di cui non è necessario trascrivere qui il preciso contenuto, maggiore importanza di quanta ne meritassero; se n'era impossessato, tuttavia, e li aveva messi in serbo, pensando che forse, in qualche occasione, avrebbero potuto anche essergli utili. E adesso, gli parve che l'occasione fosse venuta: su quei documenti, appunto, egli ordí il suo piano; nel quale possiamo riconoscere, accanto alla spregiudicatezza e furbizia proprie del nostro personaggio, quel particolare stile compiaciuto, immaginoso, incauto, e, insomma, grossolanamente poetico, cui si doveva la rovina di tutti i possibili piani di Nicola e della sua carriera in questo mondo.

Fra gli intimi amici di Nicola v'era un giovane avvocato, cui l'assenza di scrupoli e l'amore del denaro non erano ancor bastati a ottenere successi o guadagni nella professione. Consultato da Nicola, costui s'associò al suo piano; e muniti delle famose lettere, e d'altre carte radunate da Nicola, i due dimostrarono a Teodoro ch'egli aveva subíto, in passato, una vera usurpazione da parte di sua sorella Concetta. La quale, come risultava dai documenti in loro possesso (inconfutabili, a dir loro), s'era appropriata d'una vasta eredità che invece spettava a lui, Teodoro Massia. Qui Nicola parlò di giustizia conculcata, di voracità insaziabile dei signori, e maledisse a gran voce Moloch e la sua progenie; l'avvocato da parte sua s'adoperò a rafforzare con prove e argomenti legali la scoperta fatta da Nicola. D'altra parte, Nicola soggiunse, che cosa rischiava Teodoro a tentare? L'Avvocato qui presente offriva gratis il proprio patrocinio in difesa della giustizia; e anche nel caso, inverosimile, d'un insuccesso, che cosa avrebbe potuto perdere, Teodoro, se non possedeva nulla? Lui, Nicola, metteva a rischio invece tutto ciò che possedeva, e cioè la propria posizione; ma che cosa gliene importava? In cambio d'un misero impiego, egli avrebbe potuto sempre vantar l'onore d'essersi fatto paladino della giustizia. Se Teodoro dunque voleva rivendicare i propri diritti, e sottoscrivere alle ragioni propostegli, lui, Nicola, assistito dai lumi dell'Avvocato qui presente, si metteva al suo servizio per aggiungere ai documenti già in loro possesso nuove e sicure testimonianze. In cambio, egli chiedeva solo una promessa e una speranza: la promessa di venir nominato amministratore delle riconquistate proprietà di Teodoro Massia di Corullo, e la speranza che costui gli si serbasse amico anche il giorno che diventerebbe il suo padrone. Intanto, Teodoro si fidasse di loro due; essi provvederebbero a mettere insieme, con la massima segretezza, quante piú prove fosse possibile; e al momento opportuno, l'Avvocato farebbe recapitare a donna Concetta una citazione in piena regola.

In breve, non fu difficile ai due di persuadere Teodoro della giustizia e fondatezza della causa né di fargli testimoniare e sottoscrivere quanto occorreva. In ciò, furono loro complici la mente indebolita del malato e le sue ansie, diventate quasi ossessive, per la sorte di sua figlia Anna. Nei giorni che seguirono, fra Teodoro, l'avvocato e Nicola vi furono lunghe confabulazioni, e consultazioni di documenti e di libri; ciò accadeva sempre in assenza di Cesira e talvolta i tre uomini, che discorrevano a voce molto bassa, pregavano Anna di lasciarli soli qualche minuto. S'intende che Teodoro aveva ammonito la figlia a non dir nulla a Cesira di tali colloqui; ma, fuor di questo impegno di segretezza, ella non fu messa a parte dei progetti paterni. Solo in modo oscuro, nell'esaltazione delle sue nuove speranze, Teodoro soleva annunciarle in quei giorni un imminente, misterioso riscatto, e l'avverarsi di promesse antiche: – Vieni qui, – le diceva attirandola, – donna Anna, donna Annuccia mia. Tuo padre te l'aveva promesso, ricordi, che non t'avrebbe lasciata senza rifarti la dote. E adesso, il destino si compie, tuo padre ti rivedrà signora prima di morire e non ti lascerà vestita a lutto, ma coperta d'oro da capo a piedi –. Queste, e altre magnificenze della stessa sorta egli le annunciava; e in tali mondani vaticinî, la sua fronte smunta s'accendeva di fuochi profetici sotto l'arruffata chioma grigia serbatasi bizzarramente riccia e folta. Né Anna, che non era, per indole, curiosa, o indiscreta, gli chiedeva di saper di piú; ma da varie frasi udite durante i colloqui dei tre uomini, ella intese che nei loro progetti aveva una qualche parte sua zia Cerentano. Da ciò le nacque un apprensivo, incantevole turbamento. E dalla grande e stemmata scalea del proprio futuro, fra le livree, le palme e le signore simili a belve chimeriche, con una scossa vide farlesi incontro Edoardo. Non lo aveva piú rivisto dopo quel giorno famoso, dal quale eran trascorsi circa sette anni. Da Nicola sapeva che era dimagrito; e se lo figurava piú magro ed alto, ma in tutto simile al bambino visto nella carrozza, coi capelli biondi giú per le spalle. Talora, suo malgrado, e certo per colpa di Nicola che lo aveva chiamato *brutto diavolo*, in luogo del cugino ella intravvedeva un essere contraffatto, o un drago, o un altro mostro, a cui la sua stessa fantasia, per quanto ella cercasse di reprimerla, aggiungeva ogni volta nuovi attributi demoniaci. A tale scherzo dell'immaginazione, nato per suo proprio tormento e beffa, ella ingiungeva, spaurita, fra sé: « Vattene. Dilegua », poiché esso le pareva un insulto al Cugino.

Mai come adesso, che la speranza lo trascinava e lo incalzava, l'immobilità era parsa a Teodoro tanto crudele. I suoi passionali, teneri occhi di cane seguivano in ogni moto Anna che gli si aggirava d'intorno; egli avrebbe voluto essere come lei sano e leggero, per non dovere invidiare i luoghi ov'ella muoveva i propri passi. Dal principio della sua malattia, per esser pronta a soccorrerlo, la figlia dormiva nella sua stessa stanza; e lui, che soffriva d'insonnia, si riposava ad ascoltare nel buio, per tutta la notte, quel respiro puerile e amato. Verso l'alba, come avviene ai vecchi e agli infermi, s'addormentava; e lo visitavano felici, inverosimili delirî, quali potrebbe averne un bambino.

Or mentre l'ultima senile sua saggezza era divorata dalla speranza, Nicola e l'avvocato, nonché fidare nel successo della sua lite, non si curavano, per conto loro, neppure d'intentarla. Nicola voleva soltanto servirsi dell'appoggio di Teodoro per intimorire, mediante le famose lettere dello zio (rimaste, con la fiducia di Teodoro, in suo possesso) la propria padrona donna Cerentano. Egli si riserbava tale arma estrema per il momento che, scoperto lo scandalo della sua amministrazione, donna Concetta gli mostrerebbe i denti: allora, con tatto, e con gli accorgimenti dovuti, e non senza il sostegno dell'avvocato, egli le farebbe apparire, per suo ammonimento e sorpresa, il fantasma del processo fraterno. A una simile nuova lei, per evitare i fastidi e i rischi d'una lunga lite, concederebbe forse a Nicola, in cambio degli importuni documenti da lui tenuti, l'impunità per i suoi reati amministrativi e in più, come viatico dell'inevitabile licenziamento, una buona somma di denaro. Quanto a Teodoro, Nicola si riprometteva, dopo ottenuti i propri fini con donna Concetta, di spiegargli, con qualche frottola, come la lite fosse svaporata, o i documenti scomparsi; e di abbandonare quindi lui, e tutta la razza dei Massia, al loro destino.

Tale il modesto ricatto immaginato da Nicola. Da principio, in verità, quest'arma nelle sue mani gli pareva assai debole e malsicura, ed egli s'era indotto ad affilarla solo perché non ne possedeva di più taglienti. Ma nell'imbastire, insieme a Teodoro e all'avvocato, la sua lite immaginaria, egli finí per credervi davvero; e in pochi giorni si convinse di possedere un'arma tremenda contro Concetta e la sua razza. In luogo del su descritto piccolo ricatto difensivo, meditò ricatti grandiosi contro Concetta, e contro Teodoro, e contro l'intera loro famiglia. Si figurò di poter vendere il carteggio dello zio defunto non già a prezzo della modesta *liquidazione* pretesa da principio (sufficiente appena a compensare il suo avvocato, e ad iniziare una qualche piccola industria personale), ma a un prezzo favoloso, che gli bastasse per vivere ozioso e da gran signore il resto dei suoi giorni. Con simili visioni nella mente, egli non poté più tacere: bevendo al caffè con gli amici, faceva spesso allusioni alla giustizia del diavolo, il quale riassesta con la zampa le bilance storte del Padreterno. Lasciava capire d'aver nel pugno *certi signori*, la cui rovina dipendeva soltanto dalla sua mercè. E mentre cosí proclamava in pubblico, in privato teneva a bada i propri creditori, e le proprie voraci amanti, con misteriose promesse. Giunse fino a confidarsi con un fattore, già alle dipendenze dei Cerentano, e ch'egli sapeva ostile agli antichi padroni, chiedendogli la sua testimonianza contro Concetta in cambio di compensi prossimi e strepitosi. Ma sarebbe un gioco perverso attardarsi a descrivere i sogni di Nicola Monaco; giacché egli non attuò neppure il più umile dei suoi disegni, e fu còlto inerme dalla rovina. La quale, aggiungiamo, se ciò può interessarvi, gli fu spinta addosso da una ragazza che, se non avesse avuto questa parte nella nostra storia, conterebbe meno di zero per Nicola e per noi.

Capitolo quinto

Concetta si libera dei dannati.
La fine d'un imbroglione.

Ginevra, la cameriera di Concetta della quale s'è già parlato, appariva d'un umore sempre piú strano. Era dimagrata, imbruttita, e, dopo alcune settimane di vanità eccessiva, non aveva piú, adesso, per la propria persona, nemmeno le cure necessarie. Spesso, contro ogni convenienza, si presentava alla signora spettinata, in disordine, e con gli occhi rossi di pianto. Dimenticava o non udiva i comandi, e per un niente s'irritava contro le sue compagne, che la presero a malvolere. Una mattina, giunse all'orecchio della signora che già da parecchie domeniche Ginevra s'asteneva dall'Eucarestia, rimanendo al proprio inginocchiatoio mentre le altre s'accostavano all'altare. Concetta chiamò la ragazza, e, chiusasi in camera con lei, ricominciò a stringerla di domande, minacciandola di rivelare il suo contegno alle suore del convento donde proveniva. La ragazza s'impaurí, e tremò da capo a piedi quando Concetta fece il nome di Nicola. Sempre piú insospettita, la padrona le ingiunse allora, come già la prima volta, di giurare sul Vangelo se davvero quella sua protestata innocenza non era una menzogna; e Ginevra si mutò in faccia, e giurò.

Quella stessa notte, Concetta fu destata nel mezzo del sonno da un ripetuto bussare all'uscio della sua camera. E, balzata a sedere sul letto, vide entrare Ginevra, tutta stravolta e sudata, con grandi occhi pieni di spavento e di follia. La ragazza era in camiciola, aveva i piedi e le gambe nude, e non si curava di coprirsi, come dimentica d'ogni pudore. Corse verso il letto della padrona, e cadde in ginocchio domandandole aiuto, e dicendo d'esser dannata, e d'aver visto in quella notte, nella propria camera, levarsi le fiamme dell'inferno, che l'avevano seguíta fino all'uscio della Signora: per cui si sentiva bruciare tutto il corpo, e ardeva di sete. Ella supplicava misericordia e s'accusava di sacrilegio, avendo giurato il falso: giacché, per la verità, ella amava Nicola Monaco e s'era lasciata lusingar da lui fino a riceverlo di notte nella propria camera. Ma egli, dopo alcuni convegni, non l'aveva piú ricercata né s'era piú curato di lei. Questo non era bastato, però, a guarirla della sua passione, ché anzi, invece di considerare la propria colpa e averne rimorso, ella aveva tentato con ogni mezzo di richiamare a sé Nicola, pur sapendolo ammogliato, e pur sapendo di commettere un peccato mortale. Ella s'era lasciata possedere da questo peccato fino a dimenticare ogni altra cosa, anche Dio stesso e i suoi castighi. E poiché in confessione aveva dichiarato tali sentimenti, non era stata assolta, e non aveva potuto ricevere l'Ostia.

Ciò fu quanto Concetta apprese dai discorsi affannosi e sconnessi della ragazza. La quale spinse il proprio zelo fino ad avvertire la Signora di guardarsi; ché Nicola era stato udito a proferire delle minacce contro la Signora, e aveva un sistema per rovinarla insieme a tutta la sua famiglia. A queste parole Concetta, che nutriva già qualche sospetto sul proprio intendente, ma aveva ritardato le indagini per pigrizia e odio degli affari, incalzò la ragazza di domande per sapere di piú. In verità la cameriera avrebbe potuto svelare parecchie cose intorno ai varî disonesti espedienti usati da Nicola in passato, ché Nicola stesso, nell'abbandono dei convegni amorosi, le aveva fatto incaute confidenze su questo soggetto. Ma alle insistenze della signora, Ginevra accennò accuse vaghe, si confuse, e si perse, rendendosi conto, pur nella sua frenesia, del danno arrecato con la propria impetuosa denuncia all'uomo che tuttora ella amava. Tale sentimento, mescolato al suo terrore sacro, la rese del tutto stupida, ed ella ammutolí. Giudicandola, a questo silenzio, esausta, la padrona, che dal letto fissava su di lei gli occhi pieni di scandalo e di ripugnanza, le disse allora, con superba collera, che il suo peccato era tale da fare apparire ogni pena insufficiente a punirlo. Che lei, Ginevra, era maledetta, e non poteva aspettarsi perdono né dagli uomini né da Dio. Che, naturalmente, questa casa non era piú la sua casa, ed ella doveva prepararsi a lasciarla subito l'indomani. Lei stessa, Concetta, avrebbe denunciato la sua condotta alla madre superiora del convento donde ella proveniva. E la Madre avrebbe deciso sulla sua sorte. A questo punto, vedendo che la ragazza tremava e pareva febbricitante, la signora le ingiunse di andarsene a letto in attesa di ricevere, il giorno dopo, i suoi ordini. La ragazza si rialzò come una sonnambula, e ubbidí; e la padrona, che nella bramosa impazienza ch'ella sparisse contraeva le membra sotto le lenzuola, distolse in fretta gli occhi da lei. Nel momento, però, ch'ella oltrepassava la soglia, Concetta, pur sentendosi alquanto sollevata, non poté rinunciare a un ultimo sfogo vendicativo. Lasciato a un tratto il tono d'indomita giustizia usato fin qui, con voce di rancore e di perfidia gridò a Ginevra: – Va', va' in mezzo alle fiamme che ti aspettano là fuori!

Il suono rabbioso della sua propria voce la rese cosciente subito che quell'odio aperto avviliva il suo prestigio; ed ella ancor di piú odiò colei che l'aveva indotta a tal violenza. Ginevra gettò un leggero grido; ma, sia che temesse la severa Concetta piú delle fiamme infernali, o sia che già fosse inebriata dalla febbre, invece d'esitare affrettò il passo e disparve nel corridoio oscuro.

Si può notare a questo punto come le donne passionali nella virtú possano provare, verso le donne passionali nel peccato, due specie opposte di sentimento: o un grande amore, onde anelano di convertirle al proprio culto per alimentare coi loro fuochi, non meno vivi dei propri, il rogo in cui bruciano; o un odio spietato e cieco, da rivale. La rivalità nasce in esse dalla vista d'una passione non meno ardente della propria, ma vòlta ad un oggetto opposto, anzi nemico, il che provoca, in tal sorta di virtuose, un orrore mescolato di rivolta e di gelosia. Concetta era appunto di queste virtuose che, per rivalità di passione, odiano le peccatrici. Ella si dava all'odio col medesimo furore con cui si dava all'adorazione dei santi; ma noi tutti le perdoniamo, poiché non era spinta a ciò dalla ragione, bensí dall'istinto innocente che guida gli animali selvaggi.

Non è in mio potere conoscere quali provvedimenti prese la giustizia divina contro Ginevra; ma la giustizia di Concetta o delle suore poté poco o nulla contro di lei. La febbre che l'aveva assalita nella notte s'aggravò nel giorno successivo, per cui Concetta fu forzata a rimandare l'espulsione dell'indegna dalla sua casa. In questo frattempo, ella proibí a tutta la servitú, eccettuata una cameriera che doveva assisterla, di visitare Ginevra o addirittura di nominarla, sotto pena di venir coinvolti con essa nel prossimo castigo. Tuttavia, poiché nel delirio Ginevra parlava senza sosta, avidamente ascoltata dall'infermiera curiosa, fra la servitú correvano bisbigli sull'accaduto. Si sarebbe detto che il male occultava a Ginevra ogni visione o spavento delle pene future, e che la passione peccaminosa aveva finito col vincere, in lei, ogni timore della giustizia divina. Le sue frasi deliranti non parlavano che d'amore, con accenti tanto sinceri e carnali che l'infermiera, com'ebbe a dire piú tardi, arrossiva a udirle e voleva quasi rifiutarsi d'assistere quella spudorata. Oltre che dall'amore, costei pareva straziata dai rimorsi verso il suo Nicola: nei pochi momenti di lucidità, pregava l'infermiera di scendere giú dalla signora per dirle che lei, Ginevra, offriva tutti i propri risparmi in cambio delle somme sottratte da Nicola alle casse dei padroni; purché lui venisse perdonato. Oppure, contraddicendosi, giurava d'aver mentito, Nicola non aveva nessuna colpa, e lei stessa non sapeva nulla di lui se non ch'era un uomo onesto: giacché non era vero ch'egli l'avesse tentata né che fra loro vi fosse mai stata una relazione; ella non aveva mai potuto avvicinarlo se non in presenza d'altri e lo aveva calunniato per rabbia, vedendosi disprezzata da lui. In altri momenti, con occhi tristi, pregava la sua compagna d'aver pietà, di darle un veleno al posto della medicina, perché lei non aveva piú speranze e voleva morire. Certo, osservava a questo proposito l'infermiera, ella sapeva d'essere ormai perduta, e non aveva alcun ritegno ad aggiungere questo nuovo delitto agli altri; ma era una bella infamia da parte sua di volere a propria complice delittuosa un'onesta cristiana!

In breve, la ragione, che ancora durante tali intervalli si riaccendeva nella malata, le indicò soltanto la disperazione, non il ravvedimento; e presto si spense in lei del tutto, abbandonandola nel buio, senza piú alcun mezzo per salvarsi.

La febbre violenta che la consumava da due giorni le salí al capo, ed ella morí fra acuti spasimi e incapace ormai, come una demente, di fare atto di contrizione per i suoi peccati o fin di concepire un pensiero umano.

Cosí ebbe termine l'avventura di Ginevra. La sua padrona, intanto, messa in allarme dalle sue monche e confuse denunce riguardo a Nicola, il giorno successivo alla sua visita notturna consultò alcuni parenti, piú avveduti nelle questioni d'affari di quanto non fosse lei, donna Concetta; e Nicola fu chiamato a un generale rendiconto della sua condotta d'amministratore. Furono esaminati i libri mastri, i registri, le ricevute; e tutta la faccenda fu sottoposta al giudizio d'un legale di fiducia. Si venne cosí alla scoperta di ammanchi abbastanza notevoli di cui Nicola Monaco non seppe dare una chiara giustificazione. I libri, soprattutto degli ultimi anni, eran tenuti in un disordine fraudolento: e perfino si trovarono cifre e firme falsificate. Alle accuse Nicola rispose con enfatico sdegno. Battendosi sonoramente coi pugni, proclamò che mai simili oltraggi avevano colpito il suo petto di gentiluomo, e che non era questo il premio dovuto alla sua vita integerrima e a quindici anni di fedeli servizi. Contro ogni evidenza, e, di piú, contraddicendo il suo proclamato ateismo, egli chiamava Dio a testimone della propria inconcussa onestà, offrendo quali pegni e ostaggi, se mentiva, la vita di sua moglie, e le teste innocenti di tutti i suoi figliuoli. Ma naturalmente, la verità ebbe ragione contro di lui, malgrado le sue proteste.

Nicola, secondo il solito, aveva giocato le proprie carte su modeste puntate. La cifra totale dei suoi profitti illeciti risultava abbastanza alta; ma era la somma di svariate piccole appropriazioni ch'egli volta a volta aveva sperperato per il suo piacere, contando appunto sulla loro esiguità per tenerle occulte. Dunque, egli aveva tutto rischiato senza ritrovarsi altro bottino che un poco di nostalgia.

I suoi reati, pur non essendo bastati a danneggiare seriamente il patrimonio dei Cerentano, eran tuttavia sufficienti per meritare a lui qualche anno di prigione. Or Concetta, da principio, si sentiva spinta a denunciarlo, onde vendicare il danno patito, la fiducia offesa, e fare piena giustizia; a ciò la istigavan pure i suoi parenti. Ma poiché, in quei giorni appunto, usciva di casa la bara che rinchiudeva Ginevra, la signora si sentí oppressa da una súbita ripugnanza, e da una fretta superstiziosa d'allontanare quelle amare ombre di peccatori. Inoltre, ella doveva qualche riguardo alla memoria di suo marito Ruggero, il quale, in vita, aveva protetto e stimato Nicola Monaco. Per queste ragioni, ella si privò di denunciarlo, accontentandosi di licenziarlo con infamia, senza che si parlasse, naturalmente, di una qualsiasi indennità per il suo passato servizio.

Questo era il momento, per Nicola, di tentare il ricatto famoso; ma ormai la sua causa comune con Teodoro era, anch'essa, svanita in fumo.

Le ricerche sul conto di Nicola avevan fatto trapelare anche il suo ingegnoso progetto di contestazione della tenuta. Il legale di fiducia dei Cerentano si recò, allora, a casa di Teodoro, per chiedergli ragione delle sue pretese inconsulte; ma, sapendo Teodoro infermo, egli ne parlò dapprima con Cesira. Costei, già s'è detto, ignorava del tutto la faccenda; e apprese con gravissima irritazione e vergogna come suo marito si fosse accordato con un dipendente disonesto per intentare alla sua propria sorella un processo senza fondamento di ragioni: il quale processo non gli avrebbe procurato alla fine che il pagamento delle spese, e quindi, era probabile, nuove rovine e sequestri. Il legale aveva portato con sé i documenti atti a dimostrare quanto inconsiderate fossero le pretese di Teodoro Massia; ma egli non dovette affaticarsi troppo a convincere i suoi creduti avversari. Cesira percorse febbrilmente le carte con pupille accese piuttosto dall'ira contro suo marito che dall'interesse o dalla curiosità: ella era certa del torto di Teodoro ancor prima d'averne le prove. Vibrante d'uno sdegno contenuto a fatica, ella entrò nella camera di Teodoro insieme al legale. E dalla sua bocca fremente il malato apprese come Nicola fosse un ladro che s'era fatto gioco di lui, e come le sue pretese tardive fossero un sogno da ubriaco; e come lui, Teodoro, ancora una volta avesse congiurato per ridurre sua moglie e sua figlia all'estrema risorsa. Cosí dicendo, con un dito accusatore Cesira sottolineava al marito i passi principali dei documenti portati dal legale, di cui commentava il valore dimostrativo con risate aspre e trionfanti. Il legale doveva perfino moderare lo zelo di questa sua complice inaspettata. Al posto, infatti, del presunto avversario, egli si trovava davanti un personaggio nella cui forma spettrale e burattinesca si potevano a malapena riconoscere le sembianze dei vivi; e che riceveva le accuse in uno sbigottito silenzio. Testimone della scena era una bambina di circa tredici anni, i cui capelli neri, non ancora pettinati e intrecciati a quell'ora del mattino, serbavano il disordine selvaggio della notte. Ella stava seduta sopra un'ottomana logora e taceva, ma i suoi occhi, d'un grigio temporalesco, si fissavano attenti e pieni di rimprovero sulla madre e sull'intruso. Il legale, a questo punto, volle, per urbanità, scusarsi della visita, adducendo il proprio dovere, e cioè la tutela degli interessi Cerentano. Simile discorso fu inteso forse da Teodoro come una nuova accusa. Egli inclinò da un lato la testa, e spaurito, rompendo in un pianto senile, balbettò: – No... no, io non volevo la rovina di mia sorella... non volevo... rovinarla...

La bambina allora si levò dal divano e s'avvicinò al padre, col passo guardingo d'una giovane belva che attraversa la gabbia per proteggere i suoi cuccioli. Sebbene intimidita dallo sconosciuto, ella lo sogguardò, e le sue grige iridi si trascolorarono per il dispetto. Poi di nuovo parvero mutar colore, nel volgersi al malato, e diventarono languide e pietose. A voce bassa, ammonitrice, ella disse a suo padre: – Perché piangi? – e desiderò forse d'accarezzarlo, ma la presenza della madre e dell'estraneo la teneva a disagio. Per cui rimase ferma a lato della poltrona, in piedi, appoggiando il gomito al bracciòlo.

Confuso per aver destato il corruccio su quel bel volto, il visitatore s'affrettò alla conclusione del suo colloquio. Teodoro firmò senza obiezioni uno scritto già preparato dal legale in cui lui stesso, Teodoro Massia, dichiarava e precisava di non aver nulla a pretendere dai Cerentano: dopo di che, il legale si congedò per recare a Concetta questo pegno della sua facile vittoria. Cesira lo accompagnò all'uscita, con occhi sfavillanti che significavano: *Ecco, hai visto che conto faccio dei vostri denari. Dillo alla tua padrona.* Ella s'augurava che davvero il proprio comportamento in simile occasione venisse riferito alla cognata: la quale avrebbe infine dovuto ammettere che l'ex-istitutrice sapeva esser signora non meno di lei.

Il disgraziato tentativo di Teodoro ebbe il solo effetto d'inasprire l'inimicizia di Concetta per il fratello. Che questo malnato, dopo una vita di scandali, tentasse sminuire la futura proprietà di Edoardo a favore d'una figlia d'istitutrice, era colpa imperdonabile agli occhi di Concetta. Saputo dal suo fiduciario che i Massia rinunciavano ad ogni pretesa, ella si chiuse in un silenzio freddo e severo per eludere ogni altro discorso intorno a quei poco degni parenti. Concetta aveva una volta per tutte confinato suo fratello fra le anime perdute di cui voleva ignorare perfino il nome: allo stesso modo che i beati ignorano gli spiriti infernali.

Nicola Monaco non si fece piú vedere dai Massia: forse intuendo che l'accoglienza di Cesira non sarebbe stata troppo ospitale. Egli lasciò per sempre casa Cerentano con la fronte alta e l'atteggiamento sdegnoso d'un uomo che, nel trionfo effimero degli accusatori, serba in sé la coscienza della propria purezza. Riguardo alla persona di Ginevra, nell'accennarvi egli non usò altri nomi se non *quella spia* o *quella pazza*. Fu tutto l'elogio funebre che Ginevra si ebbe dal suo amante.

Non so con esattezza a qual genere d'attività si sia dato Nicola dopo il licenziamento, per mantenere se stesso e la sua famiglia. So però che alla fine, e a non molti mesi di distanza dagli eventi sopra narrati, egli incappò di nuovo nella legge, e non seppe, stavolta, evitare la prigione risparmiatagli dai Cerentano. Appunto in prigione morí di tifo, a poco piú di quarant'anni; tuttavia, come vedremo, la sua parte nella mia storia non finisce qui.

Una sorte rimasta per me ignorata è quella di Pascuccia Monaco, la moglie di Nicola. Probabilmente, dopo la morte del marito, insieme alle figlie si guadagnò da vivere coi piú umili lavori; mentre i suoi maschi (salvo il piú piccolo, ancor lattante, di cui si sono perse le tracce, forse finito di morte immatura), protetti dalle sacre immagini che sempre portavano indosso scorrazzavano la città in cerca di guadagno. Questo guadagno, se lo procacciavano, vuoi chiedendo l'elemosina, vuoi portando i bagagli o proponendosi come guide ai viaggiatori. Si videro infatti talvolta, per le vie della città, dei turisti eleganti e impettiti, preceduti da un minuscolo straccione, il quale, piegato sotto la soma delle loro signorili valige, adempiva nello stesso tempo al còmpito di facchino e di staffetta. Sia per l'uno che per l'altro di tali còmpiti egli metteva in opera il medesimo entusiasmo zelante, a giudicare dalla velocità con la quale, malgrado il bagaglio, i suoi due piedini ignudi si rincorrevano nella polvere: e dall'annuncio, simile a squillo di tromba, che egli lanciava nell'atrio dell'albergo: – C'è un Signore forestiero!

Altre volte, si vide un consimile piccolo straccione accodarsi a qualche viaggiatore ozioso a passeggio per la città. E, poi che costui si arrestava dinanzi ai monumenti, arrestarsi a sua volta a gambe larghe, con aria di sussiego, e fornirgli, quantunque non richiesto, una fila di notizie ingegnose e bugiarde sul monumento in esame. Spesso il forestiero gli gettava occhiate diffidenti, o infastidito gli diceva: – Grazie, piccino, ma va' via. Non voglio ciceroni –. In tal caso il ragazzetto spegneva gradatamente l'enfasi della propria voce fino a chiedere con umiltà: – Signore, mi date un soldo? – E, ricevuta la moneta scattava via soddisfatto, non senza aver detto: – Bacio le mani.

Chi si fosse chinato a osservare i due straccioncelli descritti avrebbe veduto due facce rotonde, nutrite, a dispetto della miseria, da un sangue robusto e dalla luce solare. In queste facce simili a frutti, gli occhi lucenti e pieni di brio e il festoso, furbo sorriso rallegravano l'anima. Quanto alle maniere dei due piccoli personaggi, v'era nella loro disinvoltura un che d'arrogante, e insieme di cortigianesco; e simili elementi, mescolati con la innocenza naturale, facevano un comico accordo. Secondo le istruzioni materne, prima di mangiare, all'angolo di una strada, il loro pane e cocomero, i due si facevano il segno della croce, che terminavano col bacio delle dita. Il che, tuttavia, non toglieva ch'essi fossero, in fondo all'anima, ladri e ciarlatani. Un osservatore accorto avrebbe potuto riconoscere in loro i legittimi eredi di Nicola Monaco.

Sarei tentata di seguirli, per vederli azzuffarsi a proposito del loro bottino, ridiventando subito complici non appena si scorga una guardia. O udire le favole da loro improvvisate per imbrogliare i Signori; o le loro malinconiche vocine quando cantano: « Viva viva Santo Natale, buona festa principale. È *nasciuto* Nostro Signore, dentr'a una povera mangiatoia ». Sarei tentata, ma invece devo dar loro un addio; questa è l'ultima apparizione che essi fanno nel mio racconto. Della famiglia legittima di Nicola Monaco, malgrado i segreti legami che mi congiungono ad essa, altro non resta nella mia memoria che queste larve bambine, con la loro felicità effimera e immatura.

Capitolo sesto

La fine d'un nobiluomo romantico.
Armida la gallina.

Era passato circa un mese dalla visita, piú sopra descritta, del messo di casa Cerentano, allorché Teodoro morí d'improvviso. Una notte, verso l'alba, Cesira si svegliò in preda a inquietudini. Le pareva d'aver udito, in un dormiveglia, voci e rumori nella camera vicina, ove dormivano il malato e Anna; si levò allora, ed entrò nella loro camera. Sul tavolino era accesa una candela già quasi consunta. Seduta su una sedia presso il letto di Teodoro, Anna, che s'era infilato un giubbino sulla camicia da notte, pareva assopita. I suoi piedi nudi, stretti l'uno all'altro, stavano appollaiati sulla bassa traversa della sedia. Tutto era immobile e tranquillo, evidentemente il rumore udito da Cesira era nato dalla sua tormentosa immaginazione. Ma negli occhi di Anna, levatisi all'aprirsi dell'uscio, ella vide una fulgidezza strana e insolita, una fissità quasi da cieca: – Perché non sei coricata? – le domandò a voce alta. La figlia allora balzò su dalla sedia, e nervosamente le fece segno di tacere: appariva bianca di freddo (la notte era piuttosto rigida), rabbrividiva, e le tremava puerilmente la bocca. – Il papà... – disse, e dai suoi occhi, che parevano induriti come vetro, ruppero d'un tratto le lagrime. Accovacciatasi per terra, incominciò a singhiozzare. In quel punto Cesira s'accostò al marito, che giaceva sul letto, e gettò un grido di spavento.

Teodoro era morto piú d'un'ora prima. Dovevano esser circa le quattro e mezzo, allorché egli aveva ridestato Anna, chiamandola a voce bassa e affrettata. Ciò non era nuovo: negli ultimi tempi, infatti, gli avveniva spesso di sognare che Anna era fuggita, o uccisa, per cui riscuotendosi di soprassalto la cercava con ansia. Secondo il solito, Anna s'era tosto levata, e aveva acceso la candela; ma il malato, supino, girava gli occhi in cerca di lei, senza vederla: – Anna, Anna, – ripeteva; e come la ragazzetta gli si fece accosto, soggiunse rapido: – Sto

107

male. Non andar via. Non chiamarla, – ed ella capí ch'egli temeva la presenza di Cesira. – Sei qui? – le chiese dopo un istante; ed ella mormorò: – Sí, sono qui con te. Non temere. Non chiamo nessuno –. Egli la cercò di nuovo con lo sguardo confuso (benché lei gli fosse accosto e lo accarezzasse), dicendo piú volte: – Dove sei? non ti vedo –. Poi girate le pupille da una parte ove lei non era in realtà, disse: – Ah, eccoti. Siamo soli, è vero? Non chiamare nessuno. Ti vedo... – ma s'interruppe in una leggera convulsione delle membra, quale abbiamo spesso ridestandoci da sogni inquietanti, e ricadde inerte e placido.

Anna, che gli lisciava con la palma la fronte, come sempre faceva per lenire i suoi ansiosi risvegli, ritolse allora pian piano la sua manina da lui. Nel far cosí, incominciò a fissarlo, e il suo sguardo si fece a un tratto consapevole e selvaggio. Un singulto arido e senza suono la percosse dall'interno, facendola stranamente sobbalzare; ma si ritenne dal gridare, e non chiamò nessuno, poiché tale era stata l'intesa con suo padre. Per piú d'un'ora stette rannicchiata e zitta sulla propria sedia, presso il letto di lui, senza coprirsi malgrado la stagnante aria diaccia della camera. Ella temeva che il suo piú piccolo moto, fosse pure soltanto mettere i piedi in terra, o prendere una coperta, potesse riecheggiare nella casa come un segnale d'allarme, tradendo suo padre e lei stessa. Intirizzita, in una sorta di lucido sopore, guardava ostinatamente la coperta del letto, su cui giaceva abbandonata la mano di lui, piccola e bella, quella stessa che in altri tempi le aveva infilato alla vita il mazzolino (un senso oscuro la avvertiva ch'egli proverebbe vergogna a esser guardato in viso). E la loro complicità, come una vela che si gonfia nel vento, parve grandeggiare nel silenzio della morte.

Anna era coraggiosa, e non temeva gli spettri. E come, in vita, la persona di suo padre non le aveva ispirato repulsione, ma tenerezza e riverenza, malgrado le fisiche mortificazioni cui lo assoggettava la malattia, cosí adesso quella salma era per lei confidenziale e affettuosa piú di tutto il restante mondo. Spiando il lento consumarsi della candela, ella presentí che, domani, avrebbe invidiato quest'ora e, come gli innamorati alla vigilia d'una separazione, bramò che la notte durasse eterna. Finché rimanevano loro due soli, sigillati nella loro camera notturna, questa salma, cosí parve alla gelosa Anna, era ancora suo padre, essi s'appartenevano l'uno all'altra, la vera morte di lui non era incominciata ancora. Una ambascia presaga la sconvolgeva allo scoccare d'ogni quarto. Or come Cesira entrò, sorprendendo padre e figlia nel loro segreto, parve ad Anna di vedere entrare una fata disumana, che portava l'incantesimo della morte. La tenera, devota presunzione di servire ancora suo padre, che l'aveva sostenuta fin qui, rovinò dentro di lei; e la certezza d'una profanazione definitiva, d'una necessità prossima e senza scampo, attanagliò la sua mente fanciullesca. Nel tempo stesso, la dominò un pensiero rigido e feroce contro l'intrusa. E poiché Cesira le s'aggrappava addosso con le due mani, ripetendo, in un pianto isterico: – Anna! Anna! – ella si sottrasse piena di ripulsa al suo contatto: «Perché piange, lei? – si disse, – che diritto ha di piangere? » E, presa dal pudore del proprio lutto di fronte a quella testimone importuna, subitamente cessò i propri singhiozzi, e si levò dal pavimento, dove giaceva accosciata, gettando a Cesira uno sguardo obliquo, severo e geloso: – Perché sei entrata, tu? che sei venuta a fare? – le disse a bassa voce, con la bocca ancora puerilmente contratta dal pianto.

– Ebbi un presentimento... – balbettò Cesira. Ma in quel punto gli occhi di Anna caddero per la prima volta sul viso della salma, e le fu noto in un baleno il crudele oltraggio che suo padre aveva sofferto in poco piú d'un'ora, mentr'ella gli vegliava accosto. Fino a un attimo prima, ella aveva pianto su lui come s'egli fosse ancora qualcosa d'umano e di sensibile; e il pensiero di lasciarlo alla mercè di chi non lo amava, di chi lo scaccerebbe presto, come si fa coi morti, dalla loro stanza e dalla casa, l'aveva sbigottita, come lo spettacolo d'una creatura condotta al macello sotto i suoi occhi. Ma a questo rapido sguardo, i cari gesti e le parole di lui vivo, che, per lei, fino a poco prima, aderivano ancora a quella forma giacente, animandola di sentimenti e di ricordi, ne caddero d'un tratto come squame: poiché su quel letto non v'era piú suo padre, ma un fantoccio miserando, un *niente*. Fra le convenzioni della buona società combattute in vita dal defunto Teodoro, v'era stata quella religiosa; e poiché Cesira, se si tolgano i suoi piccoli idoli terrestri, viveva in un indifferente e immemore ateismo, Anna aveva sentito parlare assai poco di esistenza futura e di Dio. Riguardo a tali cose, ella possedeva la medesima scienza che altri bambini possiedono riguardo alle tele di ragno messe per medicamento sulle ferite: vale a dire che si trattava di superstizioni e risorse da donnicciole, d'effetto, peggio che innocuo, malefico, e indegne d'una mente orgogliosa. Quanto alla morte, essa le appariva stanotte per la prima volta in aspetto corporeo, nelle mutate sembianze di suo padre. E, vuota di celesti leggende, questa umiliante metamorfosi le dette il senso d'un furto beffardo, d'una violenza commessa nella loro stanza, per cui suo padre le chiedeva difesa e vendetta. Ma a chi contendere Teodoro? e dove cercarlo? Poi che quella demente, ambigua spoglia (ch'ella detestava adesso, vergognandosi di averla, fino a poc'anzi, amata), non era già lui, bensí la Morte. E nella loro stanza comune, fatta ormai schernevole e odiosa, oltre a quella impostura della morte al posto di lui non v'era che la sua nemica, Cesira: su costei si fermò lo sguardo vaneggiante di Anna. Bianca, le labbra rilasciate, invasa da un timore superstizioso alla funerea presenza, Cesira sussultava in un pianto che sembrava sfinirla, come il pianto dei bambini. Sulla camicia da notte, s'era infilato il suo cappotto invernale, e di sotto il suo bavero sbottonato di finta pelliccia si vedeva brillare sulla sua gola nuda, nelle scosse del pianto, un ciondolo di metallo appeso a una catenina, ch'ella soleva portare addosso giorno e notte, come amuleto. Or Anna l'aveva veduta piú volte, durante i litigi col marito, serrare quel ciondolo nel pugno, mormorando bizzarre orazioni, per rigettare il malo influsso ch'ella pretendeva le venisse da lui. Una smorfia aspra e convulsa contrasse i labbri della ragazzetta: – Adesso tu piangi, – ella sussurrò con perfidia. E dibattendosi contro la profanazione, e la morte, e la stanza devastata, e l'orrida salma, alzando via via la voce fino a un tono lacerante che suonò irriconoscibile a lei stessa, proseguí: – Finiscila con le tue commedie! Tu lo odiavi e gli auguravi la morte, e adesso piangi. Mille volte t'udii protestare a mezza voce perché lui viveva. E ricordati che cosa gli dicesti quando partí quell'avvocato di mia zia Concetta, quel maledetto bugiardo: *Muoiono tanti giovani belli, pieni di speranza*, gli dicesti, *e tu, che sei solo un peso agli altri, non muori!* Un peso! e stràppati dal collo quel talismano! ah, non ti vergogni di portarlo, stanotte, non ti vergogni? Ridi, per pietà, ridi invece di piangere, almeno ti crederò sincera! Lui era mio, era mio! e sei tu che me l'hai fatto morire!

– Che dici, che dici... – balbettò Cesira. Ella sudava, e ritrattasi in un angolo della stanza gettava di là furtive occhiate, come se dalla salma giacente sul letto o dalla piccola Erinni farneticante presso il capezzale vedesse dipartirsi degli spettri enormi, e avanzare su di lei. Né rimorso né lutto potevano trovar luogo nel suo cuore, schiacciato dallo spavento e dalla pietà di se stessa. Le mani, come dissanguate, le cadevano pesantemente sui fianchi. E se in luogo di Anna avesse avuto vicino una figlia pietosa, avrebbe voluto farsi sganciare dal collo quell'amuleto, che la spauriva come fosse uno scorpione vivo; e sfilar dal capo le forcine, che le davano mille trafitture (di notte, ella soleva tenere i capelli attorcigliati intorno a forcine di ferro, per avere al mattino i ricci).

Ma, certa di non trovare compassione, non ne chiese. – Che dici, che dici... – ripeté ancora affannosamente, come se il respiro le venisse meno. Poi d'un tratto si vide la sua piccola testa patita adergersi sul collo, col moto rapido e inaspettato che han talora i galli all'atto di cantare: – Ah, tu parli cosí... – ella proruppe con una vindice, spaurita vocina, – in te non c'è che cattiveria. Anche in quest'ora... tu non hai timore... non rispetti... di pronunciare certe parole... Ebbene, ascolta quel che ti risponde tua madre. Che tu sia maledetta, ecco la mia risposta. Sí, ti maledico, TI MALEDICO... – e un sorriso furioso, atterrito e raggiante nel tempo stesso, le attraversò la faccia esangue.

Non era questa, in verità, la prima volta che Cesira malediceva Anna, e non fu neppur l'ultima (io stessa, come forse ricorderete, udii molti anni dopo nonna Cesira maledire sua figlia); e ciò attutisce un poco, per noi timorati osservatori, l'eco solenne del suo grido. Intanto, la candela s'era consumata del tutto, e spenta, lasciando la stanza funerea nel primo crepuscolo del mattino. Il giorno paventato da Anna, in cui nel mondo s'inizierebbe una vita senza Teodoro Massia, invadeva ormai le strade, e penetrava nelle case, come una pestilenza invincibile.

Malgrado le fosse parso, durante la notte, d'odiare la salma, fu Anna che, ricusando di lasciarla ad altre donne mercenarie o pietose, volle rivestirla e apprestarla con le sue mani (a Cesira non bastava il cuore nemmeno per assisterla). Cosí, Anna fu custode fedele di suo padre fino all'estremo, e credo che mai, neppur fatta donna e adulta, ella abbia cessato d'amarlo. Tuttavia, dal giorno ch'egli fu seppellito fino all'ultimo giorno che la conobbi, per non so quale sua gelosia o segretezza orgogliosa, ella rifuggí sempre dal parlare di lui con altri, o anche solo dal pronunciare il suo nome. Le poche volte che, bambina, udii rammentare il nonno Teodoro, fu sempre da parte di nonna Cesira, che non gli perdonava ancora le sue colpe antiche, e lo accusava della propria disgrazia.

Il turbamento superstizioso di Cesira durò parecchio tempo dopo la fine di Teodoro. Ella chiese alla figlia di dividere con lei la sua camera: soffriva d'insonnia, e nei sopori si svegliava talora di soprassalto, sembrandole d'udire lo scatto della serratura alla porta d'ingresso, e lenti passi nel corridoio, come al tempo che il marito era vivo e rincasava la sera tardi. Sedendosi sul letto, ella chiamava a voce bassa la figlia: – Non senti dei passi? – le chiedeva; ma Anna bruscamente la esortava a dormire: quei rumori notturni, le diceva, nascevano solo dalla sua mente, non c'era nessuno in casa. « Ah, vorrei, vorrei davvero, – pensava la ragazzina, – che mio padre abitasse ancora qui, presso di me, magari in forma di fantasma. Chi sa che io, prima o poi, non potessi vederlo, discorrere con lui come se fosse vivo! Certo, io lo riconoscerei, pure se tanto trasformato. E perché dovrei sentir paura dell'anima sua, che un tempo faceva tutt'uno con la mia anima? » Cesira intanto, tremante di spavento, si levava dal letto, accendeva il lume; e coi capelli scompigliati sulle spalle (trascurava, adesso, di farsi i ricci), si affacciava sulla porta, e spiava con le pupille dilatate il buio del corridoio. – Insomma, quando mi lascerai dormire? – si spazientiva Anna dal suo letto. Cesira tornava allora sotto le coltri, lasciando la candela accesa, il che significava, per la sua povertà, un grave sciupío. Dopo un momento, udendo il tranquillo respiro della figlia riaddormentata, nascondeva il capo sotto le coperte, come un bambino pauroso. E agitata insieme dalle sue spettrali angosce e dalla compassione di se stessa, piangeva in silenzio, ripensando con un gusto amaro a quanto la sua vita era stata disgraziata, fin dal principio. Ella era nata la terza di tre sorelle; e suo padre, un piccolo bottegaio, che dopo le due prime figlie aspettava finalmente il maschio, allorché gli avevano annunciato la nascita di quella terza bambina s'era infuriato, e aveva rifiutato di vederla, minacciando di buttarla nei rifiuti. In seguito, però, egli s'era fatto piú benigno nei riguardi della sua minore, soprattutto perché essa appariva la piú bella delle tre figlie, sebbene venisse su maligna e scontrosa, e tale, in verità, da attirare assai poco l'altrui benevolenza. Spesso la moglie del bottegaio, nei suoi sdegni contro questa figlia arrogante, le ripeteva quanto suo padre aveva minacciato il giorno della sua nascita: «E cosí gli avessi obbedito, – soggiungeva la donna, – gettandoti nelle spazzature, piuttosto di vederti crescere tanto cattiva». La famiglia teneva un pollaio nella corte; e allo schiudersi della covata, la piccola Cesira, che non amava nessuno al mondo, chi sa perché s'era affezionata a un pulcino. Allorché, cresciuto, esso era diventato una gallinella, Cesira, rimastagli devota, l'aveva chiamato Armida, e lo circondava d'ogni cura. La gallina Armida, però, a differenza di tutte le sue compagne della corte, non volle mai far uova; per cui, nella famiglia, si disse di lei ch'era stregata. E un bel giorno, malgrado le lagrime di Cesira, ci si decise a metterla in pentola; ma Cesira si rifiutò di mangiarne, e non perdonò mai questo sacrificio della sua prediletta. Ella cresceva superba e vanitosa, e continuamente faceva pompa delle proprie bellezze, rinfacciando alle sorelle i loro difetti, e chiamandole perfino con soprannomi desunti dalle loro persone sgraziate, ad esempio «Nasuta», o «Piedistorti». Si dava il caso che le maggiori, irritate, la picchiassero brutalmente; ma lei reagiva con graffi e con morsi, contando, d'altra parte, sulla crescente predilezione paterna. Il padre, già vecchio quand'ella era ancor bambina, le perdonava il suo cattivo carattere in grazia della sua minuta e perfetta bellezza. E chiamandola «bambolina» o «cosettina», rideva delle frasi maligne di lei, che irritavano gli altri, e le giudicava spiritose e intelligenti. Egli batteva le sorelle allorché le sorprendeva a malmenarla; e, attirata Ce-

112

sira fra le proprie ginocchia, le asciugava le lagrime, e le donava un centesimo nuovo. Allora lei, dal sicuro suo rifugio, inveiva nel pianto contro le sorelle, gridando ad esse i piú ingegnosi e insultanti soprannomi: la qual cosa imbestialiva sempre piú le sorelle, e divertiva suo padre, che ridacchiando le diceva: – Andiamo, andiamo, suvvia –. Il padre aveva disapprovato l'eccidio della gallina Armida, commesso in sua assenza. E non sapendo come consolare la sua preferita si era recato ad un bazar, che dal prezzo di trentasei centesimi, comune a ogni singola mercanzia, veniva detto: *Il Trentasei*. In tale bazar, egli aveva acquistato, appunto per trentasei centesimi, una gallina di stoppa, grossa quasi quanto una vera gallina, e che inoltre, per via d'una molla interna, emetteva, a comprimerla, un suono roco. – Indovina che cosa ho qui dietro per te, – aveva egli annunciato piú tardi a sua figlia, tenendo le due mani dietro la schiena. E poiché la bambina, la quale amava i regali, non sapeva che cosa dire, ma rideva smaniosa, egli si chinò su di lei, e a voce bassa le annunciò: – Ti ho riportato Armida –. La bambina parve interdetta, ma i suoi occhi splendettero tuttavia: forse ella sperava in una resurrezione. Allorché, invece, quella goffa e meccanica imitazione d'Armida si rivelò ai suoi occhi, rompendo in lagrime di dispetto ella calpestò il giocattolo, e battendo i piedi gridava: – Non credere d'ingannarmi! Non credere ch'io non lo sappia! Questa non è Armida, è finta, è di stoffa, e l'hai comperata al *Trentasei*! – Desolato, il padre cercava di riconciliarla col proprio disprezzato regalo, vantandone i pregi, e soprattutto la voce. Ma esasperata da simili consolazioni, che suonavano scherni ai suoi orecchi, Cesira si gettò per terra, gridando e dibattendosi, senza cessar d'inveire coi peggiori insulti contro la malvenuta gallinella. Il padre intanto, raccolto umilmente da terra il proprio acquisto, aveva l'aria di domandare che cosa mai potesse rendere un cosí bel dono tanto odioso. E la madre, sdegnata contro Cesira, diceva di lei: – È stregata come la gallina Armida.

Il padre, distinguendola dalle sue sorelle ch'eran cresciute ignoranti, volle farla studiare da maestra. Le sorelle avevano però una modesta dote; e si sposarono ambedue, l'una con un tipografo, l'altra con un merciaio. Cesira, s'intende, avrebbe rifiutato un simile matrimonio plebeo; e d'altra parte, quand'ella, ch'era di parecchi anni minore delle sorelle, fu in età di marito, la sua dote era andata in fumo, avendola suo padre usata in una fallita speculazione che contava dovesse arricchirlo. Cesira si trovò dunque assai presto orfana, e senz'altro patrimonio che il suo diploma. Ella sdegnava l'ospitalità delle sorelle, che s'era inimicate del tutto con l'ostentato suo disprezzo per il loro umile ceto; e poiché ambedue s'erano trasferite, coi loro sposi, in città lontane, non si curò mai piú della loro sorte. Armata del proprio diploma, della propria bellezza e del proprio mordace spirito, oltre che della propria fiera ambizione, ella si preparò dunque da sola alla conquista del mondo.

A tutto questo passato riandava Cesira, nel suo sommesso piangere notturno. E tutti accusava della propria disgraziata esistenza: suo padre e sua madre, che, poveri com'erano, non avevano il diritto di procrearla, e che poi, quasi non bastasse, avevano speso la sua piccola dote. Le sue sorelle, che s'erano appagate d'un'esistenza meschina e con la loro invidia perché lei era bella le avevan gettato la mala sorte. Suo marito, che l'aveva ingannata, sedotta, e ora dopo morto la perseguitava con ombre e furie. Sua figlia, che la trattava con crudeltà, sí ch'ella ormai la temeva. Tutti erano in colpa verso di lei, nessuno l'aveva risparmiata. E fra soffocati singhiozzi, piena di compatimento per se stessa, mille volte ella si rappresentava nella mente le scene d'un passato defunto: e suo padre che voleva gettarla nelle immondizie, e sua madre che la inseguiva con l'attizzatoio per punirla, e la gallina Armida trucidata quasi sotto i suoi occhi. Poi ripensava alle proprie speranze, e confrontava il proprio viso d'un tempo con quello, esausto e rugoso, che vedeva adesso ogni mattina nello specchio. Infine, ella era una vecchia, e tutto era perduto; e in cambio delle sue fatiche, sacrifici e rovine, nessuno le dava gratitudine o pietà. – Perché! Perché! – ella ripeteva; e timorosa di singhiozzare troppo forte e ridestare la severa Anna, sotto le lenzuola si mordeva le mani, che, sebbene deturpate dalle faccende, si conservavano tuttavia leggiadre.

Ma se un pietoso l'avesse sorpresa in quell'istante, e stringendola, baciando le sue lagrime le avesse detto: – Cara, povera Cesira, – son certa che, ringhiottiti i singhiozzi, lei si sarebbe sottratta alle carezze della compassione, e irrigidendosi, con un viso freddo e duro, si sarebbe richiusa in sé.

Capitolo settimo

La figlia del bottegaio si mortifica.
S'ode per un istante la voce del Cugino.

In fondo, Cesira non isdegnava troppo chi la maltrattava. Con Anna, la quale, al cospetto delle sue crisi, mostrava solo l'indifferente fastidio che han talora i crudeli adolescenti per la cupaggine degli adulti; con Anna ella s'era fatta sottomessa e docile. Del loro litigio in presenza del morto Teodoro, madre e figlia non avevano piú parlato; ma forse Cesira rivedeva sempre nella figlia l'accusatore e il giudice di quella notte, e ciò, nelle sue presenti angosce, la poneva alla mercè di Anna. Questa già sorpassava di molto sua madre nella statura; a volte, nella negligenza del sonno, le sue giovani membra si scoprivano, e la loro bellezza nascente era tale da non parere impudica, anche se nuda. Una simile fiera bellezza, opposta alla femminea fragilità che aveva fatto, un tempo, la grazia di Cesira, ispirava a quest'ultima ammirazione e rispetto. Spogliandosi o rivestendosi in presenza della figlia, ella, presa da una timida vergogna, cercava di nascondere agli occhi di lei le proprie membra appassite. Il suo corpo s'era smagrito eccessivamente, e le sue braccia, nude fuor della camicia, apparivano sottili e deboli come quelle d'un bambino: simile fragilità, però, non era, come prima, graziosa, bensí soltanto triste. Il suo volto pareva rimpicciolito, le sue spalle già s'incurvavano. Pettinandosi, la mattina, ella provava ogni volta una stretta al cuore nel vedere che folte ciocche dei suoi capelli cadevano sotto il pettine, ed eran già grige.

Quando sbrigava le sue faccende domestiche, ella correva qua e là per la casa come una fiammella percossa dal vento. Per Anna, aveva delle attenzioni servili: prima di recarsi alle sue lezioni, le portava la colazione a letto, dove Anna pigramente s'indugiava; e tornando a mezzogiorno, cucinava il desinare per ambedue. Un giorno, entrò tutta affannosa, e ridendo follemente, rossa in volto, raccontò che un uomo l'aveva seguita. Era un uomo, spiegò, di bella statura, vestito con eleganza; ma poiché le parve, a questo punto, di legger negli occhi della figlia un incredulo disdegno, soggiunse: – Avrà voluto derubarmi, – e scosse ridendo la borsetta che teneva appesa al polso. Indi, secondo i suoi bizzarri umori, scoppiò in lagrime. Probabilmente, quest'avventura non era che una bugia.

Un'altra volta, Anna, durante il suo giro per le botteghe (la spesa quotidiana era una delle sue mansioni), s'imbatté per istrada in sua madre che, il fascio dei còmpiti sotto il braccio, parlava da sola fitto fitto sorridendo amaramente. Ella era cosí immersa in tali sue riflessioni ad alta voce, che non si curava di tener sollevata la gonna, lasciandola strisciare nella polvere, e rasentò Anna senza vederla. Non di rado, anche in casa, parlava da sola, quasi a sfogarsi con un compagno invisibile delle ingiustizie patite, e della propria cattiva sorte. Le sue solite crisi, poi, s'eran fatte piú violente. Presa da un odio rabbioso contro la propria persona, ella si malmenava da se stessa, battendo contro il muro la fronte e i pugni, e Anna doveva tenerla per impedirle di ferirsi. – Ah, non fossi mai nata! – ripeteva lei, dibattendosi: – e tu, – esclamava poi, fissando il vuoto, – perché mi guardi, che vuoi da me? – Essa pretendeva di scorgere, immobile contro la parete, Teodoro, che affascinandola coi suoi occhi nemici la gettava in quelle angosce. In altri momenti, asseriva di scorgere negli angoli o sotto i mobili, un cane minaccioso, o un pipistrello, o un rospo che saltava; personificava cosí, in bestiali figure e apparizioni, gli spiriti maligni, a lei stessa oscuri, che la tormentavano. In simili momenti, Anna pensava ch'ella avesse perduto la ragione; ma eran questi, invece, gli ultimi, fittizi tumulti d'un animo ancora in lotta contro speranze e desiderî, e che non voleva rassegnarsi. Ciò durò pochissimi anni ancora; poi Cesira trovò una calma amara nella sua precoce vecchiaia.

Malgrado la sua soggezione ad Anna, ella non si teneva dal dirle spesso delle cose perfide. E la sua stessa ammirazione per la bellezza di lei fu, almeno nei primi tempi, mescolata d'invidia. La sua malevolenza scopriva imperfezioni e difetti in Anna: – Sei troppo magra, – diceva ella a sua figlia, – sei troppo pallida, – oppure: – sei bella, ma non hai quel che piace agli uomini... – Talvolta, irritata al veder sua figlia crescere tanto orgogliosa e superba: – Non credere, – le diceva, – perché sei bella, d'avere in pugno il mondo. Io ero piú bella di te, – mentiva con millanteria disperata, – e vedi come sono ridotta.

In tutti, del resto, Cesira scopriva difetti, tutti erano brutti e malvagi, le facce in cui s'imbatteva le parevano atteggiate a smorfie pazze o malevole. Tutti evitava, ed era evitata da tutti. Pure, nell'odio-amore che aveva per se stessa, si pasceva quasi con gusto dei propri tormenti.

116

La sua salute, naturalmente, soffriva di tanto disordine. Ella ebbe degli svenimenti e dei capogiri, e dovette rinunciare ad alcune lezioni; altri alunni, scontenti della capricciosa maestra, non piú zelante come un tempo, l'abbandonarono. Anna e Cesira si trovarono allora in gravi difficoltà di denaro. E un bel giorno Cesira ebbe una delle sue decisioni impetuose ed eroiche, e disse ad Anna di vestirsi, perché si andava dalla zia Cerentano.

L'idea di questa visita non dispiacque ad Anna, ma anzi la inebriò. Ella ignorava il fine preciso di sua madre (costei le aveva accennato vagamente di dover trattare con la zia certe questioni lasciate insolute da Teodoro); e neppure conosceva esattamente, ancor bambina come era, i veri motivi del dissidio fra le due famiglie. Quanto a Cesira, ella credeva forse di placare l'ombra vendicativa di Teodoro umiliandosi alla sorella di lui.

Entrate che furono nel palazzetto, Cesira, pallida pallida, in tono di riscossa chiese della signora sua cognata. Fu detto loro di aspettare e Anna, col batticuore, oppressa da una specie di venerabile paura alla vista di tanta ricchezza, a ogni momento s'aspettava di veder comparire Edoardo. Finalmente una tenda si scostò, e il medesimo servitore che s'era incaricato dell'ambasciata riferí che la Signora non poteva ricevere. Al che Cesira sorrise nervosamente, e presa dalla borsetta, con mani tremanti, una lettera chiusa, pregò il servitore di consegnarla subito a donna Cerentano. Il servitore parve un momento interdetto, ma infine accettò la nuova commissione, e sparí.

In quella lettera, che Cesira aveva preparato per il caso appunto che non la si volesse ricevere, eran descritti con accenti folgoranti e fatali le condizioni sue e di Anna. Vi si diceva come una madre perseguitata da una stella infausta e una fanciulla ancora alle soglie della vita corressero il pericolo d'esser gettate sulla strada a mendicarsi un pane. Vi si alludeva all'ombra d'un genitore che aveva portato il nome dei Massia e che certo inorridirebbe vedendo le eredi del suo nome vagare elemosinando sulla terra. Vi si citava Lazzaro e il ricco Epulone e ciò, verosimilmente, piuttosto al fine di atterrire la devota cognata che di invocare un precetto cristiano. Infine, in nome della parentela, sia pure ripudiata, e in nome della religiosa pietà di Concetta, vi si chiedeva un soccorso finanziario. Tutto ciò era scritto in uno stile da salmo, sotto il quale serpeggiava un'ipocrisia servile e astuta. Alla ingegnosa ricerca degli effetti s'univa, in questo componimento, un furbo uso dei mezzi piú atti allo scopo e un'untuosa cortigianeria. Con quel tono solenne, la fiera Cesira aveva scritto la propria capitolazione:

i piccoli polsi frementi che avevano vergato quelle righe erano cerchiati ormai dalle catene della schiavitú.

Anna ignorava il testo della lettera, ma avvertiva nell'aria non sapeva quale umiliazione: – Andiamo via di qui, – bisbigliò a un tratto. – Sei pazza? – le rispose sua madre con l'antica autoritaria violenza, – qui si decide la tua vita –. Anna ubbidí, pur senza capire, ma sentí d'improvviso un odio per la sua propria vita.

Dopo la consegna di quella lettera, trascorse un lungo intervallo d'attesa, durante il quale s'udiva da una non lontana stanza il suono d'un pianoforte, accompagnato da una voce, piuttosto sgraziata, di fanciulla. Il canto si spense d'un tratto in un rumore che parve un singhiozzo; ma poi si capí ch'era invece una risata. A tale risata femminile si mescolò un altro riso spiegato, di bambino, ma con già qualche nota maschile e aspra. La voce che prima cantava disse allora, in tono di ammonimento: – Edoardo, ah! Edoardo! – All'udire questo nome, Anna trasalí e si fece tutta rossa. Colui che prima rideva (il quale altri non era, evidentemente, che Edoardo), incominciò quindi a discorrere in un modo gaio e capriccioso, anzi quasi sfrenato. Non si capivano le parole, ma, come già nella risata, si riudivano nella voce le note dissonanti dell'adolescenza: note rauche, come d'un violino melodioso per sua natura ma non ancora bene accordato. Una tal voce bizzarra ispirò ad Anna un sentimento di tenera compassione.

Il suo cuore impetuosamente volò a quella ignota stanza; ma proprio a questo punto, la tenda del vestibolo ov'esse attendevano si scostò, e apparve un signore sconosciuto che recava una busta verde. Era costui, come si poté intendere, il successore di Nicola Monaco nell'amministrazione di casa Cerentano. Aveva un volto sottile, simile a quello d'un arabo, e i baffi neri. Egli si ritrasse con le due donne verso un angolo del vestibolo, come chi ha da comunicare una qualche notizia riservata. Poi, parlando a voce bassa, e porgendo a Cesira la busta, spiegò che la Signora non poteva riceverle, per i motivi che esse facilmente capirebbero. Tuttavia, ella inviava per suo mezzo questa busta, e d'ora innanzi ne avrebbe depositata una consimile per loro ogni mese, all'indirizzo ch'esse troverebbero indicato dentro la busta stessa. Ciò era stato deciso in considerazione della bambina soltanto (Anna), e la Signora insisteva su questo punto espressamente. Quale unica condizione, si chiedeva nella maniera piú esplicita alle due donne di astenersi d'ora in avanti da ogni rapporto sia verbale che scritto con la signora Cerentano e con la sua casa: facessero conto di ignorarne l'esistenza. L'amministratore stesso era incaricato di depositare la busta a loro nome; e con ciò, la questione si considerasse conchiusa per sempre.

Alle parole di quell'estraneo, Cesira, un sorriso falso sulle labbra, teneva il viso arditamente levato, quasi porgendolo alle percosse. E, proprio come sotto le percosse, un rossore disordinato le macchiava le guance. Ella ricevette dalle mani di colui la busta, che in fretta nascose nella borsa; poi con voce modesta e piena d'unzione disse che comprendeva perfettamente e porgeva alla signora le sue piú vive grazie. Una simile conversazione fra sua madre e lo sconosciuto rivelò finalmente ad Anna il vero scopo della loro visita in casa della zia. Una funesta nube sanguigna le calò sopra, e la testa china di quell'uomo che parlava sommesso nei suoi baffi neri le parve un'apparizione satanica. Ella si fece tutta pallida, e i muscoli del suo volto incominciarono a sussultare. Intanto, l'ignoto signore le accompagnava alla porta del vestibolo; indi, lo stesso servitore che le aveva introdotte guidò freddamente all'uscita quelle due donne vestite male, che non s'era voluto ricevere. Come furono fuori, con un movimento convulso Anna si svincolò da sua madre, e si dette a correre avanti, verso casa; le pareva di gettarsi in un sanguinoso precipizio, e tutto ciò che incontrava le appariva deformato e travolto dalla bufera dei suoi singhiozzi. I passanti guardavano stupiti quella bella fanciulletta, dalla persona già sviluppata nei vestiti a lutto fattisi troppo corti per la sua statura; la quale fuggiva a denti stretti, di non altro memore che del suo pianto, come se l'avessero ferocemente battuta. Cesira, tornando a casa, trovò la figlia supina sul letto: le sue scarpine, ch'ella s'era sfilate nella furia, e il suo cappello tinto di nero giacevano rovesciati a terra. Ella si teneva con le membra rigide e protese, quasi offrendosi agli assalti del proprio dolore; e premendosi con le unghie le guance seguitava a gemere: – No, no, no... – Ah, che hai fatto! – inveí all'entrar di sua madre, – vergognati, ah, vergognati! Che cosa hai fatto! – È strano com'ella non provasse nessun rancore contro la zia che l'aveva umiliata: costei le appariva tuttora inaccessibile a ogni rimprovero, sospesa negli aurei fastigi dei Cerentano. Chi provocava invece il suo rancore, e un disprezzo sempre piú forte, era sua madre, ch'ella aveva veduto, subdola e servile, sottomettersi a quell'onta che la bruciava. E il cugino Edoardo... – Ah, non ti perdonerò mai! – proferí Anna.

– Che cosa non mi perdonerai? – rimbeccò Cesira, rompendo in un riso convulso, – d'averti evitato la fame? è questo che non mi perdonerai? Presuntuosa e sfrontata! che cosa dunque pretendi? Sei la peggior pigra e ignorante che si sia mai vista, incapace di qualsiasi lavoro per bastare a te stessa, buona solo a farti servire... Passi le tue giornate nell'ozio, senza nemmeno pettinarti, e non so di che cosa sempre fantastichi. E ora t'atteggi a regina, perché t'ho procurato an-

119

cora una volta i mezzi per vivere. I tuoi degni parenti io li detesto, ah, non meritano neppure di baciarmi i piedi. In cambio della loro elemosina, invece d'un ringraziamento si abbiano, tutti dove sono, la mia maledizione. Sí, che siano maledetti in eterno! Se ho finto d'accarezzarli, quest'oggi, è stato per farli servire ai miei scopi. E difatti, ecco, l'importante, per me, è d'aver ottenuto questa busta. Forse che morde, la busta? E che m'importa di loro! – Qui Cesira, in un gesto di trionfo che valeva per la piangente Anna quanto un insulto, sventolò nelle dita la busta verde, con gusto crudele. Ritiratasi quindi nel vano della finestra, alla luce già declinante di fuori, lacerò la busta e socchiudendo gli occhi un po' deboli, con avarizia pavida e intenta, da quella figlia di bottegaio che era, si dette a contare i pochi biglietti di banca.

La somma contenuta nella busta, sebbene oltremodo esigua, era tuttavia sufficiente a far vivere per un mese due donne povere come loro. Ciò, naturalmente, sorvegliando ogni spesa e limitandosi allo stretto necessario. Ma Cesira, pur cosí vaga di grandi ricchezze, era per sua natura capace d'una minuziosa economia.

Unito alla somma, la busta conteneva un biglietto con su scritto nient'altro che l'indirizzo d'un ufficio della città. Cesira ripose il biglietto nel portafogli, non senza aver segnato l'indirizzo sul suo libriccino.

Adesso, ella desiderava il riposo. Le sue mani avevan preso a tremare, e lei se le premeva l'una contro l'altra sul petto, per costringerle alla calma.

– Ah, – gridò Anna in quel momento, – non fossi mai nata, piuttosto che nascer povera, non fossi mai nata!

Lasciata la ribelle sua figlia, Cesira si ritrasse nella stanza da pranzo, e si sedette alla tavola che faceva anche da scrittoio per le sue lezioni. Appoggiando le braccia sulla tela incerata che la copriva, e che era tutta macchiata d'inchiostro e tagliuzzata dai temperini degli scolari, pensò che d'ora innanzi avrebbe potuto limitare il numero delle sue lezioni, e indugiare a letto qualche volta, senza pensare a nulla. « Come sono stanca, – si ripeteva, – come sono stanca ». E nell'amaro senso della propria stanchezza, le venne fatto di vagheggiare piena d'invidia la sorte dei vecchi decrepiti, ormai di là da questa vita seppure in apparenza ancor vivi; o di coloro che, nati deformi o affetti da malattie senza rimedio, non hanno altra scelta che un atto di rinuncia a qualsiasi ambizione terrena. O di quelli che vengono ricoverati negli ospizi, o che vagabondano elemosinando. A tutti costoro nessuno chiede nulla, son liberi da doveri e da vergogne, e da ogni impegno o desiderio per il futuro. La disperazione è la loro vittoria. Ella pensava a quanto sarebbe stato meglio per lei nascere brutta, e senza speranze. Vagheggiava, per esempio, il destino di certe suore, oscure, disseccate, pallide, che traggono nei conventi la lor vita sempre uguale, soggette a una disciplina che non concede piú dubbi, né scelta. Non teneva conto, lei, della loro sovrumana certezza; ma solo della loro apparenza d'ombre. « Ah, potessi vivere come un'ombra! » si ripeteva, e fra tali fantasticherie si mise a piangere ansiosamente, al modo d'una bambina. Un acuto gemito interrompeva il suo pianto allorché le riappariva il personaggio dai baffi neri che l'aveva umiliata nel vestibolo dei Cerentano: e bramava d'uccider costui, ma non lui soltanto, insieme a lui i suoi padroni, e tutti quelli che avevano mortificato lei, Cesira, dal giorno che era nata fino ad oggi. Le pareva che la sua stanchezza si sarebbe riposata in simile strage; ma in realtà, la povera Cesira aveva fatto strage solo di se medesima, e con tale accanimento da esserne ridotta esangue e impaurita. Non soltanto non sapeva infierire contro gli altri; ma stava ormai fra loro alla guisa d'un bambino malaticcio, il quale schiva le busse coprendosi col braccio il viso; mentre di sotto quel riparo il suo sguardo obliquo e maligno dice ch'egli non perdonerà mai.

Secondo la promessa, Cesira da quel giorno poté ritirare ogni mese la somma a lei destinata da Concetta Cerentano. Lei stessa si recava a prenderla, e da parte di Anna non fu accennato mai piú a questo argomento. Certo Anna si rese conto che non v'era altra risorsa per loro, e s'adattò col tempo ad accettare quella provvidenza odiata. Ella cresceva nell'ozio e nell'ignoranza, mostrando un'indole selvatica e amante della solitudine; i suoi modi, tuttavia, non apparivano né rozzi né impacciati, ma al contrario, graziosi e pieni d'alterigia. Il suo volto taciturno, dagli occhi sognanti e fervidi, dai labbri un po' rigonfi che si sporgevano in atto imbronciato, serbava quell'espressione di limpida innocenza che di solito si perde alla fine della prima età puerile, e ciò contrastava con la sua persona, che non era piú di bambina, bensí di donna delicata e acerba. Son certa che, fra sé, già Anna fantasticava d'amore; ma non conosceva alcuno del quale potesse innamorarsi o che potesse innamorarsi di lei.

Quanto a Cesira, essa andava ogni giorno declinando verso una senilità discreta e subdola; si trasformava cosí, pian piano, in quella vecchia malata ch'io dovevo conoscere piú tardi.

PARTE SECONDA

La cuginanza

Capitolo primo

Malizioso e straordinario accidente.

Circa tre anni dopo gli avvenimenti su esposti vi fu un nuovo incontro fra i cugini Anna ed Edoardo.

Anna aveva ormai compiuto i diciassette anni allorché un caso bizzarro mise sulla sua strada il cugino. I fatti si svolsero nel modo seguente.

Una mattina di febbraio, la città si svegliò sotto la neve. Un simile fenomeno era cosí raro da quelle parti, che si segnavano come date degne di memoria tutte le volte ch'esso capitava in un secolo. Molti maestri di scuola eran costretti a dar vacanza perché gli scolari smaniavano sui banchi, nella brama di giocare con la neve. Da un uscio all'altro, e fra i passanti, si sentiva ripetere: – La neve! La neve! – e i cittadini, per solito taciturni, sembravano ubriacarsi di quella luce glaciale e dell'echeggiante sonorità delle loro voci. A tutti pareva d'aver trasmigrato, durante la notte, in un'altra città, perché le architetture e i colori apparivan quasi irriconoscibili, e da ciò nasceva una festa, ma effimera, simile alle feste celebrate nei sogni, i cui palagi di vetro son sempre sul punto d'incrinarsi. Molte signore, avvezze a poltrire fino a mezzogiorno, quella mattina si levavano presto, piene di curiosità e di fervore. E avvolte in pellicce, o in iscialli dai colori vivaci, popolavano i balconi, le terrazze, i tetti, da dove guardavano lontano coi binocoli, vociando gaiamente, come a uno spettacolo di fuochi d'artifizio. C'era chi raccoglieva la neve nelle tazze, per farne dei sorbetti. E davanti ai portoni delle case signorili, i portieri, armati di scope e di pale, sgombravano la strada alle carrozze; essi scambiavano intanto i loro commenti coi cocchieri, mentre i cavalli, animati da quell'aria nuova, agitavano la criniera e la coda. Naturalmente, per l'inesperienza dei cittadini, frequenti erano le cadute, soprattutto verso mezzogiorno, quando, incominciato il disgelo, le strade si coprivano di fanghiglia.

Uno dei luoghi piú rischiosi ad attraversarsi era un viale alberato che da un mercato assai noto scendeva verso il centro della città. Al piede di questa discesa si apriva, dinanzi a un breve spiazzo, una elegante pasticceria; e qui s'eran dati convegno, quella mattina, alcuni giovani dall'umore allegro, che avevano scelto il posto come un comodo osservatorio per divertirsi alle scene dei capitomboli. Il loro divertimento si doveva soprattutto al fatto che i passanti, in quel viale e a quell'ora della mattina, erano in maggioranza donne di ritorno dal mercato con le proprie spese: per lo piú ragazze del popolo, servette e massaie. Di sulla porta vetrata del caffè, i giovani le adocchiavano una per una fin dal loro primo apparire in cima al viale. Ciascuna che sembrasse graziosa veniva scelta, a turno, da uno di loro. Il quale scommetteva coi suoi compagni (che tuttavia restavano, benché scommettitori, suoi fedeli alleati), di farla capitombolare nella neve col solo mezzo della suggestione: per concedersi, quindi, il diritto di aiutarla a rialzarsi. Il punto critico era al termine della discesa, là dove s'apriva lo spiazzo davanti al caffè: quivi, per l'accentuarsi del declivio, il terreno, coperto di neve semidisciolta, era quanto mai sdrucciolevole. Allorché la ragazza, eletta da uno del gruppo, dopo aver disceso non senza trepidazione il viale, giungeva al limite dello spiazzo, vi era accolta dal coro dei giovani amici: sul quale si levava piú forte e incalzante, la voce singola del cavaliere predestinato. Fermi sulla soglia del loro osservatorio, i giovani complici incominciavano a dire: – Scommetti che cade? – Scommetti di no? – intercalando tali scommesse con sorrisi d'intesa, madrigali e offerte d'aiuto alla pericolante. Questa fingeva per lo piú di non vedere gli indiscreti; si sdegnava, oppure a stento soffocava la voglia di ridere. Ma era difficile che, fatta segno a tante chiacchiere, a tanti sguardi, riuscisse a serbare il proprio equilibrio. Già tre ragazze, secondo i voti dei singoli ammiratori, erano ruzzolate a terra, insieme alla varia mercanzia delle loro sporte. In tutti e tre i casi, il cavaliere predestinato s'era staccato dal gruppo degli amici precipitandosi a raccogliere la sua poverina e ad offrirle tutti i possibili favori. Mezza piangente e mezza ridente, ma senza essersi fatta alcun male, quella s'era rialzata; e raccolte, con l'aiuto del cavaliere, le proprie sparse vettovaglie, aveva ripreso la sua strada, senza sapere dove girar gli occhi. Un tal gioco avventuroso faceva le delizie di quel gruppo galante. Uno degli amici si vantava d'aver ottenuto dalla sua bella, in cambio del proprio aiuto, un sorriso quasi d'amore. Un altro, per sollevare la sua, l'aveva stretta forte fra le braccia. Il terzo aveva rivolto alla propria, a voce bassa, un complimento cosí ardente, che quella, estremamente confusa, appena rimessa in piedi era ruzzolata a terra una seconda volta. Ma due altri eran rimasti delusi: uno di loro, accorso presso la sua vittima, le aveva invano offerto il proprio braccio. Respintolo irosamente, la ragazza si era rialzata da sola, e tutta accesa di sdegno l'aveva scacciato con gravi e mortificanti insulti. Quanto all'altro deluso, inutilmente egli aveva tentato di confondere la predestinata sua vittima per farla cadere. Essa non aveva fatto nessun conto né di lui, né dei suoi complici, come non li vedesse. E, librata sul terreno viscido, aveva attraversato lo spiazzo simile a una ballerina sul filo, ed era scomparsa.

Uno del gruppo, il piú giovane di tutti, quasi ancora imberbe, si distingueva fra gli altri per la sua graziosa bellezza: era questi, appunto, Edoardo Cerentano. A quanto sembra, egli era, oggi, d'un difficile umore: infatti, nessuna delle belle ragazze ammirate dai suoi amici gli era piaciuta fin adesso, e non aveva scommesso per nessuna. Una lieve preferenza aveva provato verso la ballerina di cui s'è detto per ultimo; ma s'era accorto di tale sentimento troppo tardi, nel momento che quella invitta sconosciuta già si dileguava alla svolta. E adesso, l'aver mancato l'occasione lo amareggiava un po'; quand'ecco, finalmente, apparve in cima al viale una fanciulla che gli piacque, ed egli s'affrettò ad esclamare: – Questa è mia! – Era una ragazza alta, che vestiva una gonna rossa e una giacca nera, con un cappello pur esso nero. Edoardo non sapeva che questa ragazza era sua cugina: si trattava, in realtà, di Anna.

La bellezza di Anna era, a quel tempo, nel suo primo fiore, e non poteva non destare ammirazione, sebbene apparisse alquanto trasandata. Anna teneva i capelli semplicemente raccolti in una treccia pesante e sostenuti alla meglio con delle comuni forcine, il suo cappello disadorno era messo senza studio sul capo. Alla sua giacca, dalle maniche fattesi un po' troppo corte, mancava un bottone, e da uno dei suoi guanti, rotti in punta, sbucava un ditino infreddolito. Ella scendeva lungo il viale con altera e languida noncuranza, come se il cammino malfido non la riguardasse. Nelle nere scarpe tutte infangate, dai lacci consunti e legati in fretta, i suoi minuscoli piedi avanzavano con un passo regolare e tranquillo; mentre i suoi teneri occhi oscuri, che non degnavano alcuno d'uno sguardo, seguivano chi sa quali intimi orgogliosi splendori; e le sue labbra imbronciate si sporgevano in un modo ancor da bambina. Ella portava infilata al braccio una grossa sporta rigonfia e nella manina dal guanto bucato stringeva un portamonete assai logoro. L'altro braccio, in atto pigro e quasi dimentico, lo teneva abbandonato lungo la persona. Non c'era nell'atteggiamento di lei nessuna civetteria; e forse sua madre non si sbagliava dicendo ch'ella non piaceva agli uomini.

Come Anna giunse al limite dello spiazzo, l'accolse dal gruppo dei giovani un ridente brusío, ma lei non vi fece alcun caso, secondo il suo fiero e riserbato costume. Cosí distratta e inconscia, e insieme tanto sicura di sé, appariva una difficile preda. Ciò istigò l'ardore di Edoardo. Mentre Anna levava il piede ad attraversare una breve pozza fangosa, le giunse all'orecchio una voce dolce che diceva: – Oh, poverina! Cade... Che peccato, poverina! Cadrà!

Certo, Anna non poteva riconoscere questa voce. Eran già passati tre anni da quando l'aveva udita, e inoltre, da allora, la metamorfosi dell'adolescenza s'era compiuta, e la voce s'era fatta armoniosa e virile. Tuttavia, per chi sa qual motivo, essa confuse Anna, che levò lo sguardo al gruppo dei giovani, senza distinguerne singolarmente nessuno, ma arrossendo a un tratto sotto il fuoco di quegli occhi ridenti. Uno di coloro, lo stesso che l'aveva confusa, proseguí a dirle: – Attenta, attenta. Ecco, ora cade, oh, poverina! ora cade... oh, l'avevo detto, io! – Difatti, in quel punto, mentre girava le pupille in cerca del suo persecutore, ella aveva perduto l'equilibrio, ed era caduta coi ginocchi sulla neve sciolta.

Una esclamazione unanime del gruppo deplorò la sua caduta, mentre colui che l'aveva provocata si staccava dagli amici, e sollecito accorreva presso di lei. Ma prima ch'egli potesse sopraggiungerla, già Anna s'era rialzata a precipizio, senza il suo aiuto, e si trovava ora in piedi al suo cospetto, un poco piú in alto di lui per causa del declivio. Naturalmente, ella non poteva riconoscere Edoardo; ma come, a suo proprio dispetto, e pur abbassando gli occhi confusi, le accadde di guardarlo, provò una commozione inattesa, che accrebbe il suo turbamento.

L'erede Cerentano era un giovinetto della stessa età circa di Anna: alto di persona, ma gracile, benché l'orgoglioso portamento lo facesse apparire quasi vigoroso. Nei suoi abiti, soprattutto in alcuni particolari, si osservava un'eleganza fin troppo compiaciuta per un uomo, e che faceva pensare, invero, a una specie di femminea civetteria; ma in contrasto con essa, si notava nella sua persona un certo disordine, e il suo cappotto di panno vellutato era inzaccherato di fango. Ciò perché la neve, nelle sue rare e strane apparizioni sulla nostra città, invitava anche i grandi a quelle gare turbolente che di solito sembrano adatte solo ai bambini; onde il Cugino richiamava alla mente certi ragazzetti i quali, dopo essere stati agghindati dalla madre con gran cura, e non senza soddisfazione della loro vanità, poi non si fanno scrupolo, oblian-

128

dosi nei giochi coi compagni, di maltrattare e guastare il bel vestito della festa.

Edoardo era senza cappello; e i suoi capelli, non piú cosí chiari come una volta, ma d'un biondo scuro vicino al castagno, apparivano in quel momento assai scomposti, e, divisi di lato da una scriminatura, gli ricadevano con negligenza sulla fronte. Quanto al suo volto, d'un ovale ben colmo, dagli occhi grandi e screziati, aveva un colore piuttosto pallido, malgrado la presente, grande animazione; ed era disegnato con tale grazia che una novella sposa non potrebbe vagheggiare, nei suoi pensieri segreti, un volto piú leggiadro per il suo primo figlio. Le maniere, poi, del Cugino, pur nella loro vivacità irruenta e un poco nervosa, erano tuttavia tanto cortesi e delicate che nemmeno un cerimoniere di corte avrebbe potuto trovarvi, io credo, niente da ridire.

Ciononostante, a dispetto, voglio dire, di tali innegabili pregi, io temo che un uomo giusto, avvezzo ad ascoltare piuttosto la propria ragione che il proprio cuore, avrebbe provato, al vedere Edoardo, una fredda irritazione se non addirittura una grave antipatia o ripulsa. L'erede Cerentano, infatti, a un primo sguardo, sembrava impersonare tutti i difetti che i moralisti severi imputano alla viziata gioventú della sua casta. Ho detto *a un primo sguardo*, però, e non senza motivo: poiché l'aspetto d'Edoardo era cosiffatto da poter ispirare sentimenti diversi ogni volta che lo si guardava, soprattutto se lo si riguardava con occhi non di giustizia, ma, per cosí dire, di maternità. E allora, ecco: tu avevi giudicato arroganza e bravería il leggero, ma, si direbbe, un poco ostentato disordine dei suoi capelli, e adesso ti vien voglia di pettinarglieli, impietosita del loro spensierato abbandono. E l'alta curva dei sopraccigli esprime, come ti parve, altezzoso dispregio, o non piuttosto ansia e stupore? E in fondo a quello sguardo animoso e fervido, non vedi una specie d'interrogazione severa, quasi il comando, non disgiunto da trepidazione, di perdonargli i suoi effimeri privilegi? E il suo modo di sporger le labbra esprime un capriccioso corruccio, una presunzione irritante, o nasce invece dal gusto e dalla consuetudine dei baci? Ora il costume di baciare, per quanto esso pure un vizio, è meno riprovevole, però, vogliate ammetterlo, del suo vizio contrario, la scostante e gelida astinenza. Quanto alle sue mani, esse son forse la cosa piú conturbante di questo personaggio. A vederle, si direbbero le mani d'una ragazza: fragili, futilmente nervose, si fan gioco di tutte le loro sorelle condannate alla violenza e al lavoro. Non si vergognano di votarsi a tutto ciò che è frivolo e carnale, ma, all'opposto, se ne fanno una gloria; e sebbene scherzose e languide tradiscono però la bellicosa insolenza di chi è certo di sopraffare l'avversario. Ché se la Natura le fece deboli, la Fortuna, armandole, contro i piú forti, dei suoi privilegi, le salvò dalla vigliaccheria. Cosí Edoardo, con le sue mani di ragazza, si stima un prode, e ritiene l'ingiustizia suo proprio valore e merito.

Ebbene, dopo aver detto tanto male di loro lasciate ch'io riguardi queste piccole mani. Innocenza e fugacità esse esprimono, e poi null'altro, se non forse un'affettuosa mestizia; come se tu già presentissi il giorno che queste due ricche favorite saranno polvere. In verità, come si potrebbe odiare un cosí effimero personaggio a motivo della sua fortuna? Sarebbe lo stesso che nutrire rancore contro un gattino il quale, unico d'una nidiata destinata al sacrificio, fu risparmiato, e toccò a una padrona amorosa. Vien fatto, anzi, di ringraziare l'ingiustizia e la carità che consigliarono alla sorte di favorire Edoardo. E d'altro canto, se tu perdoni a un tuo simile la sfortuna, perché non vorrai perdonare a un altro i privilegi?

Tali sarebbero stati, suppongo, i miei sentimenti di ragazza se quel fortunato incontro col Cugino fosse toccato a me. Non vorrete attribuire, però, ad Anna, osservazioni o considerazioni consimili; anzitutto perché, a quel primo, fugace sguardo che gettò sul giovinetto, ella non ebbe certo l'opportunità di farne; e in secondo luogo perché a lei i privilegi di nascita, in quanto tali, piacevano come grandi virtú. Nella confusione di quell'istante, ad ogni modo, ella non vide altro innanzi a sé che un radioso, pietoso volto, il quale avrebbe potuto anche appartenere a uno straccione, ella non distinse nulla fuori d'un volto e d'una capigliatura spettinata. E il sentimento che provò subito per essi fu uno solo: il perdono. Senza indugio perdonò a colui ciò ch'egli era o poteva essere e ciò ch'egli aveva fatto a lei, Anna.

Quanto a se medesima, si sentiva piena di vergogna, poiché nella caduta le si era un poco rovesciata la gonna, scoprendo la sottoveste dall'orlo di merletto alquanto sciupato. La sporta le si era sfilata dal braccio e le arance ch'essa conteneva rotolavano giú per la discesa. Rossa in viso, quasi lagrimante, ella cercava di nettarsi dal fango la veste, e i suoi guanti s'erano già tutti insudiciati nella prova: – Vi siete fatta male? posso darvi aiuto? – le chiese il giovinetto premurosamente. Ella balbettò che non s'era fatta nulla, e poi ridendo come chi, per orgoglio, vuol celare un impulso a piangere, soggiunse che non ritrovava il suo borsellino. Aiutato dall'amore che già lo accendeva, Edoardo non tardò a ritrovarlo, e quindi si dette a rincorrere le arance, respingendo con energia gli amici che gli contendevano un tal privilegio. L'ardente zelo e la soddisfazione di lui nel recarle quelle prede riconquistate commossero suo malgrado Anna, la quale, dimenticando ch'egli era, in fondo, colpevole della sua caduta, mormorava dei timidi grazie. Ella, tuttavia, provava una fretta straordinaria d'andarsene e agitata schivava gli omaggi dello sconosciuto; e questi, vedendola cosí frettolosa, fu invaso dal timore di perderla davvero per sempre. Cercò dunque nuove scuse per trattenerla: dapprima, toltosi dalla tasca un finissimo fazzoletto, insisté per nettare con esso i guanti di lei; e a tal fine, benché ella protestasse, s'impadroní delle sue mani e una dopo l'altra le stropicciò col fazzoletto, in atto delicato e gentile. Fatto ciò, ripose con grande amore il fazzoletto, dichiarando, con un piccolo sorriso galante e timido insieme, che lo avrebbe conservato in eterno, senza permettere a nessuno di nettarlo di quel fango. Ma poiché la fanciulla si disponeva ormai a fuggire, egli decise ch'ella non poteva attraversare il viscido spiazzo da sola, e le offerse, o meglio le impose, il proprio braccio. Un mormorío di plauso, dalla parte degli amici, seguí la traversata della coppia; ma Edoardo, sogguardando il viso crucciato e i cigli aggrottati della fanciulla, sentiva com'ella, costretta a subire il suo sostegno, fremesse di liberarsi. Egli contava fra di sé i passi che li separavano dall'addio; e infine, non vedendo altro scampo, prese una suprema decisione. Sul punto d'arrivare alla mèta, volontariamente mise un piede in fallo, e cadde, trascinando la propria dama nella caduta.

Un grido di gaio spavento si levò dagli amici, che accorsero verso la coppia. Nell'inciampare, Edoardo aveva avuto cura di cingere la fanciulla alla vita, affinché non si facesse male. Ciò accrebbe il turbamento di lei, che si levò rapida, tutta tremante, e pallida fin sulla bocca. La gente che passava osservava la scena, chi con aria di scandalo, e chi con divertito stupore; e Anna voleva fuggire, ma Edoardo, ancora in terra, piegato su se stesso, con un volto attristato e sofferente, la rimproverò di lasciarlo in quello stato. Egli ostentava di levarsi con gran pena, e accusava un acuto male a una gamba; né d'altra parte, lei stessa, benché illesa, era in condizioni di partire, ché aveva perduto il cappello, e la sua grossa treccia, liberatasi dalle forcine, le pendeva giú lungo il dorso. Smarrita, ella chinò gli occhi sul suo persecutore, il quale rialzandosi a fatica, e mostrando di zoppicare, non si stancava di chiederle perdono, e d'inveire contro la nevicata, e il suolo fangoso, colpevoli, a sentir lui, d'aver tradito le sue buone intenzioni, provocando quel duplice e maligno accidente. Mentr'egli cosí parlava, gli altri giovani si prodigavano intorno ad Anna, porgendole chi il cappello, chi una forcinella, e chi un'arancia. Ma Edoardo, con occhiate ombrose, allontanò la schiera degli amici, i quali fattisi da una parte dello spiazzo andavano commentando a bassa voce il seguito della

131

scena: – Sentite, signorina, – disse Edoardo ad Anna, in un tono serio, e un poco scontroso, – io non so se voi siete cattiva o buona. Se siete buona, non potete lasciare cosí uno che s'è ferito per aiutarvi. Se poi siete cattiva, si capisce, non può importarvi niente ch'io mi sia ferito e magari storpiato per voi. Ma anche se non v'importa, per piacere, non andate via subito. O almeno ditemi il vostro nome, ditemi se abitate lontano di qui e se posso comunicarvi la mia guarigione, quando avverrà. Come vi chiamate? E dov'è la vostra casa? Il mio nome, scusate se non ve l'ho detto subito, – (qui il giovinetto fece un piccolo inchino decoroso), – è Edoardo Cerentano.

A questo nome, i circostanti e tutta la presente scena scomparvero agli occhi di Anna. Il suo mento incominciò a tremare, ed ella balbettò, con uno sguardo rapito: – Ma io... sono vostra cugina.

Una simile scoperta rallegrò al sommo Edoardo. E poiché, richiesta nuovamente del suo nome, ella gli disse di chiamarsi Anna Massia, incantato egli affermò che infatti Massia era il cognome di sua madre: – Allora, – concluse poi con una felicità subitanea, che lo rendeva quasi inquieto, – possiamo subito darci del tu? – Anna rispose con una risata febbrile e sommessa. – E dimmi, – egli soggiunse, – che cosa ti piace? Ti piace il cioccolato? – E s'affrettò a spiegare che, per l'appunto, nella pasticceria là presso si faceva un cioccolato squisito, e che, essendo loro due cugini, non v'era niente di male per loro a bere insieme una bevanda calda, dopo esser caduti nella neve. Cosí detto, e immediatamente risanato, secondo ogni evidenza, della sua ferita alla gamba, egli guidò prestamente Anna dentro la bottega: e l'iridata, scintillante porta a vetri si richiuse su loro due. Quanto ai compagni, essi conoscevano il proprio dovere, in simili occasioni; e s'eran dileguati tutti.

Anna non ignorava che, per le severe costumanze della città, dal momento stesso che entrava con un giovanotto nella pasticceria, ella era disonorata. Ma ormai, sapendo ch'egli era Edoardo, non poneva piú mente ad altro, e lo avrebbe seguito pur se lui le avesse proposto di recarsi all'America. Sedettero a un tavolino, dove fu servito loro il cioccolato, e il cugino le domandò se questo le piacesse. Anna accennò di sí, ma, in realtà, in luogo del cioccolato avrebbero potuto servirle una medicina amara, che lei non si sarebbe accorta della sostituzione. Le dita che reggevano la tazza le tremavano cosí forte, che un poco di cioccolato le si versò sul mento, e lei fece per pulirsi coi suoi guanti già tanto sudici, ma il cugino si affrettò ad asciugarle il mento lui stesso, col tovagliolo ricamato della pasticceria. Nel far ciò, s'accorse che Anna piangeva, e le domandò se forse, cadendo poco prima, s'era fatta male. No, Anna non s'era fatta alcun male, e non sapeva neppur lei perché piangeva; ma, quando tentò di rassicurare il cugino, le lagrime le caddero piú fitte, e poté appena fargli segno di no col capo. Il pensiero d'aver provocato, in qualche modo, quel pianto, mortificava il cugino; il quale, dopo avere invano insistito con le sue domande, si tolse dal collo una sciarpetta di lana (scusandosi di non poter piú offrire il suo fazzoletto sporco di terra), affinché Anna si asciugasse gli occhi. Ella ubbidí, ma nell'accostare al volto quella sciarpetta provò un senso di gioia cosí pungente, che, dimenticandosi degli estranei presenti nella bottega, s'abbandonò a un debole singhiozzare. Nel frattempo, il cugino era corso al banco, dove aveva scelto lui stesso dei pasticcini, che adesso le recava in persona su di un vassoio, allo scopo di consolarla; ma Anna, pur volgendogli uno sguardo grato, accennò che non poteva mangiar niente: – Ma dimmi almeno perché piangi, cugina mia, – egli ripeté. E finalmente, in risposta, ella gli confessò con un filo di voce che, dal giorno in cui s'erano salutati dalla carrozza, non aveva mai cessato di pensare a lui; e oggi, le pareva una cosa troppo strana d'averlo incontrato. Troppo strana, e addirittura non vera: ecco perché lei, che non piangeva mai, s'era messa a piangere. – Salutati dalla carrozza? – domandò Edoardo dubbioso. Naturalmente, quell'evento d'undici anni prima era svanito dalla sua memoria; ma come Anna, con voce rotta e sommessa, gli rievocò l'episodio, egli finse di ricordarsene e fece grandi meraviglie per non avere subito riconosciuto sua cugina. Di ciò risero entrambi come pazzi; ma venne infine il momento di separarsi, e il cugino vi si rassegnò a malincuore, non senza aver prima chiesto ad Anna l'indirizzo di casa sua. Poi, caricatosi della sporta, dopo che la fanciulla si fu riassestata alla meglio, la sorresse con grazia cavalleresca attraverso il cammino fangoso. Là in quei pressi, lo attendeva la carrozza dei Cerentano; ma invitare la fanciulla a salirvi avrebbe significato insultarla, secondo il codice morale della città, ond'egli, suo malgrado, rinunciò a farle simile proposta. Il pensiero di lasciare Anna gli dava, però, un'amarezza vicina allo sgomento; e cercando un pretesto per ritardare l'addio, giunti che furono all'incrocio ove conveniva salutarsi, egli si dette a rimirare la mano di Anna, che stringeva nella propria, e osservò: – Hai la mano assai piccola per la tua statura, e bella, assai bianca! Tu non ami di cucire, scommetto. Conosco delle ragazze che han le dita punzecchiate dal cucire. E io, guarda sulla mia mano, questa macchia scura. Indovina perché? è il fumo. Io cominciai a fumare quando avevo undici anni. Ed ecco, questo è il segno dei fumatori. Anche la mia mano è piccola, no, per essere d'un uomo? E abbastanza bella, che ne dici? Somiglia alla tua, non ti pare? Ebbene, si capisce, è sua cugina carnale –. Qui egli prese a intrecciare le dita di

133

Anna intorno alle proprie, con l'aria di trastullarsi; ma aveva un volto sconcertato e triste; e infine, incapace di resistere ancora al proprio sentimento, trasse un sospiro e avventò la domanda: – Possiamo rivederci... domani?

In fretta, quasi a perdita di fiato, ella mormorò che tutte le mattine alla medesima ora di quel giorno, si recava al mercato là vicino per le spese: – Anch'io, – disse allora il cugino risolutamente, – son solito d'andare tutti i giorni proprio a quel mercato. Ci vado per acquistare tabacco. Tabacco da pipa –. Ma un tal motivo, a ripensarci, dovette sembrargli un poco inverosimile, perché aggiunse, dopo una breve incertezza: – E carrube. Carrube per il mio cavallo. Vedi là quel cavallo rossiccio, attaccato alla carrozza? Quella è la mia carrozza, la riconosci, no, dallo stemma? E quel cavallo là, quello di sinistra, si chiama, per l'appunto, Mangiacarrube. Ebbene, che cosa dici? Supponi che c'incontreremo, domani, al mercato?

Anna non capí s'egli scherzasse o parlasse sul serio, e, non sapendo che rispondere, arrossí. Ma il cugino la guardava intento, già morso dal dubbio e dall'ansietà del domani: – Forse, – le disse con disappunto, e con un piccolo riso forzato, – da domani tu farai le spese altrove, o manderai qualcun altro in tua vece? Magari già mediti questo, o magari sarà soltanto un caso? E io andrò lí, e tu no?

Tutta rossa, Anna balbettò che questo non poteva certo accadere: – Allora, – egli esclamò pieno d'impazienza, in tono supplice e insieme autoritario, – allora non mancherai? non mancherai *per nessuna ragione al mondo*?

Alla timida assicurazione di lei, egli si decise infine, non senza riluttanza, a lasciarle la mano, e a restituirle la sporta delle spese. Si staccarono dunque uno dall'altra, lui per avviarsi verso la carrozza, e lei per inoltrarsi nelle opposte vie che la conducevano a casa. Per solito cosí languida e superba nell'andatura, ella, fatto qualche passo, incominciò a correre febbrilmente: usanza, questa, non nuova in lei, allorché si trovava in balía d'una qualche passione.

Era una fuga esultante, incosciente, e libera da pensieri terrestri: non diversamente, immagino, fuggiranno le anime degli eletti, ascendendo al cielo. Com'ella poi si ritrovò sola a casa (sua madre era fuori per una lezione), la sua mente incominciò a turbinare fra pensieri in contrasto, ma pari tutti nella violenza, sí che uno la trascinava a un riso smodato, e un altro a una lagrimosa e insana malinconia. Il suo primo pensiero fu di trionfo, e di quella certezza, temeraria fino alla empietà, che esalta non di rado i fanciulli inesperti. Ecco, diceva ella a se stessa, la promessa si compie, non t'accorgi ora d'aver sempre saputo che tu e lui dovevate incontrarvi, che ciò non poteva mancare? Da oggi la tua vita comincia, è la legge, il tuo diritto. Di che ti meravigli, dunque? Ella si disprezzava per aver qualche volta dubitato, e si riposava un poco in questo disprezzo; ma nel medesimo istante la assaliva un pensiero del tutto opposto. Il dubbio, cioè, che l'evento di oggi fosse un fuggitivo episodio senza seguito, un inganno. Ella non rivedrebbe mai piú Edoardo, e tutto ricomincerebbe come ieri... Qui ritornava a un infinito vagheggiamento della persona d'Edoardo: potresti tu, pur volendo, si ripeteva, immaginare una maggior gentilezza, e grazia, e bontà? e pensare che s'udirono tante calunnie sul conto di lui! Del resto, concludeva ella a sua propria discolpa, io non vi prestai mai fede... Cosí pensando, era tratta a un'adorazione di lui tanto smisurata, che le pareva impossibile d'aver mai risposta o compenso ad essa. Confrontava se medesima a lui, e con súbita umiltà si trovava del tutto indegna al confronto. Allora, come un eroe esaltato, al quale in una battaglia impari e senza speranza sembra vittoria l'immolarsi, ella avrebbe voluto morire in quel momento stesso, per legarsi in eterno alla propria, adorata utopia.

Rincasata che fu sua madre, la nostra esaltata eroina si ricompose; e poiché la vita familiare procedeva secondo il solito, l'evento straordinario della mattina parve allontanarsi, come fosse già antico d'un secolo. Simile a un naufrago che scorga lontano una nave, senza sapere s'essa gli venga incontro o se dilegui, Anna cercava di irrigidirsi contro la speranza: «Devo fingere che non sia accaduto nulla, – s'imponeva, – non devo crederci». Ma un'esultanza mescolata di paura la risollevava d'un tratto, suo malgrado: «Al mercato, domattina... – si diceva, – ma non verrà. Sarebbe meglio per me di morire stanotte». Già il mondo consueto le appariva insopportabile senza quella nuova speranza, ed ella si tenne in casa tutto il giorno per non vedere nessun viso profano. Or che aveva respirato nelle sfere del suo grande Cugino, l'aria terrestre la soffocava. La gente tutta era volgare, stolta e ignorante, giacché non avvertiva l'incantevole cuginanza di Anna, non divinava l'evento di quella mattina né che lei, Anna, non era piú la stessa di ieri. Come potevan essi presumere che Anna fosse ancora una di loro! Tutti gli abitanti della città, fuor d'Edoardo e di chi gli stava vicino, eran da oggi inferiori e servi di Anna. Come accade a un tiranno detronizzato che aspetta di riavere il suo regno, la sfiducia nella propria sorte accresceva il suo odio per loro, e la fede, il suo disprezzo; e nell'attesa, ella si saziava in cuor suo di superbia e di crudeltà.

I miei lettori mi perdoneranno se li intrattengo su simili fanciullaggini: essi devono comprendere che una storia, come una pianta, avanti d'essere un albero frondoso, e carico di frutti, è uno stelo acerbo, la cui natura si può riconoscere appena appena dalla forma delle foglioline insapori ed esigue. Perciò, avanti che la mia storia maturi, vogliano essi adattarsi al sapore insipido, comune e amarognolo della sua età acerba.

Dunque, in conclusione, Anna passò una giornata piena d'angoscia. Ma se verso una cert'ora, mentre si consumava nel dubbio, si fosse affacciata alla finestra, e avesse potuto spingere lo sguardo dietro l'angolo d'una viuzza sottostante, le sarebbe apparsa in tutta la sua ricchezza, ferma là sul suolo fangoso, la carrozza dei Cerentano.

Alla mattina, quando s'erano lasciati, Edoardo nel montare in carrozza aveva gridato al cocchiere l'indirizzo della cugina, ordinandogli però di seguire una via diversa da quella che Anna stessa percorreva fuggendo. Giunto alla mèta quasi nello stesso tempo di Anna, dall'angolo d'una straduccia là presso egli l'aveva veduta scomparire in un portone; e a lungo era rimasto ad attendere, senza saper che cosa, finché, suonato da un pezzo il mezzogiorno, s'era deciso a tornare indietro. Come s'è già accennato, fin dal momento stesso in cui, dalla soglia del caffè, egli aveva veduto Anna discendere il viale assorta e superba, e poi cadere, e rialzarsi tutta sgomenta, con le guance rosse di vergogna; fin da quel momento egli s'era innamorato di lei. Da allora aveva perduto la pace (seppur la parola *pace* aveva senso alcuno nella tormentatá esistenza d'Edoardo).

A casa, egli non aveva nessuno a cui confidare la sua nuova, subitanea passione. Sua sorella Augusta già da due anni s'era sposata. Il matrimonio, secondo il costume di quei tempi e di quei luoghi, era stato deciso di comune accordo dalla parentela di ambedue le parti, ubbidendo a criteri di casta e di censo. Augusta s'era trasferita dunque nella casa di suo marito, e non aveva tardato ad innamorarsi di costui, come talvolta accade: giacché il marito, dopo il fratello, rappresentava, nella sua mortificata esistenza, l'unico esempio, e addirittura il simbolo, di tutta intera l'umanità virile. Non per questo era diminuito in lei l'affetto fraterno; ma Edoardo, passato il primo dispetto per l'abbandono di lei, non cercava piú la sua compagnia, che giudicava noiosa. Quanto a Concetta, fin dall'età della ragione Edoardo non provava alcuna voglia di confidarsi con sua madre. Egli non aveva tardato, inoltre, a rendersi conto che Anna era quella cugina Massia tenuta al bando dalla parentela. Ciò non intralciava per nulla i suoi propositi, ma non lo incoraggiava alla confidenza. Neppure con gli amici egli non poteva effondersi, perché la sua natura gelosa lo tratteneva dal vantare troppo con essi la sua conquista.

Avvertiamo a questo punto ch'egli non era affatto, come potreste credere, uno di coloro che non san tenere un segreto tutto per sé: al contrario, il segreto e l'intrigo davano spesso un piú strano, delicato gusto ai suoi sentimenti. Ma oggi, il suo nascente amore per Anna gli pareva diverso, e piú serio, dagli altri già provati nella sua giovane vita; e incerto ancora del seguito di questo amore, timoroso di perderlo, quasi che Anna potesse svanire prima di domani, egli non sapeva rinchiudere in sé la propria inquietudine. Troppo impaziente per aspettare fino al giorno dopo, arrivato a casa scrisse una poesia in onore di Anna, in cui, con aulici accenti, e non senza maestria, diceva che avrebbe voluto essere una folata di vento, per entrare d'un balzo nella stanza di lei, scompigliarle i capelli con una carezza, e sconvolgere i suoi pensieri. Le diceva inoltre com'egli fosse abbagliato dal fulgore delle sue pupille; ma, ahimè, esse eran come le stelle che brillano nel cielo aperto, e tutti possono ammirarle. Egli avrebbe voluto invece contemplarle in solitudine, come pietre riposte in uno scrigno. Scrisse questi versi su un foglio di carta da lettere, come un messaggio, e rinchiusili in una busta, decise di portarli lui stesso all'indirizzo di Anna. Si fece condurre dunque dal cocchiere, per la seconda volta in quel giorno, fino al quartiere popolare dov'ella viveva. Ed inoltratosi in un sudicio androne, già buio nel pomeriggio d'inverno, consegnò la busta a una portinaia spettinata intenta a cucinare dentro il suo sgabuzzino, pregandola di recapitare segretamente il messaggio alla signorina Anna Massia. Per questo servizio, pagò splendidamente la donna, e, sempre raccomandandole il segreto, mentr'ella agitava la sua ventola si sedette su una sedia spagliata presso di lei e cominciò a interrogarla sul soggetto di Anna: quale fosse la vita della signorina Massia, e se questa uscisse molto al passeggio, e se avesse corteggiatori, e se mai fosse stata innamorata. Le risposte a tale interrogatorio furono secondo i suoi desiderî; ma non basta. Risalito sulla carrozza, Edoardo si confidò col cocchiere, a lui quasi coetaneo, amico e devoto, chiedendogli il suo parere sulla bellezza di Anna, che il poveretto aveva appena intravista quella mattina. Sebbene intirizzito, e non certo grato, nell'intimo, alla colpevole di cosí scomodi pellegrinaggi, il cocchiere rispose con le piú alte lodi. Ciò attizzò la fiamma d'Edoardo; incurante del freddo, egli non si decideva a ripartire sperando di scorgere Anna. Avido e geloso guardava a quella facciata plebea dietro la quale Anna viveva; e cercava di figurarsi l'aspetto della stanza ov'ella si muoveva in quel momento, gli oggetti ch'ella guardava, le persone che le parlavano. Quando volle Iddio, lo smanioso innamorato ordinò al cocchiere di ripartire. Ma giunto a casa, non potendo volgere ad altro i suoi pensieri, si sedette al piano, ove adattò ai versi già scritti in onore di Anna una musica di sua propria invenzione. Quindi, convocati ai suoi ordini due garzoni di casa a lui cari, i quali suonavano l'uno il mandolino e l'altro la chitarra, in poco tempo insegnò loro la sua musica e s'apprestò a fare una serenata a sua cugina in quella notte stessa.

Capitolo secondo

Anna glorificata.
Dono dell'anello.

Verso le dieci di quella stessa sera, Anna, già coricata nel letto che divideva con sua madre, tardava un poco a prender sonno. Si può credere che conoscesse ormai a memoria, in ogni sua parola, il messaggio consegnatole furtivamente dalla portinaia. Ancora una volta, in quel momento, ella andava recitandosi in cuor suo la strofa: «*Anna, perché non brilla per me sol | di tue pupille il notturno tesor? | Raggio di stelle per me non val | che a tutti è dato mirar | Di pietre chiuse in ferreo scrigno sol | l'avaro, segreto splendor, | ahimè, | sol questo piace a me*». Già l'approssimarsi del sonno imbrogliava ai suoi sensi sopiti i memorabili versi, allorché, per la finestra chiusa, dalla strada le giunse una voce affettuosa che cantava quei versi stessi, accompagnandosi a un suono di chitarra. Per un momento, Anna poté vaneggiare, nel dormiveglia, che l'anima di tali versi, da lei evocata, si esalasse per lei sola in forma di suono: il canto improvviso, sebbene salisse dalla strada, aveva una qualità insinuante che lo faceva parer vicino, e detto sottovoce. Ma Cesira, che giaceva, sveglia, accanto a lei, si rizzò a sedere sul letto, e disse, sorpresa: – Non senti? Non senti?

Anna si sedette a sua volta sul letto e mormorò: – Sí, ho sentito –. Ormai, giunta alla fine di quel giorno miracoloso, ogni nuovo prodigio la trovava già credente, e disposta. Ma il pensiero d'una serenata d'Edoardo in onor suo la travolse in tal modo, che, dimenticando in quell'attimo il proprio ritegno con sua madre e la volontà di mantenere il segreto, ella disse, fremendo: – Cantano per me.

– Per te? – ripeté Cesira, incredula, ma già lievemente elettrizzata. Da che la curva della sua vita declinava, in lei nasceva una misteriosa attrazione e compiacenza per gli amori altrui, per gli amanti e per le confidenze d'amore. Mia madre, chiusa nel suo pudore orgo-

139

glioso, non soddisfece mai quest'ingenua bramosia di mia nonna: ché anzi un tale vagheggiamento la infastidiva, sembrandole indiscreta e senile curiosità. Ma so che talvolta, nei suoi ultimi anni, Cesira non disdegnava le confidenze amorose di qualche povera fantesca, o lavandaia, o sartina a giornata. Per la smania, comune a tutti gli amanti, di parlare e riparlare dell'oggetto amato, volentieri queste ragazze aprivano il loro cuore alla vecchia curiosa. In tal modo, esse ingannavano il tempo durante il lavoro; ed erano, per mia nonna, ore beate, quelle trascorse a pascersi di tali segreti d'amore.

Per udire meglio la serenata, dunque, Cesira scese dal letto e gettatasi sulle spalle una coperta, accostò l'orecchio alla finestra chiusa. La voce che saliva dalla strada, benché piena di graziosa dolcezza, non era la voce d'un virtuoso: era poco robusta, e, incapace d'arrivare agli acuti, li schivava ogni volta abbassandosi di tono. Anna riudiva nel canto certi modi di pronunciare alcune sillabe e perfino certe cadenze di voce che già la mattina l'avevano commossa, allorché li aveva còlti sulla bocca d'Edoardo. Non poteva esistere un altro accento altrettanto amabile: « È lui, – Anna si ripeteva, – è lui ». Uno per uno, ella riconosceva quei versi, e per di piú, alla fine d'ogni strofa, Edoardo ripeteva come ritornello, librandolo in cima a una frase melodiosa, il nome di Anna. Udendo quell'*Anna!* salire fino a lei, ogni volta ella provava una scossa violenta. Indovinava che Edoardo ripeteva il suo nome, forse, per meglio convincerla che la serenata era proprio in onor suo. E tale attenzione la inteneriva, colmandola di gratitudine. Si vergognava, però, di sua madre, e non osava accostarsi, a sua volta, alla finestra; ma udendo quel ritornello di *Anna!* Cesira ebbe una risatina e disse: – Ti chiamano! È proprio per te! Che fai? Non rispondi?

Anna scese dal letto, in camicia da notte, senza avvertire il freddo: – Che debbo fare? – domandò, sperduta. – Le mie sorelle, – disse Cesira, – quando ebbero le serenate dei loro pretendenti, che poi le sposarono, aprirono le finestre, per significare che accettavano l'omaggio –. S'informò poi dalla figlia se conoscesse questo suo pretendente; ma Anna, gelosa del proprio segreto, rispose di no. – Allora certo non puoi affacciarti, – concluse Cesira a malincuore.

Per un poco Anna rimase titubante presso la finestra chiusa. Ma pensando che Edoardo là fuori stava a gelarsi, nella speranza che lei s'affacciasse, d'un tratto spalancò la finestra, e sporse il capo, agitando nervosamente la mano. Fece appena in tempo a vedere giú in basso, nella notte lunare, tre figurine di suonatori in lunghi cappotti; e, piú distinto dal canto prima udito, l'*Ahimè!* del penultimo verso volò fino a lei. Come al giorno del loro primissimo incontro al Corso delle carrozze, ella avrebbe voluto gridare: «Edoardo! Edoardo!», ma le mancò il coraggio, e richiuse a precipizio la finestra. – Che fai? che fai? sei pazza? – aveva bisbigliato Cesira allorché la figlia s'era affacciata; ma pure, ritraendosi in un cantuccio, per fuggire al soffio gelato di fuori, ella rideva come una collegiale. Anna invece si sentiva quasi triste: già si pentiva d'aver subito richiuso la finestra; e come, ben presto, i suonatori tacquero e s'allontanarono nella notte, incominciò a rimpiangere follemente di non essere tosto discesa in istrada, e fuggita via col cugino: «Vigliacca, insulsa donnetta, – si diceva, – ecco il tuo grande ardimento! E adesso? Chi ti dice che potrai ritrovarlo ancora? Chi ti dice che questo suo canto non fosse un addio?» Fra simili pensieri, ella si sentiva tutta in sudore e scottante, malgrado il freddo; e cadde in un sonno acceso e vacuo, simile al sonno d'una fanciulletta malata.

La mattina dopo, ella era d'uno strano umore violento, nel timore che, nonostante tutto, il Cugino mancasse al convegno. Per non so quale contrarietà domestica, sorse un battibecco fra lei e Cesira, e questa colse l'occasione per rinfacciare alla figlia il contegno tenuto la sera innanzi, allorché, come una spudorata, s'era affacciata alla finestra, pur non conoscendo colui che cantava: – Sí, che lo conosco, invece! – gridò Anna, – ma certo non verrò a raccontare la mia vita a te! – Cesira le rispose che non le importava di saper nulla: era stanca, e nulla piú la interessava, non chiedeva che il riposo. Ma subito dopo tale dichiarazione, per il dispetto d'esser tenuta all'oscuro d'un segreto d'amore, si dette a insultare la figlia, predicendole una fine da svergognata. Del resto, soggiunse, lei, Cesira, aveva previsto tutto ciò; ma Anna doveva sapere, per sua norma, che quel giovane, chiunque fosse, certo era uno che si faceva beffe di lei. Altrimenti, sarebbe venuto a chiederla a sua madre; ma già, Anna non piaceva agli uomini.

Venuta l'ora delle spese, Anna uscí. Come giunse all'ingresso del mercato, ella abbassò rapida le palpebre, e, pur avanzando, tenne lo sguardo rigidamente fisso in terra per timore d'accorgersi, al girar gli occhi, che Edoardo *non* c'era. Ma nonostante questo suo stratagemma, una voce maligna le insinuò: «È inutile che tu cerchi di sottrarti al vero. S'egli fosse qui, ti verrebbe lui stesso incontro e ti chiamerebbe. Dunque non c'è, è chiaro. *Non c'è, non c'è, e non verrà*». A un tal pensiero, ella fu presa da un acuto disgusto, e inoltrandosi fra i banchi, con voce frettolosa e spenta prese a ordinare questa e quella mercanzia. D'un tratto, volgendo gli occhi di sbieco, vide il Cugino che le muoveva incontro: e allora, girò a precipizio il capo da un'altra parte.

Questo movimento, di cui neppure la stessa Anna avrebbe saputo dire la cagione, dispiacque da principio al cugino; ma come, accostandosi, egli poté distinguere meglio l'aspetto di lei, un'espressione di trionfo gli illuminò la faccia: «Ah, come ti sei sbiancata al vedermi, – egli pensò, – povera straccioncella, angelo mio». – Non mi riconosci, forse, Anna, cugina mia? – disse nel tempo stesso a voce alta.

– Sí, – mormorò Anna, – v'ho riconosciuto... t'ho riconosciuto subito. T'ho subito veduto da lontano.

Cosí dicendo, levò gli occhi su di lui. Quest'oggi, il cugino era molto ben pettinato, aveva il cappotto chiuso accuratamente fino al collo, e teneva il cappello sotto il braccio.

– Io ho già terminato i miei acquisti, – egli riprese a dire, – e tu? – Anch'io, – rispose Anna. Ciò non era esatto, le restavano ancor da fare la piú gran parte delle sue spese, ma ella si sentiva troppo confusa per occuparsi di cose simili in presenza d'Edoardo.

– Allora, – egli le disse, – se non ti dispiace, si potrebbe uscire di qui, e passeggiare un poco –. Anna non fece alcuna obiezione; e alla domanda di lui, se avesse freddo, fece vivamente segno di no: – Ti prego, – egli la invitò gentilmente, – dammi la tua sporta. Voglio portarla io, – e con aria orgogliosa, le ritolse quell'umile carico.

Una folla di donne invadeva il mercato a quell'ora del mattino; e al passaggio dei due cugini, molte di esse, invidiando ad Anna il suo galante compagno, le gettavano delle occhiate curiose e oblique, che sembravan quasi intese a gettarle addosso la mala sorte. Anna, però, non le vedeva nemmeno; e il cugino, da parte sua, per quel giorno evitava di guardare altre ragazze fuori di Anna.

Durante quella storica traversata del mercato, Anna sentí il cuore dilatarlesi in un senso di gloria straordinaria, che doveva poi riprovare in seguito, ogni volta che camminava, fra estranei, a fianco del cugino. Era un sentimento prodigioso, ma nel tempo stesso familiare e antico: quasi ch'ella avesse vissuto fino adesso in un carcere mortificante, e si trovasse, finalmente, oggi, nella sua condizione naturale. La folla che le si muoveva intorno le pareva un brulichío di brutti, miseri paria, dannati a un umile inferno e che lei, Anna la Beata, avrebbe potuto calpestare senza rimorso; e tutto ciò perché passeggiava in compagnia di quel ragazzo normanno!

La giornata non appariva molto propizia al passeggiare. La neve del giorno prima, disciolta, copriva le strade di fanghiglia, il vento era cambiato e basse nubi disordinate promettevano la pioggia. Usciti dal mercato, i due cugini, attraverso due o tre straducce, sbucarono in un breve spiazzo riquadro, formato dall'abside e dalle fabbriche laterali d'una chiesa; nel fondo, l'alta muraglia d'un cortile conventuale. Il luogo era deserto, e Anna, al trovarsi sola col cugino, provò un subitaneo smarrimento. Ebbe la certezza d'un evento unico, meraviglioso, che stava per accaderle in questo luogo stesso: un evento che in seguito la sua memoria avrebbe serbato come puro oro, lavorandolo e cesellandolo per renderlo piú prezioso. E una tale certezza la empí d'attesa tripudiante e, nel medesimo tempo, di paura.

Edoardo la guardò di sotto in su, e osservò: – Sei pallida, piú pallida di ieri. Forse non hai dormito, stanotte?

– Sí, – ella mormorò, – sí, ho dormito. – Hai dormito... dopo ch'io sono andato via? – Sí, – ripeté Anna. – E, – riprese egli, intento, – hai sognato? – No, – rispose Anna, alquanto intimidita a tante domande, – ho avuto un sonno senza sogni.

– Ah, – egli osservò chinando la testa, fra mortificato e indispettito, – io credevo che avresti sognato di me.

All'udir queste parole, e il tono con cui furono dette, Anna si sentí d'un tratto colpevole d'un grave peccato, addirittura d'un tradimento, per non aver sognato di lui. Col rimorso, la vinse una tenera pietà di lui, come s'egli le stesse innanzi ferito, e bramò di aiutarlo, di medicarlo, e questo non già da eguale a lui, ma da sottoposta: « Ah, poter essere il suo garzone, il suo domestico, – si disse, accesa da una selvaggia umiltà, – e servirlo giorno e notte, vegliare in attesa dei suoi comandi ». Fra tali pensieri, dominò la propria timidezza, e confessò, piena di fervore:

– La vostra... la tua poesia, quanto è bella! L'ho imparata a memoria, la so tutta!

– Ne scriverò molte altre per te, – egli promise, impetuoso e lusinghiero, – e assai piú belle della prima. Scriverò per te delle canzoni, che ti canterò come ieri notte... e ti darò dei baci.

A queste parole, il cuore di Anna batté in tal modo ch'ella ebbe il senso d'una grande, solenne cavalcata avanzante sulla piazzetta.

– Rifiuti... rifiuti ch'io ti baci? – riprese a dire Edoardo, – rifiuti o no?

Anna s'addossò al muro; e levando un braccio sul capo, quasi in atto di difesa, chinò sulla spalla il volto, in modo da celarlo un poco di contro quelle pietre scabre. Nel far ciò, ebbe una risata convulsa e timida; ma inaspettatamente, risollevò il volto; e con uno sguardo risplendente, quasi severo, in accento mutato, esultante e temerario, esclamò:

– Edoardo! Perché lo domandi? io t'ho sempre amato! ti amo!

Allora il cugino incominciò a baciarla; e da principio, in verità, pareva ad Anna di stringersi a un affettuoso fratello, tanto quei baci

143

erano semplici, rattenuti e schivi. Ma pian piano, in questo fratello parve incarnarsi una bizzarra creatura animalesca; e a tale metamorfosi Anna stessa si mescolava, con quella sensazione fresca e insieme delirante che proviamo in certi sogni. Allorché la coscienza di noi stessi si perde, e i limiti fra le specie si confondono, e le nostre persone, ridiscese ad antichi paesi barbarici, sembrano scambiarsi con quelle di creature selvatiche già invidiate da noi nella veglia: volpi, o capretti, o gatti, o cani-lupi.

Anche questa, come la gloria provata poc'anzi, nell'attraversare il mercato, fu per Anna una strana, e nuova, ma al tempo stesso antichissima felicità. Or ecco: fino a poco prima, un bacio le pareva un evento così enorme, e misterioso. E adesso, trascorso appena un minuto, già ella non avrebbe potuto piú contare i baci di Edoardo.

Poiché aveva preso a piovere, Edoardo riaccompagnò la cugina con la sua carrozza, che lo aspettava in quei pressi. Durante il tragitto, egli si tenne quieto, e taciturno; solo, ogni tanto sollevava una mano di Anna (ella non portava i guanti, avendoli insudiciati e guastati il giorno prima), e contemplando quelle dita piccole, arrossate dal freddo, con le minute unghie ovali così gentili seppur trascurate, vi strisciava contro la guancia, col gesto d'un gatto familiare.

Anna scese dinanzi al portone di casa, e fu vista da una vicina, che la squadrò sospettosamente dalla testa ai piedi, e poi girò il viso per non salutarla. « Che m'importa del tuo saluto! » pensò Anna. Come già ieri entrando nella pasticceria, così oggi sapeva bene che, accompagnata a casa da un giovanotto in carrozza chiusa, si disonorava agli occhi di tutti. Ma questo pensiero le dava una sorta di gaudio, e una fierezza disperata.

In tal modo cominciò l'amore fra Edoardo e Anna. Ogni giorno i due cugini si davano convegno in qualche deserta via campestre, oppure, se pioveva, si facevano condurre dalla carrozza chiusa lungo interminabili viaggi per luoghi poco frequentati. Il cocchiere d'Edoardo, fedele al suo padrone, e da lui premiato con ricchi regali, manteneva il segreto sull'idillio. A volte, quando Cesira s'assentava per una delle sue scarse lezioni, Edoardo saliva all'appartamento delle Massia, dove Anna lo attendeva sola.

Nei loro colloqui, i due cugini si scambiavano tutte quelle carezze che potrebbero scambiarsi due fervidi fidanzati avanti di congiungersi nelle nozze. Ma di nozze, fra loro, non si faceva parola; né Anna osava ripensare al suo sogno infantile di maritarsi con Edoardo, perché temeva di ombrare con una troppo grande speranza la felicità che le veniva concessa.

Fin dal momento in cui, la mattina della neve, rialzandosi dalla lor comune caduta, egli le aveva detto il proprio nome, Anna senza dubbi né rimorsi gli aveva, in cuor suo, fatto dono di sé. Ella credeva infatti d'esser nata e d'aver vissuto solo per giungere a quel momento, e le pareva, non dando se stessa in cambio, di mancare al proprio fausto patto con la sorte. Questo incantevole patto le sembrava il decreto stesso della vita; e, fuori di esso, non v'era che mortificazione e condanna. Simile forma prendeva, in lei, quel misticismo comune a molte donne dei Massia.

In ogni suo atto o parola col cugino, anche nei piú semplici, si esprimeva questa sua virginea volontà di dedizione. E quand'egli la stringeva e la baciava, il pallido, raggiante viso di lei pareva ripetergli con una adorazione quasi aspra: « Fa' di me quel che ti piace ». Ma, pago di sapere che nulla gli sarebbe negato, lui s'arrestava alle soglie di tanto inebriante certezza e non voleva di piú. Non si creda, a questo punto, a un suo scrupolo d'onestà verso la candida cugina né, tanto meno, a un suo timore d'impegnarsi troppo o di venir compromesso. Timori e scrupoli di questo genere non esistevano per lo spensierato Edoardo. Spensierato, eppur vittima di capricci e di impulsi che lui medesimo non avrebbe saputo spiegare! per cui voler indagare i motivi della sua condotta sarebbe un lavoro infruttuoso e infido. Mi si propongono soltanto delle ipotesi che, seppur deboli e malcerte, vi comunico tuttavia. Dunque, eccole: noi sappiamo che, nonostante la sua giovinezza estrema, Edoardo, grazie al suo destino e alla sua turbolenta immaginazione, conosceva le piú diverse esperienze d'amore. Forse un tal fatto, alleato con l'indole volubile di lui, lo sollecitava già a cercare dei piaceri dissimili da quelli del volgo. Forse il suo gusto prediligeva qualcosa che gli sapesse un poco d'amaro; ed egli non voleva sciupare le ambigue delizie d'un amore quasi innocente. Troppo egli amava l'innocente offerta di Anna: « Fa' di me quel che tu vuoi », e troppo gli piaceva la sua docile vittima, cosí com'era, per trasformarla, lui stesso, in un'altra cosa. Vi ripeto che queste son soltanto delle ipotesi, certamente premature e incomplete. Si può supporre che dei motivi assai piú sottili e profondi rattenessero Edoardo, o che lui medesimo soggiacesse, a sua insaputa, a un destino il quale si compiaceva di lasciare Anna e lui *fidanzati*. I miei lettori mi perdonino se non posso offrir loro che delle supposizioni; ma, come ad un fotografo, soprattutto se inabile, è difficile di ritrarre un essere inconsapevole e vivace (un infante, ad esempio, o un cucciolo), cosí a una cronista, e tanto piú se maldestra al par di me, è difficile di fermare in limiti precisi un personaggio labile, svariante, futile, qual è il nostro Cugino.

Dovete poi sapere che Anna, cresciuta nella piú ingenua ignoranza, non sapeva precisamente quale offerta faceva al cugino allorché, pur senza parlare, gli andava ripetendo: « Fa' di me quel che tu vuoi ». Ella ignorava l'intimo significato della parola: *sposi*. Ma seppure avesse creduto che la propria tacita offerta la esponesse a una ferita mortale, a perire come una splendida vanessa trafitta da una spilla, che serba, sí, i suoi bei colori, ma in realtà non è piú che un vile involucro, un niente; ebbene, che le importava? avrebbe voluto esser trafitta, ferita a morte, non essere piú niente. Ciò ch'ella voleva era il proprio sacrificio; ed esso non veniva accolto.

Malgrado quest'amara ingenuità dei loro incontri, nessuna conobbe certo un amante piú grazioso e tenero dell'amante-cugino. Secondo la sua promessa, egli aveva scritto altri versi e canzoni in onore di lei; ma dobbiamo deplorare che in tali scritti i suoi sentimenti si rivestissero d'uno stile solenne e pomposo che pareva, in quei tempi, il piú acconcio alla poesia. Nei colloqui, invece, il nostro poeta si abbandonava semplicemente alla sua carezzevole voglia.

I sonanti appellativi coi quali si volgeva ad Anna nelle poesie cedevano il luogo a mille amorosi nomignoli ch'egli inventava d'improvviso, rubandoli a tutti i regni della natura. Ogni sorta di minerali sfavillanti, di esseri viventi dai piú feroci ai piú domestici, di fiori, naturalmente, inermi o spinosi; e perfino, uscendo dai regni della terra, ogni sorta di luci, pianeti, costellazioni; tutto diventava Anna per lui. Questi nomi, poi, da lui rimpiccioliti e vezzeggiati, diventavano chi sa come, ad ascoltarli, piuttosto che un suono, un sapore: e precisamente il sapore della sua bocca. Non era, per Anna, la stessa cosa di quando suo padre la vezzeggiava, allorché lei si compiaceva di sentirsi lodata. Adesso, come da fiamme, si sentiva lambire e consumare da questi nomignoli sciocchi, e né carezze né baci bastavano a spegnere il morbido incendio. Se la bocca di Edoardo s'indugiava sopra la sua palma, accadeva che la sua bocca, le sue palpebre, il suo collo, gelosi, volevano anch'essi venir baciati; e tutte le sue membra si tendevano implorando: « Fa' di me quel che tu vuoi! » A volte, la mano d'Edoardo, nel giocare coi riccioli della sua nuca o nel solleticarle la gola, giungeva a sbottonarle lo scollo della camicetta. La camicetta allora le scendeva dalla spalla, e il cugino posava i propri teneri labbri su quella nuda spalla magrolina, oppure s'insinuava sotto lo scollo, là dove soltanto una leggera camicia copriva le bellezze delicate di Anna. Questa soffriva del proprio pudore ferito, ma nessun piacere l'aveva mai tanto

146

inebriata quanto una simile sofferenza. Ella attendeva in ansia che la bocca del cugino si posasse su quei segreti violati, ma, forse non senza intenzione, egli s'attardava nell'aprirle lo scollo. Finalmente, allorché la bocca di lui la toccava, ella provava una scossa terribile, e levava un leggero grido, quale una giovane pettirossa colpita a morte. Il crudele cugino amava prolungare questo gioco tentante; che accompagnava con discorsi gentili e assurdi, senza logica alcuna. Egli si rivolgeva non proprio ad Anna, ma alle cose da lui baciate, come a creature animate che potessero capirlo. Per esempio, chiedeva alla spalla di Anna perché mai tremasse tanto, e chi mai l'avesse scoperta lasciandola nuda nel freddo; e tosto la consolava del freddo chiamandola con dei nomi carezzevoli che mescolava di piccoli baci. Cosí mescolati di baci e di sospiri i suoi capricciosi, insensati discorsi parevano intrisi di miele. Talvolta, i suoi denti mordicchiavano Anna per trastullo, e Anna rideva: bizzarramente bramosa che quei denti penetrassero piú a fondo, facendola sanguinare.

Troppo presto arrivava, ogni giorno, l'ora della separazione. Nel salutare Edoardo, come se il loro addio fosse l'ultimo, ella sentiva il proprio cuore frantumarsi, incalzata e stretta da rimorsi assurdi e tardivi. Le pareva che moltissime cose rimanessero ancora da dirsi fra lei e il cugino: cose arcane, e magiche, tali da annullare il crudele incantesimo ch'ella d'un tratto credeva avvertire su loro due; ma ecco, sul punto di dire quelle cose, il loro colloquio veniva interrotto. Ella già si protendeva verso il convegno di domani; ma anche domani cadeva rapida, immatura, l'ora di dirsi addio. Come se i due cugini fosser portati da un fiume turbolento, malioso e fantastico, il quale non giungeva mai alla foce.

Talvolta, Edoardo adduceva pretesti per trovarsi con la cugina là dove non si poteva esser soli del tutto, per esempio in qualche pasticceria suburbana. Ci si doveva tener paghi, allora, di strette di mano furtive; ma, chiacchierando, a un tratto Edoardo chiamava la cugina con uno dei suoi nomignoli d'amore ed ella soffriva ricordando i baci che un tal nome soleva accompagnare gli altri giorni.

Forse per annullare le differenze fra loro due, per sentirsi piú fraterno e unito con Anna, talvolta egli la cingeva col braccio e, come parlando a un amico del suo medesimo sesso, la chiamava il suo compagno, il suo compagnuccio, il suo fedele. Ma non di rado, avveniva, al contrario, ch'egli la sospettasse infida e si mostrasse inquieto e amaro.

S'è già visto com'egli si risentí perché Anna, la notte della serenata, non s'era accompagnata con lui nel sogno. Risentimenti di tal

147

genere, e spesso molto piú aspri, lo mordevano ad ogni passo, fin dai primi giorni del loro amore. Per esempio, l'indomani del loro primo convegno, egli incomincia a dire: – Posso farti una domanda, Anna? – Ella assentisce umilmente: – Ma bada, – egli prosegue, – è una domanda pericolosa; sei certa che non ti rifiuterai di rispondere, e che dirai la verità? – Io sono sincera, – mormora Anna. – Sei proprio sincera! Allora senti: ieri tu lasciasti ch'io ti baciassi, è vero, non ti rivoltasti contro di me, e non fuggisti via. Ora, ricordati, ieri, era la prima volta che ci trovavamo insieme, e, insomma, è appena dall'altro ieri che ci conosciamo. Dunque, ripensando a questa cosa, m'è venuto un dubbio, m'è sembrato quasi un segno. Voglio dire: metti il caso che oggi tu incontri uno, come incontrasti me? Ebbene: domani costui potrà baciarti e tu non gli dirai di no, che ne dici? può darsi? – Che cosa vuoi dire? – balbetta Anna, – un altro? Ma tu sei mio cugino, io non ti conosco da ieri, ma da sempre, tu... io... noi due siamo cugini, cugini carnali. – Allora, s'io non fossi stato io... s'io non fossi tuo cugino, tu ti saresti comportata altrimenti? ne sei certa? – Certa? a costo di morire. Ma come si può pensare in altro modo! – E prima... prima d'incontrare me, non incontrasti mai nessun altro cugino, insomma nessun altro a cui fosse permesso di baciarti? – Ma quali cugini? – risponde Anna, in preda alla massima vergogna e confusione, – altri cugini? ma io non ne ho altri che te, voglio dire, non ne conosco nessun altro, fuori di tua sorella Augusta, che conosco appena di nome. E l'altro zio Massia, che abita nel Nord... voglio dire, per me, tu sei l'unico cugino mio. – Oh, che risposta da darsi! – esclama Edoardo, ridendo, sebbene un poco malcerto, – una risposta cosí potrei aspettarmela da una bambina d'un anno, oppure da una astuta consumata! Sei forse astuta fino a questo punto? – ma vedendo il viso di Anna, d'improvviso egli si pente dei propri sospetti, e l'abbraccia, chiedendole perdono.

Tuttavia, non passano molti giorni, forse neppure molte ore, ed ecco, egli ha una nuova domanda pericolosa da farle: – Sii sincera, – incomincia, con aria ridente, – non nascondermi nulla. Quando cadesti nella neve, avresti preferito che, invece di me, ti raccogliesse Sebastiano, quel mio compagno riccioluto, con le guance paffute. Mi avvidi che lo guardavi. Non sono indovino? – A una cosí assurda insinuazione, Anna diventa tutta rossa. – Oh, come ti sei fatta rossa! – esclama Edoardo ridendo amaramente, e rannuvolandosi in viso, – lo vedi che indovinavo –. Sorpresa nella propria innocenza, Anna con voce debole, disarmata, risponde che, in verità, non ha neppur veduto quel tale Sebastiano. – Come! Neppur visto! – ribatte Edoardo, – ecco che ti tradisci, credendo di salvarti. Ti rammenterò allora ciò che fingi di non rammentare: mentr'io mi rialzavo dal fango, lui ti porse una forcina che t'era caduta, e tu gli sorridesti, e lui disse: *Prego, mio dovere*. Lo vedi, io ricordo ogni parola. – Certo è vero quel che tu dici, – risponde Anna, – ma io non m'accorsi di nulla, tanto ero confusa. – Non sapevo, – commenta Edoardo, – che l'aspetto di Sebastiano potesse già confonderti a questo grado. Ed è strano che tu affermi di non averlo veduto, considerando ch'egli portava una cravatta orrenda, color arancione, anzi colore di rosso d'uovo, che solo a guardarla, faceva allegare i denti. Ma già, dimenticavo che tu, poverina, non hai avuto molte opportunità d'educare il tuo gusto, fino ad oggi! Solo cosí posso spiegarmi che ti piaccia un tipo simile. Ed è un fatto, pare impossibile, ma esistono delle donne (soprattutto fra le classi non troppo elevate), che amano un tal genere d'individui forzuti, dall'aspetto di pugilatori, di sollevatori di pesi. È una moda che viene dall'America, e si va diffondendo fra la gente triviale. Quanto a me, s'io fossi una donna, mi vergognerei di uscire in istrada con dei tipi simili. Mi parrebbe d'accompagnarmi a un rinoceronte, a uno scimpanzé, o quanto meno a un galeotto tatuato. Ma se proprio ti piace Sebastiano, se vuoi che te lo presenti... – Ti dico che non mi piace, non mi piace! – si difende Anna. – Tu dici che non ti piace! Ma allora non è vero che tu non l'abbia neppure visto! – esclama ironicamente Edoardo. E con un sorriso agro aggiunge che, già, nonostante le sue arie gravi, Anna è doppia, simulatrice, come tútte le altre ragazze. Poi, vedendo che a questo insulto gli occhi di Anna si empiono di lagrime, prova un subitaneo rimorso (« e se poi questa storia non fosse vera? – si domanda, – s'ella avesse ragione, e torto io? ») e traendo un gran sospiro accarezza Anna sugli occhi: – No, – le dice, – non addolorarti, Anna mia. Vada all'inferno Sebastiano. Piuttosto, dimmi. Domani, sei sola in casa? – Sí, – risponde Anna già rasserenata. – Allora... – incomincia Edoardo; ma di nuovo il sospetto lo rimorde (« se è stata cosí pronta a perdonarmi, – pensa, – vuol dire che ha la coscienza cattiva. Bisogna punirla »). E dispettosamente dice ad Anna: – Non posso venire a casa tua, domani. Troviamoci alle cinque alla solita pasticceria.

Un'altra volta, Edoardo chiede ad Anna come abbia occupato il pomeriggio di ieri (giacché ieri, per l'appunto, non si sono veduti). Anna risponde la verità, vale a dire che ha passato il pomeriggio in camera, a leggere. Edoardo vuol sapere quale libro abbia letto, e Anna risponde *I tre moschettieri* di Dumas. E fin dove è giunta con la lettura? Dopo aver pensato un istante, per rammentarsene con precisione, Anna risponde anche a questa domanda. E che cosa racconta il libro?

Anna incomincia a riassumere la trama del romanzo. Ma Edoardo l'interrompe, e, cambiando tono, con una risata ironica e nervosa: – È strano, – le dice, – si direbbe che tu legga al buio. M'avvenne, ieri pomeriggio, di passare davanti a casa tua due volte, e tutte e due le volte le persiane della tua camera erano chiuse sbarrate, malgrado il tempo scuro –. Il tono beffardo del cugino confonde Anna, la quale, tuttavia, giunge a ricordarsi d'avere infatti chiuso le persiane a una cert'ora, poiché soffriva di mal di capo e la luce la disturbava. – Dunque non hai trascorso il pomeriggio *intero* a leggere, – le obietta Edoardo, – ma, per di piú, posso rivelarti che non eri nemmeno in casa. Difatti io passai a chiedere alla tua portinaia, e seppi che eri uscita proprio allora –. Anna ammette d'essere uscita infatti, ma solo un minuto, per recarsi alla farmacia: Edoardo, certo, è capitato proprio in quel minuto. E il suo viso, insieme al corruccio di non esser creduta, esprime il rimpianto per non avere incontrato Edoardo. – Proprio in quel minuto! È un caso! – prosegue il cugino, – ma come si spiega che, mentre la farmacia si trova a destra, tu t'avviasti verso la sinistra. Io ti seguivo da lontano, so tutto! – (quest'ultima obiezione, Edoardo, simile a una guardia sagace, l'ha inventata, per tendere un tranello: non è vero ch'egli abbia seguíto sua cugina, poiché questa era già fuori della sua vista, nell'intrico delle viuzze, allorché egli sopraggiunse a interrogare la portinaia). – È una falsità! – prorompe Anna, che a sentirsi trattare da bugiarda, mentre è sincera per sua natura, non sa piú frenare lo sdegno. E prosegue, aggrondata e fosca: – Non domandarmi piú niente, io non risponderò piú a *nessuna* domanda –. Ma tosto s'impietosisce, e soggiunge con indulgente, materna malinconia: – Perché diffidi sempre di me? Perché m'accusi?

Certo un cosí accanito indagare del cugino su tutte le sue azioni e i suoi pensieri non poteva non esser lusinghiero, e magari inebriante, per la nostra innamorata. Ma s'è già detto com'ella mancasse di civetteria: i continui sospetti d'Edoardo, sebbene le apportassero qualche dolcezza, come le prove dell'amor suo, le suonavano pur sempre insultanti. In lei rinasceva quel grande orgoglio ch'essa aveva immolato a lui; e la sua diritta, appassionata natura si dibatteva e soffriva nelle reti ch'egli le tendeva a ogni passo. Ma soprattutto cocente le era il pensiero che Edoardo non capisse quant'ella lo amava. Come poteva egli supporre ch'ella avesse altri interessi al mondo fuor di lui, e che, da lui sollevata all'ultima spera celeste, potesse rivolgersi indietro alle bassure della terra? Tuttavia, la nostra idolatra non accusava d'incomprensione il proprio idolo: al contrario, si sentiva lei stessa in difetto per la propria incapacità di farsi comprendere. Le si stringeva il cuore al vedere quel delicato viso normanno contrarsi in un sorriso amaro, corrugarsi e impallidire; mentre iracondia e tristezza ombravano quella fronte d'angelo. È assai crudele adorare una divinità che non vede il cuore del suo devoto, e si nutre dei piú scettici dubbi!

In realtà, Edoardo non dubitava d'essere adorato da Anna; ma s'è già detto che la parola *pace* non aveva alcun senso per lui. Fin dal primo istante ch'egli s'innamorava, la sua cattiva sorte accendeva in lui l'imperioso desiderio d'assoggettare la persona amata. Ma un tal desiderio, anzi volontà, s'accoppiava al continuo timore che il suo schiavo gli sfuggisse. La sua condanna era di vedere (anche a dispetto d'ogni evidenza), i propri amati sempre in fuga, alati quasi, infedeli e capricciosi. Egli non diffidava soltanto dei loro atti, ma anche dei loro pensieri, e perfino delle loro intenzioni riposte, e da loro stessi ignorate. Al fine di scoprire la verità su tante colpe immaginarie, egli sottoponeva a continui processi i propri accusati, servendosi della piú sottile casistica e dei piú complicati psicologismi. Ma, ahimè, lui stesso era la prima vittima dei propri congegni; ché addentrandosi in simili processi, i suoi dubbi, invece di cedere a una fiduciosa certezza, si moltiplicavano assurdamente, al contrario, e lo stringevano da ogni parte! Come uno spiritello sottile, egli avrebbe voluto insinuarsi in tutti i pensieri, in tutte le occupazioni della persona a lui soggetta, e qualsiasi ostacolo al proprio totale dominio su lei, di qualsiasi ordine e natura fosse, lo empiva di sdegno. S'è visto in qual modo egli confutasse l'asserzione di Anna, d'aver trascorso il pomeriggio a leggere. Ci rimane però da aggiungere che, seppure egli l'avesse creduta veritiera, non avrebbe tuttavia perdonato ad Anna di essersi vòlta alla lettura invece che al pensiero di lui, Edoardo. Di qui un astio subitaneo per il libro ch'essa leggeva, nel presente caso *I tre moschettieri*, come anche per il loro rispettabile autore, l'ormai defunto Dumas padre, implicato ingiustamente nella faccenda. E insieme con l'astio verso tanti innocenti, la voglia, non troppo lodevole a dire il vero, che Anna fosse cresciuta analfabeta.

Ma allora, perché, invece di lasciarla sola, non aveva egli trascorso il pomeriggio con Anna? Ohimè, qui ci addentriamo in uno di quei meandri psicologici in cui certi personaggi fanno il possibile per attirarci, e per i quali, purtroppo, io dubito d'essere abbastanza sottile. Molte volte, bisogna ammetterlo, Edoardo dichiarava ad Anna di non esser libero di vederla un certo giorno, mentre invece lo era; e simile menzogna, secondo ogni apparenza, veniva usata al fine preciso d'indagare sul come Anna impiegasse dal canto suo la propria inattesa libertà. Infatti, accadeva non di rado che, mentre Anna si struggeva sola sola in camera pensando al cugino, questi all'insaputa di lei facesse la guardia in istrada per vedere s'ella usciva per proprio conto a spasso. Ella si tormentava pensandolo intento ad altri svaghi, in compagnia d'altre fanciulle, e lui si tormentava nel dubbio ch'ella non si tormentasse abbastanza. Questa commedia si ripeté piú d'una volta.

Ma di solito, Edoardo lasciava sola sua cugina per il motivo che, avido com'era di sopprimere l'altrui libertà, egli non rinunciava però alla propria. Seppure un oggetto lo attirava sopra tutti gli altri, la sua mente inquieta non sapeva rinunciare a lungo ai mille altri oggetti che l'attiravano. L'avere Anna vicina ad ogni ora del giorno dipendeva soltanto da lui, giacché ella, affrancatasi ormai da ogni autorità e da ogni scrupolo, non attendeva che il cenno dell'amato. Ma questi, dopo una prima settimana di assoluta dedizione alla cugina, aveva ripreso a frequentare balli, ricevimenti e partite. Il gusto per simili passatempi era nato in lui soltanto pochi mesi prima: ad esso era dunque mancato il tempo d'esaurirsi allorché sopravvenne Anna. Lungi dal venir soppiantato dall'amore, un tale gusto ne aveva anzi ricevuto un sapore piú allettante. Infatti, Edoardo, frequentando, a malgrado di Anna, quelle feste inaccessibili a lei, non rinunciando a piacere alcuno, alimentava in se stesso quel senso di superiorità e di tirannide ch'egli non sapeva disgiungere dall'amore. Non sempre era cosciente di ciò; ma, secondo il solito, non dubitava che i propri istinti fossero legge non solo per lui medesimo, ma per gli altri. Il tempo che non passava insieme a lui, la cugina doveva consumarlo da reclusa: una sua trasgressione sarebbe a lui parsa una vera empietà, e un'ingiustizia ogni suo pensiero che non fosse per lui. Tuttavia, mentre s'adombrava perfino dinanzi al degno spettro di Dumas padre, il nostro erede normanno si compiaceva di raccontare alla cugina, coi piú esaltati colori, le feste da lui stesso godute, e da lei non condivise. S'indugiava a descriverle una per una le splendide fanciulle ch'egli frequentava e, perfino, corteggiava; i loro vestiti da ballo, che lasciavano nude le spalle, e il sommo del seno (altrettanto, e non di piú, egli s'era limitato a scoprire del corpo di Anna); i loro gioielli, che provenivano da remote ave, documentando, come simboli favolosi, la tradizione e l'antichità delle loro famiglie. Ogni loro gesto, egli asseriva, era pieno di sapienza e di grazia, poiché, fin da piccine, delle maestre a ciò addette avevano composto, al ritmo di vaghe musiche, i loro minimi atteggiamenti. Cosí pure, ogni lor parola suonava piena di spirito e di poesia, la loro voce era modulata come quella d'un'arpa. E ciò era logico, perché dalla loro nascita esse eran destinate a una sorte rara, ed è vera donna soltanto la signora, vale a dire colei che con l'arte dà pregio alla natura. Mentre discorreva in questo modo, Edoardo sogguardava sul viso di Anna l'effetto delle proprie studiate frottole. Nel suo totale asservimento al cugino, Anna avrebbe considerato follia perfino il pensiero di contrastargli quelle feste a lei negate. Giusto appannaggio della splendida sorte di lui, esse lo rendevano tanto piú prezioso ai suoi occhi. Quanto alle fanciulle da lui celebrate, ella non dubitava che tutto quanto egli ne raccontava fosse vero; e all'udirne le lodi, combattuta fra l'orgoglio di se medesima e l'ammirazione, s'induriva in faccia senza nulla ribattere. Ma Edoardo s'avvedeva dei suoi pallori, e di come le tremava il mento: ora le si accendeva nelle pupille una punta scintillante e fissa, ora il suo sguardo si spegneva e quasi smoriva. Egli sentiva la persona di lei, sospesa al suo braccio, quando irrigidirsi, e quando trasalire. Da tutto ciò gli derivava una tenera compiacenza, e il voluttuoso gusto della pietà. Certe volte, infine, lo spasimo della gelosia faceva prorompere Anna in singhiozzi terribili e acuti: – Anna! che c'è? – esclamava Edoardo, con artefatto stupore, – perché piangi cosí? Anna! Anna!

Ella rispondeva soltanto con un grido. E lui, stringendo a sé quelle membra contratte dall'angoscia, la blandiva con piccoli baci frequenti, simili al piluccare d'un passero: – Anna mia, povera Annettina, – le diceva, lisciandole i capelli e carezzandole gli occhi bagnati, – che cosa c'è? si può sapere? oh, come ti batte il cuore! sembri un ghiaccio, e sei tutta sudata! Dimmi, Anna, non sarà forse per caso... un poco d'invidia?

E non ricevendo, neppure adesso, altra risposta che dei gemiti, proseguiva a dire con voce di blandizie e di finto corruccio: – Ha invidia la povera Anna? Ha invidia di me, e delle signorine mie amiche, perché noi ce ne andiamo alle feste da ballo, mentre altri son condannati a vivere all'oscuro, come talpe? Oh, povera talpa mia, che idea ti viene dunque di piangere per una ragione simile? Sai bene che il nostro destino è diverso. C'è chi nasce talpa, e chi aquila, e chi leone. Io sarò, per esempio, un leone dorato... Cosí ci fecero le nostre madri. Ma tu, talpa mia, non ti credevo cosí invidiosa!

Egli non ignorava come ognuna di queste parole trafiggesse l'ingenua Anna. Ora dibattendosi con un lamento di ribellione, ora cedendo alla lusinga di quelle maliziose carezze, ella talvolta apriva sul cugino uno sguardo incantato e amaro. A tale sguardo, il cugino si sentiva inebriato a un tempo dalla propria gloria e dalla grande pietà per lei: «Quant'è umiliata, – si diceva, – e quant'è bella, questa superba, questa gelosa». Egli s'accorgeva che, pur nel suo geloso strazio, Anna avvertiva tuttavia senza tregua la presenza di lui, raggiante e consolatrice come d'un sole. Per acuire il senso della propria onni-potenza, egli trovava allora nuovi argomenti da umiliare la sciocche-rella, e a questo veleno mescolava le piú morbide carezze. Ma se, in-fine, la sua capricciosa passione chiedeva di vedere Anna vinta, e l'ambascia disperata di lei sciogliersi in lagrime gaudiose, egli la scuo-teva con violenza per le braccia, chiamandola: – Anna! Anna! – E strettole fra le palme il viso, le diceva: – Anna, perché pensi alle altre! Tu non sei una dama, non sei una gran signora, ma sei un angelo, l'angelo mio!

Piú tardi, però, con piú gravi dispetti egli si vendicava di tale affet-tuoso trasporto. Da parte sua, col passar del tempo Anna imparò a contenere il proprio impeto; ma questo, rinchiuso in lei stessa, tanto piú infuriava. Edoardo se ne avvedeva, e non si stancava di pungerlo e di alimentarlo.

S'è già detto altrove com'egli fosse fiero del proprio nome e della propria casta. Pareva a lui, come ad altri suoi simili, che la sorte stessa, ponendolo in una classe privilegiata, avesse voluto dimostrare di te-nerlo da piú degli altri, quasi fatto d'una sostanza rara. Seppure l'istinto di prevalere lo traeva sovente ad amare chi era posto piú in basso di lui, non lo sfiorava mai l'intenzione, e neppure il pensiero di ele-vare al proprio rango la persona amata. Cosí gli dèi, se tentati a con-giungersi con le mortali, scendevano a loro in forma umana, o magari di bestia o di nube, ma non elevavano le proprie amanti terrene agli onori dell'Olimpo. Nel caso presente, poi, troppa dolcezza traeva Edoardo dal senso della propria superiorità sociale. Nonché pensare di sopprimere questa differenza fra loro, egli bramava, al contrario, di ribadirla nella mente di Anna, per vedere prona e palpitante quella persona orgogliosa. E a tal fine studiava crudeli artifici.

Per esempio, in una mattina primaverile, egli riuniva una com-pagnia di giovani suoi pari e di libere e gaie ragazze. Indi si sedeva, nel centro di questo sciame, proprio alla stessa pasticceria di dove aveva veduto Anna la prima volta. Grazie alla stagione serena, i tavolini erano posti all'aperto, sullo spiazzo, fra piante fiorite; Edoardo sapeva che, ritornando dal mercato, Anna sarebbe passata di là, come ogni giorno.

Difatti, la cugina non tardava a passare, ed egli ostentava di non vederla; ma in quel momento stesso, per l'appunto, con una risata cingeva la piú leggiadra delle sue ragazze, baciandole il nastro che le chiudeva la scollatura o sussurrandole all'orecchio qualcosa. Un'altra ragazza sedeva sul suo tavolino, dondolando i piedi, e dandogli per gioco dei piccoli calci; e dal gruppo veniva un tintinno di cucchiaini dentro i bicchieri, un suono di ciarle e di risate. Anna intravvedeva per un istante, in una turbinosa nebbia, quei nastri, quei riccioli, quelle bevande multicolori: frammezzo ai quali le balenava *un* viso... Ma tosto ella ritraeva lo sguardo di là e passava a testa alta, pallida come una morta.

Un altro giorno, Edoardo caricava una comitiva dello stesso genere sul proprio carrozzino scoperto; e si studiava di passare appunto per la piazzetta su cui davan le finestre di Anna. A tanti rumori insoliti in quel sito: il trotto gaio dei cavalli, i sonagli, le allegre strida femminili, Anna incuriosita s'affacciava alla finestra. Edoardo sogguardava dal basso il suo viso bianco e le sue trecce; e non dubitava d'essere stato riconosciuto, perché la lontana figurina dopo un attimo si ritirava dalla finestra, quasi avesse scorto una valanga di lava o qualche altro spavento.

Or ecco Edoardo, subito dopo questa scena, cambiava d'umore. Pensieroso e imbronciato, scostava da sé le amiche, e ordinava al cocchiere di ricondurlo a casa. E il motivo di ciò era il seguente: lui stesso, è vero, aveva con intenzione provocato quell'affacciarsi di Anna, e il suo fine preciso, recandosi laggiú, era appunto d'esser veduto da Anna, per farla un poco soffrire. Ma tuttavia, egli non poteva impedirsi di pensare: «Però! guardate! basta un niente, un girare di ruote, un rumore qualsiasi, e lei subito corre ad affacciarsi sulla strada! proprio a modo d'una civetta e d'una frivola». Dopo di che, sebbene Anna volontariamente serbasse il silenzio su quel fatto, egli non sapeva rattenersi, alla prima occasione, dal dirle ciò che pensava, e l'accusava di star troppo affacciata, di mettersi in mostra per farsi vedere dai passanti, di trascurare il riserbo che s'addice a una fanciulla: insomma, la tacciava addirittura di scostumatezza.

Edoardo era venuto a conoscere, all'insaputa di Anna, che la vedova e la figlia di Teodoro Massia vivevano sulla carità dei Cerentano. Naturalmente, con Anna egli non fece mai cenno su questo argomento; ma la dipendenza e l'umiliazione di sua cugina gli parevano, adesso, piú gravi, e piú commovente, quindi, la persona di lei. Quanto ad Anna, dopo l'incontro col cugino, di nuovo il pensiero di quella elemosina di Concetta la rimordeva in segreto. Ella sperava che l'amato non sapesse nulla di tal cosa, ma tuttavia se ne angustiava, e meditava di rifiutare una volta per sempre quel beneficio. La tratteneva dal mettere in atto simile risoluzione la coscienza della propria incapacità a qualsiasi lavoro e la paura che, vedendola affamata e mendíca, il cugino la disprezzasse piú che mai, e magari l'abbandonasse. Cosí, ella seguitava ad accettare passivamente, un mese dopo l'altro, l'assegno dei Cerentano; solo piú tardi, come si vedrà, mise in atto l'antico proposito. Ma allora, tutto era cambiato e quell'agognata rinuncia aveva un gusto gelido e amaro.

Ma di ciò vedremo a suo tempo. Dunque, Edoardo sapeva adesso che sua cugina dipendeva da lui in tutto, fin nella sua povera sussistenza; e ciò gliela rendeva piú amabile. Conviene aggiungere a questo proposito che, noncurante del denaro, volentieri egli l'avrebbe profuso per aiutare Anna, se gliene fosse venuta l'ispirazione; ma era estraneo del tutto a tali cure, spensierato e cresciuto nel lusso; e non poteva intendere e neppur sospettare i bisogni degli altri. Per questo, accettava senza compatirli o stupirsene e senza quasi avvedersene i segni evidenti della povertà di Anna. Seppure li scorgeva, essi gli parevano un attributo inseparabile dalla persona di Anna, fatale e grazioso: quasi una civetteria per meglio piacere a lui stesso, Edoardo. Anna del resto, fiera e innamorata, avrebbe rifiutato qualsiasi offerta del cugino, al quale si sforzava di nascondere meglio che poteva le proprie strettezze. Egli non dubitava che l'assegno mensile di Concetta bastasse generosamente per le modeste abitudini di Anna; e mai, nei suoi discorsi, questa gli fece indovinare il contrario.

L'unico dono ch'ella ricevette da Edoardo fu un prezioso e splendido anello d'oro con incastonate due pietre di grandezza uguale: un diamante e un rubino. Concetta, ormai, non aveva, oltre al Sacramento, altro padrone che suo figlio, il quale già poteva disporre generosamente delle sue ricche rendite. Egli godeva il massimo credito presso tutti i gioiellieri e gli altri negozianti della città, e poté quindi senza ostacolo recare ad Anna quel gioiello regale, come segno d'una amorosa e dispotica investitura. Ella lo portava all'anulare della sinistra, come un anello di fidanzata: ma soltanto quand'era con Edoardo o sola in camera. Prima di ritornare fra gli altri, lo nascondeva in mezzo alla biancheria nel proprio cassetto, che rinchiudeva a chiave. Ciò non per salvare la propria riputazione dai sospetti della gente, ma piuttosto per un altéro pudore o gelosia della propria gloria.

Capitolo terzo

Donne scontente, donne maligne e donne gelose.

L'idillio di Anna col misterioso, ricco giovinetto fu presto a cono-scenza di tutto il vicinato. Anche se non vi fossero state le indiscre-zioni che la portinaia loquace, malgrado la parola data a Edoardo, s'era lasciata sfuggire con qualche suo fido, la nuova non avrebbe tardato a spargersi. V'era infatti chi aveva veduto, in assenza di Cesira, il bel giovinetto salire alla casa delle Massia; e chi aveva veduto Anna scen-dere, davanti al portone di casa, da una fastosa carrozza padronale. V'era perfino chi aveva incontrato in qualche strada del sobborgo Edoardo e Anna teneramente abbracciati.

Ciò era argomento di maldicenza a tutti i malevoli, che già da prima odiavano le Massia per la loro superbia. Coloro che un tempo, a torto, avevano accusato Cesira, adesso dicevano: – Ecco l'esempio della madre a che cosa ha condotto la figlia! – E ormai perfino il piú modesto, il piú disprezzato giovanotto di quei dintorni avrebbe rifiutato di sposare Anna.

V'era, fra le casigliane, chi al passaggio di lei si voltava dall'altra parte, e chi la squadrava dal basso in alto con ostentazione, e chi dava di gomito alla vicina bisbigliando. Tutto ciò esaltava la mente di Anna, sempre piú accendendo l'intima sua gloria. Ella passava quasi volando, raggiante, con occhi giulivi: « Rimanete dove siete, – pareva dire, – voi tristi, miseri. Quel ch'io possiedo, voi non lo conoscerete mai ».

Per Cesira, il romanzo d'amore di sua figlia non rimase a lungo un segreto. Accadeva talvolta che, sorpreso a un tratto dal desiderio di vedere Anna, Edoardo impaziente salisse alla casa di lei, senza preoc-cuparsi che vi fosse, o no, Cesira. In tal modo Cesira conobbe suo nipote, le cui grazie naturali, aggiunte al prestigio della sua casta e della sua ricchezza, eran le piú adatte per ammaliarla. Edoardo le por-tava dei fiori, le baciava la mano, e la trattava come una signora dell'alta società. Simili omaggi finirono di conquistare l'anima di Cesira, che in presenza del giovane ritrovava i modi pazzerelli e allegri, benché occasionali, del tempo che faceva l'istitutrice. Le visite di Edoardo la lusingavano, come una vendetta e un riscatto nei confronti di Concetta e di tutti i Cerentano. Ecco, il piú prezioso rampollo di questa razza sdegnosa non disprezzava la sua casa e la sua compagnia! Appena s'udiva squillare, inaspettato, il campanello d'ingresso, Cesira, indovinando una visita di Edoardo, correva a chiudersi in camera, dove s'agghindava e si pettinava con la massima cura: fu allora ch'ella adottò l'usanza, quando si vestiva in pompa, di cingersi il collo con un nastrino di velluto, come aveva veduto fare a certe nobildonne.

S'è già detto come, invecchiando, Cesira si compiacesse degli amori altrui: davanti all'amore d'Edoardo e di sua figlia, una tal compiacenza era accresciuta dal vanto. A ogni gesto dei due giovinetti che significasse amore, gli occhi le splendevano e, talvolta, una risata ingenua e felice esprimeva il suo vagheggiamento. La disperazione che era passata su di lei l'aveva resa incurante dei pregiudizi sociali riguardo all'amore; ciò che lei stessa, per viltà forse o per naturale onestà, non aveva osato fare mai, non l'avrebbe, in cuor suo, contrastato a sua figlia. Non fosse stato l'orgoglioso riserbo di Anna, volentieri ella avrebbe fatto da prònuba ai due giovani amanti.

E d'altra parte, come è logico, in lei s'era accesa fin da principio la grande speranza delle nozze. Il matrimonio di sua figlia con Edoardo avrebbe significato per lei l'ingresso trionfale in quella casa Cerentano che l'aveva insultata e respinta. Ella accarezzava sovente questo sogno. Una volta, lo prospettò ad Anna; ma questa impallidí, e, tutta tremante, con voce irata le impose di tacere.

La presenza di sua madre, durante le visite del cugino, causava ad Anna disagio e noia. Il naturale, confidente abbandono che talvolta i genitori sanno ispirare ai figli mancava del tutto fra Cesira e Anna. V'era, in suo luogo, un pudore aspro, un diffidente riserbo, e questi sentimenti gelavano sul nascere, allorché era presente Cesira, ogni moto affettuoso di Anna verso il cugino. Perfino le gentilezze di lui, che in altri momenti l'avrebbero rapita, ella le respingeva, avvertendo su di sé l'occhio materno. Quello stesso vagheggiare, che Cesira faceva, d'ogni loro gesto d'amore, paralizzava i gesti di Anna; e quella insolita allegria di sua madre la irritava, sembrandole cosa bizzarra e fuor di luogo. Sospettosa che l'amato, in cuor suo, s'annoiasse e deridesse sua madre, e solo per cortesia fingesse il contrario, Anna sogguardava, con fastidio, l'agghindata e affaccendata persona di Cesira, il suo visetto malaticcio che all'insolito svago s'accendeva di rosso sui pomelli. Piú che alle parole del cugino, ella tendeva l'orecchio alle briose domande e risposte di Cesira; al serico fruscío della sua gonna della festa (l'unica da lei posseduta, per le grandi occasioni; altre non ne ebbe mai piú, e fu quella stessa, appunto, ch'io le vidi sul letto di morte); infine, cosa piú di tutte sconcertante, alla sua risata irragionevole e felice.

Con beato sussiego, Cesira apprestava il cioccolato, e recava i biscotti da lei tenuti in serbo, sotto chiave, nella credenza. E il cugino mostrava di gradire tante attenzioni; ma Anna, se non avesse temuto di farsi brutta agli occhi di lui, si sarebbe levata gridando, e sarebbe uscita dalla stanza, tanto odiava quella povera cerimonia materna. Non riuscendo, però, a dominare del tutto il proprio dèmone, talvolta, durante la conversazione, ella dava sulla voce a Cesira, oppure, con una frase ostile e gelida, le spegneva bruscamente sulle labbra il riso, e negli occhi l'effimera esaltazione. Cesira ammutoliva, torcendo le sue manine improvvisamente diacce: le sue pupille disanimate fissavano la tavola. Certo, se il mondano riserbo di fronte a Edoardo non fosse stato in lei piú forte del dispetto e dell'umiliazione, ella avrebbe rimbeccato acerbamente sua figlia. Taceva invece, mentre Edoardo, non senza stupore, guardava la fanciulla, che, immobile e dolente, pareva una statua. Un silenzio pesava su loro; ma presto Edoardo con una galante, amabile frase riconduceva l'attristata Cesira alla sua spensieratezza. Non c'era spensieratezza, invece, per Anna: a cui si stringeva il cuore, in una confusa voglia di piangere.

Cesira, pur favorendo l'idillio di Anna, non si peritava di toglierlo a pretesto per insultare la fanciulla, allorquando fra loro s'accendeva un qualche alterco; e le occasioni d'alterco, finché Cesira non fu vecchia ed esausta del tutto, non erano infrequenti fra loro due. Allora, Cesira chiamava sua figlia, per via di quell'amore, coi nomi piú vergognosi. Le prediceva il prossimo abbandono del cugino, il quale, e c'era da aspettarselo, secondo ogni evidenza si faceva beffe di lei, Anna. Le rinfacciava i suoi convegni solitari col cugino, la sua condotta scostumata, le chiacchiere della gente, e le ripeteva ch'ella era disonorata a quest'ora e che certo, dopo l'abbandono d'Edoardo, non si sarebbe sposata piú. Tutte queste cattiverie di Cesira attingevano veleno in un dispetto inconfessato ch'ella nutriva per via che sua figlia non la teneva a propria confidente d'amore; e inoltre, in una sua riposta gelosia d'Edoardo, giacché a lei l'amore non era mai toccato in sorte. Anna, dal canto proprio, attingeva nel proprio amore oltraggiato, nel proprio solitario spavento il veleno delle sue risposte; e allora non si teneva piú dal gridare a Cesira quanto giudicasse ridicolo il suo contegno in presenza d'Edoardo, il quale certo, sebbene per delicatezza non lo mostrasse, in cuor suo doveva giudicare lei, Cesira, volgare, stonata e folle. Cosí le due donne, fatte nemiche, s'accanivano l'una contro l'altra. E finito il litigio, ambedue rimanevano in preda all'incantesimo che s'erano gettato. Anna vedeva ormai sempre intrecciata intorno al proprio amore, come una serpe intorno a membra viventi, la paura del tradimento e dell'abbandono. E Cesira sentiva il proprio diletto per le visite d'Edoardo attossicato senza rimedio. Ancora, il festoso miraggio di quelle visite l'attirava; ma in presenza dei due giovani, subito si pentiva d'esser là. Sospettosa e impacciata, s'offendeva per un nonnulla, e ormai tutte le sue parole eran ròse dall'astio; pian piano ella diradò le proprie apparizioni, finché si decise a non farsi piú vedere. Durante le visite d'Edoardo, rimaneva chiusa in camera: dove talvolta accostava l'orecchio all'uscio, per cogliere il tenero bisbiglio dei due innamorati, ovvero, in piedi contro la finestra, lagrimava come una bambina lasciata in casa mentre le grandi sono andate al ballo.

Tanto dolore, madre e figlia non potevano perdonarselo mai. Pure, vinta dal prestigio di quell'amore oltre che da una misteriosa compiacenza materna, Cesira fu sempre complice di Anna contro i vicini. In cambio della loro guerra, questi non si ebbero che il disprezzo delle due complici nemiche. È vero che, col tempo, la complicità di Cesira somigliava sempre piú a un'assenza; lei che s'era già imposti cosí feroci doveri abdicava, stanca, a ogni dovere e a ogni diritto.

E Concetta? Neppure Concetta, è fuor di dubbio, ignorava ormai l'avventura del figlio con la ripudiata nipote Anna. Ma, strano a dirsi, ella non s'intromise mai fra i due giovani, non tentò di porre inciampi al loro idillio e nemmeno accennò mai, con Edoardo, a questo argomento. Il fatto è che l'amore per suo figlio l'aveva resa avveduta. In altri tempi, alle prime avventure femminili del precoce Edoardo, accesa da una fiera gelosia materna, ella lo aveva assalito con scene e lagrime. Ogni donna che piacesse a suo figlio, era per Concetta una nemica, giacché voleva rubarlo a lei: fin dal primo istante, Concetta le dichiarava una guerra senza pietà. E sebbene i successi mondani d'Edoardo le ispirassero un grande compiacimento, pure i salotti e i ritrovi erano paurosi ai suoi occhi, non solo come luoghi di perdizione, ma soprattutto come centri di complotti donneschi intesi a rubarle il figlio. Ben presto, però, Concetta aveva dovuto persuadersi a sue spese che le guerre, le scenate e le lagrime producevano l'effetto opposto a quello da lei bramato: giacché i capricciosi istinti d'Edoardo tanto piú s'accendevano quanto piú venivano imbrigliati, e i piaceri, se contrastati, gli s'arricchivano d'un nuovo sapore, sí ch'egli prolungava a volte, per sola virtú di questo sapore piú ricco, delle avventure che

naturalmente lo avrebbero stancato assai prima. Non avvezzo all'ubbidienza, Edoardo non s'arrendeva certo davanti allo spettacolo del
dolore materno: abbiam visto, al contrario, com'egli provocasse il dolore altrui quasi a prova e testimonianza del suo proprio potere. Concetta, tuttavia, per sua consolazione, non tardò a conoscere la sorte
effimera di tutti gli amori di suo figlio: violenti e caduchi, al par di
quelli da lui provati nell'infanzia, essi finivano tutti, se non nel fastidio,
nell'indifferenza e nell'oblío. Lei sola che l'aveva partorito e allattato
(un tal pensiero la trasfigurava), lei sola restava sempre nella vita
d'Edoardo fatale e necessaria come la Terra, o la Luce stessa. Imparò
dunque a considerare le donne amate da Edoardo quali graziose vittime bruciate in onore di lui; e invece d'ingelosirsi prese a compiacersi
in cuor suo d'un tal tributo, sempre rinnovato, all'altare del suo diletto. Piú le vittime erano belle, e piú grande era il vanto; piú ardente
era il loro fuoco, e piú amara sarebbe stata la loro agonia per l'abbandono: dunque, piú grande il vanto. Allorché un pettegolezzo domestico, oppure la buona volontà di qualche signora denunciavano a Concetta nuove colpe d'Edoardo, ella fingeva d'accigliarsi, ma nascondeva
dietro la mano un dolce sorriso: « Ecco, – diceva in cuore alla nuova
vittima di suo figlio, – ecco, sgualdrinella, che cosa succede a fare la
sciocca. Forse ti presumevi degna di quell'angelo? Sei castigata, adesso,
la colpa è tua ». Talvolta, quand'egli era fuori, Concetta saliva di soppiatto, come una ladra, alla camera d'Edoardo; e avidamente frugava
nei cassetti che lui, per noncuranza, non chiudeva mai a chiave. Rimirava e studiava i ritratti, ivi riposti, delle innamorate di suo figlio, ne
leggeva le dediche; s'indugiava ad osservare i ricordi d'amore da lui
mescolati alla rinfusa: un orecchino, un bottoncino di vetro nero, un
piumino per la cipria, una spallina di raso, una balza di tulle strappata
da un busto... Arrossendo, spiegava a se stessa: « Questo è un piumino
da cipria, intinto di cipria rosa, questa è una balzina... da sotto, sí, de-
v'essere la bordura, si direbbe, d'un busto... Ecco, è proprio cosí. Ah,
la svergognata! » Scopriva, a volte, certe intimità che le facevano salire
il fuoco alla faccia: « Che donnacce svergognate, che svergognate! »
ripeteva; ma tuttavia, le veniva fatto di sorridere, perché l'artefice di
tanta vergogna era suo figlio. « Si dannano l'anima per lui », pensava,
e si segnava, orgogliosamente. Se poi trovava qualche poesia scritta
da Edoardo, gli occhi le rilucevano di lagrime: « Quanto è bella! – gridava in cuor suo, – che bei versi! E son io, son io che t'ho fatto. Sei
figlio mio! Sei mio! » Poi con una febbrile curiosità percorreva le lettere delle amanti: « Ah, sfrontata, ah, spudorata, – commentava fra
sé a ogni passo, – come non ti vergogni, questo non si dice. Ah, stu-

pidella, ah, illusa! » Talvolta, suo malgrado, rideva a bassa voce, leggendo quelle frasi ormai svanite: oppure, una superstite gelosia la mordeva. Ma per quanto ardenti fossero quelle frasi d'amore, per quanto pazze, concludeva sempre: « No, no, nessuna lo ama come me. Credimi, figlio mio, nessuna ti ama come me. Quelle t'amano adesso perché sei grande, ma io, quand'eri piccolo, una cosa da niente, già da allora ti amavo. Son io, con la mia bocca, che t'ho insegnato a parlare; ma prima, quei tuoi discorsetti confusi, che facevi ridendo in braccio a me, chi li capiva? Sola io li capivo, e sola io potevo chiacchierare con te. Quelle t'apprezzano adesso perché sei un bell'uomo, le donnacce! ma io, dal momento che ti vidi la prima volta, recato in braccio alla levatrice, e già involto nelle fasce; e ti distinsi a malapena (che cos'eri? un fagottino, ancora, una bambola)... ebbene, io, debole come ero mi levai sui cuscini, stesi le braccia, e dissi: dàtemelo! ché già ti stimavo da piú del mondo intero. E ti ricordi le belle cose che ti dicevo, non quando eravamo soli, ma davanti a tutti, perché non c'era da vergognarsi fra te e me, il nostro era un amore santo, e tutti lo sapevano che tu eri mio! ti ricordi i miei complimenti, e i baci? Io non volli mai, come fanno altre madri, cederti a una balia. E quando eravamo soli, in camera, e ti attaccavo al mio petto, ci guardavamo, ci guardavamo tutto il tempo. Ah, vedendo quegli occhietti color d'oro che mi ringraziavano mi pareva d'esser benedetta, e che su di me scendesse lo Spirito Santo. Sí, quelle ti lodano per la tua bellezza, ma son io che t'ho fatto cosí bello. Quando rimasi incinta di te, ero certa d'avere stavolta il maschio, me l'aveva promesso il Signore al momento dell'Elevazione. E perché tu venissi bello, pregavo giorno e notte, e sempre portavo sotto la gonna rosari e amuleti. Consultavo le fattucchiere, che mi davano certi beveraggi amari! ma ero felice di berli, perché sapevo che eran filtri per affatturarmi il sangue, affinché ne germogliasse la tua bella carne. Ah, in te Nostro Signore mi ha dato segno dei suoi miracoli. Quante volte pregavo dicendo: Signore, ascolta la mia voce. Quel po' di bellezza che c'è nel mio corpo, tòglimela, dàlla tutta a questo mio figlio maschio. Tanto, che importa a me diventare brutta? sono maritata ormai, sono madre di famiglia. La mia bellezza, adesso, tu méttila nel mio sangue, méttila nel mio latte, per nutrirne questo fiorellino che nasce. Signore, d'ora in avanti lui solo sarà l'ornamento del mio petto, lui sarà la corona d'oro di questa tua serva. E Dio m'ha udito. Edoardo mio, le tue bellezze io le conosco una per una. Com'eri grasso, da piccolino! e ogni grammo di peso che crescevi, io lo annotavo sul mio libro. Avevi tutte fossette sulle mani, sulle braccia, sui ginocchi, e io, per giocare con te, e farti ridere, le contavo,

162

e le ricontavo, e nel contarle te le baciavo. E quando tu, incominciando appena a parlare, mi dicevi, con la tua gentilezza: *mamma, tu sei la mia sposa, sei la mia moglietta, l'amore mio,* io ridevo, ridevo, mi pareva d'esser pazza, al guardarti. Ah, che gioia era, Edoardo, Edoardo mio! gioia mia preziosa! oro! »

In chiesa, talvolta, dinanzi a qualche dipinto della Sacra Famiglia, Concetta interrompeva le abituali preghiere, e si dava a lodare la Vergine, per la bellezza dell'Infante. D'un tratto, però, le veniva fatto di pensare: « Ma il mio è più bello », e, atterrita dalla propria empietà, si segnava in fretta, nel timore che l'Onnipotente la punisse in Edoardo.

Non si può negare che la nuova dell'idillio fra Edoardo e Anna suonò amara al cuore di Concetta. Un simile caso le parve un insulto del destino, e ravvivò la sua rabbia contro le Massia che, certo, ella pensava, seguivano mire astute. Se avesse ubbidito al suo primo impulso vendicativo, ella avrebbe dato ordine di sospendere subito l'assegno alle Massia. Ma temeva di far divampare, con una mossa imprudente, le contraddittorie passioni di Edoardo: per cui decise di usare il sistema solito, e cioè d'aspettare, paziente, facendo mostra di nulla, che l'avventura finisse.

Stavolta, una tal condotta le fu alquanto più ardua; ché troppo la rodeva l'indignazione contro le Massia, e contro la loro ingratitudine. Se certuni, per malignità o per acquistare le sue grazie, le recavano, come avviene, qualche indiscrezione sull'idillio, ella s'oscurava in viso, ma non per finta questa volta. E severamente interrompeva quei discorsi, dichiarando che ciò riguardava suo figlio; e che lei non voleva saper nulla, ma, se avesse voluto sapere, ne avrebbe domandato a suo figlio stesso. Ciò non toglie che, di nascosto, ella indagasse per altre vie più fidate, seguendo con gelosa passione il filo di quell'idillio. A lungo, la notte, rigirava nella mente quanto aveva appreso, ma dei suoi crucci segreti Edoardo non seppe mai nulla. D'altronde, Concetta aveva fede che l'idillio con Anna finirebbe come tutti gli altri. Sapeva bene che suo figlio, finché poteva senza ostacolo abbandonarsi al suo nuovo amore, non avrebbe certo pensato a concluderlo con le nozze. S'è già portato a questo proposito, il paragone degli abitatori dell'Olimpo, i quali usavano, sí, invaghirsi d'una mortale, e scendere fino a lei, ma non sollevarla alla propria sede celeste. Una simile concezione del proprio valore, innata in Edoardo, bastava a rassicurare la madre; ma, inoltre, s'aggiungeva ad essa la ripugnanza, a lei ben nota, d'Edoardo, per tutto ciò che un'altra legge fuor di quella dei suoi propri capricci, aveva sancito. A questo rifiuto d'ogni autorità egli univa un odio per tutto quanto è fermo, ineluttabile ed eterno: un odio prossimo allo spavento e cui si doveva s'egli aveva recusato, fin da fanciullo, la fede religiosa e le devozioni. Con un sospiro, Concetta ripensava a come suo figlio negasse la Chiesa, il Paradiso e l'Inferno, accettando per vero soltanto ciò che si tocca e si può assoggettare, se piace. No, nessun amore, per quanto violento, avrebbe potuto carpirgli una promessa duratura! davanti a un impegno solenne, egli avrebbe indietreggiato, come davanti all'aspetto d'un carceriere.

In esseri della specie d'Edoardo, che rifuggono dal riposo come da un simbolo di morte, noi possiamo, credo, riconoscere dei cittadini del Paradiso Terrestre non ancora acclimatati all'esilio. La vita mortale, rinchiusa fra il tempo e lo spazio, è una prigione per loro, che incessantemente si agitano fra queste angustie illusi forse di ripercorrere i liberi campi originari. Si direbbe che del frutto gustato da Adamo toccò ad essi in eredità solo il sapore della condanna, non quello della conoscenza. La libertà, difatti, cui essi aspirano, è soltanto quella dell'Eden, gli altri, e piú veri, paradisi sono ad essi negati. E la loro agitazione effimera ci richiama alla mente certe inquiete, patetiche belve, che, tolte dalla foresta nativa e poste in gabbia, senza tregua van correndo da una rete di sbarre all'altra. Ché la libertà perduta le incalza, e la loro sorte di fiere nega ad esse il santo riscatto d'Adamo.

Al tempo che Edoardo era ancor bambino, qualcuno aveva notato il suo pallore non appena si nominavano persone defunte. Ciò che lo impauriva, al suono di questi nomi, era soprattutto il pensiero che coloro erano inchiodati in eterno, costretti a eterna clausura. Egli si diceva che, per quanto ammalato, e inerme nel letto, e in preda alla febbre, mai la morte avrebbe potuto sopraffarlo. Nel momento preciso che la sentiva sopraggiungere, egli avrebbe raccolto tutte le sue forze, avrebbe lottato fieramente; poi, vincitore, sarebbe balzato dal letto, e fuggito lontano lontano, affinché nessuno potesse inchiodarlo e sotterrarlo come si fa alle salme. La sua meraviglia era che tutti soggiacessero cosí vilmente e non se ne fuggissero via. – L'anima fugge via, – gli spiegava saggiamente Augusta. – Ma *loro stessi, loro stessi*, – egli insisteva, testardo, – perché non rifiutano d'esser morti, perché non si ribellano! – Egli non riusciva a raffigurarsi di potere in qualche modo esistere diviso dal suo grazioso corpo, allo stesso modo che due teneri innamorati non sanno concepire la vita se non congiunti.

Passata l'infanzia, però, Edoardo aveva scacciato dalla propria mente simili pensieri. E insieme a tanti altri spaventi fanciulleschi, aveva relegato fra le leggende folli, straniere e remote, i morti, e il loro squallido destino.

164

Capitolo quarto

Nuovi sconclusionati colloqui degli amanti acerbi.
Si riparla dell'Estero con l'intervento
di Manuelito il Matador, dello Zarevic, ecc.

La cicatrice.

Cosí l'amore fra Edoardo e Anna, protetto da Cesira e volontariamente ignorato da Concetta, poteva fiorire senza nessun ostacolo.

Amore? Qual sorta d'amore è mai questo? Mi piacerebbe, in verità, di poter offrire ai miei lettori una grande e drammatica tresca,
un intrigo maledetto e turbinoso. Ma questo amore qui, fatto di chiacchiere, di trastulli e di dispetti, e somigliante, piuttosto che ad una
esperienza adulta, ai giochi infantili, che sorta d'amore è mai? Certo
i lettori si sentirebbero truffati, a vedersi offrire di queste insulsaggini,
s'io non li avvertissi che su una tal base, futile in apparenza, sorge e
si innalza il tenebroso castello della mia protagonista. Cosí un sottile
e rauco ruscello si trasmuta in torrente; cosí talvolta a uno scherzoso,
trasparente Allegro, segue, nella Sinfonia, un Andante severo e arcano.

Dunque, riprendendo il racconto del nostro idillio: l'inverno era
passato, s'entrava nella primavera, e l'amore fra i due cugini procedeva,
all'incirca, nel modo già descritto. Quando sapeva di trovarvi Anna
sola, Edoardo saliva alla casa delle Massia, e là, nella stanza che faceva
al tempo stesso da salotto, da sala da pranzo, e da scuola per gli allievi
di Cesira, egli s'attardava a volte, dal primo pomeriggio, fino a notte.
V'erano dei pomeriggi d'umore allegro nei quali si divertiva con Anna
come una ragazzina con la sua bambola. Le disfaceva le trecce, e la
pettinava, interrompendosi ogni momento per baciarla, per tirarle un
poco i capelli, per solleticarle la nuca; e, ravviatile bene i capelli, glieli
acconciava in mille fogge, seguendo le mode apprese dalle signore o la
sua propria invenzione. Dopo averla cosí trasformata, la conduceva
davanti allo specchio della camera, affinché vi si rimirasse; ed ella,
sebbene d'indole non vanitosa, vedendo la propria bellezza, ne godeva
per lui. Lanciava occhiate sorprese allo specchio, poi riabbassava gli
occhi e rideva: allora egli, invaghito, le afferrava il capo, e le scompi-

gliava i capelli, immergendovi le mani e le labbra, col piacere impetuoso di chi si getta fra l'erba alta. Oppure, cintosi il collo delle lunghe trecce di lei, come d'una stola di pelliccia nera, le premeva il viso contro il viso, mormorando lodi furiose e gentili.

Un giorno, gli venne voglia d'arricciarle i capelli; e dopo averle tagliato alcune ciocche sulla fronte, gliele trasformò in una frangia di ricciolini col ferro di Cesira arroventato alla fiamma. Era la prima volta che i capelli di Anna conoscevano il ferro; ed era curioso, in verità, ch'ella dovesse venire iniziata a certe civetterie da un giovanotto.

Un altro giorno, per una fantasia d'Edoardo, i due cugini si scambiarono l'uno con l'altra i vestiti, spogliandosi in due stanze contigue, e porgendosi gli abiti attraverso un sottile vano dell'uscio socchiuso. Quando si ritrovarono, risero come pazzi: Anna, però, a sentirsi addosso il vestito d'Edoardo, provava una commozione bizzarra, sí che s'era fatta tutta rossa, e, fra le risate, quasi lagrimava. Or sotto questo travestimento risaltò ai loro sguardi una cosa di cui non s'erano accorti prima, e cioè la singolare somiglianza delle loro fattezze. Sotto i panni del cugino, Anna pareva un Edoardo bruno, e appena piú minuto del vero Edoardo; mentre, da parte sua, Edoardo, vestito da fanciulla, poteva esser creduto una bionda gemella di Anna Massia. Una simile scoperta li deliziò; accosto l'uno all'altra, dinanzi allo specchio, ridevano e confrontavano le loro immagini, Edoardo ricercandosi in Anna con la vaghezza trasognata e fantastica di un Narciso che si rispecchia in un'acqua notturna, e Anna trepidando nella gloriosa, materna gioia di chi riconosce in un volto amato la testimonianza del proprio sangue: — Osserva dunque i nostri occhi! — esclamava Edoardo, — non han forse la medesima forma, anche se il colore è diverso? guarda le tempie, e l'attaccatura dei capelli! non sono uguali? — Cosí, in entrambi i cugini si ritrovava il disegno rotondo, alquanto infantile, delle pallide guance, e il labbro superiore sporgente con una espressione di lieve corruccio, e i sopraccigli alti e arcuati, e i polsi fini. — Oh, sorellina mia, anzi fratello, — si corresse ridendo Edoardo, — tu mi somigli, tu mi somigli! Ed io fino a oggi non me n'ero accorto, per via che sei una donna, e sempre malvestita. Ma in realtà, non abbiamo forse lo stesso sangue? tuo padre non era fratello di mia madre? siamo quasi fratello e sorella! — A queste parole Anna, con un'audacia che non trovava per solito di fronte al cugino, e che le veniva forse dalle virili eleganze della propria nuova immagine, abbracciò stretto Edoardo, e gli confidò, non senza balbettare un poco, un sentimento che spesso provava. Le pareva, cioè, gli disse, di non avere conosciuto lui, Edoardo, da poco tempo, ma da sempre, e non in qualità d'amica o

166

di cugina, ma proprio di sorella: quasi che fossero, loro due, nati insieme, e cresciuti insieme fin da piccolini, e avessero dormito nello stesso letto.

A un discorso simile, Edoardo, o per dir meglio Edoarda, rise forte. Poi, com'era suo costume nella conversazione, incominciò a divagare sull'argomento; e divagando venne a dire di ricordarsi che in certi paesi i re e gli imperatori potevano sposare soltanto la propria sorella: unione che per il popolo sarebbe delitto ed è legge sacra e privilegio per loro. Edoardo disse ciò come chi scherza o racconta una fiaba; ma Anna, all'udirlo, non seppe nascondere un suo rapido turbamento, ed egli, in risposta, si svincolò ridendo da lei, e soggiunse: – Invece io non voglio sposarti, e mi sceglierò una tutt'altra imperatrice –. Indi, quasi vergognandosi d'un tratto d'indossare quegli abiti da donna, s'offuscò in volto e ordinò alla cugina di restituirgli subito il suo vestito; al che Anna corse di là, e fu ripetuto lo scambio degli abiti attraverso il vano dell'uscio. Rivestitasi in fretta, la fanciulla aveva appena terminato di allacciarsi la gonna, quando il cugino la chiamò dalla camera accanto, dov'essa lo trovò abbandonato pigramente sul divano, ancora mezzo svestito e in disordine. Egli le spiegò d'averla chiamata affinché lei lo aiutasse a rivestirsi: ché, soggiunse altezzosamente, lui non era avvezzo a vestirsi da solo, si faceva sempre aiutare da un servo. E senza levarsi dal divano, taciturno, neghittoso e distratto, egli si lasciò rivestire come un bambino dalle tremanti, incerte dita di Anna.

Non sempre le commedie fra i due cugini erano gaie come quelle ora descritte; a volte, anzi, quel povero, disadorno salotto delle Massia era teatro di scene crudeli. Un pomeriggio, per esempio, sedendo i due cugini soli soli sul sofà dalle molle rotte e cigolanti, Edoardo inaspettatamente annunciava ad Anna d'essersi fidanzato. Le descriveva la propria fidanzata (una signorina della nobile società), lodandone la persona, la famiglia, la ricchezza. Ne diceva anche il nome e il cognome, un cognome che Anna non conosceva, ma che doveva essere molto illustre, a giudicare dal tono pomposo di lui nel pronunciarlo. E raccontava che il corredo della sposa era già stato ordinato a Parigi, e che durante la festa nuziale un'orchestra, fatta venire da Vienna per l'occasione, avrebbe suonato delle composizioni di lui medesimo, Edoardo. Sí che, appunto, in quei giorni, egli passava lunghe ore al pianoforte contemplando, per ispirarsi, il ritratto della sua futura sposa...

Naturalmente, la storia di questo fidanzamento era inventata; ma Anna, vedendo l'espressione seria, e un poco melanconica, d'Edoardo, non dubitava piú ch'egli dicesse il vero. Un sorriso le serpeggiava sui labbri, e il colore le fuggiva rapidamente dal volto; ma essa non diceva nulla. Allora, sogguardandola, il cugino la lodava per la sua impassibilità nell'apprendere una notizia che da un lato poteva, sí, farle piacere, come a parente dei Cerentano, ma da un altro lato avrebbe potuto rattristarla... Ebbene, giacché si dimostrava cosí savia, lui, per premio, il giorno dopo le avrebbe portato il ritratto della fidanzata, affinché ella potesse conoscere la futura cugina, almeno in effige: ché lui avrebbe voluto, veramente, presentare Anna alla sposa, ma ciò era impossibile. Esistono, come Anna ben sa, delle barriere sociali... A questo punto del discorso d'Edoardo, Anna alzava una spalla, e travolgendo le fosche pupille nel viso bianco, debole e spaurito, dichiarava: – Non-voglio-vederla –. La sua voce, nel dir ciò, suonava cosí incrinata e fioca, che il cugino doveva curvarsi su di lei per afferrare le sue parole; ma, afferratele, una luce di ineffabile allegria (da lei non vista), gli accendeva lo sguardo. – Non vuoi vederla! – egli esclamava in tono corrucciato, – nemmeno in ritratto? – Anna ripeteva il gesto d'alzare la spalla, con un sorriso che valeva una ripulsa. – E perché, dunque! – si ribellava Edoardo, – che cosa t'ha fatto quella poverina?

– Essa non ti conosce, – riprendeva a dire, dopo una pausa, – ignora perfino che tu esisti, e tu, scommetto, la detesti già. Sappilo, tu sei proprio ingiusta verso quella poverina, e io dovrei pregarti di chiedermi scusa per l'insulto che, odiando lei, tu fai a me. Difatti, per un uomo la sposa legittima non è soltanto amata e cara, è anche sacra. Egli esige che tutti la amino e la rispettino, come lui stesso la ama e la rispetta e, davvero, se tu fossi un uomo mio pari, invece d'una ragazza, io dovrei sfidarti a duello. Dunque, tu rifiuti di chiedere scusa? – Con una sospensione arguta, curiosa e tenera, ch'egli celava sotto un aspetto alquanto aggrondato, Edoardo attendeva la risposta della cugina; ma questa, senza dargli risposta, lo fissava con occhi grandi grandi e opachi; – Oh, come ti sei fatta brutta, – le diceva lui, rimirandola, – ti sei tutta aggrinzita, sembri una vecchia. È l'effetto della tua cattiveria, e fors'anche della solita invidia che ti rimorde. Credi ch'io non ti indovini? tu ti sforzi di nasconderlo, fai l'indifferente, ma i tuoi sentimenti ti si leggono in viso. Guàrdati, guàrdati allo specchio –. Egli le mette innanzi uno specchio, ma lei si torce per non vedere il proprio viso. – Infine, – egli riprende, – vorrei sapere come, in una occasione simile, avrei dovuto comportarmi verso di te? forse avrei dovuto nasconderti il mio fidanzamento? ma prima o poi lo avresti saputo lo stesso. Tu, cugina mia, devi educarti meglio, la tua segreta ribellione è ingiusta, il nostro amore (lo sai, te l'ho ripetuto piú volte), non poteva concludersi con le nozze. E, d'altronde, un uomo deve sceglliersi un giorno una compagna di tutta la vita, che faccia parte della sua stessa società, che splenda degnamente vicino a lui... Ecco, il mio giorno è venuto, ho trovato la mia sposa ideale. Ho sempre immaginato una sposa piccolina, biondina, come la mia Laura... Le spilungone mi vengono presto a noia. E tu, cugina mia, con le tue levate di spalle e i tuoi sorrisi insultanti, ti sei rivelata una vera donnicciola in questa occasione. Basta, da qui al mio matrimonio debbon passare ancora quindici giorni, e in questo frattempo, se tu manterrai un contegno savio, seguiteremo a vederci... Via, consolati, Annuccia, e per oggi non pensarci piú.

Durante un tal discorso, Anna aveva mantenuto quel silenzio bianco, gelido e affascinato dietro cui pareva barricarsi la sua difesa estrema. Soltanto verso la fine, allorché Edoardo aveva nominato *la mia Laura*, ella aveva incominciato a tossire stranamente. Edoardo aveva imparato a conoscere questa tosse disordinata, fittizia, con cui la cugina soleva talvolta mascherare la propria voglia di pianto. Or l'assalto di tosse le si tramutò presto, a suo dispetto, in acuti singulti; e, quasi per eludere la propria vergogna di piangere, e fermare, nel tempo stesso, i crudeli discorsi del cugino, ella gli gridò, fra il pianto, queste assurde parole:

– Sí, ti chiedo scusa, ti chiedo scusa, ti chiedo scusa!

Ai primi colpi di tosse, già Edoardo aveva incominciato a pentirsi; come vide, poi, la cugina rompere in lagrime, e la udí chiedergli scusa, mutò faccia, e baciandola, e ridendo teneramente, esclamò: – Oh, Anna mia, come puoi essere cosí credula! Non t'accorgi, dunque, ch'io m'approfitto della tua semplicità, e che la storia del mio fidanzamento è tutta una fandonia?

– Una fandonia... – ripeté Anna, malcerta, e gli gettò, fra le lagrime, uno sguardo obliquo, dibattendosi nella speranza insidiosa.

– Oh, ma chiunque altro al tuo posto se ne sarebbe accorto subito! Non s'è mai vista un'anima semplice come la tua! Eppure non sei mica una ragazzina, hai la mia stessa età!... Ah, ecco che di nuovo sei felice!

Difatti, Edoardo aveva incontrato in questo momento gli occhi di sua cugina, che, come due spiriti solitari, s'erano messi a raggiare in un modo meraviglioso nel volto sbattuto e tremante di lei. Raggiarono, sí, i due spiriti, ma per un istante solo, e tosto si spensero. Ché la povera Anna, vinta da emozioni cosí fiere e opposte, ripiegava la testa, priva di sensi, sullo schienale del sofà.

Uno svenimento oltrepassava, in verità, le perfide ambizioni d'Edoardo. Egli fu invaso da un violento rimorso, ed espresse questo suo rimorso con parole tanto gentili da ripagare non di uno ma di dieci svenimenti la povera Anna, sempreché questa avesse potuto udirle. Anna giacque invece senza vedere né udire nulla per circa un minuto; ma bisogna dire che per tutto il resto di quel pomeriggio Edoardo mostrò un umore mite, sollecito e sospiroso, onde, alla fine, quello fu un giorno felice per Anna.

Il rimorso provato non ritenne, però, il cugino dal tornare spesso, in seguito, sul crudele argomento delle fidanzate. Egli ripeteva ad Anna che la notizia del proprio fidanzamento, se quel giorno era stata prematura, poteva avverarsi tuttavia da un momento all'altro, che le madri piú ricche e orgogliose della città intrigavano per dargli le loro figlie, e che lei, Anna, doveva disporsi a ricevere una nuova di tal sorta dall'oggi al domani. Cosí Edoardo godeva di far divampare intime guerre nel cuore di Anna, a modo d'un ragazzetto arrogante che scherza con una leonessa chiusa in gabbia, sapendo ch'essa può nuocergli ancor meno d'un agnello. O meglio, a modo del fiero proprietario d'una bellissima cagna-lupa, feroce belva con tutti, e agnella con lui solo.

Il fatto è che Anna, come sogliono talvolta le anime forti e intere allorché s'innamorano, aveva del tutto rinunciato a se medesima e perfino al proprio criterio. Gli atti e le parole d'Edoardo, ella mai li attribuiva a malizia, anzi nemmeno li giudicava, accettandoli come i fedeli accettano i decreti celesti. Se un'offesa di lui le suscitava sdegno, ella preferiva di far la propria vendetta su se stessa piuttosto che sul troppo amato offensore: trasformava, cioè, il proprio sdegno in una piú docile sottomissione a lui, domandosi con aspro dolore, come sotto una sferza. Era proprio questo gioco che tentava il viziato cugino: nessuno spettacolo, infatti, è piú grazioso, per un amante crudele, di quello d'un cuore orgoglioso che castiga se stesso.

Venuta la primavera, Edoardo incominciò a parlare del loro non lontano, necessario addio. D'estate, infatti, la famiglia Cerentano si trasferiva in campagna; e al ritorno dalla campagna, vale a dire in autunno, lui, Edoardo, partirebbe solo per l'estero. Ora, egli nominava alla cugina le città che intendeva visitare, e ch'eran poi le stesse di cui, da bambina, ella aveva udito parlare da suo padre. Senonché, mentre Teodoro le prometteva di condurla con sé nei viaggi, il cugino pareva compiacersi, invece, della fatale assenza di lei dai propri magnifici disegni. I quali disegni, benché magnifici, avrebbero fatto ridere per la loro vanità quasi comica un'ascoltatrice meno ingenua di Anna. Il cugino parlava come se tutte le città della terra dovessero commuoversi al suo arrivo, né piú né meno che all'arrivo d'un sovrano, e Anna non dubitava che cosí fosse. Inoltre, egli non pareva interessarsi affatto alle costumanze, alle esperienze, ai panorami varî e nuovi che lo aspettavano: la sola cosa che vagheggiava e pregustava eran gli onori che lui stesso raccoglierebbe nelle contrade straniere, e i bellissimi effetti che farebbe la sua persona in cornici tanto diverse. Qua egli si raffigura issato sul dorso d'un dromedario, un bestione gigantesco che risponderà al nome di Alí, e che sarà con lui, pur tanto piccino al suo confronto, sottomesso e servizievole come un asinello. In compenso, lui barderà Alí con selle preziose, di colori sgargianti, e viaggerà cosí, al pari degli antichi re Magi, con un turbante in testa, una gran cintura tempestata di gemme, e babbucce di velluto ai piedi. Al suo seguito, una gran fila di cammelli e dromedari, tutti, sebbene non quanto il suo devoto Alí, molto riccamente bardati, e cavalcati da ragazzi e fanciulle in gran numero, suoi servi i primi, e sue mogli le seconde: gli uni e le altre bellissimi, di pelle olivastra, e coperti soltanto di collane e di vesticciole. Non appena egli darà ordine di fermare, prontamente essi balzeranno dalle loro cavalcature, e rizzeranno nel deserto delle candide tende, piú sontuose delle piú sontuose magioni, e ornate in cima di stendardi sventolanti, rossi, arancioni, turchini e ori. Da lontano lontano i sultani, i vizir ecc. scorgeranno quelle tende e si comunicheranno l'un l'altro ch'è arrivato Edoardo: allora, in superbi cortei verranno a fargli visita, ed egli farà imbandire dei banchetti durante i quali i suoi servi suoneranno la chitarra, e le sue mogli danzeranno fino a cadere estenuate.

In Ispagna, invece, egli si vestirà da torero, indi, avvolto e celato in un grande mantello rosso, siederà in incognito fra il pubblico della corrida. Già infuria nella plaza il toro, il gigantesco Rossano, terrore delle arene, e i picadores lo assalgono, i banderilleros lo uncinano da ogni parte; ma fra tutti, salutato da un enorme applauso, si fa strada Manuelito, l'idolo della Spagna, il grande matador. Edoardo, confuso fra la folla, mescola all'anonimo grido di mille gole il proprio saluto al suo diletto amico Manuelito, il quale, pur senza distinguerlo, volge un sorriso verso il recinto dov'egli siede, quasi indovinando la sua cara, inaspettata presenza. Indi, Manuelito si slancia a testa alta e ridente contro il suo bestiale avversario: la lotta è terribile, già tutti i cavalli giacciono col ventre squarciato nell'arena, il sangue ferino sprizzante dalle mille piaghe del toro si mescola a quello nobile e gentile dei leggeri banderilleros, dei veloci picadores... Manuelito, rimasto solo, duella da par suo, ma il truce Rossano non vuol soccombere. Ecco, Manuel ha un momento d'incertezza, una sorta di brevissima assenza... Rossano gli si avventa contro a testa bassa: un silenzio d'incubo pesa sull'immenso teatro. Ma una voce grida: – No, tu non perirai, Manuelito! – È la voce del nostro Edoardo; e, svelatosi fuor dal mantello rosso nel suo costume di broccato color d'oro, le braccia alzate, e il grande mantello spiegato e sventolante fra le due mani, Edoardo con un ampio leggero salto si lancia dalla gradinata nell'arena. E mentre già il petto di Manuelito è sfiorato dalle corna del mostro, questi, richiamato dal baleno scarlatto del mantello d'Edoardo, volge ad esso i tardi occhi e la fronte nera. Già pallido nella certezza della morte, Manuel, quasi assente, non ha subito la prontezza d'intervenire; ed ecco Rossano con uno scarto del suo gran corpo martoriato si getta contro Edoardo; ma è schivato da costui con un balzo, e nell'istante medesimo Manuel, ritornato all'attacco, gli immerge il proprio stocco nel cranio. Un urlo di sorpresa trionfale scoppia per il teatro: – Edoardo! tu! – esclama con un sorriso estatico il gentile Manuelito. Edoardo lo abbraccia; e cosí abbracciati, ritti presso la carcassa del toro cinta di nastri neri, i due prodi sventolano i loro cappelli alla platea giubilante, il cui tumultuoso grido d'amore riecheggia senza fine per l'arena: Manuelito! Edoardo! Le fanciulle ridono e piangono, mordendo i loro fazzoletti di trina. E le appassionate signore sivigliane gettano nel campo insanguinato le loro mantiglie, i trapunti zendadi, e i mazzetti di fiori delle loro cinture, un po' vizzi dal sole e dai loro languidi corpi. I due vittoriosi rispondono a tanti omaggi lanciando baci e sorrisi, e accennando inchini pieni di galanteria, ma fra loro ironicamente bisbigliano: – Guarda, dunque, Edoardo, come si sbraccia e urla questa genia di barbaracci, questa grossolana, frenetica marmaglia. – Ah, Manuel, grazie al Cielo saremo presto fuori da questo cavallame e torame. Là, nelle nostre camere, ci aspettano Carmencita e Pamelita, le nostre ragazze sottili come sospiri, fresche come arancini. Passano la loro giornata chiuse fra quattro mura, dietro le alte gelosie, ricamando i nostri giubbetti e lagrimando, e sgranando i rosari d'ebano affinché la loro Señora de los Dolores protegga le nostre vite. Esse non frequentano le corride, odiano i tori, amano soltanto i gattini, i canarini e i confetti col rosolio. A proposito, Manuel, prima di ritornarcene insieme lassú da loro, ricordiamoci di passare dal confettiere. – E che ne faremo di queste orecchie? – Quali orecchie? – Non vedi, qui s'apprestano a tagliare ambe le orecchie del toro, che ci verranno donate come trofei. – È vero! Che dici, Manuel, credi che saranno buone allesse? – Non credo, devon essere un po' coriacee. – Ebbene, vedremo di lasciarle in deposito a qualcuno lungo la strada. Non possiamo certo presentarle alle nostre due poverine: esse ne avrebbero paura –. Cosí bisbigliano i due maliziosi *toreros* abbracciati nel mezzo dell'arena, mentre la folla grida: «Manuelito! Edoardo!» Manuel, bruno, con occhi a mandorla bruni, ha un costume di velluto color ametista, sí che, vicino al suo compagno vestito d'aureo broccato, egli pare un grappolo d'uva nera stretta al suo pampino. I due elegantissimi trionfatori formano, in verità, un delizioso spettacolo per l'occhio, e non c'è da stupirsi che per loro impazzisca tutta Siviglia. Sempre abbracciati, essi fanno lentamente il giro dell'arena...

Ma adesso lasciata l'ardente Spagna per le gelide steppe e i campi della Russia nevosa, Edoardo s'accinge a calzare stivaloni di cuoio, e ad indossare la pelliccia: non già i rozzi pellicciotti, degni d'un bovaro, di cui si coprono i nostri cacciatori, né le austere, uniformi pellicce dei nostri signori occidentali, i quali, per di piú, le usano in guisa di fodere, sotto i cappotti di lana, come si vergognassero di mostrarle. No, Edoardo sfoggerà quando una pelliccia di volpi nero-argento, e quando una di martora dorata, completata da un colbacco nero. In tale abito, viaggerà su una slitta trainata da cani magnifici, muscolosi e rapidi, sterminatori di lupi. E andrà a caccia di cervi e di renne in compagnia dello Zarevic e della bellissima Zarevna: giacché, se Anna non lo sa, i Cerentano godono l'amicizia di tutte le corti, e dovunque si trovino a viaggiare per l'intero mondo, vengono accolti quali ospiti e compagni degli imperatori e dei re.

Cosí affermava il vanaglorioso Edoardo; e Anna, nella sua ignoranza, accettava in fede ogni parola di lui. Anzi, ella teneva per certo che i provincial-nobilucci Cerentano fossero il fiore della nobiltà universa; e che il Cugino fosse l'idolo d'ogni reale e imperiale famiglia, e potesse magari un bel giorno, per l'amore di una qualche regina, diventare un sovrano.

Nel parlare ad Anna di questi suoi progetti, e di come in Gran Bretagna, giardino della gentiluomeria, egli sarebbe l'idolo e il modello dei gentiluomini; e in Germania suonerebbe composizioni sue proprie in un quartetto composto di cari amici, alla presenza dell'imperatore; e in Isvizzera scalerebbe montagne mai prima scalate, toccando cime che prenderebbero da allora il nome di « cima Edoardo »; nel parlare, dico, di progetti cosiffatti, il cugino s'animava e si pavoneggiava, come se già si vedesse acclamato, festeggiato, coccolato da tutto il mondo. Nel descrivere ad Anna gli strabilianti costumi che si riprometteva d'indossare, le domandava ogni momento: – Non ti pare che starò bene vestito cosí e cosí? – E le faceva osservare la forma sottile e aggraziata della propria vita, e delle caviglie, pregi che risalterebbero bellamente nel costume da *espada*. Ovvero, rigirando gloriosamente la testa, le faceva ammirare il proprio regolare profilo, cui s'adatterebbe, con pari venustà, e turbanti, e lucerne spagnolesche, e colbacchi. Un simile sfoggio di vacuità e d'egoismo avrebbe disgustato ogni saggia ragazza; esso faceva divampare, invece, la cieca ammirazione di Anna, suggerendole di continuo, e sempre in nuovi modi, le grazie e le fortune d'Edoardo. Grazie e fortune ch'erano, purtroppo, nemiche a lei, Anna; e nemiche maligne, giacché la abbagliavano col loro massimo splendore nel momento stesso ch'ella apprendeva di doverle perdere. Onde la sua ammirazione diventava spasimo e struggimento. E mentre con pupille sgranate e adoranti contemplava i frivoli atteggiamenti del cugino, ella somigliava a uno sciagurato destinato alla pena eterna, il quale, durante l'ultima agonia, fissa lo sguardo su un meraviglioso dipinto sacro. Dalle sue labbra socchiuse usciva un respiro stentato e penoso; ma come il cugino le domandava: – Credi che starò bene con questo o quel vestito? – ella umilmente rispondeva di sí, ed egli altezzoso e gaio, traeva grandi boccate di fumo dalla sua pipa. Abbiamo dimenticato di dire, infatti, che il cugino, secondo la moda di quei giorni, si compiaceva moltissimo di fumare un simile arnese. Egli possedeva già una collezione di pipe, di schiuma, d'argento e d'ogni altra materia possibile, e lavorate nelle forme piú ingegnose e bizzarre. La presente, di cui si parla qui, aveva il fornello scolpito in foggia d'una testolina di dama dalla chioma vasta e architettonica; ma il cugino la caricava di tabacco e la fumava con indifferenza, come si trattasse d'una pipa qualsiasi, atteggiandosi appena appena a un'esotica e pensosa superiorità: – E tu, – interrogava poi, seguendo il fumo con gli occhi, – tu Anna, che farai il prossimo autunno? Starai in casa, farai la spesa al mercato, magari t'affaccerai alla finestra, no? e forse qualcun altro t'aspetterà nella strada, canterà per te, e tu... scenderai... – Anna a queste parole corrugava la fronte, e con un un lento cenno, pieno di pudore e d'angoscia, negava. Indi, abbassando gli occhi, rispondeva: – Io, dovunque tu vada, t'aspetterò sempre; e anche se tu non ti ricorderai piú di me, io vivrò pensando a te, a te solo. – M'aspetterai! Ma io non ritornerò piú da te! Avrò un'altra ragazza, e poi un'altra, e avrò moglie, e poi anche un'amante, una signora di trent'anni, coi capelli rossi! E non ricorderò piú nemmeno la strada che porta a questa piazzetta e a questo vicolo. – E io vivrò qui dentro rinchiusa, e penserò a te mattina e sera, a te solo, fino al giorno che sarò morta.

Cosí la semplice Anna, con la sua strenua, tremante sincerità, s'arrendeva ancora una volta al Cugino. Il quale, dal proprio canto, mentr'ella parlava, batteva nervosamente la pipa sul portacenere, e con gli occhi intenti seguiva ogni moto delle labbra di lei, quasi per carpirne la risposta avanti che venisse formulata. Difatti (a che nasconderlo?), pur nel vagheggiamento delle glorie e degli amori futuri, il pensiero di ciò che farebbe Anna durante la sua assenza non cessava di perseguitarlo, guastandogli ogni progetto con l'amaro sapore della gelosia. E se proprio vogliamo dire tutto, aggiungeremo che, in realtà, egli non poteva pensare profondamente a una separazione da Anna, e da quella piazzetta e da quel vicolo, senza risentirne un brutale dolore, come fosse stato colpito in petto da una pietra, sí che le sue labbra si piegavano a una piccola smorfia: « No, – pensava allora, risolutamente, – io *non voglio partire*, e siccome posso fare quel che voglio, *non* partirò. Rimarrò qui tutta l'estate, e in campagna andrà mia madre sola, se crede, e all'estero andrò l'anno venturo, o magari un altr'anno ancora. Anna, Annuccia mia! » Cosí andava pensando, mentre batteva distrattamente la pipa, e di simili incertezze e tormenti si vendicava poi con l'angustiare la cugina nei modi sopra descritti. E se Anna piangeva, le diceva: – E che! dovrei forse rimanere sempre appeso alle gonnelle d'una donna? – e caricava con aria arrogante la pipa, da una magnifica borsa da tabacco ricamata (lavoro di sua sorella Augusta) che portava seco ogni giorno nella tasca della giubba.

In quei mesi, Anna era dimagrita, e in certi momenti aveva una espressione nuova, quasi di donna adulta. Il pensiero di perdere Edoardo le dava spesso una strana audacia, facendole compiere dei gesti e pronunciare delle parole che mai avrebbe osati prima. Per esempio, mentre conversavano insieme allegri e tranquilli, d'un tratto, a un sorriso d'Edoardo o ad un suo batter di ciglia, ella impetuosamente gli rinserrava fra le palme il volto esclamando: – Ah, quanto sei bello! – e lo baciava in fronte o sulla bocca. Oppure, alla fine d'un pomeriggio trascorso insieme, com'egli s'accingeva a salutarla, lei gli s'afferrava con le dita all'abito supplicando, in tono di prepotente ambascia: – No, no, Edoardo, rimani ancora un poco! non lasciarmi, non andartene ancora! devo dirti... devo dirti una cosa... – Che cosa? – egli le diceva, incuriosito e affabile, assecondandola tosto, e attardandosi ancora accanto a lei. (Cosí un colombo, scambiati baci e pispigli con la sua compagna, se ne distacca a un bel momento, e s'allontana a passi rapidi, impettito; ma, com'essa lo richiama con un timido lamento, s'arresta, gira verso di lei la testolina, e in un breve batter d'ali le è di nuovo accosto).

– Che cosa? Che cosa devi dirmi? – ripeteva Edoardo. Ma a questa domanda, Anna tacendo gli appoggiava contro il petto il viso, e, chiusi gli occhi, respirava forte, quasi volesse, coi propri respiri, trasfondere in sé la cara presenza di lui.

Una volta, ella fece qualcosa di tanto sfacciato, sebbene involontario, che in seguito, a rammentarsene, restava attonita e si copriva di rossore. Un pomeriggio, come il cugino la baciava languidamente sulla gola, presso lo scollo rotondo della camicetta, lei (che sedeva sul divano in posa d'abbandono e mezzo distesa), con atto incosciente, quasi di sonnambula, incominciò a slacciarsi pian piano con le sue proprie dita lo scollo della camicetta, chiuso sul petto da un cordoncino annodato e da una fila di bottoni. Edoardo, avvistosi di ciò, per un momento tacque; ma poi bruscamente, fermatala, imprigionò nel proprio pugno la impudente manina di lei, esclamando: – Ohimè! – E soggiunse, aggrottando la fronte: – Dov'è fuggita la tua onestà, cugina mia? – In verità, non so quale nuova scaltrezza si celasse sotto un simile corruccio d'Edoardo: non ignoriamo, infatti, che quel gesto, da lui rimproverato ad Anna, lui medesimo l'aveva compiuto piú volte, slacciandole la camicetta con le sue proprie mani per indugiare quindi a baciarle le spalle e il sommo del petto, intravvisto appena. Stavolta, invece, egli si distaccò da lei, negandole d'un tratto i propri baci, e ripetendo: – Ohimè, Anna! ohimè, Anna! – E lei, levato il capo di sullo schienale, stette per un attimo in silenzio, pensosa e piena di rossore, chinando gli occhi sulla propria camicetta sbottonata. Indi, coprendosi la faccia con le due mani, proruppe in una risata inattesa, nervosa, cui seguirono lagrime dirotte. E torcendo il capo dolorosamente si dette a mordere i cuscini del divano cosí forte da strapparne la tela e da farne uscire il crine. Edoardo la mirava stupito, non essendo avvezzo a simili scene da parte di lei. Dolcemente le tergeva con le dita la fronte, su cui s'incollavano, madide di sudore, le piccole ciocche da lui stesso tagliate e fatte a riccioli. E spartendole questi riccioli, e sogguardandola in volto di fra le argute ciglia abbassate, non senza ripeterle piú volte il patetico rimprovero: – Ohimè, ohimè, Anna, – le richiuse con diligenza la camicetta.

Un altro giorno, vantandole egli secondo un suo frequente costume, le proprie conquiste amorose, lei, ch'era stata ad ascoltarlo taciturna e docile, d'improvviso trasse un sottile lamento, e s'abbatté col capo sulla tavola a cui sedeva, come se svenisse. Ma poiché Edoardo, sollecito, si dette a scuoterla e a chiamarla, ella tosto risollevò il capo, mostrando due occhi fiammeggianti nel volto contratto: – Edoardo, tu... – gli disse con la bocca affannosa, cosí che nel discorrere le si scoprivano i denti, – tu mi parli come s'io non avessi un cuore, come s'io fossi una statua di gesso, ma io... io non posso piú sopportare certi discorsi. Oh Dio, – proseguí a dire levandosi e camminando un poco su e giú con certi impulsivi, sfrenati modi che Edoardo non le aveva mai conosciuti per l'innanzi e che la facevano somigliare d'un tratto, anche nelle fattezze, a una popolana, – oh Dio, mentre tu parlavi, m'è parso di vedere

176

te e un'altra ragazza abbracciati insieme! Questo no, no, io non posso sopportarlo! Tu la abbracci... e le dici le tue parole... e le asciughi le lagrime. Ah, Edoardo, io non voglio! non voglio! dimmi che non è vero, o io *la ammazzo*! – Cosí detto, ricadde a sedere di fronte a lui; e squassando la testa cosí forte che la pesante crocchia, mal sostenuta dalle forcine, le cadde disfatta giú per le spalle, uscí in gemiti rauchi e selvaggi, simili a quelli d'un'upupa o d'altra creatura notturna che va piangendo le sue rabbie nelle tenebre, inascoltata: – Che dici? chi dunque vorresti ammazzare? – la interrogò il cugino, inarcando alquanto i sopraccigli; e com'ella parve acquietarsi un poco, proseguí ridendo: – Saresti dunque un'assassina? Ma se tu ammazzi, verrai messa in prigione, e intanto io sarò libero, e potrò fare all'amore con altre ragazze, e magari passeggiare con loro sotto le finestre della tua cella, se mi aggrada. Ecco il bel guadagno che avrai fatto –. A tali scherzose parole, Anna, di sotto le sue nere ciocche spettinate, mirò il cugino con uno sguardo corrusco, servile e bellicoso insieme, come se una informe minaccia le attraversasse la mente. Ma nel mirar lui, le sue pupille s'inumidirono, e, abbassatele, ella disse con una voce dolce, seria e palpitante di lagrime:

– Allora, io sbatterò la testa contro i ferri della grata, e morirò.

Ma il piú ardito discorso di Anna a Edoardo non l'abbiamo detto ancora. Esso fu tenuto in una bella e calda mattina, sui primi di giugno.

In quell'epoca, nel casamento dove abitavano le Massia era avvenuto che una ragazza di famiglia operaia (la quale s'incontrava segretamente con un giovanotto), rimasta incinta, venisse scacciata di casa. La portinaia raccontava che la ragazza, abbandonata dall'amante, sola e senza risorse, aveva deposto il bambino appena nato sulla ruota dei Trovatelli; ma non aveva, con ciò, cancellato la sua vergogna, né aveva osato ricomparire mai piú. Di lei non si sapeva piú nulla, e alcuni dicevano che fosse morta. Questo dramma non troppo inconsueto accese nella mente di Anna un disegno: d'avere, cioè, un figlio da Edoardo, prima ch'egli partisse, lasciandola forse per sempre. Un figlio le pareva significare l'eterna presenza dell'amore nella sua vita, anche dopo l'abbandono del cugino: e il solo mezzo, per lei, di salvare non solo il ricordo, ma la sostanza stessa dell'amato nel proprio futuro. Rimasta sola, ella, in attesa del figlio, avrebbe continuato senza tregua a pensare il corpo, il viso, la voce del cugino traditore, affinché il bambino ricomponesse in sé le forme perdute di lui. Questo fiore gemello, questo incantato specchio, nessuno avrebbe potuto rubarlo ad Anna, né lo stesso Edoardo, né la povertà, né il disonore. E allegri, insieme, Anna e l'Amore, incarnato in quelle minute membra, avrebbero riso della vergogna, e del tradimento, e degli altrui patti e contratti, e della fedeltà coniugale, e degli amanti infedeli! Questo figlio, certo, sarebbe stato un maschio: lei gli avrebbe messo nome Edoardo. Già, con un ridente balzo della memoria, ella riconosceva in lui l'affabile bambino che l'aveva salutata, bambina, dalla carrozza. Già le sembrava di pettinare quei capelli biondi sciolti sulle spalle, e di baciare quelle manucce, quei piedi simili a garofani, di allacciare quei bianchi stivalini. Certo il figlio suo non sarebbe andato fra i Trovatelli. Sarebbe cresciuto come un gran signore, al suo fianco. Ma in che modo, s'ella era povera, e inesperta di qualsiasi lavoro? Ebbene, scacciata da ognuno, sola col figlio, all'insaputa di questo, lei si sarebbe travestita da mendicante, e avrebbe elemosinato in quartieri lontani dalla casa dov'egli la aspettava. Prima di rincasare, avrebbe di nuovo mutato gli abiti, per farsi da lui credere una signora: ed egli avrebbe sempre ignorato che sua madre era un'accattona di mestiere. E che parole, quali cose si sarebbero detti! Con lui, Anna avrebbe osato di pronunziare qualsiasi lode esaltata, qualsiasi gentilezza le passasse per la mente. « Edoardo! Edoardo mio! » l'avrebbe chiamato ogni minuto. E vedendolo correre e giocare avrebbe pensato: « Sei mio, e tuo padre... è lui ». Questo pensiero *tuo padre è lui* già fin d'ora le suscitava una esultanza cosí selvaggia, che il cuore a fatica la sosteneva. Ella prevedeva pure il possibile caso che un giorno suo cugino Edoardo, passando in carrozza, scorgesse a una finestra quel bel bambino, in tutto simile a lui stesso, e fermata la carrozza, lo interpellasse: « Come sei grasso! Come sei benvestito! Chi sei? E chi sono tuo padre e tua madre? » Staccatosi con un salto dal davanzale, il bambino grida nelle stanze: « Mamma, corri a vedere che bel signore e che bella carrozza! » Si avanza allora Anna, e s'affaccia alla finestra, ma come è mutata! Edoardo non potrebbe piú riconoscerla; senonché all'anulare le vede un anello adorno d'un diamante e d'un rubino...

Per piú giorni Anna vagheggiò in segreto questa sorta di romanzo. Finché, un bel mattino, in uno di quei suoi nuovi, straordinari momenti di coraggio, con parole rozze e incerte, e non senza confusioni e interruzioni, rivolse al cugino la seguente preghiera:

Lei stessa, Anna (cosí ella esordí il proprio discorso), riconosceva ch'era giusto quanto lui, Edoardo, le ripeteva sempre, vale a dire che fra poco egli dovrebbe lasciarla. Sí, era giusto, come anche era giusto ch'egli sposasse una signorina, una duchessa o contessina sua pari. Lei, Anna, s'inchinava a tale giusta sorte di lui, e avrebbe voluto, anzi, accettarla senza piangere, non fosse stato un pensiero, che la impauriva peggio della morte. Il pensiero (lui certo non poteva indovinarlo) era

178

che, dopo averla lasciata, e avere sposato un'altra donna, lui, e questa donna, al pari di tutti i coniugi, farebbero insieme un bambino. Ora, ecco, a questo pensiero, lei provava una vertigine cosí forte e rapida, che quasi cadeva in terra; e aveva come delle visioni: per esempio, le pareva di entrare in una camera matrimoniale, di lusso, dov'erano una signora e un bambino, e di trucidare la signora e il bambino. E invece di scacciare simile visione, al contrario, la fissava con bramosia, tanto che si torceva le mani nella voglia d'afferrare quella signora per i capelli, e serrava i denti credendo già di morderle la gola: a tal punto la odiava! Sí, la odiava pur senza sapere com'era fatta: anzi, non voleva sapere com'era fatta, e sebbene Edoardo le avesse descritto piú volte questa o quella sua possibile fidanzata, ella rifuggiva dall'immaginare la figura di colei. La disgustava fino il semplice pensiero che colei esistesse, e al solo figurarsela viva, ridente, parlante, le tornava tosto la visione di se stessa in atto di straziare e di uccidere, e quel furioso gusto... Ecco perché quel giorno gli aveva detto: la ucciderò. E il motivo del suo odio era soprattutto questo: che lei, Anna, voleva essere la prima ad avere un figlio di Edoardo. Perciò, ecco la sua preghiera: ella voleva che lui, prima di partire e d'abbandonarla, le facesse avere un bambino, pur senza diventare suo marito. Questo bambino, lei lo avrebbe chiamato Edoardo e lo avrebbe onorato e amato come uno sposo. Anzi già lo amava, e già sapeva com'era, e che capelli e che occhi aveva, quasi fosse già nato. Infine, lei, pur non essendo una ricca signora, ed essendo nobile solo per metà, era sempre tuttavia cugina sua, d'Edoardo: quindi, lui poteva fare questo bambino insieme a lei senza paura, ché certo da loro due nascerebbe un signore, delicato, che non porterebbe vergogna a nessuno. E poi, se lui preferiva, nessuno l'avrebbe saputo chi era il padre del bambino: lei non l'avrebbe detto a nessuno, come se il figlio fosse nato da lei sola...

Questi ultimi periodi del suo discorso Anna li pronunciò in fretta, quasi corresse attratta dalla sua passione confusa. E nella guerra fra la selvatica timidezza e lo spontaneo, vittorioso amore, la sua bellezza si svelò cosí candida e temeraria che il cugino fu vinto da adorazione e avrebbe voluto gettarlesi ai piedi. Egli fremette dolcemente, ricordando i momenti che Anna giaceva fra le sue braccia e lo supplicava nel suo muto linguaggio: « Fa' di me quel che tu vuoi ». Tal preghiera Edoardo la leggeva in questo momento stesso negli occhi di Anna, umili e splendenti nel loro alone nero. E forse, in quel momento straordinario, egli avrebbe accolto alfine la silenziosa offerta della cugina, se la scena ora descritta si fosse svolta in un luogo isolato dalla gente, e propizio ai convegni d'amore. Invece, dove ha luogo il presente colloquio dei nostri due cugini? dove risuona la famosa orazione di Anna? In quella stessa piazza dove i due si dettero convegno la prima volta, sotto i portici del mercato, e appartati solo di qualche passo dalla ridda e dal frastuono della gente. Forse, proprio in grazia di tale ridda e frastuono Anna ha trovato in sé il coraggio di svelare i propri segreti. Cosí alla spiaggia, un piccolo bagnante novizio, un fanciulletto timoroso, schivo, che alla presenza altrui non osa neppur fiatare, e si confonde perfino a rispondere *sí* o *no*: trovandosi solo solo, un mattino di burrasca, sulla riva deserta, in cospetto all'oceano ruggente, che copre ogni voce terrestre, si dà a saltare inebriato; e, improvvisati da sé parole e motivi, incomincia a cantare.

L'accensione d'amore ricacciò i mordaci rimproveri che Edoardo andava già studiando per Anna. Egli scosse il capo in una grande risata orgogliosa, come un galletto ancora acerbo, dalla cresta non ancora ben rifinita; il quale, a dispetto e a sfida dei suoi piú anziani, lancia un cantico glorioso, virile, e cosí perfetto che il sole, senza aspettare il segnale dei galli maggiori, balza nel cielo e dà principio al giorno.

Quindi, abbassando un poco le palpebre, e guardando la cugina di fra i cigli lunghi e incurvati, la interrogò: — Ma che dici, Anna? fare un figlio insieme, non è come dire sposarsi?

— No, questa è una favola, — replicò Anna, — creduta dai bambini; ma io lo so che non è cosí.

— Chi te lo ha detto? — s'informò Edoardo.

— Chi! Son cose che tutti conoscono, — dichiarò Anna con baldanza, pur fra mezzo a un violento rossore.

— Mi meraviglio di te. Son cose che debbono conoscere soltanto gli uomini, non le donne, finché non siano maritate, — ribatté Edoardo, e a queste parole, Anna si fece ancor piú rossa. Maldestra Anna! tu ti vergogni, tremi, e il cugino, che per un attimo fu quasi tuo schiavo, al veder la tua debolezza è ripreso dal suo dèmone della contraddizione e del gioco. — Chi t'ha reso cosí evoluta? — egli esclamò. — Mia sorella Augusta, — prese a dir quindi, in via d'ammaestramento, nel suo modo piú capriccioso, svagato e ciarliero, — mia sorella Augusta, quand'era già una ragazza fatta, una delle anziane al collegio, credeva che le signore si procurassero i bambini recandosi a farne domanda a una certa badessa, la quale, tuttavia, prima d'accogliere la domanda d'una signora, s'accertava che i suoi documenti fossero in regola, vale a dire il certificato di nozze, e di battesimo, e di cresima (le donne pagane, ebree, mussulmane, i loro bambini andavano a raccoglierli dall'immondezzaio). Verificava poi che la richiedente portasse la fede al dito, e finalmente le dava una pianticina di basilico benedetto, se la signora chiedeva un figlio maschio, oppure una di mentuccia, sempre benedetta, se la domanda era per una bambina. La signora durante nove mesi doveva recitare tutte le sere paternostri e avemarie sulla pianticina, esporla di notte a ogni luna nuova, scavarle intorno la terra con l'unghia, inaffiarla con le lagrime, e un bel mattino dire: *Maschio maschietto ti tiro il ciuffetto* (se aspettava un maschio), oppure: *Femmina femminella chiomata ricciutella* (se una femmina), dopo di che strappare con forza la pianticina con tutta la radice, ed ecco, al posto della radice vien fuori un bel bambino. Certe signore si vedon capitare delle sorprese: una, per esempio, che aveva preso il basilico per ottenere un maschio si vede presentare una femminuccia irsuta, prepotente e nera nera; e ad un'altra, invece, che aveva preso la menta, tocca un maschio smorfioso e delicatuccio. Ecco quel che credeva mia sorella Augusta quand'era già anziana del convitto; quanto a me, sebbene fossi minore d'anni di lei, sapevo tutta la verità, ma, si capisce, non gliela dicevo mica: un tal còmpito spettava a suo marito, non a suo fratello. Tutt'al piú, mi divertivo, insieme coi miei compagni, a farla chiacchierare e sfoggiare tutta la sua scienza intorno alla badessa, e alle pianticine, e ai bambini giudei... e questo e quest'altro. Tuttavia, pur sapendo ch'erano frottole, mi offendevo se un'amica di mia sorella, una di quelle collegiali conventine, per indispettirmi mi chiamava « Radice di mentuccia ». Anzi, in quelle occasioni mi veniva voglia di spifferare ogni cosa e dire: che menta e basilico! quanto siete sceme a credere certe frottole! ma mi mordevo la lingua e rispondevo: « Rimàngiati l'insulto! io sono nato da un basilico, non da una menta e lo puoi domandare a mia madre, se non ci credi! Anzi, se vuoi saperlo, mia madre desiderava di avere solo figli maschi, mentucce non ne chiese mai, e Augusta è nata per isbaglio da un basilico! Lo vedi infatti che non ha quasi capelli in testa? » In tal modo io, con la mia risposta, pur difendendo il mio onore, non offendevo quello delle ragazze, giacché le donne onorate, finché non le istruisca il marito, non devono sapere niente di niente. Invece, oggi, che cosa mi tocca sentire! una ragazza che parla di afferrare dame per le chiome, di scannare, di assassinare, con la medesima naturalezza con la quale un'altra parlerebbe di fare un poco di punto a erba o di crocé. E per di piú, dichiara di *sapere ogni cosa* e non se ne vergogna! – Cosí parlò il cugino, e Anna non trovò modo di contraddirlo né di giustificarsi. In realtà, ella era ben lungi dal *sapere ogni cosa*, e le sue idee, riguardo al *fare insieme un bambino*, erano alquanto vaghe e incerte. Difatti, ella non aveva mai cercato la spiegazione di certi arcani, e avrebbe provato un senso d'intima offesa e di sdegno a soffermarvisi con la mente. Anche il cugino, come si sa, forse per volontà dei fati, o forse per un suo tortuoso capriccio, l'aveva lasciata nella sua ignoranza. I rimproveri di lui, quindi, erano ingiusti; ma egli lo sapeva ch'erano ingiusti? Certo che lo sapeva, e per questo nelle sue chiacchiere, e nel suo mutevole viso, la maniera scandalizzata e paterna giocava con una subdola leggerezza, con un divertimento arioso e ilare del quale egli pareva sottilmente ubriacarsi. Cosí, in un concerto, avviene, ecco, che si fa avanti il burbero e cupo contrabbasso; e al solenne tuonare della sua voce, sembra che gli altri strumenti tacciano in ascolto, come giovinetti rispettosi durante una predica. Senonché, affinando meglio l'udito, ci s'accorge che dietro il vecchione pontificante, i violini sommessamente continuano a scherzare fra loro; e l'orecchio si delizia di questa elegante discordia.

Anna, però, era troppo confusa dal disordine del proprio cuore per gustare le delicate voci delle viole d'amore, violini e flauti che scherzavano sulla bocca del cugino, e finanche, temo, per seguire il filo delle oziose sue chiacchiere. Le quali, in sostanza, volevano intendere che l'importante colloquio di oggi, come già tanti altri, ormai dileguava in fumo; e che l'umile preghiera della cugina non era stata raccolta.

Sia concesso a questo punto a colei che scrive d'osservare come la sorte abbia tralasciato una felice occasione quel giorno. Difatti, se il cugino avesse accolta la preghiera di Anna, forse la qui presente Elisa non avrebbe mai visto la luce. In luogo di quest'essere femminile, magro, amaro e nericcio, sarebbe nato un aureo, grasso Edoardo; e certo costui avrebbe meritato da Anna quell'amore che non toccò mai alla povera Elisa.

Invece, la sorte volle altrimenti. Alto sulla testa dei due cugini, un campanile rintoccò i tre quarti di mezzogiorno; Edoardo, confrontata l'ora sul proprio orologio, si rammentò con impazienza che aveva un impegno a mezzogiorno preciso. E, dopo aver fatto abbassar gli occhi alla povera Anna nel modo che s'è visto, lasciatala sola sotto i portici del mercato, andò a terminare la propria mattinata con un'altra ragazza.

Rimane adesso da raccontare la vera origine di una piccola cicatrice che segnò per lungo tempo il viso di mia madre, presso l'angolo delle labbra. Ella ne serbava ancora una leggerissima traccia al tempo della mia infanzia, e soleva dire d'essersi bruciata una volta in quel punto, quand'era fanciulla, nell'usare con poca accortezza un ferro da ricci.

Questa non era proprio la esatta verità; e i miei lettori, se han

182

letto, com'è certo, da bambini, i libri d'avventure, e han conosciuto, fra le altre consimili tradizioni infantili, quella del *marchio di fuoco*, indovinano già forse la causa del minuscolo sfregio di Anna.

Con l'approssimarsi della famosa partenza che doveva separarlo dalla cugina, Edoardo incominciò a dire che voleva da lei, prima di lasciarla forse per sempre, un pegno d'eterna fedeltà. Egli parlava di ciò con una passione irruenta, e, al tempo stesso, leggera; e la sua vera intenzione, suppongo, era solo di mirare sul viso di Anna l'effetto delle proprie studiate minacce. Per esempio, la avvertiva che forse, prima di dirle addio, le avrebbe con un pugnale sfigurato il viso, lasciandola brutta e contraffatta, per esser certo che, dopo di lui, nessun altro l'avrebbe amata. A ciò Anna rispondeva che, separata da lui, non le importerebbe piú nulla d'esser brutta o bella e che, anzi, ella voleva infranger lo specchio, per non veder piú il proprio odiato volto. Come potrebbe, infatti, esserle cara una bellezza ch'egli aveva disdegnata? quindi, se a lui piaceva, ella si lascerebbe storpiare e anche distruggere dalle sue mani. Cosí rispondeva Anna, con la voce velata, e lo sguardo amaro e fanatico. E un giorno Edoardo, venuto a farle visita, portò seco una custodia di metallo istoriato dentro la quale affermò esser celato il famoso pugnale, e le disse di prepararsi, ché questo era il giorno stabilito, e questa l'arma destinata a deturparla. Indi, si attardò a raccontarle una quantità di storie mitiche e strabilianti su quell'arma omicida; ma come Anna lo interruppe, dicendogli di non aspettar piú, ch'ella era pronta, e accetterebbe ogni male senza ribellarsi, lui rimase un poco soprapensiero. Poi rise forte, e disse: – Tu, Anna, sei coraggiosa; ma son io purtroppo, che non ho il coraggio di guastare una faccia tanto bella, e che amo tanto, – ed ebbe un sospiro di pietà, e, invece di ferirla, le dette un bacio. Un altro giorno, pettinandola, le chiese di dargli, in pegno d'amore, le sue trecce; e com'ella accondiscese, le ordinò d'inginocchiarsi, e di prepararsi subito al sacrificio. Egli parlava con gravità, ed ella, incerta s'egli dicesse sul serio, o per gioco, impallidí al pensiero delle proprie trecce, ma tuttavia, ubbidiente, s'inginocchiò sui mattoni. Come se lui stesso fosse un sacerdote, e lei una suora all'atto di pronunciare i voti santi, il cugino, sollevatele con una mano le trecce, con l'altra teneva sospese le forbici, e recitava intanto delle finte preghiere, e lamenti per quelle belle trecce, e commiserazioni per la povera Anna menomata. Quanto alla docile vittima, essa rideva un debole riso palpitante, e, bianca, sbattendo le palpebre, volgeva gli occhi al suo fatale parrucchiere. Ma, com'essa aspettava, penosamente, il primo colpo di forbici sulle proprie

chiome, d'un tratto invece il cugino gettò via le forbici esclamando:
– Ah, no! io non ho cuore di tagliare due trecce cosí belle! Del resto, –
soggiunse con disdegno, volgendosi ad Anna, – a che mi servirebbe le-
vartele? ti ricrescerebbero, e qualcun altro di nuovo te le accarezze-
rebbe e pettinerebbe, come adesso faccio io –. E, chinatosi su di lei,
anche questa volta, invece di rubarle le trecce, le dette un bacio.

Ora Anna aveva provato una terribile paura un momento prima,
sotto la minaccia delle forbici. E in seguito ebbe grandi rimorsi per
questa sua paura che le pareva, da parte sua, un segno d'avarizia verso
il cugino.

Tutte queste commedie culminarono infine, un bel giorno, nella
cerimonia del marchio di fuoco. La stessa Anna, pentita del sentimento
d'avarizia provato in occasione delle trecce, sollecitò questa barbara
cerimonia. Con fervore pudico e avido, ella ricordò al cugino la sua
promessa di segnarla crudelmente nella persona, prima di lasciarla,
affinché lei serbasse per sempre un ricordo di lui; e ambí dal cugino
traditore sfregi o ferite, come un'altra donna sul punto d'essere abbandonata dall'amante, esige da lui denari e oro. D'accordo i due s'accin-
sero al loro crimine puerile; e fu Anna medesima che arroventò alla
fiamma il ferro da ricci di Cesira (arma prescelta per il rito), e lo
porse al cugino, offrendogli nel tempo stesso il volto, come per un
bacio. In verità, forse ella credeva che il cugino, al pari delle altre
volte, mutasse pensiero all'ultimo istante; e attendeva davvero un
bacio. Lo attendeva, forse, ma lo desiderava? Non so, ma una cosa è
certa, per quanto insana e irragionevole: dopo una breve attesa piena
di spavento, nell'attimo che il suo gentile parrucchiere, mutatosi in
perfido chirurgo, le premette quell'arma frivola sulla guancia, presso
la bocca ov'ella aspettava il bacio; e che lei, suo malgrado, urlò dal
dolore; Anna fu gioiosa e felice.

Cosí, nei giorni successivi, le piaceva il male cocente della sua
piccola piaga. E in seguito, ella spiava con ansia allo specchio l'atte-
nuarsi della minuscola cicatrice, e tremava di vederla sparire pian
piano, al modo stesso che le donne vanesie tremano di vedere apparire
una ruga.

Ad esser sinceri, non si può dire che quel segno, neppure nei primi
tempi, quand'era ben visibile sulla sua guancia, sfigurasse in alcun
modo la sua bellezza: al contrario la rendeva quasi piú graziosa. Ma
bisogna, ciononostante, riconoscere che il cugino mostrò un cuore
insensibile e feroce allorché secondò, senza tremare, il barbaro desiderio di lei.

184

Comunque fosse, io certo non avrei rievocato questi misteri di virginea barbarie, e avrei lasciato questi cerimoniali teneri e sciocchi a dormire nel limbo degli amori immaturi, se non fosse per i misteriosi, bizzarri effetti che tutto ciò, dieci anni piú tardi, doveva avere nella mia propria vita.

Capitolo quinto

Il Cugino recita versi oscuri.

Ad ogni incontro con Anna, Edoardo annunciava ormai l'imminenza d'un addio. L'estate, in realtà, già cominciava, e gli anni precedenti, a quell'epoca, la famiglia Cerentano s'era da un pezzo trasferita in campagna; ma quest'anno, il giugno declinava e ancora Edoardo rimandava la partenza. Sua madre, secondo il solito, faceva dipendere le proprie decisioni dalla volontà di lui. Non so se per molto tempo ancora ella avrebbe resistito all'impulso di gridare al figlio il proprio sdegno e di vendicarsi sulle Massia; ma intanto, ricacciava ogni volontà di ribellione e accettava senza proteste i continui rinvii di Edoardo. Troppo ella temeva che, chiamato in giudizio, egli le dichiarasse un'aperta rivolta e si gettasse dalla parte di Anna; come pure temeva di lasciarlo solo in città, quasi persuasa che la sua materna presenza potesse difenderlo dall'influsso di colei. Cadevano cosí, una dopo l'altra, le giornate di sole e di vento afoso: Edoardo da qualche tempo soffriva d'insonnia, e nelle notti, appena un poco alleggerite del calore diurno, si spingeva talvolta fin sotto le finestre di Anna. Non piú per cantarle serenate, ma per essere piú vicino al suo corpo dormiente, e per entrare, in forma d'ombra, nei suoi sogni. Ella infatti non cessava di sognarlo, ritrovando in quelle tempestose figure larvali la propria inquietudine. Una volta, le pareva ch'egli la baciasse sulla guancia, ma d'un tratto, con occhi arguti, trasformava il bacio in un morso; ed era in realtà la sua piccola bruciatura che le doleva. Un'altra volta, ella insegue un treno in fuga, spronata solo dalla povera speranza che almeno qualcuno la saluti dal finestrino. Le pare infatti che una mano sventoli un fazzoletto, e, rapita, ella sventola a sua volta il proprio, sorridendo a quella fuggente apparizione. Ma una risata vicino a lei la scuote: certo ella s'illudeva, il saluto non era per lei, i maligni si beffano della sua speranza. Si volge di scatto, ma non c'è nessuno.

186

Anche il treno è sparito, ella è sola sopra una pianura steppeosa e arida, lungo sterminate rotaie.

Un'altra volta ancora, le sembra di camminare per una città notturna, deserta, su e giú per innumerevoli gradini, per vicoli stretti come canali. Ha smarrito la strada, e cerca febbrilmente qualcuno. D'un tratto, in cima a una gradinata, le appare una grande e bianca statua. Credendola Edoardo, ella si lagna: – Perché, Edoardo, vuoi beffarmi? Perché ti mascheri cosí? – Ma la statua si avanza, in figura d'una vecchia; e stringendo il polso di Anna con le sue dita rigide le dice: – Non ti vergogni d'uscire cosí, senz'altro addosso che una camiciola? – Ella risponde, ridendo: – Lo so che è tutto uno scherzo. Edoardo, un bacio, dammi un bacio! – ma s'accorge finalmente di non parlare con Edoardo: egli è prigioniero, in un sotterraneo là presso, ma dove? Se ne ode il pianto nervoso, acuto. – Edoardo! Edoardo! – ella chiama sconvolta, cercando di coprirsi. E si sveglia, udendo il fischio del treno notturno sul ponte della ferrovia.

Ancora, le pare in sogno che Edoardo, s'insinui nel suo letto; ma lei non deve muoversi né fiatare altrimenti egli fuggirà. Ahimè, non sa trattenere un lieve riso, e subito Edoardo vuol fuggire; ma ella s'avvinghia intorno a lui, che la copre di baci. – Ah, mi fai male, – ella sospira, e si sveglia piangente, in sudore.

Allorché sognava d'averlo perduto, Anna si diceva, appena desta: « Non è vero, è stato un sogno, domani lo vedrò », e questo pensiero fulmineo le dava una felicità febbrile. Talvolta, suo malgrado, le veniva fatto di pensare a un nome: *Anna Cerentano*. Ella vagheggiava pazzamente un tal nome, e al tempo stesso cercava di scacciarne la tentazione dalla mente: « Ah, ma che penso! » si ammoniva, stringendosi la fronte, quasi impaurita da quelle sillabe temerarie.

Quanto a Edoardo, dopo la cerimonia della bruciatura, s'era innamorato di Anna piú di prima, al punto che, lungi dal decidersi a partire, gli era amaro separarsi da lei anche per mezza giornata. Tuttavia, dopo quella famosa cerimonia, non era piú salito a trovarla a casa. Le dava convegno per la strada, alla pasticceria, e insomma in luoghi dove non erano mai del tutto liberi, mai del tutto soli, e dove era ad essi concesso a malapena di stringersi le mani. – Cosí, – le diceva Edoardo, – voglio avvezzarti a vivere senza i miei baci –. Ogni momento, mentre procedevano insieme, egli gettava sguardi furtivi alla piccola piaga sulla guancia di lei, e s'accendeva in viso di pietà e di gloria. I piú diversi sentimenti: perfidi, delicati, cavallereschi, crudeli, devoti, e perfino materni, s'involavano dal cuore di lui verso la cugina, e andavano a posarsi su quella bruciatura minuscola, come uno sciame d'api su un fiore mielato. Egli sogguardava il profilo di sua cugina, la sua persona, dalla fronte alla punta un poco logora delle scarpette, e pensava: «È mia, è proprio mia. Potrei farne mia moglie, o la mia serva, o disonorarla; potrei coprirle il corpo di bruciature come questa, batterla, suppliziarla, e lei, cosí coraggiosa e indocile, si lascerebbe fare qualsiasi cosa da me, mansueta come una coniglia». Allorché lo assalivano simili pensieri, Edoardo si compiaceva di accarezzare Anna nel piú delicato, innocente dei suoi modi, ma questo semplice tocco era per ambedue un colpo piú violento che se si fossero percossi a sangue. Le loro persone, come due fiamme alte spinte da venti contrari, si protendevano l'una verso l'altra; ma poiché la gente intorno li guardava, il loro impeto cadeva tosto in cenere. Vedendo Anna impallidire, Edoardo pensava d'un tratto: «Domani lascerò la città. Voglio andarmene, e poi, mentre son lontano, godere al pensiero che la mia assenza ti consuma, che tu sei qui sola, pensi a me, e ti fai pallida. Ma io? Non mi sentirò forse, anch'io, morire, lontano da te? No, non posso lasciarti, non ti lascio, Anna mia!» Dopo la cerimonia della bruciatura, egli aveva deciso di partire appena le si fosse richiusa la ferita. Ma la ferita s'era chiusa, e rimarginata, e al suo posto era già comparsa la piccola cicatrice; e ancora Edoardo non sapeva risolversi a partire. Un basso vento tropicale soffiava sulle vie della città dove, malgrado il calore estivo, la gente non lasciava i suoi polverosi abiti neri; fra questi nero-vestiti, si faceva incontro ad Anna il suo grazioso cugino vestito di bianco. L'estate aveva schiarito le ciocche castane dei suoi capelli e abbronzato leggermente le sue mani magre, il suo viso consunto dal caldo e dalle notti inquiete. Egli aveva preso un'andatura un po' dinoccolata e un'espressione di noia e di languore. Ma, scorta Anna, le sue pupille si accendevano, raggiando gentilmente verso di lei. Subito egli le chiedeva come avesse trascorso le ore che erano stati divisi, e se avesse dormito la notte; ché, incapace lui stesso di trovar sonno, era geloso del sonno di lei.

Una notte, verso la fine di giugno, una voce chiamò Anna dalla strada svegliandola d'un balzo. Fin dal primo richiamo, sebbene ancor tenuta dal sogno, Anna aveva riconosciuto la voce d'Edoardo; indi il richiamo s'era ripetuto due e tre volte, mettendo in fuga ogni parvenza non reale. Svegliatasi, Anna si levò con la mente confusa; e febbrilmente, ripetendo a se stessa: «Mi chiama, è lui che mi chiama», si coprí alla meglio, e corse giú per le scale, senza rispondere alle domande di Cesira.

Era il tempo della luna calante, per cui, sebbene fosse quasi l'una di notte, l'astro non era ancor sorto. Anna disserrò il portone, e suo cugino, richiamato dallo stridío dei cardini, le venne incontro dal buio della strada; entrato che fu, egli stesso richiuse il portone alle proprie spalle. Indossava il medesimo abito bianco di quel pomeriggio, ma, per soffrir meno il caldo, s'era sbottonato lo scollo della camicia. Si notava nella sua persona una certa trasandatezza, i suoi capelli erano scompigliati e umidi di sudore.

L'androne era illuminato appena da un lume a olio che rischiarava un'immagine sacra appesa al muro, e quella luce, riflettendosi negli esaltati occhi d'Edoardo, li faceva sembrare d'un colore rosso. Dall'androne s'entrava nel cortile, ma i due cugini si fermarono presso il portone, contro la parete scrostata e chiazzata di macchie. Anna portava i capelli raccolti in una sola treccia e fermati alla meglio in cima al capo con delle forcine, secondo il suo costume in quelle notti calde, per tener libero il collo. Sulla camicia da notte s'era infilata una corta vestaglia di cotone a fiorami e i suoi piedi, nelle ciabattelle da casa, erano nudi. Dacché si conoscevano, era questa la prima volta che i due cugini s'incontravano di notte.

La prima cosa che Edoardo disse ad Anna, fu che domattina presto partiva e che era venuto a dirle addio. Egli parlava con una voce nervosa e un po' rauca, gesticolava con una bizzarra irrequietudine, e i suoi occhi cerchiati ardevano d'un fuoco innaturale. Con accenti di querela capricciosa e puerile, prese a lagnarsi del suo grande soffrire di quei giorni, ripetendo che dal mattino alla sera si sentiva tutto in sudore, e non riusciva piú a chiuder occhio la notte, sí che stasera aveva deciso di non coricarsi affatto. A mezzanotte aveva incominciato a camminare alla ventura, nei quartieri solitari della periferia, ed era finito in un caffeuccio, il solo aperto lungo chilometri di strada, dove s'era trovato in compagnia di certi nottambuli abbrutiti, con le facce torve: là aveva bevuto del cattivo rum, che l'aveva fatto sudare e gli aveva bruciato la gola. Mentre parlava in tal modo, Edoardo, per farsi consolare, si stringeva alla cugina, baciandola con le labbra scottanti, ed ella avvertí nel suo fiato il sentore del rum. – Baciami anche tu, accarezzami, perché non mi accarezzi, – egli ripeteva. E aggiungeva in tono di lamento: – Sono stanco, ho sete. – Domani, – disse poi, rialzando il capo e squassandolo in atto di riscossa, – domani, ho deciso, lascio questa città maledetta. Vado in campagna e poi a Londra, Parigi... – ma avvistosi che Anna si ritraeva verso il muro, tutta diaccia, d'un tratto cambiò tono e domandò: – Ti duole molto ch'io parta? – E piegando il suo grazioso volto consunto sulla spalla di lei, ridendo teneramente, con una voce cosí misericordiosa ch'ella rabbrividí come agli ambigui annunci dei Celesti, soggiunse: – Ti dispiace molto ch'io parta... fidanzata mia?

Il cuore di Anna le dette in petto dei colpi precipitosi, come un battaglio impazzito di cui non si sa piú se rintocchi a festa, o a martello. – Mostrami la mano, – riprese a dirle il cugino, – dove tieni dunque l'anello di fidanzamento ch'io ti ho dato? perché non lo porti? Io non te lo dissi mai, però sappilo: le sue due pietre sono stregate, esse hanno un linguaggio, voglion dirti una cosa... Mentre camminavo per le strade, poco fa, ho composta fra me una canzone dove è detto il loro significato. Vuoi sentirla? – La cugina annuí con un piccolo so-spiro; ed egli sommessamente cantò:

DIAMANTE E RUBINO

Per amore d'un rubino di sete moriva
il bianco diamante, il candido cavaliere:
– O Rubino, o fanciulla, o Pietà, o rosa rossa,
fammi alla tua vena bere.
– La mia vena, o diletto, fontana a te sia.
Bevi, assetato, bevi, anima mia!
    Egli bevve: il rubino, come luna sorgente,
si spogliava del suo colore.
Non rimpiangere, o cara. Anche il Giorno ha pallida fronte
e pallide guance ha l'Amore.

Terminata la canzone, Edoardo ripiegò di nuovo la testa sulla spalla di Anna, ed ella, senza intendere che cosa mai significassero quei versi, prese a districargli i capelli con le dita nervose. A questo punto, un lume s'accese dietro una finestra sul cortile, e una figura affacciandosi chiese: – Chi è là? – Per il gran caldo, la gente dormiva con le finestre aperte, e qualcuno era stato richiamato dal canto e dalle voci. I due cugini tacquero per qualche secondo, finché colui che aveva gridato: « Chi è là? », si ritirò, spegnendo il lume. Allora Edoardo, come eccitato ed esilarato dal nuovo, profondo silenzio sopraggiunto, d'un tratto disse accosto ad Anna, con una voce misteriosa e bassa che pretendeva di farle paura:

– Sai chi sono io, zitelluccia mia? Non sono tuo cugino, sono una capra-vampiro, venuta qui per succhiarti il sangue.

E passando dal languore di poco prima a una effimera impetuosa energia, proseguí veloce: – Attenta, attenta, ora ti rapisco –. E spalancato il portone, sollevò la cugina sulle braccia, e corse in un vicolo là presso, lo stesso dove per solito faceva fermare la carrozza. Si vide allora, da uno spazio libero fra due case, la luna sorgere di là dai prati secchi attraversati dalla ferrovia. La sua luce, rossa ancora, accendeva

190

il lungo binario, i frammenti di carbone, gli scarsi cespugli spinosi. Edoardo avanzò ancora di qualche passo, e si arrestò in un viottolo al margine dei campi, appena pochi metri sotto i fabbricati. – Ho perduto le pantofole, – bisbigliò ridendo Anna, nel posare sulla polvere del viottolo i piedi nudi, allorché il cugino, ansante, la rimise a terra. Si udiva dalla piazzetta, e dalle vie circostanti, qualche raro passo di nottambulo, e qualche rara voce d'ubriaco. Anna si rendeva conto che Edoardo stesso era un poco ubriaco, ma ciò non le faceva ribrezzo né paura, anzi la esaltava a sua volta, quasi ch'ella pure, nel caffeuccio, poco prima, avesse bevuto il rum insieme con lui. Un piacere violento la attraversò: non le pareva una cosa strana, ma piuttosto una felicità predestinata, d'esser fuori con lui, di notte, senza scarpe, e quasi nuda. Tuttavia, lo sentiva, perché s'avverassero in pieno le sorti di quella notte, ella avrebbe dovuto trarre Edoardo via da quei luoghi abitati, oltre i binari della ferrovia, per i prati già freschi di luna. Là, in qualche parte, era la loro casa, dove nessuno potrebbe sorprenderli, e dove li aspettava una metamorfosi arcana, per cui, dopo, non potrebbero mai piú venir divisi. Forse avrebbero esaurito in un sol punto tutta la loro vita e sarebbero scomparsi dal mondo, o si sarebbero forse trasformati in semplici animali. (Tale infatti era spesso il desiderio di Anna, allorché, verso sera, lasciando il cugino, vedeva la capra e il capro avviarsi insieme alla loro stalla, e le famiglie degli uccelli riunirsi nei nidi, e il gallo ritirarsi al coperto con le sue galline; mentre che lei, Anna, ritornava sola alle sue stanze del quarto piano, e il cugino se ne andava al suo palazzo).

Ma Anna non osò pronunciare l'invito alla fuga notturna. Ciò non si poteva fare. Come la recente ambascia, cosí i suoi nuovi, inesprimibili piaceri e meraviglie, la sopraffacevano, rendendola muta: – Hai paura? – le chiese Edoardo, e in risposta ella lo contemplò, palpitante e timida. – Ah, non aver paura! – esclamò allora il cugino, in preda a un appassionato, subitaneo rimorso. E mirandola con occhi devoti, al modo che un cristiano guarda un'immagine, con quel tono di pietà e di giubilo rattenuto ch'ella aveva udito già da lui poc'anzi nell'androne, seguitò a dirle: – Non è vero, Annuccia mia, ch'io sono una capra infernale, come t'ho detto. Io sono tuo cugino, sono Edoardo. E non sono venuto per farti male: guarda, non voglio neppure toccarti, voglio che tu risali fra poco nella tua stanza e dormi... come una fidanzata. Perché non è vero ch'io sia venuto a dirti addio: sono venuto a chiederti in moglie.

E com'ella, per tutta risposta, ebbe un riso nervoso, e alzò un poco la spalla, riprese a dirle: – Non mi credi? Guarda, ecco la luna che sale. Falle i sette inchini e chiedile di sognare stanotte l'uomo che sposerai. Vedrai se non sarò io colui che t'apparirà in sogno.

– Del resto, – aggiunse poi, – non illuderti, sposando me, d'esser felice. Dopo che saremo sposati, io potrò andarmene a passeggio, a visite, a feste, e viaggiare per il mondo; ma tu dovrai stare ad aspettarmi, chiusa in casa. Prima di uscire, incollerò delle strisce di carta alle finestre e alle porte e ci scriverò sopra la mia firma, per accertarmi, al mio ritorno, che tu sei rimasta rinchiusa, e non ti sei neppure affacciata alla finestra. In casa nostra vi saranno solo delle serve femmine, e se per caso dovrò assumere dei domestici maschi, sceglierò dei mostri cosí brutti che, se tu poserai per caso lo sguardo su uno di loro, subito lo ritorcerai inorridita. Inoltre, io non voglio che tu rimanga bella, perché la tua bellezza sarebbe la mia croce, una moglie non deve esser bella, dev'esser santa, e basta. Fino alla tua vecchiaia, tu sarai sempre o incinta, o con un bambino in fasce da nutrire. Cosí, in pochi anni, sarai grassa, deforme, sfatta, e non potrai destare la tentazione in nessun uomo; mentre che io sarò sempre magro, leggero come adesso che ho diciotto anni e mezzo, e volerò e scorrazzerò per il mondo, sicuro che tu m'aspetti a casa. Avrò anche delle amanti, ma il mio vero amore sarai tu. Non credere che, quando sarai grassa, invecchiata, io t'amerò meno; al contrario, t'amerò di piú, perché ogni volta, guardandoti, penserò che sono stato io a renderti cosí brutta, da tanto bella che eri da ragazza. Quella bruttezza sarà mia piú della tua bellezza, e per questo motivo mi farà impazzire d'amore. Adesso, per esempio, la cicatrice che hai sulla guancia mi piace piú dei tuoi capelli, piú dei tuoi occhi: perché queste cose, te le ha fatte tua madre, e invece la cicatrice è mia.

Pronunciato che ebbe tale memorabile discorso, il cugino tacque, un poco affannoso. Da parte sua, Anna lo fissava con occhi dilatati, in cui la speranza si mutava quasi in paura e ambascia. Allora il cugino, ripreso fiato, ricominciò con voce persuasiva:

– E quale altra donna io potrei sposare, se non te? Nessuna donna mi somiglia come te, tu mi somigli piú assai di mia sorella, e nelle tue vene scorre lo stesso sangue di mia madre. Io non voglio contaminare il mio sangue con uno diverso e straniero, solo tu puoi essere mia moglie. E certo è per questo che t'ho rispettata fino ad oggi, al punto che, ti ricordi, quel giorno che ci scambiammo il vestito, non volli neppure vederti mentre ti spogliavi. Sí, non ho voluto mai offenderti, perché, offendendo te, offendevo il mio sangue. E ho voluto lasciarti com'eri perché, serbandoti, serbavo la moglie mia. Certo tu sei nata per me; e sei nata povera, e venuta su nel chiuso, perché nessuno ti vedesse e ti portasse via prima di me. Oh, verginella mia cara, io mi vantavo tanto delle mie conquiste, e invece, adesso, vorrei quasi esser come te, e non aver mai conosciuto donna come tu non hai mai conosciuto uomo. Cosí tu saresti la mia prima conquista, com'io la tua prima, e il nostro sposalizio sarebbe piú prezioso. Come sei graziosa, Anna mia! cosí spettinata, nella tua camicia da notte che ti s'è fatta troppo corta, sei piú elegante d'una signorina in abito da ballo. Pensa, perfino al vedere che la tua camicia da notte è diventata corta, io mi sento impazzire d'amore. E sai perché? Perché ciò significa che tu portavi questa camicia da notte quando eri piú bambina di adesso, e poi sei cresciuta, ma non hai ancora finito d'esser bambina. Ti piacciono queste cose che ti dico, Anna mia? o forse no? perché sospiri?

– Sí, queste cose mi piacciono, – sussurrò Anna, – ma... tu le pensi? parli davvero?

– Non mi credi! – esclamò Edoardo con una triste espressione di sofferenza, – ma guardami, fa' conto ch'io sia te stessa, ch'io sia il tuo specchio. Spècchiati nella mia faccia, non siamo forse uguali? – Egli espose alla luce fantastica della luna l'esaltato suo viso; e nel guardarlo, Anna trasse ancora un sospiro profondo, quasi dolorante. Edoardo allora riabbassò gli occhi su di lei e ripeté: – Tu non mi credi! Ascolta: sarai sola in casa, domani?

Ella pensò un istante, e poi rispose di sí, ché Cesira l'indomani dava lezione fuori di casa.

– Bene, allora, aspettami domani nel pomeriggio. Io verrò, e ti porterò via, e tu sarai mia moglie. Ti spoglierò con le mie mani, e ti pettinerò, e poi ti rivestirò come una statua della processione. Voglio coprirti d'oro, ti regalerò un anello diverso per ogni dito, tutti i gioielli delle Cerentano saranno per te, nessuna signora potrà uguagliarti, sempre a te toccherà il posto d'onore. Ti farò una collana di rubini e diamanti. E ti solleverò sulle braccia al cospetto di tutti, e griderò: Questa è Anna, l'Anna d'Edoardo!

– Ti credo! – gridò Anna. – Mi credi, sí? – diss'egli, con una risata felice. Or che la luna era salita, la sua sfera quasi intatta dava una luce tale, che in essa risaltavano i colori dei fiorami sulla vestaglia di Anna, e il giallo aureo delle cartacce nel mezzo della prossima strada, e i prati grigiastri, come riflessi in un fiume. Un barattolo di latta vuoto scintillava sulle selci, e là vicino, quasi levata dalla luce (il moto dell'aria era impercettibile), una minuscola piuma di gallo palpitava, sospesa appena da terra. Sul torso semiscoperto di Edoardo, si distingueva lo stacco fra il colore abbronzato del collo, e quello piú chiaro, delicato e indifeso, del petto. Vinta dall'amore, Anna posò un bacio là dove cominciava questo colore gentile e intimo; e allora il cugino le afferrò i capelli e in una impetuosa rapina si dette a baciarla sul collo e sul viso: – Quant'è fresca la tua pelle, – ripeteva, come trovasse refrigerio in quei baci. – Che cos'è questo? – domandò poi, tirando un nastro, che infilato nel giro dello scollo, chiudeva sul petto la camicia di Anna.

Un po' confusa, ella rispose: – È un *passante*. – *Un passante!* – egli ripeté, – lo voglio per tuo ricordo –. E con uno strappo sfilò tutto il nastro. Istintivamente, Anna levò le mani a richiudere lo scollo; e ciò fece ridere Edoardo, il quale, da violento che era, divenne mansueto, e, girandosi il nastrino rosa intorno alle dita le disse: – Perché ti vergogni di me? Non sei dunque mia moglie?

Anna arrossí, ma tosto il rossore svaní dalle sue guance. Mentre cosí impallidiva, ella sorrise e staccò le due mani dallo scollo: che, non piú chiuso dal nastro, s'allargò, scoprendole il seno. Edoardo guardò il seno della cugina, che per la prima volta gli si svelava cosí scoperto, e di nuovo rise, con un tono dolce e cantante: – Annuccia! – esclamò poi, – perché abbassi gli occhi, ora? forse per contemplare te stessa, o per vergogna ch'io ti vedo? Guàrdati, guàrdati, – soggiunse con una voce tutta diversa, tale da farla arrossire, – passa tutta la notte a rimirarti, perché domani sarà finita per te, da domani non sarai piú l'Anna di prima, sarai una mala femmina, una sporca donnaccia –. E cosí detto, le strinse i gomiti, e tenendole ferme le braccia, quasi a tradimento le baciò la punta della sua minuscola mammella. Anna ebbe un sottile lamento, ed egli, lasciatala, le disse: – Vattene, vattene, adesso. Buona notte. Addio –. Sgomenta all'udire il tono mutato della sua voce, ella balbettò con impaccio: – Non verrai... domani? – Certo che verrò. Aspettami, – egli rispose, e con tale promessa, la lasciò. Anna lo vide oltrepassare i binari, scavalcare la siepe, e allontanarsi poi per il prato, dove incominciò a fischiettare. Già non lo si vedeva piú, e ancor s'udiva il suo fischio interrotto, quasi di fringuello; poi, da lontano, lo si udí cantare una canzone siciliana assai popolare e nota a tutti, quella del carcerato che dice:

> Amici amici che a Palermo iti
> mi salutati la bedda cittati...

Cantava con una voce strana, spiegata e malinconica, proprio come sogliono gli ubriachi allorché vagabondano nella notte. In quel momento, ad Anna balenò la certezza d'esser la vittima d'un inganno. Tutto ciò ch'egli aveva detto e fatto in quella notte, i suoi gesti e declamazioni, le apparvero il vaneggiamento di uno che non è in sé. Senza dubbio era vero ch'egli partiva l'indomani, e lei l'avrebbe atteso inutilmente, e non piú rivisto fino all'autunno. Forse non rivisto mai. Cosí pensando, ella riprese la via di casa. Non lontano dal portone ritrovò le pantofole, e distrattamente, prima d'infilarsele, si chinò a nettarsi i piedi dalla polvere con un lembo della camicia da notte. Non pensò, tuttavia, né a ravviarsi i capelli né a coprirsi il petto. E udendo a un tratto, dalle finestre dell'ultimo piano, la voce sottile di sua madre chiamare a perdifiato, con orgasmo: – Anna! Anna! – gridò: – Sono qui! Vengo! – e incominciò a salire le scale.

Allorché ella ricomparve nella camera con la persona in disordine, e come istupidita, sua madre l'assalí accusandola delle peggiori vergogne. Ma alle domande e alle accuse, Anna rispose solo: – Ciò ch'io faccio non ti riguarda, – e intanto s'infilava sotto il lenzuolo, accigliata e triste. Cesira, vedendola muta e incurante, lasciò allora i rimproveri, e diede sfogo alle sue proprie tristezze. In realtà, in quell'intervallo che sua figlia era rimasta fuori, ella aveva sofferto mille paure, trovandosi sola nella notte, non osando uscire a cercare Anna, e persuadendosi, di minuto in minuto, che questa l'avesse abbandonata per non tornare piú. La riapparizione di lei le aveva recato un grande sollievo; ma, quasi a compenso dell'ansia sofferta, ella avrebbe voluto esser consolata, ricevere delle spiegazioni e delle confidenze. Si è visto invece come, per causa del suo disgraziato carattere, ella usasse verso Anna, appena questa rientrò, proprio le maniere meno adatte a ispirarle la confidenza e l'abbandono; e in virtú delle quali, al contrario, si alienò ancora una volta l'animo della figlia. Sotto il peso del proprio fantastico, misterioso turbamento, questa udiva la voce materna in uno stato di assenza sfiorato appena dal fastidio e dal rancore. Lei stessa forse, malgrado la sua fierezza, volentieri si sarebbe abbandonata a un'esperienza piú matura, a un consiglio amoroso e veggente. Ma invece, gli insulti, e il veder trattato come una vergogna ciò ch'ella giudicava il piú splendido privilegio, fecero sí ch'ella s'isolasse ancora una volta nella propria adolescenza ombrosa. Di là, le pareva udire le lamentele e i rimbrotti materni allo stesso modo che un candido gabbiano, ferito dopo un viaggio meraviglioso in regioni celesti e oceaniche, udrebbe dallo scoglio ove giace il remoto starnazzío di qualche volatile da cortile. Cesira, per consolare un poco la propria solitudine con la pietà di se stessa, gemeva ora sui dolori che la tormentavano notte e giorno. La sua salute, infatti, andava peggiorando, ella soffriva di capogiri, di emicranie, di malori improvvisi, aveva súbiti smarrimenti della vista e della memoria, lunghi ronzíi negli orecchi, e trafitture alle ossa. Vedendo Anna quasi del tutto indifferente al suo male, l'accusava ogni giorno di durezza, senza intendere che i fanciulli, i quali si nutrono di gioiose speranze, non possono indugiare a lungo sullo spettacolo della senilità e della morte. La carità che nasce dalla coscienza è rara in un fanciullo: in lui, la dedizione e la pietà possono nascere, piuttosto, dall'amore, e di questo, Anna medesima aveva dato prova curando suo padre. Ma s'è veduto come la povera Cesira fosse inabile a ispirare amore. Inoltre, come per testimoniare a se stessa, senza tregua, l'indifferenza altrui, ella s'era avvezzata a lamentarsi continuamente dei propri malanni, annullando cosí, per colpa dell'abitudine, fin quell'interesse fuggitivo destato in noi dai dolori del prossimo. Chi la conosceva, riguardava le sue sofferenze come ormai note e irrimediabili; per cui, non l'ascoltava neppure piú. Senza contare coloro che, stimandola una maniaca e una fastidiosa, si beffavano di lei.

Dunque, mentr'ella seguitava a gemere su se stessa, Anna non l'ascoltava, finché cessò anche d'udirla. Erano le due del mattino, la stanza era illuminata soltanto da un lucignolo notturno posto sul cassettone; e la fanciulla ricadeva nel sonno. Le pareva di riudire vagamente le malinconiche strofe cantate da Edoardo mentre s'allontanava; ad esse si mescolavano i versi che le fanciulle recitano alla luna facendo sette inchini e che dicono:

Luna lunina,
tu che nel cielo splendi
fammi vedere in sogno
con chi vivrò godendo.

Le balenò pure il pensiero che tale virgineo rito, cui l'aveva esortata Edoardo, non sarebbe valido in quella notte, perché va celebrato la prima sera di plenilunio. Tuttavia, questi pensieri ed echi non la rattristavano. Altre volte, ridestandosi da un sogno doloroso, si rallegrava di trovarsi in una realtà tutta differente: il contrario le avveniva adesso. Via via che le sue palpebre si appesantivano, le sue paure le sembravano pazze. Le stupende promesse di Edoardo le dilatavano il cuore. Perché aveva temuto? La verità era questa che le appariva, mirabilmente dipinta dalla notte. Domani Edoardo verrebbe, e ogni cosa accadrebbe com'egli l'aveva annunciata. « Il bianco diamante, il candido cavaliere... » Le labbra di Anna mormorarono: « Sí, sí ». Anna dormiva.

Le pare, giacendo addormentata, di protendersi fuor del letto per togliere l'anello d'Edoardo dal suo nascondiglio, e infilarselo al dito. Ha il senso preciso di compiere, uno dopo l'altro, i movimenti necessari per questo fine: vale a dire levarsi, accostarsi al cassettone, togliere la chiave di dietro la specchiera, infine aprire il cassetto e trarne il

196

rilucente anello. Ma in questo momento medesimo si rende conto, pur sempre in sogno, di giacere nel letto addormentata e di non essersi mossa di qua. Allora s'affatica in un nuovo tentativo di levarsi; ma, come il primo, anche questo tentativo è illusorio e inane, poiché in realtà le sue membra giacciono confitte nel sonno, e incapaci d'ubbidire alla sua volontà dormiente. È come se, al suo posto, si muovesse un suo doppio, nessun altri, cioè, che il sottile spirito del suo sonno, il quale compie tutti i gesti e le azioni da lei volute, ma non può, essendo uno spirito, intaccare le cose reali. Di ciò, ella è avvertita, sebbene con ritardo, dalla sua coscienza, dopo gli inutili tentativi: « Tu dormi, – essa le dice, – devi svegliarti, se vuoi davvero l'anello ». Ma lei non può ubbidire, essendo le sue membra imprigionate nel sonno come l'acqua nel ghiaccio. Una specie di mortale piacere addolcisce l'angoscia di questo letargo. Ma l'anello rimane intangibile: una diafana parete, ch'ella non può infrangere, lo separa da lei.

Questo sonno, o dolce incubo, le venne verso l'alba. Come si levò al mattino, Anna corse al suo lucente anello, e se lo infilò al dito nella penombra; ma udendo i passi di Cesira, la quale s'era levata prima di lei, in fretta se lo ritolse, e se lo nascose in tasca.

Col giorno, erano tornati i suoi timori; ed ella trascinò fino al pomeriggio i propri dubbi riguardo alla promessa d'Edoardo. Cercò d'ingannare la paura e la speranza col fingere d'ignorarle. Non si preparò in alcun modo alla visita bramata: non cercò di farsi bella, né di adornarsi. Negligente e pigra, con la gonna e camicetta da casa che aveva indossato la mattina alzandosi, le sue logore babbucce ai piedi, i capelli neppure intrecciati ma rialzati e annodati alla meglio, ella giunse all'ora che, uscita Cesira, Edoardo soleva venire.

Poiché l'ora passò, ed egli non apparve, Anna fu quasi certa di non vederlo piú. Tuttavia, durante l'intero pomeriggio fino al tramonto non cessò di spiare dalla finestra e giú dal portone di strada. Piú volte si spinse fin sulla via carrozzabile e tornò indietro a precipizio temendo che, nel frattempo, egli venisse a piedi da un'altra parte. Forse, in quel breve intervallo, egli era già salito! forse, non avendo risposta al suo bussare, attendeva sul pianerottolo! In tale sospetto, ella risaliva di corsa le scale; e questa vicenda la condusse fino al tramonto. Quando si fece buio, Anna divenne certa che suo cugino l'aveva ingannata, beffata, ed era partito dalla città; ma né quella sera, né la notte, né la mattina seguente, ella non ricevette alcun cenno o notizia di lui.

Allorché, discesa appena la sera, aveva udito sua madre rientrare in casa, Anna, presa da ripugnanza all'idea di guardare altri in faccia, di corsa era andata a rinchiudersi a chiave in quel salotto o tinello che un tempo serviva da camera a Teodoro e a lei stessa e dove adesso, per solito, veniva ricevuto Edoardo. Là dentro, ella aveva trascorso tutta la notte, senza chiuder occhio un solo istante. Piú volte, durante quel tempo, Cesira aveva bussato forte all'uscio e chiamato la figlia; ma la voce che le aveva risposto dall'interno era cosí arida e spettrale da farla rinunciare ad altri tentativi e intuire in parte la verità. Ella se n'era dunque tornata sola nel letto matrimoniale che divideva per solito con Anna, a riprendervi il suo sonno fragile e inquieto.

Molto tardi si levò la luna e splendette sulle straducole immerse in un silenzio mortale; anche le ultime voci di nottambuli s'erano taciute, e solo il triste abbaio di qualche cane e una remota voce di grilli dai prati della ferrovia saliva alla stanzetta dove Anna si dibatteva fra i suoi dubbi come un carcerato fra gli aguzzini. Ogni suono o rumore dalla via (e alcuni di questi rumori erano soltanto illusioni dei suoi nervi agitati) faceva sí che Anna, suo malgrado, e senza piú fede ormai, si rimettesse all'erta, o corresse alla finestra, nella speranza che il cugino fosse là sotto a chiamarla, come la notte avanti. Venuta l'alba, esausta ella si sedette su una cassapanca presso la finestra, dove rimase ferma, con gli occhi aperti e imbambolati, fino a mattino alto. Allora, si sentí d'un tratto bizzarramente inebriata, e senza chiedersi ragione di quel che faceva, senza rispondere alle interrogazioni di sua madre, uscí e s'avviò verso Palazzo Cerentano.

Quivi, molte finestre degli appartamenti padronali erano aperte: ma ad esse comparvero soltanto delle figure di servi in divisa di fatica; forse i signori erano già partiti e la servitú ne rassettava le stanze, avanti di chiuderle fino al prossimo autunno? È un fatto che nessuna carrozza recante lo stemma dei Cerentano si vide all'ingresso del palazzo o nella piazzetta antistante; si vide però, piú d'una volta, il portone aprirsi per introdurre dei visitatori, giunti in carrozza o a piedi, i quali, per lo piú, se ne ripartivano dopo pochi secondi. Cosí pure, alcuni domestici, recanti la livrea di famiglie amiche o imparentate coi Cerentano, si dirigevano verso il palazzo, girando dalla parte dei servizi, e riapparivano, di ritorno, poco piú tardi. Un simile movimento aumentava i dubbi di Anna. Senza osare d'accostarsi all'ingresso, per piú d'un'ora ella s'aggirò in un vicolo, poco distante dal palazzo, con gli occhi vòlti a quelle soglie vietate. Finalmente, come una donnetta dall'aspetto di sguattera, uscita da una porticina laterale del palazzo, passò, con le sue sporte al braccio, proprio nel vicolo di fronte a lei, ella l'affrontò, e con voce tremante, come se parlasse a una regina, le domandò se i signori erano già partiti per la campagna. La donnetta la squadrò con diffidenza, e le rispose che no, non erano partiti. – Neppure... il signorino Edoardo? – balbettò Anna. – No, – rispose la donna, sempre piú diffidente, – no, che non è partito, il signorino, – e troncata, con ciò, la conversazione, lasciò Anna e tirò via su per il vicolo. Quanto ad Anna, alla nuova che il cugino non era partito, e si trovava lassú, dietro quelle mura, fu assalita d'un tratto da un terrore inspiegato e invincibile. E staccatasi da quei luoghi, ritornò a casa in gran fretta.

Qui, di nuovo speranzosa, irresistibilmente ella si protese verso il pomeriggio, e, venuto il pomeriggio, suo malgrado ricominciò ad aspettare il cugino. Tale attesa inconfessata, subdola, e smentita ad ogni attimo, trasformò quel lungo pomeriggio estivo in un amaro sogno. Non già che, come il giorno avanti, ella corresse di continuo dall'uscio alla finestra, e dal quarto piano al portone di strada: trascorse invece le ore d'attesa giacendo supina sul letto, come chi, disteso sulla spiaggia, riceve inerme, in abbandono, l'assalto delle ondate. Evitava di muoversi, e avrebbe voluto sospendere il respiro, quasi temendo, col dar segno di vita, di provocare la sorte a mostrarsi crudele. Di tanto in tanto cadeva in leggeri assopimenti, simili a brevi agonie, da cui bruscamente si risvegliava.

Giunse cosí la seconda sera, e, come il giorno avanti, udendo rincasare sua madre ch'era uscita nel pomeriggio, Anna corse a rinchiudersi nel tinello. Quivi consumò l'intera notte scrivendo al cugino lettere in cui, nella sua maniera sgrammaticata e ardente, lo interrogava, lo invocava, o inveiva contro di lui; ma, appena terminata una lettera, la strappava giudicandola insufficiente o inutile. Come la notte avanti, sospendeva il respiro a ogni rumore dalla strada; poi, disingannata, si abbatteva sul pavimento e sul divano, chiamando Edoardo con voce bassa e febbrile. E se, pensava poi, tormentandosi senza tregua, se il silenzio del cugino non fosse causato da tradimento o da malizia, ma da una disgrazia, da una malattia? S'egli a quest'ora, mentre io lo calunnio, giacesse infermo, o gravemente ferito? Cosí gravemente, da non aver piú neppure la facoltà e la coscienza di farmi avere una notizia qualsiasi... A un simile sospetto, la figura del cugino, che poc'anzi pareva allontanarsi, fuggitiva e beffarda, si riavvicinava, colma di pietà e di malinconia, e Anna si stringeva a questo fantasma con tenere parole, e lagrime di rimorso.

Aggirandosi instancabilmente per la stanzetta, a ogni passo ella si sentiva sconvolta e ubriaca, quasi avesse bevuto un veleno: era perché un segno, un odore, un'impronta, le avevan richiamato la presenza carnale d'Edoardo. La sua sterile attività, sia che scrivesse o camminasse, o si affacciasse alla finestra per guardare nella strada, pareva distrarre un poco da lei la precisa immagine del suo stato presente. Ma dopo, allorché distruggeva la lettera, o si ritraeva, delusa, dalla finestra, o entrava col pensiero fino al fondo d'un subitaneo ricordo, l'immagine del presente le riappariva, piú deserta e sconsolata. Allora, Anna le si rivoltava con la violenza di chi brama d'uccidere se stesso per distruggere il proprio male. Indi, placatasi appena la sua crisi, riprendeva a scrivere, o ad aggirarsi senza posa in quel piccolo spazio, oppure a scrutare dalla finestra se nella notte si scorgesse la figura d'Edoardo. Il quale già le appariva in certi istanti un essere leggendario, il cui tempo infantile ed eroico si compieva assai lontano dai poveri vicoli e dalle stanzette di Anna. Ma tosto ella si rivoltava a questa leggenda con la stessa furia con cui, poco avanti, s'era rivoltata alla propria disperazione.

In tal modo passò anche la seconda notte. Sulla tarda mattina del giorno seguente, il cocchiere d'Edoardo stava accudendo ai suoi cavalli nel cortile della scuderia, sul lato posteriore di palazzo Cerentano, allorché fu chiamato da Anna che gli faceva cenno dietro il cancelletto. Il cocchiere era quel medesimo che tante volte aveva scarrozzato i due cugini per le vie dei sobborghi; ma, sebbene fosse solito a vedere Anna tutti i giorni, tardò un istante a riconoscerla, tanto gravemente ella s'era mutata in meno di quarantott'ore.

Rispondendo alle interrogazioni della fanciulla, egli la informò che il suo giovane padrone, all'alba del giorno precedente, era rincasato dopo essere rimasto fuori tutta la notte. A sua madre, donna Concetta, che lo aveva atteso, come spesso faceva, senza neppur coricarsi, aveva chiesto subito delle coperte e un fuoco, lagnandosi d'aver freddo. Era in preda a una febbre forte e poco dopo gli era sopravvenuto il delirio. Donna Concetta aveva dovuto spogliarlo e metterlo in letto come un bambino; e da allora non lo aveva lasciato un minuto. Ella era convinta d'infondergli salute e vita con la sua sola presenza; e si ribellava come una bestia a chi la consigliava di riposarsi, o di scendere a pranzo, o di coricarsi un poco. Non s'era piú vestita, rimanendo con la camicia da notte e veste da camera che indossava allorché suo figlio era tornato a casa. E si manteneva, in apparenza, tranquilla e impassibile, per non agitare il malato; ma in disparte si torceva le mani e s'inginocchiava con ardenti suppliche davanti alle immagini. La febbre del signorino, intanto, era salita, egli era sopraffatto spesso da convulsioni e da crisi di soffocamento, e il medico aveva chiesto un consulto, giudicando l'infermo in pericolo; ma ancora non si poteva dire nulla di preciso riguardo alla malattia.

200

A questo punto il cocchiere interruppe il proprio discorso e guardò la fanciulla che stava ad ascoltarlo e che si sarebbe detta, al vederla, malata essa stessa tanto appariva indebolita e stravolta. Ella non aveva pronunciato una parola, e neppure dato un'esclamazione; ma il suo pallore già grave s'era accentuato, e i suoi bruni occhi spalancati, che parevan sul punto di riempirsi di lagrime, erravano qua e là, lungo le finestre del palazzo e il muro del cortile, quasi avessero paura di posarsi in qualche luogo. Ella mormorò infine di far sapere al padrone, se questi poteva intendere, che sua cugina Anna lo salutava e sperava di vederlo presto guarito; ma il cocchiere stentò a capire tali parole, cosí incerta era la voce di lei. Rispose tuttavia: – Non dubiti Vossignoria che sarà servita, – ma lo disse con un certo accento ironico e senza pietà. Egli disapprovava quella ragazza, pensando che alla propria sorella non avrebbe mai permesso di comportarsi come lei. Inoltre, non ammirava la sua bellezza, giudicandola troppo pallida e magra per i suoi gusti. Era certo, in cuor suo, che il padroncino, dopo essersi divertito con lei, l'avrebbe abbandonata; e se per questo ammirava ancor di piú il padroncino, disprezzava invece lei, povera e superba. Non basta: a suo vedere, la fanciulla era colpevole non solo del prolungato soggiorno in città dei Cerentano, che ritardava pure la vacanza estiva di lui stesso, cocchiere; ma in gran parte era causa di questa malattia del giovane padrone, da lui prediletto. Per tutti questi motivi, egli pensava, sogguardando Anna, in attitudine falsamente sottomessa: « Vi sta bene, signorina mia, cosí imparerete a mettervi coi signori, voi che, malgrado le arie che vi date, siete una disgraziata peggio di me, perché certo in quella vostra sudicia borsetta c'è dentro molto meno che nel mio portamonete. Credete forse che basti, per esser signora, camminare in quel modo severo, senza degnare nessuno d'un'occhiata, come se tutti gli altri fossero vermi? E i cocchieri, i sottoposti, considerarli come se non esistessero, come se fossero cose, non uomini battezzati anche loro? In tanti mesi, è questa la prima volta che vi abbassate a guardarmi, perché avete bisogno di me. Ma nel passato, per voi il cocchiere valeva quanto il legno della carrozza, sebbene con la vostra manina accarezzaste i cavalli, che sono bestie. Il mio padrone, lui sí, invece, è un vero signore. Abbiamo circa la stessa età, da bambino ha giocato con me, e seppure mi picchiava, mi picchiava come un suo pari, un amico. Adesso, poi, che è grande, scherza con me, si confida, mi chiede perfino l'opinione sulle sue poesie. Se per caso m'ha fatto lavorare troppo, mi domanda: " Carmine, sei stanco? ", e perfino ai cavalli dice: " E voi, siete stanchi? ", e da quando lo servo mi avrà dato con le sue regalíe venti volte lo stipendio che ricevo dalla padrona. Se non fosse per riguardo a lui, che mai tradirò, la vostra ambasciata non la farei a lui, ma a donna Concetta e vedreste allora come quella vi risponderebbe! Adesso voi mi parlate, sí, con una vocina piangente, ma nel passato non udivo altro da voi che: *Vi s'è detto di svoltare a destra*, oppure: *Il padrone vi ordina di aspettarlo*. Boria, boria e miseria! »

Di tal sorta erano i pensieri del cocchiere, allorché, riprendendo a strigliare il cavallo, china la testa ricciuta e nera, guardava di sbieco la figura di Anna che s'allontanava come una sonnambula, o come non avesse piú luogo o rifugio alcuno. La notizia aveva gettato Anna in preda a uno sconforto piú doloroso ancora, sotto certi aspetti, di quello che l'aveva spinta fin qui. Ella si rendeva conto adesso che quell'enfatico nervosismo del cugino, da lei stessa, due notti prima, attribuito all'ubriachezza, si doveva piuttosto alla febbre, e un tal pensiero le suscitava tutti i tormenti della pietà e del rimorso. La malattia, al contrario del tradimento, in certo modo, come già dicemmo, le riavvicinava Edoardo, e discolpandolo ai suoi occhi d'ogni precedente sospetto le dava d'un tratto l'illusione d'essere stretta a lui da un nodo piú intimo e carnale, una sorta di complicità, quasi da madre a figlio. Ella fantasticava che il cugino la invocasse nel delirio e che non soltanto la febbre, ma anche l'assenza di lei, Anna, lo consumasse e stremasse; e ch'egli smaniasse di non potersi esprimere, e di non potere avvertire, consolare l'amata. Commossa da fantasie cosiffatte, ella moveva i labbri a mormorare: « Edoardo, Edoardo mio », senza ricordarsi d'essere in istrada, con un sentimento di vicinanza e di gratitudine cosí forte da sconfigger quasi l'angoscia. Tuttavia, se da una parte la racconsolava il sapere che suo cugino non l'aveva ingannata né beffata, e che soltanto il male aveva potuto separarlo da lei, d'altra parte ciò inacerbiva il suo tormento. Non soltanto perché le pareva oltremodo amaro di venir separata da lui proprio quando il loro amore s'avvicinava al massimo trionfo; ma anche perché prima, sospettando il cugino traditore, lei stessa aveva potuto con le accuse, coi rimproveri, magari con l'odio, sviare e intorbidare, in qualche modo, la propria passione, mentre che ora questa si svelava di nuovo limpida e disperata. Prima, almeno, il nemico che Anna doveva combattere altri non era se non lo stesso Edoardo; e cosí familiare, e tenero, e amabile, era per lei questo nemico, che perfin la sua guerra ne riceveva un poco di grazia e di dolcezza. Ma adesso, che cos'era mai quest'ombra che li minacciava entrambi? che nome darle? Anna era del tutto disarmata di fronte ad essa, le si negava perfino di affrontarla; le si vietava, contro ogni legge del sentimento e della natura, perfino di difendere l'amato,

202

o di soccorrerlo, o di vederlo almeno. Per sapere notizie di lui, che le apparteneva, ella doveva venire di sotterfugio come una ladra, e interrogare i servi. Mai la gelosa Anna aveva conosciuto a tal punto la gelosia. Nel momento che il cocchiere aveva pronunciato le parole: *donna Concetta ha dovuto spogliarlo, metterlo a letto come un bambino*, ella aveva sentito rimescolarlesi il sangue. Nessuna rivale, prima, aveva provocato in lei tanto odio e invidia, quanto, adesso, donna Concetta. Perché dunque a certe donne la sorte concede tutto, e ad altre nulla? Concetta era beata per aver partorito Edoardo, beata perché dormiva presso di lui, nella stanza vicina, senza che nessuno potesse contestarle il suo diritto; beata perché poteva curarlo, vegliarlo, accorrere alla sua voce, dire a tutti *è mio*, da tutti venir compatita, giustificata in nome di lui! E la sorella d'Edoardo, anch'essa era beata, e la sua serva anch'essa, e tutte costoro defraudavano Anna di ciò ch'era suo. Ogni parentela, ogni possibile rapporto umano con Edoardo, Anna avrebbe voluto rivendicarli e riassumerli in sé. Le altre donne di lui, amiche e parenti, avrebbero dovuto cedere il posto a lei, ella bramava di scacciarle tutte, di sopprimerle. E insieme con questa ribellione, provava un tal geloso desiderio delle carezze d'Edoardo, che le veniva fatto di gridare. Mille volte al giorno rimirava nello specchio, sul proprio viso, la piccola bruciatura, e se ne compiaceva, e la vagheggiava, come altre donne un prezioso ornamento. Le pareva poi d'avere una consimile bruciatura sul petto, là dove, la notte del loro ultimo convegno, dopo averle detto «perché abbassi gli occhi?», il cugino le aveva dato quell'unico, intimo bacio; e al pensare ch'egli adesso languiva, malato, senza ch'ella potesse aiutarlo, fantasticava di correre al palazzo, d'abbatterne le porte, e di gridare: «Egli è mio! è mio! m'ha baciato la bocca e il petto, dunque sono sua moglie, è mio! » Certo, se avesse potuto stargli vicino, lei lo avrebbe guarito: e cosí fantasticando, ella meditava d'uccidere Concetta, la malediceva in cuor suo; ma dopo un istante invece bramava d'abbracciarla, di confondere i propri sentimenti con quelli di lei, dicendole: « Mi sei cara. Perché non mi vuoi bene, tu? io ti amo ».

(Io voglio bene a nònneta
e tu lo sai perché?
perché nònneta ha fatto màmmeta
e màmmeta ha fatto te).

Se poi si guardava, al dito, l'anello col diamante e il rubino, incominciava a rimpiangere ciò che sarebbe stato se non fosse sopravvenuta la malattia d'Edoardo. Si dipingeva in tutti i suoi favolosi colori la sorte ch'egli le aveva promesso al loro ultimo incontro; e allora, col rimpianto, si riaffacciava la speranza. Edoardo sarebbe guarito, la sorte promessa si avvererebbe; ed era una consolazione per Anna il vagheggiare, in ogni loro aspetto, questi meravigliosi disegni per il futuro. Ma tosto ella si negava questa consolazione, poiché la speranza le faceva paura; e scacciando dalla mente ogni lusinga, si diceva: « Ah, no, no! Che soltanto egli guarisca. E purché egli viva, non m'importa di me ».

La visitavano spesso, in una sorta di dormiveglia, delle apparizioni fugaci che la empivano d'angoscia. Vedeva per esempio Edoardo, col volto sfigurato dal male, giacere immemore e straniato da tutto fuorché dalla propria sofferenza. Ella sapeva d'infastidirlo sia pur chiamandolo soltanto a bassa voce: indifferente, egli giaceva di là da una vitrea parete di sonno, invalicabile più dei muri che in realtà lo separavano da lei. Oppure, le sembrava d'incontrarsi, per una salita remota, con una figura che le confidava misteriosamente: « È condannato! è condannato! » O scorgeva, dentro una vasta sala, nell'accecante luce d'estate, dei personaggi che si agitavano e oscillavano: forse i parenti di lui, la zia Concetta, la cugina Augusta. Costoro in gran segreto, le bisbigliavano: « È finita, non si può salvare, non si può salvare, è la fine ».

A volte le pareva in sogno di stringersi al corpo sudato, affannoso e dolente d'Edoardo; e si svegliava tutta in sudore e in lagrime nell'atto di stringere a sé il guanciale, e coprirlo di baci. In tal modo, dibattuta fra lo sconforto, l'ambascia e le speranze, Anna passava i suoi giorni e le sue notti. Non le pareva più d'esser del tutto viva, intera; ma ridotta alla metà di se stessa. E il suo cuore lasciava cadere il sangue con fatica, goccia a goccia, come premuto fra due pietre.

La malattia del cugino durò tutta l'estate. I primi tempi, Carmine, il cocchiere, forniva ad Anna notizie dell'infermo, il quale aveva sempre la febbre altissima, e non riconosceva nessuno, neppure sua madre. Concetta aveva donato forti somme alla Chiesa affinché si dicessero giorno e notte delle preghiere. All'alba, ella usciva per la Messa, poi tornava presso il figlio e non lo lasciava più fino all'alba seguente: in pochi giorni, era invecchiata, e quasi fatta irriconoscibile. Si erano chiamati da altre città dei professori illustri, e Concetta li supplicava, li minacciava, ora trattandoli come delle divinità, ora come degli impostori.

Verso la metà di luglio, il cocchiere fu mandato al suo paese di campagna per la sua licenza estiva, e in tal modo Anna perse il solo mezzo che le restasse per aver notizie d'Edoardo. Ogni giorno ella vagava ore ed ore nei pressi del palazzo, senza decidersi ad accostarsi e a suonare il campanello, nel timore di venire umiliata e scacciata. Ma infine (era trascorso circa un mese dal giorno che il cugino s'era ammalato), la sua pena vinse l'orgoglio, e, dominando la propria ripugnanza, ella s'avviò a quel portone che già una volta, fanciulletta appena, aveva oltrepassato con Cesira, e dal quale era uscita piangendo. C'erano, prima di giungere al portone, alcuni gradini di marmo: Anna arrivò all'ultimo affannosa e smorta, quasi avesse percorso una lunghissima salita.

Sebbene molta gente di ceti diversi venisse ogni giorno a chieder notizie del malato, il servitore che aperse il portone guardò non senza stupore questa fanciulla sola, trasandata ed esangue, che lo interrogava nel piú altezzoso dei modi. Notando le sue scarpette di tela rese grige dalla polvere, l'abito di cotone sgualcito, il cappello di paglia ordinaria sotto cui scintillava uno sguardo cattivo, con diffidenza egli le domandò il suo nome. Ella rispose che il suo nome non importava: era venuta, soggiunse, unicamente per sapere notizie del padroncino malato, e, avute le notizie, sarebbe ripartita subito. Con le maniere fredde e un poco sprezzanti solite ai servitori in livrea verso la gente vestita peggio di loro, colui rispose che veramente aveva ordine di domandare il nome a chiunque si presentasse. Tuttavia, la signorina poteva sapere che il padroncino, a quanto dicevano i medici, aveva superato la crisi grave, e si sperava di salvarlo. Da due giorni, la febbre gli era scesa sensibilmente, egli aveva riconosciuto chi lo vegliava, e pareva di nuovo in sé. A tali notizie, la fisionomia di Anna si trasformò, i suoi lineamenti si rilasciarono, un lieve colore le apparve sulle gote. E fu con voce agitata che, tratta dalla borsetta una lettera, ella pregò il servo di consegnarla al padroncino in persona. Il servo scosse il capo, e, sogguardata appena la lettera, disse che con suo dispiacere doveva rifiutare l'incarico: i medici ordinavano di evitare al malato anche la piú lieve scossa, e qualsiasi conversazione o fatica. La corrispondenza di lui, perciò, veniva ritirata da donna Concetta. La fanciulla parve spaventarsi a questa idea, e, riposta frettolosamente la lettera, ripartí.

Per piú di una settimana, ella si trasse dietro quella lettera spiegazzata, senza osare d'impostarla nel timore che cadesse in mani estranee. Sperava, intanto, che suo cugino, col ritorno della coscienza, si ricordasse di lei e le mandasse notizie, o almeno un saluto; ma dalla parte d'Edoardo seguitava un ostinato silenzio. Era già inoltrato l'agosto allorché Anna si recò per la seconda volta a interrogare quell'austero servo; e costui le confermò il miglioramento d'Edoardo. La guarigione era ormai certa: la febbre perdurava, ma piú leggera, il malato dormiva sonni tranquilli, e, sebbene assai dimagrato, appariva sereno e la sua mente era lucida. – Consegnategli, allora questa, – disse Anna, porgendo al servo una nuova lettera, e mascherando col suo modo brusco e altèro il timore d'un nuovo rifiuto. Stavolta il servitore, forse impietosito, o forse nel dubbio di provocare altrimenti lo sdegno d'Edoardo, accettò l'incarico. Ma invano, nei giorni successivi, Anna attese una risposta.

Per la terza volta ella bussò a quella porta ostile, e domandò a mezza voce se il padroncino avesse lasciato nessuna lettera per lei. – No, – le rispose il servitore. Il malato migliorava di giorno in giorno, la lettera della signorina era stata consegnata nelle sue mani, ma egli non aveva dato ordini che riguardassero la signorina. Piena di confusione, Anna disse: – Fategli sapere che oggi sono stata qui. – Il vostro nome, scusate? – Ditegli Anna. Basta cosí: Anna. – Sarete servita, – rispose il cameriere con un accento che a lei parve ironico. In quel punto, una figura femminile si affacciò sulla soglia dell'atrio, e la giovane visitatrice fuggí, come investita dalle fiamme.

L'ultima volta che Anna si recò laggiú, l'autunno era ormai prossimo. Ella s'indugiò a lungo, prima, in una stradicciola adiacente, e di là vide una carrozza dei Cerentano fermarsi in attesa davanti all'ingresso. Una bruna, fiera matrona dai capelli incanutiti, accompagnata da un'altra donna ch'era forse la sua cameriera personale, uscí alla fine per il portone che il servitore aveva spalancato solennemente. Il cocchiere, in piedi presso la carrozza, ne aprí lo sportello e s'inchinò, e al vederlo Anna si riconfortò, avendo riconosciuto in lui Carmine. Ella pensò che, grazie al ritorno di Carmine, potrebbe d'ora innanzi comunicare piú facilmente con Edoardo: sebbene assumesse per solito, di fronte ad Anna, un'aria ipocrita e contegnosa, il giovane cocchiere era pur sempre una persona familiare, il testimone delle loro passeggiate, uno che amava il suo padrone. Quanto alla signora ch'era uscita, Anna suppose, e non si sbagliava, che fosse sua zia Concetta, e il sapere che costei non era oggi in casa la rese piú ardita. Nel passare, la carrozza quasi la sfiorò, ed ella si voltò in fretta, per nascondersi agli occhi di sua zia.

Passata la carrozza, Anna vide la robusta figura d'un giovane dalla testa nera e ricciuta, vestito di scuro, fermarsi davanti all'ingresso dei Cerentano, esitare un momento e poi tirare il cordone del campanello. Ella attese che il giovane fosse stato introdotto, e poi di corsa s'avviò al portone. Secondo il solito, le pareva che da tutte le finestre, di fra le tende, occhi maligni la spiassero. Ma Edoardo, perché non s'accorgeva di lei?

Come la vide, il servitore dell'entrata non attese neppure ch'ella parlasse, e la pregò d'attendere un istante, ché c'era per lei qualcosa da parte del signorino. Anna attese nel vano della finestra, in piedi, tanto agitata e turbata da non accorgersi che, nel vestibolo, qualcun altro stava in attesa al par di lei. In un angolo, il giovane visitatore entrato poco prima attendeva, seduto, reggendo con le due mani il proprio cappello, che teneva sulle ginocchia. Il punto dov'egli sedeva era già immerso nell'ombra del crepuscolo; per cui, seppure Anna si fosse accorta della sua presenza, ne avrebbe potuto scorgere soltanto le due pupille ardenti e malinconiche fisse su lei col loro bruno fuoco. Egli infatti, dal primo momento ch'ella era entrata, non aveva distolto gli occhi da lei. Guardava attento, protetto dalla penombra, quell'alta e sottile persona ferma in piena luce nel vano della finestra: ella indossava un vestitino a buon mercato di cotone a righe, e sotto il cappello di paglia il volto smagrito si sporgeva avanti, quasi in atto di sfida. Il suo braccio pendeva inerte, ma quando il servitore, dopo un breve indugio, tornò recando su un vassoio una piccola busta, ella tese febbrilmente la sua manina a raccoglierla. – C'è risposta? – mormorò. Il servitore disse che non sapeva, ed ella, nel dubbio, lacerò allora la busta con le dita tremanti. Certo la lettera conteneva una qualche terribile notizia; perché, nel leggerla, ella impallidiva come all'avvicinarsi della morte. – No, non c'è risposta, – disse infine al servo in attesa, piegando a un sorriso stregato le labbra senza più colore. E sempre sorridendo, ferita e livida, gli occhi raggianti come una furia, ella atteggiò la persona a un movimento noncurante e orgoglioso. Chinata appena la testa a un superbo saluto, uscí dal palazzo. La sua manina bianca strizzava quel foglio misterioso; e il servo richiuse la porta su di lei.

Il foglio conteneva solo poche righe, tracciate, per mano d'Edoardo, in una scrittura frettolosa e negletta; e diceva:

Cara cugina,

io sono stato malato, e adesso sono guarito. Se è questo che cerchi di sapere con le tue insistenti visite, te lo comunico, sebbene a quest'ora dovresti esserne già informata. Speravo che il mio silenzio bastasse a farti intendere l'altra cosa che devi sapere, e cioè la fine della nostra « cuginanza », ma siccome ti ostini a non intendere, ti comunico anche questa notizia, con cui la nostra corrispondenza si chiude. Spero che, con ciò, tu cesserai da oggi le tue visite, le quali, per delle ragioni che non occorre dirti, non sono molto opportune. A rivederci, dunque, o meglio, addio, perché non credo che i casi ci faranno incontrare ancora. Ti auguro buona fortuna e un matrimonio secondo i tuoi meriti.

Edoardo Cerentano di Paruta.

Nel momento che Anna, stringendo la sua lettera, oltrepassava l'uscita, un garzone sceso dalla scalinata nell'atrio avvertiva premurosamente l'ignoto visitatore che il padrone lo invitava ad accomodarsi; e nello stesso tempo gli ritoglieva dalle mani il cappello, che colui gli cedeva pieno di confusione quasi che, con quel semplice atto di cortesia, il domestico lo avesse accusato d'una infrazione o d'una colpa. Indi, il giovane bruno si inoltrò per la scalinata, preceduto dall'alacre messaggero.

PARTE TERZA

L'anonimo

Capitolo primo

Entra in scena il butterato.
Incominciano le sue millanterie.

Lo sconosciuto giovane bruno, di cui piú sopra s'è detto, era la prima persona che Edoardo riceveva dopo la malattia. Da qualche giorno, egli aveva lasciato il letto per la poltrona, dove rimaneva semidisteso, il capo appoggiato allo schienale. Ogni tanto, si scompigliava distrattamente le ciocche con le dita assottigliate da lunghi mesi di febbre; oppure dondolava il piede infilato nella pantofola; ma perfino questi semplici movimenti lo stancavano. Piú volte, nei giorni precedenti, aveva tentato di levarsi, e s'era spinto fino allo specchio, dove la sua figura smagrita, dagli occhi incupiti e fantastici, gli era sembrata quasi estranea; ma subito gli eran venute meno le forze, ed era ricaduto sulla poltrona, in preda a nausea e a capogiro. I languori della convalescenza s'alternavano in lui con una avidità nervosa di muoversi e di vivere: da ciò derivavano i suoi bizzarri, capricciosi umori. Oppresso dalla noia, ora egli esigeva la compagnia di sua madre o di sua sorella, ed ora, per un desiderio improvviso di solitudine, le scacciava. Oppure chiedeva che gli si leggesse un libro ad alta voce; e d'un tratto interrompeva con dispetto il compiacente lettore, accusandolo d'avere la voce monotona, o dichiarando il libro noioso e stupido. A volte, la gioia di sapersi guarito gli gonfiava il cuore: pensava al mondo, ai viaggi, alle avventure, a tutto ciò che la vita e la salute offrivano ad un giovane suo pari. Ma allora una tale impazienza lo prendeva di strapparsi da quella poltrona, da quella camera, che la primitiva esaltazione cedeva all'esasperata tristezza del suo stato presente. Per la prima volta nella sua breve esistenza si sentiva debole e schiavo, e non poteva far legge della propria volontà. Da ciò derivava che la sua spensieratezza di certi momenti si trasmutasse d'improvviso in una smania iraconda, tale da spingerlo a gesti violenti contro l'infermiera, o contro i familiari che lo assistevano. Spesso il suo volto consunto, nell'atto stesso d'abbandonarsi con l'antico fervore ad una affettuosa risata, d'un tratto s'oscurava, ed egli insultava senza motivo l'interlocutore e gridava: – Perché mi state sempre intorno? Lasciatemi in pace! Via! via! – Per distrarlo, sua madre aveva fatto trasportare il pianoforte nella sua camera, e spesso sua sorella gli suonava le musiche da lui preferite. Ciò lo consolava talvolta, ma in altri momenti gli accresceva invece l'insofferenza e l'ansia. Infatti, la musica non sempre liberava l'immaginazione di lui dall'ingombro degli oggetti reali e dal desiderio; ma, al contrario, dipingeva sovente alla sua mente fantastica quei moti e quelle vicende che gli erano ancora proibiti. Inoltre, non di rado, invece di ringraziare la povera Augusta, egli criticava beffardamente il suo stile di pianista, e la accusava di suonare come un'educanda, rendendo incolore ogni nota. Smaniava di suonare egli stesso, ma gliene mancava la forza: come pure s'illudeva talora di poter comporre dei versi, o della musica, o dipingere, al modo che soleva prima della malattia; ma il fervore della sua mente era fatto sterile dalla sua debolezza fisica, ed egli con disgusto rinunciava al tentativo di cui s'era per un poco illuso. I medici gli vietavano tuttora di ricevere visite di estranei, temendo d'affaticarlo; e d'altra parte egli non desiderava vedere nessuno dei vecchi amici. L'estate della sua malattia, nella memoria, gli appariva quale un passaggio infocato e nero, popolato di simulacri e di voci incoerenti. In questa nera valle gli pareva d'aver seppellito tutto il suo passato, tutta l'adolescenza: voleva cose nuove ed ignote e rifiutava le parvenze già care come le maschere d'uno spettacolo che si conosce a memoria e non interessa piú. Nella malattia, gli erano balenati innanzi personaggi strani, nati dalla febbre, ma pieni di vita e di dolore. Gli pareva che adesso, mentr'egli guariva troppo lentamente, costoro attraversassero le piazze, le vie della città in attesa d'incontrarsi con lui. Ma lui mancava al convegno, ed essi dileguavano verso altre città, nate, come loro, dalla febbre: in una torrida luce di tempesta, che esaltava gli oggetti e li faceva desiderabili e rari. Delle figure di amanti gli apparivano in questa luce: fanciulle docili e opulente, che piegavano il capo verso di lui raccogliendo nella mano il peso delle loro trecce. Quali preziose trecce d'oro! Nessuna fanciulla da lui conosciuta poteva gareggiare con queste bellezze della sua fantasia.

Cosí egli passava i giorni della convalescenza, agitato fra il disprezzo della vita già trascorsa e la brama di vivere: non pago dei soli piaceri dell'immaginazione, ma insieme avvertito che la realtà non avrebbe mai potuto uguagliare in ricchezza i languidi sogni. Forse, il nostro irrequieto personaggio, toccando, in quei mesi estivi, la soglia della morte, aveva intravisto i luoghi e popoli miracolosi che si crede ci attendano laggiú. E adesso, pur senza saperlo, era la loro ombra ch'egli cercava avidamente intorno; e continuamente, nei suoi disegni per il domani, rievocava la loro bellezza a confronto.

Il tempo assecondava questi capricci della memoria: da piú giorni il sole era scomparso, ma l'aria uniforme e torbida era ancor pesante d'afa. Le piogge tardavano, e i colori delle foglie, arancione e rosso ardente, i grandi fiori autunnali, sembravano i segni d'un'estate piú amara e ombrosa. La mente appassionata non ha pace in simili giorni, scossa dai desideri e dai presagi. Nell'aria stagnante e cupa, essa attende, per liberarsi e fuggire al largo, il tempestoso vento dell'autunno.

In quel pomeriggio, l'umore d'Edoardo era piú del solito volubile. La sua salute andava assai meglio: dopo aver mangiato con appetito, egli aveva potuto muovere qualche passo per la camera e si era spinto fino alla terrazza che dava sul giardino. Ciò gli aveva restituito una gioiosa fiducia nelle sue forze. Egli progettava amori, viaggi e feste assolutamente nuovi e sconosciuti fin qui; e nel parlare del proprio futuro, guardava il letto nel quale aveva tanto sudato e delirato con uno sguardo di vittoriosa riscossa. « Non sono piú tuo prigioniero, – pareva dire a quel letto odiato, – per tanto tempo sono stato legato a te, ma adesso l'incantesimo è finito, sono guarito, sono libero! »

Concetta, fedele guardiana della convalescenza di lui, divideva quella felicità. Ma il troppo orgoglio di suo figlio la spaventava: ella era certa di dovere la guarigione di lui soprattutto alle proprie preghiere. Durante la malattia di Edoardo, non un sol giorno ella aveva trascurato di levarsi alle cinque per correre alla prima Messa. I piú fastosi gioielli del suo scrigno, li aveva sacrificati per offrirli in voto agli Altari. In tutte le chiese della città bruciavano i ceri offerti da lei, dovunque si erano celebrate Messe per la salute del giovane amato; e dovunque si cantavano, adesso, *Te Deum* di ringraziamento. Ella aveva cucito, all'insaputa del figlio, dentro la fodera del materasso e del guanciale di lui come pure nascosti negli orli delle sue coperte e camicie, dei quadratini di stoffa in cornici di merletto (lavoro delle suore), che portavano stampate o dipinte delle sante immagini. E al collo smagrito e bruciante del malato aveva appeso la catenina d'oro con la medaglia del battesimo, ch'egli, ancor bambino, nella sua precoce empietà, si era rifiutato di portare, considerandola un gingillo da femmine. I santi e le sante piú potenti e illustri della schiera celeste, tutti avevano ricevuto il supplice omaggio di Concetta. Ed ora, ricevuta la grazia, non essendo piú costretta al capezzale del malato per tutte le ore del giorno e della notte, ella si concedeva dei pellegrinaggi quotidiani alle dimore

213

dei suoi Santi. Superba del proprio sacro còmpito, si faceva condurre dalla carrozza a questa o quella chiesa, chinando pigramente la testa, durante il percorso, per rispondere ai saluti servili dei cittadini. Avanzando per le ricche sale, per le navate semibuie delle dimore celesti, ella si dirigeva verso l'Altar Maggiore, disdegnando guardare gli umili devoti inginocchiati qua e là: cosí l'amico prediletto di un re si accosterebbe al trono fra la folla invidiosa dei cortigiani. Se qualcuno, giunto prima di lei, s'era inginocchiato al grande inginocchiatoio centrale di fronte all'Altar Maggiore, la cameriera che sempre accompagnava Concetta s'accostava in fretta all'audace e gli bisbigliava nell'orecchio l'illustre nome della sua signora: e colui, premuroso, s'affrettava a lasciar libero il posto. Infine, Concetta era in cospetto del Trono, inginocchiata come prescrive il cerimoniale della corte celeste. Un senso di potenza, di regale confidenza e di privilegio le dilatava il cuore. Con gli occhi ardenti, neri come il carbone in quel suo bianco viso da monaca, ella contemplava le fiamme dell'altare che bruciavano in suo nome, gli aurei voti con sopra inciso il suo stemma, i preziosi calici, le tovaglie ricamate offerte da lei. In virtú del suo rango e dei suoi doni, ella era certa di meritare il posto d'onore in quelle belle camere angeliche. Ma, simile ad una donna fedele che si vale della amicizia del re per sollecitare un favore al proprio sposo, Concetta invocava la grazia celeste non per sé, ma per Edoardo. L'empietà del figlio la faceva tremare; ma pure ella confidava di riscattarla con la propria devozione. Non era forse, Edoardo, una parte di lei stessa, il tesoro della sua carne? Il Signore non ignorava che, usando severità contro Edoardo, avrebbe colpito a morte la Sua devota. La guarigione d'Edoardo era una prova di questa intelligente misericordia del Cielo: essa aveva accresciuto non solo la gratitudine, ma la fierezza nel cuore di lei. Piú fervente, piú estatica ella si prostrava ai piedi del suo Re; mai troppo ricche le parevano le proprie offerte, mai troppe le preghiere. La sua trepidazione per il figlio non era spenta; ma allorché si trovava in cospetto dell'altare, un senso di piena, intima corrispondenza col suo Re la spogliava d'ogni paura. Nei suoi vestiti negletti, ella splendeva di vanità per l'eleganza magnifica dell'altare; ma quei fuochi e ori, quei fumi orientali, quelle voci mistiche un solo nome esaltavano: Edoardo. Su di un solo invocavano le grazie: su Edoardo. Concetta non avrebbe dubitato della giustizia divina se tutto il resto del gregge fosse dimenticato o annientato. La graziosa persona di suo figlio, i privilegi della sorte, l'invidia delle madri, erano i chiari effetti d'una legge scritta in Cielo: la quale sanciva l'orgoglio dei favoriti, e il loro disprezzo verso gli altri.

Ma Edoardo, tornatagli appena la ragione, subito s'era tolto con fastidio la catenina del battesimo, dicendo di non sopportare quel peso; e con un sorriso beffardo l'aveva restituita a sua madre. Questa, fattasi il segno della croce, aveva baciato la medaglia benedetta e se l'era appesa lei stessa al collo, sperando cosí di meritare al figlio il perdono per l'oltraggio recato ai Beati. D'altra parte, Edoardo ignorava la presenza delle piccole immagini celate fra i materassi e i guanciali; sua madre, infatti, le aveva cucite nei punti piú nascosti, mentre il figlio dormiva o non era in sé. Ella si lodava adesso del proprio accorgimento, grazie al quale il figlio, senza neppur sospettarlo, sarebbe da quelle sante immagini custodito e protetto.

In quel pomeriggio, mentre Edoardo vantava i propri disegni per il futuro, la vittoriosa gioia di Concetta si mescolò d'un timor sacro. Allora, con tono appassionato e ieratico, ella incitò il figlio a non dimenticare la gratitudine dovuta ai Santi, primi artefici della sua guarigione. Ma Edoardo, col tono di confidenza a cui sua madre lo aveva avvezzato fin da bambino, incominciò a ridere di lei, trattandola da folle e da illusa. E sempre piú godendo di provocarla, prese a farsi gioco dei santi da lei venerati e dei loro illustri nomi. Ella inorridiva a tante bestemmie, e supplicava il figlio di tacere; ma ciò pareva esilarare al sommo quell'incredulo. Il quale spinse la propria spavalda empietà fino a gettare una sfida alle schiere celesti: – Io non credo a voi! – esclamò, rivolto agli spiriti invisibili, – giuro che sono guarito perché cosí è piaciuto a me. Presentatevi, dunque, se osate, presentatevi a contraddirmi! Ah, nessuno si fa avanti! Avete dunque paura? – ed egli rideva allegramente, come per un gioco, pur sapendo di gettare su Concetta lo scandalo e lo spavento. In lei si accese alla fine un'ira accusatrice. E singhiozzando forte, ella rampognò acerbamente suo figlio. Il quale, imbronciato, le rispose d'andarsene dunque dai suoi santi, e di lasciarlo solo: ché simili scene lo stancavano, e gli facevano ritornare la febbre. Cosí dicendo, egli prese dalla vicina tavola uno specchio per osservare i segni della malattia sul proprio viso che rifioriva lentamente. Intanto sua madre, nel timore d'infastidirlo, si placava e di nascosto balbettava il rosario, celando sotto le ampie maniche la corona. Il vedersi ancora cosí scarno, con gli occhi cerchiati, rattristò Edoardo. – Come sono diventato brutto, – egli disse. Queste parole suonarono al cuore di sua madre non meno empie delle bestemmie di poco prima. – Brutto! – ella esclamò con una sorta di ferocia nella voce ancora commossa dal pianto. E scuotendo il capo soggiunse: – Tu sei piú bello di prima, Edoardo mio. Credi alla tua mamma –. Con ciò, ella intese esprimere la propria amorosa intenzione di suggellare la pace; i suoi neri occhi ancor umidi volsero al figlio lo stesso sguardo col quale, in chiesa, contemplavano il Tabernacolo. – Brutto! – ella ripeté, uscendo in un riso fresco e giovanile, quasi a confondere l'eresia pronunciata dalla sua stessa bocca. E accostatasi al figlio, con la voce cantante, morbida, propria alle donne del Mezzogiorno quando parlano d'amore, prese a lodare la bellezza di lui, chiamandolo la passione di tutte le donne, il tesoro di sua madre, il piú bello della città. Poi, serrandogli con impeto le due guance, e baciandolo sulle labbra, esclamò rapita: – È guarito, è guarito il reuccio della casa, è guarito il mio bel signore, l'angelo di sua madre, il mio bambino, il mio piccolino –. Ridendo, Edoardo le fece notare che non era piú un bambino, era ormai grande; ma pur contraddicendola in tal modo, volentieri egli si piegava a quei complimenti, a quei baci. Infatti, era carezzevole per sua natura, e adesso, indebolito dalla malattia, tanto piú sentiva il desiderio delle blandizie. Mentre rideva di sua madre, egli la cingeva tuttavia con le braccia, baciandole a sua volta il viso sfiorito; e nello stesso tempo, secondo una scherzosa abitudine della sua fanciullezza, le strappava ad una ad una le forcine dai capelli. Un tale scherzo, in altri tempi, soleva provocare l'ira di lei; ma stavolta, come la bella capigliatura ormai grigia le si sciolse sulle spalle, ella sospirò beata. Le era avvenuto infatti, mentre il figlio giaceva in preda alla febbre, di ricordare quel gesto di lui; e allora, le aveva stretto il cuore un tale rimorso per i propri passati rimproveri, e un tale rimpianto, che oggi le pareva un privilegio miracoloso il sottoporsi all'antico, affettuoso dispetto. Finse tuttavia di minacciare suo figlio; ma subito dopo si abbandonò ad un riso estatico chiamando il suo diletto coi piú teneri nomi. Ed egli da parte sua, confondendo e lisciando con le dita le chiome materne, ripeteva: – Che bei capelli ha questa signora. Che bella testolina d'argento.

Suonò in quel punto la prima campana dei vespri; ed ella in fretta si rialzò i capelli dinanzi all'alta specchiera. Di sull'uscio, con autoritaria passione, rivolse al figlio ancora varî ammonimenti riguardo alle medicine da prendere, alle prescrizioni da seguire mentr'ella era fuori. Ma egli, già stanco delle attenzioni di lei, la interruppe dicendole: – Addio, Concetta –. Fin dall'infanzia, talvolta si divertiva a chiamarla, invece che *mamma*, per nome, sapendo che ciò la indispettiva. Stavolta, però, ella rispose con un cenno ridente a quel saluto del figlio; e disparve.

Uscendo, e montando in carrozza, ella vagheggiava fra sé un pensiero comune a tutte le donne, popolane o signore: e cioè, che per la madre un figlio è sempre bambino. Del resto, nel corso di quella malattia, non aveva ella dovuto nutrirlo con le sue stesse mani come quando, nei suoi primissimi anni, egli rifiutava d'accettare il cibo da altri che da lei? In quell'estate, ora declinante, Edoardo era stato di nuovo suo come in tempi remoti, sebbene ella dovesse, di minuto in minuto, contenderlo alla morte. Se ella s'allontanava un momento dal suo capezzale, il malato anche nel delirio la cercava, ed ella accorreva, trionfante pur nell'angoscia. Debole, smarrito, egli aveva rimesso ogni sua volontà nelle mani di sua madre: in quella camera, ella era la padrona e la regina. Era lei che riceveva le lettere dirette al figlio, e ne scriveva le risposte; era lei che accoglieva o rimandava le visite. Nessuno poteva contestarle questo diritto. Idolatra e feroce, ella vegliava su colui che era suo. Se una domestica, al piano di sopra, lasciava cadere un oggetto, sí che il lieve rumore della caduta s'avvertiva nella camera d'Edoardo, la sciagurata doveva fare i conti con le furie della signora. Tutti nella casa dovevano parlare sottovoce, e camminare sulla punta dei piedi. E le altre donne di fuori, le amiche d'Edoardo, per aver notizie di lui si rivolgevano alla madre, cui s'appressavano con una riverenza, trepidanti ed umili, dolendosi con lei se egli stava male, festeggiandola se egli migliorava. Esse le erano grate della sua degnazione, giacché sapevano che l'amato infermo apparteneva soltanto a lei. Ah, se adesso che il pericolo era scomparso, ella ripensava a quell'estate dolorosa, doveva riconoscere che non era passata senza gloria!

Cosí pensando, ella procedeva distratta nella carrozza; fu allora che sfiorò quasi con le ruote la sua nemica, Anna, la rivale ch'ella aveva piú di tutte odiata, colei che non aveva osato presentarsi alla madre d'Edoardo per chiederle notizie di lui. Concetta non si accorse, però, di Anna. Pochi minuti dopo, la fanciulla ritirava dalle mani del domestico la lettera d'Edoardo.

Il cugino aveva scritto tale lettera un paio di giorni avanti e dopo averla suggellata l'aveva affidata al servo, con l'ordine di consegnarla alla signorina non appena questa ritornasse. Egli non ignorava, come abbiam visto, che sua cugina era venuta a chieder di lui piú d'una volta: certo ella non aveva potuto resistere all'angoscia, malgrado le molteplici ragioni che le precludevano l'ingresso a quella casa. Edoardo aveva appreso la notizia delle sue visite con indifferenza. La sua passione per la cugina gli pareva, a ripensarla, come certi luoghi abitati nell'infanzia, che giudicavamo sterminati; ma quando, fattici adulti, vi ritorniamo, si rivelano invece angusti, per cui ci chiediamo stupiti: « Era tutto qui? » Quell'amore apparteneva, come tante altre cose, a un'altra età: egli lo ripudiava. Gli pareva strano che, da parte sua, la cugina non comprendesse com'egli era cambiato; e quando si decise a scriverle, usò con intenzione quello stile spietato e gelido: «Deve convincersi, – pensava, – che tutto è finito, la mia lettera deve ferirla a morte». La lettera fu avviata dunque alla sua missione; ma subito dopo, Edoardo incominciò a pensare alla sua destinataria con una specie di curiosità e di ardore scevro di rimorso. La lettera verrebbe consegnata, egli non pensava affatto a ritirarla: essa era lo strumento del Fato, e il Fato era lui stesso. Un tal pensiero, ancora adesso, gli dava un piacere profondo: non fatuo, ma grave, misterioso, quale proverebbe un tiranno disponendo a proprio arbitrio delle vite dei sudditi. Egli immaginava l'orgoglioso volto di sua cugina insultato dalle fredde informazioni del servo; vedeva quei denti minuti mordere le labbra per contenere il pianto e le grida; e quell'alta, fragile persona allontanarsi di corsa per le vie traverse meno frequentate, cercando di nascondere se stessa e la propria umiliazione. Insieme all'amore, ogni sospetto geloso era svanito dal cuore d'Edoardo: non v'era dubbio, sua cugina lo amava tanto da non curarsi d'altro al mondo. Egli sapeva di avere la sorte di lei nelle proprie mani, tanto che, per esempio, sarebbe dipeso, adesso, da lui solo, trasformare, se gli piaceva, la presente disperazione della fanciulla in una inaspettata felicità. E si figurava di salire, appena guarito, allo squallido appartamentino dov'ella si consumava. Ella stessa gli avrebbe, secondo il solito, aperto l'uscio; ed egli le avrebbe detto d'esser venuto per ammonirla a voce, e ribadire quanto forse non le aveva spiegato abbastanza chiaramente per lettera. Dunque: si guardasse bene, Anna, per l'avvenire, dal presentarsi al Palazzo per nessuna ragione al mondo: ella sapeva quanto simili visite fossero inopportune e inutili. D'altra parte, fra loro due tutto era finito, egli era venuto a dichiararglielo per l'ultima volta. La consigliava a non cercare mai piú di lui, con nessun mezzo; si persuadesse che egli, per lei, non esisteva piú. Tutto ciò le avrebbe detto con accento ostile ed arido; e dopo averla vista ripiegarsi esangue e senza voce, d'un tratto l'avrebbe abbracciata, mescolando i baci a un riso pazzo. Gli parve d'avere già in bocca il sapore salato delle lagrime di lei, di mirare quegli occhi magici e interrogativi: «Invece tutto ciò non sarà mai, – si disse, – perché non l'amo».

Mentre cosí egli fantasticava, il garzone che s'è detto venne a portargli un biglietto da visita di cartone ordinario, ma stampato a caratteri vistosi e svolazzanti. Il signorino che si presentava con quel biglietto, spiegò il garzone, chiedeva quando il padrone potesse riceverlo, e aspettava in anticamera la risposta. Egli disse *il signorino*, ma con un'aria piuttosto beffarda: evidentemente nel suo giudizio i signorini erano ben diversi da colui. Sul biglietto si leggeva la scritta: *Barone*

218

Francesco de Salvi, sormontata da una minuscola corona. Edoardo non conosceva questo barone e non aveva mai sentito nominare la sua casata. Perciò l'avventurosa curiosità dell'ignoto, ravvivata in lui dalla malattia, lo spinse a ricevere subito quel personaggio.

Poiché il crepuscolo autunnale scendeva veloce, il garzone che introdusse lo sconosciuto recava un lume, che lasciò sulla tavola presso Edoardo. Questi si sollevò un poco dalla poltrona, e posando sul visitatore uno sguardo incuriosito e contento si scusò per esser costretto a riceverlo in camera. Quindi gli tese la mano, che l'altro strinse timidamente.

Era un giovane robusto, che doveva aver da poco passato i vent'anni. I tratti del suo viso erano d'un disegno bello e regolare, ma corrosi e deturpati da fitte cicatrici del vaiolo. In tale viso dalla fronte alta, d'un pallore bruno, ardevano i neri occhi intelligenti e melanconici. I capelli, come già s'è detto, erano ricciuti e nerissimi. Quanto al vestito, esso appariva liso e stinto, sebbene fin troppo rigidamente stirato. La goffaggine del taglio tradiva il sarto paesano; e una cravatta di poco prezzo ma dai colori chiassosi rivelava, congiunto al cattivo gusto, il desiderio d'un'eleganza appariscente. Essa era fermata da una spilla di metallo comune foggiata in forma di *R* maiuscola, e adorna di finte perle.

Coi suoi occhi vellutati, cinti di ciglia lunghe e morbide, il giovane sogguardava or qua or là i ricchi oggetti che lo circondavano; e metteva in quello sguardo una specie d'insulto o di sfida. In tono quasi minaccioso si affrettò a spiegare il motivo della sua visita: egli desiderava, disse, d'aver notizie o almeno l'attuale indirizzo *d'un certo* Nicola Monaco, il quale un tempo aveva recapito qui nel palazzo. Chiedeva scusa per il disturbo, soggiunse, ma aveva preferito interrogare il padrone, anziché informarsi presso la servitú, trattandosi di cosa riservata.

Aveva detto *un certo Nicola Monaco*, ma si capiva che nella sua considerazione il personaggio da lui nominato doveva tenere un altissimo posto. Se lo aveva chiamato *un certo*, era solo per mascherare con un finto disdegno l'alta opinione appunto ch'egli ne aveva, opinione, del resto, ch'egli doveva ritener condivisa da molti. Inoltre, malgrado il suo modo aggressivo, egli aveva cura di parlare preciso e ricercato, non senza una lieve ostentazione. Ma pur nel suo semplice discorso, si confuse e s'inceppò piú d'una volta, e ciò parve irritarlo al punto che i suoi occhi divennero cupi.

Un tale visitatore, che il caso aveva condotto a Edoardo, faceva

pensare a un uccello selvatico portato dal vento in una camera cittadina, dove langue un fanciullo malaticcio. Pieno di meraviglia, questi
accoglie la strana, alata fiera. Essa, non avvezza al chiuso, batte goffamente le ali, e vorrebbe subito fuggire; ma nello stesso tempo le piace
soffermarsi al riparo dalla tempesta. Il fanciullo la guarda con invidia
perché essa è libera, e può volare. L'agitarsi di quell'inesperta gli
sembra ridicolo, e insieme gli fa pena; ma, soprattutto, il fanciullo
brama di catturare l'ospite inattesa, per farsene una compagna: e
subito studia il modo di coglierla, e di tarparle le ali.

Alla richiesta del giovane, Edoardo gli gettò un'occhiata scruta-
trice; e dopo aver pensato un momento, rispose di ricordarsi infatti
che un certo Nicola Monaco aveva servito la sua famiglia in qualità
di amministratore fino a cinque o sei anni prima. Qui Edoardo si
fermò per chiedere all'altro se il Monaco gli fosse per caso parente,
o amico: giacché, spiegò premurosamente, le ultime notizie avute sul
conto di lui non erano piacevoli. A simile domanda, l'altro, con un
fare precipitoso e ironico, e una risata che parve un insulto, lo esortò
a non avere scrupoli, a parlare senza reticenze. Con *quella persona*,
assicurò, egli non aveva relazione alcuna, se non d'affari.

Udendo lo sconosciuto parlare in tal modo, Edoardo fu preso da
un rapido batticuore, come chi si accinge a un'avventura rischiosa e
tormentosa, ma, appunto perciò, affascinante. La sua malizia, infatti,
gli lasciava indovinare che il giovane aveva mentito: e che la persona
di Nicola Monaco doveva avere nel cuore di lui un posto tutto diverso
da quello che lui, per caparbietà, o per orgoglio, o per chi sa qual
mistero, voleva far credere. Ora, con la sua risposta, egli dava agio ad
Edoardo di entrare liberamente nella sua regione vietata, e di calpestarla e scompigliarla, se gli piaceva. Ciò faceva pregustare al malizioso
cugino, in quel pomeriggio di noia, un piacere affettuoso ed empio,
simile a quello ch'egli provava allorché insultava i santi cari a Concetta. Un simile piacere, per quanto ciò possa sembrare strano, non
deriva soltanto da crudeltà, ma è anche mescolato di tenera compassione e d'amore. Difatti, una delle prime felicità dell'amore non è
forse il permesso, ottenuto o strappato, di invadere, e devastare magari, delle regioni vietate, misteriose e sante? E vedeste mai con quale
aria di sfida, e di perdizione nel tempo stesso, un fanciullo goda nel
maltrattare un oggetto caro al suo piccolo fratello, se questo per fierezza s'ostina a dirgli: «Non me ne importa»? Di tale ibrida specie,
ahimè, sono le poche gioie di cui ci ha lasciato eredi il padre Adamo.

V'era dunque una nota quasi esultante nella voce sommessa e insidiosa d'Edoardo allorché questi, meno per un ultimo scrupolo di

220

coscienza che per prolungare con un indugio il proprio gusto, insisté a chiedere: – Ma... scusate, è da molto tempo che non avete notizie di quel *signore*? – (E nel dir cosí, le sue pupille sogguardavano l'altro con una sollecitudine arguta e un poco triste, come a dirgli: « Arrenditi e sarò buono con te »).

– Da piú di dieci anni, – rispose impetuosamente l'altro; ma tosto, adirato, si sarebbe detto, d'aver pronunciato questa frase, come se essa fosse stata chi sa qual gelosa confessione, aggiunse sgarbatamente: – Ma io vi ho chiesto un indirizzo, non delle notizie private.

– Scusate, voi avete cominciato col chiedermi delle notizie, e io v'ho avvertito che ne avreste udite di sgradevoli, – ribatté Edoardo. Al che il giovane si confuse tutto, e, dopo aver balbettato delle scuse, tentò di riprendersi esclamando rozzamente: – Insomma, dite quel che avete da dirmi! Parlate chiaro! – Allora, sogguardandolo, con l'accento distante e neutro col quale i padroni sogliono parlare dei loro sottoposti, Edoardo espose quanto sapeva su Nicola Monaco. E cioè come costui, dopo aver servito la sua famiglia per lunghi anni, fosse stato licenziato per certe irregolarità nell'amministrazione.

– Quali irregolarità? – domandò bruscamente Francesco. – Ebbene, – rispose Edoardo, – se volete proprio farmi adoperare il termine esatto, vi dirò che il nostro Monaco rubava.

Quasi oltraggiato nella sua propria persona da tali parole, Francesco arrossí violentemente; ma non disse nulla. E l'altro seguitò spiegando che, dopo un fatto simile, naturalmente ogni rapporto fra Nicola e i Cerentano era cessato. Né si era saputo piú nulla di Nicola fino a un anno avanti, allorché fra la servitú di casa s'era sparsa la nuova della triste sorte a lui toccata. Or prima di far nota questa sorte, Edoardo s'interruppe ancora; e chinata un poco la testa sulla spalla, si disse esitante a raccontare quanto aveva saputo: era una notizia tale da potere, forse, suonare sgradita agli orecchi dell'altro. Ma Francesco si ribellò ancora una volta a simile supposizione e, quasi offeso dai dubbi d'Edoardo, ripeté di non aver nulla in comune col Nicola, se non una questione economica. Qui egli fece udire una seconda risata, insultante e ironica al pari della prima, ma sorda, stavolta, e tremante, e rudemente dichiarò che il Monaco gli doveva del denaro.

– Ah, se è cosí, – disse Edoardo con occhi sorridenti, – temo che il vostro denaro sia perduto e che, in ogni caso, avreste dovuto rinunciarvi –. Spiegò quindi come la notizia appresa dai servi fosse che Nicola, uscito dalla casa Cerentano, purtroppo non aveva perduto i propri vizi. Egli era finito com'era da aspettarsi, in carcere, dov'era morto appunto un anno fa.

A questo annuncio d'Edoardo, il viso di Francesco si coprí di pallore. – Come? ah, sí, – egli disse, e sorrise dolcemente, mostrando i denti radi e sciupati, quasi ancora puerili. Ma subito si levò dalla sedia, e girò una torva, misera occhiata, come cercando scampo fuori di se stesso al proprio momentaneo smarrimento. – Allora grazie, – proseguí, con le sue maniere violente e febbrili, – grazie, vi tolgo il disturbo. Ho saputo ciò che volevo, – concluse, trasmutando il sorriso infantile di prima in un altro, beffardo, – l'indirizzo che cercavo è il camposanto. Grazie –. E con questo sarcasmo, s'avviò frettolosamente all'uscio.

– Che fate! Partite già? aspettate! – esclamò, quasi impaurito, Edoardo, levandosi a mezzo dalla poltrona. E come l'altro, nella sua confusione, rimaneva interdetto sull'uscio, riprese a dirgli con un fervore inquieto: – Trattenetevi ancora un poco, vi prego. Risedetevi, ve ne prego per favore. Oggi è il primo giorno, – seguitò con un sorriso confuso e umile, – è il primo giorno che faccio un po' di conversazione con qualcuno dopo la mia malattia. Sono stato malato piú di due mesi, e sempre solo. Ho tanto desiderio d'un poco di conversazione, è un vero favore che mi fate, – ed egli accompagnò queste sue ultime parole con un sorriso mondano; ma temeva a tal punto un rifiuto dell'altro che le sue pupille s'oscurarono e la sua voce, piú che preghiera, suonò comando. Si rallegrò tutto vedendo che Francesco, intimidito, non osava rifiutare; e lo ringraziò, mentre un leggero colore si spargeva sulle sue gote.

Indi, sia per gratitudine che per meritarsi in qualche modo la condiscendenza dell'ospite, e invogliarlo a restare, ricominciò a parlare di Nicola Monaco, ma in tono tutto diverso da quello usato poco prima nei confronti del medesimo personaggio. Vedemmo altrove come questi avesse rappresentato, nell'infanzia del padroncino, una parte attraente e immaginosa. Ora, Edoardo cercò di risvegliare nella propria memoria quella figura ormai fantastica per tesserne una specie d'elogio funebre. Fatte piú ricche e vivaci dal desiderio di piacere, le sue parole risuscitarono l'amministratore nella forma d'un eroe. Egli celebrò il bell'aspetto del defunto, la sua barba bionda e la sua gioiosa risata. Celebrò la sua maestria nel cantare pezzi d'opera e nel suonare al piano dei ballabili per divertire loro fanciulli, che saltavano per la stanza a quei ritmi. Rievocò certi buffi aneddoti, raccontati a lui bambino da Nicola Monaco, i quali ancora, a ricordarli, lo eccitarono al riso; e fu tutto contento al veder Francesco ridere insieme con lui. Gli occhi di Francesco s'illuminavano ad ogni nuova frase in lode di Nicola: pareva che tali lodi si accordassero con una sua memoria segreta, mista di rimpianto e d'ambascia. Francesco appariva non piú aggressivo come poco prima, bensí indifeso: una timidezza malcelata, quasi un amaro pudore, ombrava i suoi moti. Se ne stava seduto sull'orlo della sedia, come per tenersi pronto al primo cenno di commiato da parte dell'ospite, e osava appena di esprimere la propria compiacenza con frasi d'approvazione sbrigativa quali: « Sí, aveva una buona voce », oppure: « Sí, era di statura abbastanza alta ». Ma, suo malgrado, questa sua discrezione severa somigliava a un velo di modestia gettato sullo splendore d'un riscatto. Essa tradiva una complicità cosí irrimediabile, o a dir meglio una religione cosí assurda, che Edoardo fu morso ancora una volta dalle proprie maligne tentazioni. Lo stile del suo discorso, da celebrativo che era, e quasi epico, divenne sempre piú frivolo, e la sua voce riacquistò quel tono sufficiente e disdegnoso dei padroni allorché parlano dei loro servi. Pian piano, le stesse virtú di Nicola, che avevano finora provocato le sue lodi, gli diventarono argomento di beffa e di sprezzo, come fossero altrettante ridicolaggini. Nicola parlava dell'Arte come d'una gentildonna che a lui solo avesse concesso le chiavi della propria camera! ma questa nobile dama, in realtà, concedeva i suoi favori a ben altri tipi che a dei chiacchieroni come lui e Nicola, per vederla, doveva accontentarsi di salire per la scala di servizio, e di guardarla dal foro della serratura! A sentirlo, invece, la colpa era tutta della famiglia e della moglie (che lui stesso ironicamente chiamava *la mia signora*), i quali gli avevano precluso la via maestra dell'Arte! a chi voleva ascoltarlo, lui ripeteva a ogni passo d'essere un artista, un incompreso, un gentiluomo! e il giorno che vennero alla luce i suoi imbrogli, dichiarò di *meravigliarsi altamente* (usava spesso espressioni di tal fatta), e incominciò a giurare sulla testa dei suoi figli, sulla santa memoria dei suoi morti, come se davvero e figli e morti dovessero contare per piú d'una mela bacata a un tipo come lui! – Sí, – concluse Edoardo, – non ho mai piú visto un simile mentitore, spergiuro e buffone! Ma a me piaceva, – affermò a questo punto, e uscí in una risata spontanea e provocante, cui l'ascoltatore si sforzò di far eco.

– Volete sapere i miei sentimenti? – riprese allora Edoardo, fingendo un tono incurante e scettico, e non senza spiare sul volto dell'altro l'effetto delle proprie parole, – ve li dirò. È un peccato ch'io fossi ancora un ragazzo quando l'amministratore fu licenziato. Perché, se fossi stato il padrone io, colui seguiterebbe ad amministrarci ancora. Infatti, a me il nostro Nicola piaceva, e che m'importava di sapere se rubava o no? Anche mio padre la pensava come me, ma purtroppo egli morí troppo presto, la nostra casa cadde in balía delle donne, e le donne guastano tutto, sono vuote di fantasia, godono solo di razzolare

223

in orti e cortili, e di giardini non capiscono nulla. Guardate la loro religione: esse vanno ogni mattina, presto presto, tutte affaccendate, a depositare in chiesa avemarie, voti, genuflessioni, *fioretti*, come si depositano i risparmi in banca. E in tal modo, contano di mettere insieme un capitale di beatitudine sufficiente per vivere di rendita in Paradiso durante tutta l'eternità: ad altro concetto non sono accessibili. Sapete come dice il mio cocchiere: *Anche Madama la Regina | o è cagna, o è formica, o è gallina.* Cagne, formiche e galline: fra loro non troverete un solo usignolo neppure se consumate la vostra esistenza a cercarlo.

Tornando all'amministratore: vedete, io sono nobile, ricco, e penso che il primo vantaggio della ricchezza è di non esser costretti a occuparsi del denaro: altrimenti, i ricchi sarebbero schiavi del denaro non meno dei poveri. Oggi, per esempio, io ho mangiato del pollo, ben preparato, su un piatto di porcellana dipinta; e l'ho mangiato con gusto, senza curarmi, certo, di sapere in che modo era stato ammazzato, spiumato, cotto, altrimenti il suo sapore mi sarebbe parso disgustoso. Io non voglio saper niente della cucina, questo è affare del cuoco, il mio còmpito è di nutrirmi con piacere, e basta. Lo stesso vale per le altre faccende, amministrazione ecc. Mi presentano un certo Nicola, un bell'uomo simpatico, che mi diverte, canta, e mi dicono: «Costui s'occupa del tuo denaro, s'addossa ogni sorta di sporche e fastidiose fatiche monetarie, e a te lascia solo il còmpito di spendere le rendite; ma ruba». «Lasciatelo rubare! – rispondo io a costoro, – e liberatemi della vostra noiosa presenza! Forse che i signori antichi non si concedevano il lusso di mantenere un nano? e io voglio mantenermi il mio ladro. Sarà un ladro, ma il suo mestiere di buffone lo conosce meglio di voialtri». Ecco quale sarebbe stata la mia risposta agli accusatori del signor Monaco.

Durante questo discorso d'Edoardo, Francesco non aveva detto una sola parola; ma pareva a disagio per il proprio silenzio e cercava di nascondere il disagio con gesti d'una disinvoltura forzata. Per esempio, si rimboccava un poco i pantaloni sulle ginocchia, ad evitare che se ne guastasse la piega, o portava le mani alla cravatta, facendo mostra d'aggiustarne il nodo. Or gli occhi d'Edoardo si posarono un istante su quelle mani, che erano grossolane, rosse, con polsi da contadino, e Francesco avvertí tale sguardo. Il suo volto si sparse d'un rossore scuro e disordinato, e subito egli abbassò le mani cercando di nasconderle una con l'altra; ma nel momento stesso che cosí faceva, un'ira subitanea lo fece impallidire. E balzando in piedi nel modo

224

piú inatteso, stringendo minacciosamente i pugni, egli proferí con voce strozzata:

– Non permetto... non permetto a nessuno di parlare cosí di lui... vi proibisco d'insultarlo... Rispettate... rispettate i morti!

A simile uscita, Edoardo impallidí a sua volta, e i suoi tratti s'alterarono, sotto lo stimolo d'un'ira tumultuosa e per lui stesso sorprendente, giacché egli medesimo aveva provocato e bramato la ribellione del visitatore. – Come osate... in casa mia... – esclamò, e puntò sui braccioli della poltrona, sforzandosi di levarsi, i polsi tremanti; ma questo semplice moto di difesa lo scosse al punto che il suo volto si bagnò di sudore.

La sua brama di vendetta si mescolò allora a uno stupore di sentirsi cosí debole, e del tutto inerme di fronte allo sconosciuto. Con un acuto sospiro di rabbia ricadde a sedere nella poltrona e mentre cercava febbrilmente il modo di punire colui, i suoi occhi caddero sul biglietto da visita consegnatogli poco prima dal domestico, e rimasto là sulla tavola. I suoi labbri s'incresparono allora in una piccola smorfia schernitrice, ed egli disse: – Scusate, *signor barone*, io credevo che non vi fosse nulla in comune fra voi e il signor Monaco.

Questa frase bastò perché di nuovo un cupo rossore salisse alle guance di Francesco: – Che cosa intendete... – egli disse, ricadendo nella confusione, – si capisce... difatti... io non ho nulla a che fare con... Ve l'ho già detto! L'ho detto, – ripeté, armandosi di fittizia baldanza, – e lo confermo! Che rapporto c'è fra le due questioni? io parlo per un principio generale, non per riguardo a quel signore. Che cosa dovrebbe importare a me di... di quell'individuo?

Ma qui, parendogli scorgere un lieve sorriso sulla bocca d'Edoardo, fu riassalito dall'ira: – Voi però, – riprese con irruenza enfatica, – voi non avete il diritto di oltraggiarlo. Voi ricco, in una casa principesca, sdraiato in una poltrona, riverito e onorato da tutti, non potete giudicare uno che lavorava, un disgraziato... Avete forse prove sicure di come vi sareste comportato voi al suo posto? Io parlo in via generale, per un sacro principio, un diritto...

Le nuove impertinenze dell'ospite avrebbero forse provocato un'altra fiera replica da parte d'Edoardo; ma in quel punto uno scampanellío risuonò dabbasso: era la campanella con cui si soleva, in casa Cerentano, annunciare che il pranzo sarebbe servito fra un quarto d'ora. Come se tal suono fosse il segnale del commiato e volesse dirgli: *Tu sei di troppo*, Francesco, all'udirlo, si turbò, e, interrotta nel momento stesso la sua predica, mormorò con una voce stonata: – Io disturbo... vado... scusate... – avviandosi ancora una volta all'uscio.

– Aspettate un minuto! – lo trattenne, ancora una volta, Edoardo, con una súbita espressione di sofferenza e di dispetto sul volto esangue: – Ve ne andate, – proseguí acerbamente, – senza neppure stringermi la mano –. E tendendo la propria mano all'ospite, con un sorriso in cui non v'era piú se non della simpatia, anzi una gentile, affettuosa commozione, aggiunse: – Siete voi che dovete scusarmi, la colpa è tutta mia. Sono nervoso perché sono stato malato. Vi chiedo perdono. Rifiutate di perdonarmi? *Vi chiedo perdono*, – insisté con fervore. A ciò l'altro, che, al suo richiamo, era tornato pesantemente sui propri passi, gli porse la mano in un gesto schivo e selvatico, standogli dinanzi con la fronte curva, aggrondata sotto i suoi ricci neri. Egli gettò su Edoardo un fuggevole sguardo obliquo, e mormorò pieno di vergogna: – Grazie... grazie... è tempo ch'io vada... – Ma Edoardo trattenne la sua mano, stringendola forte fra le proprie gracili dita per non lasciarla fuggire; e con ansiosa impazienza disse: – Ascoltate una cosa, prima d'andarvene: vi dispiacerebbe se diventassimo amici? non vorreste essere amico mio?

Francesco balbettò non so che risposta, e con un sorriso timido, mansueto levò gli occhi su Edoardo. Ora, al guardarlo, quasi che s'accorgesse soltanto adesso del pallore, della magrezza inquieta di quel volto, fu vinto da pietà: – Voi siete stato male, – osservò, umiliato, eppur con una sorta di protezione paterna, – io sono un importuno... – Per tutta risposta, Edoardo ebbe un riso affettuoso e contento; indi con sollecitudine impetuosa disse al visitatore: – Sentite: voi abitate qui in città, è vero? Ma non c'è il vostro indirizzo sul biglietto da visita. Scrivetelo qua sopra, vi prego, eccovi una penna, scrivetelo, e appena guarito io verrò a trovarvi. Verrò a trovarvi il primo giorno che esco, forse in settimana potrò uscire, fors'anche dopodomani. Verrò da voi subito, subito –. Ed egli attendeva con trepidazione che l'altro scrivesse. Ma il visitatore esitava, tenuto da una curiosa riluttanza: – Vedete, – disse alfine, con disagio, – se non vi dispiace, sarà meglio che ritorni io da voi, – e accennò in fretta a una famiglia che viveva lontano, a certi suoi studi complicati, e alla mancanza d'una abitazione stabile... ecc.

Il volto d'Edoardo s'allungò, oscurato dal sospetto e dalla delusione: – Un momento fa, – egli disse corrugando i sopraccigli, – affermavate pure d'avere il vostro recapito qui in città, ora lo negate... Perché dunque rifiutate la mia visita? Forse la mia persona v'è odiosa e non volete la mia amicizia. E adesso mi promettete di tornare, ma poi magari non verrete, e io v'aspetterò un giorno, e poi un altro... – Edoardo ebbe una piccola smorfia sofferente; indi, con una breve, nervosa risata, proseguí: – Ma io vi leggo la bugia negli occhi quando affermate di non avere un recapito –. E in tono capriccioso e incalzante, quasi che carpire quell'indirizzo fosse una mèta suprema nella sua vita, ripeté: – Scrivete, via! scrivete!

Francesco non poté non accondiscendere. E mormorando ch'era un *recapito provvisorio*, *un alloggio indecoroso*, *per certi suoi motivi*, e via di seguito, scrisse con le dita tremanti sul proprio biglietto da visita, sotto il nome stampato *Francesco de Salvi* (un piccolo tratto di penna fingeva di cancellare modestamente il titolo di *Barone*):

presso Cònsoli
vico Sottoporta 88.

Tutto allegro in viso, Edoardo, che si teneva in piedi presso Francesco appoggiandosi coi gomiti alla tavola e con un ginocchio al bracciolo della poltrona, sorvegliò, chino sulla spalla di lui, la scrittura dell'indirizzo. Indi ne compitò fra sé le parole, trasse un sospiro, e, impossessatosi del biglietto da visita, se lo ripose gelosamente in tasca.

S'udí il pendolo suonare le ore nel corridoio: in quel medesimo istante l'uscio si socchiuse, e il viso di Concetta, sotto un cappello nero di feltro, si affacciò nel vano. Ella domandò al figlio se il servitore poteva entrare col vassoio del pranzo; ma poi, scorgendo lo sconosciuto, soggiunse: – Ah, scusa, non sapevo che avessi visite, – e si ritirò tosto, lasciando tuttavia socchiuso l'uscio. Quell'apparizione tolse a Francesco l'ultimo barlume di disinvoltura che gli restasse: – Io vado... grazie... scusate... – egli balbettò; e cercava intanto il cappello, senza ricordarsi piú d'averlo consegnato dabbasso al servitore. – A rivederci a presto! – gli disse Edoardo, tendendogli la mano con un sorriso d'amicizia e d'intesa. E aggiunse, quando l'altro era già sulla soglia: – Intanto, in attesa della mia visita, ritornate voi a trovarmi! V'aspetto! Ritornate domani! – Ma questo invito non ebbe risposta da parte di Francesco, il quale a malapena lo udí: egli era ormai fuori dalla camera, nel corridoio, dove si scontrò quasi col domestico che arrivava recando il vassoio della cena.

Sebbene contasse poco sulla sua visita (intuendo che per timidezza egli non oserebbe di presentarsi), Edoardo, l'indomani, rimase deluso e indispettito per via che Francesco non venne. Egli l'attese invano anche i giorni seguenti, e tale vana attesa acuí il suo desiderio di ritrovarlo. Gli nacque pure il sospetto che l'indirizzo datogli dal visitatore fosse falso: e spedí Carmine al numero 88 di vico Sottoporta, donde il cocchiere tornò con la notizia che un Francesco De Salvi, studente, abitava per l'appunto a quell'indirizzo, in una camera ammobiliata presso un vetturino. Ciò tranquillizzò alquanto Edoardo: il quale, non appena fu in grado d'uscire di casa, si recò a visitare Francesco De Salvi, come gli aveva promesso.

Capitolo secondo

I due diventano amici.
Rosaria al bivio fra l'onestà e il disonore.

Le informazioni di Carmine erano esatte. Il giovane De Salvi, che a motivo dei suoi studi viveva in città solo e lontano dalla propria famiglia, occupava una cameretta d'affitto presso la famiglia d'un vetturino. Nel tempo di cui si parla, egli era in età di ventun anni, e aveva appena terminato il liceo, dopo il quale, secondo i suoi progetti, avrebbe dovuto iscriversi all'Università, alla Facoltà di Diritto; senonché, i termini d'ammissione per l'anno in corso erano prossimi a scadere, ed egli non aveva ancora potuto iscriversi per via che i suoi parenti, caduti in gravi angustie, non avevano potuto fornirgli la somma necessaria per le tasse. Le notizie dategli da Edoardo intorno a Nicola Monaco gli avevano tolto l'ultima, sebben fantastica, speranza di procurarsi tale denaro; ma questa, come si potrà capir meglio in seguito, non era certo l'unica ragione dei rabbiosi, tetri singhiozzi cui s'abbandonò lo studente allorché rientrò, da palazzo Cerentano, nella propria stanzetta solitaria. Dalle frasi sconnesse e contraddittorie che pronunciò in simile occasione, sarebbe stato assai difficile intendere il suo sentimento, giacché egli pareva nel tempo stesso accusare qualcuno, schernirlo, adorarlo e piangerlo. A un certo punto, egli uscí in una risata acre e dolorante, ma bizzarramente compiaciuta d'esserlo; e nella quale, forse, un conoscitore della nostra prosapia avrebbe avvertito una fatale nota melodrammatica, una specie d'imitazione atavica e fanciullesca (diremo per meglio spiegarci) della risata che echeggia nel prologo dei *Pagliacci* di Leoncavallo. Inoltre, egli si graffiò le palpebre per punire i suoi propri occhi di non aver pianto, e si morse la mano destra con un odio sanguinoso per aver essa, poco prima, risposto alla stretta di uno che insultava Nicola Monaco. Alfine, dopo essere stato a gesticolare in tal modo per alcuni minuti, egli si gettò sul proprio lettuccio e proruppe in un pianto innocente, sperduto e amaro.

Tuttavia, pochi giorni piú tardi, allorché il medesimo offensore di Nicola Monaco, vale a dire Edoardo, si presentò in persona nella casa del vetturino, Francesco non disdegnò di porgergli la mano: al contrario, si sentí tutto mortificato di offrire a una stretta cosí gentile la propria rozza, indegna manaccia. Il suo primo moto, all'entrare d'Edoardo nella sua stanzetta, fu di vergogna per la miseria del proprio alloggio; e s'affrettò a spiegargli che usava abitare in case e quartieri popolari non perché costretto da necessità economiche (apparteneva, affermò, a una famiglia di ricchi feudatari), ma per certi suoi fini precisi: allo scopo, cioè, d'arricchire con l'esperienza certi studi sociali cui si dedicava da anni. Cosí dicendo, egli mostrò all'ospite varî libri d'argomento filosofico, sociale e politico che teneva accatastati sul tavolino; e gli confidò che quei testi componevano, per cosí dire, la materia ideale su cui si sarebbe costruito il mondo futuro. In tal modo, egli lasciava intendere al bel principino venuto a trovarlo che quella stanzetta in casa del vetturino, sotto le sue apparenze modeste, era in realtà un'occulta fucina ove si gettavano nel crogiuolo, e si riforgiavano in forme del tutto inaudite, le sorti della società universale.

Naturalmente, egli tenne nascoste al giovane Cerentano le proprie difficoltà finanziarie, e il proprio timore di dovere, a causa di esse, interrompere gli studi; asserendo, invece, d'essere studente universitario, iscritto al primo anno di legge. Si trovava, aggiunse, un poco in ritardo sui colleghi studenti a causa d'una grave malattia che lo aveva colpito da ragazzo, costringendolo a lasciare la scuola per un certo periodo. Tale era, difatti, la verità, e la malattia cui egli alludeva, e che lo aveva colpito all'età di undici o dodici anni, era il vaiolo; ma egli non la nominò, e, nell'accennarvi, arrossí violentemente.

Il fatto è che Francesco, dal tempo ormai lontano della sua malattia, seguitava a portare il proprio viso deturpato non già come un aspetto consueto e naturale della propria persona, ma come una sorta di maschera infamante, della quale non poteva liberarsi. Mai, o assai di rado, gli accadeva di dimenticare quella maschera; e tuttavia, mentre egli stesso non se ne dimenticava, cedeva talora all'assurda speranza che altri potesse non aver notato il suo difetto. Allo stesso modo, egli s'illudeva, nel suo unico vestito logoro, nella sua misera stanza in vico Sottoporta, di poter nascondere al prossimo la sua povertà.

V'era qualche rara occasione, però, nella quale egli si dimenticava d'esser butterato, d'esser povero, e altre consimili infamie della propria persona: per esempio, quando beveva. Al loro terzo incontro, avendo invitato il suo nuovo amico a bere un liquore in un bar, Edoardo s'accorse del felice mutamento che l'alcool produceva in lui, e da quella volta procurò di dargli convegno nei bar e nelle osterie, dove i due si ritrovarono, in seguito, quasi ogni sera, rimanendo a bere e a conversare insieme fino a tardi. Nel vino, le vivaci passioni di Francesco, i suoi grandi entusiasmi e ambizioni, che per solito egli non riusciva ad esprimere se non penosamente, si liberavano, e il nostro ruvido personaggio diventava eloquente, sentimentale e focoso. Non di rado, egli si dava a cantare con una bella voce di baritono, che faceva tremare i vetri; e il pubblico delle bettole frequentate dai due amici (composto, per lo piú, di poveri manovali e operai), circondava, in simili occasioni, il loro tavolino, mostrando il massimo godimento e apprezzamento per quei concerti gratuiti. I pezzi prediletti da Francesco erano le romanze d'opera, soprattutto quelle che esprimevano rivolta, scherno, furore o tragici contrasti. Sapeva gridare, per esempio, con vera voluttà di disperazione: «*È finita! Piú non siede che l'odio | piú non siede che l'odio e la morte | nel vedovo cor!*», o alzare fino al vertice d'un esasperato sarcasmo la scherzosa apostrofe: «*Dio dell'or | e del mondo signor!*» Ovvero sapeva esclamare, con intensità perentoria: «*Elsa! m'hai tu ben compreso?*», per seguitare solennemente: «*Mai devi domandarmi | o a palesar tentarmi | ond'io ne venni a te...*» chiudendo alla fine, con maschia voce quasi terribile: «*Io t'amo!*» Spesso, nelle parti di tenore, ch'egli preferiva ma non si addicevano alla sua voce, doveva interrompersi agli acuti; e di ciò s'adontava, battendo il pugno sulla tavola.

Durante quelle serate, le famose idee di cui, fin dai suoi primi incontri con Edoardo, egli s'era dichiarato alunno e seguace, venivano proclamate dal nostro studente, il quale ne faceva argomento di verbose orazioni. Col tono solenne e patetico d'un tribuno, predicava l'avvento d'una civiltà inverosimile e prodigiosa, di cui si considerava non solo l'araldo e il paladino, ma una delle future colonne. Severo, ardente, gettando sguardi pieni di fuoco, ripeteva che i presenti ordini del mondo si reggevano soltanto sull'ignoranza dei piú e sull'arbitrio di pochi (nel numero dei quali ultimi va inteso ch'egli comprendeva non solo Edoardo Cerentano con tutta la sua schiatta, ma anche se medesimo e la sua propria famiglia, composta, a suo dire, d'antichi feudatari baroni). Ma coloro, dichiarava, che al pari di lui medesimo appunto, conoscevano la verità, avevano il dovere di gridarla agli uomini inconsci, di predicarla nelle piazze, fino al giorno che tutti si domanderebbero stupiti come avessero potuto, per tanti secoli, rimanere sepolti vivi in una cosí assurda prigione. Egli citava volentieri le massime del suo profeta prediletto, per esempio *La proprietà è un furto*, e con voce esaltata ripeteva la profezia secondo la quale *verrà il giorno che il possesso d'un pezzo di terra ci apparirà cosa non meno empia e assurda di quanto ci appare oggi il possesso, legittimo un tempo, d'uno schiavo*: – Quel giorno finalmente, – annunciava egli al galante principino che gli sedeva a lato e ai paria straccioni che circondavano intenti la loro tavola, – quel giorno gli uomini saranno tutti liberi, giacché la legge ch'io vi predíco non verrà a liberare soltanto i servi, ma soprattutto i padroni, dal peso della proprietà che oggi li tiene confitti alla terra. La ricchezza, diventata proprietà comune, non sarà piú una turpe e sterile soma, non piú un fine, ma un mezzo! Come l'acqua, come l'aria, essa verrà spontaneamente, naturalmente consumata da tutti al solo fine di alimentare il corpo fisico della società umana. E gli uomini non faranno, di essa, maggior conto che non facciano oggi dell'aria che respirano. Il lavoro materiale, diviso ugualmente fra tutti, non servirà piú a creare la ricchezza dei pochi; ma soltanto, anch'esso, a mantenere in vita il corpo fisico della società. Per cui ciascun uomo eseguirà la propria parte con naturalezza e semplicemente, come oggi ognuno provvede tutti i giorni a vestirsi, a spogliarsi e a nutrirsi. Basterà, per compiere questo lavoro equamente diviso, una piccola frazione del tempo e dell'energia di cui dispone ogni giorno ciascun uomo. E l'umanità tutta intera, in grande maggioranza avvilita oggi alla condizione animalesca, potrà spendere la restante copia del suo tempo e della sua energia in ozi proficui, che dedicherà al vero destino dell'uomo: il destino spirituale. La scienza a quell'ora avrà esaurito il suo còmpito, che è di ridurre al minimo le fatiche materiali dell'uomo. La maledizione di Adamo (che è, in realtà, la maledizione dei ricchi padreterni contro i poveri disgraziati), sarà scontata alla fine e l'uomo, riscattatosi, sarà di nuovo uguale a un dio. Allora, egli riconoscerà nella donna non piú un oggetto di voglia e di passione gelosa, ma la sua compagna angelica, destinata a dividere con lui l'alto còmpito di eternare la specie umana! Caduta cosí ogni ragione di rivalità, di lotta e di guerra, quali opere si compieranno, quali verità si scopriranno, quali destini mai sperati si riveleranno al pensiero! Bello e brutto, corrotto e onesto, intelligente e stolto saranno allora i soli termini di giudizio. Nessun elemento sociale e di classe dovrà offuscarlo: perfino il cognome, che denuncia l'uomo quale membro d'una certa casta, o famiglia, dovrà venire soppresso. Gli uomini non avranno altro titolo che il singolo nome individuale, dato a ciascuno dalla madre, e parlandosi l'un l'altro useranno il *tu* e si chiameranno *compagno*!

All'udire discorsi cosiffatti, non pochi degli ascoltatori si commuovevano, alcuni applaudivano, e altri, mirando Francesco De Salvi con occhi lucidi, venivano a stringergli la mano e a rallegrarsi. Ciò, tuttavia, non era merito dei concetti da lui espressi i quali per lo piú rimanevano oscuri alle loro povere menti mortificate; ma era, bensí, merito delle sue parole sontuose e risonanti, che, non troppo diversamente dalle sue canzoni, lusingavano i loro sensi. Certuni, però, apprezzando assai di piú le sue canzoni che la sua facondia, udivano appena le prime frasi della predica, e tosto si allontanavano dall'oratore, per tornarsene discretamente ai loro tavolini, a riprendere la partita interrotta.

Quanto a Edoardo, egli gustava molto le orazioni dell'amico, ma soprattutto in virtú dell'ardore naturale e dell'ingenuo entusiasmo che questi vi profondeva. Le stravaganze, poi, da lui predicate, e delle quali Edoardo non aveva udito mai le simili, lo divertivano come favole e capricci della mente, inventati, forse, da Francesco medesimo nell'accensione del vino. La severa gravità con la quale Francesco lo invitava talvolta a considerare o a discutere la sua famosa legislazione avvenire, lo commuoveva, come un nuovo tratto della semplicità dell'amico; ma al tempo stesso, gli pareva assurdo che alcuno potesse interessarsi davvero a simili questioni. S'è visto come i privilegi della sorte fossero da lui considerati un diritto. Si nasce ricchi come si nasce belli, o intelligenti, o forti. Perché chiamare ingiustizia una legge naturale? E d'altra parte, se questa legge aveva favorito lui, Edoardo, gli sembrava eresia confutarla. Inoltre, i tempi futuri non lo riguardavano, anzi il futuro gli appariva irreale, e brutto al pensiero perché confuso con la morte. Preoccuparsi di foggiare e di migliorare le età future gli pareva altrettanto vano e pazzo che pretendere di farlo con quelle già trascorse. Il passato e il futuro, infatti, sono due campi di nebbia e di vertigine, che i vivi non possono esplorare se non con la fantasia e con la memoria; ma forse fantasia e memoria sono soltanto strumenti d'illusione, e soltanto per un gioco ingannevole l'uomo crede di avere il passato alle spalle e il futuro innanzi a sé. In realtà, egli si muove sopra una sfera immobile, conchiusa fin da principio, e il passato e il futuro sono tutt'uno. A che serve esplorare questa reggia della morte? Il solo tentativo di sondarla produce angoscia e nausea, come quando ci si affaccia su un precipizio.

Di tal sorta erano i pensieri che venivano a Edoardo allorché s'affacciava per caso fuor del suo giovane presente. Essi, tuttavia, lo

occupavano di rado, e per poco. Solo nei primi tempi della sua convalescenza lo affascinavano talvolta, come il buio affascina talvolta
un fanciullo, nonostante la paura. Ma subito, affaticato e nauseato,
Edoardo se ne ritraeva, e, col lento ritorno della salute, ricercava con
nuova curiosità le cose vive, effimere e vicine che sole sapevano ispirare i suoi amori. Esse lo stancavano, adesso, ancor piú rapidamente
d'una volta; ma il cugino abbandonava l'una per l'altra, e ciascuna rinnovava il suo gusto.

Sebbene, dunque, egli udisse i discorsi di Francesco De Salvi col
medesimo spirito col quale udiva, in campagna, certi garzoni di casa
raccontare, seri e convinti, le mitologie dei propri villaggi; tuttavia
gli piaceva d'ascoltarlo, perché la voce dell'amico diventava, in quelle
occasioni, calda ed echeggiante, i suoi occhi scintillavano e le sue grosse
mani, per solito cosí vergognose della propria bruttezza volgare, gesticolavano liberamente e di continuo, come danzatrici intese a disegnare nell'aria le ridondanti forme d'ogni sua parola. Non di rado,
Edoardo godeva di provocarlo, opponendo ai suoi entusiasmi beffe ed
eresie. Gli diceva, per esempio, che gli uomini, per la maggior parte,
nascono e muoiono servi; e all'avvento della tanto annunciata libertà
essi non saranno né meno servi né piú felici di quanto fossero al tempo
ch'erano schiavi in catene. D'altronde, molti di loro rifiuterebbero di
venire riscattati: la servitú è per molti l'unico fine e l'unico piacere,
ed essi gustano molto di piú l'ubbidire a un padrone, buono o malvagio, che il disporre d'una libertà di cui non sanno fare uso. – Appunto, bisogna educarli alla libertà! – esclamava Francesco. – Ma
perché, se sono piú felici cosí? – domandava Edoardo. – Non si vuole
che siano felici, ma che siano uomini! – replicava Francesco. – Uomini!
uomini! E perché non angeli addirittura? – lo scherniva Edoardo, – è
una curiosa presunzione umana, questa, di credere che l'uomo sia termine e legge del creato! In tal caso, perché allora non educhereste ad
essere uomini anche i cavalli o i cani? Molti, nati da donna, non voglion saperne d'esser uomini nel senso che tu dici, e, se costretti, finirebbero col camminare a quattro zampe e con l'abbaiare per rivendicare la propria anima di cane. Basta, Francesco, tu sei ubriaco! E sei
faticoso! E sei, tutto sommato, un istrione. Vediamo, accetteresti di
far parte della tua grande èra futura in veste di semplice gregario, anzi
di *compagno* e non di capo? Ah, confessa, è una corona in fondo che
tu vuoi, nient'altro che una corona di re. Tu, grande liberatore e regicida! Tu, soppressore dei padroni e di tutte le padronanze, ambisci
ad essere padrone del mondo, ecco il segreto. In fondo, però, non ti
spiacerebbe neppure di essere, invece, un tenore. Quella sera, che an-

234

dammo insieme al teatro, tu, esaltato dalla musica e dai battimani, mi confidasti che gli applausi d'una folla ti commuovono fino alle lagrime. Che rapimento, che premio per l'uomo, dicevi, essere la sorgente di mille estasi, l'idolo di tutti! Di', di', non negarlo, in quel momento tu bramavi di trovarti sulla scena, vestito da tiranno, con un'armatura di cartapesta e la faccia dipinta! Istrione!

Francesco impallidiva a tali insulti, e avrebbe voluto scagliarsi addosso all'offensore; ma non osava percuotere quel gentile, pallido viso, che mostrava ancora la magrezza e i solchi della malattia. Quei begli occhi castani, pieni di malizia e d'orgoglio, eran cerchiati di nero; e, nell'enfasi, quella bocca, appena tinta d'un leggero incarnato, affannava lievemente, mentre su quelle tempie delicate le vene palpitavano in un modo debole e patetico. Le ciocche biondo-scuro d'Edoardo s'eran fatte opache, quasi scolorite, e le sue spalle, all'opposto di quelle vigorose di Francesco, apparivano pigre e un po' cadenti. Ma, pure in quell'aspetto patito, splendeva la vittoriosa bellezza d'Edoardo, tale che trasmutava, quasi, in cortesie le sue parole piú maligne; e nelle schernevoli risate di lui suonava una nota cosí affettuosa e giovane, da guarire ogni rancore. Di piú, Francesco non osava rispondere con altre offese alle offese d'Edoardo, perché temeva troppo in cuor suo di rovinare la loro amicizia, divenutagli in poco tempo, cara, o, per dir meglio, sacra. L'apparizione di Edoardo era, nella sua vita, quale il sorgere subitaneo d'un pianeta inusitato, caldo, e giocondo. L'eleganza e la ricchezza del suo bell'amico, il suo nome, il suo posto nella società, lo colmavano di stupefazione e di fierezza; e, alle sue beffe, piuttosto che dell'ira sentiva una mortificazione cocente, vedendosi valutato cosí poco da quello stesso a cui, per primo, avrebbe voluto apparir cinto di decoro, se non proprio di gloria. Senza replicare, dunque, agli insulti di lui, si chiudeva in un silenzio doloroso e teso; dal quale Edoardo si adoperava presto a ridestarlo con affettuose lusinghe. Infatti, allo stesso modo che si compiaceva di umiliarlo, spesso egli lo esaltava, invece, con lodi eccessive. Certe sere, sentendosi nervoso e stanco, incominciava a dirgli: – Cantami qualcosa, Francesco, ho voglia d'ascoltare la tua bella voce. Vediamo, che cosa mi canterai? A me piacerebbe di sentire *L'Aurora di bianco vestita...* oppure, no, *Cosa c'era in quel fior che m'hai dato...* – Volentieri egli sedeva al piano per accompagnare la voce dell'amico; e cessando di suonare, al tacere del canto, esclamava con infatuazione adulatrice: – Forse un giorno, io non sarò che uno del pubblico, in un grande Teatro d'Opera di qualche metropoli d'Europa, e tu sulla scena, nel trionfo degli applausi, simile a un eroe... – Ma non

235

tardava a soggiungere, con una piccola risata: – E forse invece canterai delle strofette in un caffè-concerto di quart'ordine, fra lazzi e buffonate, e poi girerai col piattino... Ed io, riconoscendoti a stento, griderò infine: «Francesco, sei tu! A qual grado ti sei ridotto!», e ti abbraccerò singhiozzando!

Certe volte, invece d'incoraggiarlo al bel canto, gli consigliava di non indulgere alla propria passione per quell'arte, ricordandogli i piú seri còmpiti per i quali, forse, egli era nato. Indi (vantando con iperboli ardenti e spontanee, i suoi studi, la sua eloquenza, la sua volontà di grandezza, affermando che in lui si riconosceva l'uomo d'eccezione e il genio), gli prediceva la sorte di coloro che dànno il nome al proprio secolo, e nel cui nome si proclamano le idee, si fanno le guerre, si muovono le nazioni! Della verisimiglianza di tutto ciò, io non posso affermare che Edoardo ne fosse proprio convinto; ma non esito ad affermare ch'egli era sincero nel volere, con le proprie lodi, indurre l'amico alla felicità e alla fiducia. Tuttavia, non appena vedeva il volto di Francesco trasfigurarsi a quelle chimere, subito una gelosia lo mordeva per via che l'altro vagheggiava un futuro da cui lui stesso, Edoardo, era escluso. La felicità dell'amico gli pareva colpevole, perché non condivisa; e tosto bramava distruggerla. Tramutava dunque in dubbi e in sarcasmi le lodi straordinarie di poco prima; e si placava solo allorché vedeva, sul volto di Francesco, la gioia cedere il posto all'ansia e allo scoraggiamento. Poi gli proponeva un avvenire comune, viaggi per tutta la terra. E quanto avrebbero bevuto, cantato, chiacchierato! e che allegrezze trionfali, e che amori!

Oltre al vino e alle utopie, la bellezza e l'arte avevano, anch'esse, il potere di commuovere fortemente Francesco De Salvi; ma i suoi criteri artistici erano, in verità, piuttosto confusi. In genere, come i fanciulli e la gente rozza, credeva eleganti e magnifiche le cose vistose e assai colorate. Accadeva che una musica volgare lo traesse a un vivo gaudio, o che contemplasse estasiato un quadro mal dipinto, chiassoso e dozzinale. Naturalmente, essendo all'oscuro dei propri errori, in casi simili egli stimava di trovarsi al cospetto di capolavori universalmente riconosciuti, e ne provava la medesima sincera esaltazione che se tali fossero stati davvero. Né Edoardo, pur vedendo gli errori grossolani dell'amico, si prendeva cura di correggerlo. Un sentimento d'indolenza e di simpatia gli suggeriva infatti che un'opera d'arte vale, alla fine, non tanto per se stessa quanto per l'emozione che suscita; onde sarebbe stato un peccato deludere la graziosa emozione di Francesco a vantaggio d'una verità la quale, dopo tutto, potrebbe rivelarsi fallace.

Noi però, dacché abbiamo imparato a conoscere Edoardo, possiamo sospettare che queste sue ragioni fosser pretesti. Il fatto era che, per Edoardo, le maggiori grazie di Francesco stavano proprio nella sua rozzezza e imperfezione; onde egli preferiva lasciare l'amico nel suo stato selvaggio, anche a suo danno, per salvare il proprio capriccio e non guastare il piacere che gli veniva da lui.

Edoardo indovinava di dovere al prestigio sociale gran parte del proprio fascino su Francesco. E per questo motivo, geloso nell'amicizia come lo era nell'amore, evitava di farlo incontrare con altri giovani dell'alta società cittadina. Egli voleva conservare il proprio splendore, agli occhi dell'amico, inimitabile e raro; e con zelo invidioso allontanava da Francesco ogni occasione di confronto. Una sera un giovane gentiluomo, trovandosi per caso nel salotto di Edoardo in presenza di Francesco, invitò quest'ultimo per il giorno dopo a casa sua. Ma Edoardo si appartò con quell'indiscreto in un angolo del salotto; e con dispetto gli ingiunse di non rubargli i suoi amici, che appartenevano a lui stesso, a lui solo, e non al primo venuto. Al che, mortificato, quel giovane, non volendo inimicarsi Edoardo, trovò modo, con una scusa, di revocare il proprio invito a Francesco; e, trascorso appena qualche minuto, si accomiatò.

Del resto, solo raramente Francesco saliva alla casa d'Edoardo; e non mai in occasione di ricevimenti o di feste. Sovente, era Edoardo che saliva invece alla cameretta di Francesco; ma per lo piú i due si ritrovavano, come s'è detto, in piccoli caffè, o in bettole della periferia, dove non era facile incontrare i ricchi amici dei Cerentano. Bisogna aggiungere, a questo punto, che i gelosi accorgimenti d'Edoardo eran forse superflui: difatti, capitava assai di rado che qualcuno cercasse l'amicizia di Francesco. Accadeva che, fra i giovani studenti o popolani, certuni si facessero suoi seguaci, udendolo parlare con tanto fervore nell'esaltazione del vino; ma se poi costoro ricercavano, la mattina dopo, il loro animoso tribuno, trovavano al suo posto un giovane forastico e ombroso, del quale era facile provocare l'irritazione ma non la confidenza. Lui medesimo, del resto, malgrado un suo nativo bisogno di simpatia, fuggiva il suo prossimo, e ciò per due cause di natura opposta, ma congiunte spesso in una lega feroce: la superbia e la vergogna.

Nel tempo di cui parliamo, però, vale a dire quando Francesco aveva circa ventun anni, c'era nella sua vita una persona in presenza della quale egli si liberava e della superbia, e della vergogna, e d'ogni altro innaturale sentimento. Perfino la sua famosa maschera di butterato perdeva, in virtú di questa persona, l'infausto suo peso, e diventava un'inezia, un'ombra vaga, indulgente, e addirittura amabile. Non già che la persona di cui vi dico facesse mostra d'ignorarla. Al contrario, chiacchierando nell'amoroso dialetto del suo paese (altro linguaggio non conosceva), scherzosamente essa si volgeva a Francesco con dei nomignoli quali: « muso-di-noce, brutta-scorza », ecc. Ovvero, nell'accarezzare le guance deturpate di lui, teneramente andava interrogando: – Qual è il brutto verme che m'ha rosicchiato questa bella rosa? questo bel giglio della Madonna? – Cosí, trattate con questa familiarità, le angosce di Francesco dileguavano; allo stesso modo di quello spettro che atterriva tutta una città, ma svaní subito appena una fanciulla lo chiamò per nome.

Colei che scacciava con la sua confidenza i fantasmi di Francesco era, appunto, una fanciulla: aveva due o tre anni meno di Francesco e si chiamava Rosaria. Quando incontrò Edoardo, Francesco la conosceva da appena due mesi (la loro conoscenza era avvenuta in istrada), e da altrettanto tempo aveva allacciato il piú tenero legame con lei; ma solo dopo molti giorni dacché era cominciata la sua amicizia con Edoardo gli confidò d'avere un'amante. Egli era d'indole troppo gelosa per far incontrare costei col suo galante compagno; e si limitò a parlargli di lei lungamente, ché ne era tanto acceso da non poter tacere. Ella era, gli spiegò, una cortigiana, una ragazza perduta; o meglio, lo era stata fino a qualche mese innanzi, ma, grazie a Francesco, aveva compreso quanto fosse turpe il suo mestiere, al quale del resto s'era lasciata indurre solo perché ingenua, e attratta dal lusso che piace alle donne. L'amore l'aveva trasformata: ella aveva rinunciato ai suoi vergognosi guadagni, e iniziato una vita di povertà e di lavoro. Quanto a Francesco, egli aveva deciso in cuor suo, sebbene lei non se lo immaginasse nemmeno, di sposarla appena terminata l'università; e un tal progetto, egli lo confidò a Edoardo. Il matrimonio, è vero, egli soggiunse, doveva esser soppresso nella ideale società futura, nella quale il mutuo patto dei sentimenti e delle volontà basterebbe a legare due liberi amanti, senza necessità di contratti e di consacrazioni. Ma poiché la società attuale vedeva tuttora nel matrimonio il solo legame rispettabile e legittimo, in qual modo migliore si poteva mostrarle il proprio disprezzo che sposando una donna di strada? Era lo stesso che dire a questa società: « Non credere ch'io sposi una tal donna persuaso, con ciò, di nobilitarla. La nobiltà di ciascuno può provenire soltanto da ciò ch'egli è in se stesso, non da ciò che gli si dà. Ma poiché tu bandivi da te questa donna come la peste, ecco, io ti costringo ad accoglierla, in nome delle tue stesse leggi ». Le nozze di Francesco, nell'intenzione di lui, non sarebbero state, dunque, un atto d'umiltà, ma d'orgoglio; non d'amore, ma d'odio. Aggiungiamo che egli, nei suoi discorsi con Edoardo, descriveva Rosaria come una grande cortigiana che avesse rinunciato a palazzi, equipaggi e gioielli per amore di lui. Ma, in realtà, nel tempo che conobbe Francesco, Rosaria, malgrado i suoi disordini, viveva nelle strettezze se non addirittura nella miseria. La sua fanciullezza non era molto lontana, ed ella, avendo appena varcato le soglie della sua vita avventurosa, era ancora inesperta del mondo. Figlia di contadini, odiando le fatiche dei campi aveva preferito venirsene in città presso una parente che teneva una povera botteguccia di cappelli. Questa botteguccia, con la buia abitazione annessa, si trovava in un quartiere fra i piú poveri della città, abitato, per la maggioranza, da popolane che non usavano cappello. Per cui venivano poche clienti: erano per lo piú vecchie gentildonne decadute, o piccole borghesi che non rinunciavano alla loro dignità di dame, oppure cortigiane con poca fortuna. La bottega era angusta e polverosa, e vi giacevano da anni feltri ormai scoloriti, spesso tarlati, piume vizze e altri ornamenti senza piú splendore. Ma Rosaria, venuta dalla campagna, trovava in quella bottega dei tesori per la sua vanità. Ella avrebbe dovuto, in cambio del vitto e dell'alloggio, spazzare la bottega, fare la spesa, andare in giro per commissioni; e inoltre imparare il mestiere della modista. Ma era cosí svogliata e spensierata che passava lunghe ore senza far nulla; oppure, uscita alla mattina per una commissione, ritornava soltanto a notte. Imparava, sí, alla meglio, il mestiere; ma soltanto per proprio uso, giacché, se lasciata sola nella bottega, non si stancava mai di riguardarsi allo specchio, fabbricandosi e provandosi i cappelli piú sfacciati e fantastici. Poiché la sua parente le proibí questi esercizi vanitosi, ella rinunciò a continuarli nella bottega, dove la padrona poteva sorprenderla da un momento all'altro; ma imparò a rubare dai cassetti vecchi feltri, nastri e fiori di stoffa coi quali, in casa di amiche sue complici, fabbricava cappelli per sé e per loro. Di tutte le clienti, ella prediligeva quelle povere donnacce che s'è detto; erano le sole di cui condividesse i gusti circa i cappelli, e inoltre erano le piú gaie, e non la trattavano dall'alto in basso, ma anzi erano gentili con lei, dandole consigli su come adornarsi. Con alcune di loro appunto ella strinse amicizia; e le sue lunghe assenze dal negozio, le passava in casa loro, a chiacchierare di frivolezze o di passioni; oppure vagabondava con loro e coi loro amici. In breve, non tardò a traviarsi.

In bottega, faceva la civetta e la sfrontata con qualsiasi uomo

239

capitasse; ridendo forte ad ogni sciocchezza, ed anche alle frasi triviali; girando a destra e a sinistra la sua festosa e chiomata testina, sporgendo il petto e movendo i fianchi senza pudore. Non si capiva come, vissuta sempre in campagna, avesse potuto imparare tanta malizia. Inventava frottole per fare la spiritosa; e sebbene non parlasse che il suo dialetto, aveva una voce cantilenante e dolce, piacevole a chi l'udiva. Naturalmente, si sentiva nei suoi discorsi l'ignoranza della contadina, ma c'era in essi un che d'immaginoso e di strano: ella parlava in certi momenti come un poeta. Se la sua parente la rimproverava, non di rado rispondeva male, magari con parolacce, essendo iraconda; e, se percossa, piangeva un poco, ma presto dimenticava i colpi e le lagrime, ricominciando a fare la pazza.

Era di persona grande, non ancora proprio grassa, ma assai florida e di robusta ossatura. La pelle, sebbene alquanto lentigginosa, era luminosa e fresca, e tutta coperta d'una sottile lanugine dorata. Aveva capelli non molto lunghi, ma foltissimi, ricciuti, d'un color castagno vicino al rosso, la bocca un poco grande, vermiglia e sempre ridente, coi suoi dentini bianchi, le guance rotonde. Le sue gambe e le sue braccia erano piuttosto tozze e grossolane, ma in questa lor forma goffa c'era qualcosa di affettuoso, tale quasi da commuovere. La cosa piú bella, però, della sua bella persona, erano gli occhi, di sguardo per lo piú mansueto come quello d'un vitello, di luce sfavillante e cordiale. Ella era curiosa, ma non pettegola; pigra e piuttosto ghiotta. Era avida, e perfino avara, nel senso che le piaceva d'accumulare; ma nello stesso tempo amava spendere, non sapendo rinunciare ai piaceri. E sebbene d'indole egoista, era capace, nell'impeto, di sacrificarsi.

A due tentazioni Rosaria non sapeva resistere: la prima erano le carezze. Non rispondeva al vero quanto credeva Francesco, che ella si fosse traviata a causa della inesperienza e della miseria. In verità, come certi fiduciosi animali domestici, per istinto ella si abbandonava alle carezze, e con gratitudine le assecondava. Si accorgono forse quegli animali, nel loro cuore semplice, se chi li vezzeggia è brutto, o malvagio, o altrimenti spregevole? Distinguono il povero dal ricco? il giovane dal vecchio? No di certo; basta a quei voluttuosi, per la loro gioia, che il bacio e la blandizie siano gentili. Cosí era fatta Rosaria; e dovunque, dimentica, ella trovava il suo piacere.

Prima ancora di venire in città, ella non ignorava le carezze e i baci. Sebbene vivesse in una casupola isolata in mezzo a una montagna, già, in segreto, ella aveva conosciuto gli amori di contadini suoi coetanei, e quelli d'un pastore adulto che passava sui monti solo pochi mesi. Non s'era, tuttavia, innamorata mai; giacché, per il suo carattere vanitoso e fantastico, pensava sempre agli uomini della città, esaltandoli con la mente.

La seconda tentazione a cui non sapeva resistere, erano i regali. Poiché molti erano i suoi vizi, vanità, gola, lussuria, infinito era il numero dei suoi desidèrî, ed era assai facile sedurla con le offerte. Bastava il miraggio d'un dono, anche modesto, perché ella cedesse; ma non di rado si dava per niente.

Quando scoprí nella bottega i furti che s'è detto, la padrona scacciò Rosaria. Era una vecchia egoista e sgarbata, che aveva ereditato la bottega da una sorella, ma se ne occupava assai poco, spendendo i suoi giorni, invece, nel gioco delle carte. I furti di quei nastri, cupolini di paglia e altre frivolezze duravano già da parecchie settimane quand'ella se ne accorse. Non tardò molto a indovinare chi fosse il ladro; e, senza esitare, dopo aver coperto Rosaria d'insulti e di percosse, la gettò con uno spintone dalla bottega nella strada, ordinandole di non farsi vedere mai piú. A questa scena s'era adunato un piccolo pubblico; e la vecchia irritata, gridò ai curiosi d'andarsene. Ma poiché quelli indugiavano e le ridevano in faccia, per protesta calò la serranda della bottega e se ne tornò al suo *solitario* interrotto. Ai parenti di Rosaria, sulla montagna, scrisse una cartolina postale, per informarli che la loro figlia era una svergognata e una ladra e che, come tale, lei non voleva piú tenerla con sé. Da quel momento, cessò d'occuparsi della sorte di Rosaria.

La quale, tutta in lagrime, i bei capelli spettinati e mezzi sciolti, attraversò senza vergogna il gruppo dei beffardi curiosi. Era priva di cappello (ahimè), e indossava tuttora, non possedendo altro costume, la sua gonna e camiciola di contadina, che aveva abbellito cucendovi sopra certi alamari neri. Cosí, battagliera e amara, singhiozzando come una bambina, Rosaria corse a rifugiarsi da una delle sue nuove amiche. Questa l'accarezzò, e le trovò una stanzetta ammobiliata in casa d'una signora, la quale permetteva alle sue pigionanti di ricevere visite, ma esigeva sei mesi d'affitto anticipati. Fu un viaggiatore di commercio che, intenerito dalle lagrime di Rosaria, pagò di propria tasca i sei mesi, e in piú aggiunse una piccola somma perché Rosaria ci si comperasse quel che voleva. Rosaria era già tutta rasserenata; di molte cose aveva voglia, ma per astuzia decise di spedire quel denaro ai suoi parenti. Ella non sapeva scrivere, ma un'amica, piú letterata, compose per lei una bella epistola spiegando che Rosaria aveva lasciato la bottega di mode, ma aveva trovato un posto molto piú redditizio in un'altra bottega: stava bene, e accludeva una parte del suo stipendio. Un tale argomento persuase la famiglia di Rosaria assai meglio che non potesse farlo la succinta e scortese cartolina della vecchia. Gli inattesi denari furono chiusi nel cassettone, senza troppo indagare sul come erano stati guadagnati.

Cosí Rosaria iniziò la sua vita disonesta. Ma gli uomini che incontrava in quei primi tempi erano viaggiatori di poco conto, operai, guardie di questura o piccoli impiegati. Si dava talvolta per una cena all'osteria, per un paio di scarpette, per una collana di finte perle. Ancora ignorava il lusso, le passeggiate in carrozza, i quartieri eleganti; ma i suoi poveri piaceri e gingilli le parevano grandi e splendidi. Un bicchierino di mistrà o di acquavite le bastava per inebriarsi; e allora cantava, rideva, si spogliava di tutte le vesti, come una ballerina di caffè. E diceva nel suo dialetto, con voce cantante, parole affettuose, o sguaiate, o strane. Tutti quegli effimeri amanti le piacevano, sebbene non ne amasse nessuno. Con tutti era materna e appassionata; ma pochi di questi amori duravano piú di una sera. In realtà, era come se ella avesse un solo amante: e costui si chiamava Desiderio. Era il suo desiderio di baci, di vizi e di follía che prendeva corpo ora nell'uno ora nell'altro di quei brevi amori.

A tal punto era la sua vita (non erano passati ancora due mesi dacché aveva lasciato la bottega di cappelli), quando, come un arcangelo, arrivò Francesco. Egli si presentò col titolo di barone, ed era per di piú un giovane colto, uno studente, e insomma il primo signore che ella conoscesse. Nessuno l'aveva ancora amata con tanto fuoco, e con un rispetto cosí cavalleresco. Le cicatrici stesse che gli deturpavano il viso erano un motivo d'amore per lei, rendendo accessibile alla sua compassione, al suo sentimento materno, colui che altrimenti le sarebbe apparso troppo in alto. Da parte sua, Francesco, grazie all'umile condizione e alla confidenza di lei, si liberava in sua presenza d'ogni timidezza e ritegno orgoglioso. Egli provava, quand'erano insieme, quella naturale sicurezza di sé che proviene dal sapersi ammirati, adorati; e quell'abbandono che nasce dal felice accordo del piacere. Non perché priva d'astuzia, ma perché ignorante, e perché lo venerava, ella credeva ciecamente ad ogni parola di lui. Lo ascoltava con occhioni pieni di stupore quand'egli le raccontava dei feudi, boschi e cavalli che i De Salvi possedevano, e ch'egli avrebbe ereditato un giorno. Le parlava di cacce, di stemmi recanti leoni rossi in campo d'oro, di leggendari antenati. E poiché lei non sapeva leggere, le additava sul biglietto da visita la coroncina ch'egli aveva fatto stampare sul proprio nome: *Barone Francesco de Salvi*. Ella contemplava quella coroncina come una prova misteriosa e irrefutabile della provenienza di lui da una patria ultraterrena. Ma nonostante il prestigio che lo rivestiva ai suoi occhi, ella non perdeva, con lui, l'amorosa familiarità dei modi. Ché era cosiffatta da sentirsi tutt'uno col proprio amante, anche se questi fosse il re in persona.

Fin dai primi giorni, Francesco s'adoperò a distoglierla dalle sue disoneste avventure. Con l'eloquenza che gli veniva spontanea allorché poteva abbandonarsi ai propri sentimenti, guardandola coi suoi occhi vellutati e pieni di pietà, le spiegò che ella era una vittima della società borghese, la quale si pasceva, come un mostro, delle creature sue pari, e le gettava poi nei rifiuti. Egli avrebbe voluto a questo punto iniziare l'amante ai suoi propri disegni d'una società futura, e parlarle in nome della dignità dell'uomo, della libertà e della ragione. Ma allo stesso modo che amava farsi bello agli occhi di lei proprio vantando glorie di cui predicava il disprezzo, quali la ricchezza e la nobiltà del sangue; cosí adesso, per meglio convincere quella mente bambina, non esitò a servirsi dei miti che in cuor suo rinnegava. Le disse, cioè, in tono severo e mistico, che ella viveva di peccati e che cosí facendo si condannava alla morte dell'anima e sarebbe finita all'inferno. Rosaria non era pia; la sua religione si limitava ad un culto superstizioso di certe immagini sacre e di certi simboli, oltre che ad una cieca fiducia negli indovini e nelle carte. Ma ogni parola di Francesco era dogma e profezia per lei; la calda, armoniosa voce del suo giovane predicatore, la luce raggiante di quegli occhi neri, le frasi sapienti e poetiche la commossero con violenza. Ella era fiera di sapersi una vittima e aveva pietà di se stessa; la minaccia dell'inferno la riempiva di spavento. E per tutte queste cause, scoppiò in lagrime e singhiozzi. Prese a baciare le mani di Francesco, e nel tempo stesso gli diceva: – Ti bacio le mani –. Poi si ricordò del *Credo* e nel suo linguaggio immaginoso, con la voce rotta, gli balbettò che sí, lei giaceva nell'inferno; ma lui, come Gesú Cristo disceso al terzo giorno, l'aveva rapita dall'inferno e levata fino al paradiso. Cosí, ella fece olocausto a Francesco di tutti i propri capricci, vizi e cupidige; e gli promise che, da quel giorno, avrebbe vissuto secondo la volontà di lui. Francesco allora la coprí di baci; ed ella mutò il pianto in sospiri.

Da quel giorno, nell'impeto dell'entusiasmo e dell'amore, ella mutò interamente la sua vita. Necessità finanziarie la costrinsero a restare nella cameretta già pagata in anticipo per sei mesi; ma in quella cameretta non veniva ammesso altri che Francesco. Non le fu molto difficile allontanare gli altri uomini da lei conosciuti in quel frattempo; s'è già detto com'ella avesse allacciato con loro soltanto delle relazioni effimere, e fu senza rimpianto, anzi con una certa soddisfazione disdegnosa, ch'ella sacrificò sull'altare di Francesco quei rivali così al disotto di lui. Piú arduo, e spesso amaro, le fu il distacco dalle sue frivole amiche, ma poiché Francesco glielo imponeva ella volle mostrarsi ubbidiente. Delle molte con cui soleva ritrovarsi a conversare, ce n'erano tre o quattro piú intime, avvezze a salire da lei spesso, a tutte le ore del giorno, salvo che lei non fosse altrimenti occupata: ché in tal caso, a guisa di segnale, ella appendeva davanti alla sua porta, sul ballatoio, la gabbia col pettirosso. Da quando Rosaria conosceva Francesco, le amiche trovavano sempre il pettirosso a interdire la soglia; e presto la novità di quel grande amore trapelò fra loro. Vuoi per la ripugnanza di Francesco verso quelle amiche, vuoi per gelosia, Rosaria non aveva presentato l'amante a nessuna: ciò raddoppiava la loro curiosità. Ma la fanciulla non compariva piú nel loro cerchio, e un giorno, imbattutasi in due di loro, invece di fermarsi festosamente come soleva, fredda e riservata seguitò la sua via. Quelle la richiamarono allora, piene di meraviglia; e lei, fra la fierezza e la confusione, fu costretta a spiegare che l'amante, un vero signore, le proibiva la loro amicizia; a meno che anch'esse, come lei, non si redimessero dalla loro vita peccaminosa.

Una delle due, donna bella che attraversava un periodo di sfortuna, ma fidava nel proprio destino, a quel discorso squadrò Rosaria dall'alto in basso. Dopo averle fatto i complimenti, ironicamente la esortò a restarsene pure col suo signore; e voltate le spalle, entrò senz'altro aggiungere in una bottega lí presso. Ma l'altra era una grassa e ciarliera signora, dal cuore grande e bonario. Ormai matura, conservava però la sua civetteria; e per amore del fasto soleva oltre misura dipingersi e agghindarsi. Alle parole di Rosaria, non si mostrò per nulla offesa; ma attirando la fanciulla, in gran confidenza, sotto un androne, le chiese curiosamente notizie di questo amante. Rosaria glielo descrisse con le lusinghe della passione; ed ella parve tutta commossa. Ma subito si riprese ed assunse un'aria protettiva esclamando: – Ah, Rosaria! Rosaria! – Poi, vivamente, ammoní l'amica a essere guardinga. L'amore ha un difetto: ruba il tempo e non procura rendite. La bellezza e la giovinezza sono il solo capitale delle donne; e se, in luogo d'investire questo capitale in qualche impresa redditizia, lo si regala all'uno e all'altro, che cosa rimane? Lei stessa, per avere ascoltato piuttosto il suo cuore che il suo cervello, conduceva una vita malcerta; mentre che altre, piú brutte ma piú sagge, avevano carrozza e cavalli. Cosí detto, abbracciò Rosaria, e lodò teneramente la carnagione di lei, quei suoi bei colori naturali, e il suo piccolo e fresco sottogola. Rosaria a sua volta l'abbracciò stretta, e per renderle i complimenti le mormorò nell'orecchio di aspettare, la fortuna verrebbe, ella era ancora bella come una bambola. Ciò piacque all'altra, che, versando qualche lagrima, e coprendo di fitti bacini il viso di Rosaria, le disse: – Promettimi una cosa, Rosaria mia. Se avrai dei dispiaceri, se avrai bisogno d'aiuto e di consiglio, vieni da me –. E avuta questa promessa, si separò da lei senza rancore.

La notizia che Rosaria, per amore di un uomo, rinnegava le sue compagne, giunse presto alle orecchie di queste e dei loro amici. Ma nessuna delle ragazze era malevola verso Rosaria, che non destava invidia, essendo povera e ancor semplice. Sentimentali nel loro cuore, esse si fecero complici di quell'amore romantico, evitando di turbarlo con la loro presenza. Salvo una, che provocò una scena drammatica.

Era, questa, una ragazza che, pur avendo percorso in lungo e in largo tutte le strade della perdizione, non si ricordava di un solo momento di prosperità. Appariva invecchiata, e cosí cinica e amara, che pochi la cercavano ormai, foss'anche per un breve passatempo. Ma ella soleva ripetere che, quando non avesse piú trovato un letto dove dormire, sarebbe andata a ripararsi nel canile insieme coi cani. E inoltre asseriva di non chiedere altro che due cose per il giorno della sua morte: un letto all'ospedale e un posto riparato all'inferno. Era brutale, e non aveva piú nessuna voglia di fare smorfie e di sorridere; si aggiunga che, soffrendo il freddo, soleva coprirsi il petto, sotto la camicetta, con vecchi giornali che stridevano un poco allorché la si abbracciava.

Costei, sebbene sapesse d'esser tenuta al bando da Rosaria, un pomeriggio salí tuttavia da lei, per farsi aggiustare un cappellino. E, non vedendo fuori il pettirosso, entrò. Ma Rosaria per l'appunto aspettava Francesco prima di sera; e, timorosa oltremodo che egli la sorprendesse con una delle compagne proibite, e proprio con la piú malfamata, non senza arroganza rifiutò d'occuparsi del cappello. Allora l'altra le rise in faccia: – Guarda chi si dà le arie! – esclamò, – guarda chi disprezza e fa la signora! – E girando gli occhi maligni dalla cameretta a Rosaria, soggiunse che il grand'uomo tanto vantato da costei, poiché pretendeva l'esclusiva, avrebbe potuto almeno comperare alla sua Maddalena un paio di calze (per l'appunto quel giorno le calze di Rosaria, che era in sottoveste, apparivano tutte bucate), o almeno una camiciola pulita (l'unica e sola camicia di Rosaria, lavata piuttosto in fretta, era stesa ad asciugarsi in un angolo, su di uno spago). Ma, a quanto pare, terminò, colui voleva mandare le donne in paradiso senza spendere troppo. A tali osservazioni, Rosaria si levò inviperita, e gridò a colei d'occuparsi dei fatti propri; e

245

l'altra le ricordò ch'ella non mostrava tanta superbia quel giorno che correva tutta in lagrime, scacciata dalla zia. Rosaria allora l'accusò di parlare per invidia, non avendo lei, brutta e vecchia, nessuno che l'amasse. – Tu credi d'avere un bell'amante? – le ribatté l'altra, – nero come l'inferno! e butterato! – Rosaria fuori di sé le gridò in risposta serpe avvelenata, avanzo di postribolo, tisica, rugosa; e quella la chiamò sudicia, ignorante e contadina. Qui Rosaria afferrò dalla tavola il cappellino, che l'altra aveva portato per farlo aggiustare, e in atto di sfregio lo calpestò. Allora vennero alle mani: pur fra le percosse, non cessavano di scambiarsi i piú orridi vituperî, e si erano cosí strettamente avvinte che la padrona di casa, sopravvenuta, stentò a separarle. Ella scacciò quella visitatrice furiosa; la quale fuggí, tutta livida; ma Rosaria la rincorse e dal ballatoio le gridò di aspettare qualche anno: ché lei stessa, Rosaria, sarebbe diventata una regina, per farla schiattare.

Francesco, venuto poco piú tardi, la trovò ancora tutta fremente; ma per quanto interrogasse, non seppe nulla. Rosaria, superba di aver guerreggiato per amore di lui, si sentiva ancora piú eroica, in cuor suo, se teneva segreto il proprio valore.

Ma la piú cara di tutte le amiche, la stessa che aveva accolto Rosaria nel giorno ch'ella aveva lasciato la bottega; e le aveva trovato la camera, e scritto la lettera per i parenti; quest'amica era assente nei giorni di cui parliamo, essendosi recata a trovare sua madre in una piccola città vicina. Al suo ritorno, ella udí le nuove di Rosaria, ma si tenne certa d'essere esclusa dal famoso bando. Era suo costume, nelle sere che entrambe erano libere, di dormire insieme a Rosaria, in camera ora dell'una ora dell'altra. Giacché, paventando gli spettri, ella non osava di rimaner sola la notte. Quella sera stessa, ella salí dunque alla camera di Rosaria: che trovò sola e in procinto di coricarsi. Ma, come la vide, Rosaria parve turbata. Non l'abbracciò né le fece complimenti per il suo ritorno, e alle sue domande rispondeva a malincuore, ostentando la voglia di dormire. Alla proposta dell'amica, infine, di dormire insieme come tante altre volte avevano fatto, con gli occhi bassi mormorò che non si poteva. – Ma perché? – domandò l'amica. E allora lei, non arrogante e fiera come in altri casi, ma confusa e quasi tremando, le confessò che doveva dirle addio. Tale era la volontà di colui che l'amava, un gran signore, un santo, che l'aveva redenta dai suoi peccati insegnandole la via del Paradiso con le sue parole di passione e di sapienza. A meno che, come lei, Rosaria, l'amica non si redimesse dai suoi peccati, non potevano vedersi mai piú. Durante questo discorso, l'amica non aveva detto una parola, ma si era fatta rossa e le tremava il mento; alla fine, non resistendo piú, cadde a sedere sulla seggiola, a lato del letto, e scoppiò in lagrime. Cosí piangendo, e mordendo il suo fazzoletto fino a strapparlo, gridò a Rosaria ch'ella era una crudele e un'ingrata. Aveva dunque dimenticato le prove che lei stessa, l'amica, le aveva dato, facendole da sorella, presentandola a questo e a quell'altro, prestandole perfino il proprio vestito di gala per andare al ballo? E, proprio il giorno avanti la sua partenza, Rosaria non aveva avuto in prestito da lei quattro lire per comperarsi le scarpe col tacco alla francese? Qui, Rosaria, accigliandosi, fece notare all'amica di avere, sí, accettato il prestito da lei, ma di averle dato in pegno per quei denari la propria coperta all'uncinetto. A tali parole, l'amica si diede a singhiozzare ancora piú forte: – Ecco, ingrata! – gridò indicando un fagotto che aveva portato con sé, – eccola, la tua coperta! Te l'avevo appunto riportata, io stupida, perché non volevo pegni da te! – E furiosamente disciolse il fagotto, e gettò sul letto la coperta; la quale, aprendosi, lasciò cadere sul pavimento una quantità di fichi secchi e di ciambelle dure, insieme con la carta di giornale che le involgeva. Rosaria, interdetta, si chinò per raccogliere quelle ghiottonerie; ma l'altra, con gesto violento, glielo impedí: – Lascia tutto in terra! – gridò, in una vera convulsione di pianto, – erano fichi con la mandorla e ciambelle biscottate che ha fatto mia madre. Le avevo portate per mangiarle insieme a letto, conversando; ma non voglio neppure assaggiarle. Mangiale tu, mangiale tu col tuo amore, che siate insieme maledetti! Addio! – E cosí dicendo, si levò, e asciugandosi in disordine le lagrime, soffiandosi il naso con la sottoveste, si diresse all'uscio in gran furia. Ma Rosaria, che si sentiva spezzare il cuore, le fu accanto con un balzo, e scoppiando a sua volta in lagrime la strinse al petto: – Cosí mi lasci? – balbettò. – Sei tu che lo vuoi, – disse l'altra. – Io? Oh, Anita, Annitarella mia, non andartene, parliamo ancora un poco! – E cosí detto, cominciarono a blandirsi, scambiandosi le piú tenere lodi sulle rispettive loro bellezze, e i piú cari vezzeggiativi. – Le mie manucce! le mie gallinelle! – diceva Rosaria, e intanto baciava, dito per dito, la mani dell'altra. – La mia rossaccia! La mia rossa! – diceva l'altra, tirandole per gioco i capelli. E Rosaria, accarezzandole il viso: – La mia bella moretta, la mia mora! – Cosí pure l'una accusava all'altra i difetti, ma in tono amoroso, non di malizia. L'amica, per essere Rosaria cosí lentigginosa, la chiamava *semola di granturco*; e Rosaria da parte sua, per via che l'altra, quantunque ben fatta, era piccola, le diceva *la mia nanerottola*. A questo punto presero a beffarsi e a ridere, pur mesco-

lando alle risa il pianto; finché Rosaria, asciugando le lagrime di
Anita coi propri baci, mormorò: – Non vuole dunque la mia nanerottola dormire stanotte con la sua Rosaria? – E la mia Rosaria, –
rispose l'altra, – la mia donnaccia di strada scaccia dunque la povera
Anita? – Si decisero infine a coricarsi insieme ancora una volta,
dopo aver raccolto da terra i dolciumi sparsi; e, in segno di complimento, l'una spogliò l'altra delle vesti, salvo però quella parte di
biancheria da giorno che solevano tenere addosso anche la notte. Ora,
spogliandosi, non cessavano di farsi lodi vicendevoli sulle loro segrete
bellezze.

Coricate che furono, incominciarono a chiacchierare, mangiando
golosamente i fichi secchi e le ciambelle. Riandavano alle loro mutue
prove d'amicizia, per esempio a quando Anita era ammalata con una
forte infreddatura; e nessuna voleva visitarla per timore di conta-
giarsi, soprattutto per via che quel malanno faceva lagrimare e gon-
fiare gli occhi, arrossare il naso, e arrochire la voce. Simili inconve-
nienti erano molto ingrati a ragazze come loro; ma Rosaria, sfidando
il pericolo, trascorreva in camera dell'amica le intere sue giornate. E
poi ricordavano i loro bei progetti per l'avvenire, dei quali il piú
ambizioso era di mettere da parte molti denari cosí da prendere in
affitto e ammobiliare un bell'appartamento al centro. Quindi, subaf-
fittare le camere a giovani della buona società, quali ufficiali e studenti, e accudire per essi alla cucina, con l'aiuto di una serva. Allora
quanti buoni pranzi, che allegri ricevimenti, e che vita comoda, signorile, e tranquilla! – Ma adesso, tutto ciò è finito, – concluse
Anita. – Sí, è finito, – confermò Rosaria, non senza un sospiro.

Vennero allora le confidenze di Rosaria intorno al proprio amore,
ché ella non era mai sazia di parlarne; e quale ascoltatrice migliore
di questa compagna cosí pronta a capire e cosí amata? L'altra ascoltava piena d'emozione e d'interesse, benché gelosa; ma ogni ostilità
si dissolveva nel piacere della confidenza. Anch'ella disapprovò la
povertà di Francesco, e chiamò ingenua Rosaria che s'adattava a
tanta angustia; ché per Anita, come per le sue compagne, il potere
di far doni era la massima grazia degli amanti. Ma Rosaria dichiarò:
– L'amore prima di tutto, – e Anita la guardò ammirata, come si
ammira un fanciullo che gioca e fantastica da solo, pur considerandolo folle.

Infine, già assonnate, stabilirono di seguitare a vedersi, ma in
segreto e all'insaputa di Francesco. Istigata da lui, Rosaria aveva deciso di riprendere per proprio conto il mestiere della modista: perciò,
uscendo di casa, la cappelliera infilata al braccio, col pretesto di re-

carsi da una cliente per la prova, avrebbe potuto recarsi spesso dall'amica. E cosí fece infatti nei giorni che seguirono.

D'altra parte, se si escludono le antiche compagne, ella non trovava molte clienti. E poi, come già nella bottega, non amava troppo il lavoro, e le piaceva di fabbricare cappelli solo per se stessa, o per le sue piú intime. Anche tali scarse produzioni, a causa della sua pigrizia, erano rabberciate alla meglio, in disordine, e senza rifiniture. Cosí che le pochissime clienti serie, se mai se ne trovava una, rifiutavano il lavoro, e con mala grazia ripudiavano la modista. Quei cappelli erano, oltre a tutto, cosí arditi e fantastici da poter coprire solo teste di villane e di pazze come lei. Rosaria, in verità, pari a un pittore che dipinga soltanto autoritratti, non sapeva resistere alla tentazione di fare da modella a se stessa. Ogni cappello, ella lo componeva sulla propria testa, davanti allo specchio, vagheggiandosi senza fine, e modificando, aggiungendo, ornando, secondo l'estro del minuto. Per cui, nessun cappello risultava quale era stato nell'intenzione della cliente o della modista medesima. Lei stessa, infatti, ridendo forte, si meravigliava del risultato. Un austero feltro bruno, destinato a ricoprire una vecchia bigotta, diveniva una sorta di cappellaccio brigantesco, inalberante una sfacciata piuma verde. Una cuffietta allacciata sotto il mento, per una giovane sposa, si caricava di nastri e di lustrini, cosí da sembrare un'acconciatura di cattivo gusto per una cantante. Le poche ordinazioni, ottenute da principio grazie ai buoni uffici della portiera, della padrona di casa e della lattaia, scarseggiavano ogni giorno di piú. Né Francesco poteva essere di grande aiuto a Rosaria, col piccolo assegno che riceveva ancora da suo padre, e che doveva bastare al suo proprio sostentamento. Egli divideva con Rosaria il proprio cibo, da lui comperato per pochi soldi dal salumaio. Ma per il resto, Rosaria, senza ch'egli lo sospettasse, dovette in breve tempo ricorrere ai prestiti delle amiche. Mentre Francesco s'illudeva ch'ella si dedicasse al lavoro, in realtà ella trascorreva nell'indolenza le ore che non divideva con lui. Giacché sopra ogni cosa le piaceva l'ozio, i lunghi sonni, e il giacere a letto fra dolciumi e chiacchiere. Le piaceva pure giocare alle carte; e, sebbene non sapesse leggere, s'intendeva però di numeri ed era una furba giocatrice. Con la scusa delle clienti da visitare, ella riprese l'abitudine di recarsi spesso alla camera di Anita, dove le altre compagne, poco prima ripudiate, si davano convegno. Là ella ritrovò la signora grassa, che, secondo la promessa, le fu generosa di prestiti e di consigli. Là ritrovò pure l'amara compagna con la quale era venuta a lite; e in un abbraccio, singhiozzando si riconciliò con lei. Talvolta, in quella camera, ella incontrava degli uomini. Ma la sua passione per Francesco era tuttavia piú forte delle loro lusinghe. Troppo, come già vi dissi, troppo s'oscuravano al confronto di lui quei maldestri seduttori. La puerile immaginazione di Rosaria era tutta sotto l'impero di Francesco, anche in assenza di lui. La paura del peccato, la volontà della redenzione erano cose terribili e affascinanti. E quella profetica, amante voce suonava piú forte di tutti i perfidi consigli e tentazioni delle amiche. Rosaria, dunque, malgrado la sua miseria, malgrado la frivolezza del suo cuore, sapeva resistere al maleficio; ma, quanto agli altri inganni, che peccato c'era, si domandava ella ogni giorno, a chiacchierare un po' con le amiche, a giocare alle carte, a dire qualche necessaria bugia? Certo, non v'era nessun peccato, e Francesco sarebbe stato ingiusto a dire il contrario. Senza posa, le amiche ribadivano in lei queste opinioni, e, seguendo la loro natura avventurosa e mendace, si facevano sue complici nell'ingannare Francesco. Esse erano pur gentili e generose con lei; né ella avrebbe potuto far senza dei loro piccoli soccorsi. Per di piú, con l'autunno Francesco fu costretto ad attenuare la gelosa sorveglianza usata fin qui verso Rosaria. Infatti, malgrado i suoi timori, egli poté iscriversi all'Università, e da quel momento dedicò allo studio buona parte delle sue giornate.

Capitolo terzo

La baronessa madre arriva in città.

Si è già visto (a suo tempo tutto ciò sarà meglio chiarito al lettore) come Francesco avesse contato su un soccorso di Nicola Monaco per proseguire i suoi studi. Era questa, in verità, piuttosto un'ipotesi leggendaria che una speranza; ma altro mezzo non si offriva al giovane studente per procurarsi i denari delle tasse. Un tal progetto estremo era stato elaborato in gran segreto da Francesco e da Alessandra sua madre durante un breve soggiorno dello studente nella casa paterna; ma dopo il fallimento di questa ultima speranza, altra risorsa non restava a Francesco che tornarsene presso i suoi. Egli, però, non voleva decidersi a un simile ritorno, che significava la sua sconfitta e la rinuncia alle sue grandi ambizioni. Inoltre, nonostante l'affetto per sua madre, egli aveva in odio quella remota campagna, al punto che perfino le sue vacanze estive, salvo pochi giorni, soleva ogni anno trascorrerle in città.

Or è giunto il momento di dire che il suo titolo di barone, i suoi feudi e l'antichità della sua stirpe altro non erano che dei vanti. In realtà, Damiano De Salvi, padre legittimo di Francesco, era un semplice agricoltore. I suoi feudi si limitavano a pochi campicelli così modesti che, fino a quando l'età glielo permise, Damiano li aveva coltivati lui stesso, con l'aiuto di Alessandra e di pochi braccianti. E adesso, Damiano essendo ormai vecchio di oltre ottant'anni, bastavano, per lavorarli, due uomini a giornata. Circa venticinque anni avanti, rimasto vedovo, Damiano De Salvi aveva sposata in seconde nozze Alessandra, contadina a giornata assunta da lui per i lavori. Questa seconda moglie, per l'età, avrebbe potuto essergli figlia, e Damiano verso di lei provava dei sentimenti mescolati di rimpianto paterno, giacché, insieme alla sua prima moglie, le sue due giovani figlie (le quali formavano, a quel tempo, tutta la sua discendenza), erano state uccise dal terremoto che alcuni anni prima aveva devastato il paese.

Dopo la nascita di Francesco, unico erede di Damiano, venuto quando già il suo matrimonio con Alessandra durava da quasi un lustro, Damiano aveva vissuto e lavorato per amore di questo fanciullo. Vedendolo piú intelligente degli altri ragazzi suoi pari, egli aveva nutrito in cuor suo, fin dai tempi che Francesco sapeva balbettare appena, l'ambizione di farlo studiare. E piú tardi, aveva impiegato i risparmi di tutta la sua vita faticosa, e i poveri profitti della sua terra, per questa amorosa ambizione. A meno di dodici anni, Francesco, per i suoi studi, dovette andare a vivere lontano dalla famiglia. Il dolore di Damiano e di Alessandra al separarsi da lui fu grave: ché essi vivevano come umili schiavi di Francesco. Quanto al fanciullo, egli sofferse soprattutto al primo distacco da sua madre; alla quale fin dall'infanzia lo avvinceva un amore appassionato, quasi come ad una sposa. Ma l'ambizione era già forte in lui: la città, i successi nella scuola, e le sue speranze per il futuro, e i suoi ideali segreti, fecero sí ch'egli tradisse quella fiamma puerile.

Non era certo assai forte l'assegno mensile che i genitori spedivano a Francesco; ma, per esso, i due coniugi si costringevano quasi alla fame. Di ciò, Francesco non si rendeva conto, né, tanto meno, egli s'immaginava che, per mantenerlo agli studi, Damiano s'era ridotto all'estremo delle risorse. Alessandra stessa era in gran parte all'oscuro sulla rovina di Damiano, e lo fu, come vedremo, fino all'ultimo, giacché Damiano aveva sempre mantenuto la piú gelosa segretezza per tutto ciò che riguardava i suoi affari e le sue faccende monetarie, di cui non amava far partecipe nessuno, neppure la propria famiglia. Quando Francesco, però, durante il suo breve soggiorno a casa avanti d'entrare all'Università, gli richiese la somma necessaria per l'iscrizione, egli dovette infine, umiliato e smarrito, confessare che non l'aveva, e che non era riuscito a trovarla, pur avendo tentato ogni mezzo per procurarsela. La nuova inattesa colpí amaramente Francesco. Il termine d'iscrizione s'approssimava ormai. E fu allora che, in segreto colloquio con sua madre, poi che nessun'altra opportunità si offriva alla loro condizione, egli prese la decisione famosa di ricercare Nicola Monaco. A Damiano disse che avrebbe chiesto la somma in prestito a un amico in città; e ripartí subito.

Cinque o sei giorni dopo, i genitori ebbero una sua lettera, la quale, secondo il solito, per essere Alessandra analfabeta, fu letta ad alta voce da Damiano. E Alessandra si dispose ad ascoltare in silenzio, con lo stesso cuore di quando interrogava le veggenti sulla sorte di suo figlio.

La lettera di Francesco diceva, senza spiegare le ragioni, che l'amico non aveva potuto fargli il prestito; ma che egli tuttavia preferiva rimanere in città, sperando di trovare un impiego per potere, coi propri guadagni, seguitare gli studi. Nell'attesa dell'impiego, attesa che s'augurava breve, doveva ancora per qualche tempo chiedere ai genitori il sacrificio di spedirgli, se lo potevano, il solito piccolo assegno. Già s'era messo alla ricerca di lezioni private; ma esse non potevano bastargli per vivere. Circa l'iscrizione all'Università, per ora doveva rinunciarvi.

Tutto ciò era detto con parole che rivelavano la rabbia e lo sconforto. Ma soltanto alla terza o alla quarta lettura, i genitori compresero appieno il significato dello scritto. Il fatto è che Damiano leggeva compitando, con fatica, e ripeteva ogni frase piú volte, non essendo capace di coglierne a prima vista il senso logico; e tanto piú la sua mente senile era riluttante a comprendere, in quanto le notizie che leggeva erano al suo cuore dolorose e gravi.

Quando infine, sceverata la lettera per ogni verso, non vi fu piú dubbio sul suo sconfortante contenuto, gli occhi di Alessandra scintillarono di ribellione. Ella non si curava del significato misterioso e intimo che certe allusioni della lettera potevano avere per lei stessa e per lei sola; ma si ribellava alla volontà della sorte, che feriva suo figlio, facendo sanguinare lei pure della stessa ferita; e in quel momento medesimo, decise in cuor suo che ad ogni costo suo figlio doveva iscriversi regolarmente all'Università.

Dapprima, ella passò in rassegna con Damiano, per la millesima volta in quei giorni, tutti i mezzi ch'era possibile escogitare nella loro condizione per procurarsi a tempo il famoso denaro della tassa. Ma Damiano, non meno del solito parco di spiegazioni con la moglie, ad ogni suggerimento di lei si limitava a scuotere la testa, con una espressione monotona e spaventata, quasi a negare che da qualsiasi parte potesse ancora ritrovarsi una speranza. Infine, Alessandra capí che stavolta suo figlio poteva far conto soltanto su lei stessa; e s'indusse a un sacrificio estremo.

Ella possedeva, come quasi tutte le spose di quei paesi, una pesante catena d'oro offertale dalla suocera il giorno delle nozze; e un paio d'orecchini d'oro inciso, dono nuziale di Damiano. Tali oggetti le erano piú cari di quanto si possa immaginare, poiché, oltre alla loro bellezza, essi erano per la sposa un simbolo di fierezza e di valore agli occhi delle altre donne. Perciò ella, in cuor suo, s'era sem-

253

pre rifiutata di sacrificarli. Di sua natura, inoltre, ella era avara; purtuttavia, dopo la lettera di Francesco, risolse di vendere quegli oggetti. Ma nel trarli dalla cassa in cui li teneva riposti (giacché se ne adornava soltanto nelle grandi occasioni), provava un dolore cocente mescolato d'orgoglio: simile a quello che avrà provato Abramo sul punto d'immolare Isacco alla volontà celeste.

Ella non voleva però vendere gli oggetti in paese, sia perché temeva d'essere ingannata riguardo al prezzo, e sia per evitare questa umiliazione in cospetto dei suoi conoscenti. D'altra parte, non si fidava di mandarli in città per via di posta, o per mezzo d'altri. E poiché Damiano, vecchio e malato, non poteva intraprendere viaggi, decise di partire lei stessa per la città, e di consegnare gli ori nelle mani di Francesco, il quale avrebbe per suo conto provveduto a venderli.

Essendosi proprio allora iniziato il raccolto delle ulive, ella ritardò la propria partenza di qualche tempo: sapeva infatti che solo alla fine del mese cadeva il termine per le iscrizioni all'Università. Ma intanto, non avvertí Francesco della propria decisione, né del proprio arrivo: ché le piaceva il pensiero di fargli una sorpresa.

Dall'epoca delle sue nozze, ella non era piú stata nella grande città capitale della regione; e certo è da credere che non fu senza difficoltà per lei mettersi in viaggio da sola, e ritrovare per le vie cittadine il quartiere dove abitava Francesco. Per l'appunto in quei giorni era incominciata l'amicizia di costui con Edoardo; e quella mattina, Edoardo s'era recato con la carrozza a prender l'amico per fare una passeggiata insieme. Carmine il cocchiere era salito ad avvertire Francesco, mentre il giovane padrone attendeva sdraiato sui cuscini, guardando per lo sportello quella modesta viuzza. Mentr'egli cosí aspettava, una contadina magra, ma aggraziata nei gesti e nella svelta andatura, recante al braccio un canestro coperto, apparve all'imbocco del vicolo. Doveva avere piú di quarant'anni; ma, cosa rara a vedersi nel Mezzogiorno, conservava tuttavia una sua selvatica bellezza. Gli occhi, soprattutto, erano profondi e lucenti come quelli d'una fanciulla; e cosí belli nella loro nerezza, che la sua fronte pareva adorna d'un diadema.

Ella indossava il costume delle contadine: gonna ampia e arricciata, che lasciava scoperta la caviglia e il principio del polpaccio; piccolo busto nero e camicetta di fustagno dallo scollo rotondo, dalle maniche terminanti sotto al gomito, sulla quale s'incrociava uno scialle di lana nera. Ma in luogo dei rozzi calzari di pelle non conciata in uso nelle campagne, per l'occasione ella s'era messa le scarpette cittadine di pelle nera: scarpette di antica foggia, ma assai ben conservate (le stesse che aveva portato il giorno delle nozze).

Cosí pure, non portava sui capelli il fazzoletto variopinto come soleva in campagna; ma aveva il capo scoperto. Per quel suo capo eretto, dai tratti scarni e piuttosto duri, faceva pensare a un rapace; ma l'andatura graziosa la faceva somigliare piuttosto a un cigno.

Incerta, ma non vergognosa né goffa, si fermò nel mezzo del vicolo, come cercando qualcuno a cui domandare insegnamento. In quel momento nessuno passava di là: c'era solo, all'incrocio con una via piú larga, la carrozza padronale da cui si affacciava Edoardo. La contadina esitò, certo intimidita da quel ricco equipaggio; ma poi, fattasi animo, si avvicinò alla carrozza, e porse al giovane un foglietto sgualcito, chiedendo nel suo rustico dialetto: – Eccellenza, è questa la via che sta scritta qui? – E non senza orgoglio, soggiunse che i numeri li sapeva leggere, ma non cosí le parole. Gettato uno sguardo sul foglio, che non recava scritto nome alcuno di persona, ma solo l'indirizzo: *Vico Sottoporta 88*, Edoardo rispose che sí, l'indirizzo era esatto, e con la mano indicò un portone. Allora la donna si fece rossa in volto, e con un riso fiero e irruento spiegò che lei veniva a cercare un dottore, il quale era suo figlio. – È il figlio mio, – ripeté con una espressione seria, come a ribadire nella mente dell'ascoltatore tal caso prodigioso. – Bacio le mani, – salutò poi, devotamente; e tosto s'avviò verso il portone indicato, col suo passo dondolante e svelto, appena un poco intimorita, nella sua audacia, da quelle grandi case di mattoni.

In quel momento, sul portone del palazzo comparve Francesco, seguito a un passo da Carmine in livrea che portava il cappello in mano. Al vederlo, la donna, con un accento di gioia quasi drammatico, gli gridò – Francé! – e, corsa a lui, se lo strinse al petto. Ma Francesco, subito al primo scorgerla, s'era tutto turbato; non già di piacere, come si potrebbe credere, ché in quell'istante altri sentimenti piú forti inaridivano in lui le naturali fonti della gioia. Egli si fece pallido, e poi, come la donna lo strinse a sé, diventò rosso di vergogna, svincolandosi in fretta da lei, e gettando nel tempo stesso verso la carrozza d'Edoardo un'occhiata confusa: – Aspettami qui, – ordinò ad Alessandra con un tono secco, e quasi malevolo. Poi si diresse alla carrozza come verso un miraggio che in quel momento lo spaventava; e incerto, pieno di rossore, spiegò all'amico che quella contadina cosí espansiva era una domestica di casa sua, la quale lo aveva visto nascere. Senza dubbio, essa gli portava notizie di casa, per cui gli toccava rinunciare, adesso, alla passeggiata, e alla compa-

255

gnia dell'amico; ma, se Edoardo lo permetteva, lui stesso, Francesco, poteva recarsi verso sera a prenderlo, a palazzo Cerentano. Edoardo annuí, celando sotto le palpebre uno sguardo di consapevole malizia; e, con un pigro cenno, ordinò a Carmine di ripartire.

L'ingiusto sentimento di rabbia e d'onta tenne Francesco ancora qualche minuto. Invece di festeggiare Alessandra, egli andava covando fra sé il timore che Edoardo potesse scoprire il vero: e cioè, che quell'umile contadina era la madre del suo amico, e non la serva come gli si era voluto far credere. E che il suo amico non era un feudatario, ma un figlio di povera gente. Per liberarsi da questa rabbia, e insieme per giustificare in qualche modo il proprio contegno, nel salire le scale Francesco rimproverò ad Alessandra l'abbraccio di poco prima, dicendole aspramente che in città non s'usa di far simili espansioni d'affetto in mezzo alla via. Alessandra, sebbene delusa dall'accoglienza del figlio, che s'attendeva assai diversa, era troppo semplice per sospettarne i veri motivi; e d'altra parte, non dubitava che Francesco dovesse esser felice della sua visita. Avvezza ad accettare come dogma tutte le parole del figlio, e a subire umilmente le misteriose volontà di lui, ai suoi rimproveri si scusò confessandosi ignorante degli usi cittadini, per essere vissuta sempre in campagna; e intanto, piena di passione, ella osservava la casa dove Francesco viveva, ardendo dalla voglia di sapere questo e quell'altro, e chi fosse il bel giovinetto della carrozza. Ma la sua curiosità di conoscere il vetturino e la moglie, padroni di casa di Francesco, restò delusa: coloro infatti s'eran recati da qualche giorno ad un loro poderetto, per i raccolti autunnali. Né Francesco era scontento, in cuor suo, d'un tal caso: giacché non desiderava mostrare ad alcuno questa madre contadina.

Come furono soli nella camera, egli la informò della morte di Nicola Monaco; ma alla notizia la donna rimase impassibile, quasi che un tale evento non la riguardasse piú in alcun modo. Francesco non s'aspettava da lei quei gridi e gesti da baccante coi quali per solito le donne del Mezzogiorno celebrano i morti; ma si meravigliò nell'intimo al vedere ch'ella non versava neppure una lagrima e non diceva neppure una parola di pietà. Egli non le rivelò l'infamia di quella morte in carcere; né ella domandò alcuna spiegazione. Ormai, nella vita di lei c'era un solo idolo, e questo era Francesco: e inoltre, dal far domande la tratteneva forse un istinto mescolato di timor sacro e di pudore: – La fortuna cosí ha voluto, – disse infine con un accento severo, da profetessa, lo stesso accento che talvolta si udiva nella voce di Francesco. E poi, quasi a significare che quella sventura li colpiva entrambi soprattutto nelle loro speranze d'aiuto, soggiunse: – Ma non darti pena, sangue mio. Tua madre ha rimediato a tutto.

Mentre diceva queste parole, il dèmone dell'orgoglio le accendeva le guance, e le faceva splendere gli occhi. E tratto dal seno un sudicio fazzoletto dalle cocche annodate, ella ne tolse gli ori, svelando lo scopo del suo viaggio. Questa rivelazione provocò in Francesco il massimo disordine di sentimenti: da una parte la gratitudine e il rimorso per la sua viltà di poco prima, dall'altra la gioia di poter seguitare gli studi, e il ritegno ad accettare un tal sacrificio. Ma una passione esultante e tenera lo afferrò d'un tratto, liberandolo d'ogni timore e d'ogni pensiero: – Oh, mammuccia mia bella! – esclamò, e stretta sua madre alla vita la levò alto alto fra le braccia, come avrebbe potuto fare con una giovane amante, ripetendo: – Oh maga, oh, reginella, oh mia divina! – Alessandra rideva con rustico abbandono, rovesciando indietro il capo ed esortando: – Lasciami, lasciami –; e come il figlio, depostala, incominciò a baciarle i piedi e le mani, ella, in tono enfatico e quasi dolente, gli diceva: – Oh mio bel dottore, mio bel dottore!

Poi, gettando sguardi obliqui e diffidenti, a voce bassa gli raccomandò di nascondere gli ori in luogo sicuro, e di stare attento a venderli bene. E non fu tranquilla finché, dopo averli accostati alle labbra per un ultimo bacio avaro, lei stessa non li ebbe rinchiusi in un cassetto, di cui Francesco intascò la chiave. Ella aveva portato anche, in un canestro, un pollastro cotto nel forno, oltre ad alcuni piccoli pani dolci, e uova (senza dimenticare un presente per la famiglia del vetturino, a cui recava una grossa focaccia). Madre e figlio mangiarono insieme parte di queste provvigioni, e quello che avanzò, Francesco lo mise in serbo, pensando di dividerlo piú tardi con Rosaria. Alessandra intanto gli parlava degli interessi di casa, ché è questo, fra i contadini, il principale se non il solo argomento nei discorsi. Indi, con un tono mescolato di pazienza e di deplorazione, e quasi allusivo a una loro complicità nei confronti del vecchio, ella dava al figlio notizie di Damiano. Costui s'era fatto cosí trascurato e sudicio, da non radersi neppure la domenica, e da coricarsi la sera, quasi sempre, coi piedi coperti di fango; mentre fra i contadini v'è l'uso di lavarsi i piedi ogni sera, per non insudiciare le lenzuola col terriccio raccolto nei campi. Dormiva pochissimo, e s'alzava che ancora era notte; ma d'altro canto, non lavorava quasi piú, trascorrendo accanto al fuoco buona parte delle sue giornate. E, piú spesso che non facesse innanzi, ricordava il terremoto, la prima moglie e le figlie perite in esso: tutti questi, secondo Alessandra, erano segni annunciatori d'una prossima morte. Egli poteva, sempre a dire di Alessandra, aspettare la morte in pace e rassegnazione (se non fosse che gli sarebbe piaciuto d'assistere alla grande carriera e ai trionfi dell'amato suo Francesco): ché, già da tempo, aveva finito di pagare il terreno in cui la sua prima famiglia era sepolta, e la sua seconda famiglia avrebbe trovato sepoltura. Inoltre, già da molti anni egli versava alla Bottega di Pompe funebri una piccola somma mensile, per avere, quando la sua ora fosse giunta, una cassa di zinco e di noce, e il trasporto riserbato alla gente non povera. Quest'usanza di provvedere da vivi alle spese della propria morte, è abbastanza diffusa fra i paesani di laggiú. Essi non temono troppo il giorno del trapasso, né hanno credenze certe e severe d'una vita futura. Sui muri di quelle chiese o cimiteri si vedono, è vero, talvolta, dipinte le tragiche fiamme del Purgatorio, con la scritta: *Ora pro nobis*; ma in realtà, nel pensiero dei vivi, ogni immaginazione sull'al di là si rinchiude nei terrestri confini della fossa. E quand'essi pregano per la pace dei morti, pensano al corpo che riposa in quei piccoli campi. A colui che per qualche motivo non fu sepolto, tale riposo è negato; ed egli vaga nella sua terribile insonnia, bramoso di giacere sotto terra.

Le grida e i singhiozzi delle donne allorché c'è una morte nella casa, piuttosto che una espressione naturale sono una teatrale rappresentazione del dolore, quasi un dovere fatale della famiglia. Per i piú ricchi, oltre alla parentela s'ingaggiano le nere *piangenti*, donne mercenarie use a tale còmpito: le quali con le lodi del morto, gridate con voce luttuosa, rendono piú solenne l'addio. La morte d'un gran feudatario, in quelle campagne, si celebra con una sorta di tregenda.

Quanto al sacerdote, egli appare a quelle selvatiche anime quale un pronubo misterioso fra l'uomo e la morte. Coi suoi gesti e croci, col suo linguaggio arcano, egli è il maestro delle tenebre, sigilla il patto della pace. Al modo stesso che i numeri e l'oro, i sacramenti sono per quei bifolchi dei simboli di valore, di astrusa e magica possanza.

Come poco prima all'annuncio che Nicola era morto, cosí adesso predicendo la fine di Damiano, Alessandra appariva insensibile ad ogni pietà o rimpianto, e perfino al timore della propria futura solitudine. Del resto, è cosa meravigliosa che attraverso le generazioni gli uomini non si siano avvezzati ad accettare la inevitabile morte; ma in Alessandra, e in altri della sua specie, pareva radicata un'accettazione atavica. Soltanto di rado, per la morte d'un figlio, evento contrario alle leggi della natura, si spezza l'ingenua forza di simili cuori.

Conversando, nella cameretta di Francesco, le ore passavano, e s'era giunti al pomeriggio. Allora, nella mente di Francesco s'insinuò ancora una volta l'ansietà della mattina: egli temeva che Edoardo, o magari anche Rosaria, non vedendolo, venissero a cercarlo in casa, e lo sorprendessero in colloquio con questa madre da lui rinnegata. E d'altra parte, per vergogna d'esser visto con Alessandra, si rifiutò decisamente d'accompagnarla in una visita per la città, com'ella bramava. Ella si riprometteva questa passeggiata pomposa al braccio del figlio: accanto a lui, la sua timidezza di contadina sarebbe svanita del tutto, ed ella si sarebbe sentita la padrona della città. Il suo viso si oscurò per la delusione; ma l'attendeva un rifiuto ancora più amaro. Ella aveva annunciato a Damiano un'assenza di forse due giorni: e si era ripromessa di passare una notte in città con suo figlio. Esaminato il letto di lui nella cameretta, aveva visto ch'esso era fornito di due materasse: una di lana, e una di crino. Ella proponeva di stendere a terra la materassa di crino, e di dormirvi sopra lei stessa, mentre Francesco avrebbe dormito sul letto. Che cosa poteva impedire un tal disegno? Con gli occhi fissi, l'atteggiamento ostinato, ascoltava in silenzio le tante ragioni addotte da Francesco per indurla a ritornare quello stesso giorno al paese; ma quelle ragioni, improvvisate e fittizie, non erano tali da persuaderla, e, nell'accento monotono, un po' lamentoso, che era proprio al suo dialetto, ella, dopo avere ascoltato Francesco, ripeteva: – Ma per una sola notte, per una sola notte! Chi sa quando ritornerà quest'occasione, cuore di mamma! Per una sola notte!... – Infine, dovette sottomettersi alla volontà di Francesco; dopo aver consultato l'orario dei treni, egli l'accompagnò alla stazione, che non era molto lontana. E mentr'ella, corrucciata e grave, gli camminava a paro nel suo grazioso passo dondolante, il canestro vuoto appeso al braccio, lui sceglieva le vie meno frequentate, come un ladro, per il timore d'essere incontrato in sua compagnia.

Mancavano ancora molti minuti per la partenza, e il treno era quasi vuoto; nelle ricche pieghe della sua gonna, ella si assise sopra il sedile di legno, col maestoso atteggiamento che si ritrova spesso fra le contadine. Adesso che il pericolo di temuti incontri era quasi passato, Francesco ridiventò affettuoso e vivace; egli circondava sua madre di premure, la serviva come una signora, per farsi perdonare da lei, ma ancor più dal proprio cuore medesimo, di averla poco prima respinta. Alessandra era superba e raggiante; ma s'udì il fischio della partenza, e mentr'ella, un'ultima volta, a voce bassa gli raccomandava gli ori, con un balzo Francesco fu giù dal vagone. Come questo fu lontano, un acuto dolore incominciò a tormentargli l'anima.

Egli si recò subito da Edoardo; ma l'amico non era in casa. Un tal fatto insignificante parve a Francesco, in quel momento, quasi una catastrofe, e aggravò all'estremo il cumulo della sua angoscia. Avrebbe dovuto, adesso, recarsi da Rosaria; ma provava una strana ripugnanza a recarsi da lei, parendogli di tradire sua madre. Egli tornò dunque a casa, e, accesa la lampada, poiché era ormai buio, incominciò a fantasticare intorno a ciò che aveva perduto: si raffigurava la materassa di crino stesa in terra, e sua madre gaia come una ragazza per quella novità; e le meraviglie di lei per la città sconosciuta, e le sue domande curiose, e le proprie amabili risposte. E cenare loro due soli, con le provviste del canestro, indi addormentarsi accanto a sua madre, come era solito fare fin dall'infanzia, e vederla appena desto accanto a sé. Tutto ciò gli appariva adesso cosí delizioso, incantevole, che nemmeno la piú brillante serata avrebbe potuto ricompensarlo; e perché dunque gli era negato? Mai come adesso egli aveva scorto tutta la sordidezza di questa camera, che la presenza d'Alessandra aveva per poco trasfigurata e accesa. Egli trasse dal cassetto gli ori di lei, che avevan già fatto ricca mostra sul suo petto, ai suoi piccoli orecchi bruni. E baciando quei freddi monili disse parole amare e senza speranza, quasi che non ad Alessandra si rivolgesse, ma ad una moglie perfida che l'aveva abbandonato.

Francesco terminò la sua serata da Rosaria. Quanto ad Edoardo, lo si rivide la mattina dopo, con carrozza e cocchiere, in vico Sottoporta, per riproporre all'amico la mancata passeggiata del giorno avanti, che oggi poté svolgersi senza intoppi. Per ciò che riguarda, poi, l'involontaria scoperta da lui fatta, egli conosceva ormai quali aristocratiche viscere avesser generato il suo barone; ma, sebbene fosse non di rado crudelmente sincero con lui, né a lui né a nessuno svelò mai la propria scoperta, e sempre finse di credere veri i bugiardi vanti di Francesco sulla sua famiglia. Edoardo intuiva, infatti, che, comportandosi altrimenti, avrebbe guastato senza rimedio i propri rapporti con l'amico. Ché, se le sue proprie superiorità sociali giovavano a una tale amicizia, le menzogne di Francesco la proteggevano, poiché riscattavano il giovane paria dall'umiliazione che altrimenti, e senza scampo, egli avrebbe provata di fronte a lui signore. Né d'altronde, l'amicizia era la sola cosa a cui le menzogne di Francesco facessero da scudo: io non so, per dire un esempio, se Francesco avrebbe saputo con tanta audacia difendere la propria repubblica ideale senza ripararsi dietro l'insegna: « Badate, io non sono uno dei paria da me difesi, io sono un nobile, un feudatario! »

Ma simili cavilli non concludono nulla. Per tornare a Edoardo, osserveremo come anche gli amici piú perfidi, gli amanti piú sinceri e spietati, non osino essere proprio fino in fondo perfidi, sinceri e spietati: non osino, voglio dire, finché duri in essi un barlume d'amore o d'amicizia, o almeno finché a questi loro sentimenti duri un ultimo istinto di conservazione. Ogni relazione affettuosa, anche la più temeraria, conosce dei colpi da cui deve guardarsi, voglio dire delle parole che vanno taciute, degli argomenti che non bisogna evocare. Nel caso che ci interessa, di Francesco e Edoardo, v'erano due o tre argomenti sui quali l'avveduto suo cuore suggeriva a Edoardo il silenzio o la credulità. Uno era, per l'appunto, quello suddetto, vale a dire i nobili natali di Francesco; e un altro fu, ad esempio, la persona di Nicola Monaco, alla quale (pur ignorando i precisi motivi che rendevano l'amico tanto suscettibile su questo soggetto), Edoardo non alluse mai più dopo quel primo famoso colloquio, evitando perfino di nominarla. La discrezione d'Edoardo giungeva al punto ch'egli si negava fino d'indagare per proprio conto su simili argomenti vietati. Bisogna dire che una tal sorta di segreti svegliavano in lui soltanto una curiosità distratta: ciò che lo interessava, non erano le origini o il passato di Francesco, ma Francesco in persona e il suo presente; e in tal campo non sopportava che l'amico avesse per lui dei segreti, come vedremo meglio nel prossimo capitolo.

Capitolo quarto

L'anello cambia padrona.

Già vi dissi che, i primi tempi, Francesco evitava di far incontrare Edoardo con Rosaria. E ciò, oltre che per gelosia, anche per dei motivi non troppo dissimili da quelli che gli avevan fatto temere un incontro di lui con Alessandra. Come s'è visto, parlando di Rosaria con l'amico, egli descriveva una grande cortigiana, che aveva rinunciato ai suoi fasti per redimersi: che poteva pensare dunque Edoardo, vedendo, al posto di quella vantata signora, una povera contadinella? Sebbene inesperto di eleganze, Francesco non poteva non accorgersi di quanto Rosaria differisse dalle pompose *mantenute* che attraversavano il Corso nelle loro carrozze. Egli perciò si adoperava a evitare il temuto incontro; sebbene già disperasse di poter seguitare i suoi sotterfugi. Il mistero dell'amante nascosta, infatti, incuriosiva Edoardo. Chi era mai, chiedeva egli con malizia all'amico, la famosa cortigiana di cui nessuno parlava nella città? Il mondo di quelle attraenti dame gli era abbastanza familiare e la conversione d'una di loro gli sarebbe presto giunta all'orecchio. Ma Francesco rispondeva ch'ella proveniva da una città del Nord ed era qui assolutamente sconosciuta. Ma perché, poverina, tenerla cosí segregata? Per non esporla alle tentazioni. Ma allora, esclamava Edoardo con dispetto, se tu mi ritieni un tentatore, vuol dire che non mi credi un amico, e se temi tanto ch'ella ricada, vuol dire che la sua conversione non è sincera. A queste obiezioni, Francesco non sapeva che cosa rispondere. E, dal canto suo, l'altro si sentiva punto da qualcosa di piú forte della stessa curiosità, e cioè dalla gelosia dell'amicizia: come poteva egli soffrire che l'amico avesse ogni giorno una sua esistenza segreta, da cui lo teneva escluso? e riserbasse ad altri, a lui Edoardo ignoti, i piú intimi e gelosi affetti del suo cuore, e tante ore del suo tempo? Per indurre Francesco a scoprirgli quell'amoroso mistero, Edoardo tentò degli artifici, ora mostrandosi, apposta, scettico sulle bellezze di Rosaria, ora tacendo per malizia quell'argomento, di cui Francesco bramava parlare ad ogni minuto, e cambiando discorso quand'egli vi accennava. Altre volte, rabbioso e stanco di fingere, Edoardo minacciava di seguire nascostamente l'amico, fino a scoprire a dispetto di lui la peccatrice reclusa. E certo avrebbe davvero effettuato la sua minaccia, senonché il caso lo aiutò altrimenti.

Il vetturino padron di casa di Francesco non permetteva ai propri pigionanti di ricevere signore; di ciò Francesco aveva avvertito Rosaria, distogliendola dal venire a fargli visita. Una tal privazione lo rattristava i primi tempi, ma dopo la sua conoscenza con Edoardo, non gli dispiacque, poiché lo aiutava nei suoi propositi di tener lontana Rosaria dall'amico. Rosaria aveva sempre ubbidito al divieto; ma un giorno, una compagna le insinuò che sotto quel pretesto Francesco le nascondesse una rivale. Insospettita, Rosaria si vestí dei suoi stracci piú appariscenti e subito corse a casa di Francesco, per sorprenderlo.

Lo trovò solo in casa (la famiglia del vetturino era uscita a spasso, essendo domenica), e intento a studiare. Egli le rimproverò acerbamente la sua disubbidienza; ma lei, vedendo che i propri sospetti erano infondati, divenne follemente allegra e carezzevole. Francesco le perdonò per quella volta; ma si affrettò a ricondurla via, tanto piú che aspettava prima di sera Edoardo. Ed ecco, mentre gli amanti scendevano insieme le scale, s'udí la voce di Edoardo che dall'androne chiamava Francesco. E l'incontro avvenne.

Gli òcchi d'Edoardo scintillarono per la sorpresa; egli fece un inchino, come avrebbe fatto a una signora, e galantemente baciò la mano a Rosaria. Poiché nessuno l'aveva ancor mai salutata in quel modo, ella rise d'un tal gesto. Ma a Francesco, irritato e confuso per l'avvenimento, quell'omaggio non dispiacque. L'ambizione vinse nel suo cuore la gelosia: con quel bacio, Edoardo mostrava di ritenere Rosaria una dama di società.

In realtà, Edoardo aveva subito notato, al bacio, che quella grassa manina era ruvida e un po' sudicia. Quanto all'abbigliamento di Rosaria, già si sa che esso univa lo sfoggio alla miseria e al gusto piú ingenuo e grossolano. Il cappello soprattutto era il piú stravagante fra quanti ella ne aveva finora inventati. E il giubbetto che la riparava dal freddo, di velluto adorno di pelli di gatto assai logore, era lo scarto di guardaroba d'un'amica, ottenuto contro il rifacimento d'un cappellino.

Ma proprio perché cosí fatta, e cosí diversa dalla finta Rosaria descritta da Francesco, questa povera regina da fiera piacque al cuore d'Edoardo.

Quanto a Rosaria, ella ammirava quel bello ed elegante cavaliere, sebbene lo giudicasse troppo pallido per i suoi gusti; e la meraviglia l'aveva resa taciturna. Allora Edoardo propose di recarsi tutti e tre insieme in un caffè di lusso, dove suonava un'orchestra. Era la prima volta che Rosaria metteva piede in un cosí nobile luogo; e da principio ella si mostrò grave e riservata. Ma furono portati dei liquori, e tosto Rosaria ritrovò la sua allegrezza.

Non voglio certo infastidire i miei lettori ripetendo tutte le sciocchezze e le follie ch'ella diceva a voce alta, senza vergogna alcuna, nel suo dialetto di montanara. Dai tavolini intorno, la gente si voltava a guardarla, e Francesco avrebbe voluto proibirle un simile scandalo; ma d'altra parte Edoardo, che per l'abito e il portamento pareva un re in quella folla, non dimostrava la minima vergogna, bensí un festoso piacere. Non c'era dunque motivo di vergognarsi: tanto piú che un sentimento già vinceva tutti gli altri nel cuore di Francesco, ed era la gelosia.

Il bere, il caldo della sala avevano acceso le guance d'Edoardo, i suoi graziosi occhi scintillavano. Egli s'era tolto il soprabito, apparendo nel suo semplice vestito ancor piú esile; e rallegrato dal vino, gareggiava negli scherzi e nelle risate con Rosaria, la quale si pavoneggiava nei suoi stracci e chiacchierava a gola spiegata, scuotendo la testa sotto il suo cappellone. Anche qui, io voglio ben guardarmi dall'annoiare i miei lettori, ripetendo le mille assurdità, spiritosaggini, lusinghe e ciarle che si scambiarono in poco piú di mezz'ora quei due campioni della galanteria: a ciascuna delle quali Francesco provava la medesima sorpresa e il medesimo gusto che proverebbe un povero imputato vedendo dalla sua gabbia sfilare sulla pedana sempre nuove e piú crudeli testimonianze a suo danno. Basterà, di tutte le galanti invenzioni dei due commedianti, raccontare soltanto l'ultima. Non già perché valga piú delle altre o meriti affatto la pena d'essere raccontata (ché anzi, essa appare alquanto insipida perfino al mio giudizio di provinciale); ma perché essa prese il significato d'un verdetto finale e crudelissimo agli occhi dell'infelice Francesco.

Un bel momento, dunque, Rosaria costruí una barchetta col proprio tovagliolino di carta listata d'oro; e col minuscolo foglio del conto una seconda barchetta piú piccola, che depose sulla tavola accanto all'altra, spiegando ch'erano la madre e la figlia. A ciò, Edoardo rise a piena gola, come se giudicasse tal gioco bellissimo; e la fanciulla, aizzata da questo riso, seguitò fingendo che il piano del tavolino fosse l'oceano, su cui muovendo con le dita grassocce quei minuscoli scafi, annunciò: – Partenza! La barca piú grande va da Francesco mio, e la piú piccola va dal signore Cerentano. – E che portano? – chiese Edoardo. – La piú grande porta baci. – E la piccola? – Non te lo dico, – esclamò Rosaria nascondendo il volto sulla spalla di Francesco. – Perché no, dunque? Francesco vuole che tu lo dica. È vero, Francesco? – Sí, dillo. – E va bene, senti, se vuoi. La tua barca porta dei baci piú piccoli. – Non li voglio, piú piccoli, – dichiarò Edoardo. – Se li vuoi, quelli sono, – ella rispose, ridendo, – e se no, buttali via. – Voglio la barca grande, – disse il giovane, con un sorriso caparbio. – Quella poi no: è di Francesco. Prendila, Francesco –. Ma Francesco, torvo e corrucciato, non prese la barca, né disse parola. – Prendila, prendila, – ripeté Rosaria con voce ubriaca e ridente. – Ma taci, – le mormorò Francesco, – non vedi che tutti ti guardano? – E che m'importa? – ella rispose infiammata in viso, col suo cappellaccio tutto di traverso. E soggiunse: – Allora la barca grande è del signore Cerentano. Tieni –. E gettò la barchetta contesa sul petto d'Edoardo: il quale con un'occhiata vittoriosa la raccolse, e se la ripose nel taschino, come una lettera d'amore.

Francesco pensava che ciò era inevitabile. Come poteva una qualsiasi donna resistere alla grazia dell'amico, alla sua ricchezza, e alla sua cortesia? L'affetto per Edoardo era in lui troppo forte perch'egli cedesse a un sentimento di rancore; piuttosto, provava meraviglia vedendo cosí invaghito di Rosaria uno che aveva conosciuto tante nobili, magnifiche, innocenti fanciulle. Tal fatto ingigantiva ai suoi occhi il prestigio di Rosaria; ma d'altro canto egli stesso si sentiva cosí deforme e goffo che gli pareva inverosimile d'esserle piaciuto un giorno. Sentiva ardere e scottare il proprio viso deturpato, e tale era la sua nausea che non aveva neppure voglia di bere. Gli pareva d'essere un immobile, brutto fantoccio che tutti i clienti del caffè s'indicassero con pietà e scherno; e la rabbia s'alternava in lui con un sentimento disperato d'abbandono, per cui gli pareva d'allontanarsi da tutti coloro e dalla sua stessa umiliazione verso prode silenziose e sonnolente. Fu un'amara, memorabile serata; la quale ebbe, poi, una conclusione piena di stranezze. Usciti che furono dal caffè, Rosaria chiese allegramente dove s'andava adesso; e Francesco le rispose che dopo averla accompagnata al portone di casa, Edoardo e lui l'avrebbero lasciata, e lui stesso andrebbe a dormire, perché la mattina dopo, di buon'ora, aveva lezione. Ma Rosaria apparve imbronciata a questa notizia, e, noncurante della presenza d'Edoardo, stringendosi a Francesco incominciò a pregarlo di salire con lei nella sua camera. Ella era cosí ubriaca da dimenticare le convenienze che Francesco le aveva tante volte predicato; e nelle sue preghiere all'amante metteva la sincerità piú sfacciata, dicendogli senza pudore né ritegno le cose che desiderava di fare, una volta giunta in camera con lui. Cosí parlando, ella si abbandonava sulla spalla di Francesco, e gli accarezzava il collo e le guance; apparendo a intervalli, alla rara luce dei fanali a gas, in tutta la sua scostumatezza, tutta vogliosa e lusinghiera, col cappello di traverso, i rossi capelli in disordine, e la gola scoperta e palpitante, nella sua pelliccia di gatto. Con voce strozzata, Francesco le ripeteva: – Ma sei pazza? non ti vergogni? – e la respingeva da sé. – Non mi vuoi dunque? – diceva Rosaria con voce languida, interrotta da singhiozzi (ella aveva preso a piangere, d'un pianto capriccioso e spudorato), – non vuole il mio don Francesco la sua ragazza che se ne muore per lui? non vuoi baciare queste belle mani e questa bocca... – ed enumerava ad una ad una le proprie grazie, anche le piú nascoste. Pareva pentita delle proprie recenti civetterie con Edoardo, e bramosa di riconquistare l'amante con simili promesse. Intanto s'era giunti al suo portone; Francesco aveva tratto con le mani tremanti le chiavi dalla borsetta di lei, e l'aveva aperto. E nella smorta luce dell'atrio, quella pazza s'appoggiava al muro, ridente e rossa in viso, con grosse lagrime giú per le guance. – Vattene, sali a casa tua, va' via, – ripeteva Francesco, pallido e concitato nei modi. Ma, entrato coi due nell'atrio, Edoardo, che aveva taciuto fino adesso, si mise a ridere curiosamente ed esclamò: – Voglio vedere chi vince. Scommetto che vincerà lei.

– No, – balbettò Rosaria, ridendo a sua volta, ma con una smorfia di pianto, – Francesco non mi vuole, Francesco non m'ama piú, – e, quasi a dar mostra di ciò che Francesco perdeva col suo rifiuto, con la scusa di aggiustarsi un legaccio si sollevò la gonna, scoprendo fin sopra il ginocchio la gamba volgare e amabile. – Vattene! vattene! – ripeté Francesco; e forse, dimenticato ogni dovere di cavalleria, avrebbe spinto con le braccia, a suo dispetto, verso la scala quella sfrontata. Senonché, Edoardo, del tutto a sproposito, si accostò in quel momento stesso a Rosaria, e strappatole dalla testa il cappello, con una risata alta e vittoriosa glielo gettò nel mezzo dell'atrio: – Vattene! – ordinò, – cammina! Raccatta il tuo cappello, e vattene!

A un tal gesto inatteso e stravagante, Francesco, livido in volto, fissò l'amico, e con una voce che non riconobbe lui stesso (gli pareva di muoversi in una furiosa commedia o in un sogno), esclamò: – Che hai fatto! Chiedile scusa, immediatamente. Chiedile scusa. – Vi chiedo scusa, signora, – disse Edoardo in tono di beffa, con un piccolo inchino. – E adesso, raccoglile il cappello, – aggiunse Francesco. – Ah, no, – rispose Edoardo, ridendo, – quello, deve raccoglierselo da sé. Cosí sarà punita, questa smorfiosa, – e fremente, in aria di sfida, egli guardò Francesco.

– Raccoglilo, – ripeté questi con odio. Edoardo alzò le spalle, e corrugò la fronte. – Oh, Madonna, – disse Rosaria, come chi si scuote dalla propria follia, – che succede adesso? Non vorrete farvi del male. Me lo raccolgo io il mio cappello, – soggiunse con un singhiozzo, – e poi me ne vado, sí, me ne vado, buona notte –. Cosí dicendo, s'avviò; e raccolto il suo cappello dalle piume sporche e maltrattate, si allontanò verso la scala, non senza, però, volgersi prima a Francesco, per dirgli: – Vieni domani nel pomeriggio, Francesco mio. Ti chiedo perdono –. E voltate le spalle, col suo passo barcollante d'ubriaca s'inoltrò per la buia scala.

Come rimasero soli, Francesco non guardò Edoardo; ma rimase a testa china, muto e fosco nel viso, quasi che si preparasse ad assalirlo. – Tu vuoi prendermi a pugni, – disse Edoardo con una piccola risata amara, – benissimo, usciamo sulla strada. Sono piú debole di te, e sono stato molto malato fino a ieri. Ma farò del mio meglio anch'io –. Francesco non lo guardò, né si mosse; egli stringeva i pugni, nei lor guanti sdruciti, e odiava Edoardo in quel momento come non gli era avvenuto prima. Esitava, tuttavia, a batterlo, e quelle parole di lui lo distolsero ancor di piú dalla violenza; provava, dinanzi a lui, pallido e convalescente, lo stesso generoso ritegno che un uomo prova davanti a una fanciulla che l'ha offeso a sangue, ma che non si può percuotere, giacché la sua stessa fragilità le fa da scudo. Edoardo, tuttavia, pareva sollecitare l'amaro evento, e nervosamente tirava a sé il portone per dischiuderlo e uscire sulla strada; allorché d'un tratto si voltò verso Francesco ed esclamando: – Stupido! – gli stampò sulla fronte un bacio. L'altro levò gli occhi corrucciati, ma già fattisi piú indulgenti. – Stupido! – ripeté Edoardo, – stupidello mio! Vuoi davvero che ci picchiamo per quella... – e aggiunse una parolaccia ch'io non potrei trascrivere senza mancare di rispetto ai miei castigati lettori. – Non dire cosí! – esclamò l'altro con voce soffocata, – tu sai che quella è la mia donna, e sarà mia moglie. – Davvero tu vuoi sposare quella lí! – disse Edoardo. Erano intanto usciti sulla strada; ma avevano ormai rinunciato a picchiarsi. Con voce piena di canzonatura e di rabbia, Edoardo incominciò ad enumerare le pecche di Rosaria, dichiarandola brutta, ridicola, triviale. Quei difetti della persona che rendevano la fanciulla piú amabile ai suoi stessi occhi (giacché, in verità, ella gli era piaciuta), Edoardo li descriveva all'amico in accenti d'astio e di spregio, cosí che la poverina perdeva in quella descrizione ogni attrattiva, riducendosi a un sudicio straccio. Egli parlava delle sue lentiggini, dei suoi capelli cresputi, delle sue mani rosse, delle sue grosse caviglie; e derideva l'abbigliamento di lei come il piú comico spettacolo che da un pezzo gli fosse capitato di vedere. Quanto ai nomi e ai titoli che uscirono dalla graziosa, principesca bocca d'Edoardo all'indirizzo di Rosaria, io mi guardo, anche qui, dal ripeterli, per non offendere i miei lettori. Si contentino, costoro, di sapere che la parola piú cortese e onesta da lui usata per definire la fanciulla fu: *vaccarella scarruffata*. – Ah, basta! non parlare piú! basta! – esclamò Francesco; il quale, tuttavia, non seppe fare a meno d'osservare a bassa voce come dal contegno d'Edoardo verso Rosaria, in contrasto con le sue parole d'adesso, si sarebbe detto che la fanciulla non gli dispiaceva. A questo, Edoardo rispose d'aver recitato apposta una commedia affinché Francesco s'avvedesse che la creduta pentita era in realtà la piú leggera creatura di questo mondo, alla quale la minima lusinga faceva dimenticare ogni proposito onesto. A simile rivelazione, Francesco divenne muto.

Ma Edoardo, come s'è già detto, mentiva affermando di spregiare Rosaria. Egli non aveva trascurato, quella sera stessa, di leggere il nome della via dov'ella abitava, e il numero del suo portone; e la mattina dopo, nell'ora che Francesco era a lezione, Rosaria ricevette un canestro di fiori di serra, e un bigliettino che diceva: *Perdonatemi per aver gettato a terra il vostro bellissimo cappello. E. C.* Questo biglietto, ella se lo fece leggere dalla sua padrona di casa, in camera della quale furono nascosti quei fiori affinché non li vedesse Francesco. Era la prima volta nella sua vita che Rosaria riceveva un simile omaggio e, piena d'entusiasmo, non solo ella perdonò al donatore il dispetto del cappello, ma incominciò a vagheggiare la seducente persona di lui, vantandone con la padrona di casa l'eleganza e la nobiltà. S'intende che, nei suoi discorsi con Francesco, ella tacque su tale argomento.

I discorsi d'Edoardo avevano gettato nel disordine e nell'incertezza i sentimenti di Francesco verso Rosaria. Da una parte, egli la disprezzava per la sua leggerezza, e si vergognava di lei per la sua nascita volgare e per i suoi vestiti; né avrebbe potuto, d'ora innanzi, vederla, senza criticare in cuor suo quei difetti che gli parevano graziosi un tempo, ma che adesso, accusati dall'amico, risaltavano sfacciatamente ai suoi occhi. D'altra parte, però, aveva pietà di lei, non solo, come prima, perché era povera, abbandonata a se stessa, e vittima della società, ma proprio perché l'amico l'aveva oltraggiata dichiarandola brutta, corrotta e senza pregio, e nessuno, in quella occasione, era insorto a difenderla. Da una parte, egli la odiava per essersi ingannato nelle sue speranze di redimerla; e dall'altra s'illudeva che l'amico si sbagliasse, e ch'ella avesse civettato con lui quella sera solo per la sua naturale, innocente cordialità, e non per vizio. Questa confusione di sentimenti non impediva tuttavia che Francesco provasse piacere e felicità vicino alla fervida, cara persona dell'amante; ma al suo piacere si mescolava il sospetto d'esser tradito da colei che Edoardo aveva giudicato una qualsiasi donnaccia. Da quella sera, egli perseguitava Rosaria con accuse, dubbi e inchieste. Se ella gli compariva davanti con abiti troppo vistosi, non le nascondeva il proprio fastidio, e spesso, crudamente, la accusava d'essere negletta e sudicia. Poi si pentiva delle proprie durezze, e si mostrava piú appassionato che mai. Decideva, un giorno, d'abbandonarla, e il giorno dopo di sposarla senza indugio. Un giorno, per seguire le sue lezioni o andarsene in giro con Edoardo, trascurava di farle visita; e il giorno dopo, pazzo di gelosia, andava indagando com'ella avesse trascorso quelle ore di libertà. Ma Rosaria gli perdonava tutti questi umori: ella era, per sua natura, gaia, indulgente, e compiaciuta di se stessa. Quando il giovane, con occhi ostili, le consigliava di buttare nel fuoco la tale collana, il tale scialle, o di guardarsi dall'uscire in sua compagnia con quello spaventoso cappellaccio, ella rideva e lo abbracciava, dicendo che gli uomini non capiscono nulla di mode. Quando Francesco, d'un tratto, interrompeva una carezza e le diceva: – Lavati le orecchie, – oppure: – Hai le unghie sudice, – lei si guardava le unghie soprapensiero o si dava un lieve strappo all'orecchino d'argento, e diceva: – Oh, Madonnina mia, sí, è vero. Mi sono scordata di lavarmi. Ma questa Rosaria sporca piace lo stesso al suo Francesco, è vero? Su, bacia, cuore di Rosaria, bacia, – e gli porgeva da baciare l'orecchio, o la manina lentigginosa. Alle accuse d'infedeltà, si ribellava fieramente, e chiamava la padrona di casa a testimoniare ch'ella non s'era mossa in tutto il giorno. E soggiungeva: – Ma tu, perché non sei venuto, ieri? Perché fai piangere la povera Rosaria? – Qui, ahimè, bisogna osservare che tanta bontà e indulgenza non derivavano solo dalla sua generosa indole, ma dal fatto ch'ella doveva farsi perdonare una colpa. Da qualche giorno, difatti, Rosaria, era infedele.

Non erano passate ventiquattr'ore dall'invio dei fiori, allorché un giovane coperto d'un cappotto pesante, gracile, altèro all'aspetto, il quale stringeva nella destra una graziosa pipa e nella sinistra un pacchettino, saliva le scale di Rosaria. Questa, mezzo svestita, oziava nel letto, quando la padrona entrò e nel massimo eccitamento le bisbigliò qualcosa. Rossa per la meraviglia, la fanciulla balzò dal letto e s'infilò rapida la camicetta e la gonna; un momento dopo, Edoardo era davanti a lei. Senza badare al circostante disordine (ancora la camera non era stata rassettata e il letto era disfatto), chiese il permesso di posare la pipa sul piano del lavabo. Dopo di che, domandò a Rosaria s'ella gli aveva accordato il suo perdono; e alla risposta affermativa, con aria spavalda le offerse il pacchettino dicendo: – Tenete: è un regalo per voi –. Rosaria strinse istintivamente il pacchettino nel pugno, assai curiosa di sapere che cosa contenesse; ma lui, chiudendole il pugno nella propria mano, s'informò da lei qual fosse l'oggetto ch'ella piú d'ogni altro avrebbe desiderato in quel pacchettino: e Rosaria confessò che da tempo bramava un anello. Un po' mortificato, Edoardo disse che l'astuccio non conteneva un anello, ma un'altra cosa; e allora, in fretta, e non senza rimpianto, Rosaria sussurrò che, qualunque fosse il dono, lei doveva rifiutarlo, perché tale era il volere di Francesco. A queste parole, Edoardo si corrucciò ed oscurò nel viso; e staccata la mano da quella di Rosaria, con dei modi non piú cerimoniosi, ma superbi e perfino minacciosi, come chi si volge a persona di casta inferiore, dichiarò che *mai* Francesco dovrebbe vedere quel dono, e *mai* conoscere ch'egli era venuto qui. E poiché Rosaria non sapeva che rispondere, aggiunse: – Sta a voi tenere il segreto. Altrimenti avrete a pentirvene. Cioè, mi vendicherò su di voi.

Il primo impulso di Rosaria sarebbe stato di scattare e dire, in atto di focosa sfida: « Che mi raccontate? Chi v'ha cercato? Potete anche riprendervi il vostro regalo, e andarvene », ma era troppo curiosa d'aprire quel pacchettino, e inoltre provava un'acuta voglia non già di scacciare quel superbo, ma di trattenerlo con sé. Per cui, dondolando i fianchi e la testa, e pavoneggiandosi secondo il suo costume, gli lanciò un'occhiata e disse: – Perché fate tante storie? Conviene anche a me, mi pare, che Francesco non sappia niente –. A tale discorso, Edoardo si rasserenò; ma in quel preciso istante, a Rosaria venne fatto di pensare: « Ah, Madonna, sono in peccato un'altra volta. Sarò dannata. Andrò all'inferno, oh, Francesco mio ».

L'astuccio conteneva un paio d'orecchini, composti di una catenella d'oro da cui pendeva un'ametista in forma di goccia. Edoardo spiegò d'averli comperati perché, a suo parere, quel colore violaceo s'addiceva a Rosaria; e lui stesso volle provarle i nuovi orecchini al posto dei vecchi, fatti di leggero argento. Mentre le sue dita le toccavano gentilmente i teneri lobi, Edoardo notò ch'ella aveva gli orecchi piccoli come una pecora; e con tono di compassione osservò che le piccole infanti devono sentire molto male allorché il loro orecchio viene bucato. Ridendo, per fare la spiritosa Rosaria disse che non se ne ricordava piú; ed egli le raccontò che da bambino invidiava la madre e la sorella per quei forellini che avevano agli orecchi, e anche lui ne voleva di simili. E sua madre, per distrarlo e farlo contento, soleva adornarlo dei propri orecchini, appendendoli con due fili. – Dovevi esser bello, da piccolo, – osservò Rosaria, con ammirazione. Edoardo affermò che infatti lo era, a quanto tutti dicevano; e soggiunse: – Anche tu, dovevi esser bella.

In breve, come avrebbe Rosaria potuto resistere alle sue tentazioni principali: i doni e le carezze, insieme riunite? Da quel giorno, senza preannuncio, spesso Edoardo saliva da lei; se non la trovava in casa, minacciava d'avvertire Francesco, per mezzo di una lettera senza firma, ch'ella malgrado il suo divieto vagabondava per le strade. La consuetudine quotidiana con Francesco gli permetteva di visitare Rosaria sicuro di trovarla sola; talvolta, anzi, egli accompagnava con la carrozza l'amico fino all'Università, e, lasciatolo alla sua lezione, con la medesima carrozza si recava da Rosaria. Usava d'un'estrema avvedutezza e prudenza per non sbagliare i suoi calcoli; e nei discorsi con Francesco, ostentava sempre noncuranza, anzi disprezzo, verso la persona di Rosaria. Di piú, una volta per tutte, gli aveva detto (il giorno dopo averla conosciuta), che il solo sentir parlare di quella donna lo irritava; e meno ancora desiderava frequentarla. Perciò, Francesco era pregato (se ancora s'ostinava ad amare colei), di desistere almeno dal farne parola con l'amico, e soprattutto di evitargli la compagnia di quella sciocca. A Francesco non era difficile assecondare questa volontà d'Edoardo: lui stesso per primo gli aveva evitato gli incontri con Rosaria, e quanto al parlare di lei, non aveva piú voglia di confidare dei sentimenti tanto umiliati. L'avversione di Edoardo per Rosaria appariva cosí sincera, che Francesco si stupiva ricordando che aveva potuto esser geloso di lui. Veramente, Edoardo aborriva non già Rosaria, ma in lei l'amante di Francesco, e insomma era l'idea di quel vincolo che gli era detestabile. Da ciò, all'odio per la stessa Rosaria, il passo era breve, come vedremo; per adesso, la persona di Rosaria gli era cara e gradita; ma non potendo spiegare a Francesco la vera forma del proprio rancore, su quella cara persona appunto egli infieriva nei propri discorsi.

Volendo evitare i sarcasmi, e vergognandosi ormai della propria relazione, Francesco inventava dei pretesti allorché doveva lasciare Edoardo per recarsi dall'amante. Ma Edoardo alzava le spalle, e in tono d'insultante compassione e d'ironia gli diceva: – Ti vergogni, forse? Credi ch'io non sappia dove vai? T'invidio per la tua facile contentatura, ma se ti piace d'essere un fantoccio in mano di quella lí va' pure da lei. Che cosa m'importa? – Edoardo tuttavia cercava nella sua mente come distrarre con nuove attrattive l'amico da Rosaria, e diradare quei convegni d'amore.

Temeva però oltremodo che Francesco giungesse a sapere d'esser tradito da lui stesso, Edoardo; e che, a dispetto di tutti i loro sotterfugi, un'imprudenza di Rosaria scoprisse l'intrigo. Spaventava perciò la fanciulla con ogni sorta di minacce: guai, le diceva, se un giorno, stretta dalle domande di Francesco, ella avesse lasciato cadere dalle proprie labbra soltanto il nome Edoardo. La famiglia Cerentano era onnipotente nella città, e in quella famiglia lui stesso era il padrone. Aveva ai propri ordini la polizia, la quale in poche ore avrebbe espulso Rosaria dalla città con ludibrio e strazio, come una lebbrosa, rimandandola ai suoi genitori contadini; oppure l'avrebbe rinchiusa in una casa di correzione o in un convento. Quel mitico, potente mondo a lei sconosciuto abbagliava Rosaria, facendola tremare di paura; ma talora, la rabbia contro Edoardo, che in quei discorsi le si rivelava nemico, aveva il sopravvento. Il suo viso avvampava per la furia, ed ella vinceva a malapena l'impulso di percuotere Edoardo, di strappargli i suoi biondi capelli e la pelle delicata come le era avvenuto di fare nei litigi con le sue compagne; d'insultarlo e di morderlo a sangue. Ma il prestigio del giovinetto era troppo grande ai suoi occhi, tale da sbigottire in una sorta di reverenza la sua mente ancora bambina. Ella non aveva per lui, malgrado i piaceri goduti insieme, la confidenza che rendeva cosí fervidi i suoi colloqui con Francesco. Pur nella sua grandezza e nobiltà, Francesco era simile a lei; ma costui, che arrivava e ripartiva come uno spirito, che poteva, a suo dire, disporre a proprio piacimento di lei stessa e della sua sorte; che portava camicie di seta, e aveva i piedi sottili e bianchi al pari delle mani; costui pareva d'una razza diversa, che non si nutrisse di pane come loro. Ella lo temeva per il suo potere, allo stesso modo che aveva temuto il Diavolo o Iddio quando Francesco gliene aveva parlato per redimerle l'anima.

D'altra parte, se non la perseguitava con gli spaventi, Edoardo era assai gentile. Nei baci, faceva dimenticare a Rosaria d'essere d'un altro mondo, e la sua bianca, sottile persona come quella d'un mortale s'abbandonava carezzevole e docile. Amava i giochi, e spesso come due gatti o capre o altre creature selvatiche Rosaria e lui si mischiavano e combattevano fra risa e gridi, sul letto o sul pavimento della camera. Inoltre, egli spesso le portava dei regali, ch'ella, d'accordo con lui, teneva celati, affinché Francesco non li scoprisse. Sul comò, in camera sua, v'era una cassettina di proprietà della padrona di casa: questa cassettina, ch'era di legno incrostato di conchiglie e aveva sul coperchio uno specchio, disponeva, oltre che dell'interno visibile, d'un doppio fondo segreto, che si scopriva al tirare d'un cordoncino rosso. Nel vano visibile Rosaria teneva piume da cappelli, fiori finti e altre cianfrusaglie; e in quello segreto teneva nascoste le gioie donatele da Edoardo, che di tanto in tanto rimirava da sola, vagheggiandosi con esse allo specchio, o mostrava alla padrona di casa. Era costei, testimone inevitabile dell'intrigo, la sola confidente di Rosaria; Edoardo comperava col denaro la sua segretezza. Anche alle amiche, Rosaria, cedendo alla propria vanità, mostrava quei doni, senza però svelarne l'origine.

Fra i doni di Edoardo a Rosaria, il piú prezioso fu un anello già prima apparso in questo racconto e destinato a riapparirvi ancora: un anello formato da un cerchio d'oro nel quale erano incastonati un rubino e un diamante. È l'ora, questa, di spiegare come il noto anello toccò a Rosaria.

S'è già veduto che, certe sere, Edoardo e Francesco facevano insieme della musica: Edoardo, al pianoforte, accompagnava il canto di Francesco. In quelle occasioni, spesso Edoardo insegnava all'amico delle romanze di sua propria composizione, godendo molto d'udirle sulla bocca di lui. Fu cosí che una sera, non so se per una sua perfidia o nostalgia, si compiacque di risuscitare una romanza a noi già nota, la stessa da lui composta per Anna giusto un anno prima, e cantata, il primo giorno che s'erano conosciuti, sotto le finestre di lei; quella che diceva: *Anna, perché non brilla per me sol | di tue pupille il notturno tesor?* Come Francesco, ignaro di ciò che quella romanza nascondeva, ne ebbe imparato senza difficoltà le parole e la musica, Edoardo gli fece una proposta. Di recarsi, cioè, insieme a lui, sotto le finestre d'una sua bella cugina, e di allietarle il sonno con una serenata. A quei tempi, e in quelle regioni, l'uso delle serenate era frequente e normale; lo stesso Francesco, ricercato per la sua bella voce, ne aveva già cantato delle altre, in compagnia di studenti o d'altri amici, per qualche fanciulla della città. Protetto dalla notte, e fatto piú audace dalla certezza che la bella dormiente non vedeva il suo volto deturpato, egli soleva effondere in quelle serenate i suoi piú romantici sentimenti, anche se non conosceva la fanciulla a cui dedicava quell'omaggio. La proposta d'Edoardo, perciò, fu accettata volentieri; e insieme, gli amici arrivarono in quella viuzza tante volte percorsa da Edoardo e sotto quelle finestre da lui tante volte fissate con ansia, curiosità e gelosia.

Come un anno prima, era una notte d'inverno; ma stavolta il cielo era piovigginoso e l'aria tiepida. Nel casamento dove Anna abitava, tutte le finestre erano buie e chiuse; la viuzza era illuminata da un solo fanale, e a quella luce fievole, Edoardo mostrò a Francesco le finestre di Anna. Nell'insegnare la sua romanza all'amico, egli aveva sostituito un nome fittizio a quello della cugina, che piú volte riappariva nelle strofe. Ma al momento di cominciare la serenata, spiegò a Francesco che la cugina si chiamava Anna, e gli suggerí perciò di sostituire, cantando, questo nome all'altro. Cosí detto, egli chinò il volto sulla propria chitarra, e dopo gli accordi attaccò il motivo. Calda e risonante, la voce baritonale di Francesco levò la canzone, gridando melodiosamente, a ogni ritornello, il nome della fanciulla sconosciuta. Qualche finestra si illuminò nel palazzo, qualche curioso dischiuse appena appena un battente. Già s'è veduto che le Massia avevano fra i vicini una cattiva fama; udendo il nome di *Anna*, certo quei notturni curiosi malignarono sul conto di lei; ma le finestre delle Massia rimasero chiuse. Terminata l'ultima strofa, Edoardo propose all'amico d'andar via; lungo la strada, egli appariva a momenti elettrizzato, e a momenti assorto.

Il pomeriggio del giorno seguente, ritrovatosi con Francesco, Edoardo gli propose a un tratto d'andare insieme a visitare la cugina. All'obiezione di Francesco, che la fanciulla non conoscendolo l'avrebbe forse giudicato indiscreto, Edoardo rispose che anzi ella sarebbe stata contenta, poiché viveva molto sola, essendo nobile ma povera. Si recarono dunque alla casa di Anna: come bussarono all'uscio, rimasero un pezzo senza risposta. Poi si udirono battere sull'impiantito due tacchi di legno, e una voce armoniosa, pigra, ma quasi iraconda, domandò: – Chi è? – Edoardo rispose: – È tuo cugino Edoardo –. Vi fu allora un silenzio di qualche secondo; ma la fanciulla doveva essere rimasta dietro l'uscio, giacché non s'udí piú il rumore dei tacchi. Infine l'uscio s'aperse, e Anna apparve: e tesa al cugino la sua piccola mano madida di sudore, gli disse: – Buona sera: come stai?

Già scendeva il crepuscolo, e in quella luce incerta si distingueva male la figura di Anna; pure Francesco si rammentò d'averla già vista, ma solo dopo qualche tempo ricordò ch'ella era la stessa fanciulla apparsagli nell'anticamera dei Cerentano. Ciò naturalmente non gli fece supporre affatto che fra i due cugini vi fossero altri rapporti che di parentela; infatti, era naturale ch'ella frequentasse la casa di sua zia.

E piú tardi, come Edoardo gli lasciò capire che le Massia non avevano altre risorse fuor dei loro ricchi parenti, egli immaginò che quel giorno lontano, in quell'anticamera, la fanciulla forse, venuta a chieder soccorso, avesse ricevuto un rifiuto; con ciò si spiegava il suo contegno smarrito e amaro. Cosí pure, a una ribellione di umiliata, a un orgoglio di povera, attribuí Francesco i modi fieri e bizzarri ch'ella usò in sua presenza verso Edoardo durante la loro visita. Francesco infatti, per sua natura e per le idee che lo agitavano, soleva attribuire a motivi sociali molti sentimenti altrui, che parevano misteriosi.

Il disordine della pettinatura faceva indovinare che la fanciulla s'era rialzati in fretta i suoi ricchi capelli, fino a poco prima liberi e sciolti; cosí pure il suo giubbetto d'un rosa stinto era allacciato alla meglio. Ad una delle sue scarpette dagli alti tacchi consunti mancava il bottone, e per questo, ella strascicava un po' l'andatura. La stessa povertà e disordine che si notava nelle sue vesti appariva pure nella stanza ov'ella ricevette i due giovani; ma la fanciulla sembrava cosí sprezzante di quella povertà, e cosí diversa dalla propria stanza e dal proprio vestito, che Francesco si sentiva turbato e goffo, come dinanzi a una gran signora.

Ella era sola in casa e la stanza era quasi al buio: Edoardo presentò l'altro con le parole: – Questo è il mio piú caro amico, il barone Francesco De Salvi, – e Francesco, inchinandosi pieno di confusione, strinse la mano ch'ella gli tese. Ebbe un senso di stupore e di reverenza sentendo nella propria mano contadinesca quella mano cosí piccola rispetto alla grande persona della fanciulla: una manina terribilmente magra, sudata e gelida.

– Come sei cambiata, – disse Edoardo alla cugina, guardandola nell'incerto chiarore. – Tu pure sei cambiato, – ella disse. – Io, – rispose allora Edoardo con dolcezza, e con una specie di fanciullesco vanto, – sono stato molto malato, come tu sai. Adesso sono guarito, ma i medici m'hanno ordinato un'aria piú leggera. Perciò devo partire presto, e questa visita che ti faccio è appunto per accomiatarmi.

In quel momento Anna si voltò cercando qualcosa; cercava gli zolfanelli per accendere il lume, ma solo dopo essersi aggirata un poco s'avvide ch'essi erano sulla tavola centrale, dinanzi alla quale gli ospiti, in piedi, aspettavano. Sollevò allora una mano per accendere il lume a petrolio che pendeva dal soffitto; ma prima d'averlo acceso domandò, con voce fredda: – Quando partirai? – Fra pochi giorni, – rispose Edoardo. A tali parole, Francesco si stupí dolorosamente; aveva già udito l'amico parlare di questa partenza, ma non sapeva ch'essa fosse cosí prossima. Edoardo soleva dirgli che avrebbe aspettato la buona stagione. Timidamente, Francesco espresse il proprio dispiacere; e l'altro spiegò di aver deciso soltanto da pochi giorni di partire subito, in seguito al consiglio dei medici, e di non aver detto nulla all'amico per non addolorarlo.

Acceso il lume, Anna si sedette, e gli altri si sedettero con lei intorno alla tavola, sulla quale ella appoggiò le due mani strettamente intrecciate. Allora si vide scintillare un prezioso anello che la fanciulla portava all'anulare della sinistra, quello a noi già noto, composto d'un brillante e d'un rubino incastonati sopra un cerchio d'oro. Edoardo si meravigliò al vedere l'anello, giacché, al tempo dei loro incontri, la cugina non lo portava mai, per non mostrarlo ad alcuno. Ma subito egli distrasse lo sguardo da quelle pietre, senza far cenno di esse. Neppure della serenata si fece parola. Per qualche istante, essi tacquero: Francesco, pur nel turbamento che gli dava la vista di Anna, era morso da un acuto rammarico per l'annunciata partenza dell'amico; Anna, non si capiva se per disdegno o per virginea timidezza, non guardava gli ospiti, e le sue ciglia curve e nere spiccavano sulla pelle bianca. Nel giubbino di flanella stinta, la sua persona appariva cosí smagrita da far pietà; il collo sembrava piú lungo, tanto era divenuto sottile, ma pur nella sua fragilità sosteneva, eretto e fiero, quel capo dalla grande capigliatura. Il volto, però, impallidiva piú e piú ad ogni istante, visibilmente, come se d'un tratto dovesse piegare.

Edoardo, riprendendo a parlare, spiegò d'aver voluto presentare alla cugina l'amico suo, barone De Salvi, nella fiducia ch'egli potesse, rendendole talvolta visita (per via che lei viveva assai ritirata), compensarla della partenza di lui stesso, Edoardo. Cosí dicendo, egli girava gli occhi bruni ora su Anna, ora su Francesco. Questi arrossí, e mormorò precipitosamente un assenso; Anna, senza levare le palpebre che celavano due pupille piene di rivolta, ebbe un sorriso che si fermò sulle sue labbra, quasi dimenticato, e parve penoso. Forse, lo faceva sembrare piú amaro la minuscola cicatrice ch'ella aveva presso la bocca. D'un tratto, Edoardo guardò quella cicatrice, e fingendo di non saper nulla chiese ad Anna come mai si fosse ferita in viso.

Stavolta, fu Anna ad arrossire, e il suo volto severo, tutto acceso da questo rossore, parve farsi d'improvviso fanciullesco e florido, come di bambola. Ella sollevò gli occhi tempestosi e rilucenti e balbettò che s'era bruciata.

– Bruciata! in quel punto! come mai? – domandò Edoardo. Sempre balbettando, come una che si perde, ella disse: – Col ferro dei ricci.

– Col ferro dei ricci! – esclamò Edoardo, scuotendo il capo in atto di rimprovero, – ecco che cosa succede a far la civetta.

Tale frase parve troppo ardita a Francesco, che disapprovò l'amico in cuor suo, ma non osò interloquire. Sul volto della fanciulla era tornato il pallore, ma ella tremava un poco, faticando a ritrovare la padronanza di sé. Corrugò le sopracciglia, e con una leggera smorfia sussurrò: – A me non s'addice questa parola.

– È vero, – disse Edoardo, ridendo gentilmente. Poi girando gli occhi sull'anello, quasi che lo scorgesse soltanto adesso, esclamò: – Un anello di fidanzamento! Ti sei dunque fidanzata?

Anna scosse il capo in segno di diniego e alzò una spalla. Un simile gesto capriccioso contrastava col suo riserbato contegno, e tradiva il disordine del suo cuore: – No, – ella disse. – E allora! – riprese Edoardo, – perché porti l'anello all'anulare della sinistra! Cosí lo portano le fanciulle promesse!

La fiera, piccola bocca di Anna tremava un poco; Edoardo pensava che da un momento all'altro ella dovesse coprirsi il volto con le palme e scoppiare in singhiozzi, ma ciò non accadde. Come poc'anzi, ella piegò le labbra a un sorriso indifeso e amaro, e s'irrigidí nella persona. Le sue labbra erano cosí pallide che il loro colore non si distingueva quasi dal colore del volto.

Francesco, in cuor suo, non perdonava all'amico simili domande indiscrete, che certo ferivano il pudore orgoglioso della fanciulla. Provava, in presenza di costei, qualcosa che aveva provato soltanto nella sua prima infanzia, davanti a sua madre. La bellezza di Anna gli pareva la piú alta a cui possa giungere una mortale. Il contegno, la finezza delle membra testimoniavano in lei la nascita nobile. Ella gli pareva intangibile, come una santa, esperta di cose celesti inconoscibili per lui stesso; e nel medesimo tempo, debole, quasi fosse una ragazzetta assai piú giovane di lui.

Edoardo parve decidersi infine a non piú perseguitarla, e in tono cortese le domandò notizie di sua madre. Ridivenuta calma, Anna rispose con semplicità che sua madre stava abbastanza bene di salute, ma era molto invecchiata e sempre del solito umore inquieto. Edoardo la pregò di salutare per lui la signora zia: al che Anna fece un leggero cenno di ringraziamento.

A questo punto, Edoardo trasse dal taschino della giubba un orologetto d'oro, e sollevatone con l'unghia il coperchio inciso, disse che era tardi, e doveva terminare la visita. Anna balzò in piedi, e Francesco fece atto di accomiatarsi come l'amico; ma Edoardo con fermezza lo esortò a trattenersi, affinché Anna non restasse troppo sola

277

fino al ritorno della madre. Francesco non sapeva che cosa rispondere, e confuso guardava la fanciulla, la quale pareva non avere neppure inteso quella proposta del cugino. Combattuto fra il timore d'offenderla con un rifiuto, e di sembrarle indiscreto se restava, il giovane interrogò con gli occhi Edoardo, il quale risolutamente gli rinnovò l'invito a trattenersi: – Io devo uscire avendo un altro impegno, – spiegò, – ma non v'è motivo perché tu interrompa cosí presto la visita. Non è vero, Anna? – La fanciulla annuí, distratta e gelida; presa una lampada, ella accompagnò il cugino verso l'anticamera, mentre Francesco rimaneva solo nella stanza.

Fra questa e l'anticamera c'era un lungo corridoio, cosí che Francesco non poté udire il colloquio dei due cugini sul pianerottolo, e neppure afferrare le loro sommesse voci. Come, giunta in anticamera, porse al cugino il soprabito, e, divenuta servile, lo aiutò a indossarlo, parve ad Anna che da quell'indumento la investissero delle fiamme. Nell'indossare il soprabito, egli chinò un poco la testa, e Anna gli rivide fra le ciocche la nota scriminatura. Tutta la volontà della fanciulla era tesa a fissare quelle adorate, gracili fattezze; ma la luce troppo debole della lampada, posata sulla cassapanca, gliele contendeva. Già Edoardo era giunto sulla soglia, allorché, in fretta e con voce rauca, Anna bisbigliò:

– Ho udito cantare stanotte.

– Non ero io, che cantavo, – rispose Edoardo scuotendo il capo.

– Lo so; ma chi, dunque?...

– Francesco –. E il cugino accennò con la mano all'ospite rimasto di là nel salotto. Indi riprese: – Ha una bella voce, non è vero? Io suonavo la chitarra per accompagnarlo. Ma vedendo che la tua finestra non s'apriva, ho creduto che tu dormissi e non udissi nulla.

– Sí, ho udito...

– E se fosse stata la mia voce a cantare, avresti aperto la finestra?

Fatta questa domanda, egli sogguardò Anna con una espressione incuriosita; ma poi, senza aspettare la sua risposta, volubilmente le disse: – Addio –. E oltrepassò la soglia, e già s'inoltrava nel pianerottolo, allorché la mano di Anna lo strinse alla spalla con un vigore nervoso: – Aspetta, rimani ancora un minuto, – ella gli disse precipitosamente. Ed egli, voltandosi, riguardò, fra l'ombra che ne disfaceva i contorni, la sua piccola faccia protesa, piena di spavento e di dedizione, e che s'era messa a tremar forte, come se qualcuno la sbattesse.

– Rientra, – le disse allora, con la sollecitudine quasi materna che si ritrova talvolta nei ragazzi suoi pari, cresciuti, unici maschi della famiglia, fra donne amorose, – rientra, tu non sei coperta, e fa freddo, qui sulla scala –. Ma nel tempo stesso, con fastidio si sottrasse alla stretta di Anna; e soggiunse poi, spazientito: – Che c'è?

– Quando... tornerai dal viaggio? – gli domandò Anna. – Quando? Ah, per te, mai piú, – egli rispose in tono fatuo. E come se questa malvagia risposta gli avesse dato le ali, prese a saltare velocemente giú per la scala senza lumi.

Credeva, tuttavia, mentre scendeva, d'udire i respiri affannosi di Anna immobile sul pianerottolo. Ed ecco, l'acuta voce di lei gridò: – Edoardo! – e di corsa ella lo raggiunse. – Edoardo... – ripeté con voce affievolita; e presagli una mano, si dette a baciarla. Ma egli si svincolò, e appoggiandosi alla ringhiera, in atteggiamento di rivolta e di sfida, interrogò: – Non avesti la mia lettera? quella che ti mandai per il servitore giú all'entrata?

Anna tacque. – L'avesti? Sí? – egli riprese. E proseguí in accento indispettito, arrogante, come se soffrisse un'ingiustizia: – E allora, perché ti ostini? perché mi rincorri? non hai vergogna? Forse, vedendomi tornare oggi quassú da te, hai presunto... ah, ti sei ingannata. S'io t'ho fatto ancora quest'ultima visita di addio, ciò è stato: primo, per convenienza, giacché tu sei pur sempre una mia cugina. E secondo, ma soprattutto, ascolta perché. Quand'io ti scrissi quell'ultima lettera, supponevo ch'essa bastasse a farti capire che tu, per me, non sei piú niente. Invece, in seguito, ebbi dei sentimenti e dei sogni dai quali intesi che tu m'aspettavi ancora, caparbia, nonostante la lettera, e vivevi solo per aspettarmi. Ora, sapendo una tal cosa, io giorno e notte ho pietà di te e questa pietà m'è insopportabile perché non t'amo piú, io. La pietà verso chi si ama è un sentimento cosí buono, delizioso ch'io darei volentieri tutti gli altri piaceri in cambio. Veramente, io m'accorgo d'amare una persona quando mi piace d'aver pietà di lei e, come tu sai, provoco in mille modi questa pietà verso di lei, per accorgermi sempre piú di quanto la amo. Invece, la pietà verso chi non m'appartiene e non è mio, insomma verso chi non amo, è cosí odiosa, tormentosa, proprio un sentimento da anime nere, da preti! Davvero, è una tale prepotenza, un tale sopruso da parte tua d'infliggermi questa pietà! Io sono stato molto malato, ed essa mi fa dimagrire. La notte, quando son solo, essa incomincia, incomincia... e io mi rigiro nel letto... e mi lamento... essa mi fa venire la febbre. Perché sei cosí invadente, e gelosa, e senza cuore, brutta strega? Voglio esser libero da questa pietà, hai capito? Non voglio piú che tu m'aspetti, e per questo son venuto ad avvertirti che parto e non mi vedrai mai piú, quindi è inutile aspettarmi. Ti dirò, ho voluto approfittare di questa mia visita per darmi ancora un'ultima prova che non t'amo piú per niente. E cioè, ho voluto sentire pietà di te apposta, per vedere se mi piaceva, e ho fatto dei discorsi adatti per farti soffrire, e t'ho visto soffrire infatti: e ho sentito una pietà cosí forte! terribile!

– E questa pietà... t'è piaciuta? – mormorò quasi senza avvedersene la povera Anna, in un ultimo soffio di speranza.

– No! m'ha dato noia e disgusto! Anche in questo momento stesso, al sentire la tua vocina domandármi: *t'è piaciuta?*, provo una pietà cosí pazza, insopportabile! E questa pietà mi dà noia e disgusto! Tu mi disgusti e m'annoi! Ti prego, vattene!

E cosí detto, poiché la scarsa luce che veniva dall'uscio rimasto aperto, di sopra, non giungeva piú fino a loro, il cugino accese uno zolfanello, e levandolo a illuminare i gradini bui, ripeté: – Vattene, vattene, risali a casa!

Vide, alla fiamma dello zolfanello, Anna esitare, con gli occhi dilatati e spauriti, il mento convulso; indi incominciare a ridere, con la bocca incerta e agitata, che le scopriva, ridendo, le gengive esangui. D'un tratto questa risata si smorzò e s'interruppe, lasciando il luogo a un'espressione proterva. Ma poiché il cerino si spense, Edoardo non distingueva piú che a malapena la figura di sua cugina, quando con una bizzarra voce squillante, ella gli disse: – Sono scesa... per ridarti questo –. E con furia si sfilò l'anello, e lo rese al giovane, che, interdetto, lo ricevé nella palma, mentr'ella, volte le spalle, si dava a correre su per i gradini verso l'uscio illuminato.

Edoardo strinse nella palma l'anello ancora tiepido, e riprese a scendere la scala. Intanto Anna, raggiunto il pianerottolo, s'avviava a casa, allorché l'uscio dirimpetto al suo s'aperse, e la figlia della vicina si sporse nel vano. Era una sartina, all'incirca dell'età di Anna; né sarebbe stata brutta, se non fosse che le sue spalle apparivano precocemente incurvate e il corpo rattratto per essersi piegato fin dalla fanciullezza sulla macchina da cucire e aver sostenuto il peso dei fratellini in fasce. Il volto, malaticcio, aveva anch'esso qualcosa di senile e l'azzurro degli occhi era infido e torbido. Piú volte, stando seduta a cucire sul ballatoio, la sartina aveva veduto il bel giovane or ora disceso fermarsi all'uscio delle Massia. Ed ora, aveva ella forse udito quest'ultimo colloquio? Forse, nel suo cuore pieno di rancore e d'invidia, gioiva dell'abbandono? Ella gettò un'occhiata su Anna; ma questa proseguí diritta senza guardarla, con gli occhi asciutti e immobili. Quasi aveva dimenticato l'estraneo che l'attendeva nella stanza; e come Francesco, vedendola entrare, balzò in piedi, ella gli volse uno

280

sguardo smemorato e pieno d'odio, al pensiero che quel nero personaggio aveva cantato la serenata in luogo d'Edoardo, ed ora stava seduto in quella medesima stanza donde l'altro era svanito. Sebbene si
sforzasse di dominare la propria ambascia, Anna appariva tuttavia sperduta e torva. E sembrò a Francesco, nel breve tempo che rimasero soli,
di trovarsi in compagnia d'una favolosa Chimera, bella e feroce nel
tempo stesso. Il colloquio fu alquanto incerto; ma come Francesco,
trascorsi pochi minuti, s'accomiatava, d'un tratto Anna lo pregò di ritornare a trovarla. – Venite presto, – insisté, – venite presto, – ed
egli non sapeva che pensare di quell'ardore strano, che pareva nel medesimo tempo fretta di licenziarlo subito, e timore di perderlo. In
realtà, Anna, nel punto che lo salutava, s'era resa conto d'un tratto
ch'egli era ancora l'ultimo tramite rimastole fra lei stessa e il cugino;
ma tutto ciò, Francesco non lo seppe e non lo intese, e in quel pomeriggio il misterioso splendore di Anna s'accese in lui per sempre. Or
chi ignora, al par di me, o miei scanzonati lettori, il fasto e la malinconia che porta con sé, al suo primo annunciarsi, un amore grande e
difficile: al tempo che, uscita appena dall'adolescenza, l'anima spiega
ancora avventurose ambizioni (sí che le pare un eroismo fin la tediosa
morte); chi ignora, o amici, tale romantica esperienza, costui rinunci,
al par di me, a seguire Francesco, che attraverso le viuzze male illuminate, rincasava dopo la sua visita già recando in se stesso il mito
di Anna.

Il giorno dopo, Edoardo per primo ricondusse il discorso su quell'argomento, secondando la segreta brama di Francesco: il quale non
seppe nascondere l'ammirazione che Anna destava in lui. Come spiegare, adesso, il bizzarro caso? Edoardo, sempre cosí geloso dell'amico,
non soltanto non provava dispetto per quest'ammirazione, ma cercava
con arte di alimentarla. Forse, il suo fastidio per la relazione di Francesco e di Rosaria era cosí forte da fargli accettare con veemenza
qualsiasi argomento adatto a spezzare quell'odioso nodo? O forse, i
diversi affetti provati per Anna prima, e per l'amico adesso, erano tali,
ch'egli amava confonderli in uno solo, unendo le due care persone in
una sola sorte? Forse, egli credeva di esaltare la sorte di Francesco,
dandogli Anna? o, al contrario, di provocarne la rovina? e in un caso
o nell'altro, gli piaceva di assumersi la parte di fato? Propongo tutte
insieme queste spiegazioni, le quali hanno in comune la proprietà d'essere incerte, e avrebbero potuto, a ben pensarvi, affacciarsi alla mente
dei miei lettori anche senza il mio intervento. La sola ipotesi, invece,
che nessuno potrebbe qui proporre fuor che io, giacché essa nasce
anzitutto dalla mia conoscenza del seguito di questa storia, e poi da una

mia inguaribile parzialità nei confronti del mio personaggio Edoardo; la piú generosa, e patetica, anzi teneramente tragica, fra tutte le possibili ipotesi, io (mi perdonino i miei lettori) la conosco, ma non voglio dirla. Per dirla, infatti, dovrei svelare fin d'ora tutto il seguito di questa storia; e ciò non mi va. D'altra parte, quando sapranno, a suo tempo, il seguito, i miei lettori potranno indovinarla da se stessi; ma se poi non l'indovinano, allora tanti saluti! vorrà dire che non meritavano d'essermi lettori.

Capitolo quinto

> *Catastrofe provocata da un Anonimo.*
> *Il monocolo misterioso.*
> *Una bella donna scacciata dalla città.*

I discorsi d'Edoardo, dunque, alimentavano il nascente fuoco di Francesco. Con un grande orgoglio (che Francesco attribuiva alla parentela, ma che in realtà saliva da una segreta certezza d'Edoardo: *costei, da me lodata, sol ch'io lo volessi, è mia*), Edoardo esclamava che sí, Francesco aveva ragione: Anna era una bellezza, un angelo. S'ella avesse potuto, soggiungeva, adornarsi e mostrarsi come le fanciulle ricche, avrebbe vinto subito col suo fulgore tutte le donne della società cittadina. Qui Francesco reprimeva a stento una domanda nata nel suo cuore invidioso: – E tu che lo potresti, tu, come puoi rinunciare alla gioia d'elevarla al suo vero rango, di farla regina della città? – Ma Edoardo, avvertendo l'intimo stupore dell'amico, diceva: – Indovino il tuo sentimento. È strano, in verità, che uno come te, disprezzatore del censo e delle caste, vada a pensare poi certe cose. Ma come non t'avvedi che mia cugina Anna è bella ancora di piú cosí com'è, disadorna e povera? Naturalmente, per causa di questa oscurità, a pochi sarà dato godere della sua bellezza, forse ad uno solo. Ma la bellezza è forse una cortigiana, che debba dividersi fra tanti? È vero che a te piacciono le cortigiane, per il gusto di redimerle –. Qui Edoardo rideva; e Francesco arrossiva, poiché, in realtà, dal giorno della visita ad Anna, ad ogni incontro con Rosaria faceva nella propria mente dei confronti, e la vittoriosa Anna sempre piú lo dominava.

– La sua bellezza sarà per uno solo, – ripeteva Edoardo, – certo, se fossi io quell'uno, Anna sarebbe ricca e signora. Ma io non la amo; e se pure io volessi coprirla di doni, ella non li accetterebbe da chi non la ama. È troppo fiera per questo –. Anche adesso Francesco taceva; ma gridava in cuor suo: Come puoi non amarla!

Tale continuo discorrere di Anna sostituiva, per Francesco, le visite ch'egli non osava tuttavia di farle, sebbene invitato. Avrebbe voluto chieder consiglio all'amico sull'opportunità di recarsi dalla fanciulla, ma lo trattenevano rispetto e pudore. Ora, quell'alimento che una passione appena agli inizi trova di solito nella vista, nei colloqui con la persona vagheggiata, egli lo trovava nel parlarne che faceva con Edoardo. Questi gli aveva raccontato la storia di Teodoro, e i dissensi della propria famiglia con quella di lui, tacendo, ma lasciando capire, che le Massia dovevano alla carità dei Cerentano i modesti mezzi di cui disponevano. Ma, soggiungeva il cugino con accento fiero, Anna è una vera Massia, cosí nelle fattezze come nel cuore: e vantava or quelle nere trecce e quei polsi minuti, or quella natura selvatica e sdegnosa, ma capace, per devozione, di sacrificarsi fino alla morte. E a simili parole, dinanzi alla mente di Francesco quei bei capelli neri si scioglievano in grande ricchezza sulle spalle gracili e regali, e quei burrascosi occhi grigi sfavillavano di affetti misteriosi. Dopo ogni conversazione con Edoardo sulla persona di Anna, Francesco tornava nella sua camera pieno di fuoco e di fantasie. La sola consolazione che avesse nella solitudine, là dove con nessuno poteva parlare di Anna, era un gioco della sua memoria che, pur non saziandolo, gli dava un piacere incantevole: senza posa, nel suo pensiero, egli risuscitava, uno per uno, tutti i gesti e le parole di Anna durante la famosa visita, e, Dio, come si compiaceva nel ritrovarli cosí graziosi! Uno soprattutto lo faceva fremere di speranza, ed era l'invito dell'ultimo momento, allorché ella lo aveva esortato a ritornare presto. Come un amatore di musica, il quale, taciuta l'orchestra, gode a ripetere fra di sé, nel silenzio della propria mente, le frasi che piú gli sono piaciute, cosí Francesco si ripeteva mille volte quel prezioso invito. Un tale gioco è noto agli amanti; ma fra di essi coloro che non possono alternarlo con veri e felici convegni sanno quanto sia perfido. Giacché, pur accendendo, non consuma; e i suoi seducenti fantasmi son fatti di maleficio e di nebbia.

Intanto, Edoardo non parlava piú di partire. In realtà, egli aveva mentito ad Anna annunciando la propria partenza imminente: ché, se da una parte era vero che i medici gli consigliavano di mutar clima, dall'altra lui, dopo aver tanto vagheggiato i viaggi, si sentiva ora stretto alla città da vari affetti intricati e affascinanti, sebbene a lui medesimo un poco oscuri; e non intendeva d'allontanarsene fino a primavera. Non volendo, tuttavia, confessare a Francesco d'aver mentito, alla sua domanda rispose che, veramente, il giorno della sua visita alla cugina aveva quasi un'intenzione di partire; ma adesso, era di nuovo tornato alla sua prima idea di aspettare la buona stagione: – Tu, però, – soggiunse, – non dirlo a mia cugina, lasciale credere che partirò presto. Non ho voglia di nuovi addii –. A queste parole, Francesco avvampò in volto: – Non credo, – balbettò, – che avrò altre occasioni di rivedere tua cugina. – Perché? Non t'ha forse invitato? – chiese Edoardo con aria di stupore. E nuovamente esortò Francesco a recarsi da Anna, la quale certo gradirebbe di interrompere talvolta la propria solitudine.

Ma a Francesco, nel punto che si decideva a quel passo, veniva meno il coraggio. Egli si spinse, è vero, fin presso la casa di Anna; e, dopo aver atteso a lungo, senza una intenzione precisa, sotto una fine pioggia invernale, vide la fanciulla apparire da un vicolo sulla piazzetta, e infilare il portone. Anna non si accorse di lui; camminava distratta, e non aveva ombrello, così che il suo vestito dimesso e trasandato era bagnato dalla pioggia. Il volto, con la sua piccola cicatrice, appariva imbronciato e ribelle. Il suo pallore, la sua magrezza, e quegli occhi cerchiati di nero, pure innamorando Francesco, gli serravano il cuore. La momentanea vista di Anna, non meno di lunghi e ripetuti colloqui, fece più acuto e violento il sentimento di lui. La sera, avendo interrotto un convegno con Rosaria per incontrare Edoardo, egli accompagnò l'amico a un'osteria, dove trovarono un povero suonatore di chitarra. Rallegrati dal vino, essi decisero una seconda serenata ad Anna, e il povero chitarrista li seguí. Come sempre quando beveva, Francesco si sentiva pieno di fiducia e di coraggio. Aveva già intonato la romanza d'Edoardo, allorché l'amico gli ingiunse d'interromperla, e di cantare altre cose. Egli cantò allora una serenata assai famosa in quell'epoca, e, non senza turbamento, Edoardo udí con certezza, nella voce di lui, ch'egli amava Anna. Non era stato forse lui stesso, Edoardo, a voler ciò? Egli era come un negromante, che abbia costruito uno specchio stregato, e nel guardare in esso curioso e superbo, trema a quegli inganni. Non so per quanto tempo l'amaro specchio sarebbe piaciuto al suo genio; la sorte, come vedremo, giocò altrimenti con Edoardo. E se così non fosse, dove sarebbe la mia storia?

Nei giorni seguenti, altre due volte, venuta la notte, Francesco bevve vino per rendersi più audace e andò, solo, a cantare sotto le finestre di Anna; ma queste non s'aprirono. Cesira, sí, avrebbe quasi desiderato d'aprire: ella si compiaceva per quelle serenate, amava di udire le belle romanze. Ai primi accordi della chitarra, scuoteva Anna dicendole: – Ascolta, ascolta –; e poiché tanto nella prima che nella seconda serenata era stato gridato chiaramente il nome di Anna, la madre era oltremodo curiosa di conoscere chi fosse il cantore. Ma Anna, con tono indolente, rispondeva di non saperlo. Cesira lodava la voce dello sconosciuto, paragonandola a quelle dei migliori cantanti uditi nella sua giovinezza, allorché, coi suoi parenti prima, e poi con Teodoro, si recava all'Opera. Riconosceva le frasi di alcune romanze che le erano state care, e questo fatto la elettrizzava come un ritorno di gioventú. Si levava allora a sedere sul letto, con la sua povera trecciola giú sulla spalla, e talvolta si spingeva fino alla finestra, di cui detergeva i vetri umidi sperando di scorgere qualcosa nella via. Ma Anna vivamente la esortava a non aprire la finestra; e si rivoltava sul guanciale, col cuore che le martellava al pensiero che forse, dabbasso, c'era suo cugino. Dunque, non era partito? Ma perché far cantare un altro, al suo posto? E perché queste serenate, dopo un cosí crudele addio? Tale enigma notturno le sconvolgeva la mente; ma pure, sebbene forse non significasse null'altro che oltraggio e beffa, esso le portava qualche speranza, e la scuoteva almeno dall'abbandono in cui l'aveva lasciata Edoardo. Cresceva intanto il rancore della fanciulla verso colui che, in quelle notti, cantava in luogo dell'amato. La sua figura, come un goffo, nero fantoccio, si mescolava a quella leggiadra d'Edoardo nella mente agitata di lei. Quel colore scuro della pelle, quelle grosse mani, quel viso deturpato le ispiravano repulsione. Tuttavia, sebbene Anna non ignorasse che il cugino stringeva volentieri amicizia con gente inferiore, e che il titolo di barone è una merce piuttosto comune, e di rado sincera, nei nostri paesi, un qualche prestigio, da un simile titolo e da una simile amicizia, veniva pure alla povera persona di colui; e inoltre, Anna sperava in una sua visita, che le pareva ormai l'unico mezzo per aver notizie del cugino. Ma il giovane, sebbene invitato, non s'era fatto piú vedere; finché un giorno Anna lo scorse per caso nel quartiere stesso dov'ella abitava, solo sulla via non selciata e coperta di fango. Pareva pensoso, e teneva le due mani nelle tasche del cappotto, del quale aveva rialzato il bavero. Arrossendo violentemente per l'atto audace cui s'accingeva, Anna gli mosse incontro e in accento imperioso e timido insieme gli chiese perché mai non fosse piú venuto. Egli, a precipizio, si tolse le mani di tasca e si scoprí la testa ricciuta e nera come le penne del corvo; e in tal gesto le apparve cosí turbato, da farle pensare che nascondesse qualche misteriosa nuova. Non osando fargli domande, turbata a sua volta oltre ogni dire, ella lo invitò allora a salire da lei quel giorno stesso, ma un poco piú tardi (preferiva infatti che Cesira non assistesse al colloquio).

Com'egli si presentò all'ora stabilita il discorso andò naturalmente su Edoardo; Anna seppe cosí che questi non era ancora partito, e, sebbene le serenate ripetute le avessero già fatto sperare una tal cosa, la notizia la rallegrò. Francesco s'affrettò, è vero, a soggiungere mentendo che la partenza dell'amico era imminente; ma Anna, al pensiero

286

che Edoardo si trovava tuttora in città, non era piú la stessa. Un gentile ardore le ravvivava le guance, e i suoi modi, animati dalla speranza, divennero graziosi e lieti. Delle serenate non si fece parola; ma Francesco discorreva d'Edoardo con tale entusiasmo, che Anna quasi gli perdonava d'aver cantato al posto di lui. Francesco lodava l'amicizia e l'affettuosità d'Edoardo, il suo brillante ingegno, ma deplorò che un simile ingegno si guastasse nell'ozio. Purtroppo, soggiunse, con una allusione che suonò sibillina per Anna, non sono ancora giunti, sebbene, per molti segni, non possan dirsi lontani, i tempi che l'ozio non esisterà piú, l'ingiustizia sociale nemmeno, e né la ricchezza né la miseria potranno guastare lo spirito e il cuore! A questo discorso, Anna rispose osservando che non sono solo i ricchi a viver nell'ozio: lei stessa, per esempio, benché non fosse ricca, non lavorava. Ella amava l'ozio, aggiunse arrossendo, ma era costretta, ormai che era grande, a cercare un lavoro qualsiasi, perché sua madre, stanca e invecchiata, con le poche lezioni che dava ogni giorno non poteva provvedere al necessario. Si sentí, malgrado il tono battagliero di queste parole, che Anna disperava in realtà della propria attitudine a guadagnarsi la vita. Francesco, al guardare le sue piccole mani, e avvertendo lo sgomento in quella voce altera, ebbe di nuovo il senso, già provato altra volta, di non parlare ad una sua coetanea (ché tale, piú o meno, essa era), ma a una creatura ancor nell'infanzia, e bisognosa di cure e di aiuto. Guardandosi intorno nella stanza illuminata questa volta dalla luce diurna, egli poteva riconoscere meglio che alla sua prima visita i segni delle strettezze. Un sentimento ribelle e impetuoso gli gonfiò il cuore. Lui, che diceva d'odiare l'appariscente ricchezza, e predicava a Rosaria la modestia, era invaso adesso dalle piú frivole brame. Essere ricco avrebbe voluto! Già da qualche giorno, a ogni vetrina che vedeva, a ogni mostra di vanità, si sentiva accendere di desiderio, quasi avesse un cuore di donna. Tutti quegli oggetti preziosi, fastosi e fragili non erano stati forse inventati apposta per rallegrare le fanciulle come Anna e celebrare, quali trofei, la loro bellezza? E perché la piú bella di tutte doveva esserne priva? D'altra parte, non doveva egli benedire quella povertà che gli concedeva una vicinanza e un'amicizia impossibili s'ella fosse stata ricca? Anna gli pareva tuttavia irraggiungibile, ma, come avviene alla generosa gioventú, tanto piú per questo egli l'amava. Le ambiziose utopie che lo avevano esaltato fin da ragazzo diventavano adesso piú umane e trascinanti all'incontrarsi con l'amore. Non soltanto per se medesimo e per la società egli bramava di acquistare grandezza, ma soprattutto per colei di cui voleva esser degno e che, grazie a lui, doveva conoscere gli ideali fastigi per i quali era nata. Francesco, tuttavia, non aveva rotto il suo legame con Rosaria, ma come questa s'oscurava al paragone con Anna! Non aveva egli pensato, un tempo, di fare di Rosaria la propria compagna? e tale intenzione, sebbene mai rivelata a Rosaria, non lo legava a costei quanto una promessa? Egli non osava pensare d'abbandonare Rosaria, alla quale, malgrado la nuova passione, si sentiva avvinto dal piacere, dal dovere e dalla pietà. Ma pure, adesso che aveva veduto Anna, doveva riconoscere d'essersi sbagliato credendo d'amare Rosaria, e che Edoardo aveva ragione allorché gli dimostrava l'indegnità della ragazza. Nel grandioso disegno della sua vita, Rosaria era stata un oggetto, ma Anna, adesso, era il fine. Fedele ai metodi che parevano naturali alla sfarfallante, mistica gioventú della sua epoca, Francesco, fissate per certe delle premesse inverosimili, ne traeva ogni sorta di assurde, e magnifiche, e presuntuose conclusioni. E i miei giovani amici non si muovano a riso o a sdegno s'io devo mio malgrado, per fedeltà di cronista, sbandierare sotto ai loro critici occhi simili stendardi dei Regni di Prosopopea, Retorica e Fandonia! Scoprendo e rimirando, e, magari, anche inventando, una per una le virtú di Anna, Francesco non dubitava di vedere in lei la propria compagna ideale, colei che un propizio incontro di stelle ha fatto nascere e ci ha fatto ritrovare, e alla quale non esiste un'altra simile. La donna ch'egli, secondo i suoi libreschi sogni, progettava per la società perfetta, l'anima forte capace d'intendere il destino dell'uomo e di condividerlo con gli stessi diritti non era forse un'immagine di Anna? La bianca fronte di costei gli prometteva un'intelligenza cui si potevano insegnare le verità piú ardue e segrete. E se, non meno di Rosaria, Anna era vittima dell'ordinamento sociale, questa medesima ingiustizia, che faceva Rosaria degna di pietà, abbelliva Anna, arricchendola, nell'idea di Francesco, d'una coscienza meglio preparata e piú profonda. Unendosi a Rosaria per sempre, egli intendeva sfidare il mondo, ma Anna non poteva invece aiutarlo a redimerlo? Se Rosaria, nel pensiero di lui, giaceva in basso, Anna al contrario lo precedeva. Ecc. ecc.

Già s'è veduto che Francesco non era insensibile al prestigio d'una nascita aristocratica: esso rendeva la persona di Anna piú splendida ancora ai suoi occhi. In Rosaria, egli vedeva una sorta di bestiola, nella quale toccava a lui di suscitare spiriti piú umani; ma Anna gli pareva una specie di Madonna, a cui lui medesimo si sarebbe ispirato per essere un vero uomo. E i modi liberi e civettuoli di Rosaria, che gli eran sembrati cosí seducenti, adesso, sebbene gli fossero ancora graditi, gli parevano sciocchi e triviali allorché li confrontava nel pensiero con le maniere semplici di Anna, del tutto prive di civetteria:

nelle quali una dignità quasi matronale si univa ad una ingenuità ancora fanciullesca.

Giunti a questo punto, dobbiamo confessare che non sempre il nostro Francesco vagheggiava in Anna una libera compagna dell'uomo, quale egli immaginava la donna nel suo ideale concetto. Non di rado, egli non poteva impedirsi di sognarsela e di vagheggiarla sposa. *Sposa* nel senso che si dà ancora oggi a tale titolo nelle nostre regioni dai costumi quasi orientali. Si è visto ch'egli bramava d'essere ricco per adornarla come una favorita; e accarezzava il pensiero di proteggerla, di nasconderla agli occhi altrui, di lavorare perché lei, nel suo cuore puerile, ignorasse ogni fatica e difficoltà. Di farla fiorire e maturare nell'ozio e nel fasto, dentro un palazzo del quale lui stesso fosse il padrone geloso. Allora non s'inorgogliva piú del proprio studioso ingegno, per cui s'era presunto degno di Anna. Avrebbe voluto, piuttosto, essere bello quanto Anna, e non avere quel volto butterato. Non si lusingava piú che lei, come gli angeli, non guardasse all'apparenza esteriore, essendo solo intesa a mirar l'anima: inorridiva, invece, nel dubbio ch'ella provasse ribrezzo di lui, o che forse, scoprendolo di famiglia contadina, lei nobile, potesse giungere a disprezzarlo un giorno. Allora cercava di scacciarla dalla propria mente, e di tornare a Rosaria, che tutto perdonava in lui. Ma, ahimè, non di rado il ricordo di Anna lo assaliva con tal forza, ch'egli interrompeva piú presto del solito i suoi convegni con Rosaria e cercava la solitudine per pensare a lei. Preferendo il fantasma dell'una ai baci dell'altra.

L'aspetto di Anna, nel breve tempo ch'egli aveva potuto contemplarlo, certo non era quello d'una fanciulla felice. Passione e malinconia si leggevano nei suoi sguardi, e il suo contegno, sebbene riservato, tradiva tuttavia coi rossori e con gli improvvisi turbamenti uno spirito tempestoso e dei pensieri piú gravi di quelli soliti alle fanciulle. Eppure, come avviene agli innamorati, Francesco invidiava spesso ad Anna la sua felicità, al punto che avrebbe voluto trasformarsi in lei per rubargliela. Ma quale felicità mai? Quella di essere se stessa. Il fuoco e lo splendore di cui rivestiamo la persona amata a noi paiono una sua virtú, non già un nostro inganno. Né sappiamo concepire questa persona se non piena di splendore e di fuoco e sempre, come Narciso, beata di se stessa quanto noi lo siamo di lei. E se l'amarezza d'ogni conquista, anche della piú fortunata, è l'inane volontà di confondersi in uno con l'altra persona, l'ultimo termine di questo desiderio non è appunto la folle pretesa di non esser piú noi stessi, ma lei, cercando in tale metamorfosi il possesso, o il riposo? Se ciò vale anche per gli amanti fortunati, quelli sfortunati conoscono, in piú, l'odio di se stessi. Odio per la propria persona brutta (mentre l'altra è bella); oscura (mentre l'altra è lucente); inquieta (mentre l'altra è indifferente e calma a somiglianza degli dèi).

La sorte di Anna non era invidiabile, e non di rado lo stesso Francesco se ne angustiava; ma pure, essere Anna non era già una bella sorte? Allo stesso modo, in quei mesi Anna avrebbe voluto essere Edoardo malato, Edoardo fuggitivo, sempre Edoardo, Edoardo, e non già un'Anna priva di lui.

Mentre Francesco invidiava Anna, questa passava dei giorni difficili. Edoardo, se aveva finto la sua prossima partenza, non aveva però mentito dicendo che la sua visita era di addio; a questo annuncio, rispondeva una intenzione del suo cuore. Forse, tale intenzione sarebbe stata scossa, s'egli avesse trovato Anna indifferente o nemica. Ma poiché fu certo d'esser sempre amato, non s'interessò piú a lei. S'è già accennato che, dopo la visita alla cugina, egli donò a Rosaria il famoso anello. Ma un tal dono, da parte di lui, non ebbe alcun valore simbolico; non tanto per un gusto crudele egli donò l'anello, quanto perché, cadutagli Anna dal cuore, il minuscolo oggetto perse ogni significato per lui. Possedendo un prezioso ornamento adatto per una fanciulla, egli l'offrí a Rosaria (che aveva detto d'aver gran voglia d'un anello), senza rivelargliene, s'intende, la provenienza. E il piacere di Rosaria fu degno di quelle gemme splendide.

Consigliata dallo stesso Edoardo, ella cercò per l'anello, a motivo del suo grande valore, un nascondiglio piú sicuro della cassettina dove eran celate le altre gioie, e della quale, se non altri, la padrona di casa conosceva già il segreto. Scoperta una minuscola nicchia sotto un mattone rotto del pavimento, vi nascose, perciò, l'anello: il quale, si direbbe, era destinato a giacere sepolto, di rado vedendo la luce.

Un'altra conseguenza della visita ad Anna e dei discorsi tenuti in proposito con Francesco, fu che Edoardo interrogò sua madre circa l'assegno mensile concesso alle Massia. Adesso che l'idillio con Anna era finito, un tale argomento non bruciava piú. Concetta non ignorava che la stella di Anna s'era spenta; ma il tono freddo e imperioso del figlio nel trattare simile questione amministrativa le confermò, una volta per sempre, ch'egli non amava piú sua cugina. Udendo quale somma ricevevano le Massia, Edoardo s'oscurò e dichiarò che, per l'onore stesso della famiglia, si doveva aumentare degnamente l'assegno. A mezza voce, Concetta opinò che, per vivere modestamente, esso bastava, e voleva aggiungere altre obiezioni; ma vedendo l'esangue viso del figlio sempre piú rannuvolarsi, s'interruppe, e domandò quale somma egli intendesse assegnare alle Massia. Il giovinetto era alquanto inesperto dei bisogni della povera gente; per cui, non sapendo che dire, esclamò con ardore: – Date il doppio, il triplo! – Concetta pensò che la gioia d'avere riconquistato suo figlio a una rivale odiata valeva pure qualche sacrificio; e promise di dar subito ordine perché il desiderio di lui venisse soddisfatto. Annunciandogli, qualche ora dopo, che s'era già provveduto, e che le Massia godrebbero del nuovo beneficio fin da quel mese stesso.

Ma le Massia non seppero mai d'essere state cosí vicine all'agiatezza. La busta depositata in quel mese nel solito ufficio dall'amministratore dei Cerentano conteneva un assegno piú che doppio del consueto. Il commesso, però, non vide venire, stavolta, la solita signora dalla piccola, magra persona, vestita con gran cura, e non senza frivolezza, d'abiti fuori moda alquanto logori; e nella quale facevano contrasto le maniere cerimoniose, i movimenti affrettati e il volto malaticcio ed esausto. Al posto di costei, comparve una fanciulla non mai venuta prima, dai capelli neri e dalla pelle bianca; la quale in tono freddo richiese la busta depositata per la signora Massia. All'obiezione del commesso, ch'egli poteva consegnare la busta solo in cambio della ricevuta firmata dalla signora, la fanciulla ribatté che non intendeva ritirare la busta, bensí respingerla alla mandataria sua zia. Poiché il commesso pareva in dubbio, ella ripeté imperiosamente la sua richiesta; e il commesso interdetto le porse la busta, ch'ella non aprí e non guardò neppure, ma introdusse in una seconda busta che aveva portato con sé, indirizzata al nome di Concetta Cerentano. Dopo aver passato sull'orlo, per chiuderla, le sue piccole e fresche labbra, ella riconsegnò la missiva al commesso. E, gelida e battagliera, uscí. Fu cosí che il lauto assegno ritornò a Concetta: accompagnato da una lettera annunciante nel suo stile sgrammaticato e nella sua scrittura ancora puerile che Anna e Cesira Massia ringraziavano i parenti Cerentano per la generosità usata fin qui verso di loro: generosità della quale intendevano per il futuro di non approfittare mai piú, rinunciando a ogni e qualsiasi vantaggio potesse venir loro dalla eletta parentela e dal buon cuore dei Cerentano. E soggiungeva che Anna, la figlia di Teodoro Massia, avrebbe rifiutato fin da principio simili beneficî, senonché per la sua giovane età fino a quel momento ella non aveva potuto disporre di sufficiente determinazione e raziocinio. Con ciò, ella e sua madre porgevano i loro devoti omaggi alla signora Cerentano e agli illustrissimi parenti. Seguiva, in lettere alte e presuntuose, benché scolastiche, la firma: Anna Massia di Corullo.

Il tono di questa lettera suonava cosí orgoglioso, che a Concetta parve offensivo. Il dispetto le fece salire il rossore alle guance; e il suo primo impulso fu di correre alla camera d'Edoardo, a punirlo con una scena violenta per aver protetto l'insolente cugina. Ma prima ancora d'arrivare all'uscio del figlio, ella si rese conto dell'errore che stava per commettere; chi le assicurava, infatti, che la presunzione di Anna non apparisse un merito all'insensato giudizio d'Edoardo e non riaccendesse in lui delle fiamme solo da poco sopite? Piú tardi, con calma e senza dar troppo peso alla notizia, si potrebbe informare Edoardo, ma solo se ciò fosse necessario. Cosí risoluta, la madre si ricompose in volto, e ritornò nella propria camera senza aver parlato col figlio. La sera stessa, senza dirne nulla a lui, ella diede ordine all'amministrazione di sospendere l'assegno alle Massia.

Concetta si lodò in seguito della propria avvedutezza. Edoardo infatti, dopo gli accordi presi con sua madre a beneficio delle sue povere parenti, non s'occupò piú di costoro né del loro assegno, e, spensierato com'era, non ritornò piú sull'argomento: sia che, non dubitando esser la faccenda ormai sistemata, giudicasse ogni discorso inutile, o sia che, proprio in quei giorni, altri interessi piú vivi gli tenessero la mente. In tal modo, il sacrificio di Anna rimase ignoto a colui per l'appunto ai cui negati altari era soprattutto consacrato. Edoardo ne venne a conoscenza per caso alcuni mesi piú tardi; ma a quel tempo un'angoscia funesta aveva sconvolto il suo spirito una volta alato e vittorioso; e il fumo dei sacrifici non trovava piú grazia presso di lui.

Mentre Anna maturava in cuor suo l'eroica decisione che s'è vista, Francesco, divenuto piú coraggioso, le fece altre due visite. Ma, ambedue le volte, Anna non era sola in casa. V'era sua madre, la quale, pur non partecipando alla conversazione, entrava sovente con varî pretesti, sospinta da irrequietezza e da curiosità: si sedeva per qualche minuto, e poi si ritirava nelle altre stanze, per riapparire di nuovo, come un fuoco fatuo. Ella si mostrava premurosa, discorreva in tono convenzionale e vivace, al modo di chi non ignora lo stile dei salotti, e chiamava Francesco *barone*. Ad ogni visita di lui, non mancò di recare, su di un vassoio, due bicchierini di sciroppo (lei non poteva berne a causa del suo stomaco malato). Ella stessa aveva comperato tale sciroppo dal confettiere, e per molti mesi l'aveva tenuto in serbo aspettando l'occasione d'una visita. Giacché, pur avendo, per la disgraziata sua natura, fatto il vuoto intorno a sé, aveva preso ad amar le visite al punto che negli ultimi anni (prima che la sua salute precipitosamente declinasse), avrebbe perfino abdicato alle sue pretese sociali, e ricevuto dei poveri borghesucci; ma nessuno cercava la sua compagnia. Francesco aveva ai suoi occhi piú d'una attrattiva: anzitutto, la abbagliava il titolo di barone (meno sottile di Anna, ella non badava alla evidente rozzezza di lui; e, seppure, diceva che si dànno spesso gran signori di campagna dall'aspetto un po' rustico, e citava esempi conosciuti in gioventú). Inoltre, s'è già veduto come ella fosse attirata dalla giovinezza e dall'amore altrui. Ora, Francesco appariva, sebbene serio e melanconico, piú giovane ancora dei suoi coetanei, per le timide, violente passioni che trapelavano da ogni suo gesto; e che fosse innamorato, Cesira, piú acuta in ciò di sua figlia, lo avvertí fin da principio. Né mancò di alludervi, parlandone con Anna, la quale, infastidita, respinse le sue ridenti insinuazioni. La bella voce di Francesco (Cesira aveva presto indovinato che lui stesso cantava la notte sotto le finestre: e chi altri poteva essere?), quella bella voce di baritono provocava l'ammirazione della donna. E per di piú, non aveva egli accennato a possedimenti che aveva in campagna, e a grandi progetti per l'avvenire? Non era un giovane certamente agiato, forse ricco, e pieno di speranze? L'entusiasmo di Cesira accresceva in proporzione la diffidenza e la freddezza di Anna; ella odiava perfino il sospetto che un altro uomo, – e poi, qual uomo! – potesse prendere il posto del cugino. La presenza, seppur discontinua, di Cesira, bastava perché Anna evitasse, nei suoi discorsi, ogni accenno a Edoardo, e ciò spogliava, per lei, d'ogni piacere e consolazione quelle visite di Francesco. Nei mesi trascorsi, Cesira non aveva saputo rinunciare a gettare alla figlia, nei lor battibecchi, frasi crudeli riguardo al cugino, il quale, ella diceva alla fanciulla, s'è *preso gioco di te*, perché, soggiungeva, Anna non piaceva agli uomini, nessuno l'avrebbe seriamente amata, nessuno l'avrebbe sposata mai; d'altronde, ribadiva, Anna era ormai disonorata, la sua condotta leggera con Edoardo, il quale aveva voluto soltanto divertirsi a sue spese, era la favola del quartiere. Si sarebbe detto, a sentirla, che Cesira provasse una perfida gioia per la delusione di Anna. In realtà, sappiamo ch'ella aveva accarezzato folli speranze riguardo al nipote, e il tradimento di lui l'aveva amareggiata non poco, soprattutto per la soddisfazione che ne proverebbero i vicini. A tale scottante amarezza, però, si mescolava il vago, maligno trionfo d'una donna che ha mancato la propria vita sentimentale, e assiste alle sconfitte d'un'altra donna.

Tutto ciò ispirava ad Anna un riserbo severo in presenza di sua madre e la volontà di nascondere a questa, ancor piú di prima, i propri casi passionali. Francesco si sgomentava al vederla cosí ostile e taciturna dopo averla conosciuta, altra volta, gentile. Ella pareva reprimere a stento, e non senza iracondia, una ribellione segreta. Talora, con una durezza mista d'ingenuo vanto, alludeva alla propria sorte invitta, e a certi disegni oscuri che le agitavano la mente (ella si figurava in cuor suo che lui ricevesse le confidenze d'Edoardo). In altri momenti, se ne stava muta. E se Francesco (animato da un poco di vino forte che, accingendosi a salir da lei, aveva bevuto per darsi coraggio), s'adoperava a intrattenerla coi famosi argomenti dei testi che gli eran cari, la sua vagheggiata alunna e capitana pareva indifferente alle sue rivelazioni non meno che alle sue profezie. Com'egli le prometteva la futura, santa Repubblica atea, nella quale la bellezza, l'onestà, l'intelligenza, vale a dire le virtú di lei stessa, Anna, sarebbero le sole dee e regine; Anna gli gettava appena uno sguardo distratto, ma severo nello stesso tempo, quasi a dirgli: « Che intendi, tu? Non son forse già, io, Anna Massia, regina e dea? »

Era Cesira, adesso, che lo invitava a ritornare, e non piú Anna. Ed egli non osava di presentarsi spesso, temendo di non esser gradito alla fanciulla. Ma, incapace di soffocare i propri sentimenti, piú spesso di prima si recava, la notte, a cantare sotto le finestre di lei; soltanto allora, nell'invernale, buio silenzio di quelle straducce gli era dato di liberare i fantastici desiderî che lo inquietavano durante il giorno. Le canzoni popolari e le romanze d'opera gli sembravano poemi, tanto era il fuoco ch'egli metteva in quelle parole dozzinali. Chiunque avrebbe indovinato, a udirlo, che non soltanto l'amore della musica rendeva la sua voce cosí ispirata. Pure, Anna seguitava a illudersi che in quelle serenate si nascondesse, per un gioco amoroso, Edoardo: come un sovrano che faccia recitare a un mimo, sulla scena, una sua propria confessione. Le serenate, di cui né l'uno né l'altra faceva cenno, mettevano nei colloqui di Anna e di Francesco un'emozione segreta, benché per motivi dissimili. Due domande inespresse si agitavano in loro. Quella di Francesco era: « Non m'hai udito cantare? Non hai capito il significato dei miei pellegrinaggi? » E quella di Anna: « Non porti nessun messaggio del tuo amico chitarrista, per me?»

Intimidito dalla freddezza di Anna, Francesco s'era indotto, da alquanti giorni, a sospendere le sue visite, allorché nella vita delle due donne avvenne il grave rivolgimento economico che piú sopra s'è detto. Minacciosa e impavida, Anna dichiarò a sua madre la propria volontà, che era di non piú nulla accettare dai Cerentano, e di vivere dei propri mezzi. Ora questi mezzi, oltre le scarse lezioni di Cesira, si limitavano a qualche economia da lei tenuta in serbo; ma la somma era cosí modesta, che appena sarebbe bastata a sostentare madre e figlia per un paio di mesi. Né il dolore, né lo spavento, né le amare profezie di Cesira scossero la volontà della figlia; questa dichiarò che il benefizio dei Cerentano era diretto a lei sola, Anna; e che lei medesima, giunta all'età della ragione, deliberava di rifiutare quella carità. D'altra parte, ella non intendeva di vivere a carico di nessuno: le era stato promesso un impiego, affermò mentendo. I suoi guadagni sarebbero bastati non solo per sé, ma anche per sua madre. E se questa, soggiunse, non voleva da parte di lei qualche gesto disperato, non doveva tentare con nessun mezzo, palese o nascosto, di contrastarla nella sua decisione. Cosí detto, Anna scrisse la famosa lettera, e con essa si recò all'Ufficio di amministrazione in luogo di sua madre.

Che cosa pensava di fare, per il futuro? L'attraversavano disegni confusi e violenti. Non soltanto l'orgoglio ferito l'aveva spinta a quel passo; ma uno slancio superstizioso, per cui le pareva che il suo sacrificio, trasmutandosi in miracolo, dovesse ricondurle Edoardo. La disperazione avrebbe forse rotto l'incantesimo che la imprigionava da tanti mesi. Pensava anche di rivolgersi a Francesco per chiedergli di aiutarla a trovare un impiego. Sapeva l'indirizzo del giovane, ma le ripugnava recarsi da lui: da qualche giorno, appunto, egli non si faceva piú vivo.

Anna passava cosí giornate oziose, da quella indolente che era: giacendo a lungo sul divano o sul letto, negletta nella persona, a fantasticare o a leggere cattivi romanzi. Quanto a Cesira, la sua stanchezza aveva ormai sconfitto il suo spirito, cosí che esso poteva gustare appena una vaga soddisfazione per la rivincita di Anna sui Cerentano. In certi momenti, la paura del futuro le suggeriva dei gran progetti di recarsi da costoro per ottenere, con le suppliche, nuovi aiuti all'insaputa di Anna. Ma l'assurdità di un simile proposito le appariva subito, e d'altra parte il solo pensiero d'attuarlo le dava disgusto. Ella preferí dunque sottomettersi ad Anna, ritirandosi dalla lotta; e l'autorità del capo di famiglia passò allora del tutto ad Anna, quasi che fosse lei la donna matura, e l'altra fosse ridivenuta fanciulla. Cesira non risparmiava tuttavia le querele; ed Anna aspramente le rispondeva di non preoccuparsi, ché presto tutto ciò si sarebbe risolto; oppure, esasperata, si rivoltava come una furia, quando non rompeva in fieri singhiozzi.

In tal modo si consumavano le giornate nelle quali, secondo il suo presentimento, si decideva la sua sorte; ma era una sorte diversa da quella che le aveva dipinto la speranza.

Abbiamo già veduto che Francesco non aveva interrotto i suoi convegni con Rosaria; né si può affermare che il suo cuore non partecipasse a tali convegni. In quei giorni inquieti, una figura strana di fanciulla, doppia e cangiante, lo dominava e visitava i suoi sonni. Cingendo Rosaria nella piú fervida stretta, era ad Anna ch'egli pensava; ma quando le sue battaglie con l'ambiguo fantasma di Anna lo lasciavano esausto, era nella familiare e semplice Rosaria ch'egli cercava riposo. Continuamente era combattuto fra il suo bisogno di carezze, il suo disprezzo per Rosaria, la sua brama di Anna e la sua disperazione d'averla mai. E, non di rado, nei teneri deliri della sua mente, come lo sposo di Ligeia e di Rowena, egli s'accostava al letto di Rosaria, ed ecco: i rossi capelli di Rosaria, i suoi mansueti e ilari occhi si trasmutavano negli occhi cinerei, nelle trecce corvine di Anna.

Se un dovere lo legava a Rosaria, un piú forte dovere, verso se stesso e la propria elezione, lo spingeva ad amare Anna. A questa egli pensava come alla sua vera fidanzata, non piú all'altra. Un desiderio istintivo, non privo d'incanto, lo guidava alla camera di Rosaria; ma un piú violento desiderio, nel quale il gusto innocente si mescolava all'ambizione, alla speranza, alle orgogliose fantasie, prendeva corpo in Anna.

Rosaria s'accorse del mutamento di Francesco; da principio, nella sua cattiva coscienza, ella temette ch'egli avesse un qualche sentore dei suoi convegni con Edoardo; ma a questo sospetto contraddicevano le parole di fiduciosa ammirazione con cui talvolta egli accennava all'amico. E d'altro canto, invece di sorvegliarla piú severamente, egli da qualche tempo le lasciava un'insolita libertà; con la scusa dei suoi studi e delle sue lezioni private, rimaneva lontano da lei per lunghi intervalli del giorno e della notte. Ciò le permetteva, è vero, piú tranquilli incontri con Edoardo; ma pure la amareggiava. Ella incominciò a sospettare che Francesco le preferisse un'altra fanciulla; e, incapace di tacere i propri dubbi gelosi, non solo a Francesco li espresse, ma anche a Edoardo. Il quale ridendo le disse di non temer nulla: Francesco era per sua natura fedele. Ma nel dir ciò, egli rise in un certo modo pieno di malizia che accrebbe la diffidenza di Rosaria: – Tu sai qualcosa! – ella disse, corrucciata e intenta; al che Edoardo s'indispettí, ed esclamò che non era cosa gentile parlargli d'un altr'uomo, svelando in tal modo d'amare questo, e non già lui. D'altronde, non tradiva, lei stessa, Francesco, in quel preciso momento? Di che dunque poteva lamentarsi? – È vero, – balbettò Rosaria; ma soggiunse, torcendosi le mani, che, pur ingannando Francesco, non poteva sopportare d'essere ingannata da lui. – Ah, leggera ed egoista che sei! – le gridò allora Edoardo, – come puoi pretendere di privare un uomo dei suoi diritti, quando manchi ai tuoi doveri? – La frase era un po' troppo difficile per Rosaria, che un minuto rimase titubante, fissando su Edoardo gli occhioni sconcertati: – Sei tu, – mormorò infine, – che mi fai mancare ai miei doveri –. Edoardo allora scoppiò a ridere: – Come se tu non partecipassi alla colpa! – disse, scuotendola in atto sprezzante e invaghito, – e allora perché non mi lasci? – A questa domanda, ella gli volse uno sguardo conturbato, in cui tremava però la mansuetudine che in certi istanti la rendeva simile a una capra, o ad una giovenca. È un fatto che talvolta ella si figurava di rompere la relazione con Edoardo, per meritarsi di nuovo il suo Francesco. Tanto piú, che di certo Edoardo non la amava, ma solo cercava in lei piacere e gioco; e anche di queste attrattive pareva sempre meno vago, giacché di giorno in giorno andava diradando le sue visite. Ma ella non poteva decidersi a lasciarlo: sia perché non osava di rifiutarsi a lui, sia perché troppo le doleva rinunciare al prestigio di quelle visite, ai regali preziosi. – Perché sei venale, ecco perché, – diceva adesso Edoardo, leggendo nel suo cuore, – perché ti piace troppo l'anello ch'io t'ho regalato, sebbene non ti sia permesso di sfoggiarlo, e la bella spilla d'oro, e gli orecchini. Quando, quando mai tu, povera montanara, ti vedesti, magari in sogno, con simili ornamenti? – La ribellione mordeva Rosaria, ed ella avrebbe voluto gettargli in faccia i suoi doni, e respingerlo; ma troppo la soggiogava l'amore di quelle pietre, la gioia avara di quella nascosta ricchezza. Combattuta da istinti cosí diversi, ruppe in lagrime: – Non piangere, non piangere, – le disse Edoardo, – che paura hai? Te l'ho detto, Francesco ti è fedele, lui non può non esser fedele, sarà fedele in eterno. E ti ama al punto da volerti sposare. – Sposarmi! lui! – ella esclamò, avvampando fra le lagrime a quella violenta speranza. – Sí, non te lo dice, ma intende sposarti, intende fare di te una baronessa. Non te lo dice, perché vuole sorvegliarti, per vedere se lo meriti. Ma siccome tu l'hai tradito, e non lo meriti piú, non ti sposerà –. Rosaria finse di ridere, e ansiosa esaminò Edoardo. – Guardati bene in ogni caso, – egli aggiunse, in accento di seria minaccia, – guardati bene dallo svelare il mio nome e dal lasciarti comunque sfuggire d'avermi mai rivisto. Tu sai che cosa t'accadrebbe s'egli indovinasse qualcosa. – Non dubitare, – disse Rosaria, piena di timore e di rimorso, – da me non saprà mai niente –. Ella cercava di capire se Edoardo avesse o no scherzato affermando che Francesco voleva sposarla; né poteva liberarsi dai propri dubbi sulla infedeltà di

Francesco. Anzi meditava d'indagare, facendo seguire di nascosto l'amante da qualche sua fida, o usando altro simile stratagemma.

Io mi domando, a tal punto, quali scene si sarebbero svolte fra i miei quattro personaggi se, come vedremo, un intervento misterioso non avesse affrettato all'epilogo i loro intricati rapporti. La mia fantasia si figura, non senza un certo compiacimento di raccontatrice, un possibile scontro fra Rosaria ed Anna, nel caso che la prima, indagando, come si proponeva, avesse scoperto l'esistenza della sua rivale. L'incontro fra le due donne avvenne in realtà, ma molti anni piú tardi, e in circostanze del tutto mutate. Ma quali sarebbero state invece le circostanze della loro vita, se un Anonimo, con decisa intromissione, non avesse sospinto Francesco a una rottura cui lui stesso non si sarebbe forse indotto da solo? Sentendosi non amato da Anna, e, poco piú tardi, abbandonato dall'amico, avrebbe egli, per brama di sacrificio e d'affetto, sposato veramente Rosaria? E in questo caso... Ma veramente, non vale la pena di sprecare carta e inchiostro per abbandonarsi a simili oziose congetture. Nella realtà, i fatti si svolsero come segue: il giorno successivo al dialogo fra Edoardo e Rosaria, ch'io v'ho riportato piú sopra, Francesco ricevette una lettera anonima. A quanto gli dissero i suoi padroni di casa, la lettera, sigillata con cura, era stata recapitata da un ragazzetto che essi non avevano mai veduto prima. Dopo averla consegnata nelle loro mani, il messo s'era dileguato fischiettando. Era una lettera scritta su carta di fine qualità, in una scrittura molto regolare sconosciuta a Francesco; essa non recava né firma né intestazione e diceva: *O povero illuso, ascolta la rivelazione di chi ti vuol bene. La donna di cui ti fidi non rinuncia alle sue vere inclinazioni e ti tradisce con qualcuno che ha piú soldi di te. Se vuoi la prova, cercala dentro quella cassettina di conchiglie, con coperchio di specchio, che trovasi sul comò della signorina Rosaria. La cassettina, bada, ha un doppio fondo segreto. Sei avvisato, dunque. La persona che ti vuol bene ti porge omaggi ed auguri.*

Questo diceva il messaggio; e, come lo lesse, Francesco si precipitò a casa di Rosaria. Era l'una dopo mezzogiorno. Sul tardo pomeriggio, Edoardo salí a sua volta da Rosaria, dopo aver mandato innanzi un ragazzo per assicurarsi che la fanciulla era sola. Ella era sola infatti, ma assai diversa dalla festosa Rosaria che soleva accogliere Edoardo. La stanzetta era tutta sconvolta, il letto disfatto, la cassettina delle gioie sconquassata sul pavimento, col suo coperchio di specchio ridotto in frantumi; e i pochi indumenti di Rosaria buttati alla rinfusa per terra e sui mobili. In mezzo a quel disordine, Rosaria giaceva semidistesa sul letto, discinta, infiammata in viso e gli occhi gonfi di pianto. – Che succede? – chiese Edoardo, guardandosi in giro stupefatto. E Rosaria, interrotta dai singulti, gli raccontò che poche ore prima Francesco era entrato tempestosamente nella stanza, e, senza dirle una parola, con viso alterato s'era diretto verso il comò, e aveva sollevato il coperchio dello scrigno di conchiglie, cavando da questo alla rinfusa i bottoni, i nastri, e le altre minuzie che conteneva. Indi a lei che lo fissava attonita, aveva chiesto, movendo febbrilmente le dita intorno allo scrigno, dove fosse il segreto. In quell'istante, ella aveva creduto d'esser vittima d'una stregoneria o d'un maleficio, e con un grido s'era gettata su Francesco per strappargli lo scrigno. Ma egli l'aveva respinta, e nella lotta lo scrigno era caduto; Francesco allora, quasi invaso da odio per questo maligno spione, lo aveva furiosamente calpestato, sconquassandolo e frantumandone lo specchio, mentr'ella atterrita pensava che rompere uno specchio porta sciagura. Ed ecco, dallo scrigno distrutto erano balzati alla luce gli orecchini, il ciondolo e la spilla ch'ella vi teneva nascosti. – Chi ti ha dato questa roba? – egli aveva domandato; e mentre lei, nella sua mente perduta, già cercava una qualche menzogna, lui, che s'aggirava per la stanza come una bestia feroce, aveva raccolto qualcosa di fra le pieghe della coperta sconvolta, ai piedi del letto. Era un monocolo di vetro, appeso a una catenina d'oro: di quelli che i gentiluomini (soprattutto certuni, di gusto un poco libertino, e preferibilmente nell'età matura), portano volentieri: non tanto per rimediare a un difetto dell'occhio, quanto, piuttosto, perché quel vetro dona al loro aspetto una geniale espressione ammiccante e nel tempo stesso dignitosa (simile, per intenderci, all'espressione che avrebbe, se tenesse un occhio appena socchiuso e un altr'occhio ben aperto e rotondo, il sospiroso gatto soriano).

Sempre piú Rosaria aveva dubitato che una stregoneria maligna la tenesse prigioniera nei suoi giri: poiché ella sapeva che Edoardo non portava monocolo; ma chi altri se non lui, che la notte prima era stato nella sua camera, aveva potuto dimenticarvi quel vetro? Ella giurava a Edoardo, giurava sul santo Tabernacolo che nessun altro uomo metteva mai piede nella sua camera. Comunque fosse, il monocolo era parso a Francesco una prova infallibile, se i gioielli non fosser bastati, che Rosaria aveva un amante. Mentr'ella si malediceva in cuor suo per la propria pigrizia, che la faceva indugiare fra le coltri fino alla tarda mattina senza rassettare la camera e il letto, Francesco aveva lasciato ricadere sulla coperta il monocolo, quasi che il toccarlo gli ripugnasse. E con una voce strozzata e gelida che non pareva la sua, le aveva detto che da quel momento le loro strade si separavano per sempre; ch'egli l'abbandonava alla sorte infame per la quale era nata e dalla quale, nella sua sciocca fiducia, lui s'era illuso di distoglierla. A queste parole, era parso a Rosaria che nella cameretta s'aprisse l'inferno. Ella era corsa presso Francesco, che già varcava l'uscio, e cadendo in ginocchio gli aveva stretto i fianchi fra le braccia; ma presala per le spalle, con gran forza egli l'aveva respinta e gettata a terra. Riavutasi appena dal suo stordimento, ella era uscita fin sul pianerottolo, volendo inseguirlo. Ma Francesco già si trovava al piede delle scale, e lei, mezzo svestita com'era, non poteva uscire in istrada. In quel punto, la padrona di casa era apparsa a sua volta sul pianerottolo; e, invitata Rosaria a non fare scandali per le sue scale, l'aveva risospinta dentro la camera, ripetendole di consolarsi, ché, per uno perduto, ne avrebbe trovato un altro migliore. Irritata nel suo dolore cocente da questa frase e bramosa di sfogare su qualcuno la propria furia, in quell'istante Rosaria aveva creduto che una rivelazione la illuminasse. E rivoltandosi contro la padrona le aveva urlato che lei, lei sola, aveva potuto fare la spia. Chi altri, se non lei, poteva conoscere il segreto dello scrigno, e il nascondiglio dei gioielli? Certo lei, vecchia e finita e non amata da nessuno, per gelosia di Rosaria aveva voluto privarla del suo solo amore. A lei, certo, non piaceva Francesco che non fruttava sufficienti guadagni alla sua sudicia avidità di mezzana; perciò aveva voluto toglierlo di mezzo, rivelandogli quanto aveva saputo in confidenza. A queste accuse, la padrona aveva risposto giurando di non aver mai fatto parola ad alcuno dei segreti, ai quali era obbligata soprattutto dalla cortesia d'Edoardo; e, aveva soggiunto, se non fosse stato per lui, si sarebbe pentita adesso della propria discrezione vedendo la gratitudine che ne riceveva in cambio. Difesasi cosí dalle accuse, agli insulti di Rosaria aveva risposto con altrettali insulti; e ne era nato un fiero litigio, chiuso dalla padrona di casa con l'ordine a Rosaria di lasciare la sua camera quel medesimo giorno. Lei stessa, piena di rabbia, aveva aperto i cassetti e gettatane fuori la biancheria della ragazza, invitandola a fare senza indugio i suoi bagagli. In quel punto, una vicina l'aveva chiamata ed ella s'era allontanata, lasciando Rosaria sola nella camera, e nello stato in cui l'aveva trovata Edoardo.

Come Rosaria terminava questo suo convulso racconto, la padrona di casa (che forse origliava dietro l'uscio chiuso), domandò: – È permesso? – e senza aspettare la risposta s'introdusse umilmente nella camera. In tono appassionato e sottomesso, rivolgendosi al giovane, dichiarò che non poteva ritardare un minuto di piú a discolparsi delle accuse crudeli gettatele da Rosaria; e aggiunse che non avrebbe potuto dormire la notte se il signorino Edoardo fosse stato soltanto sfiorato dal sospetto che la fiducia da lui concessale era stata tradita. Tutto ciò ch'ella sapeva intorno alla signorina sua pigionante e al signorino Edoardo, secondo gli ordini di lui, giacerebbe in eterno seppellito nel fondo della sua coscienza come in un sepolcro. Una persona, come lei, di coscienza e di cuore, capiva che la signorina Rosaria, nel momento che l'aveva incolpata, certo parlava senza pensare quel che si dicesse, tanto il dispiacere e l'ira l'offuscavano. Lei stessa, del resto, non s'era lasciata travolgere dall'ira fino a chiedere alla Signorina di lasciare la camera? Ma certamente la Signorina aveva capito che quell'ordine di sgombero non era dato sul serio, era soltanto una frase, uno sfogo della rabbia. Non aveva, lei, dimostrato in tutti i modi d'amare Rosaria come una figlia? Non aveva fornito la sua camera delle piú comode finiture e dei piú signorili ornamenti che possedesse in casa? E il suo stesso intervento di quel giorno sul pianerottolo non era stato a fin di bene, per evitare alla signorina Rosaria una pena e una vergogna inutili? Qui la padrona di casa, che aveva parlato con la massima eloquenza, accompagnandosi con gesti ed espressioni del viso non meno vivaci delle parole, incominciò a lagrimare; e non potendo trattenere la propria passione un minuto di piú, gettò le braccia al collo di Rosaria. La quale a sua volta scoppiò in dirotto pianto e si strinse alla donna cercando conforto e simpatia. – Su, coraggio, anima mia, – le sussurrava intanto la donna, – come si può piangere quando si è bella e giovane come te, e si ha per amico un giovane cosí bello? Non è mille volte piú bello questo dell'altro? – Ma simili parole non bastavano a consolare Rosaria, la quale, nascosto il capo sulla spalla della padrona, proruppe in lamenti e singhiozzi ancor piú terribili. – Vi prego di ritirarvi, – disse a questo punto Edoardo alla padrona, – prendo atto delle vostre dichiarazioni obbliganti e delle vostre buone intenzioni. Non so chi sia stato a fare la spia; ma ad ogni modo, sappiate che se voi vi lascerete andare a confidenze sulla mia persona e sulle mie visite, ve ne pentirete tutta la vita. Quanto alla disdetta data alla signorina, non occorre che la ritiriate. Era un'ottima idea, la vostra, la signorina lascerà la camera oggi stesso. Buon giorno. – Che dite? – balbettò la padrona, mentre Rosaria, sospeso un singhiozzo, volgeva al giovane il viso tutto deformato dal pianto. – Oh, Dio, mi sono spiegato, – disse Edoardo alla padrona, – vi prego d'uscire adesso. – Ebbene, se va a star meglio di qui... – borbottò la padrona, e si ritirò richiudendo l'uscio della camera.

Edoardo rimase in silenzio, guardando a terra. Titubante, mentre già una vanitosa speranza consolava un poco il suo dolore, la fanciulla domandò: – Perché... le hai detto... che lascio la camera? – Perché! – rispose Edoardo alzando una spalla; e fissando Rosaria dichiarò con fermezza: – Perché non è mio, quel monocolo. – Non è tuo! – ripeté Rosaria, – come?... – Non è mio, non son io che l'ho lasciato qui. – Non sei tu! – ripeté Rosaria allibita, – ma allora... di chi può essere? – Oh, angelo mio, – disse Edoardo, – è proprio ciò che vorrei domandarti, se la cosa m'interessasse appena un poco. Il fatto è che quel monocolo non è mio, non è di Francesco, e dunque è d'un altro uomo. E quel monocolo, appunto, è stato trovato nel tuo letto. – Che vuoi dire? – chiese Rosaria. – Voglio dire che voi siete una sgualdrina senza fede, – rispose Edoardo, – e come a tale, io vi tolgo la mia protezione. Ora, non credo che la padrona di casa proverà lo stesso entusiasmo a lasciarvi la camera quando saprà ch'io v'ho tolto la mia protezione. Per questo, onestamente l'ho avvertita a non ritirare troppo presto la sua disdetta –. Rosaria taceva, incapace di emettere una sillaba, giacché l'indignazione e lo stupore la soffocavano. – D'altra parte, – proseguí Edoardo, – ho le mie ragioni per desiderare anch'io che tu lasci questa camera e che anzi, oggi stesso, ti allontani da questa città. La tua presenza, i tuoi capricci, potrebbero compromettere me e i miei amici. Non si sa mai che cosa può venirti in mente. Non temere, del resto, ch'io ti mandi via senza una consolazione. Proprio adesso, ho ritirato per mia madre una somma dalla banca, e mia madre mi permette generosamente di disporre delle nostre rendite. Questa somma è tua: unita coi gioielli che t'ho regalato, forma un capitale piú che sufficiente ad aprire altrove la tua piccola bottega... – Cosí dicendo, Edoardo trasse di sotto la giacca un pacchetto di banconote, e lo depose sul cassettone. Ma Rosaria, tanto era fuor di sé, non si commosse alla vista di quei biglietti che alcuni mesi prima le sarebbero parsi una fortuna straordinaria: – Io sono una sgualdrina senza fede! – gridò con veemenza, dominando con la volontà il proprio respiro affannoso, – ah, lo sono! Ma tu, che cosa sei, tu, se non un traditore e un bugiardo? Hai tradito il tuo amico, venendo a fare all'amore qui da me; e adesso, sai bene di mentire affermando che il monocolo non t'appartiene. Perché non confessi invece che vai cercando delle scuse per abbandonarmi? Forse, tu l'hai messo apposta nel mio letto, quel monocolo del diavolo, l'hai messo lí stanotte, mentre falsamente mi baciavi, sí, l'hai portato e lasciato là sulla

302

coperta, mezzo in vista e mezzo nascosto, allo scopo d'avere oggi un pretesto a liberarti di me. Ma io l'avevo capito da tempo che ti saresti presto saziato. Credi forse che m'importi qualcosa di te? No, grazie a Dio, non t'ho mai amato. Se Francesco potesse levarmi il cuore dal petto, saprebbe che, anche se lo tradivo, nel mio cuore c'era sempre lui. Ma tu, dopo avermi spinto a tradire quello che amo come un fratello, come un arcangelo, come mio padre e mia madre!, quello a cui dovresti baciare i piedi, perché io e tu, davanti a lui, siamo due vermi! dopo tutto questo, adesso m'insulti e ti prendi gioco di me! Ah, Francesco, Francesco mio! fratello mio! salvatore mio! perché non mi perdoni? perché non torni da me? – e Rosaria, vinta, ruppe di nuovo in singhiozzi.

– Lagrime di coccodrillo! – osservò Edoardo, con una smorfia sdegnosa, – faresti meglio a risparmiartele, ormai, tanto a che ti vale? Ah, le lagrime delle fanciulle oneste sono qualche volta assai graziose, e commoventi a vedersi. Ma le lagrime di voi donnacce! Poco fa, mentre piangevi insieme a quell'altra, alla *Signora*, ambedue rosse, affannate, eravate uno spettacolo cosí fastidioso e cosí comico, che non sapevo se ridere, o se mettermi a lagrimare anch'io! Guardati nello specchio, e vedrai come sei brutta quando piangi.

– Ah, sí, sono brutta! – gridò Rosaria, con fare pugnace e rabbioso, – e se io non partissi? se io dicessi a Francesco che sei stato tu, a tentarmi, che sei tu, il traditore?

– Provati a farlo, – rispose Edoardo, – non occorre che io ti ripeta per la millesima volta quali sarebbero le conseguenze.

– Tu t'approfitti di me, – gridò Rosaria, con la schiuma sulle labbra, – t'approfitti di me perché sono una povera ragazza, senza protezione e senz'aiuto, e tu, coi tuoi signori, puoi farmi paura! Ma io non ho paura di te, guarda! – e con ira violenta, Rosaria colpí Edoardo su una guancia.

Allo schiaffo, Edoardo si fece cosí pallido, che Rosaria, dopo un attimo, già s'era pentita del proprio gesto impulsivo, e ne aveva lo spavento in cuore. Pieno d'odio e di sbalordimento, il giovane le fissò in volto gli occhi ingranditi: – Che hai fatto! – esclamò. – Inginòcchiati, – soggiunse, – inginòcchiati come in chiesa –. Ella ubbidí senza indugio, vinta dal timore. – E chiedimi scusa, – egli proseguí, appoggiandosi al cassettone, quasi sopraffatto dai propri pensieri vendicativi. – Oh, Dio che sarà di me! – ella disse forte; e aggiunse: – Scusami, non sapevo quel che facessi. – Adesso fa' il tuo bagaglio, e vattene, – egli le ordinò, come parlando a una serva, – la mia carrozza t'accompagnerà alla stazione –. Rosaria pensò che non avrebbe piú rivisto Francesco, e ripeté: – Oh, Dio, oh, Dio.

Ma egli non le permise neppure d'attardarsi qualche ora, il tempo di salutare le amiche; e ripetendole sgualdrina, sporchissima e maleducata sgualdrina; minacciandola, se avesse indugiato, di denunciarla alla polizia, per farla rimandare ai parenti, o rinchiudere con le prostitute sue pari; le ribadí l'ordine di preparare il bagaglio, e di lasciare la città prima di notte. Rosaria si accinse dunque a raccogliere i propri straccetti sparsi, e con acerbi singhiozzi li stipò alla meglio nel sacco medesimo col quale era venuta in città dalla sua montagna: poiché non possedeva una valigia. Questi affrettati preparativi, ella li compié sotto gli sguardi corrucciosi e senza pietà del suo genio oltraggiato; infine, i gioielli e i denari donatile da lui stesso, se li rinchiuse in seno. Egli le domandò allora se fosse pronta; ed ella, che gemeva e s'asciugava gli occhi sotto il pomposo cappellone, non gli rispose nulla. – Ricordati, – le disse Edoardo, sul punto d'aprire l'uscio, – ricordati che hai giurato di non fare il mio nome. Ciò ch'io posso augurarti, è di non sentire mai piú parlare di me –. Rosaria gli si volse di scatto; e in una risata tumultuosa, piena di pianto e di rancore, gli gridò: – Ah, non temere, non lo farò, il tuo nome! Tu non pensi che a te stesso! Ti odio, e non t'ho mai amato, slavato, malaticcio biondino, gallinella, delicato come una femmina! Non lo vedi come sei ridotto, hai la morte sulla faccia! – Nel dir ciò, Rosaria s'avvide che sul volto di lui lo sguardo vittorioso si offuscava, lasciando il posto, allorché ella ebbe pronunciato l'ultima frase, a un sorriso inerme e interrogativo, che pareva chiederle il senso di quelle parole. Ma a lei bastò la certezza d'averlo ferito, e su ciò non v'era dubbio: sebbene fingesse il dispregio, in realtà Edoardo era cosí sconcertato che le sue dita tremavano nel pagare alla padrona il conto di Rosaria. La padrona aveva forse origliato tutto il tempo; infatti, dai suoi saluti fervidi e cerimoniosi, trapelava una beffarda curiosità, vòlta a spiare il contegno della sua pigionante. La quale si ricompose allora, ostentando soddisfazione e dignità. Mentre Edoardo porgeva il denaro alla padrona, questa dolcemente si permise di ricordargli il danno dello scrigno; ed egli, sènza dir parola, subito le porse altro denaro. L'atteggiamento del giovane appariva mutato; da insultante e aggressivo, s'era fatto silenzioso e quasi sottomesso. Ogni tanto, egli sogguardava Rosaria; e, salito insieme a lei sulla carrozza, volse gli occhi a un piccolo specchio appeso nell'interno, intento e dubbioso, interrogando il proprio volto come quello d'una sfinge; ma tosto, temendo di dar gusto alla sua nemica, per darsi un contegno davanti allo specchio si ravviò con le dita i capelli. Per tutto il percorso fino alla stazione i due non si parlarono piú; Edoardo forní a Rosaria un biglietto di prima classe per il treno direttissimo della Capitale, e, poiché la partenza era imminente, la aiutò a salire sul predellino. – Addio, – le disse, – e buona fortuna –. E rimase fermo sotto la tettoia, in attesa che il treno partisse. «Maledetta faccia pallida, spirito dell'inferno», pensò Rosaria. Ella sentiva nuovi singhiozzi bruciarle il petto; ma trovandosi per la prima volta nella sua vita fra i velluti della prima classe, e vedendo entrare dei signori, suoi compagni di viaggio, si atteggiò nella posa d'una vera dama. Assisa in gran fastigio sui merletti, come una avvezza a viaggiare in vagoni di lusso, attese il fischio della partenza. Fu allora che Edoardo si ricordò forse dello schiaffo; e obliando l'ansietà che l'aveva invaso alle tetre parole di lei, volle gustare intero il proprio trionfo. Non sapendo che cosa trovar di meglio per offendere la viaggiatrice, egli batté sul vetro; e con una irritante, gaia risata, le gridò: – Addio, signora! – Ella fece mostra di non aver udito quel saluto beffardo; ma Edoardo le ripeté: – Addio, signora! – cosí che i viaggiatori dello scompartimento volsero sguardi curiosi da Rosaria a lui. Rosaria, però, non batté ciglio. Ella si degnò di gettar fuori un'occhiata distratta solo quando, al muoversi del treno, la ormai remota figurina del suo nemico dileguava fra i lumi rossi della tettoia.

Ma Rosaria non era, per sua natura, disposta a cedere le armi senza combattere: fu cosí che, qualche giorno dopo la scena descritta, ella tornò per poche ore nella città dalla quale Edoardo l'aveva esiliata. Sfidando la vendetta d'Edoardo, coraggiosamente, in incognito, scesa dal treno ella si recò alla casa dove Francesco abitava. Intendeva rivedere l'amante, e parlargli ancora una volta, prima di ripartire per la Capitale. Allo squillo del campanello, venne ad aprire il figlioletto del vetturino, il quale fu preso da timida ammirazione alla vista di quella ricca, profumata signora; e alle domande di lei, rimase muto. Ella avanzò allora nel corridoio, col cuore che le batteva forte; ma sopravvenne in quel punto la moglie del vetturino. Da lei, Rosaria seppe che Francesco era partito alcuni giorni avanti; ma per quanto insistesse, non le riuscí di sapere di piú. La moglie del vetturino, infatti, aveva oltremodo a cuore la reputazione della famiglia: alla prima occhiata, l'aspetto di quella visitatrice in pelliccia la rese diffidente. Giudicando, nella mente timorata, illecita e disonorevole una conversazione con lei, tagliò corto alle sue domande; e dopo aver ripetuto che il signor Francesco era partito, ed avere affermato di non sapere altro, accompagnò quella donna all'uscio.

Passò ancora qualche mese; ed ecco di nuovo la medesima signora, giunta appena dalla Capitale, presentarsi alla casa del vetturino. Ella era, stavolta, in un abito estivo, cosí scollato che quasi le scopriva le mammelle. Provocante, agitando il parasole come una bandiera, chiese di Francesco; ma la padrona la squadrò in gran dispetto, e senza neppure invitarla a entrare, di sulla soglia le annunciò che Francesco non era piú lí, s'era sposato e abitava altrove. – Sposato? Quando? e con chi? – balbettò colei, facendosi tutta rossa. Ma l'altra le disse bruscamente: – Buon giorno, – e quasi le sbatté l'uscio sul viso. La sera stessa, l'avventurosa ragazza lasciò ancora una volta quella città inospitale.

Ed ora salutiamo Rosaria che non rivedremo per lungo tempo. E ritorniamo a Francesco là dove lo lasciammo, al momento che, scoperto il tradimento di Rosaria, egli uscí per sempre dalla cameretta di lei.

Sceso, da quella cameretta, nella strada, Francesco era in balía di passioni cosí diverse e sconnesse che sarebbe stato difficile giudicare qual fosse la piú vera o la piú violenta. Egli era stato tradito da un'amante, nella quale aveva riposto una troppo ingenua fiducia; ma n'era stato tradito, proprio nel tempo stesso che cessava d'amarla. S'è visto come, durante l'ultimo periodo, egli mantenesse la propria relazione con Rosaria, non soltanto per il piacere, che, a dispetto dell'amore declinante, ancora trovava in essa, ma soprattutto per i doveri assunti verso la fanciulla. E adesso, il piacere che tuttavia lo attirava verso Rosaria, insieme all'affetto non del tutto dileguato dal suo cuore, suscitavano in lui dolore e gelosia. La coscienza stessa d'un dovere, che lo aveva già legato alla ragazza, si tramutava adesso in un sentimento d'orgoglio ferito e di derisione: se non fossero state le ironie d'Edoardo, non avrebbe egli infatti, fino a poco tempo prima, creduto nella redenzione di colei che lo ingannava e oltraggiava di nascosto? Da una parte, avrebbe dovuto esser grato alla presente rivelazione, che provocava uno scioglimento già da lui sentito inevitabile; ma dall'altra, il senso dell'onore offeso lo mordeva, sebbene egli sovente si proclamasse libero da pregiudizi. Provava allora l'impulso di risalire da quella infedele, di calpestarla, d'ucciderla; di scoprire l'ignoto rivale, di provocarlo e di dargli o riceverne la morte. Ma tosto rideva di se stesso, dicendosi che la vendetta, per il tradimento d'una donna simile, sarebbe una cosa folle e ridicola. Rosaria infatti era di tutti, nessuna meraviglia che si desse al piú ricco: la colpa era di lui stesso, che le aveva creduto, non di lei, né dell'innominato rivale. Ma allora tutte le speranze un tempo riposte in lei, tutti i progetti d'una vita in comune, onesta e laboriosa? Tutto ciò finiva, ed ecco, Francesco rimpiangeva quella cameretta dove s'era sentito amato, non piú solo, e dove aveva dato e ricevuto tante carezze. D'un tratto, poi, di fra i rimpianti, si faceva strada un sentimento di libertà e di sollievo: e la solitudine non gli pesava piú, giacché adesso egli poteva abbandonarsi alla sua vera passione, a quell'Anna che lo signoreggiava ormai. « Ma Anna potrà amarmi? », si domandava; e si rispondeva, con umiliazione e scherno, che nessuno potrebbe amarlo. Perfino quella bifolca, quella donnaccia di strada, s'era fatta gioco di lui. Come sperare, con quel viso ch'egli aveva, con la propria oscura sorte, e senza null'altro da offrire che delle assurde promesse, come sperare d'essere amato da una principessa, da Anna? *Bifolca, principessa!* ecco delle parole che avrebbero dovuto suonare vuote di senso per lui, s'egli fosse stato fedele ai suoi vantati principî! Ahimè, invece, come uno schiavo dalla mente confusa, Francesco si contraddiceva volentieri, e la piú stolta passione bastava a offuscargli quei principî, che gli parevano altra volta verità raggianti. Era uno, infine, il sentimento, non nuovo del resto, che scacciati gli altri, lo dominava: la sfiducia in se stesso, lo sgomento di vedersi solo in un mondo ostile, dove nessuno accettava l'offerta ch'egli faceva di sé, e dove per lui non c'era che vuoto, abbandono e dispregio. In un sentimento cosiffatto, fin da ragazzo, egli soleva trovare una sorta di riposo: triste riposo in verità, simile a quello d'un accusato, il quale, dopo molti pellegrinaggi dalla sua stanza provvisoria all'ufficio del giudice istruttore, e all'aula dei processi; dopo mesi e anni d'incertezze e di snervanti speranze, viene alfine rinchiuso nella cella dove trascorrerà il resto dei suoi giorni. Immerso in un disperato concetto di sé (che è poi, per i vili, la piú comune e sgraziata maniera d'adularsi), egli, dopo aver molto girovagato per le strade, si fermò nell'angolo d'una piazzetta dove la mattina si teneva il mercato, e che, in quell'ora del giorno, era deserta. Si sedette al sommo d'una breve gradinata, che portava a una via piú bassa; e gli parve di mirare, con occhio crudele, se stesso, mentre, nero, malvestito e selvatico, si riparava dal vento autunnale in quel sudicio angolo della città. E al suo cospetto, il mondo, ch'egli si dipingeva, per l'occasione, in figura lusinghiera e patetica, ma insieme minacciosa, quale potrebbe raffigurarselo una novizia, rinchiusa, suo malgrado, nel chiostro. « Ecco, – egli si diceva, – intorno a me, nel mondo, tutti gli altri s'incontrano, intrecciano amori, complicità e sorti, ma non con me. Nelle case s'accendono i lumi, le famiglie si riuniscono, i fidanzati s'attardano sui portoni, s'accordano gli strumenti nelle sale da ballo. Si chiudono le botteghe della periferia, nelle vetrine del centro brillano le lampade; si fanno i conti della giornata, e tutti si scambiano i loro pensieri e progetti, nel loro linguaggio comune, o si combattono con armi simili. Ma io non sono con loro. E chi è con me, dunque? Non Edoardo, il quale mi concede solo una parziale amicizia, ma mi tiene escluso dalla sua società e dalla sua parentela, come uno di razza inferiore. Non mia madre, povera contadina analfabeta, piú vicina per la sua semplicità agli umili animali che al suo proprio figlio. Rosaria ha tradito, e Nicola Monaco è morto! Cerchiamo altrove: la famiglia presso la quale io alloggio, la famiglia del vetturino, forse che non cambia atteggiamento e discorsi in mia presenza, perché sono studente, e d'una specie diversa dalla sua propria? E coloro che mi accoglierebbero, non li ho forse, io stesso, esclusi dalla mia confidenza perché inetti a soddisfarla, per una ragione o per l'altra? Son solo, questa è la verità, son solo come quando, da ragazzo, mi sperdevo per i campi, a piangere sulla mia disgraziata solitudine ».

Di tal sorta era l'elegia che il nostro eroe cantava a se medesimo in quella rattristante avventura della sua vita e in quella malinconica ora fra la luce e il buio. Ora, anche i meno acuti fra i miei lettori avranno forse inteso che, a ben ricercare il significato di quella elegia, Francesco, in sostanza, con essa invocava una madre. Non v'è nulla di male in ciò: perfino Achille evocò lagrimando sua madre affinché, dalle sue stanze in fondo al mare, salisse a consolarlo in una occasione non troppo diversa da quella che ci interessa. E se Omero non ebbe ritegno a mostrarci Achille in un simile atteggiamento, altrettanta disinvoltura potremo usare noi nei confronti del nostro eroe Francesco De Salvi.

Quest'ultimo, tuttavia, non poteva in nessun modo intendere di rivolgersi alla sua vera madre, Alessandra, la quale, per varî motivi, come già s'è accennato, gli faceva onta. E in luogo di costei, la madre che venne in suo soccorso fu una che spesso, in simili casi, consola i giovani un poco vili e immaturi: voglio dire, l'Immaginazione. La quale assunse, com'è suo costume, le sembianze piú adatte a risollevare Francesco dalle sue tristezze: le sembianze, cioè, di Anna. Non certo della vera Anna, ma di un'Anna assolutamente fantastica, altrettanto limpida e benigna per quanto la vera si mostrava nuvolosa e scostante. E questa inverosimile Anna prese a cantare nell'orecchio di Francesco un inverosimile inno coniugale il quale (nello stile enfatico, s'intende, che piace a Francesco), suonava circa come segue:

308

– O Francesco mio! E di me non ti ricordi? Oppure mi confondi con tutti gli altri? perché? Non capisci che tutto quanto è avvenuto aveva un fine, il nostro incontro? C'è una stagione di fatica e di dubbio, e ce n'è una di riposo e di grazie. Son io, la tua bella stagione. Io sono la tua bellezza, io la tua giustizia, io sono la tua confidenza. Eccomi a te, Francesco mio. Ti amerò, e ti amerò in tal modo che potrò spogliarmi davanti a te senza perdere il mio pudore, poiché sono tua moglie. Tu potrai dirmi ciò che nascondi a tutti gli altri, sarò io il tuo amico. Non sono forse anch'io sola come te, povero De Salvi, e non sono simile a te, sebbene tanto piú bella? Ma tu non devi intimidirti per la mia bellezza, fra due sposi ogni ricchezza è in comune, e se l'uno è bello, l'altro si specchia in lui. Quando due si congiungono fin nell'intimo dei loro segreti, che cosa conta piú il loro aspetto? L'uno per l'altro sono giovani fino alla fine, e il sentimento si confonde con le fattezze. O Francesco mio, perché dubiti? io sono la rivelazione, la confessione e il perdono.

Queste, o simili, furono le fantastiche ragioni che la madre consolatrice portò a Francesco; e cosí il nostro illuso fu d'un tratto sollevato dalla disperazione alla gioia. Allo stesso modo, tutti gli oggetti di un paesaggio, che ci sembravano paurosi nelle tenebre, si scoprono indulgenti e luminosi nel sole levante: la fosca voragine d'acque diventa una limpidissima cascata; la distesa attraversata da fantasmi e da uccelli notturni si svela un immenso prato, sul quale, dagli alberi coperti di gemme, si levano cantando gli annunciatori del mattino; i massi giganteschi riflettono tutti i colori della scala celeste. E chi si credeva perduto, risale verso l'avventurosa speranza.

Ogni motivo di mortificazione, adesso, si trasformava, per Francesco, in una grazia particolare: la solitudine nella quale, per selvaticheria sua propria o per altrui disdegno, era stato isolato fin dall'infanzia, gli pareva il primo segno della sua rara elezione; l'inferiorità fisica e sociale, un pretesto per ispronarlo a piú cari privilegi; l'avventura con Rosaria, un'esperienza che doveva renderlo piú maturo; il tradimento di lei, l'occasione per tornare libero. E la carnale gelosia, che, suo malgrado, lo pungeva al pensiero dell'infedele Rosaria, si convertiva in un fuoco di desiderio per la sua vera fidanzata.

Cosí, da vinto fattosi vittorioso, Francesco s'avviò verso casa che già da un pezzo era calata la sera. A casa, egli trovò un telegramma giunto pochi minuti dopo quell'accusa anonima che lo aveva spinto da Rosaria. In esso, sua madre lo avvertiva che suo padre, Damiano, era gravemente malato, per cui si richiedeva subito la sua presenza al paese.

Di treni accelerati che fermassero a quella piccola stazione non ce n'erano piú fino al mezzogiorno dell'indomani. Intanto, appena letto il telegramma, Francesco si recò a casa Cerentano per avvisare l'amico della propria subitanea partenza; ma Edoardo non c'era. La mattina seguente, di nuovo Francesco tornò a casa Cerentano; ma Edoardo, anche stavolta, era uscito, e soltanto dopo un paio d'ore, allorché risalí nella propria camera a prendere la valigia, Francesco seppe che Edoardo era stato a cercarlo e anzi, conosciuta dai padroni la imminente partenza dell'amico, lo aveva atteso per un bel pezzo. Infine, dovendo recarsi a un appuntamento, se n'era andato, molto addolorato al pensiero di non salutare Francesco prima del viaggio.

E nel frattempo, mentre Edoardo lo cercava, e stava ad attenderlo invano, come aveva trascorso Francesco quelle ore della mattina? Deluso per l'assenza d'Edoardo, egli, nel tornarsene da Palazzo Cerentano, aveva preferito di non rientrare subito a casa, dove la sua minuscola valigia era già pronta e non gli restava piú niente da fare. Presentiva che le parole del telegramma celavano un funebre significato; e sebbene non nutrisse che uno scarso affetto per il vecchio Damiano, tuttavia il pensiero di quel viaggio attraverso le campagne autunnali, fra luttuosi presagi, e di quell'arrivo a un letto di morte, gli stringeva il cuore. Bramava la compagnia di qualcuno che lo salutasse e gli facesse coraggio; ma il suo grazioso amico era assente, e Rosaria, nella cameretta cosí familiare un tempo, gli era vietata ormai. Un'altra visita gli appariva necessaria e meravigliosa, una sorta di talismano per il suo viaggio: come allontanarsi, infatti, dalla città, per un'assenza forse non tanto breve, senz'aver prima salutato Anna? Una sola parola di speranza ch'ella pronunciasse basterebbe a trasfigurare i giorni che lo aspettavano. Ma la esaltata fiducia della sera prima lo aveva abbandonato; e al posto della fantastica Anna consolatrice egli rivedeva adesso l'Anna ambigua e fredda delle ultime visite. Fu dunque dopo lunghe incertezze, e battaglie con la propria viltà, che osò inoltrarsi su per la scala delle Massia. Via via che saliva, il martellare del suo cuore si faceva piú forte, e piú violenta la sua decisione di parlare ad Anna. Come ad un ragazzino spaurito, egli doveva assicurare a se medesimo una lusinga di felicità seppure lontana, prima di partire: altrimenti, gli pareva insopportabile quel viaggio, sotto il segno della solitudine. Gli pareva che il treno in cui salirebbe fra poco dovesse condurlo a una sorta di notte polare, una zona di ghiacci e di tenebre dov'era tracciato il confine della sua giovane vita e dove ogni coraggio lo abbandonerebbe.

Fu con questa decisione disperata ch'egli suonò all'uscio di Anna. Un indugio, ed ecco il noto battere dei tacchi di legno sull'impiantito: Anna era sola in casa, e doveva essersi da poco levata dal letto, a giudicare dai colori ancora notturni sul suo volto. Gli parve che, dall'ultima volta, si fosse ancor piú consumata; e nei suoi occhi cerchiati, gli parve di scorgere vestigia di pianto. Ella lo guardò con un certo stupore, rivedendolo dopo alquanti giorni, e ad un'ora insolita; ed egli le disse in fretta d'esser venuto a salutarla, poiché partiva. A tali parole, la vide sbiancarsi in volto, ma non poté divinare il suo pensiero che era: forse Edoardo parte, e tu con lui?

Quel subitaneo pallore lo turbò come una confessione incantevole; e subito egli soggiunse che sperava di tornare presto. Aveva ricevuto per telegramma, spiegò, la notizia che suo padre era malato; e doveva recarsi ad assisterlo. Vide allora Anna rianimarsi, e, neppure stavolta, non indovinò la vera causa di un tal cambiamento. Con urbanità, Anna gli fece le proprie condoglianze, e gli augurî per una pronta guarigione del padre. Poi rimasero silenziosi, non sapendo che cos'altro aggiungere. D'un tratto, il sangue salí violentemente alle guance di Francesco, gettandovi un rossore scuro; ed egli balbettò: – Non sono venuto a trovarvi nei giorni scorsi, ma pure avrete capito che io... avrete capito chi cantava la sera sotto le vostre finestre –. Anna levò audacemente il capo, e rispose coprendosi a sua volta di rossore: – Sí, me ne parlò mio cugino.

– Edoardo m'accompagnò le prime due volte, – disse Francesco rapidamente, – ma poi, venni io solo. A nessuno lo dissi –. A queste parole, i tratti di Anna si indurirono, e nei suoi sguardi passarono in un lampo umiliazione e rancore. Ripensando alle notti scorse, quando, malgrado tutto, ella seguitava a vagheggiare un Edoardo pellegrino sotto le sue finestre, Anna disse a se stessa: « Ah, sciocca che ero! » e sentí che non riuscirebbe, adesso, a vincere l'onda di pianto e di furia che la investiva. – Lasciatemi sola, vi prego, – mormorò, e le tremò il mento. Vedendola cambiar di colore, mentre già il petto le si sollevava in un rauco singhiozzo, Francesco non indugiò a cercare i motivi di quella strana ambascia. Ma, dimenticato ogni ritegno, esclamò: – Anna! Perché piangi? – La passione lo liberò d'un tratto d'ogni timore, sebbene, stavolta, egli non avesse bevuto vino, avanti di salire quassú (come spesso faceva per darsi coraggio). Una tenerezza mista di venerazione gli fece, tuttavia, tremare le mani, allorché aggiunse: – Oh, se qualcosa ti rattrista... fammi la carità, il tuo dolore gettalo su di me, e il mio onore sarà di portare ogni tuo peso e di poterti consolare. Questo son venuto a dirti: che ti amo, e sono tuo. Dimmi se mi vuoi, se c'è una speranza, e su questa terra non dovrai piú fare un passo che ti costi fatica. Ti porterò io come una piuma, e se anche dovessimo passare il fuoco, tu non sarai toccata, figlia mia!

All'udire un discorso cosiffatto, Anna dilatò su Francesco le pupille asciutte e senza compassione. Nel groviglio delle sue speranze cadute, un'antipatia crudele e il desiderio della vendetta levarono il capo contro quell'intruso e le morsero la lingua impedita dai singhiozzi. Ella rimase per un poco muta, ad arrovellarsi per essere, in quel momento, lei stessa confusa e umiliata, sí da non potere umiliare abbastanza colui. Tal silenzio, però, non poteva incoraggiare il giovane, che lesse in quelle pupille il piú freddo rifiuto. Una funesta malinconia lo invase, e s'interruppe, con un sorriso penoso e servile; ma al pensiero del prossimo viaggio, e del tetro gelo che gli era promesso all'arrivo, d'un tratto, in modo del tutto inatteso, lo accese un orgoglio eroico e quasi provocante: – Questo è il mio sentimento, – esclamò, – e io dovevo dirtelo, prima di partire. Adesso me ne vado e non ti chiedo nulla, nemmeno una speranza. Voglio solo farti sapere che se nel futuro, in qualsiasi occasione, tu avrai bisogno d'una difesa, d'un aiuto, c'è uno che non ti chiederebbe niente in risposta, nemmeno un grazie, e sarebbe contento di poterti offrire il suo sacrificio. Quel ch'io possiedo è tuo, e l'offerta della mia vita è poco per dirti il mio sentimento.

A parole cosí ardimentose, la volontà d'umiliare quell'indiscreto assalí Anna con tal forza che quasi la inebriò. Ella ebbe un sorriso rabbioso e scomposto, che détte ai suoi tratti una insolita volgarità, e da quasi bambina la fece sembrare una donna adulta: – Come osate, – esclamò con voce sfrenata e febbrile, – di darmi del tu... di parlarmi come a una vostra... a una vostra... Che m'importa di voi! Che m'importa delle vostre canzoni! La vostra vita... Io la mia vita voglio votarla al demonio piuttosto che a voi! Che cosa venite a far qui? Questa è la mia casa... la mia maledetta casa! Uscite! Uscite, vi dico! Andate via! – Cosí dicendo, battagliera ella squassava la testa, con la schiuma dell'ira sulle pallide, rigonfie labbra. Francesco le ubbidí senza aggiungere altre parole; e si ritrovò nelle strade, con l'impressione di chi ha bevuto un veleno, o un sonnifero troppo forte, onde sente di perdersi, e gli pare che dattorno i muri gli rovinino addosso, ma con una morbidezza assurda e con un suono quasi carezzevole. Quella spettinata, sguaiata, irriconoscibile Anna era un pensiero nuovo, pieno di dolce amore; né egli poteva, pur se ogni speranza era finita, liberarsi dalla scontrosa padronanza di lei, dalla propria femminea pietà. Come a un portento, ormai fatto impossibile, egli pensava alle sue nozze con Anna; a lei, che, sua, diventava una donna adulta, e invecchiava, amara, delusa. Ed ecco, oh, capricciosi prodigi!, piú, assai di piú della fanciulla, egli amava questa disfatta rosa autunnale. « Anna, Anna, Anna », ripeteva fra sé, come se tutta la terra gli fosse una paurosa Babele, e quel bel nome fosse l'unico suono da lui posseduto per comunicare con essa. Anna! Col medesimo accento altri chiamerà Irene, o Paola, o Ester, o Alceste, o altri innumerevoli nomi di ragazze o di donne. E certo questa è una consolazione impetrata dalla Vergine Maria per i poveri figli di madre perduti fra l'astruso popolo terrestre.

Quando Francesco arrivò a casa, il mezzogiorno era già trascorso; ma egli, sebbene non potesse piú sperare di prendere il treno, si recò alla stazione tuttavia. Posata in terra la valigia, attese seduto su una panchina l'ora del prossimo treno, che partiva alle tre dopo mezzogiorno, ma, essendo un diretto, non fermava al suo paese, bensí ad un altro centro piú importante, parecchi chilometri piú a sud. Poiché non v'era altro mezzo, ed egli era deciso a partire in ogni modo nella giornata, risolse di scendere a quel centro, e di là, tornando indietro, raggiungere il proprio paese, magari a piedi. Infatti, sebbene la partenza lo spaventasse, ancor piú lo impauriva il pensiero di rimanere ancora nella città, divenutagli d'un tratto ostile e straniera. Perfino dall'incontrarsi con Edoardo rifuggiva la sua mente; giacché la loro amicizia s'era nutrita piuttosto di prestigio e di leggende che di confidenza. E come avrebbe potuto Francesco a cui non erano toccate, in quei giorni, che delle sconfitte, incontrarsi a fronte aperta con quel vittorioso? Come fingere, con lui, la fiducia e la forza? O peggio, come confessargli il proprio dolore, a rischio di provocare in lui piuttosto disprezzo e tedio che pietà? Poiché Edoardo, non v'era dubbio, non amava i deboli e i mortificati, se non per tiranneggiarli; ma la vera pietà lo stancava, come un sentimento faticoso e triste.

Il treno delle tre sostava qui nella città solo per pochi minuti; e Francesco, salito in un vagone di terza classe, si accingeva a prender posto sul suo sedile, allorché dal basso una voce concitata lo chiamò: – Francesco! Francesco! – Il giovane riconobbe la voce d'Edoardo, e avrebbe voluto nascondersi, vergognoso di viaggiare in terza. Ma Edoardo l'aveva visto salire da lontano, e, correndo lungo il vagone, volgeva in alto gli occhi a cercare l'amico. Francesco s'affacciò in fretta, mentre già gli sportelli sbattevano per la partenza imminente. – T'ho trovato alla fine, – esclamò Edoardo, levando il viso acceso, – è questo il quarto treno in cui ti cerco, sono stato qui a mezzogiorno, e poi piú tardi, e poi di nuovo a cercarti a casa tua... Ma tu dov'eri? Oh, Dio, – proseguí con la voce ansimante per la corsa e per la recente lunga trepidazione, – come mi dispiaceva che tu potessi esser partito senza salutarmi! Quando tornerai? – Molto presto, io spero, prestissimo, – rispose Francesco. – Ah, quanto mi piacerebbe di venire con te! – disse Edoardo, cercando di riprender fiato con un profondo respiro, – ma proprio in questi giorni c'è una cosa... – Egli rise e gli splendettero gli occhi: – Pure, – riprese con una sorta d'orgasmo, all'udire il fischio della partenza, – pure avrei molta voglia di venire con te... Ma forse ti sarei di peso? – domandò titubante, volgendo all'amico uno sguardo d'incertezza e di confusa preghiera.

– È meglio... è meglio che parta io solo... non importa...., – balbettò in fretta Francesco, – io tornerò prestissimo, e ti scriverò subito. – Mi scriverai subito! – ripeté Edoardo, con un'aria delusa, un poco scettica, – davvero mi scriverai subito? Non te ne dimenticherai? Bene, allora addio! la macchina già soffia, buon viaggio! – Nel dire *addio, buon viaggio*, egli aveva un volto mortificato e amaro, quasi che l'amico lo lasciasse per un capriccio, o per un viaggio di piacere, e dovesse rimaner assente degli anni. Ma come il treno si moveva, afferrò la mano di Francesco fuor dal finestrino, e scuotendola forte aggiunse: – Bada, scrivimi davvero, non tradirmi. Io ti voglio bene piú che a tutti gli altri miei amici... Piú che a mia madre!... Piú che a mia sorella!... Piú che alla mia ragazza! – Cosí dicendo, egli corse per un tratto a fianco del treno; infine, quasi irato per non poter piú arrestare la fuga del convoglio, afferrò ancora per un istante la mano dell'amico, e gli gridò, con un sorriso di dolce confidenza nel viso anelante:

– Addio, *faccia bella*!

« Faccia bella, sí, faccia butterata! » avrebbe voluto replicare Francesco; ma in quel medesimo punto egli s'avvide, con turbamento, che gli occhi d'Edoardo s'erano empiti di lagrime.

Or come un pugnello di brillanti (tanto ben celati da potere, di certo, sfuggire a controllori e a doganieri), consola l'espatrio dell'avventuriero fuggiasco, allo stesso modo quelle lagrime, intraviste nei begli occhi screziati d'Edoardo, consolarono il viaggio del nostro eroe. Né il presente, né il prossimo domani, con la loro tetra tirannide, non occupavano piú i suoi pensieri. Impetuoso, il suo sentimento balzava piú in là, verso un futuro pieno di lusinghe e di speranze: nel quale egli si vedeva vittorioso, disinvolto, e gran feudatario come il suo leggiadro amico. Allora Anna Massia non avrebbe piú motivo di sdegnare Francesco De Salvi; e inchinando un poco la sua fiera testolina gli direbbe: «Sí, ti voglio». E forse una mattina Edoardo Cerentano di Paruta, cavalcando al suo fianco attraverso un suo sterminato feudo, gli direbbe: «Ti ricordi, cugino mio, di quell'autunno che ci conoscemmo, quando tu facevi all'amore con una sgualdrinaccia, con una rossa, una villana... Che cosa ci trovavi, io mi domando, in una donna simile?» E Francesco risponderebbe con una risata sprezzante: «Colei? Già... chi l'ha piú vista? Non ti raccontai mai, dunque, come andò? Andò che la piantai, senza molti riguardi... lei s'era illusa, poverina. Ma d'altra parte, le donne dovrebbero saperlo: non c'è da credere a promesse di studente. Mah, sarà morta, forse, in qualche ospedale...» E con ciò, chiuso l'argomento, il cinico e ricco Francesco avrebbe dato di sprone al suo cavallo.

Fra simili straordinarie visioni, pareva al nostro viaggiatore che il treno, invece di allontanarlo da Anna, quasi marciando nel tempo, lo conducesse verso di lei. Gli avvenne, cosí, d'assopirsi; quando si svegliò il crepuscolo invernale scendeva sulle campagne; e la misera malinconia s'era di nuovo insinuata nei suoi pensieri.

Giunse a destinazione che era già notte; era troppo tardi, ormai, per avviarsi alla sua nativa montagna, e Francesco si fermò in una locanda, non lontano dalla stazione dov'era sceso. Avrebbe potuto, la mattina dopo, aspettare il treno che veniva dalla direzione opposta, e si fermava alla stazione del suo paese, da lui lasciata indietro; ma decise di levarsi all'alba, e di percorrere a piedi la strada. Ciò gli avrebbe dato alcune ore di vantaggio sul treno, e inoltre egli pensava a quel cammino solitario come ad una riposante fuga.

PARTE QUARTA
Il butterato

Capitolo primo

Si ritorna ai bei tempi di Nicola Monaco.

Il paese nativo di Francesco sorgeva su un'altura, a circa quattro ore di cammino dal luogo dov'egli aveva trascorso la notte. La strada saliva, in declivio quasi impercettibile, fra distese di campi senza confine visibile di acque né di montagne; solo verso oriente, una striscia di color sanguigno, segnale dell'alba, interrompeva quel pallido, immenso cerchio. Non aranceti, né palme, né pinete o rocce marine, nessuna di tali glorie del Mezzogiorno dava pregio a quei campi. Monotoni e disadorni, essi alternavano i bruni maggesi ai prati, magri per la scarsità d'acqua. Di rado, un orto o un vigneto spoglio interrompeva la pigra landa: nel mezzo della quale si levava ogni tanto, a guardia del seminato, uno spauracchio immobile per l'assenza del vento; o un crocifisso di legno, alto quanto un uomo, di fattura rozza quasi barbarica. Altrove, si scorgeva un pozzo di pietra per abbeverarvi le bestie, essendo le fonti esigue e rare; o qualche albero solitario, da cui le foglie, sebbene si fosse d'inverno, ancora non eran tutte cadute. I colori accesi delle superstiti, e quel fuoco mattutino sul ciglio dell'orizzonte, erano i soli splendori del paesaggio, nella presente stagione.

Dopo aver camminato per piú di tre ore fra questi campi disabitati, s'incominciava a scorgere l'altura in cui sorgeva il paese di Francesco. Era questo un gruppo di case basse, digradanti, dai muri color terra; di lontano, esse sembravano tutte intatte, ma in realtà alcune di esse, di quelle esterne che davano sui campi, non erano che delle rovine. Esse erano state scoperchiate o abbattute circa trent'anni avanti dal terremoto nel quale era perita, fra le altre, la prima famiglia di Damiano. Superstiziosi terrori, congiunti alla povertà e all'incuria degli abitanti, eran causa dell'abbandono perpetuo di quei ruderi, fatti dimora adesso di uccelli notturni, di gatti selvatici e di serpi. Zingari talvolta, o vagabondi noncuranti dei fantasmi, trovavan riposo fra

319

quelle mura scalcinate e corrose; là crescevano arbusti, erbacce e spini, e l'acqua piovana stagnante vi faceva dei pantani abitati dai ranocchi e dagli insetti delle paludi. Le sanguinose immagini non ancora fuggite da quelle mura ne tenevano lontana la gente; né mancava chi diceva di avere udito, passando di là, richiami prolungati, e di avere scorto in quei dintorni, sul far della notte, delle fiammelle, come lingue vacillanti, che emettevano sottili querele. Là dentro, s'aggiravano talvolta i cani, per curiosità o speranza di preda; i volatili da cortile vi si spingevano anch'essi, a frugare e starnazzare fra i sassi. E certe volte, dei fanciulli, vinto ogni timore col loro cuore fervido e ardito, si facevan sultani di quelle case di nessuno, in giochi avventurosi e in romanzesche finzioni.

Oltrepassate le vecchie rovine, l'interno del paese, anzi villaggio, si componeva di alcune casupole di pietre, e di stradicciole pavimentate con selci com'è uso nei luoghi di montagna. Nei punti piú ripidi, erano stati scavati rustici gradini. Non era quella, però, una montagna, ma una collina di mediocre altezza, e l'aria vi era pesante quasi come nel piano.

Fra quelle rozze e scoscese straducole non s'apriva neppure una piazza, che suol essere il comune salotto dei poveri borghi e dei villaggi, dove la gente tratta gli affari o si riunisce alla festa. Unico luogo di riunione era la chiesa, oltre all'osteria, la quale, però, non aveva pretese né insegne d'osteria, consistendo nella stanza sottoterra d'un tale, possessore di vigne, che v'aveva messo due o tre tavoli e vi smerciava il proprio vino agli scarsissimi frequentatori, quasi sempre gli stessi, che vi si ritrovavano quasi unicamente le sere del sabato. Questa sorta di cantina, dove si poteva pure acquistare qualche poco di tabacco o di sale di contrabbando, era l'unica bottega del villaggio. Per trovare una vera bottega, o uno spaccio qualsiasi, come pure una farmacia, o un medico, o una scuola, bisognava percorrere molti chilometri, fino al piú vicino paesotto di pianura.

Circa ventidue anni prima dell'epoca a cui siamo giunti con la nostra storia, Nicola Monaco, amministratore dei Cerentano, era capitato in quei luoghi. A quel tempo, era ancor vivo Ruggero Cerentano, il « Normanno »; ma, pigro e fantastico, di salute malferma, egli non si curava di visitare le proprie campagne, preferendo rimanersene nella sua casa di città. Nicola Monaco percorreva dunque i feudi dei Cerentano, riscuoteva i cànoni, trattava gli acquisti e le vendite, coi modi d'un padrone. E poiché il legittimo padrone non si faceva quasi mai vedere, ed anche nelle sue fugaci apparizioni si limitava a rapide visite distratte, approvava ogni decisione di Nicola, e ad ogni discorso d'affari, ad ogni incontro coi sottoposti, si comportava alla guisa d'un celeste fantasma cui si sottopongano questioni terrestri; per tutti questi motivi i contadini e i coloni trattavano Nicola come il vero signore delle terre. L'aspetto di lui, del resto, si accordava con la figura d'un padrone, quale essi se la disegnavano nella mente, meglio che non la pallida, svagata e timida apparenza di Ruggero. La sua persona grande, esuberante, allora nel fiore della virilità, la sua bella voce da cantante che egli non disdegnava di sfoggiare nei cerchi dei poveri contadini; la sua naturale gaiezza lo facevano ammirare da tutti. Egli soleva alternare una maniera forte, anzi addirittura brutale e spietata (non di rado colpiva col frustino i sottoposti o li trattava come schiavi), a una cordialità di buontempone e magari ad atteggiamenti amichevoli, sentimentali e fraterni. Un tal contegno era il piú acconcio ad attirargli prestigio da quella folla di bestie da soma, avvezze da secoli alla soggezione e alla servitú. Davanti a quei semplici, egli poteva spiegare tutta la sua magniloquenza, sicuro d'essere ammirato o perfino venerato, se non sempre capito. Ed è strano come riuscisse ad esporre e proclamare i piú opposti princípi con la medesima sicurezza persuasiva, con pari violenza di linguaggio. Malgrado la secolare astuzia (nata da necessità di difesa e conservazione), di quei poveri villani, egli riusciva, grazie ai suoi doni verbali, a raggirarli quando voleva e a frodarli magari di quel poco cui essi avevano diritto. Se alcuno di loro, convinto di soffrire un'ingiustizia, minacciava rivendicazioni o intentava liti, egli tuonava sulla proprietà sacra, sul potere d'origine divina dei padroni; e prospettava a colui tali rovine, esilii ed onte, gli disegnava con immagini tanto lugubri la sua prossima sorte di ribelle inevitabilmente sconfitto; che il paria, alla fine, smarriva ogni coraggio, e magari s'inginocchiava, piangeva e chiedeva pietà. E gli altri suoi simili, che assistevano alla scena, scuotevano il capo con occhiate spente e sottomesse, oppure beffarde e trionfanti; in atto sempre di solidarietà con Nicola, e di disapprovazione per quel pazzo che pretendeva opporsi ai potenti, a chi sapeva incenerirlo. Se poi qualche testardo insisteva a difendere la propria causa, Nicola non esitava a ricorrere a falsi testimoni, da lui pagati e reclutati fra i suoi fidi; finché una simile lotta ad armi disuguali terminava con la sua vittoria. E il vinto avversario doveva alla fine implorare mercè da lui, se non voleva essere scacciato dalla terra e dalla casa, e scontare la propria audacia con la mendicità per sé e per la famiglia. Malgrado ciò, noi sappiamo bene che Nicola non era un incorruttibile difensore della proprietà da lui stesso amministrata; al contrario, era piuttosto venale. E se ciò conveniva ai suoi propri intrighi finanziari o galanti, se aveva bisogno di complici, si prestava senza troppi scrupoli (né qui si limitavano le sue colpe), a coprire furti e scorrettezze, e ad allearsi con fattori e coloni disonesti a danno dei comuni padroni. D'altra parte, lo stesso Nicola Monaco che abbiamo descritto or ora declamante con voce profetica l'onnipotenza e la ragione dei forti, e il torto dei deboli; lo stesso Nicola, talvolta, invitato a simposio da qualche famiglia contadina, e commosso dal bere, usciva in invettive di tutt'altro genere. Si avventava, cioè, contro i privilegi dei signori, chiamava i suoi commensali amico e fratello, alludeva ad una propria complicità sentimentale con loro, i paria. E battendo una mano sulla spalla del suo vicino, pizzicando la guancia della bella sposa, palleggiando l'infante oggi battezzato, appariva quasi un redentore, un difensore degli umili, e talvolta una lagrima gli brillava nell'occhio. Eccolo dunque tener circolo, e predicare a lungo, dimostrando con linguaggio da filosofo, arduo per le menti di quei poveretti, l'uguaglianza di tutti, i diritti dell'uomo, l'indegnità dei signori. E gli ascoltatori scuotevano la testa, con sorrisetti melliflui, non diversamente da come avevan fatto in altre, opposte circostanze: come chi ascolta utopie di signori, assurde favole sorte dai vapori del vino. Belle a udirsi soltanto per la sapienza e la ricchezza del predicatore, ma inaccessibili agli umili.

Se altro vino veniva offerto, la compiacenza conviviale di Nicola andava ancora piú in là. Egli intratteneva gli ospiti raccontando (senza far nomi per discrezione, egli diceva), le piú scandalose e ridicole storielle sui signori che pretendeva di conoscere come la propria mano. Risate fragorose accoglievano le piú spiritose storielle e le indiscrezioni piccanti sulle signore di città, paragonate alle contadine con lusinghiero vantaggio di queste ultime. Ma nascevano, tali risate, soprattutto da una semplice festosità di commensali, e da un gusto innato del comico e degli argomenti proibiti. Ad un certo piacere vendicativo e feroce, si accompagnava, in tale divertimento, la prudenza, il rispetto, e una sorta di timor sacro, quale si troverebbe in una compagnia di devoti, tratti, loro malgrado, ad applaudire un bestemmiatore.

Non mancavano, nelle vicende campestri di Nicola, incidenti e pericoli. Non sempre il suo prestigio e il timore ch'egli incuteva bastavano a tenerlo immune dall'odio. Soprattutto le sue conquiste galanti provocavano negli uomini di laggiú, se la gelosia vinceva la sommissione, rabbia e brama di vendetta. Non si osava affrontarlo apertamente, malgrado qualche proposito disperato; ma si agiva contro di lui con ricatti, minacce indirette, e lettere anonime. Di tali lettere, ne arrivò qualcuna fino a Ruggero. Il quale gettava uno sguardo, come su messaggi dell'altro mondo, su quei poveri fogli rigati, coperti da una scrittura incomprensibile e barbara. Seppur le accuse erano chiare, Ruggero dava ad esse lo stesso valore che si darebbe al giudizio d'un bambino o d'un mentecatto: per lui, quella gente del sottosuolo non poteva che sbagliare. Egli mostrava tali lettere a Nicola, e non era, per costui, difficile còmpito cancellare ogni sospetto dalla mente di lui, svogliata e arrendevole. Non di rado, Nicola volgeva simili episodi al comico, e Ruggero, ridendo, stracciava il foglio sotto i suoi occhi.

Si spiegò altrove come Nicola, sano e solerte, apparisse a Ruggero una specie di nume provvidenziale, che gli risparmiava i fastidiosi incontri con l'azione. La quale era uno spettro per il biondo padre d'Edoardo, per il « Normanno » malaticcio, amico dei sogni.

Il villaggio in cui, piú tardi, doveva nascere Francesco, e le terre circostanti, non facevano parte dei feudi Cerentano, né avevano rapporto con essi; appartenevano a numerosi piccoli proprietari, quasi tutti contadini che le lavoravano con le proprie braccia, e, pur vivendo poveramente (erano, quelle terre, faticose e aride), non dipendevano da alcun signore. Non saprei dire quale motivo o caso conducesse Nicola, per la prima volta, in quei luoghi. Forse, egli visitava la regione perché incaricato dai Cerentano di qualche nuovo acquisto; e difatti, all'arrivo, si rivolse subito a Damiano De Salvi, uno degli agricoltori piú agiati del povero sito. Quivi, tuttavia, Nicola non concluse alcun negozio; sia che trovasse quei proprietari restii, o sia che la loro terra gli sembrasse troppo magra e infeconda per valere la spesa. Ma nella casa di Damiano, secondo il costume di quella gente poco avvezza a ricever visite, e soprattutto di signori, fu accolto con gran segni di onore e di riverenza. Gli fu offerto il vino tenuto in serbo per le feste, e, poiché egli si compiacque di trattenersi nella cucina dei De Salvi (la cucina, in quelle rozze case, fa tutt'uno con la sala di ricevimento), fu circondato da numerosi vicini che lo guardavano e lo ascoltavano come un angelo; e il piú ricco di quegli amici, che possedeva, un po' fuori del paese, una casa abbastanza ampia, lo invitò a passar la notte da lui, poiché il tramonto s'avvicinava e la stazione distava dal paese parecchi chilometri. Nicola accettò; non gli dispiaceva l'indugio di qualche ora nell'oscuro villaggio, a motivo di Alessandra, la giovane moglie di Damiano, la cui bellezza lo aveva attirato fin dal primo momento.

Damiano aveva, a quel tempo, piú di sessant'anni; e già da qualche anno aveva sposato in seconde nozze la giovanissima Alessandra, la quale, nelle sue membra magre, non sciupate da alcuna maternità (il tardo matrimonio di Damiano era stato sterile), aveva tuttora l'aspetto fresco e acerbo d'una fanciulla. Si è già accennato altrove ai motivi d'un tal matrimonio fra il vedovo Damiano e la giovinetta. Al tempo che questa si recava a lavorare a giornata nella terra di lui, Damiano viveva solo nella casa da poco acquistata al centro del paese (l'altra sua casa, piú prossima ai campi, era crollata nel terremoto seppellendo la sua prima famiglia). Erano cinque anni ch'egli viveva solo, fedele al ricordo di sua moglie e delle figlie morte; ma gli era amaro finire la sua vita in quella solitudine, senza una donna che gli custodisse la casa, né un figlio che godesse di quei pochi beni accumulati con la fatica e la parsimonia. Alessandra non possedeva nulla; ma, in compenso, era robusta, avvezza al piú duro lavoro ed economa. E d'altra parte, una ragazza agiata non avrebbe accettato per marito un vecchio. La giovane Alessandra, inoltre, aveva un'indole seria e fiera, e si rivelava capace di difendere in ogni occasione gli interessi del marito, oltre che di faticare nei campi come un uomo. Di umore tranquillo, non capriccioso, era sollecita col vecchio padrone, a cui rassettava la casa e preparava il cibo prima di recarsi da lui nella campagna. Nessuno poteva accusarla di tresca o di intesa con qualche giovane là intorno: le sue maniere erano caste, e piuttosto fredde, dure talvolta. Sorrideva a Damiano il pensiero di accogliere in casa sua quella gioventú, moglie e insieme figlia, poiché egli, pur nella sua rozzezza, era stato per le figlie perdute un padre amoroso. Egli sperava inoltre che Alessandra gli desse un erede, e una tale speranza, dopo cinque anni oscuri e sterili, gli illuminava la mente. Alessandra, dal canto suo, considerava queste nozze un dono della sorte: ella non sapeva d'esser bella, poiché tale non era stimata dai compaesani, per esser magra e pallida, né riceveva omaggi dai giovani di laggiú. D'altra parte, anche una bellezza, sprovvista di dote, era poco apprezzata da quei campagnoli avidi. Il cuore di lei non aveva mai conosciuto e neppur presentito l'amore: la sua vita semplice, simile a quella d'un animale o d'una pianta, si volgeva uguale nel giro delle stagioni, dei giorni, e delle innocenti notti senza sogni. Lavorare non le pesava, essendo per lei quasi un istinto delle membra, una legge della sua natura. Senza rendersene conto, ella godeva perennemente, mentre faticava nei campi, di respirare quell'aria selvatica, di assorbire gli aromi terrestri, e di sentirsi circondata dalla luce, dai colori e dal vento. Fino il fango ella amava, se le piogge eran propizie ai raccolti; ma odiava gli uccelli che fanno strage del grano; e il gelo la angustiava, perché nuoce alla terra.

Lavorando, non di rado cantava, con una voce un po' agra, quasi ancora bambina, e con certi accenti malinconici che non venivano, però, da un'intima sua tristezza, bensí dall'antico stile canoro tramandatosi nelle campagne. Il canto dava piú agio, col suo ritmo, ai moti delle sue membra nella sempre uguale fatica. Cosí, nell'atto di levare il capo su dalla terra, teneva alta una nota e la smorzava dolcemente; oppure accompagnava il battere del falcetto con un simile bàttito cadenzato del motivo. Ma anche se non cantava, ella aveva in ogni movimento misura e grazia, quasi che ancora ubbidisse a dei motivi intimi e inavvertiti. Sia che camminasse, o cucisse, o governasse le bestie, c'era in lei la nobiltà spontanea degli animali, dei bambini, o dei primi abitanti del paradiso.

Ella non ignorava che, dopo le sue nozze col padrone, la sua vita non sarebbe molto cambiata; ma lavorare una terra *sua*, contare denari *suoi*, sentirsi, da serva che era stata, signora, ciò la estasiava. Ella idoleggiava il denaro come simbolo arcano di potere e di dignità, non a motivo di ciò che si può acquistare con esso. Di piú, Damiano era buono, e mite. Non l'aveva mai maltrattata, né umiliata in alcun modo. Era vecchio, è vero, e non era mai stato bello: di persona piccola, incurvita, e fattasi nodosa come legno, aveva un volto rugoso, occhi celesti velati, la barba malfatta che cresceva in disordine, e una bocca larga, sdentata, dal sorriso raro. Era trascurato negli abiti e non si cambiava neppur la domenica, tanto che l'ultimo dei suoi lavoranti era meglio vestito di lui. Portava sempre sulla testa un suo cappellaccio, che non si toglieva nemmeno in casa: e, già taciturno per sua natura, lo era diventato ancor di piú dopo la sua disgrazia, tanto da far dire, di lui, che ricordava in tutto soltanto quattro parole di quelle insegnateli dalla madre. Pure, sapeva leggere e scrivere, e, dal poco che aveva, s'era fatto proprietario di alcune vigne, oliveti, e d'un campo di grano, ciò che, al suo paese, voleva dire l'agiatezza. Anche la casa che abitava nel paese gli apparteneva, e si diceva che avesse molto denaro da parte, poiché non s'era concesso mai piaceri né distrazioni e, al pari di lui, le sue tre donne morte eran conosciute per la loro parsimonia. Le due figlie eran rimaste zitelle per voto di religione: avrebbero voluto farsi suore, ma non avendo fratelli maschi, avevan rinunciato al loro sogno per aiutare il padre nei campi, e avevan vissuto come *monache di casa*, senza mai spender nulla per sé. I vestiti, se li tessevano loro stesse col lino raccolto

325

nella piantagione, e portavano ai piedi calzari di pelli seccate al sole, da loro medesime tagliaté e cucite.

La madre di Damiano era ancor viva al tempo delle seconde nozze del figlio, e abitava in un paese poco distante; ella fu contenta della sposa, e, poiché questa non possedeva neppure una camicia, volle provvederla lei stessa d'un po' di corredo, e le regalò inoltre le scarpe della festa, e gli ori nuziali. Una cosa addolorava la vecchia, e cioè che suo figlio Damiano non volesse sposarsi in chiesa. Infatti, cosí mite e silenzioso in apparenza, dopo la distruzione della sua famiglia Damiano era diventato ribelle al cielo. Nella sua mente egli ragionò cosí: se il terremoto era un castigo, perché era toccato a lui, che non aveva mai fatto male ad alcuno, e neppure bestemmiato, e, ciò che possedeva, l'aveva guadagnato onestamente? Perché le sue figlie, che portavano giorno e notte le beate immagini sul petto, e s'alzavano di notte per andare alla Messa, avevan fatto quella morte orrenda? E sua moglie, che aveva sempre compiuto il proprio dovere, senza mai dare neppure una cattiva risposta, perché era finita cosí? Ciò significava che i decreti del cielo erano ingiusti, ed egli, come il cittadino d'un regno in cui non s'eserciti la giustizia, di propria volontà s'era esiliato. Inutilmente il prete era stato a visitarlo, e gli aveva spiegato che sua moglie e le sue figlie, essendo sante, eran desiderate in cielo, per venirvi assunte come spose. A questi discorsi, egli non aveva risposto nulla, essendo incapace d'esprimere il proprio pensiero, e timido davanti al prete. Ma, testardo, con gli occhi velati e un sorriso della sua larga bocca, aveva scosso la testa, fermo nella propria determinazione. Alle ragioni del prete, egli obiettava in cuor suo: « Tu dici che le mie figlie erano sante. Ma, se Dio le voleva in cielo, perché non le aveva tenute presso di sé prima che nascessero, o magari riprese quand'erano piccoline, ed io giovane? Perché me le ha date, per riprendermele quand'io le avevo cresciute e fatte donne, e non avevo altro compagno per la mia vecchiaia? almeno una poteva lasciarmela, o almeno avermi concesso qualche altro figlio, che restasse a consolarmi. O, infine, prendersi anche me. Invece, questa è la verità, di me, Damiano, del mio lavoro, dei miei disegni, non è stato tenuto nessun conto. Tu m'hai raccontato l'esempio di Giobbe; ma Giobbe, tu l'hai detto, era un gran signore, e, per molto che gli fu tolto, molto gli era stato donato. Invece io, quel poco che ho, me lo sono sudato, centesimo per centesimo. Nessuno m'ha dato niente. Il tuo Dio, questa è la verità, non s'è occupato di sapere come io sarei rimasto, dopo quella strage che m'è toccata, quasi ch'io fossi un cane per lui. Lui s'è preso le mie donne per la sua gloria, senza ricordarsi dell'abbandono in cui restava un povero vecchio. E dei miei sudori, e della mia famiglia rinchiusa in un sepolcro, che gliene importò? No, il tuo Dio m'ha rifiutato, e non m'avrà piú. Del resto, lui s'è dimenticato di me, e non credo che si curi d'avermi. Con tanti uomini che ci sono, come vuoi che s'occupi di me? »

Di tali suoi pensieri, Damiano non diceva nulla. Egli non entrò piú in una chiesa, non partecipò a processioni né a sante cerimonie, e fece sapere al parroco che non desiderava in casa sua la benedizione pasquale. Purtuttavia, non pronunciò mai bestemmie, né mancò di rispetto ai preti con atto o parola. Non si macchiò di azioni disoneste, e seguitò a tenere il suo precedente costume di riservatezza e di parsimonia, senza mai trascurare il lavoro accanito e il guadagno perché ormai, sulla terra, non gli restava che il suo lavoro e la sua proprietà.

Fu allora che decise pure di provvedere lui stesso, da vivo, alla propria futura morte, vale a dire al trasporto funebre e alla bara. Poiché, essendo sparita la sua famiglia, chi, lui defunto, avrebbe provveduto a queste cose? E come non doveva nulla a nessuno da vivo, cosí gli piaceva, da morto, non dover nulla a nessuno. Stese quindi il suo contratto con l'impresa funebre, come già in altro luogo s'è detto.

E divenne ancor piú di prima trasandato, sudicio e stracciato: come se un uomo, che Dio non s'era curato di consultare prima di togliergli le cose piú' amate; un ripudiato, che davanti a Dio contava meno d'un cane, non dovesse troppe attenzioni alla propria apparenza.

Allorché si decise a un secondo matrimonio, egli dichiarò ad Alessandra che voleva sposarsi soltanto al municipio. Le prime nozze, infatti, celebrate in chiesa, eran finite nella rovina; per cui non voleva che Iddio partecipasse in alcun modo alle sue nuove nozze, ma piuttosto che le ignorasse, lui che la prima volta, dopo avergli benedetta la sposa, se l'era ripresa per sé.

Come si vede, pur non mostrando al di fuori alcun segno di rivolta, Damiano era cocciuto. Ma sua madre, una contadina decrepita, chiamò in segreto Alessandra, e, pavida, dolente, le fece promettere almeno, se nasceva un bambino, di battezzarlo di nascosto dal padre, per non fare d'un infante senza colpa un figlio del demonio. Altre vicine, presenti al colloquio, si fecero complici di Alessandra e della vecchia in questa congiura. Alessandra non era, per sua natura, molto pia: ella accettava i riti e i simboli di fede ai quali era avvezza fin dall'infanzia allo stesso modo che accettava le costumanze del suo paese, e cioè senza chiedersi, di tali riti, le origini o il significato. La

sua mente, semplice, non fantasiosa, rifuggiva pure dalle superstizioni in cui le donne sue pari fidavano ciecamente. Ma il nome di
Dio la induceva nella stessa venerazione e timor sacro che doveva
destar negli antichi la religione del sole. Come il sole, il suo Dio
presiedeva alle stagioni, alle piogge, alle messi; e alle sorti degli
uomini, per lei congiunte perennemente a quelle della terra frutti-
fera. L'idea della colpa non aveva radici in lei: come in uno schietto
fanciullo, la sua purezza era il privilegio d'un cuore libero da turbamenti, ignaro e noncurante delle cose proibite. Il mistero del battesimo le appariva quale una candida, solenne festa che celebrava l'ingresso dell'infante nel regno umano della luce; non dissimile dalla
festa che accompagna la mietitura, o la vendemmia. Le dispiaceva
che il suo sposo Damiano negasse un tale tripudio al loro figlio futuro;
ma che per questo motivo un piccolo innocente appartenesse al demonio, le pareva cosa strana, a cui non si deve prestar fede. Ella
aveva il sentimento di potere, sotto le proprie ali materne, riparare
suo figlio dai maligni spiriti. I quali non l'avevano mai visitata, né
ella sapeva altrimenti figurarseli, se non in aspetto di tenebre o bufera. Ma se gli spiriti maligni risparmiano i capretti e gli agnelli, che
nascono belli e liberi, e presto, come la loro semplice famiglia, saltano nei campi e brucano l'erba; perché dunque tali spiriti avrebbero
dovuto infierire contro un bambino? Eran queste, seppure vaghe e
inespresse dalla mente, le ragioni che la rassicuravano riguardo alla
sorte d'un suo nascituro. Tuttavia s'indusse, per ubbidienza, alle
promesse che la suocera richiedeva da lei; la rafforzava nel proposito
il timore, alimentato dalle vicine, che senza quel sacramento il bambino potesse crescere malaticcio, o deforme. Ma cosí segreto, e spoglio
di feste e di tripudi, il battesimo perdeva ai suoi occhi quasi ogni
incanto.

Pochi giorni dopo questo colloquio con la suocera, le nozze furono
celebrate al municipio, secondo la volontà di Damiano. In quella
stessa mattina, Alessandra, raggiante sulla soglia della sua nuova casa,
nell'abito nuovo, adorna dei ricchi ori, accoglieva i complimenti delle
amiche. Ella aveva ai piedi scarpette col tacco, acquistate alla bottega del prossimo paese. Damiano, contento, infagottato nel vestito
della festa, che non indossava da molti anni, s'era quel giorno rasato
e lavato. Egli condusse in città la sposina, per un giorno, affinché
ella si divagasse. Ma Alessandra aveva fretta di incominciare la sua
vita laboriosa di padrona, nella casa e nel campo, e di fare il com-
puto delle provviste. Quanto al denaro, esso era privilegio e segreto
di Damiano, a cui sua moglie non aveva diritto di accedere. Ma ella

tuttavia, con la vendita delle uova e con altri minori proventi, andava raccogliendo per proprio conto un piccolo capitale.

Dopo quel breve intervallo d'un giorno, Damiano era diventato nuovamente il vecchio negletto e sudicio che tutti conoscevano. Ma Alessandra lo rispettava perché economo, buon lavoratore e amministratore del suo piccolo regno, e padrone non soggetto a nessuno. Ella gli era grata per il contegno benevolo, pacifico e mite ch'egli usava verso di lei, e questi sentimenti le bastavano per vivere insieme a lui senza rimpianto alcuno né ripugnanza, sottomessa ai doveri d'una docile sposa. Le loro speranze d'avere un figlio, tuttavia, furono deluse: la suocera morí senza aver visto nascere quel nipote, la cui salvazione le stava tanto a cuore. Passarono in tal modo alcuni anni tranquilli di lavoro e d'economia, fino alla visita di Nicola Monaco.

Questi si trattenne circa un'ora nella cucina di Damiano, e vi s'indugiò anche dopo il crepuscolo, mentre gli altri vicini si ritiravano via via per le loro faccende. Bevendo il vino che i padroni di casa gli mescevano, e che egli lodava a gran voce, Nicola declamava, secondo il suo solito, in una specie di monologo, poiché gli altri intervenivano nella conversazione soltanto con risate o commenti ammirativi. Sebbene ostentasse di trattare coloro da amici, pure egli sedeva fra quei bifolchi come un sovrano o un profeta, mostrando in ogni attitudine il concetto che aveva di se stesso. Assiso al posto d'onore, nei suoi pantaloni da campagna chiusi al polpaccio sotto gli alti stivali di cuoio, nella giubba d'un tessuto serico, pesante, una pistola alla cintola (giacché il viaggiare per quelle campagne non era sempre sicuro), moveva nel parlare la sua bella mano, adorna d'anelli vistosi, e si volgeva ora a questo ora a quello degli ascoltatori, ma soprattutto a Damiano. Il quale, sporgendo innanzi la testa e curvandosi verso di lui dalla sua panca, lo ascoltava in aria di ammirata venerazione e di sommissione intera, salvo però a resistergli se per caso colui gli avesse proposto un qualche affare non conveniente. Ma Nicola, dimenticati gli affari, pareva ormai soltanto inteso a divertire e sbalordire l'uditorio: ad Alessandra, non rivolgeva mai la parola, né faceva mostra d'osservarla. Ella invece, seduta fuori dal cerchio, o diritta in piedi presso il muro, non cessava di fissarlo con occhi attoniti, senza vergogna né turbamento. Era la prima volta che Alessandra accostava un personaggio di tal fatta: e lo contemplava attenta, curiosa, ma fredda, come l'immagine dipinta d'un arcangelo, oggetto di riverenza e di meraviglia, ma raramente d'amore. Ogni volta che il bicchiere di Nicola era vuoto, Alessandra s'affrettava a riempirglielo, col gesto pronto e sottomesso d'una donna avvezza per molti anni alla servitú; ma tuttavia, faceva il conto, fra sé, del vino consumato in quell'occasione. Colui non si curava di ringraziarla, accettando la cortesia come un omaggio dovutogli, e non tenendo in alcun conto la presenza di lei, secondo il costume tenuto verso le donne in certe campagne. Egli sentiva forse che, per riuscire con lei nel proprio intento, doveva rimanere agli occhi di lei straniero e inaccessibile, in una luce di fiera padronanza. Per questo la trattava come una domestica; senza dirle *signora* o *bella sposa*, come avrebbe fatto se l'avesse creduto piú opportuno ai propri fini.

In realtà, i suoi brillanti discorsi eran tutti in onore di Alessandra. Animato, rallegrato dal vino, egli si sentiva sempre piú acceso da quegli occhi ingenui che lo fissavano; e sempre piú sicuro di sé. Pur fingendo d'ignorare la giovane, la sogguardava ogni momento.

Alessandra era di statura piuttosto piccola, ma la faceva apparire piú grande che non fosse in realtà il portamento della testa, e la proporzione delle membra: aveva il collo sottile, lungo ed eretto, le gambe alte, dal passo risoluto e armonioso. Le spalle, robuste in confronto alla magrezza della persona, e la gonna dall'alta cintura, dalle molte pieghe, aggiungevano un che di maestoso alla sua figura e alle sue movenze. Sui capelli, portava un breve fazzoletto triangolare, legato dietro sotto la crocchia; cosí da scoprire la nuca bruna e liscia nell'ombra della crocchia intrecciata. Questa, rilasciata un poco per via del suo peso, era lucente e compatta come fosse di marmo nero. E il volto era pallido, di forma emaciata e sottile; ma le labbra di un rosso intenso, scuro, e il vivo delle pupille lo coloravano di freschezza e di salute. Esso appariva, in ogni suo tratto, d'un ardito e delicato disegno: e il profilo, nella curva iridata dell'occhio sotto il sopracciglio alquanto folto, nel mento proteso faceva pensare ad un rapace.

Sulla gonna bruna, Alessandra portava, secondo il costume di laggiú, rimasto uguale attraverso i secoli, un bustino di cotone damascato; dal quale sporgeva leggermente, nella camicetta di un color violaceo, il petto, rimasto quasi acerbo.

Tutti i vicini erano partiti: anche quello che aveva offerto ospitalità a Nicola in casa sua lo aveva preceduto, per fargli preparare la cena e il letto. Alessandra col marito e il forestiero rimasero soli nella cucina; dove Nicola si trattenne a conversare con Damiano fino a buio. Poiché, da accenni di Damiano e dei vicini, aveva scoperto l'avversione del vecchio per la Chiesa, egli, che condivideva tale avversione, aveva iniziato un vivace discorso sull'argomento. Damiano non pronunciava alcun giudizio che suonasse violento o ingiurioso contro il suo nemico Iddio; ma con cenni del capo e un insolito brillare degli occhi celesti approvava i ragionamenti di Nicola, pur non riuscendo a seguirli. Nicola infatti, secondo il suo costume, faceva sfoggio di scienze e filosofia, citando, a difesa degli atei come loro, questo o quel gran saggio dell'antichità o dei tempi moderni, e non risparmiando i motti latini. Un simile linguaggio, appunto perché oscuro ed arduo, era tanto piú apprezzato dai semplici interlocutori: i quali, confusi nella loro ignoranza, s'inchinavano dinanzi a quell'autorità misteriosa come davanti ad un ambiguo, solenne oracolo. Damiano si sentiva lusingato sapendo le proprie opinioni approvate da tali maestri e udendo un signore parlare a lui, Damiano, in uno stile cosí alto. Per cui, sulle sue labbra avvizzite c'era un vago sorriso di compiacimento: mentre Alessandra, che ascoltava l'ospite ad occhi spalancati, pur non comprendendo una sola parola dei suoi discorsi, intendeva tuttavia ch'essi ribadivano le idee spesso dimostratele in confidenza da suo marito. L'autorità e sapienza del forestiero vestivano tal prova d'indiscutibile prestigio; e ciò dava una nuova scossa alla scarsa devozione di lei, già contrastata, e a mala pena tollerata, per indulgenza, da suo marito Damiano.

Lasciato l'argomento della religione, Nicola accennò alle terre che amministrava, vantandone la vastità col dichiarare che su di esse, come sui reami del gran Carlo di Spagna, «non tramontava mai il sole». A tale discorso, Damiano annuiva col capo, quasi sbalordito dal rispetto; per lui, e ancor meno per Alessandra, una ricchezza cosí leggendaria non poteva esser piú motivo d'invidia, ma vestiva il suo possessore d'una qualità venerabile, spirituale, come la santità. – Eppure, – soggiunse a tal punto Nicola, – in tutti i *nostri* feudi non ho assaggiato mai un vino come questo –. A tale lode, Alessandra ebbe una spontanea risata d'incredulità e di compiacimento. E Nicola, vuotato d'un colpo l'ultimo bicchiere, promise una seconda visita per acquistare di quel vino; indi levàtosi in piedi, si volse ad Alessandra, per la prima volta durante la sua visita, e le ordinò di accompagnarlo alla casa dov'era atteso, poiché nel buio, da solo, non avrebbe saputo ritrovar la via.

Nessuno discusse un tale ordine; mentre Nicola fervidamente stringeva la mano al vecchio, che per modestia si sottraeva ripetendo: – Che fate, eccellenza! Che fate, vossignoria! – la donna, silenziosa, s'avviava alla soglia. Nicola la raggiunse e la seguiva, mentr'ella, precedendolo di un passo, lo guidava fra le casupole. Era una sera umida del solstizio d'estate: basse nuvole in preda al vento di scirocco passavano dinanzi alla luna. La quale, nella prima sua fase, declinava al tramonto e appariva a tratti da uno squarcio, sottile e rossastra, in un cerchio di vapori. Come si giunse al margine del paese, presso le case distrutte (si è detto che la casa dell'ospite era fuori, nella campagna), Nicola domandò come mai non si provvedesse a riedificare sulle rovine. E Alessandra rispose che, a quanto si diceva, ciò era vietato dagli spiriti di coloro che avevano abitato già quelle case, ed eran periti nel terremoto. A tali parole il forestiero rise forte, e le domandò se anche lei credesse agli spiriti. La donna disse che lei, veramente, non ne aveva mai veduti, ma se tutti ne parlavano, certo essi dovevano esistere; d'altro canto, persone di sua conoscenza affermavano d'avere incontrato figure di morti proprio intorno a quelle mura. Di nuovo, Nicola rise, e dichiarò di conoscere un sortilegio che fugava qualsiasi apparizione; ma, soggiunse, tali apparizioni esistevano solo nella fantasia degli ignoranti, giacché gli spiriti dei morti erano sotterrati con essi, e da tempo ridotti in polvere. E le loro figure si conservavano soltanto nella memoria superstiziosa dei vivi; quindi, sfidò la donna a mostrar coraggio entrando con lui fra quelle mura dirupate. A una tal proposta, Alessandra si segnò d'istinto, e s'arrestò, recalcitrante, ridendo un poco; ma vergognosa della propria viltà, e resa fiduciosa dalla sicurezza del compagno, si lasciò trarre da lui che l'aiutava a scavalcare un mucchio di terra, e la spingeva fra le rovine: – Avanti, signore anime, fateci gli onori, veniteci incontro! – esclamò Nicola, con accento gioviale. Sola risposta a questo invito, fu un fruscío dei cespugli mossi dallo scirocco, e una remota, leggera eco di tuono annunciatrice della pioggia. – Lo vedi? – esclamò Nicola; e la donna rise, non senza batticuore, e quasi incantata da un'ansia di prodigi che le irrigidiva le membra. Si fermarono presso un arboscello giovane, i cui rami sottili, neri nel buio, si piegavano al vento; toltosi il cappello, e la cintura con la pistola, il forestiero li sospese a quell'albero agitato; poi strinse a sé la giovane, e scostandole il fazzoletto dalla fronte, prese a carezzarla sulle tempie, quasi persuadendola al sonno. Alessandra, le pupille dilatate, fredda e docile si piegò ad ogni volontà di colui, come s'egli non fosse un uomo, bensí un'apparizione di quei recinti proibiti. Non eran trascorsi molti minuti da che si era allontanata da casa allorquando ella vi rientrò; la luna, non tramontata ancora, era adesso invisibile sotto le nubi, e la donna prese a correre per evitare la pioggia.

Nei mesi che seguirono, l'amante di Alessandra venne ancora due volte, con la scusa del vino o di altri acquisti. Le sue visite furono cosí brevi, e i convegni d'amore fra le abbandonate rovine o in altro luogo solitario furono cosí fuggevoli e segreti, che nessuno in paese sospettò di nulla. Allorché la donna rimase incinta, Nicola cessò le sue visite; ma Alessandra non lo aspettava, né soffriva di non vederlo. Egli le ispirava non già amore, ma soltanto fierezza e sottomissione insieme congiunte. I suoi sensi, come quelli di una vergine, rimanevano sigillati, inaccessibili al piacere o al desiderio; e tali rimasero in cospetto d'ogni uomo, per tutta la sua vita.

Già in seguito al suo matrimonio (che per non essere stato consacrato dalla Chiesa era argomento al parroco di gravi esortazioni, rimproveri e minacce), Alessandra aveva preso a trascurare alquanto le proprie devozioni; ora, dopo la sera dell'avventura, ella le cessò del tutto, e non la si vide piú né a confessione né a Messa. Sapeva infatti d'essere in peccato di fronte alla Chiesa. Anche il suo matrimonio non cristiano era, a detta del prete, un peccato di fronte alla Chiesa; ma esso apparteneva piuttosto a Damiano che a lei, giacché era stato voluto da Damiano, e una donna è sottomessa allo sposo. Questo nuovo peccato, invece, apparteneva a lei sola, ed era un suo segreto. Le ripugnava svelarlo al prete: e non voleva pentirsene, non voleva rinnegarlo, né promettere di non piú ricadervi. Esso non le ispirava rimorso alcuno, ma una specie di chiusa, raggiante allegrezza.

Alcuni anni prima, una donna del villaggio aveva abbandonato il marito e i figlioli per fuggirsene con un pastore, nativo di una regione piú a sud, il quale viveva spostandosi con le sue pecore da una pianura all'altra. La colpa della donna era stata riprovata da tutto il paese, e perfino il parroco aveva gridato contro di lei durante la predica; ma un tale ricordo non turbò per nulla il misterioso tripudio di Alessandra, né, in cuor suo, ella si accomunava nel disonore all'adultera fuggiasca. Quasi che l'aver tradito di nascosto, e non al cospetto altrui, la facesse immune dall'infamia; e quasi ancora che il peccare con un signore forestiero fosse altra cosa dal peccare con un sudicio pastore nomade.

La gravidanza esaltò ancora in lei questa presunzione strana. La gioia con cui Damiano accolse la notizia non provocò nella moglie pentimento alcuno, o vergogna dell'inganno. Anzi, nella sua folle compiacenza, la donna vedeva, nel vecchio marito, quasi un debitore: parendole, nel pensiero, di concedergli una grazia e un privilegio, a dividere con lui quel figlio, che apparteneva a lei sola.

La consapevolezza del suo stato le portò un sentimento di arcano riposo e di trionfo, quasi che la sorte di generare non fosse toccata a nessun'altra donna prima che a lei. Ella aveva sempre vissuto in tale accordo con gli eventi e le stagioni della terra da godere adesso di questa legge naturale che si compieva in lei, come una pianta che germina e fruttifica alla sua stagione. Né la mordeva il pensiero che tale legge naturale non fosse, nel suo caso, in pace con le leggi degli uomini e di Dio. Anzi, la coscienza d'aver concepito il proprio frutto nel delitto accendeva d'orgoglio la sua mente lusingata e rapita. La disubbidienza, il mistero della sua maternità ingrandivano il senso di prodigio e di potere che l'accompagnava adesso ogni giorno; ed ella si compiaceva infantilmente che una tal complicità la legasse fin d'ora al nascituro.

Alla nascita del bambino, ella seguí le esortazioni delle amiche, e, secondo la promessa fatta alla suocera, lo fece battezzare all'insaputa di Damiano. Come temendo, per il figlio, quell'empietà e ribellione che rendeva lei cosí superba. In quell'occasione, il parroco le rimproverò, non per la prima volta, l'assenza dalla Messa e dal confessionale; ed ella stette a sentire questi rimproveri senza rispondere nulla, con un sorriso impassibile di misterioso compiacimento.

Adesso che il figlio era nato, Alessandra provò per la prima volta, nel suo cuore rimasto virgineo, il fuoco e l'allegrezza d'una passione. In presenza d'altri, pure apparendo raggiante col suo bel bambino in braccio, rimaneva chiusa nel suo materno pudore, mostrandosi riservata e tranquilla com'essi la conoscevano. Ma trovandosi sola col bambino in camera o nei campi, a lui, prova, origine e testimone della propria gloria, Alessandra apriva le ricche sorgenti d'amore che aveva in sé, e che nessuno oltre a lui, minuscolo e ignaro, avrebbe mai piú esplorato. Lei, che non aveva mai dato baci d'amore, copriva di baci folli e innocenti quelle piccole membra; e, da taciturna fattasi eloquente come un usignolo, cercava in tutte le infanzie a lei familiari e inconsciamente dilette, fra gli animali terrestri e celesti, fra le piante, fra le luci, dei paragoni nuovi per dar nuovi nomi al suo bambino. E chiamandolo capretto, filo d'erba, ulivina, sole nascente, scopriva, col gaudio che dà a ciascuno l'intuire da sé, per la prima volta, una verità antica e immutabile, scopriva come davvero egli partecipasse di tutte le immagini da lei stessa evocate, e di tutte le infanzie, ma tutte le vincesse nel suo trionfante giudizio materno. E con una sorpresa da bambina, s'inorgogliva osservando come l'infante che lei stessa aveva fatto e nutrito, fosse perfetto e intero nella sua minuzia, e che nulla era stato in lui trascurato e dimenticato, dalle piccole unghie fino ai cigli spuntati appena, dai capelli ancora molli come piume ai vivaci piedini. In quei tratti ella ritrovava pure, non già con vergogna ma con un piacere arcano, segni e somiglianze che le te-

334

stimoniavano il suo segreto. Tal segreto, non l'avrebbe mai confidato ad alcuno; ma lo svelava, impetuosamente, al bambino che non poteva intendere le sue parole. Gli diceva, per esempio: – Figlio di principe! – Figlio di duca! – Principino mio! – Sei bello, bello come tuo padre! – oppure, con audacia, in luogo di chiamarlo col suo nome: – Francesco, – lo chiamava: – Nicola! – E sentendosi, davanti al prestigio d'una tal nascita, non piú complice e signora del figlio, ma quasi una sua serva, gli prometteva fantastici doni e privilegi, palazzi di marmo, letti di piume, eserciti da guidare, città d'impero. – Soldatino mio! – gli diceva, – mio bel capitano, il mio maestrino! – vedendolo, di volta in volta, nella veste che le pareva la piú degna della sua nascita e della sua sicura virtú.

Alessandra, questa mia nonna ch'io non ho mai veduto, che spesso ho trascurato e dimenticato, è la sola ancor oggi vivente di tutta la mia famiglia. Ma, benché viva, ella si fa oggi sottile e onnipotente come un'ombra, valica, pari ad un'ombra, la distanza dal suo villaggio nativo fino alla mia camera, e siede accanto a me, nel discorde concerto dei morti. Lei sola, di tutti noi, conobbe il sapore della gioia senza mescolanza d'amaro; e il suo doppio, quest'ombra loquace, non si stanca di celebrare la sua gioia. Si ferma su episodi senza importanza, tali che ogni madre li sperimentò, da che mondo è mondo; ma, dalla regione solitaria della nostra comune origine, ella insiste cosí ch'io devo porgere orecchio al suo ciarlare. Si sforza, per esempio, nel suo rustico linguaggio, di esprimermi quanto avvenne in lei quel giorno che, vellicando per gioco il bambino (il quale da poco aveva compiuto il primo mese), lo vide a un tratto, per la prima volta, ridere. A sua volta, ella rise tumultuosamente. Ma fu come se l'ala tremante di quella risata, o dei loro confusi respiri, li levasse, madre e bambino, in alto; e parve alla madre di ridere anch'essa per la prima volta, con lui.

Ogni giorno la gioia di Alessandra si faceva piú piena; giacché, via via che imparava a ridere, a riconoscere, il bambino le dimostrava in ogni atto di ricambiare la sua passione. La domenica, Alessandra lo vestiva col bel corredo fatto venire dalla città; e, tenendolo in collo, se ne stava sulla soglia di casa, come nel giorno delle sue nozze, a ricevere lodi e complimenti. Nella cucina, intanto, donde per l'uscio aperto poteva anch'egli godere di quel passaggio e di quelle lodi, Damiano, incapace di stare in ozio, attendeva ai suoi lavori domenicali, quali fabbricare canestri, aggiustare con fili di ferro il vasellame rotto, rappezzare calzari. Non c'era donna o fanciulla che non si soffermasse ad ammirare il bambino, e le sue belle vesti; le ragazzette chiedevano come una grazia di sorreggerlo per poco. Ma, nonostante ogni loro lusinga per trattenerlo, subito il bambino si agitava e gridava, volendo tornare da sua madre. Talvolta Alessandra, incitata dalle amiche, fingeva di abbandonarlo, e si nascondeva dietro il muro della casa: donde la richiamava il desolato, rabbioso pianto di lui. Schiava di tanto amore, ella riappariva subito, gaia nel viso, sebbene corrugasse le ciglia e rimbrottasse le amiche per averla istigata alla prova crudele. E il bambino, dalle braccia della comare che lo sorreggeva, al vederla mutava il pianto in un riso festoso, gettando inarticolati richiami. E sporgendosi da quelle braccia straniere, si dibatteva e scalpitava; finché, ridendo forte, sua madre lo accoglieva a sé. Si aggrappava, egli, allora, al petto di lei, quasi per impedirle di piú staccarsi; e, placandosi, aveva un sordo mormorio, geloso e minaccioso, quale un cucciolo che presuma, ingrossando la voce, di difendere la propria preda contro gli altri animali piú agguerriti. Dalla sua panca, intanto, Damiano andava rimproverando, ora Francesco per la sua dispotica passione, ora Alessandra per la sua debolezza, ora le donne leggére che, per il loro spasso, facevano indispettire un bambinello. Ma, nel mezzo di questi rimproveri, usciva in una risata: quale non se n'erano piú udite da lui, dopo la sventura della sua prima famiglia.

Non soffrendo il distacco, nella buona stagione Alessandra portava il bambino con sé nei campi, ancor piccolo che non camminava. E depostolo in terra, dentro un canestro o sull'erba, ogni momento levava il capo dalla sua fatica per fare un cenno al bambino, che rideva a lei con aria d'intesa. Egli se ne stava là, pago d'esser vicino a sua madre. La quale, affinché si divertisse, non esitava a porgergli quei tesori di cui, nella sua nativa avarizia, era tanto gelosa: i propri coralli, per esempio, o il bel fazzoletto fiorato. Un altro passatempo, lo davano al bambino gli esseri volanti, moscerini o farfalle, e lo sfavillante pulviscolo, i leggeri petali piumosi che s'aggiravano intorno a lui nel grande meriggio. Tutto ciò che volava, egli bramava di farlo suo; ma di rado gli effimeri vagabondi si lasciavano afferrare, nonostante i suoi lusinghieri o imperiosi richiami. Per cui talvolta, deluso, egli rompeva in pianto; e sua madre accorreva a consolarlo, inducendolo al sonno con una canzone o porgendogli il petto.

Nel tempo caldo, ella lo lasciava tutto nudo. Per cui s'era fatto abbronzato e florido; col volto d'un cosí bel colore, che ogni donna lo invidiava a sua madre. Tornati a casa, al tramonto, il bambino rifiutava d'addormentarsi se sua madre non gli si stendeva accanto. Come lo vedeva assopito, ella si staccava da lui con somma prudenza. Ma se poi, risvegliandosi d'un tratto, s'accorgeva del tradimento, egli la richiamava subito con appassionate grida.

Talvolta, una frenesia di giocare li prendeva entrambi; la madre diceva: – Ho fame, ti mangio! – e gli mordicchiava i piedi e le mani, provocando in lui non la paura, ma un riso beato. Balzando sulle sue braccia, festante, egli le disordinava il corpetto, dava strappi gioiosi ai suoi coralli, alle sue ciocche nere. E la madre, felice di quel disordine, gettava indietro il viso acceso fra le ciocche scomposte, a schermirsi dal caro assalto. A tutte le volontà di lui, sua madre ubbidiva. Damiano la disapprovava per tale indulgenza, ma in realtà, non meno di lei, s'era fatto schiavo di quel bambino. Lui stesso gli aveva fabbricato la culla, e, industre com'era, gli fabbricava adesso, con vimini intrecciati e legno, ogni sorta di fantocci e di giochi. Quando il bambino mise il primo dente, Damiano ne fu cosí orgoglioso da ridere fra sé durante il suo lavoro, al pensiero di quel bianco dentino che spuntava dalla gengiva tenera, simile ad una rosa. – Ma guardate un po' questo lupo, – diceva al bambino, – ma guardate questo lupacchiotto! – E i disturbi soliti ai bimbi, in quel periodo della prima età, lo preoccupavano alquanto, mentre Alessandra non se ne curava troppo, accettandoli come fenomeni naturali e senza pericolo. Quando Francesco fu divezzato, Damiano metteva in serbo per lui le piú dolci primizie, i piú bei frutti, il latte piú ricco. Egli non sapeva esprimere il sentimento che gli allargava il cuore per questo figlio, venuto a dare un valore e un destino gioioso alla sua vecchiaia ormai quasi priva di speranza. Talvolta, guardandolo, bello e sano, fra le braccia della madre, nelle sue vesticciole pulite, gli diceva sorridendo, con voce raddolcita e piena di giubilo: – Francesco! Quant'è bello Francesco! Che dici, che dici, eh? Francesco! – Né altro sapeva inventare: e il bambino lo guardava, festante o serio serio, dalle braccia materne, come da un trono. E Alessandra accoglieva simili omaggi come atti di riconoscenza dovuti a lei stessa. Non era forse, quel bambino, la consolazione estrema e l'allegrezza del vecchio? In che poteva dunque risiedere il peccato? Ora Damiano, a ogni sua fatica e disegno, vedeva un termine chiaro e diletto: il figliolo. E meditava di acquistare, appena lo potesse, questo o quel terreno, di far sí che Francesco, divenuto uomo, si trovasse in possesso d'una vasta proprietà. Né si adontava per via che il bimbo non gli mostrava tenerezza alcuna, e rifiutava di rimanere sulle sue ginocchia, volendo ritornare subito dalla madre. Era giusto, pensava il vecchio, che un infante amasse la madre: non era lei che lo aveva fatto, e lo nutriva, e lo ninnava? Ora, Damiano cingeva Alessandra d'affetto piú vivo, e d'insolite attenzioni, poiché ella gli appariva partecipe, anzi congiunta in unità, con quella infanzia; e a lei si doveva il merito d'aver germinato, nella sua giovinezza, quel fiore, di cui Damiano si sentiva indegno.

Incominciando a parlare, Francesco imparava a rispondere a sua madre, nei loro solitari colloqui, con parole che lei stessa gli apprendeva: – Tu sei la mia comarella, – le diceva, e s'ella gli domandava: – Di chi è Francesco? – egli, cingendole i ginocchi e guardandola rapito, le rispondeva: – È tuo –. Ora che il bambino capiva, Alessandra non poteva piú, come un tempo, lodargli il mistero della sua nascita, che doveva restargli nascosto. Ma l'amarezza di non dividere con lui questo segreto (per lei che tutto divideva con lui), veniva compensata dal piacere di vedere il figlio superare, con la sua precoce intelligenza, non solo i coetanei, ma anche i bambini d'una maggiore età, cosí che le altre madri solevano ammirarlo come un prodigio. Da poco aveva imparato a parlare, allorché, guidato dall'inesperto e stupito Damiano, già Francesco, in breve tempo, apprendeva a leggere e a scrivere. Ed ecco, piccino ancora coi denti di latte, egli leggeva a voce alta, in un angolo della cucina, i libri di scuola dei ragazzi grandi: ciò lo trasportava, agli occhi della madre analfabeta, in una regione misteriosa per lei, degna di silenzio e di venerazione. Senza gelosia, né volontà di sapere, come un profano dinanzi a un dogma, ella contemplava le lettere indecifrabili per lei, donna, e rivelate al pensoso bambino. E, pur non comprendendo il significato di ciò che Francesco, attento e assorto in sé, leggeva nell'angolo ad alta voce, ella tendeva l'orecchio al suono di quella voce puerile e fantastica; né piú suo le pareva il figlio, ma suo signore, a lei superiore, annunciatore di quel mondo, a lei remoto, donde era venuto fino a lei. Quasi leggendaria le pareva adesso la sua peccaminosa concezione: poiché Nicola Monaco, dopo le prime tre visite, non s'era fatto vedere piú.

Talvolta, a sera, allorché i vicini si radunavano sulle panche intorno al fuoco, nella cucina di Damiano, il bambino s'accoccolava nell'angolo a leggere, quasi dimentico delle loro presenze. Ed ecco, senza ch'egli se ne accorgesse, tutti quei bifolchi interrompevano i loro discorsi, e, meravigliati, in silenzio ascoltavano il bambino. Il quale, all'età che i loro figlioli a mala pena sapevano parlare, senza maestro conosceva ciò che molti di loro, adulti, ignoravano. Recatosi in città, Damiano gli aveva acquistato matite, libri e quaderni; e il bambino già scriveva i suoi componimenti, in una ibrida scrittura mescolata con caratteri a stampatello. Questi suoi primi quaderni, insieme ai vestitini, alle consunte scarpette, alle fasce, sono ancora conservati al paese, da Alessandra, nella sua cassa nuziale.

Damiano, mantenendo tuttora l'antica avversione per i preti, non voleva mandarlo a scuola dal parroco, né pensava di iscriverlo, più grande, al seminario, come in tali casi si suol fare in campagna. Ché la felicità non aveva scancellato la nota idea fissa dal testardo cervello del vecchio; anzi ve l'aveva radicata, sembrandogli, tale felicità, una conferma dei suoi principî, che val meglio appartarsi dalla Chiesa; e insieme una sua personale riscossa nei confronti di Dio.

Dunque, Damiano, escluso il parroco, si rivolse a un maestro di scuola comunale del centro più vicino. Costui, dopo aver esaminato Francesco, lo dichiarò, per il suo sapere, alla pari con gli alunni della terza o quarta classe; ma non sembrandogli opportuno d'introdurre il fanciulletto in una scolaresca di ragazzi grandi, si offerse di dargli lezioni private e di prestargli anche dei libri, accettando in pagamento prodotti della campagna. Da allora, due volte la settimana, Francesco si recava a lezione. Damiano si appartava talvolta col maestro a chiedergli consigli per l'avvenire del bambino. Infatti, all'ambizione di farne un agiato agricoltore egli aveva sostituito quella, più rara e prestigiosa, di farne un dottore, un avvocato, un sapiente. E il maestro, poiché il bambino svelava un gusto particolare per le lettere e per la storia, consigliò Damiano a mandarlo al ginnasio, non appena avesse l'età prescritta.

Come già vedemmo, tale ambizione divenne, da allora, signora e regina nella mente di Damiano. Questi risparmiava a Francesco i piccoli lavori campestri, familiari ai suoi coetanei, quali la sorveglianza del gregge o la raccolta delle olive; secondando invece, nel bambino, l'amore per la meditazione e per la lettura. Francesco, tuttavia, non sopportava di separarsi per lunghe ore da sua madre; e la seguiva, ogni giorno, nei campi, dove, per alleviarle la fatica, spontaneamente l'aiutava come poteva con le sue piccole mani, e le offriva ogni sorta di servigi. Quando, malgrado la sua volontà, per lui non c'era proprio nulla da fare, egli si sedeva in terra, come nei primi mesi della sua vita, e godeva di veder sua madre splendere, agli occhi suoi, come un girasole fra le erbe, in mezzo alle compagne di lavoro. Oppure leggeva un libro, levando ogni tanto gli occhi, per incontrare quelli di lei, sospinta dal medesimo amore a ricercare il suo sguardo.

Allorché si trovavano soli, restavano, adesso, per lo più silenziosi. Finite infatti le libere espansioni dell'età innocente (poiché si può dire che la madre stessa avesse vissuto un'infanzia leggendaria insieme con lui), finita dunque l'epoca felice, Alessandra aveva ripreso il suo costume riservato e calmo; e Francesco si mostrava per lo piú chiuso in se stesso, selvatico e timido. Solo di rado, egli svelava l'ardente impetuosità dei suoi affetti; cosí, per esempio, mentre soli soli se ne stavano, madre e figlio, nel vigneto a legare le viti, o nei prati a raccoglier erbe per la cena, d'un tratto e senza ragione Francesco balzava al collo di sua madre, e stringendola con tutta la forza delle sue braccia puerili le chiedeva s'ella lo amasse. Benché felice in cuor suo, rusticamente Alessandra si schermiva e diceva: – Che domande mi fai! – Allora il bambino, con fervido rapimento, insisteva nella domanda, esclamando che, dal canto suo, egli l'amava, la sua cara adorata, la sua stella del cielo, l'amava con tutta l'anima. Rallegrata nell'intimo da simili parole, non mai prima udite da alcuno, Alessandra scuoteva il capo, e gli domandava, in aria di scherzo, che cosa avrebbe mai detto, in seguito, a sua moglie, se a lei che gli era madre parlava in quel modo. A ciò il bambino si aggrondava, e seriamente dichiarava di non volersi mai sposare se non con lei. – Con me! – diceva Alessandra in una risata, – io ti sono madre, e dovrai pure cercarti una sposa, per non esser solo il giorno ch'io morirò –. Ma con impeto Francesco esclamava di voler morire insieme con lei; e a quel pensiero ch'ella potesse lasciarlo, non di rado si addolorava al punto da scoppiare in singhiozzi. – Eh, – diceva Alessandra, ravviandogli sulla fronte i riccioli pesanti, – non ti vergogni di piangere? Alla morte non c'è rimedio –. E il bambino si stringeva alle sue vesti, e con furia gelosa, battendo i piedi e singhiozzando esclamava: – Tu non devi morire, non devi morire, e io non mi sposerò mai. Voglio restare con te, e sposarmi con te –. La madre allora, ridendo forte per quella testardaggine, gli asciugava il viso con la propria gonna.

Talvolta, il bambino prometteva alla donna, con un'aria grave ed esaltata nel tempo stesso: – Quand'io sarò grande, sarò un dottore, e tu non faticherai piú. Comanderai soltanto, sarai una signora e una padrona, avrai cento feudi, carrozze e cavalli –. La mattina, quando la madre si pettinava, bagnando il pettine in una catinella, i suoi lunghi e lisci capelli neri, egli la mirava con gli occhi sgranati. Ciò che soprattutto lo attirava verso sua madre, era la bellezza di lei. Questa bellezza, che nessuno aveva apprezzato in paese, ed era piaciuta a suo padre Nicola, il bambino la giudicava stupenda e incantevole, tale da non potersi paragonare a nessun'altra. Egli moveva continuamente i propri passi sulle sue orme, e ad essa si volgeva, come a una sorgente di fuoco e di gloria. Talvolta, rompeva d'un tratto il loro comune silenzio, per dire a sua madre, con religiosa ammirazione: – Come sei bella! – e la baciava in fronte. Alessandra, che bella non si credeva, era però beata che il bambino la giudicasse tale. Rispondeva tuttavia, levando una spalla con finta noncuranza: – Bella! proprio! chi sa dove la vedi, tu, questa grande bellezza! – e nel dir cosí rispondeva con foga al bacio del bambino, trasfigurata in viso dalla gioia.

Alessandra non aveva nessun rivale nel cuore di Francesco, poiché il bambino cresceva piuttosto solitario e senza amici. Precoce e pensoso, non soleva mescolarsi ai suoi coetanei, né partecipare ai loro divertimenti. – Perché non giochi anche tu? – gli chiedeva talvolta Alessandra, vedendolo sedere, schivo, accanto a lei, mentr'ella accudiva alla cucina o ad altri lavori. Ma a tal domanda egli corrugava la fronte, rispondendo che non voleva giocare. Solo di rado, accadeva che una fanciullesca furia vitale prorompesse da lui, vincendo il suo cuore solitario; ed egli si gettava nel cerchio dei fanciulli, con turbolenza insolita. Ma quelli lo accoglievano interdetti, mutando un poco nei suoi riguardi i loro modi confidenziali, come se avvertissero in lui qualcosa che lo faceva diverso. Poteva accader pure che taluno fra quei contadinelli, attirato dalla grazia e dalla fierezza di lui, gli diventasse devoto. Ma poi, la compagnia di Francesco si rivelava inquietante e ardua per il semplice fanciullo; il quale in breve tempo s'allontanava da lui, lasciando sola quell'anima selvatica. E Alessandra, intenta al suo lavoro, gettava uno sguardo al bambino che le sedeva accanto, chiedendosi nella mente vaga, piena d'ombra e di rispetto, che cosa mai si nascondesse dietro quella fronte.

Capitolo secondo

Il butterato ha qualche sfortuna in amore.

Francesco aveva poco piú di sette anni, allorché una mattina verso le undici, i De Salvi ricevettero una visita inaspettata. Sedevano tutti e tre in cucina per il pasto, quando sull'uscio apparve Nicola Monaco: forse un caso lo aveva condotto da quelle parti, e il ricordo, insieme con la curiosità, lo aveva spinto fino a quella casa.

Damiano si riparò gli occhi con la palma, ad osservare incerto quella figura contro luce, ed esclamando poi: – Toh, don Nicola! – si fece incontro al visitatore, che invitò a dividere il cibo e il vino. Ammutolita, Alessandra osservava quell'immagine, rimasta quasi identica dopo otto anni. Quanto a Nicola, egli osservava Francesco, e volle vederlo in piedi, facendolo girare a destra e a sinistra, e ammirandolo. Con un tono allusivo che solo Alessandra poteva intendere, egli esclamò: – Che bel figlio ti è nato, Alessandra! – ed ella non arrossí, ma sorrise, in atto di beato compiacimento. Poiché Damiano, col suo parlare stentato, vantava a Nicola i talenti non comuni del bambino, il visitatore incominciò a interrogarlo, e rimase meravigliato delle risposte di lui. Francesco, timido e scontroso al primo istante, fattosi poi piú ardito, fissava gli occhi luminosi sullo straniero, mirando il suo vestito e il suo volto, senza perdere una sillaba delle sue parole. La sconosciuta figura, di cui, nella breve vita, egli non aveva mai veduta l'uguale, avvinse il cuore infantile di Francesco, per sempre. Nicola, dal canto suo, come altra volta aveva desiderato brillare nella conversazione per la sola Alessandra, cosí adesso faceva pompa di sé in onore d'uno solo, del bambino. Chiacchierando, sogguardava ogni tanto quel piccolo volto, a spiarvi l'effetto dei propri discorsi; e si lusingava nella sua vanità quando leggeva su quel volto l'attenzione, la fede, o la fantastica meraviglia. O quando, a un suo comico aneddoto, scelto apposta da lui perché tale da piacere ai fanciulli, s'udiva squillare un candido,

342

spontaneo riso, come voce d'un galletto silvestre. Non senza intenzione, Nicola favoleggiava di dame e di principi, di palazzi, feudi e cavalli, come di sue proprie signorie, dimore, schiavi. E allorché, avendo egli interrotto un racconto, il bambino, dimentico di se medesimo e della propria timidezza, nella curiosità che lo stringeva gli chiese avidamente il seguito, a Nicola brillarono le pupille, come per una vittoria.

Partito che fu Nicola (promettendo di presto ritornare), il piccolo Francesco non si stancava di domandare ai suoi chi fosse quello splendido, arcano personaggio. E Alessandra, cui non era stato mai concesso di parlare dell'amante senza timore, appagava adesso questa naturale sete. Scendendo col bambino il viottolo che portava ai campi, gli andava spiegando come quell'uomo fosse un gran signore, uno che amministrava terre e palazzi senza numero per conto di principi e baroni. Era un alto onore per loro, diceva, d'essere visitati da un signore simile; e chiedeva, sorridendo lusingata, al bambino: – Hai visto com'era ben vestito? – Sí! – esclamava il bambino, con entusiasmo, – aveva degli anelli d'oro, e anche un braccialetto, e sul petto una catena d'oro, con tanti ciondoli e medaglie. E com'è bello! – aggiungeva, – pare Garibaldi, pare Napoleone, imperatore dei Francesi! – Alessandra ignorava chi fosse Napoleone, ma, fatta rispettosa da questo nome risonante, taceva per un poco, finché il bambino con nuove domande la incitava a parlare. Ai suoi piccoli vicini, il giorno seguente, egli celebrava quella visita con aria di vanto; e poiché un giovanotto, figlio di colui che aveva, otto anni prima, ospitato per una notte Nicola, gli dichiarò alzando una spalla, di conoscere meglio di lui quel signore, che anzi aveva dormito in casa sua, Francesco lo guardò incredulo. – Non ci crede! – esclamò il giovanotto, rivolgendosi con aria sprezzante agli altri piccoli ascoltatori, – sí, mio padre gli dette la sua camera, me ne ricordo benissimo, e andò a dormire nel letto con mio fratello maggiore. E la mattina appresso, don Nicola si fece lucidare gli stivali da mia sorella col grasso di capra. Mia sorella poi lo aiutò a infilarsi gli stivali; e lui, prima di andarsene, mi regalò due lire, dicendomi di comprarci quel che volevo. Poi ritornò un'altra volta, per vedere i nostri cavalli, e disse che forse voleva comperarne uno. Anche ieri, passando davanti a casa nostra, si fermò a salutare mio padre. Domandalo a mio padre, se non ci credi –. E il giovanotto, con un sorriso di vittoriosa sufficienza, nuovamente guardò gli ascoltatori, quasi per chiamarli a testimoni di quanto affermava. Il piccolo Francesco non disse nulla: dubitava, in cuor suo, che don Nicola potesse dormire semplicemente in un letto, come gli altri mortali. La somma di due lire, poi, gli pareva favolosa. – Si chiama Nicola Monaco, – soggiunse il giovanotto, ostentando, non senza degnazione verso quegli ignoranti, l'esattezza delle proprie informazioni, – ci ha dato l'indirizzo, abita in un palazzo baronale, a P. – Lo sapevo anch'io, l'indirizzo! – esclamò Francesco. Ma il giovanotto, senza badargli, soggiunse che suo fratello era stato a P. una volta, per la visita di leva; e che lui stesso fra due anni, in età di fare il soldato, si sarebbe recato a P. Allora Francesco bramò ardentemente, in cuor suo, d'esser già grande, e soldato, per visitare la città che aveva il privilegio d'ospitare Nicola Monaco.

Costui gli apparve in sogno, quella medesima notte, com'egli raccontò a sua madre Alessandra. Gli pareva, disse, di passeggiare solo solo in una grande città, fra case alte di pietra. Ed ecco nel mezzo passare don Nicola, su un cavallo alto e bardato con frange d'oro, rose e garofani d'oro fra le orecchie. Don Nicola passando gettava monete, senza badare, e, dalle due parti della strada, i pezzenti e gli infelici raccoglievano quelle monete, baciandole prima di riporle. Ma per lui, Francesco, don Nicola si piegava un poco da cavallo, porgendogli uno speciale regalo che s'era tolto di sotto la giubba, dal lato del cuore. Era una cartolina bellissima, colorata; in cui, dentro un fregio di nastri intrecciati e di bandiere, si vedeva dipinto il ritratto suo, di don Nicola.

Nicola Monaco mantenne la promessa di ritornare; non certo con molta frequenza, poiché le sue visite, negli anni che seguirono, furono quattro o cinque in tutto. Due volte, arrivò in groppa a un cavallo, che legò per la cavezza all'ingresso del villaggio, dove cominciava la salita: quivi Francesco si precipitò in corsa, ad esaminare con sommo interesse la bestia, i suoi zoccoli e finimenti, la sua nerissima, lucente criniera. Lui stesso volle recare la sacca dell'avena a questo animale glorioso; e sentendosi partecipe, agli occhi altrui, di una simile gloria, spiegò ai convenuti che quello era un cavallo di P., detto Morello, buono per combattere in battaglia. E che lui, Francesco, da grande, ne avrebbe cavalcato uno simile, per recarsi a fare lo studente e il militare.

Nicola Monaco arrivava or con l'uno or con l'altro pretesto; ma in realtà le sue visite eran tutte per il bambino. Ciò aveva capito la stessa Alessandra; la quale, in luogo di provarne gelosia, se ne inorgoglí. D'altra parte, avvenne che Nicola, trovandosi per caso, un giorno, solo con la bella donna, tentò riallacciare gli antichi rapporti; ma lei, cosí docile altra volta, fu adesso irremovibile. Un religioso timore le dette la forza di respingere quell'abbraccio; stavolta, sí, le sarebbe parso, cedendo, di macchiarsi di tradimento e di colpa. Non tanto verso Damiano, quanto piuttosto verso il piccolo Francesco.

Quelle visite rare, a intervalli di mesi, e di anni perfino, furono per Francesco memorabili. Nicola, entrando nella cucina, subito gli gettava un'occhiata. E considerava i suoi progressi con meraviglia e curiosità mescolate a una sorta d'invidia paterna. Sebbene non fosse mai stato un buon padre, pure gli veniva fatto di paragonare i propri figli legittimi a questo contadinello, e la vittoria di lui lo ingelosiva un poco. Non che quegli altri mancassero d'intelligenza, e neppure di grazia o di salute; ma, cresciuti quasi nella strada, in disordine e abbandono, eran tutti ignoranti, sudici e cenciosi come vagabondi. Ciò lo indispettiva, allorché li confrontava a Francesco; e, in cuor suo, ne faceva ricader la colpa su donna Pascuccia, sua moglie.

Questo piccolo bastardo, com'egli in cuor suo lo chiamava, questo di cui nessuno sapeva che fosse suo, nato in un villaggio di caprai, gli appariva tale da soddisfare la sua vanità, s'egli avesse potuto proclamarlo suo figlio. Ciò lo spingeva, talvolta, ad una specie di polemica: notando, con atto lievemente sprezzante, i difetti del bambino, e cioè la pelle cosí scura, le membra un poco tozze, le manine rosse e ruvide, i polsi grossolani, gli diceva, con accento ironico, in presenza d'Alessandra: – Eh, eh, bambino mio, queste cose qui, le hai prese dalla razza di tua madre! – Il bambino, interdetto, lo guardava coi grandi occhi aperti, quasi intuisse in simili accenti (di lode o d'accusa?), un'intenzione oscura. Da parte sua, la madre usciva in un riso vago, senza capire il dispetto maligno che si celava in quelle parole.

Altre volte, Nicola vantava la nativa delicatezza e piccolezza delle proprie mani, e si scopriva un poco l'avambraccio per mostrare come la sua pelle fosse bianca, là dove il sole non l'aveva bruciata. Quei poveri contadini ammiravano. E il piccolo Francesco, sebbene incapace, nel suo giudizio inesperto, di apprezzare simili virtú, le stimava indiscutibili poiché appartenevano a Nicola; e brutto gli appariva tutto quanto differiva da costui. La sola ch'egli ancora non giudicasse, era sua madre, rimasta per lui, nella sua bellezza, intangibile e vittoriosa.

Francesco aveva assunto, nei riguardi del visitatore, maniere di devota confidenza. Talora, attratto dall'aspetto e dai discorsi di lui, quasi senza avvedersene gli si accostava; e, intento alle sue parole, seguendo con avidi occhi fin i moti delle sue labbra, gli stringeva con la manina il risvolto della giubba, o giocava coi suoi ciondoli. Anche, arrossendo un poco, gli chiedeva una canzone; e Nicola compiacente non tardava ad esaudirlo. Egli s'era presto accorto che Francesco aveva comune con lui l'amore per il bel canto e per i teatri, la facilità d'imparare i motivi, la voce armoniosa. Soddisfatto, insegnò al bambino buona parte del suo repertorio, anzitutto *Bella figlia dell'amore*, *La donna è mobile*, e il tracotante *Credo* di Jago. Abbandonandosi al piacere del teatro, arrivò perfino a rappresentare da solo un intero melodramma, davanti al felice bambino. Incominciava col descrivergli la sala dello spettacolo, i palchi, l'orchestra; e poi le scene dipinte, le sfavillanti lampade, i costumi dei personaggi. Di costoro raccontava con enfasi le vicende, inframmezzando il racconto con le romanze preferite. Qui alfine si levava in piedi, e coi gesti dei veri cantanti nei teatri si trasformava nel personaggio, fingendo azioni molteplici e adattando la voce alle parti dei bassi e dei tenori, e finanche a quelle dei contralti o dei soprani. Riusciva, o miracolo, quell'eccelso mimo, a moltiplicarsi, suscitando con la sua sola voce una moltitudine che annunciava: – Una vela! Un vessillo! È l'alato leon! –; o una ciurma ubriaca; o a sdoppiarsi nei duetti, raffigurando nel contempo Otello e Jago, a cui si aggiunge, sventolando il fazzolettino perfido come tela di ragno, il frivolo Cassio. Ma non basta: eccolo piegare la fulva testa sulla spalla, socchiudere gli occhi, muovere i polpastrelli sulla mandòla che non esiste, il bel Trovatore! al posto del quale, poco dopo, una lugubre, angosciosa pretaglia invoca: « Miserere – per l'anima che sale – verso il viaggio che non ha ritorno! »

E questo gobbetto, questo farnetico che ride urlando: « Vendetta! Tremenda vendetta! », è sempre lui? Sí, è lui, l'infelice ribelle! A cui da lungi fa eco, gentile flauto, una che ricorda: « Tutte le feste al Tempio, mentre pregavo Iddio!... » Ahimè, vergine illusa! Ahimè, vittima dei granducali privilegi! Ma verranno, verranno gli Ottantanove e i Quarantotto, verranno a vendicare le figlie del popolo!

Cosí avvinto era il bambino da tali spettacoli che non di rado, senza avvedersene, per appassionato mimetismo, atteggiava il volto a somiglianza di quello di Nicola: corrugando i cigli allorché l'attore li corrugava, o socchiudendo, come lui, gli occhi e le labbra, al formarsi di una modulazione estatica. Non sempre i De Salvi erano i soli spettatori: spesso un pubblico di compaesani invadeva la cucina, e Francesco, se da una parte ne era lusingato, si corrucciava un poco, giacché avrebbe preferito di non dividere con altri il suo cantore. Questi soleva commentare o alternare gli spettacoli con osservazioni, discorsi e massime audaci, di un genere che noi già conosciamo. Sforzando il suo precoce intendimento a capire quelle parole, Francesco le rivestiva, nella mente affascinata, di solenne gravità: e tutto ciò che Nicola diceva, era per lui rivelazione e legge. Fu da Nicola ch'egli udí per la prima volta maledire le ingiustizie del mondo, e annunciare una riscossa. Da Nicola, grande agli occhi suoi perché splendido signore, ma ancor piú attraente perché ironico sprezzatore di ciò che, per l'appunto, lo faceva grande. Ironia, rivolta e sprezzo lo elevavano piú alto non solo di tutta la gente che Francesco aveva finora incontrata, ma anche di quella ignota, principesca società di cui Francesco lo credeva un membro. Se Nicola disprezzava questa società, anche Francesco era convinto di disprezzarla. E tanto piú, al confronto di Nicola, diventavano umili e meschini certi parenti di suoi compagni di scuola, commercianti o speziali o impiegati della piccola città dov'egli si recava a studiare: i quali, in un primo tempo, per la loro qualità di cittadini e di borghesi, avevano goduto agli occhi suoi di qualche prestigio. Ma colui che piú di tutti usciva umiliato dal confronto, era il vecchio Damiano. Fin dai primi anni della sua vita, Francesco aveva accompagnato al cieco amore per sua madre una sorta di diffidenza e distacco nei riguardi del padre legittimo. Allo stesso modo che Alessandra gli appariva bella, cosí Damiano appariva brutto e sordido al suo severo giudizio infantile. La bocca sdentata, la barba ispida e grigia, quegli stracci di cui si copriva, e le fasce annerite e infangate che gli avvolgevano le gambe, e ch'egli non si mutava neppure i giorni di festa, erano un fastidio per il bambino, accurato e ambizioso per sua natura. Fin dall'infanzia, lo avevano colpito certi soprannomi con cui suo padre era noto nel vicinato: lo chiamavano *Nerofumo*, e da ultimo, per la sua persona piccola e contratta dal troppo curvarsi sulle zolle, lo chiamavano il *Gobbetto*. Lui stesso, Francesco, (prima d'ammalarsi e di diventare il *Butterato*), era *Francesco del Gobbetto*. E allorché, incominciando a frequentare il Ginnasio pubblico del centro vicino, aveva paragonato suo padre con gli altri genitori che aspettavano all'uscita i suoi compagni, un rossore amaro gli era salito alle guance. Se Damiano, sceso alla piccola città per le sue faccende, lo aspettava all'uscita, al vederlo il piccolo Francesco si mutava in viso, e subito cercava di staccarsi dai suoi compagni, fra cui gli pareva cogliere occhiate di scherno. Pieno d'onta, rapido e furtivo come un prigioniero condotto per le manette, attraversava al fianco di suo padre quella piccola folla maligna e all'uno e all'altro in fretta diceva: « Addio », bramoso di trovarsi infine sulla strada campestre che portava al villaggio, per sottrarsi a quei giudici, e sentirsi libero. Il suo cuore generoso lo spingeva allora a far dimenticare al vecchio, con le feste e le premure, la freddezza restia, l'oltraggioso silenzio con cui poco prima lo aveva accolto. Ma ciò non era neppure necessario: ché il vecchio Damiano, candido e benigno, e oltremodo fiero del suo studente, non s'era accorto di nulla; con gli ammiccanti occhi celesti, con sorrisi cortesi e timidi, aveva salutato i privilegiati compagni del suo prezioso bambino. Non era egli riuscito, coi suoi soli mezzi, a introdurre suo figlio fra loro, come un loro pari? Ciò lo rendeva glorioso e felice; né Francesco, per timidezza oltre che per il rispetto verso i genitori cui s'avvezzano i fanciulli nelle campagne, aveva svelato mai con doglianze, o rimproveri o consigli, il proprio fastidioso sentimento al vecchio. Neppure aveva osato di esortarlo ad una maggior cura della persona, e ad un maggiore rispetto di sé; ma sempre aveva celato il proprio pensiero dietro la severa sua fronte.

Però, fin da quando aveva incominciato a ragionare, e anche da prima, un'oscura ritrosia lo allontanava da Damiano. Schermendosi alle ruvide tenerezze di lui, correva subito, come ad un rifugio, verso sua madre. E se, da piccino, Damiano lo prendeva in collo, egli gridava, non di rado, e si ribellava, come faceva con gli estranei. Di ciò Damiano rideva, e lo rimproverava con beffe indulgenti; e talvolta per gioco fingeva di maltrattare la mamma, o di volerla uccidere, per provocare la passione del bambino.

Poi, diventato il bambino un fanciullo, Damiano aveva spesso innanzi a lui l'atteggiamento di chi si trova alla presenza di un sapiente, di un gran dottore. Quella promessa, quell'insperata gloria toccata alla sua casa, gli parevano già un tal premio, ch'egli non chiedeva di piú. Né, d'altra parte, gli accadeva di sospettare che il fanciullo potesse nutrire qualche sentimento ostile verso di lui. Mai gli balenarono per la mente pensieri di questa sorta, né egli dubitò mai che, pur nei suoi modi ritrosi e selvatici, Francesco non provasse per lui l'affetto che tutti i figli provano per un buon padre.

Durante le visite di Nicola Monaco, non sfuggivano all'attenzione di Francesco le maniere servili di Damiano verso il forestiero; né gli atti pieni di condiscendenza e familiarità superba di questi verso di lui. Nello stesso tempo, come una luce piena svela ogni macchia e ogni vizio nelle cose, in ugual modo la presenza raggiante di Nicola faceva risaltare la goffa miseria di Damiano. Francesco si sorprendeva a fantasticare qual gloria sarebbe stata per lui, se Nicola fosse venuto a prenderlo all'uscita della scuola; e se i compagni l'avessero creduto un suo parente, suo zio, o suo padre! Ah, vicino a Nicola, com'egli si sarebbe sentito a tutti superiore, come forte e libero! Con quanta sicurezza avrebbe varcato ogni confine, e percorso la terra, tenendo la propria mano nella mano di lui! Quale dichiarazione di possanza, e di grazia, e di altèra casta, apparire a lato d'un simile compagno! Al pari di Davide, o d'un arcangelo, Nicola gli pareva destinato ad ottenere sempre vittoria, ad essere fra tutti il piú bello, ad umiliare tutti. S'egli aveva dei bambini (e vi accennava infatti, talvolta, dicendone pure il nome: uno di loro aveva nome Vito, una Liliana), come eran fortunati quei bambini, e qual vanto per loro passeggiare con lui! E quei signori delle terre, di cui spesso parlava, come dovevano sentirsi fieri di frequentarlo, di vederlo ogni giorno, senza doverlo aspettare invano, e salutarlo ogni volta chi sa per quanto! di vederlo, come si vede uno qualsiasi! un amico!

Una volta accadde che, cedendo a un ingenuo trasporto, Francesco rivelasse a sua madre i propri sentimenti. Era una sera estiva, dopo la seconda o terza visita di Nicola Monaco, il quale da poco era ripartito. Sul finire di quelle giornate calde, spesso madre e figlio prima di coricarsi uscivano all'aperto, a godere qualche minuto di riposo e di frescura; per lo piú, a loro si univano Damiano, o alcuni vicini, ma, quella sera, essi erano soli. Si erano spinti sul declivio che conduceva ai campi, e qui Alessandra sedeva in silenzio su una pietra, reggendo ancora nella mano abbandonata la matassa che aveva avvolta, con l'aiuto del bimbo, fino a poco prima, quando s'era spento l'ultimo chiarore del giorno. Il piccolo Francesco (aveva allora circa otto anni), giaceva accanto a lei, supino, sull'erba bruciata dall'estate. Egli girava gli occhi per la volta celeste, e, possedendo da qualche giorno un atlante in cui, fra l'altro, eran ritratte in figura le costellazioni, ricercava quei disegni fantastici del Toro, dei Gemelli, della Bilancia, e l'aureo, non visibile filo che legava l'una e l'altra stella. Come un maestro gioielliere infila le sue pietruzze sparse, il piccolo immaginoso voleva ricomporre quella disordinata fuga di stelle, avendo l'ordine e la fantasia compagni nel gioco: finché il cielo gremito di figure come l'atlante, s'incurvava su di lui, che, supino, in ogni punto non vedeva altro che il cielo stesso. Talvolta, guardando, ritratto su di un libro, il panorama di una città, era piaciuto a Francesco di rappresentarsi quella minuscola immagine ingigantita, e se stesso a passeggio, fra le strane, sconosciute architetture; allo stesso modo si fingeva adesso non già sottostante e remoto, ma passeggero nel bel mezzo di quella popolazione aerea. Fra i navigli stellari e i pesci di luce, fra i carri ronzanti e le comete e belve dalla coda di stelle, godeva di avventurarsi in quel paese selvaggio; a lui piú familiare e vicino che non l'Africa e l'Asia, di cui leggeva sui libri cose troppo insuete e stravaganti. Cosiffatto, e non altrimenti, egli si figurava a quel tempo il curvo universo; e compiacendosi di percorrerlo, meditava di accompagnarsi nel suo giro con qualcuno che gli fosse caro. Con sua madre, per prima. E poi, con chi?

Al pensiero di sua madre egli si volse per guardarla; e piú bella che mai, simile a una fanciulla, gli apparve Alessandra in quell'ombra stellata. Allora gli salí alle labbra una domanda spontanea, che suonò innocente quanto audace: – Perché, mamma, – le chiese, – voi che siete cosí bella, avete scelto uno sposo brutto come il babbo, invece che uno bello come don Nicola?

Alessandra arrossí, perché la domanda la sorprendeva in un momento in cui lei pure aveva Nicola nel pensiero. Non già rimpiangendo o desiderando (la passione d'amore le era ignota); ma con ammirazione e fierezza, allo stesso modo che, se un nostro fratello è valoroso, ci onoriamo d'esser suoi congiunti del sangue. Ella rise forte alle parole del bambino; e lo rimproverò per aver pensato una tal cosa. Ma da quella volta madre e figlio ebbero quasi coscienza della loro muta complicità nei confronti di Damiano: poiché Alessandra pure, suo malgrado, lo aveva talvolta, in cuor suo, messo a paragone con don Nicola. È vero che l'anima di lei, cosí umile e insieme cosí superba, a quel paragone, invece di mortificarsi, provava un fremito d'orgoglio. Infatti, ripensando alla propria sorte di fanciulla non bella, senza pretendenti, e povera come una mendíca, ella considerava sempre il proprio matrimonio col vecchio una fortuna, e Damiano un benefattore: a lui sarebbe, perciò, grata e sottomessa fino alla morte, senza dimenticare che gli era stata sua serva. Ancora adesso, che era sua moglie, ella non si sentiva tuttavia sua pari, avendo conservato per lui l'antico rispetto dovuto ai padroni. S'immagini dunque se doveva parerle pazza la presunzione di Francesco, che uno sposalizio fosse possibile fra un personaggio quale Nicola Monaco e una povera schiava; solo in una mente fanciullesca, accecata dall'amore per la madre, poteva germinare una tale presunzione. Ma pure, Alessandra sapeva, nell'intimo, che Nicola, nel peccato, era suo sposo; e questo segreto sposalizio era una sorta di sigillo reale sulla sua sorte. Per questo, ella fremeva in sé d'orgoglio paragonando il suo legittimo marito con Nicola.

L'ultima volta che Nicola Monaco fece visita ai De Salvi, Francesco aveva circa dodici anni di età. Nicola non s'era fatto vedere da piú d'un anno: e in questo intervallo, Francesco era stato ammalato di vaiolo, e in pericolo mortale. Guarito, gli erano rimaste però sul volto le impronte della malattia, che guastavano i suoi tratti per sempre. Nicola non nascose la propria meraviglia allorché Francesco gli apparve innanzi coperto delle cicatrici ancora recenti. Meraviglia, ma indifferenza del cuore, senza rammarico; giacché, in quell'intervallo, altre cure della sua vita difficile avevano cancellato in lui l'immagine diletta del bambino. Ormai quel legame puerile non significava piú niente per lui; né questa sua visita era, come le altre, per Francesco. Stavolta, gli affari e gli interessi non erano un pretesto alla sua venuta, ma il vero fine: senza il quale egli avrebbe trascurato di salire ancora al piccolo villaggio.

Quando Francesco gli apparve, dunque, Nicola Monaco lo trasse per un braccio verso l'uscio di strada, allo scopo di meglio vederlo. E senza badare che quel visetto sfigurato si copriva di rossore, commentò crudelmente: – Ehi, ragazzo mio, che cosa hai fatto? Hai la pelle ridotta come una grattugia –. Poi si voltò nell'interno verso Alessandra, chiedendo di Damiano; e come gli fu detto che Damiano era sceso all'uliveto, egli ordinò a Francesco di correre a chiamarlo. Confuso, e quasi grato per quel comando, Francesco s'apprestava ad ubbidire, quando un ragazzetto dei vicini che curioso s'era affacciato sulla soglia, lo prevenne esclamando sollecito: – Ci vado io! – e, levati nella corsa i piedi nudi, sparí. Nicola, allora, si sedette in attesa al solito posto, sulla panca; e mentre Francesco si ritraeva in un punto meno illuminato della cucina, cercando di nascondere il volto a quegli occhi inquisitori, Nicola non si curava piú di guardarlo. Seduto, le pupille chine, in aria preoccupata e impaziente, egli udiva distratto Alessandra, che coi suoi modi gravi e le sue cadenze malinconiche raccontava la malattia di Francesco. Quando poi la donna, come valido compenso allo sfregio di quel volto, gli dette l'annuncio che Francesco era scolaro delle *scuole superiori*, egli non mostrò d'interessarsi o congratularsi in alcun modo. Ma, poiché in quel momento appunto Damiano compariva sulla soglia, si levò dalla panca e senz'altro disse al vecchio che desiderava parlargli da solo a solo, di una faccenda riservata. Alessandra e Francesco si ritirarono allora dalla cucina, e ne chiusero l'uscio, per lasciar soli i due uomini, secondo la volontà di Nicola.

Era quella l'epoca in cui, come si ricorderà, Nicola s'accorgeva di aver perduto, a causa dei suoi pochi scrupoli e delle troppe imprudenze, la fiducia dei padroni; e di aver compromesso non solo il posto in casa Cerentano, ma anche ogni speranza per il futuro. Egli continuava tuttavia la sua solita vita dispendiosa; ma non osando, in quelle circostanze incerte, di attingere come prima dai fondi dell'amministrazione, aveva fatto molti debiti e si trovava in istrettezze. Perciò, nella sua continua ricerca di espedienti, conoscendo che il vecchio De Salvi possedeva dei risparmi, si era risolto a proporgli una combinazione: la quale egli intendeva di fare apparire a Damiano sotto la specie di un ottimo affare; ma si riduceva nei fatti ad una anticipazione di denaro con poche garanzie di guadagno. Per convincere il vecchio, egli fece sfoggio delle sue virtú di persuasione e di eloquenza, sapendo di aver già confuso con questi mezzi, in casi simili, l'avarizia e la diffidenza dei campagnoli. Ma noi sappiamo come Damiano fosse, nelle questioni d'interesse, accorto e insensibile ad ogni lusinga. Per conciliare il proprio rifiuto con la sottomissione e il rispetto, egli ricorse al solo stratagemma che potesse valergli contro qualsiasi argomento. E cioè, con accento servile e lamentoso, e senza guardare Nicola in volto, si disse dolente, rabbioso e disperato per non potere approfittare di un'occasione simile, di cui vedeva tutto il vantaggio; e grato alla cortesia di don Nicola, che aveva pensato a lui. Ma purtroppo, egli non possedeva piú neppure un centesimo di denaro contante, al punto da doversi mettere anche la festa gli stracci che don Nicola gli vedeva addosso: il cattivo raccolto dell'estate, e la malattia del figliolo, avevano esaurito i suoi ultimi risparmi. – Eh, via! – disse Nicola ridendo e battendo sulla schiena al vecchio, – a chi vuoi farla credere? Lo sai ch'io non credo nemmeno alla Santissima Trinità! – Ma Damiano, raddoppiando i suoi lamenti, proteste e deplorazioni, si riparava dietro la propria affermazione di miseria come dietro un intrapassabile scudo. Dal canto suo Nicola, celando l'irritazione che quel testardo ipocrita provocava in lui, non rinunciava all'idea di un qualunque successo, e si riduceva a diminuire via via la somma richiesta, raddoppiando per contro i vantaggi promessi. Ciò, s'intende, sempre con tono di condiscendenza, come chi volesse ad ogni costo, e magari a suo dispetto, beneficare Damiano. Il quale, ad ogni nuova proposta, si mostrava sempre piú desolato: – Anche un cieco, don Nicola, – esclamava, – anche un pazzo se avesse un solo centesimo, vedrebbe l'interesse e il vantaggio d'impiegarlo come dite voi. Ma quel centesimo, io non ce l'ho –. Infine, Nicola dovette rassegnarsi alla sconfitta; e poiché Damiano, fermo nella propria negazione, ma tuttavia mortificato sinceramente all'idea di fargli un torto, gli consigliava di proporre l'affare a questo o quel paesano danaroso, e suggeriva dei nomi, egli esclamò sdegnato: – Non ho bisogno dei tuoi consigli! Se in questo miserabile villaggio la gente non sa fare i propri interessi, cercherò i miei soci altrove –. Cosí detto, si levò, come per accomiatarsi; e, premuroso, Damiano chiamò la moglie e il fanciullo affinché salutassero l'ospite. Ma Nicola, irritato in cuor suo per essere salito inutilmente fino a questo barbaro, sudicio paese, non si curava di mascherare il proprio umore cupo. Assetato e stanco, risparmiò ai De Salvi l'affronto di rifiutare il vino che Damiano, secondo il solito, gli offriva. Ma, nel bere, se ne stette silenzioso e scontroso, pronunciando solo qualche frase che suonava disprezzo o ironia. Di Francesco che, seduto sulla pietra del focolare, non distaccava gli occhi da lui, pareva aver dimenticato l'esistenza. Come si avviò all'uscita, il fanciullo lo precedette di corsa; giacché aveva saputo dagli altri ragazzi, mentre don Nicola discorreva con Damiano, ch'egli era arrivato a cavallo; e intendeva slegare lui stesso la bestia prima che Nicola arrivasse, quindi aiutarlo a montare e vederlo infine allontanarsi per i campi, al galoppo sulla sua cavalcatura. Cosí aveva fatto in altre simili occasioni; e ogni volta, alla presenza degli altri ragazzetti accorsi a vedere, Nicola dall'alto della sella si era curvato a salutarlo, con una bella risata. E tirandogli un poco i capelli o addirittura stringendogli la mano, gli aveva detto: « A rivederci, morettino », o « maschiettino », o « ricciutino », o simili frasi gentili. Una volta, lo aveva invitato perfino a fare una corsa per la campagna insieme con lui, sul suo cavallo. E mentre Francesco, grave e raggiante in viso, e senza timore alcuno, se ne stava raccolto addosso a lui, fra le sue braccia che reggevano la briglia; mentre cosí galoppavano, Nicola gli aveva detto scherzando: – Adesso, su questo cavallo, ce ne andiamo fino a Roma.

Ma oggi, alla fine di questa visita cosí diversa da tutte le altre, Nicola si accostò alla sua bestia, in fretta, e ricevette le briglie dalle mani di Francesco senza badare se fosse questi o un altro che gliele porgeva. E poiché, al solito, numerosi ragazzetti del paese si affollavano attorno alla bestia come se questa fosse un essere fantastico, e non un cavallo comune; al vederli, Nicola bestemmiò irritato contro quella piccola calca. E respingendo con colpi brutali i piú vicini, esclamò: – Levatevi, marmaglia! Non avete mai visto un cavallo? – Poi, balzato in sella, senza far caso di Francesco che, in attesa, levava gli occhi verso di lui, dette di sprone e partí.

Alessandra e Francesco non seppero, né intuirono mai, la vera causa di quel malumore di Nicola, e il vero scopo dell'ultima sua visita. Infatti, come abbiam già detto altre volte, era costume del vecchio di trattare e risolvere per proprio conto ogni questione d'affari, senza farne parola ad alcuno, e neppure alla propria famiglia. D'altro canto, non era la prima volta che Nicola s'appartava col vecchio, per trattare con lui qualche faccenda; anzi, abbiamo veduto com'egli, per prudenza, inventasse ad ogni sua visita qualche pretesto d'affari. Una volta aveva pure concluso l'acquisto di due damigiane di vino, da lui pagate, e mandate a ritirare per mezzo d'un garzone a dorso di mulo. Fuor di questa volta, in tutti gli altri casi, le sue trattative private con Damiano non pareva fossero giunte ad alcuna conclusione pratica; ma non per questo il contegno di Nicola verso i De Salvi era mutato né egli aveva perduto il suo buon umore. Alessandra, intuendo il vero motivo di quelle visite, non interrogava mai su simile argomento Damiano; né costui, d'altronde, era disposto a rompere il proprio tirannico riserbo intorno agli argomenti di denaro. La moglie e il figlio non conoscevano neppure a quanto ammontassero i suoi risparmi; che egli, per gelosa diffidenza, non aveva mai deposto in banca, conservandoli invece presso di sé in qualche suo nascondiglio. Economo e quasi avaro in tutto il resto, Damiano però non badava a spese per gli studi e l'avvenire del figlio: egli era persuaso, in cuor suo, che questo fosse il migliore impiego delle proprie economie.

Tornando a Nicola Monaco: soltanto Damiano, dunque, avrebbe potuto rendersi conto, in parte almeno, dei motivi per cui l'umore dell'ospite s'era tanto mutato; ma il vecchio non credette necessario parlarne. In seguito, poiché Nicola, col passare dei mesi e degli anni, non si fece piú vivo, forse Damiano ripensando talvolta al forestiero, si accusò d'aver provocato quella rottura col proprio rifiuto; e forse appunto perché si sentiva in colpa evitò anche allora di raccontare alla moglie e al figlio quell'ultimo colloquio con lui. Talvolta, accadde che egli dicesse soprappensiero, scuotendo il capo: – Don Nicola non s'è piú visto... –; ma poiché, a tali parole, la moglie e il figlio restavano in silenzio, egli non aggiungeva altro. Del resto, sebbene lusingato dalle visite di Nicola Monaco, egli non aveva mai dato a questo personaggio un gran posto nella propria mente; e pur rammaricandosi d'aver perduto quell'invidiata conversazione, si lodava sempre tuttavia per aver saputo resistere alle lusinghe, evitando una sicura perdita di denaro. L'idea che Nicola fosse un signore furbo, il quale aveva tentato d'imbrogliarlo, approfittando del proprio prestigio, si affacciò subito, è chiaro, alla mente disincantata del vecchio. Ma un tal sospetto, egli lo tenne per sé. E l'affascinante forestiero scomparve nel mondo sconosciuto donde era apparso: mondo che, al pari della lontana America (tanto vantata, al loro ritorno in patria, dai compaesani emigrati), non destava in Damiano desiderio né curiosità alcuna. Suo figlio avrebbe conquistato quel mondo: ecco il grande riscatto del vecchio De Salvi non solo sul mondo medesimo, ma sulla propria senile noncuranza per esso.

Quanto ad Alessandra, ella notò, s'intende, il bizzarro e sgarbato comportarsi di Nicola; ma non tentò di spiegarsene le ragioni, riponendole in quell'arcano che circondava agli occhi suoi la figura del personaggio. Il timore ch'egli rimanesse scontento o deluso a ritrovare il bambino cosí mutato era già nato in lei prima ancora che Nicola

354

mostrasse il suo malanimo, anzi prima ancora della sua visita. Perciò, raccontandogli la malattia del bambino, e subito dopo i suoi brillanti studi, ella aveva l'aria di dire al padre: «Mi duole, certo, che il figlio non sia piú bello come prima; tu, però, non mortificarmi, e non accusarmi di non avertelo custodito degnamente. Francesco, è vero, è un poco mutato all'aspetto; ma con ogni sforzo e cura, e rischiando la morte, io ho salvato la sua vita. Francesco è vivo per merito mio, che l'ho difeso con volontà e con rabbia; e se pure il nostro bambino è meno bello, adesso, si avvia però a diventare un signore, un sapiente, degno del padre».

Simile a questo era il senso nascosto nelle parole di Alessandra; ma Nicola, indifferente e distratto com'era, non lo avvertí: egli aveva, lo si è visto, altri pensieri nel cervello. D'altra parte, alla madre il viso di Francesco non appariva gravemente mutato: ben piú orribile e stravolto le era apparso nel punto acuto del male, eppure, anche allora, in quella maschera ella riconosceva il suo caro, bel viso. Adesso che gli occhi di lui s'erano riaperti in tutta la loro luce, e i tratti ricomposti nella loro forma, la vittoria e l'amore ingannavano la madre, mostrandole il diletto volto poco mutato, e quasi intatto. Come accade solitamente in simili inganni, Alessandra ignorava che ad altri esso apparisse diverso; e le deprecazioni, pietose o maligne, di alcune vicine, le parevano effetto d'invidia, ché esse avrebbero voluto morto di quel male il suo bel figlio, cosí diverso dai figli loro.

In conclusione, Alessandra, senza troppo indagare su quella visita breve e sgarbata, giudicò il contegno di Nicola quale un capriccio misterioso da signori, un vapore incomprensibile e passeggero: né dubitò ch'egli sarebbe tornato, fra un mese o un anno, con modi piú affabili. Difatti, avendo il proprio amore materno quale paragone e specchio, ella s'ingannava nel misurare l'invaghimento di Nicola per il figlio; né pensava ch'egli potesse dimenticare e tradire.

Ma a Francesco, quei modi insoliti di Nicola Monaco parvero la manifesta dichiarazione d'una condanna: egli giudicò, senza alcun dubbio, che il forestiero, al vederlo cosí difforme, avesse provato orrore; che, non riconoscendo piú in lui l'amico d'una volta, gli avesse tolto per sempre il proprio ricordo fedele, la propria confidenza; e avesse deciso di ripartire presto per non ritornare mai piú. Un tal pensiero occupò la mente sbigottita di Francesco durante tutto il tempo che Nicola (non piú festoso, ahimè, non piú loquace e fervido), sedeva sulla panca della cucina. Ma il peso di quest'angoscia ancora incerta si trasmutò d'un tratto in un dolore irresistibile e acuto, allorché Nicola, bevuto in fretta il vino e uscito dalla casa, si fu allontanato sul suo cavallo nel modo che s'è visto, senza un addio per lui. Francesco seguí fino all'ultimo con lo sguardo la figura del cavaliere che s'allontanava, in attesa forse che costui si voltasse, o facesse un cenno bastevole, anche se piccolo, a dare un pretesto alla speranza nei giorni futuri. Ma come il cavaliere si dileguò senza saluto o cenno alcuno, una voce immaginaria, tanto spietata da parere beffarda, gridò a Francesco: – È finita! – Francesco si volse allora di nuovo, in un rapido sguardo, al piccolo gruppo dei compagni, i quali gli apparvero come nella febbre, fantocci ostili, falsi e contratti nei volti; e tosto, quasi di corsa si staccò da loro, cercando un luogo solitario, dove sfogare il pianto che già gli oscurava la vista.

Le colline molteplici che circondano il paese di Francesco, al di là della grande pianura, sono rocciose in alcuni punti, soprattutto verso le cime. Là, dove nessuna coltivazione è possibile, cresce solo la ginestra e altre piante selvatiche e tenaci; e la roccia, incavandosi, forma grotte, per lo piú anguste, ma talvolta ampie e prolungate nel sottosuolo. Queste caverne hanno ciascuna il loro nome: una si chiama *del Brigante*, una *del Garibaldino*, una *dello Scomunicato*, derivando tali nomi dai personaggi, tutti perseguitati, o evasi, o fuori legge, che secondo la tradizione vi trovarono nascondiglio o asilo. A causa del loro nome, e delle avventure ch'esso ricorda, quelle nere, echeggianti camere non sembrano mai disabitate ad una mente fantastica. Non senza paura, specie se vi si arrischia da solo, il fanciullo deve misurarsi, là dentro, con quegli ospiti antichi, tragici e affascinanti. E neppure è impossibile un incontro con qualche vero ospite, che abbia cercato riparo fra quelle rocce: per esempio, un mercante o suonatore girovago, che nei giorni torridi si riposi nella loro frescura; o semplicemente una capra allontanatasi dalle compagne, e che il pastore chiama a gran voce per nome, non potendo udirne piú il campanello né il belato.

In una di tali grotte, appunto, Francesco andò a gridare il proprio dolore; e i suoi singhiozzi, i suoi gridi venivano riecheggiati dalle pareti di selvaggia pietra. Come se un compagno fosse là, a piangere con lui; ma un compagno incapace di consolazione, buono solo a ripetere, con voci spettrali e solitarie, il suo medesimo pianto: quasi per confermare che il suo dolore non aveva rimedio. Gli pareva, questo compagno, un uomo grande, come lui sfigurato e solingo: un se stesso, insomma, cresciuto e fatto adulto, e recante per sempre sul volto i segni che lo distinguevano dai piú felici.

Era il tempo delle vacanze, e gran parte dei suoi pomeriggi, Francesco li trascorreva solo su per le colline fiammeggianti nell'estate non ancora spenta; rifugiandosi, allorché lo vinceva la stanchezza e il sonno, dentro le grotte, o nelle corti delle case in rovina. Ciò era cominciato il giorno in cui, dopo la guarigione, per la prima volta egli aveva rivisto il proprio volto nel frammento di specchio, opaco e scrostato, che Damiano usava per radersi. Ma dopo la crudele partenza di Nicola Monaco, il suo desiderio di solitudine si accentuò. Perfino sua madre egli fuggiva: lei che spesso, negli impeti dell'affetto, aveva prima lodato la sua bellezza, e gli pareva adesso un giudice severo. Talvolta, però, bramoso di tenerezza, correva a ricercarla, giacché essa lo amava tuttavia; ma gli altri eran tutti suoi nemici. Egli trovava un po' di pace nei luoghi aridi e bui, nella compagnia degli animali i cui teneri occhi non sanno distinguere il bello dal deforme; e allorché si accostava, per dissetarsi, al secchio del pozzo, serrava le palpebre per non vedere il proprio viso che si rifletteva nell'acqua.

Le fughe, l'appartarsi di Francesco, meravigliavano Alessandra, avvezza, nelle precedenti estati, ad esser seguíta in ogni suo passo da lui. Talvolta, se l'assenza del figlio si prolungava oltre l'usato, ella si faceva sulla soglia, o sul margine dei campi, e con voce cadenzata ed alta chiamava: – Francesco! Francesco! – Allora le vicine s'affacciavano per informarla d'aver visto il fanciullo salire per di qua, o di là, o avviarsi da quell'altra parte. Ed ella si inoltrava sui prati, ripetendo ad intervalli il proprio richiamo che nelle prolungate cadenze suonava quasi supplice e drammatico. Spesso ogni ricerca era inutile, e delusa Alessandra ritornava indietro. Ma accadeva pure che, a quei gridi, una vocina remota, e simile all'altra nelle cadenze, rispondesse: – Ma-mma! Ven-go! – ed ecco Francesco apparire in corsa, da qualche punto della campagna. Ai corrucci materni, egli si chiudeva in sé, scontroso e assorto; oppure d'un tratto cingeva sua madre, col gesto che gli era stato solito nella prima infanzia. E la guardava con occhi luminosi e adoranti, ma dubbiosi; quasi che, pur trovando ristoro in quell'abbraccio, celasse tuttavia dei pensieri che non voleva dire.

Un giorno, poiché sua madre gli rimproverava piú del solito la sua selvatichezza, Francesco ruppe in pianto; e disse fra le lagrime ch'egli voleva rimaner solo, e non voleva ritrovarsi con gli altri fanciulli, i quali non lo amavano e lo chiamavano *butterato*. A queste parole, gli occhi di Alessandra fiammeggiarono: – chi, – ella domandò al figlio, con voce tesa e minacciosa, – chi, ti chiama con questa parola? dillo, cuore di mamma, chi? – Raddoppiando i singhiozzi, pieno di sdegno, egli pronunciò alcuni nomi; e Alessandra, levando la testa, con gli occhi fissi e scintillanti, le labbra serrate, affrettò il passo verso la vendetta, che il suo cuore sollecitava.

Uno dei ragazzetti nominati da Francesco sedeva fra gli altri ai suoi giochi, su uno spiazzo poco lontano dalle « case rotte », allorché la donna sopravvenne con occhi di furia, e con voce acuta gli domandò se fosse lui che aveva·chiamato Francesco per soprannome. Titubante e smarrito, l'accusato arrischiava una difesa: – Gli ho detto cosí perché... –, ma Alessandra incominciò a percuoterlo con violenza selvaggia sulla nera testolina dai ricci impolverati e crespi. E mentre lo sciame dei compagni fuggiva, con veloce scalpiccío di piedi nudi, ella teneva stretto l'accusato sotto i duri colpi; ammonendo nel tempo stesso non solo lui, ma anche i fuggitivi: – Se tu, o qualcun altro ripetete ancora quel nome, io vi morderò la testa, e sputerò il vostro sangue, frutti avvelenati! Va', va' pure a dirlo a tua madre! – soggiunse con accento di sfida, poiché la vittima, libera alfine, correva in gran pianto verso le scoscese viuzze.

Pochi minuti dopo, si vide che Alessandra aveva indovinato l'intenzione del suo piccolo avversario. Difatti, mentr'ella preparava la cena, si fece sulla soglia una matrona pugnace, dalla grande capigliatura crespa, dal volto grasso e invecchiato, bruno come quello d'un'araba, in cui gli occhi accesi e fermi parevano carboni di miniera. Era, non occorre dirlo, la madre del ragazzo percosso, venuta a chieder conto dell'oltraggio. Le madri del paese, infatti, spesso violente o addirittura feroci coi propri piccoli, si risentivano come per una grave offesa se questi ricevevano anche un semplice schiaffo da mano estranea. La De Salvi aspettava quella visita; e levò appena le pupille dal fuoco presso il quale stava inginocchiata e curva, a guardare di sbieco la visitatrice. La quale, i pugni sul busto, scuotendo il battagliero suo capo e fissando l'altra quasi volesse gettarle un sortilegio, gridò con voce stridula e teatrale che nessuno doveva provarsi a malmenare le sue viscere; lei sola, che gli aveva dato il latte, poteva correggere suo figlio.

Cosí detto, protese il busto e tacque, aspettando la replica dell'altra; ma Alessandra se ne stava severamente muta, come una giustiziera, concentrando l'intima violenza nelle pupille che parevano attente alla fiamma. Colei si avanzò allora nella cucina, e battendosi, minacciosa, la palma col pugno, domandò se Alessandra avesse niente da dirle. Al che Alessandra balzò in piedi, e, lampeggiando come la vendetta stessa, replicò ch'ella difendeva il proprio sangue; e chiunque si provasse ad offenderlo, doveva passare sotto le sue mani. – Offenderlo! – esclamò l'altra; e s'indirizzò a Francesco, il quale, dritto in piedi, corrugava bellicoso la fronte, pronto ad accorrere in difesa di sua madre: – Dillo tu, se non hai l'anima di un bugiardo, – proferí con astio rivolta al fanciullo, – dillo tu chi offende tutti quanti. Ah, non rispondi, eh? ti sei ammutolito? dillo chi è il piú prepotente, manesco e superbo, brutta fronte dura che pare covi i pensieri del demonio. Tu che guardi tutti dall'alto e cammini via, come fossi figlio d'un duca!

Accigliato e pallido, Francesco non rispondeva nulla; ma sua madre era stata ferita da quelle invettive come da un'arma pungente, che irritava gli spiriti invece di domarli. Ella arrovesciò indietro il volto radioso, con tale impeto che il fazzoletto le cadde giú dal capo. – Lo è, – gridò in una folle sfida, – lo è, figlio d'un duca!

L'altra ebbe una risata beffarda: – Sí, duca! – esclamò con sarcasmo, – duca dell'America! – Dell'America, dell'America, sí! – ripeté la De Salvi, indomita e provocante: – E i tuoi figli, – soggiunse accostandosi all'avversaria, – come pure altri che so io, qua intorno, non lo possono vedere, il figlio mio, perché è piú di loro! Perché va agli studi, e si fa strada, e sarà un dottore, quando loro saranno sempre degli zappaterra!

– I miei figli, – ribatté a tal punto l'altra alludendo malignamente all'aspetto deturpato di Francesco, – i miei figli non sono dottori, è vero, ma hanno le carni che sembrano dipinte!

– Fuori di casa mia! – le ingiunse allora la De Salvi, a cui nessuna parola al mondo poteva suonare piú oltraggiosa di quelle che aveva ora udito: – Esci, esci! – ripeté, avanzando coi pugni chiusi sull'avversaria. Questa indietreggiò un poco, ma solo, forse, per prender meglio lo slancio. E certo le due donne si sarebbero gettate una sull'altra, se non fossero state trattenute dai loro mariti, sopraggiunti in quel momento. La visitatrice, affannosa e riluttante, fu sospinta fuori dal suo sposo; mentre Damiano si sedeva sulla panca, e incominciava a sciogliersi le corde dei calzari, senza commentare l'accaduto. Infatti, gli uomini evitavano, finché era possibile, d'intervenire nelle questioni delle loro mogli; e il vecchio De Salvi si era tenuto in disparte ogni volta, assai di rado invero, che Alessandra era venuta a parole con qualche vicina: rifuggendo, per sua natura, dalle risse e dai tumulti.

Alessandra, dal canto suo, si curvò sul fuoco, e ricominciò i preparativi della cena, senza accennar con parole al litigio; sebbene i suoi sopraccigli corrugati e l'occhio fosco mostrassero che il suo sdegno era ancor vivo. Quasi temesse d'esser lui pure oggetto di tale sdegno, Francesco le si accostò, e posando la sua bruna manina sull'avambraccio nudo di lei, la chiamò a bassa voce. La madre allora lo guardò con passione, e appressàtasi d'impeto alla madia, ne trasse una focaccia dolce, in forma di palomba con le ali aperte, che aveva infornato alla mattina insieme col pane, e la porse al figlio.

Quel litigio non ebbe seguito; difatti, pur mantenendo nel loro segreto un fondo di rancore, le donne del villaggio solevano per lo più, incontrandosi dopo un litigio, salutarsi e conversare come se non fosse stato nulla. Aggiungerò che i ragazzetti si guardarono meglio, nei giorni seguenti, dal chiamare Francesco « butterato ». E se qualcuno vi s'indusse, Francesco preferí farsi giustizia da solo, senza partecipare ad Alessandra le proprie amarezze. Ma Alessandra, messa all'erta, spiava adesso, nei ragazzi compaesani ed anche negli adulti, la freddezza e l'ostilità verso il suo Francesco, ch'ella credeva degno solo di lode. Quella freddezza e ostilità eran cose vere, e non sempre nascoste. Offesa, e persuasa che simili ingiusti sentimenti derivassero solo dall'invidia, ella diventò aspra coi figli degli altri. Piú di prima, in quei giorni, alle lunghe assenze del figlio vagabondo per la campagna, si adombrava. Se al tramonto Francesco non era ancora tornato, usciva a cercarlo, tendendo la vista sui campi come su un mare burrascoso. Ma se qualche compaesano, fanciullo o adulto, la informava sul dove il ragazzo era stato visto: – È salito da quella parte, è passato per di là, – subito ella credeva di udire, in questi cortesi ragguagli, una intenzione di rimprovero, o un giudizio malevolo per suo figlio. – Francesco, – replicava talvolta a coloro, in tono di rivendicazione e di sfida, – Francesco ha ragione di passeggiare e di respirare l'aria buona, finché può. Giacché quest'inverno, quando i figli vostri staranno all'aperto, lui starà nel chiuso della scuola, a studiare per farsi istruito.

Era trascorsa meno d'una settimana dal litigio con la vicina, quando Alessandra, uscita un giorno sull'ora del tramonto a cercare il figlio, e inutilmente avendolo chiamato a gran voce, lo scorse d'un tratto, ripiegato su se stesso, con la testa sulle braccia, fra le rocce di quei terreni incolti ov'egli amava aggirarsi. Lo richiamò allora, in tono di rimprovero; ma non ricevendo risposta, sebbene egli fosse a pochi passi da lei, gli si avvicinò turbata e lo scosse per le spalle. Francesco levò il capo, ed ella esclamò: – Pazzo che sei, ti chiamo, e tu non rispondi? – ma vedendo che il fanciullo aveva gli occhi rossi di pianto, soggiunse in tono meno aspro: – Che accade? Non vuoi cenare stasera? – Senza parlare, e come trattenendo a fatica le lagrime appena ringoiate, testardo egli fece segno di no. – Vieni dunque, andiamo a casa, – lo esortò sua madre. Al che il fanciullo, col mento che gli tremava, in una voce sottile, rispose di non voler tornare a casa, di voler trascorrere là, in quel luogo stesso, tutta la notte. – Ah, Gesú Cristo! – esclamò lamentosamente Alessandra, sedendosi su una roccia lí presso, e liberando dalla pezzuola la testa accaldata, – chi me lo avrà stregato questo figlio, che era il piú buon figlio del mondo, e adesso è diventato un demonio!

Il fatto è che, poco prima, attraversando lo spiazzo di terra battuta sul margine dei campi, il fanciullo aveva sorpreso un gruppo di suoi coetanei nell'atto di additarsi lui, Francesco, fra loro, pronunciando a voce bassa l'odiato soprannome. All'udirli, era stato vinto da un dolore di una specie nuova, mescolato di disgusto; tale da soffocare in lui la ribellione e l'ira stessa. Egli non aveva provato alcuna volontà di gettarsi su quei maligni, come altre volte faceva. Ma, distogliendo il viso da loro, s'era allontanato verso il suo rifugio fra le grotte, là dove appunto era stato raggiunto da sua madre. Non voleva, adesso, cedere alla viltà di confidarle questa nuova provocazione dei ragazzi; onde, rispondendo alle sconsolate parole di lei, con voce rabbiosa e tremante esclamò che sí, infatti voleva morire e diventare un demonio, per fare del male a tutti.

– A tutti! Anche alla madre tua! – disse Alessandra. Stizzosamente, lottando con l'amaro dolore, Francesco le rispose che lei pure, lei pure non lo amava piú, e presto non avrebbe voluto piú vederlo, al pari di tutti gli altri, al pari di don Nicola, che ritrovandolo cosí rovinato se n'era andato via senza salutarlo e non sarebbe tornato mai piú.

– Che dici! Questa è bestemmia! – si ribellò sua madre, piena di stupore e di corruccio, – don Nicola! – E (forse per sopraffare i sospetti già balenati nella sua stessa mente, e suscitati adesso dalle parole del figlio), proseguí con impeto dicendo di meravigliarsi, di meravigliarsi molto che un ragazzo studioso, il quale aveva già incominciato le scuole superiori, pensasse certe bestemmie da folli e da ignoranti. Un signore, un uomo istruito come don Nicola, avrebbe dovuto far caso a quei pochi segni, effetto della malattia? Forse che Francesco era il primo che si fosse ammalato di vaiolo? Ed era sua, la colpa, se si era ammalato? Chissà quante infermità, quanto male aveva veduto don Nicola, che girava sempre il mondo; si pensi dunque se poteva badare a tal cosa da nulla! Forse che la persona di Francesco non era sempre la stessa di prima? E forse don Nicola era da confondersi con questi ignoranti del paese, che parlavano per invidia, perché Francesco era da piú di loro? Ah, Francesco sapeva tante cose, ma certe altre non poteva ancora capirle.

– Vedrai, – gridò allora Francesco, senza piú frenare il disperato suo pianto, – vedrai se indovino che don Nicola non tornerà mai piú! Ma io, – soggiunse fra i singulti, non ricordando di aver affermato, poco prima, che voleva morire, – io da grande voglio diventare un signore, molto piú di lui, e passerò... passerò davanti agli occhi suoi, per farlo pentire. Vedrai!

Un sorriso stregato curvò appena le labbra di Alessandra, un lampo bizzarro le passò negli occhi. E con voce bassa, lusinghiera, piena di arcana confidenza, d'un tratto ella disse all'innocente fanciullo: – Tu non sei meno signore di lui.

– Accòstati, vieni qui vicino, – proseguí nello stesso tono, come se fosse d'un tratto fatta schiava d'un incantesimo, e volesse attirare l'ignaro ragazzetto dentro il suo cerchio. Francesco ubbidí con ritrosia, ma già voglioso, in realtà, delle materne carezze. Un simile, familiare conforto egli attendeva, e non ciò che sua madre stava per dirgli. Ma Alessandra era ormai posseduta da uno spirito; e accarezzando, quasi distratta, le cicatrici di quel povero volto, su cui scorrevano grosse lagrime, riprese insinuante: – Tu non sei d'una razza di villani come tutti costoro.

Cosí dicendo, perduta, ella incominciò a ridere piano, combattendosi in lei la subdola, infernale compiacenza, e un virgineo pudore. E il cuore presago di Francesco ebbe un brivido. Egli ricorderà sempre quel declivio sassoso, quei secchi, gialli cespugli nel grande crepuscolo; e sua madre, seduta piú in alto di lui sopra un sasso, con la testa china e alcune ciocche piú corte mosse dai soffi sciroccali. Un cane abbaiò, richiami e belati si udivano nel piano, cinguettii già attutiti dalla notte, come voci di un'infanzia che se ne fuggiva. Nella rupestre folla dei massi e delle pietre, stavano celati i neri ingressi delle grotte. E lei, piena di confusione e di gloria, simile a una zingara predicante la ventura, lei gli confidava in segreto che suo padre non era Damiano, ma Nicola Monaco!

Chi volesse indagare sul perché Alessandra s'indusse ad una confessione tanto grave, tanto insolita e conturbante per l'orecchio d'un fanciullo, chi volesse far ciò, scorgerebbe forse piú motivi, intrecciati e non ben chiari nell'anima di lei. Non soltanto la volontà di offrire al figlio una consolazione, un argomento di vittoria contro la malevolenza dei paesani; ma anche il piacere femmineo di confidare a qualcuno la propria grande avventura. Questo piacere, per lunghi anni la donna severamente l'aveva rifiutato a se stessa: nessuno, in paese, era degno di conoscere il segreto che la congiungeva a Nicola. Ma

362

infine, ella aveva scelto un confidente; e chi altri poteva essere se non il figlio di Nicola e suo, l'amato, bellissimo bambino dai riccioli neri, il butterato? Questo segreto comune, rafforzava adesso l'oscura complicità che fin da principio aveva legato il figlio a lei; ma c'era un punto sul quale il suo intendimento, piuttosto fanciullesco che di donna, non poteva farle lume: e cioè, che oltre alla consolazione e alla gloria, la sua confidenza recava in sé il veleno. La gloria ch'essa svelava era disonorante, perché nata da un peccato; e per quanto l'orgoglio provocatore istigasse a gridarla agli altri, si doveva tacerla invece, come una vergogna. Ciò il fanciullo intuí, non soltanto nelle parole di sua madre, ma nel suo proprio giudizio ancora malcerto. Disordine e turbamento lo invasero: da quella sera l'ingiusta freddezza e il divario che lo avevan già separato dal suo padre legittimo divennero disagio e repulsione. Una tal pena fu attutita poi dall'abitudine e dagli anni; ma, non meno di quel tramonto campestre che vide, misteriosi, uno di fronte all'altra, sua madre e lui, mai si cancellerà dalla mente di Francesco quella prima serata nella cucina. Egli rivedrà, finché viva, come in uno specchio, i propri occhi di fanciullo che fuggono Damiano, trasformatosi in un ambiguo, inquietante straniero; e fissano, sgranati, la propria coscienza fatta adulta, l'intrusa che vuole sopraffare lui, stupito bambino. Mentre nel cuore l'infantile natura combatte contro simile tormento strano e perverso.

Alessandra non sapeva, poi, che il comune segreto, se da una parte legava piú fortemente suo figlio a lei, da un'altra glielo estraniava. Con la sua confidenza, Alessandra si era scoperta, agli occhi del figlio, adultera e peccatrice. Ma a quel tempo Francesco era troppo inesperto per giudicare la colpa di sua madre; e seppure gli balenò il senso d'una tal colpa, esso appariva cosí vago, enigmatico, che subito lo ricoprirono il mistero e il perdono. Come avrebbe potuto, il fanciullo, condannare sua madre per aver amato Nicola Monaco ed esserne stata amata? Francesco non dubitava che fra i due vi fosse stato un grande amore; e, nella sua fantasia, lo splendore di Nicola Monaco vinceva l'oscura colpa. Ma anche piú tardi, allorché, giovinetto, egli poteva giudicare sua madre colpevole, il giudizio era vinto dalla pietà, da un affetto consapevole e triste, e infine, dal magico fasto di cui sempre, nel suo pensiero, egli vestiva l'immagine di Nicola: tanto che, malgrado il tradimento di lui, sempre il giovinetto parteggiava in cuor suo per Nicola, contro Damiano.

Questa indulgenza, questa reciproca, delittuosa compiacenza erano, sí, veleno; ma in esse era pure una forza dolorosa e orgogliosa, inevitabile, che avvinceva di piú Francesco a sua madre. Diverso potere ebbe, invece, un altro veleno: voglio dire, cioè, la consapevolezza che Alessandra apparteneva pure a quella rozza società dalla quale escludeva suo figlio dicendogli, trionfante: – Tu non sei come costoro –. Con tali parole, ella si proclamava non piú uguale e signora del figlio, ma inferiore e serva; come anni prima, allorquando al piccino ancora in fasce diceva umilmente: – Principino mio!

Ecco venire un tempo nel quale colei che già pareva a Francesco la piú bella delle donne, la prima di tutte, la piú lucente; cosiffatta da glorificare, col portarla, anche un'umile veste; ecco un tempo, dico, nel quale Alessandra doveva diventare per suo figlio un oggetto inconfessabile di vergogna, com'era già Damiano.

Il primo autunno dopo la malattia, nella vita di Francesco avvenne un grande mutamento. Fin dall'anno precedente, Francesco aveva iniziato con successo, presso l'istituto pubblico del capoluogo (che distava dal suo villaggio piú di due ore di cammino), il primo corso di ginnasio, dovuto interrompere dopo qualche mese a causa della malattia sopravvenuta. Spesso, durante quel primo breve periodo dei suoi studi *superiori*, i professori avevano deplorato il faticoso viaggio a piedi cui l'allievo era costretto due volte al giorno: un viaggio che lo stancava, con danno della salute, e rubava molto tempo allo studio. Essi avevan consigliato Damiano di mettere il ragazzo a pensione presso qualche famiglia del capoluogo stesso, accontentandosi di averlo a casa la domenica. Ma un tal progetto era troppo costoso; e di piú, troppo dura appariva ai De Salvi una tale separazione. Ora, invece, allorquando, al tornar dell'autunno, Francesco s'accingeva a riprendere gli studi interrotti, Alessandra dichiarò al marito che per l'avvenire del fanciullo occorreva fare questo nuovo sacrificio e seguire il consiglio dei professori. Che cosa le aveva fatto cambiare opinione? Non soltanto, certo, il timore per la salute di Francesco, ch'ella aveva veduto in pericolo mortale: giacché ella sapeva bene che il figlio, in realtà, era robusto, e sopportava la fatica. E neppure un'accresciuta sollecitudine per gli studi di lui. Ciò che soprattutto la indusse alla separazione crudele, fu il desiderio di sottrarre Francesco alla fredda ostilità dei vicini e la speranza di guarirlo, col fargli cambiar vita, dalla sua nuova, inquieta tristezza. Inoltre, la materna ambizione di Alessandra era oltremodo lusingata al pensiero di questo nuovo privilegio che distingueva il suo Francesco dai figli dei vicini, colpendo come un fiero schiaffo la loro invidia. Col proprio fervore, adducendo gli argomenti dello studio e del viaggio troppo lungo, oltre che la recente malattia di Francesco, ella persuase Damiano al non piccolo aggravio. Per un poco, si pensò pure di mettere Francesco in collegio;

ma i colleghi laici eran troppo costosi, e di preti non si poteva parlare in casa di Damiano. Per cui si ritornò al primitivo progetto: e Alessandra, calzate le famose scarpette delle nozze, insieme a Damiano accompagnò il figlio al capoluogo, recando sul capo un canestro di provviste che dovevano bastargli fino al prossimo sabato. Senza timidezze contadinesche, ma con dignità di signora, ella affidò il fanciullo alla padrona di casa, una cartolaia, e lo sistemò nella sua nuova cameretta; ottenendo pure, dopo lunghe discussioni, un lieve sconto sul prezzo d'affitto. Il piú commosso, nel separarsi dal figlio, appariva Damiano: – Beh, – disse a Francesco, ridacchiando con occhi offuscati, – eccoti cittadino, – e lo carezzò in viso. Francesco sorrise, pallido pallido. Altèra e forte, anche Alessandra sorrideva. Ma come essi furono partiti, Francesco si sentí turbato al punto che gli mancò la voce per rispondere alle domande della padrona. Questa se ne andò alfine per le sue faccende; e Francesco, rimasto solo, si acquattò in un angolo di quella cameretta, poco piú larga d'un canile, e ruppe in singulti, mordendosi le mani e chiamando: – Oh, mamma mia! – Con sussulti cosí violenti da far tremare i vetri dell'unica finestrella, che dava su un ballatoio.

Non di rado, in seguito, lungo le amare settimane, il povero studentino di dodici anni piangeva per il desiderio della presenza materna. Ma pure, ecco che, col tempo, crescendo in lui l'esperienza, l'ambizione e l'amaro giudizio, egli incominciò a paventare le visite di lei. Avveniva, di rado, invero, ch'ella ubbidendo ad una affettuosa fantasia venisse a trovarlo, come già Damiano, durante la settimana, all'uscita della scuola. E, come già gli avveniva per Damiano, ogni giorno, all'uscita, Francesco temeva al pari d'uno spettro l'apparizione di colei che gli era cara piú di tutti al mondo: sicura e contenta, col suo canestro sul capo, coi suoi vestiti da contadina, araldo dell'amore e della vergogna.

Simile tormento finí pochi anni dopo, allorché, non esistendo un liceo nel capoluogo della provincia, Francesco si trasferí nella città delle sue brame, (capitale dell'intera regione), dove lo abbiamo conosciuto la prima volta: la città stessa di Nicola Monaco. Essa era lontana dal paese, e richiedeva, per arrivarvi, la spesa d'un lungo viaggio in treno. Per cui, stavolta, né Alessandra né Damiano accompagnarono Francesco alla sua nuova residenza. I ritorni settimanali di Francesco presso i suoi cessarono. E i due sposi, malgrado il loro desiderio, non poterono mai concedersi il lusso di fargli visita in città: salvo una volta, la sola Alessandra, come raccontammo altrove.

L'adolescenza di Francesco fu, al pari della sua fanciullezza, assai solitaria. Fra i ragazzi di città, come già fra i piccoli campagnoli, di rado egli trovava degli amici. Essendo il primo della classe, riceveva talvolta adulazioni e lodi: ispirava rispetto, e nessuno, qui, lo chiamava *butterato*. Ma qualcosa in lui, non so se un male o un bene, allontanava la confidenza dei compagni, dei professori stessi che lo celebravano, e perfino delle padrone di casa espansive e ciarliere. Forse eran le sue troppo fiere pretese, per cui non soltanto all'amore egli aspirava, ma al potere addirittura? O forse la sua presunzione d'essere una stella non ancora scoperta, ma destinata ad abbagliare, un bel giorno, tutti gli astronomi del globo? Ahimè, in realtà, questa gran presunzione stava nel suo cuore come una spavalda, pervicace intrusa. Il vero padrone del suo cuore (padrone ombroso, triste e sempre all'erta) era il sospetto d'essere, lui, Francesco, una cosa che si odia e si tiene a vile. Non lo aveva infatti il suo stesso padre, Nicola, disdegnato al punto da non curarsi di rivederlo mai piú? Similmente, un suo grazioso compagno, la cui tenerezza gli sarebbe stata cara, dopo avergli chiesto, dolce e umile, al mattino, d'aiutarlo nei còmpiti, all'ora della ricreazione si allontanava correndo al braccio d'un altro compagno: il quale era ben vestito, ricco e spensierato, era allegro, e bello nel viso, non butterato come lui.

Nella città, Francesco, che al suo villaggio era stimato dei piú agiati, s'accorgeva d'essere dei piú poveri. Ed eccolo al punto di scegliere: o servire quelli che lo umiliavano con la loro fortuna, o rivoltarsi ad essi, difendendo contro di loro i suoi simili. Abbiamo già visto, fin dal nostro primo incontro con lui, quale fu la sua scelta: scoprendo in un libro una scienza e una fede che placavano molti suoi contrasti, egli s'innamorava di questa affascinante verità, distruttrice di falsi reami; ma nel medesimo tempo, si vestiva lui stesso di menzogna, e architettava reami falsi. E insieme alla sua fede rivoluzionaria, nasceva la sua finta baronía.

Tuttavia, non meno del contadinello Francesco, anche il barone Francesco era un personaggio alquanto scontroso e solo. Nicola Monaco non era tornato al villaggio mai piú; e chi ha seguíto dal principio la nostra storia, potrà capire le cause di questo oblío. Sicuro d'esser da lui disprezzato, il piccolo Francesco, pur vivendo nella sua stessa città, si ritenne dal cercarlo, e perfino dal nominarlo ad altri (lui che un tempo ne faceva cosí gran vanto). Non per questo cessava dal pensare a lui; ma un tal pensiero gli stringeva il cuore, con sensi di amaro pudore e di sconfitta, come avviene ad uno sposo tradito. Spesso, soprattutto i primi tempi, gli pareva di riconoscere la figura di Nicola in qualche passante: il sangue gli saliva alla faccia, e subito assumeva un'aria noncurante e spavalda, levando il capo verso colui, pur senza guardarlo, come a dire: «Ecco il mio viso butterato! non m'importa delle mie cicatrici, non ne tengo conto». Ma colui non lo riconosceva e passava via; ed egli ben presto capiva d'essersi sbagliato. In realtà, a quel tempo Nicola, scacciato dai padroni, s'era trasferito altrove, per tentare di svolgere in campi nuovi la propria disinvolta attività.

Ma Francesco, al quale tutto ciò era ignoto, un giorno si spinse fin nei pressi di palazzo Cerentano. Piú volte, in presenza di lui bambino, Nicola aveva nominato, come proprio domicilio, questa magione pomposa, tacendo il suo domicilio vero, le tre povere stanzette dove lo aspettava sua moglie Pascuccia. Francesco rimirò da lontano il palazzetto stemmato con un batticuore folle. Nel tumulto della fantasticheria, dell'adorazione e della rivolta, pensò: «*Lui* è là dentro! E se s'affacciasse? se mi vedesse?» Un tal pensiero lo empí di paura; e s'allontanò di corsa. Proprio, forse, in quegli stessi giorni, la piccola Anna, dando la mano a sua madre Cesira, oltrepassava per la prima volta quella soglia vietata.

Mai dunque, per tutti quegli anni, Francesco ricercò Nicola. Solo piú tardi, un giorno (lo stesso in cui Francesco fa la sua comparsa in questo libro), un giorno, come sappiamo, egli si decise. Il fine, però, non era d'amore, stavolta, bensí d'interesse. E questo suo fine interessato, Francesco l'ostentava a se medesimo quale una bandiera di riscossa. Parendogli, col presentarsi a quell'uomo per esigere un diritto, anzi un credito, di rinnegare con questa meschina esigenza i propri sentimenti passati, vendicando cosí la propria devozione, la ferita sempre sanguinante. Era una sfida ch'egli recava a Nicola: voleva un duello. Ma, come certi disperati romantici, lo sfidante in questo duello cercava non la caduta dell'avversario, bensí la sua propria: la caduta, cioè, di quel se stesso ch'egli era stato fino ad oggi, e del proprio innocente, rifiutato amore. Senonché, l'avversario, ahimè, non poteva piú dargli soddisfazione: e Francesco s'avvide d'avere sfidato, a somiglianza del Generoso Hidalgo, uno che da gran tempo era fatto polvere.

Adesso tornando per un poco (avanti di lasciarla per sempre) alla fanciullezza di Francesco, vogliamo vedere ancora una cosa: per il piccolo studente, mentre se ne stava solo nella camera cittadina, o giaceva nel letto estraneo, che eran diventati l'infanzia, e il villaggio nativo? quale aspetto prendevano nel ricordo? Vi dirò che, a differenza di quanto accade a molti, nel pensiero di lui le immagini e i luoghi infantili erano percorsi da uno spirito di fastidiosa angoscia. Un tal senso irragionevole, ingiusto, era tuttavia cosí forte che, sempre piú, col ritorno delle estati, il termine dell'anno scolastico trovava Francesco recalcitrante, e perfino impaurito al pensiero delle prossime vacanze al paese. E con varie scuse egli prolungava il proprio soggiorno in città piú che poteva, sí che da ultimo aveva ridotto le proprie vacanze in famiglia ad una visita frettolosa di pochi giorni. Egli odiava dunque la sua casa? Non amava piú sua madre? ciò non si può affermare: allorquando, infatti, tornato l'autunno, e riaprendosi i corsi, egli doveva ripartire dal villaggio, ecco che, d'improvviso, si sentiva stringere il cuore dalla pena. Durante la breve vacanza, il suo desiderio sollecitava impaziente l'ora del ritorno in città; ma pure, col giungere di quest'ora, a un tratto la collina della noia e della tristezza si accendeva in una tardiva rivelazione. In guisa d'ami aguzzi, il terribile affetto, i rimorsi, le consolazioni mancate traevano lo studente verso quel monticello sassoso al quale era tornato con ripugnanza e di cui, per vergogna, usando diversi sotterfugi, mascherava ai suoi compagni di liceo perfino il nome vero. All'ultimo, invece, oh, gioco amaro e sorprendente!', egli non poteva staccarsene senza lacerarsi.

Trascorsi, peraltro, pochi giorni dal distacco, la povera e remota collina ridiventava, per lui, nella memoria, un luogo oscuro, insidioso, nel quale, come un piccolo morto di cui si scaccia l'apparizione, seguitava a muoversi fra gli inganni un Francesco infante, e poi bambino, e poi fanciulletto in pena. Al pari di questo minuscolo abitante, anche il suo villaggio pareva allo studente di adesso non piú una cosa presente e viva sotto il cielo, ma un punto del passato: cosí amaro, tuttavia, ch'egli avrebbe voluto seppellirlo sotto monti di terra. E invece, a tratti si riaccendeva in lui, questa Fenice, e lo tentava con l'amore.

Avveniva, una mattina d'inverno, che Francesco si svegliasse prima del tempo nel suo letto cittadino. Il mondo era ancor nero nella notte, e, unico rumore, dal campanile batteva il segnale dell'orologio. Con rintocchi simili a questi, la campana della chiesa annunciava la fine della notte, nel villaggio dei De Salvi; e Francesco, adesso, nel dormiveglia, credeva appunto di giacere nel grande letto matrimoniale dove nell'infanzia dormiva insieme a sua madre. Un momento dopo, riscuotendosi, avvertiva l'inganno; ma il disegnarsi del vero gli portava una desolazione cosí pungente, e tale un rimpianto, ch'egli serrava le palpebre, volendo costringere l'inganno a non dileguarsi. E nella sua puerile, semincosciente commedia, stendeva un poco il braccio, fingendosi di toccare il corpo respirante di sua madre, in luogo di quest'aria fredda e vacua fuori dello stretto lettuccio.

Allora ritornava a lui quella che, fra tutte le immagini della fanciullezza passata, era la piú insistente e dominava nella sua memoria al punto ch'egli mai, neppur negli anni futuri, non poté pensare a se stesso bambino senza rivederla. In essa si ritrovavano di quel trascorso tempo della sua vita gli enigmi e le speranze vicino a uno sgomento quasi mortale.

Era l'immagine dei mattini invernali di quel primo anno in cui Francesco, ancor sano e bello nel viso, ancora nella casa dei genitori, partiva avanti l'alba per recarsi al ginnasio in città. Sollecita, la voce di sua madre l'ha riscosso dal sonno chiamandolo per nome: – Francesco! Francé! – E questo richiamo mattutino di una voce che, in quei giorni, era la piú cara per lui; questo richiamo che, di soprassalto, rompe e mette in fuga i bei sonni, dopo molti anni gli riecheggerà negli orecchi come un segnale spietato e triste, da gelare il cuore. Per il piccolo studente del villaggio, la severa cantilenante voce non è soltanto la violatrice dei sonni; essa, proprio lei, condanna il fanciullo al prossimo distacco. Fra pochi minuti, Francesco dovrà allontanarsi appunto da lei, da sua madre, e andare fra gli estranei, là dove gli abbisogna l'indifferenza, ardua cosa, e il coraggio. Ma se il freddo e la ripugnanza lo fanno indugiare fra le coltri, di nuovo, sull'uscio, quel verdetto pungente e solenne lo incalza: – Francesco! Francé! – Gli fa eco, talvolta, dalla cucina, indulgente e strascicata però, la voce del vecchio Damiano.

Nella cucina, i genitori si sono già levati, il fuoco di legna è acceso per terra; e mentre sua madre cuoce la polenta, o altro cibo caldo, e suo padre s'infila presso la fiamma i calzari da fatica, Francesco, alla luce del fuoco, rilegge un'ultima volta la sua lezione. Dopo aver mangiato, nel piatto comune, coi suoi, eccolo solo nelle straducole dove ancora quasi tutti, uomini e animali giacciono, ma per poco, nel sonno. Le basse case di pietra si distinguono male fra le tenebre; solo da qualche uscio semiaperto rosseggia di già un lume o un fuoco, e qualche movimento s'ode da una cucina o da una stalla. Ad intervalli, rompe la muta notte una voce mattiniera, o il grido d'un gallo, o un raglio pieno d'ambascia. Al piccolo viaggiatore solitario, i suoi propri passi risuonanti sui ciottoli sembrano d'uno straniero che lo insegue: egli s'affretta senza voltarsi per non vedere costui. Ma in certi giorni, un gran vento batte le tenebre, e fuggendo sopra le case diroccate dal terremoto, e subito ritornando indietro, per i vicoli, nei camini, all'urto dei crocicchi, urla, geme, e ride. Oppure è l'acquazzone che vuole sbarrare la strada, e Francesco, attraverso le pozzanghere e il fango, deve lottare con lui fin quasi a perdere il respiro. Non è già questa rissa, né il suo frastuono privo di senso, che gli fa paura: in realtà, egli teme che simile frastuono diventi a un tratto una voce comprensibile per lui. Teme ciò che non vede: ha il sospetto che questa furiosa natura abbia un viso, e non vuole guardarlo.

Ogni mattina, uscendo di casa, egli corre col pensiero, per consolarsi, all'ora pomeridiana del ritorno. Ma ciò non basta a fugare la folla degli spiriti notturni; ed egli invidia i suoi coetanei, pastori e contadini, che dormono a quest'ora nei loro letti promiscui, e che, levandosi all'alba, se piove resteranno in cerchio presso il fuoco; e se sarà bello, scenderanno ai lavori in gaia compagnia. S'egli fosse come loro, non dovrebbe staccarsi per tante ore del giorno da sua madre Alessandra, ma potrebbe seguirla ad ogni momento, come quando non era ancora scolaro.

Francesco pensa che vorrebbe ritornare come allora: e gli pare d'esser diviso in due se stessi. Il primo, riluttante ma frettoloso tuttavia, compie uno dopo l'altro i passi che sempre piú lo allontanano da sua madre; e l'altro compie lo stesso numero di passi, ma in senso inverso, e consolato risale verso di lei. Bella, quieta, là sulla povera montagna, Alessandra risplende come l'ora del mezzogiorno in quest'alba d'inverno. Ella è la libertà, la confidenza, il riposo. Certezza e stupore, che sembrano eterni, la ricingono della loro signoria. Fra i mille enigmi dell'infanzia, lei sola è spiegata fin dal principio. Lei fin dal principio è posseduta, senza conquista.

Stretto dalla nostalgia, lo scolaro salta giú per le note scorciatoie; e intanto, nonostante le sue mattutine angosce, va ripetendo fra sé la lezione imparata la sera innanzi. I primi chiarori lo trovano già sulla strada carrozzabile; e il sole levante lo guarisce, e lo esalta, come uno stendardo colorato, o una fanfara, a un ignorante soldatuccio restio.

Questa, dunque, l'immagine di se stesso fanciullo che piú spesso visitava Francesco, allorché la sua fanciullezza fu finita, e piú tardi; e soprattutto in quelle albe invernali della sua adolescenza, allorché, ridestatosi anzitempo, egli attendeva che suonasse l'ora di levarsi e di andare a lezione. In queste ore ancor notturne, accadeva pure che l'affetto di lui per sua madre, obliato e tradito durante il giorno, facesse le sue vendette. Francesco era assediato da paurose immaginazioni: se, mentr'egli era assente, a sua madre fosse avvenuta una disgrazia? s'ella fosse morta? Si dice che talvolta, nell'istante medesimo che una persona scompare, una larva di lei si mostra ai suoi cari lontani e inconsapevoli come per un addio. Questa leggenda perseguitava

370

Francesco: il quale, giacendo nel buio della sua camera, paventava l'apparizione balenante e spettrale dell'amato viso, venuta a dargli l'annuncio di morte. Allora, egli perdeva il suo ribelle orgoglio, la grandiosa pretesa che l'uomo è sulla terra padrone e Dio (di tali pretese il giovinetto si faceva scudo, finché la luce del giorno lo separava dalla paura). Eccolo, dunque, sgomento, al pensiero della effimera sorte sua propria e delle cose piú dilette, in balía tutte di una volontà straniera e priva di senso per i mortali. I discorsi uditi nella prima infanzia, da Damiano e ancor piú da Nicola Monaco, e le sue proprie riflessioni, gli avevano dipinto questa volontà quale una nemica. Inutile pregarla, inutile tentar di comunicare; unico mezzo per vincere, era di opporre ad essa la propria volontà umana. Ma in quest'ora di debolezza, Francesco puerilmente patteggiava con lei. Purché essa risparmiasse Alessandra, egli le offriva in cambio tutte le proprie armi, che nel giorno lo facevano cosí presuntuoso: l'ingegno, la conoscenza, la salute, e perfino la vista, perfino le braccia e la forza delle membra. Ironica e perfida, essa gli proponeva nuove rinunce, ed egli, non senza contese con se stesso, finiva col chiuder gli occhi, ed accettare il patto di resa. Non perciò guariva dall'ansia e dai rimorsi: e aspettava che l'alba lo liberasse, avendo deciso fermamente di partire alla prima luce e di accorrere al villaggio, presso sua madre. Ma alla prima luce, tutti i timori e i propositi della notte erano svaniti: Francesco era di nuovo agguerrito, e padrone di se stesso. D'altra parte, col passar degli anni, anche simili apparizioni notturne si facevano sempre piú rare.

Cosí passava l'adolescenza di Francesco. Ma salutiamola adesso, e ritorniamo al principio di questa quarta parte della nostra storia: là dove lasciammo Francesco in cammino verso il villaggio, chiamatovi per assistere Damiano malato, e forse moribondo.

Capitolo terzo

La fine d'un vecchio ateo
(con una dubbia conversione in extremis).
Breve soggiorno di Francesco in purgatorio.

Erano circa le undici di mattina quando Francesco s'inoltrò su per il viottolo che portava all'abitato. Lungo il cammino piú d'una volta qualche agricoltore che lavorava nei campi, ai lati della strada, aveva levato il viso ad osservare quel viaggiatore solitario; e, riconoscendolo da lontano, aveva cercato con cenni e richiami di attirarne l'attenzione. Ma Francesco, cui dava noia di rispondere ai loro saluti e discorsi, fingendo di non vedere né udire nulla, aveva proseguito la via con gli occhi fissi innanzi a sé. La prima persona che incontrò, all'entrata del villaggio, fu una donna, vicina di casa dei suoi; e, deciso a fingere d'ignorare anche costei, ne distolse subito lo sguardo. Ma ella, forse intuendo il suo disdegno, e intesa a riprendersi una soddisfazione, con voce acuta lo chiamò: – Francesco! – Il giovane non poté fare a meno di volgersi e di fermarsi; e la donna, con un tono fra di rammarico e di rimprovero, e che a lui parve pieno d'ipocrisia, soggiunse subito: – Troppo tardi arrivi! – E come il giovane la guardava turbato, gli annunciò crudamente: – Tuo padre sta già al camposanto, – e con devozione si segnò.

Intanto spiava sul viso di lui l'effetto della notizia; ma Francesco, sebbene impallidito al brusco annuncio, non provava dolore alcuno, anzi una sorta di sollievo. Egli presentiva già di trovare Damiano morente o morto: e il pensiero che tutto fosse finito, ogni funebre cerimonia compiuta, era una liberazione per lui. Fino a qualche tempo prima, la scomparsa di uno che, senza compenso d'amore né di gratitudine, lo aveva cosí ciecamente amato; quest'umile e silenziosa scomparsa, certo, avrebbe prodotto in lui dolore e rimorso, tanto piú violenti perché tardivi. Ma adesso, per tutta la strada Francesco non aveva pensato a Damiano, né ad Alessandra: il suo pensiero era sospinto indietro verso una sola: Anna. Ed egli era grato alla sorte che gli risparmiava i penosi doveri dell'estrema assistenza e delle rappresentazioni funebri. Ciò gli consentiva, almeno, di rimanere inerte, senza partecipare alle cure degli altri, da cui si sentiva straniato.

All'annuncio della donna, si allontanò subito da lei, e affrettò il passo verso la casa di sua madre. L'uscio della cucina, che dava sullo spiazzo, era spalancato: e un odore liturgico, d'incenso e di cera, già quasi svanito, un suono alterno di voci femminili usciva dalla casetta. Alessandra, i capelli coperti d'un velo nero, stava seduta nel cerchio delle sue compaesane: all'entrare del figlio si levò in piedi, e cosí pure le comari tutte insieme. La madre gli mosse incontro in atto vivo e teatrale, e gettandogli le braccia al collo, esclamò: – Francesco mio! Troppo tardi arrivi –: le medesime parole della donna incontrata poc'anzi.

Egli mormorò d'aver già saputo la notizia; e sua madre, fra i commenti e i gesti deprecativi delle altre, gli spiegò, in tono di scusa, che la sciagura era avvenuta all'improvviso tre giorni avanti, di domenica; ed essendo l'ufficio telegrafico chiuso in quel giorno per il riposo festivo, il telegramma era partito con ventiquattr'ore di ritardo. Ma i funerali erano stati fissati per questa mattina appunto, mercoledí, nella speranza che il figlio potesse arrivare a tempo per assistervi. Invece, lo si era atteso invano tutto il giorno avanti; né si poteva, ormai, rimandare il trasporto, già fissato dall'impresa delle Pompe funebri. Esso si era svolto perciò quella mattina stessa, alle nove precise. E da poco la vedova e le vicine eran tornate dal cimitero.

Qui Alessandra tacque, assorta nel suo decoro di vedova. E una vicina prese la parola, informando il giovane De Salvi di avere lei stessa soccorso Damiano, il quale era caduto per un malore mentre saliva la scaletta del frantoio. Si era mandata subito a chiamare Alessandra; e intanto, la raccontatrice e altre due donne presenti avevano sollevato da terra Damiano, il quale del resto era cosí magro e minuto da non pesare piú d'un fanciullo. Egli era stato trasportato sul suo letto, dove aveva riaperto gli occhi, ma senza riacquistare l'uso delle membra e della parola. Muoveva le pupille malcerte e le labbra, emettendo suoni sconnessi; che parevano, tuttavia, di spavento per sentirsi il corpo cosí impietrito e la volontà privata d'ogni potere. Ai richiami, alle interrogazioni sulle sue decisioni estreme, alla richiesta se intendesse in quest'ora riconciliarsi con Dio; perfino al nome dell'amato Francesco, rimaneva insensibile, quasi non udisse o non ricordasse nulla di ciò: non aveva piú altro negli occhi se non lo spavento della morte, come un agnello fra le braccia del macellatore. Ma una donna presente nella camera, una *monaca di casa* che aveva fama di veggente, accostò il proprio viso ansioso a quello di lui, ripetendogli la domanda s'egli volesse riconciliarsi con la Chiesa. E dopo un momento, risollevando il viso come invasata, affermò in alte grida di aver veduto le labbra del moribondo accennare un sí. Per cui, fra la consolazione e il giubilo delle donne, fu chiamato il parroco. Questi non poté cogliere alcuna confessione dalle labbra del suo vecchio nemico, che penavano ormai negli ultimi respiri; né uno sguardo umano da quegli occhi, sigillati, un minuto dopo, dalla morte. Ma, poiché Damiano era stato per tutta la sua vita un giusto, e del suo solo, grave peccato di ribellione alla Chiesa, pareva essersi alla fine ravveduto, gli fu concesso dal Sacerdote il viatico del cristiano. Cosí il vecchio De Salvi, morendo in grazia di Dio, rientrava da cittadino in quella celeste Gerusalemme donde si era esiliato in vita con tanta ostinazione.

La donna aveva raccontato questi fatti in uno stile enfatico, accompagnato con gran segni di croce e levar d'occhi al cielo. Ella pareva certa che il sapere Damiano morto in pace con Dio fornirebbe al figlio un degno compenso all'averlo perduto. Quasi a riconfermare il valore di un tal compenso, un'altra delle presenti, una vecchia, la quale aveva taciuto finora e ricadde poi nel silenzio, incominciò a scuotere il capo, guardando ora Alessandra ed ora Francesco, e ripeté piú volte, in tono edificante e rapito: – Ah, quant'è bella la vita eterna, figlio! Comare Alessandra, quant'è bella la vita eterna!

Allora un terza donna, svolgendo a sua volta il proprio còmpito di consolatrice, prese a vantare la pompa e il decoro dei funerali di Damiano, e la cerimonia cosí bella e commovente che non si poteva desiderare di piú. Già, ella soggiunse, Damiano, quest'anima benedetta, aveva operato col suo solito accorgimento, cosí in questa come nelle altre cose, provvedendo fin da vivo alle proprie spese funebri. Infatti non si può fidarsi dei superstiti, raramente essi onorano come si deve i poveri morti, e, preoccupati solo di spartirsene l'eredità, li buttano via come roba usata. Chi è morto giace, concluse in aria scettica e non senza una certa malignità destinata al giovane De Salvi.

Approvando le sue parole, una contadina adulta, dall'aspetto maestoso, replicò vantando il proprio esempio. Col tono sentenzioso d'una massaia previdente, al quale si mescolava una certa vanità donnesca, raccontò di avere, per conto suo, già da tempo fatto cucire il proprio vestito di morta, vestito che avrebbe indossato soltanto per entrare nella bara. Tutte le donne presenti conoscevano questo vestito, e con frasi ammirative ne celebrarono a Francesco la bella stoffa, il colore turchino scuro, i bottoncini di giaietto, e spiegarono, coi gesti propri alle donne quando descrivono un abbigliamento, ch'esso era accompagnato da un velo per la testa, di seta nera con ricami, calze bianche e scarpe di pelle nera. In realtà, la proprietaria di questo vestito, fra le prime benestanti del paese, era invidiata dalle compaesane, che volentieri ne parlavano male, accusandola di egoismo e di saccenteria. Le loro lodi, dunque, suonavano piuttosto adulatrici che sincere. Anzi, colei che aveva parlato per prima, una piccola dal viso patito che sedeva presso Francesco, gli disse piano, ammiccando con ironia vivace: – Farebbe comodo a me che son viva, quell'abito.

Simile conversazione seguitò fino al mezzogiorno, ma i De Salvi, madre e figlio, rimanevano in silenzio. Alessandra se ne stava seduta, col busto eretto, senza una lagrima né un segno di dolore sul volto. Non già ch'ella fosse indifferente alla perdita del marito; ma, rassegnata, accettava ormai ciò che era compiuto. Atteggiandosi a una fredda severità, si compiaceva un poco, nell'intimo, della propria parte di vedova, che riceve i compianti e le visite di tutti. Similmente s'era compiaciuta il giorno delle nozze, allorché riceveva, col suo nuovo decoro di padrona, i complimenti delle compagne; oppure, nei primi tempi della maternità, allorché se ne stava sulla soglia di casa, col suo bel bambino vestito a festa, e tutte quelle che passavano gliene facevano le lodi.

Fino a mezzogiorno, mentre le comari cosí conversavano intorno alla vedova, altri compaesani si affacciavano sull'uscio, e si trattenevano un poco; ma il defunto Damiano, ormai, non era piú il solo argomento dei discorsi; e il tono delle voci non era piú luttuoso, ma vivace e quasi gaio. Fra gli adulti, s'insinuavano pure dei ragazzetti, i quali fissavano incuriositi soprattutto lo studente, il *butterato*, che di rado si vedeva lassú, ed era quindi per loro diventato una sorta di spettacolo.

Uscite le compaesane, Alessandra accostò l'uscio di strada per rimanere sola col figlio. Poi risedendosi, e guardandolo, disse con un accento di distacco quasi crudele: – Chi gliel'avesse detto a Damiano che doveva morire senza salutarti! Ebbene, – soggiunse, – la fortuna cosí ha voluto –. E avvolse il figlio in un'occhiata piena di consapevolezza e di matronale protezione come per dirgli, non già: « Ora son sola, non mi resti che tu », ma, al contrario: « Ora, figlio mio, non ci son che io sola per aiutarti ».

Quindi, abbassando il tono, circospetta e sollecita, rivelò a Francesco le proprie gravi preoccupazioni riguardo alla eredità lasciata dal vecchio. Quanto al denaro contante, già da tempo Damiano aveva esaurita ogni riserva: e lui stesso aveva dovuto confessarlo recentemente, allorché non aveva potuto fornire al figlio i denari per la tassa universitaria. Ma c'era di peggio: infatti, negli ultimi giorni, Damiano s'era lasciato sfuggire delle frasi piuttosto oscure, tali da suscitare gravi sospetti sullo stato della sua proprietà. La debolezza e la vecchiezza, che lo consumavano ogni giorno di piú, fino al precipizio della morte, gli impedivano ormai l'attività cui sempre era stato avvezzo. Egli passava lunghe ore presso il fuoco, incapace perfino dei piccoli lavori d'artigiano che amava un tempo, e nei quali soleva distrarsi dalle abituali, dure fatiche. Stava dunque seduto sul panchetto a lato del focolare, con le due mani appoggiate al suo bastone fatto d'un ramo scortecciato, e la testa, coperta dal cappello secondo il suo costume, china sulle palme. Durante questi ozi, taceva per lo piú, assonnato e pensoso; ma accadeva pure che d'un tratto incominciasse a parlare a se stesso, dimenticando o trascurando la presenza di Alessandra. Riandava al passato, alla sua prima famiglia, al terremoto, con brevi frasi di rammarico e di stupore, quasi non avesse ancora accettato quell'antica sventura. Poi si rattristava per non aver potuto provvedere a tutte le spese di Francesco, borbottando delle giustificazioni, come se il figlio fosse lí ad accusarlo. Si dava pena inoltre dei lavori cui non poteva piú presiedere lui stesso, della semina, della pressura delle olive, di questo e di quello: al modo di un malato intorno al quale, nella febbre, si affollano tutti i doveri cui soleva accudire da sano, e lo sollecitano, lo esortano ad accorrere, se vuole evitare il disordine e la rovina. Certe volte, in preda a queste inquietudini, Damiano interrompeva il soliloquio, e levandosi nervosamente, con fatica si spingeva fino al frantoio, o alla stanza delle provviste, per illudersi di una fittizia attività. Ma piú spesso, il pensiero dei suoi lavori passati, e dei còmpiti che la presente stagione soleva, negli altri anni, portare con sé; questo pensiero, dunque, ne suscitava altri, che gettavano Damiano nell'incertezza e lo accasciavano. Egli incominciava allora a far calcoli sulle dita, ma tali calcoli, a quanto pare, non arrivavano ad alcun risultato definitivo, o soddisfacente: poiché Damiano, come uno che non vuole arrendersi, li riprendeva dal principio cento volte. Pareva che, cosí facendo, intendesse convincere di errore un avversario invisibile e contestare delle pretese accampate da costui. Qualcosa di simile, almeno, si poteva indovinare da certi discorsi ch'egli alternava ai suoi calcoli, e dei quali il piú frequente, da lui ritenuto, pare, d'un acume indiscusso e adatto a confondere l'avversario, suonava come segue, o pressappoco: « Ottant'anni di lavoro, compare mio! Mica un giorno, di ottant'anni, si parla! E tu te li vuoi prendere con una firma? Lo scritto è scritto, è vero, ma la terra è terra. Una carta scritta non vale la terra. Tu m'hai dato della carta, e se dài tempo al tempo, riavrai della carta, amico mio ». Simili frasi allarmavano Alessandra: ed ella, che avvezzatasi ai soliloqui del vecchio per solito non interveniva, all'udirle si accostava e insisteva per avere qualche spiegazione. Ma Damiano, come ridestandosi alla voce di lei, si scuoteva, e si rinchiudeva nel tirannico riserbo che sempre gli era stato abituale sull'argomento degli affari. Eludendo le domande, rispondeva alla donna di aver parlato cosí, per passare il tempo, e di aver fatto un poco i suoi conti; ma lei non si occupasse di ciò, ché lui stesso avrebbe risolto ogni cosa, e provveduto agli studi di Francesco. Risposte piú soddisfacenti Alessandra non riusciva ad averne. Ed ecco, non appena si credeva inosservato o dimenticava la presenza della moglie, Damiano ricominciava i suoi monologhi. Perfino di notte, risvegliatasi talvolta per caso, Alessandra udiva accanto a sé il penoso mormorio. Da tempo Damiano soffriva d'insonnia, come spesso avviene allorché la vita, sentendosi finire, accelera il passo verso l'ultimo riposo. E ancor piú che alla luce del giorno nella veglia notturna lo sollecitavano le sue questioni complicate. Egli si sedeva sul letto, e indebolito, nervoso, mille volte andava rifacendo i conti sulle dita e ritentando i soliti argomenti. (Simile ad uno scolaretto all'esame d'algebra: il quale, accortosi, dopo molti sudori, di aver mancato la soluzione del suo teorema, si accanisce a ricercare dove sia l'errore sui molti fogli che ha coperto di cifre, segni e lettere: poiché fra poco è l'ora della consegna. Ma cercare un punto in quella ridda è un lavoro senza speranza per un cervello esausto, in preda a morbosa fretta).

Alessandra sapeva (benché Francesco lo avesse fino ad oggi ignorato) che suo marito era in rapporti d'affari con un possidente fra i piú danarosi del villaggio: il quale, negli anni precedenti, gli aveva talvolta anticipato delle somme sul ricavato di prossimi raccolti. Tanto è vero che, da molte stagioni ormai, quasi l'intero raccolto dei De Salvi passava nelle sue mani. Ciononostante, colui da ultimo aveva rifiutato nuovi anticipi se non di piccole somme. E sua moglie (era questa la già descritta proprietaria dell'elegante abito funebre), sua moglie, dico, trovandosi spesso a conversare con Alessandra, si era lasciata sfuggire, forse per giustificare il marito, delle insinuazioni e frasi reticenti che avevano acuito i sospetti della compagna. La quale, tuttavia, s'era invano adoperata anche con lei per aver notizie piú precise; quella divagava, o si contraddiceva, non tanto, forse, per segretezza, quanto, piuttosto, per il motivo che neppur lei conosceva bene gli affari del proprio marito, e i suoi rapporti col De Salvi. Damiano intanto persisteva nei suoi gelosi dinieghi: finché le sue labbra ostinate furon rese mute dalla morte.

Simili confidenze materne, nel declino di quella giornata luttuosa, accrescevano in Francesco un'impazienza, e triste inquietudine, che subito al suo primo entrare s'era insinuata in lui privandolo fin del sentimento di pietà, fin della religione dovuta ai morti. Nelle povere stanzette di Damiano, malgrado l'assenza del padrone nulla appariva mutato. Il breve coltello a serramanico, inseparabile compagno del vecchio, pendeva sulla parete, infilato per un anello a un chiodo; nell'angolo della cucina giaceva un canestro che conteneva alla rinfusa pezze di cuoio, arnesi da ciabattino e da fabbro, e presso il canestro, appoggiati al muro si raggruppavano svariati, rustici bastoni da montagna. Nella stanza da letto, sulla coperta di cotone damascato di un vistoso purpureo cardinalizio, si scorgeva ancora l'incavo del corpo che vi era rimasto adagiato dopo l'estrema vestizione. Malgrado questo segno funereo, tuttavia, pareva che il tempo, da molti lustri ormai, giacesse in quieto letargo dentro quella camera. Sul ripiano del cassettone stavano esposti da circa venticinque anni i doni ricevuti dai De Salvi il giorno delle nozze: una cassettina di legno inciso; un astuccio dal coperchio sollevato per mostrare i sei bicchieri che conteneva, ognuno nella sua nicchia vellutata e stinta; un piccolo gruppo statuario di gesso colorato, e ancora qualche altro oggetto simile. Tutto ciò non era stato adoperato mai per altro uso che per la bella mostra; né rimosso mai dal cassettone se non per venire delicatamente nettato dalla polvere. La qualità preziosissima di questo che potrei chiamare un altare, fin dal principio era stata inculcata nella mente bambina di Francesco; perciò a quegli oggetti era stata risparmiata la violenza delle sue piccole mani curiose. E acquistando, perché inviolabili, maggior forza e mistero, quei doni nuziali abitavano la prima infanzia di lui come persone strane, di nobile stirpe.

Francesco era avvezzo a ritrovare, ad ogni sua visita, la mobilia e i noti oggetti conservati e disposti sempre allo stesso modo; le cartoline, le fotografie e i ritagli incollati in gran numero uno accanto all'altro su un fondo di cartone, e amorosamente incorniciati; gli arnesi e le stoviglie, usati fino all'estremo logoramento, rappezzati con diligenza e mai rassegnati a sparire; le vecchie vesti, che avevano assorbito polvere, estate, fango e fatica fin nell'intimo della tessitura; le lenzuola, infine, sontuosamente ricamate (i contadini del nostro villaggio hanno un grande rispetto per i luoghi dei loro riposi, per le camere dove la notte è signora e donde il lavoro giornaliero, come un profano, è escluso).

Tutto ciò, ripeto, a somiglianza del triste paesaggio, appariva immutabile. Ma nelle precedenti sue visite, Francesco sapeva, arrivando, d'essere ormai soltanto un passeggero in quei luoghi; poiché il suo destino era altrove. E se, reso intollerante dall'ambizione, si ribellava all'angustia di quelle stanzette dove gli pareva che il suo avvenire s'impaniasse; lo faceva più indulgente, tuttavia, la certezza di tornare fra poco alle sue grandi speranze, alla sua solitaria commedia dell'orgoglio.

Stavolta, invece, dov'era la speranza? Alle prime, aperte battaglie, essa era stata ferita a morte; e vedemmo Francesco fuggire quasi con sollievo dai suoi campi insanguinati. Ma ritornato che fu al villaggio, l'antica avversione per quei noti aspetti si faceva più bruciante. La sua volontà ripudiava quegli aspetti non solo con fastidio, ma con paura. In essi vedeva scritto: *Rassegnazione*; e nessuna parola era di questa più odiosa. Gli pareva che tutto l'accaduto fosse il frutto di una congiura per costringerlo a rientrare in questo carcere, e legarvelo con insidie tenaci. E che una tal congiura contro di lui fosse stata ordita qui, non altrove. La morte di Damiano, la solitudine in cui rimaneva Alessandra, e, adesso, i discorsi di lei, che facevano presagire per i prossimi giorni difficoltà, meschine battaglie e, forse, la rovina economica; ognuna di queste cose altro non era che un nuovo tranello per costringerlo a fermarsi qui il più a lungo possibile, magari per sempre. Gli stessi sentimenti di pietà, di cordoglio e di affetto che, suo malgrado, tentavano domarlo, erano tranelli, ed egli li evitava con durezza. Non il luogo dove si respirava l'aria d'Anna e di Edoardo, bensì questa collina era la dimora della sconfitta e della mortificazione. E lui, messovi appena il piede, con fretta ribelle e superstiziosa bramava di fuggirne. Simile al soldato d'un'armata mossasi per una invasione, e sbaragliata invece: il quale, piuttosto che tornare alla sua nazione di vinti, sceglie di rimanere là dove, magari schiavo, respirerà l'aria stessa dei liberi e dei vittoriosi.

Nella fanciullezza, e precisamente nei giorni che avevan seguíto la grande confessione di Alessandra; allorché la trista avversione per Damiano lo mordeva più forte e diventava quasi insostenibile, Francesco era stato sorpreso, talvolta, da un pensiero. Fugacemente s'era augurato che il suo padre legittimo, non più che uno straniero per lui, sparisse dalla casa, sí ch'egli potesse restar solo con sua madre. La sua coscienza infantile aveva ributtato quest'empietà; ma non cosí presto che non gli balenasse la immagine lusingatrice di sere trascorse in due:

lui bambino e la sua complice diletta. Ecco, dopo tanti anni, il demonio aveva esaudito il suo voto. Francesco era solo con Alessandra, la quale, inginocchiata presso il fuoco, andava apprestando la cena per *due soltanto*. Fra poco si sarebbe accesa la lampada, e *loro due soli*, seduti sulla medesima panca, avrebbero attinto dal piatto comune. Ma Francesco, adesso, rifiutava all'amata compagna della sera la propria compassione, e tenerezza selvaggia: le insidiose, le traditrici, che volevano invischiarlo in questo carcere della rassegnazione. E, come formule per liberarsi da un sortilegio, egli invocava in cuore i nomi di Edoardo e di Anna.

La cena fu consumata all'ultimo barlume del giorno; e Alessandra aveva appena accesa la lampada, allorché fu bussato all'uscio, ed entrarono due visitatori. Eran questi l'agiato possidente del quale Alessandra aveva parlato poco prima, ed il suo figlio primogenito. Non è la prima volta che incontriamo costoro nel nostro racconto: il possidente era infatti lo stesso cui, circa ventidue anni avanti, era toccato l'onore di ospitare per una notte don Nicola Monaco. E il figlio, ormai fatto adulto, era colui che aveva provocato una volta l'invidia del fanciulletto Francesco a motivo del suo viaggio a P. per la visita di leva. Cosí futili episodi, s'intende, erano dileguati nel passato; e sebbene Francesco ricordasse con vivezza i propri sentimenti di allora, separava tuttavia, come due personaggi distinti, questo colono robusto e goffo dal soldatino che gli era apparso cosí felice.

Secondo l'usanza seguíta nei nostri paesi allorquando si fa visita ad un proprio pari, i due non si tolsero il cappello; ma entrarono tuttavia col rispetto dovuto ad una casa ch'era ancor sotto il segno della morte. In piú, si notava in entrambi un certo studio delle maniere civili e del parlar corretto, per via che Francesco, al quale essi si rivolgevano, s'era elevato dalla sua condizione, diventando un dottore.

Padre e figlio indossavano giubbe di cuoio e alti gambali, costume che i benestanti di laggiú usano spesso per i loro giri d'affari attraverso i villaggi e le montagne. I due tornavano infatti da una spedizione di tal genere, ed erano smontati appena dai loro muli. Si scusarono per essere venuti a parlar d'interessi il giorno medesimo delle esequie; ma sapevano che Francesco soleva trattenersi poco al villaggio, non potendo trascurare a lungo i suoi studi, e inoltre loro stessi dovevano assentarsi anche l'indomani fino a notte. D'altra parte, stimavano utile che Francesco fosse informato con esattezza dei propri interessi prima ancora di consultare il notàio: utile per Francesco, e doveroso per loro, in memoria dell'amicizia che li aveva legati al povero Damiano.

Essi non ignoravano, aggiunsero, che Damiano aveva sempre concluso ogni sua faccenda per proprio conto, senza consultarsi con alcuno. Né gli si poteva dar torto: sia perché nessuno amministra meglio del padrone, e sia perché Francesco era ancora molto giovane, e inoltre, occupato nei suoi studi, non poteva aver mente ad altro. Tale era l'idea del povero Damiano, che anzi per tutti quegli anni, trattando con loro, raccomandava ogni volta il segreto, preoccupandosi soprattutto che il figlio non conoscesse le sue difficoltà. Ed essi infatti non erano mai venuti meno alle loro promesse, usando la massima discrezione; al punto che, potevano giurarlo in Chiesa, non avevano mai rivelato la vera situazione di Damiano, neppure alla propria gente di famiglia. Ma adesso, eran qui per informare l'erede, ormai maggiorenne, di questa situazione. Giacché il povero Damiano, còlto all'improvviso dalla morte, non aveva avuto il tempo di farlo. E fino all'ultimo giorno, alle loro insistenti richieste, s'era ostinato a rispondere che pazientassero, ch'egli avrebbe soddisfatto i loro crediti in denaro contante, se gli lasciavano il tempo di riassestarsi. E suo figlio, piú tardi, li avrebbe ricompensati per la loro pazienza. Dunque, per venire ai fatti: Francesco ignorava certo che già da varî anni Damiano aveva esaurito i propri risparmi. Sia perché le stagioni non erano state buone secondo la speranza, e sia perché gli studi di Francesco eran costati piú di quel che si prevedesse. Ora, non bastando il modesto reddito della terra a pagare le spese del figlio, Damiano si era rivolto a loro due, vecchi amici, che gli avevano anticipato via via le somme necessarie. Ma il debito era salito ad una cifra tale, che un bel giorno essi avevano dovuto rifiutare nuovi prestiti; il reddito annuo di Damiano, che da tempo egli consegnava quasi intero ai suoi creditori, nonché estinguere il debito, bastava appena a pagarne gli interessi. Ed ecco, i due visitatori avevan portato le ricevute e i documenti che attestavano le loro parole.

A questo punto del discorso il padre, sotto gli occhi attenti del figlio che seguiva ogni suo gesto, trasse da una tasca interna della propria giacca di cuoio uno scartafaccio legato con lo spago. Egli incominciò a svolgere il pacco non con l'aria d'un creditore che accampa i propri diritti, ma anzi come uno che si rammarica di esservi costretto, e adduce delle prove quasi per una giustificazione. Infatti, il vecchio possidente non mentiva affermando la propria amicizia per Damiano; né erano finte le buone intenzioni che mostrava verso l'erede. Bisogna aggiungere qui che l'invidia e i rancori antichi dei compaesani per Francesco s'erano alquanto attenuati dacché egli viveva lontano dal villaggio. La maggior parte degli abitanti, ormai, lo considerava un forestiero, e come a tale gli perdonavano il suo distinguersi da loro tutti. Anzi, certuni, avvinti, pur nella loro zotica fantasia, dalle chimere di Alessandra e di Damiano, avevan finito per considerare Francesco un lustro del villaggio e si facevan vanto di lui.

Perciò, i due visitatori, sebben decisi ad esigere i propri diritti (né si potrebbe chiedere a loro pari che non lo facessero), si mostravano tuttavia riguardosi; al punto che, se l'uno pronunciava una frase che poteva parere troppo franca, l'altro si affrettava a correggerne la durezza intervenendo nel discorso con giustificazioni e dimostrazioni. Infatti, la gente di laggiú non è priva di una sua naturale cortesia e delicatezza di modi. A ciò si aggiunga che il vecchio possidente, essendo stato da giovane in America, si compiaceva di mostrare la propria esperienza e la buona educazione appresa nel mondo. Né suo figlio, associato a lui negli interessi e nei commerci, voleva esser da meno. Ciononostante, mentre Francesco moveva fra le dita i documenti tratti dal pacco, i due gli figgevano addosso le pupille, quasi temendo ch'egli potesse da un momento all'altro lacerare, o inghiottire, o comunque fare sparire quei fogli, da cui dipendeva la sorte della sua proprietà.

Alessandra, intanto, se ne stava fra i tre uomini silenziosa, ma pronta a difendersi duramente. Ella volgeva ai due visitatori occhiate attente, tranquille e come di sfida. Però, quando apparvero le carte, si turbò un poco, giacché non sapeva leggerle; e diffidente, avida, osservava quelle scritture, da cui levava gli occhi ad osservare il figlio con ansia muta, e con una fiducia devota, animalesca.

Francesco guardava appena le ricevute e cambiali sgualcite, firmate dalla mano incerta di Damiano, e ad una ad una le lasciava ricadere con un sentimento di pudore e di pena. Un affetto amaro lo mordeva al veder le prove del sacrificio che il vecchio contadino aveva accettato per lui; ma con ugual forza, crudelmente egli incitava se stesso a liberarsi da tanta mortificazione, rifiutando tutto quanto lo avvinceva ancora ad un povero fanciullo, il cui nome era Francesco De Salvi.

I due visitatori, che osservavano intenti il suo viso, gli sottoposero a questo punto un foglio, dove loro stessi avevano scritte in colonna tutte le somme prestate al defunto, e la data del prestito accanto a ciascuna. In fondo al foglio, era scritta la somma totale. Poiché il giovane De Salvi, considerata un poco la lunga nota, non faceva commento alcuno, i due si scambiarono un'occhiata. E il piú vecchio, dolcemente, gli domandò s'egli avesse modo di soddisfare il loro credito: trovandosi essi nella necessità di disporre liberamente dei propri averi, e non potendo quindi aspettare di piú. A questa domanda, un po' intimidito Francesco rise brevemente, e rispose ch'egli non poteva pagar nulla. Allora l'altro, con premura, gli annunziò d'esser venuto appunto per proporgli un accomodamento, in nome della vecchia amicizia che l'aveva legato al De Salvi. Cosí detto, egli riprese dalla tavola i suoi documenti; e non senza un'attenta verifica, se li ripose in tasca. Poi cominciò ad esporre la propria idea, con frasi ricercate e convincenti.

Egli affermava che, ad esigere con mezzi legali l'intero debito, la proprietà De Salvi sarebbe passata tutta quanta nelle sue mani; salvo la parte che avrebbero mangiato gli avvocati se i De Salvi intentavano una lite. Ma lui (di ciò chiamava a testimone l'anima del defunto), era venuto con intenzioni di amico, non già di creditore; in coscienza, egli non voleva togliere il pane ai De Salvi, anche se la legge gli dava questo diritto. Perciò, ecco le sue proposte; e qui il visitatore incominciò a nominare uno dopo l'altro i terreni della proprietà De Salvi e a discuterne il valore. In sostanza, egli proponeva di lasciare agli eredi un terzo o poco piú della proprietà, e di restituirgli, dietro cessione della restante parte, le ricevute e cambiali in sue mani, oltre a una dichiarazione di non aver piú nulla a pretendere da loro. Egli si accalorava a dimostrare quanto un simile accomodamento fosse vantaggioso per loro, e quanto il suo proprio agire fosse generoso. Ciò era forse vero; ma al sentir nominare la tal vigna, e il tale frutteto, o uliveto, Alessandra, con occhi accesi, avvertendo il pericolo si ribellava, e incitava il figlio alla difesa dei beni prediletti. Allora con severità quasi brusca, Francesco la esortava a tacere; dovendosi per adesso ascoltare soltanto delle proposte, non già decidere subito. Il giovane non partecipava al geloso dolore di sua madre: gli pareva che le trattative presenti riguardassero non lui stesso, ma un estraneo. Dei poveri interessi che aveva fra le mani gli importava ben poco. Troppo inferiori ai suoi feudi immaginari erano i campicelli esigui di cui Damiano andava cosí fiero, e che venivan contesi adesso in questa cucina fumosa con tanta gravità. Dov'era Anna, e il ricco, spensierato Edoardo? Gli parevano lontani, forse non vissuti mai; pure, Edoardo era il suo caro amico. E con umiliazione cocente, egli si figurava la meraviglia di Edoardo, e il disprezzo di Anna, se avessero potuto affacciarsi in questa cucina. Allora, il suo proprio caso gli pareva ingiusto e bizzarro: quasi ch'egli fosse calato dai propri grandi feudi in cosí umile mondo, e non fosse, in realtà, l'erede di un povero contadino, ma il barone de Salvi.

La proprietà che resterebbe ai De Salvi, se accettavano le proposte del creditore, era tale da bastare appena, per il futuro, al loro quotidiano sostentamento, senza ch'essi potessero contare mai piú sul minimo reddito. Pure, il notaio, interrogato nei giorni seguenti, consigliò di accettare queste proposte che, paragonate ai debiti del defunto Damiano, apparivano addirittura generose. Quanto a Francesco, egli non poteva far altro che rimanere a divider una povera vita con sua madre; oppure tornare in città senza piú nessuna risorsa che il suo proprio ingegno per provvedere ai suoi studi e a se stesso. Naturalmente, Francesco non aveva alcuna esitazione sulla scelta: già da qualche tempo, non bastandogli l'assegno troppo modesto che gli veniva da casa, egli s'era aiutato con delle lezioni private, o con altri piccoli lavori fornitigli da compagni e professori dell'Università. Pensava di procurarsi altri lavori di questo genere in tal copia da potersi sostentare fino al termine degli studi; e intanto, l'insofferenza della casa materna e la fretta di tornare in città divenivano in lui quasi rabbia. Ma le questioni dell'eredità lo trattenevano suo malgrado al villaggio; dove ogni ora trascorsa gli pareva un tradimento.

Di rado un avvenimento insolito rompeva quelle ore uguali. Per esempio, una mattina verso mezzogiorno, si udirono poco lontano dallo spiazzo grida strazianti, cui si mescolarono presto voci di compianto o incuriosite, in uno scalpiccío numeroso di passi. Era avvenuta una disgrazia ad una vicina, Agata: una sua bella giovenca, ricchezza principale della famiglia, s'era fiaccate le ossa cadendo giú da un dirupo. Era, quest'Agata, la medesima donna che una sera, molti anni prima, aveva furiosamente litigato con Alessandra per causa di Francesco. All'aspetto ormai quasi una vecchia, violenta e tragica ella urlava oggi all'imbocco dello spiazzo, nella grande capigliatura crespa, fattasi da tempo grigia. Donne e ragazzi della famiglia la circondavano piangendo al par di lei; mentre gli uomini s'erano recati sul luogo dove giaceva la giovenca. E i vicini, le comari accorse dai campi, fra i quali Alessandra, stavano intorno alla donna per consolarla, commentando il fatto. Piú tardi, in quello stesso giorno, echeggiò nelle strade la voce del banditore, che scandendo le parole invitava la gente, se voleva acquistare per poco prezzo carne bovina, a recarsi ad un campicello di Agata, non lontano dal punto della disgrazia. Ad ogni crocicchio, ad ogni spiazzo, il banditore si fermava e ripeteva nel suo lamentoso dialetto lo stesso annuncio, come una lezione imparata a mente. Poco dopo, c'era nelle straducole un'aria di festa: di rado infatti i contadini di laggiú si permettono il lusso di mangiar carne, ed ecco, la sventura di Agata diventava buona sorte per loro. Alessandra non poteva fare acquisti, poiché i cibi rari non si addicevano ad una vedova recente. Ma per curiosità volle tuttavia recarsi allo spettacolo e indusse Francesco a recarvisi con lei. La giovenca, squarciata, pendeva giú da un grosso ramo d'albero, e il figlio maggiore di Agata le traeva fuori dal petto i visceri con le mani insanguinate. Mentre un altro figlio piú giovane, ricciuto e vivace (lo stesso che, da fanciulletto, s'era attirato le ire di Alessandra per aver chiamato Francesco *butterato*), apprestata la bilancia, si accingeva a pesare e a distribuire la merce. Seduta su una sporgenza di terra, discinta, coi capelli in disordine, Agata sorvegliava, imbronciata e cupa. Ella si sforzava adesso di nascondere il suo danno e il suo dispetto, fra quelle massaie affaccendate, che venivano da ogni parte, e se ne ritornavano a casa tutte contente confrontando l'una con l'altra i loro acquisti. Nel volto grande e disfatto da una precoce vecchiezza gli occhi di Agata, simili a due carboni, non si staccavano da quelle donne. Un tempo, Francesco aveva odiato Agata e meditato contro di lei, nel suo cuore infantile, inaudite vendette. Ma adesso, egli guardava invece alla sua nemica come ad una figura dipinta, che ci parve viva in un tempo d'ignoranza e di sogno.

Altro episodio degno di ricordo fu la visita di Anita, una giovane vicina, sposa da pochi anni. Francesco ricordava di averla conosciuta piacente e fresca ragazza; ma ad ogni ritorno al villaggio la trovava piú magra e vizza, con gli occhi oltremodo accesi ma sfuggenti, nel viso bruno divenuto di un color livido. Ella era consumata da una malattia di petto; e insieme col male, e con l'abbandono della speranza, crescevano in lei vergogna e dispregio di se medesima. Per cui la si vedeva lacera, discinta, coi piedi nudi e sporchi di fango, e i capelli fatti radi e canuti come di vecchia, che le spiovevano sul viso. Il suo giovane e bel marito, che un tempo l'amava, adesso la fuggiva con rabbia, rinfacciandole ad ogni occasione la sua bruttezza, la sua sporcizia e indolenza. Egli cercava altre donne, e un giorno, com'ella saliva la scala di casa insieme ai due figlioletti, si affacciò sul pianerottolo e la respinse indietro, gridandole di non tornare mai piú. Era appunto il pomeriggio del lunedí dopo l'arrivo di Francesco; Anita entrò nella cucina dei De Salvi, fuggendo come un'inseguita. I due bambini, che lei, quasi dimenticandosi, aveva lasciato indietro, sopravvennero scalpicciando sull'uscio e con accento spaurito la chiamarono. Ma Anita, senza badare a loro, in preda a uno stupore animalesco annunciò ad Alessandra che il marito l'aveva scacciata, e soggiunse con una voce rauca: – E dove vado io, adesso? – Alessandra la invitò a sedersi presso il fuoco insieme ai bambini; e in atteggiamento matronale, calma, la esortò a ritornare piú tardi dal marito, il quale certo, passata la momentanea follia, non avrebbe lasciato per la strada la propria famiglia. Propose anzi di fare lei stessa da intermediaria; e dopo tale proposta, incominciò a rimproverare Anita per la trascuratezza del suo corpo e delle sue vesti, per il sudiciume in cui lasciava la casa e i bambini; ché certo l'odio del marito era dovuto a questi motivi. – Mi odia perché sono brutta, – ribatté l'altra con una leggera smorfia, alzando una spalla. E come Alessandra le replicava che sarebbe stata meno brutta se si fosse meno trascurata, ella non rispose piú nulla, non già persuasa, ma disattenta e quasi istupidita. Con gli occhi timidi e selvaggi fissava i propri piedi coperti di fango; e si sarebbe detto che non la mordesse gelosia del marito, né desiderio d'amore, e neppure il pensiero dei suoi figli. Non si scorgeva in lei che una trista viltà, e l'ansia di rintanarsi in qualche luogo per andarvi a morire. Tuttavia, poiché Francesco, levati gli occhi dal libro, la osservava, la donna a un tratto fu colta da pudore. Una vampa di rossore salí al suo viso di malata, ed ella tentò di nascondere i piedi sotto la veste, e portò una mano ai capelli, quasi col gesto di ravviarsi.

Nello sguardo di Francesco, però, non v'era compassione alcuna: a tal punto lo dominavano in quei giorni le ostinate, violente chimere. Lui, che a parole voleva redimere gli umili, non concedeva, ai noti personaggi della sua fanciullezza, né odio né pietà. La scena del villaggio, cosí lontana dal luogo presente delle sue speranze e dei suoi amori, gli pareva una maledizione. Quasi che lui stesso e i circostanti fossero confinati in un Purgatorio, su questa remota montagnòla terrestre. Ed egli somigliava ad uno, imprigionato, che per riottenere la libertà rinnega i suoi compagni. Nell'astioso tedio, invocava Anna al modo che s'invoca la Vergine Maria, e come se, in luogo d'averlo respinto, ella lo aspettasse e gli fosse amante e sorella. In altri momenti, però, ella gli sembrava perduta, anzi mai potuta sperare, e la propria condanna decisa. Veniva a visitarlo pure, in quei giorni selvatici e turbolenti, la morbida, supplichevole apparizione di Rosaria; ma egli la scacciava con disdegno.

Stavolta, Francesco non accompagnava piú sua madre ai campi, come faceva nei passati soggiorni della fanciullezza; e neppure si adoperava per aiutarla, ma, al contrario, si faceva servire. La noia, unita con la passione, lo rendeva infingardo; contro il suo solito, si attardava la mattina nel letto, e Alessandra, per giustificarlo coi vicini, spiegava fervidamente ch'egli aveva studiato troppo, e aveva bisogno di riposo.

Francesco aveva portato con sé qualche libro, ma dubbi e inquietudine lo distraevano dalla lettura. Di giorno in giorno si prometteva di partire l'indomani, e rifuggiva dallo scrivere a Edoardo per questa impazienza: quasi invidioso della lettera, al pensiero ch'essa potesse arrivare prima di lui. Ma l'indomani, nuove questioni lo trattenevano; si giunse cosí al sabato sera della seconda settimana.

Francesco aveva deciso quel giorno di partire assolutamente nel pomeriggio dell'indomani, lasciando al notaio una procura per concludere gli ultimi negozi riguardo all'eredità. Alessandra non s'era ribellata a questa decisione del figlio, sottomettendosi, secondo il solito, alla volontà di lui; ella s'era, ormai, rassegnata anche alla perdita di quasi tutta la sua terra. Una tal perdita aveva provocato in lei, piú assai della recente morte, impeti di dolore e d'iracondia; ella restava, però, una padrona. Il suo possesso diventava ormai cosí esiguo da bastar lei sola, ancor giovane e robusta com'era, a coltivarlo; ma lei non dipenderebbe da nessuno; e quindi la sua presente condizione era sempre migliore della sua nativa miseria e schiavitú. Si aggiunga che, tre o quattro giorni avanti, Francesco, dopo averla guardata un poco, l'aveva stretta d'improvviso a sé, promettendole di tornare a lei, fra qualche anno, cosí ricco da ricomperarle tutte le sue terre, il villaggio intero, e portarla via con sé in carrozza, come una duchessa. Ella aveva riso, con occhi speranzosi e invaghiti; in quel momento, le pareva d'esser tornata al tempo di Francesco fanciullo.

La sera avanti la partenza di Francesco, vi fu la visita di qualche vicino; poi, venuta l'ora di dormire, madre e figlio rimasero soli. Alessandra rassettava la stanza, tranquilla, nell'abito che lei stessa aveva tinto di nero per il lutto. Con la sua voce dalle cadenze malinconiche, ripeteva ogni tanto un motivo caro alla sua vanità di madre: e cioè, chi avrebbe, nei prossimi giorni, accudito a Francesco, chi l'avrebbe servito come aveva fatto lei qui? – Casa d'altri, – ripeteva, – non è mai casa propria. Una donna straniera non è mai la madre –. Questo ritornello dolente, in cui suonava compiacenza e ingenua pretesa, era la sua sola manifestazione di rammarico per la partenza di Francesco. E avendole uno dei vicini domandato se non avrebbe paura degli spiriti a dormir sola in casa le prossime notti, ella rispose gravemente di non esser paurosa; ma che, tuttavia, se le fosse nato un tal sentimento, avrebbe chiesto a un'amica di dividere il letto con lei.

Madre e figlio si coricarono, secondo il solito, nel grande letto matrimoniale tre ore circa dopo il crepuscolo. Alessandra si addormentò quasi subito; Francesco ne udiva il respiro robusto e regolare, e stentava ad addormentarsi, in preda a incertezze e rimorsi. Poi cadde in un sonno leggero, involto di maligne minacce: gli pareva d'esser già all'indomani, in viaggio di ritorno verso P. Ma il suo viaggio non lo portava a destinazione; in mezzo a fatiche e a giri lo riconduceva sempre al luogo di partenza. Finalmente, eccolo in città; questa era sí, di nome, la stessa città dei suoi studi, e anche di fatto, poiché egli, nel sogno, non aveva su ciò alcun dubbio. Ma tuttavia, per quanto salisse e discendesse strade, tutte costruite a ripide scale, non ne riconosceva alcuna: cercava la sua camera ammobiliata, ma nessuno sapeva indicargliela. Ed era assai penoso interrogare la gente che si spenzolava a rispondergli da finestre molto alte, e, dopo avergli indicata una direzione, richiudeva i vetri ridendo con fracasso. Evidentemente, le indicazioni di costoro erano sbagliate a bella posta, per farsi gioco di lui. Del resto, ciò si capiva; perché, non avendo lui né lavoro né mezzo alcuno, il volto butterato, e l'apparenza d'un bifolco, nessuno lo voleva presso di sé. Ma infine, proprio in fondo a un vicolo, egli riconosceva una botteguccia di calzolaio e il calzolaio stesso (personaggio incontrato soltanto in sogno), il quale, minuscolo, ingobbito, con gli occhiali sul naso, lavorava curvo davanti al suo deschetto. Pareva a Francesco, nel sogno, di aver sempre avuto per propria dimora in città il retrobottega di questo calzolaio, uomo assai benevolo, capace di consolazione. Infatti, Francesco entrava tranquillo nella bottega, come uno di casa, e pensava con grande piacere che il piccolo retrobottega, a lui destinato come stanza da letto, aveva un grande vantaggio sulle solite camere ammobiliate di città. Queste infatti dànno per solito su cortili, mentre il retrobottega aveva la sua finestra proprio sul mare. Un mare placido, che scorreva fra gli alti palazzi cittadini, come a Venezia; per cui dal letto egli poteva udirne il confidente battito fin presso il davanzale.

Il sogno di Francesco, a tal punto, stava per diventar bello, e il sonno piú fondo; allorché Alessandra e lui furono svegliati da un chiasso nella viuzza sottostante. Ciò accadeva regolarmente ogni sabato sera, verso le undici, e la causa era sempre la stessa. Sulla medesima viuzza su cui dava la camera di Alessandra, proprio di fronte, abitava solo con una parente vecchissima (ultimi superstiti di una famiglia distrutta dall'antico terremoto), un certo Gabriele, uomo celibe già sul declino degli anni. Fin dal tempo del terremoto, a causa dello spavento egli era rimasto colpito nella ragione: conservandosi, però, mansueto e inoffensivo, e capace ancora di guadagnarsi la vita con lavori umili. Faceva, per esempio, da sagrestano nella Chiesa, e aveva altresí l'incarico di scavare le fosse dei morti. Per questi suoi lavori, veniva pagato ogni sabato sera, e allora, quell'unica volta alla settimana, ricevuto appena il salario, egli dava sfogo al suo vizio di bere. Si recava nella cantina che già dicemmo, adibita a osteria del villaggio. E ne usciva soltanto allorché i padroni e gli altri clienti, fra beffe

388

e contumelie, lo scacciavano sulla strada; ché, altrimenti, egli era deciso a non andarsene, e con alte grida insisteva che voleva trattenersi lí nella cantina a riposare. Qualche minuto dopo la cacciata dell'ubriaco (che avveniva, appunto, verso le undici), si udiva, all'imbocco della viuzza, la sua voce, come d'anima persa, che chiamava alto: – Eugenia! Eugenia! – (era il nome della vecchia parente). Ma costei, per protesta contro il beone che rincasava a quell'ora tarda interrompendole il sonno, faceva la sorda dietro la finestruola serrata e non gli apriva l'uscio. Gabriele incominciava allora a dare gran colpi all'uscio, coi piedi, e col bastone, e questi colpi accompagnava con singhiozzi e grida e con proteste furibonde. Egli si rivoltava non tanto ad Eugenia, quanto alla sua propria esistenza in particolare, e all'esistenza in genere; e soprattutto le sue contumelie eran gettate addosso ai personaggi autoritari, potenti, a tutti coloro, insomma, che avevan nelle mani la sorte di lui Gabriele e dell'altra gente modesta. La bizzarria sta nel fatto che per il resto della settimana il povero pazzo nutriva un rispetto infantile, quasi panico, per qualsiasi autorità. Era cosí devoto che ogni tanto interrompeva le sue faccende, nella Chiesa, per prostrarsi e baciare il pavimento davanti all'altare: cosí pure, soleva baciare umilmente le monete, perché recavano l'immagine del re. I ceri accesi, i voti, le bandiere gli ispiravano stupore e riverenza, come apparizioni non terrestri; e rimaneva per delle ore a contemplare un povero addobbo di villaggio, alla guisa di un pellegrino davanti a San Pietro. Si aggiunga che era oltremodo disinteressato (qualità rara in quei luoghi), tanto da prestarsi a molti servizi senza compenso alcuno, malgrado l'estrema sua povertà. Era, anzi, smanioso di servire, e proprio come un cane teneva dietro al parroco, al principale, a chiunque insomma aveva facoltà di comandarlo. La sera, se ne stava in un angolo a recitare un Rosario complicato, perdendo sempre l'ordine dei grani e ricominciando dal principio con assillante tenacia; infatti egli credeva suo dovere di raccomandare alla pace eterna tutti i cristiani per i quali aveva con le sue braccia scavato la fossa. Quanto ai suoi morti nel terremoto, se ne ricordava solo ad intervalli, ed erano immagini confuse e balenanti.

Un tal uomo, il sabato sera, nell'ubriachezza, smarriva assolutamente se stesso. Come ai suoi disperati richiami di: « Eugenia! », nessuno rispondeva, incominciava dapprima a lamentarsi a voce bassa, simile ad un cane maltrattato che mugola fra di sé. Poi, da queste lamentele, erompevano d'un tratto delle urla accusatrici. Anzitutto, egli accusava i suoi padroni di pagarlo poco, ripetendo ogni momento con rabbioso disdegno: – Dodici soldi soli, dodici soldi per una fossa! –

Da ciò, passava a insultare i poveri morti, che invitava a scavarsi la fossa da soli, giacché, per una paga tanto esigua, lui rifiutava il servizio. Ma cosciente, forse, che un tale invito ai morti era solo un sarcasmo, usciva in risate frenetiche. Si dava quindi a fare il conto del proprio misero guadagno settimanale; e poiché le monete recavano l'effige del re, (egli seguiva nei suoi monologhi una sua logica da pazzi), inveiva contro il re, chiamando costui con epiteti tanto stravaganti e feroci da far meravigliare che un uomo rispettoso come lui potesse pensarli. Essendo sulle monete, della persona regale, ritratto soltanto il capo, il nome piú frequente e piú gentile da lui dato al sovrano la sera del sabato era *Testaccia*. – Su te ci sputo, – gridava, – maledetto, Testaccia! Su te, ladro forcuto che paghi dodici soldi per una fossa! – Nella sua mente, gli attributi e le incombenze del re si confondevano: infatti, non solo egli addossava al sovrano la colpa della propria scarsa paga, ma lo accusava pure, un momento dopo, d'aver mandato il terremoto sul villaggio. Non per questo, ad ogni modo, egli risparmiava gli oltraggi al piú venerato dei suoi padroni, a Dio. La sua bocca gettava tali bestemmie, che le abitanti della viuzza, risvegliate al frastuono, si spaventavano e si facevano il segno della croce. Gabriele, in quei momenti, era capace delle confusioni piú sacrileghe e temerarie; essendo avvezzo, per esempio, a sentirsi chiamare coi nomi di *pazzo*, *demente*, *idiota*, chi sa per quale stravolgimento della coscienza invocava Dio con questi nomi stessi. Ai quali aggiungeva perfino il nome suo proprio, Gabriele, come se la sera del sabato egli non sapesse piú distinguere se stesso da Dio. Ed ora, come aveva invitato i morti a scavarsi la fossa da soli, cosí invitava Dio, quando gli piacesse di aver la chiesa pulita, a scendere e rassettarsela da sé: giacché lui, sagrestano, per quella scarsa paga non voleva piú seguitare il servizio: – Vieni giú, demente, infelice! – gridava, – vieni giú, becchino, scendi a spazzarti la tua chiesa per quaranta soldi alla settimana! – A queste empietà, le donne smettevano le loro risate; e se i fanciulli seguitavano a ridere, li colpivano duramente sulla bocca, tappandosi poi gli orecchi per non ascoltare. Certo, Gabriele avrebbe perduto da tempo il suo posto di sagrestano se non fosse che la sua qualità di pazzo, e la condotta umile e pia tenuta per tutta la settimana, gli facevano perdonare queste scene del sabato. Le quali si ripetevano sempre, simili l'una all'altra, e Francesco le conosceva bene. Se la vecchia Eugenia s'intestardiva a non voler aprire l'uscio, i vicini, che avevan gustato non poco l'abituale commedia, stanchi alla fine, volevan difendere i loro sonni. Le finestre si spalancavano, e si affacciavano uomini e donne scarmigliate, che protestavano a gran voce chiamando Eugenia. La viuzza era cosí stretta che si poteva, con lunghi bastoni, dalle finestre di fronte colpire quella chiusa della vecchia. Qualcuno, esasperato, o per crudele divertimento, gettava acqua e rifiuti sul povero folle. Finché la vecchia Eugenia in persona schiudeva lo sportello della finestra e iniziava, con l'ubriaco e coi vicini, un furioso alterco. Per lo piú, stanchi, i vicini le chiudevano le finestre in faccia; ed ella, infine, strascicandosi fino all'uscio, si decideva a ricevere l'ubriaco, esausto ormai, stupefatto dalla propria e dall'altrui violenza.

Tutto ciò, ripeto, era ben noto a Francesco: e fin dall'inizio egli sapeva quale sarebbe la conclusione. Per cui rimase a letto, con gli occhi aperti nel buio; mentre Alessandra, prolungandosi di fuori la commedia e il frastuono delle voci rissose, infine si levò dal letto, e si affacciò, per unire le proprie alle altrui rimostranze. Ella si era coperte le spalle e il petto con uno scialle nero; e illuminata dal plenilunio autunnale, che spandeva nella camera un chiarore di crepuscolo, la sua persona magra e rapida sembrava di fanciulla. Sullo scialle nero si vedeva l'ombra ancor pesante della treccia, liberata dalle forcine. E uscendo dalla bianca sottoveste di tela i nudi piedi abbronzati parevano, nel contrasto, ancor piú bruni. Ella si sporgeva dalla finestruola, e con voce alta, un po' stridente, si univa al coro delle proteste. All'affacciarsi d'Eugenia, vi fu tra questa e Alessandra, che le stava proprio di rimpetto, un dialogo aspro e vivace. Alessandra richiuse poi, con forza, lo sportello; ma rimase seduta sulla sponda del letto finché il chiasso di fuori non cessò del tutto. Allora, con un sospiro, sollevati i piedi in gesto grazioso ed agile, si coricò nuovamente nell'ampissimo letto, dove un tempo si coricavano in tre, lei, Francesco e Damiano; dove, poco piú d'una settimana avanti, nelle funebri notti della veglia, giaceva il solo Damiano (passato il proprio turno di veglia, ella si coricava presso una comare); dove, infine, la sera seguente, per la prima volta lei giacerebbe sola.

Prima di adagiare il capo sul guanciale, ella chiese a Francesco se dormisse; ché il figlio si celava il volto col braccio. In tono risentito, quale ad una interrogazione vana, Francesco le domandò se si poteva dormire con una chiassata simile. Allora, la madre ebbe uno schietto riso, amareggiato un poco dalla malinconia del vicino distacco; e gli ricordò come, da fanciullo, egli fosse capace di dormire a dispetto di un frastuono anche piú forte. E il giorno seguente, si ostinasse ad affermare che era stato sveglio al par degli altri, e aveva udito ogni cosa; e s'imbronciasse allorquando, messo alla prova, non sapeva rispondere alle interrogazioni, fra le risate dei suoi.

Questa reminiscenza affettuosa agitò lo spirito di rivolta che si annidava nel petto di Francesco. Con voce irritata, egli interruppe sua madre, intimandole di non piú ricordargli il tempo della fanciullezza, che, nella sua vita sventurata, resterebbe sempre il piú infelice.

Cosí dicendo, egli fissava come in delirio, appesi di fronte sul muro ad un medesimo rampino di ferro, un gabbano scuro già appartenuto a Damiano, e su questo il cappello di lui; e il fucile che sporgeva con l'asta e le canne di sotto i detti indumenti. Queste forme, sulla calce della parete, assumevano l'apparenza di uno spauracchio in un campo lunare. Francesco non ne distoglieva lo sguardo, di sotto il braccio ripiegato; e non vedeva il viso di sua madre la quale si rivoltò un poco nel letto, e in tono appassionato e sorpreso, ma incredulo tuttavia, gli chiese come mai parlasse cosí. Pure, da fanciulletto, egli pareva contento; lei stessa e il suo povero marito altro scopo non avevano che di farlo contento e lo tenevano come un principe. Non appena avevan capito ch'egli non si trovava piú bene qui in paese, lo avevano mandato in città, senza badare a spese, pur di contentarlo. E nelle sue lettere dalla città, ch'ella conservava una per una, egli ripeteva spesso il suo rimpianto della casa, e il dolore di esserne lontano. Sebben lontani, Damiano e lei stessa non avevano che lui nel pensiero, e cercavano di non fargli mancar niente. Era stato forse maltrattato, da fanciullo? Gli si era negato qualcosa? Non era vero, al contrario, che i conoscenti accusavano spesso i De Salvi di viziare il fanciullo con quel non dargli mai torto ed evitargli il piú piccolo lavoro che non fosse il prediletto studio? E allora, se un fanciullo cosí privilegiato si diceva infelice che dovevano dire gli altri? A tali querele materne, Francesco stette un poco senza rispondere; poi, non potendo piú frenarsi, e come se quella voce cantante, quel tono persuaso, lo pungessero invece di blandirlo, ebbe una risata piena di rancore. E imponendo a sua madre il silenzio, le disse ch'era inutile ricordargli tutti i sacrifici sostenuti per lui: tutto ciò, proseguí aspramente, non avrebbe mai potuto riscattare lei stessa, Alessandra, dalla colpa d'averlo fatto nascere. Era meglio, esclamò, ucciderlo appena nato piuttosto che metterlo in questo inferno.

– Francesco! – esclamò Alessandra levandosi a sedere sul letto, – a tua madre dici queste cose! – Intanto era tramontata la luna, e tutto era nero nella camera; cosí che, pur se si volgeva verso sua madre, Francesco non ne scorgeva che la macchia bianca della camicia. Egli restava supino, sotto le coltri; e malgrado la notte piuttosto rigida, si sentiva coperto d'un leggero sudore. In preda a una rabbia loquace, parlava quale uno che farnetichi; e sebbene usasse il dialetto nativo, come sempre nei suoi discorsi con Alessandra, pure aveva dimenticato, certo, di rivolgersi alla mente semplice e senza sospetti di una povera contadina. « Voglio condannarla, costei, – si diceva follemente, – voglio che sappia, non è giusto che ignori ». E in nome di tale contraffatta larva della giustizia, incominciò a dirle cose per lui stesso nuove e impensate: e cioè che lui, Francesco, era un disgraziato, uno senza speranza, e tutto per colpa di lei: giacché, prima di dare la vita a un uomo, si deve considerare *quale* vita si può dargli. Ma lei, come se avesse concepito non già un figlio di donna, ma un caprettino, o un cane, non s'era preoccupata della sua futura sorte, e lo aveva gettato in una condizione contro natura, ne aveva fatto uno sperduto: senza vera famiglia, perché senza un vero padre; e senza una società, non essendo, lui, né un contadino né un signore, disprezzatore degli uni, disprezzato dagli altri. Questa era la colpa piú grave, non tanto il peccato d'adulterio. Giacché, la donna che pecca d'adulterio, condanna se stessa; ma lei, con la sua delittuosa concezione, aveva gettato un altro nella propria sorte disperata. E a questo punto, come altra volta per salvare Rosaria, ugualmente adesso per condannare Alessandra, Francesco invocò una testimonianza ch'egli avrebbe dovuto tenere per falsa, nel suo pensiero: un passo della Bibbia, cioè, che, fanciullo, dopo la confessione di sua madre, lo aveva attirato, e in cui si dice:

Ma i figli degli adulteri non giungeranno a maturità, e la stirpe d'un talamo iniquo sarà distrutta.

E quando abbiano lunga vita, non saranno stimati, e disonorata sarà la loro vecchiezza.

... perché acerbissima fine avrà la stirpe dei malvagi...

Recitò questi versi con un accento pieno di gusto crudele, e di teatralità.

Mentr'egli cosí parlava, Alessandra rimaneva seduta, col busto fuor delle coltri, senza badare a coprirsi, quantunque la notte piuttosto rigida la facesse rabbrividire. Spesso ella ripeteva la medesima esclamazione: – Francesco! a tua madre dici queste cose! – né sapeva difendersi dalle accuse altrimenti che con la frase, piú volte ridetta: – Ma ti ho tenuto come un principe... Ma ti ho fatto studiare... – A un certo momento, con voce piú bassa, quasi a velare un po' queste parole spudorate, disse: – Ma ti ho fatto figlio di un gran signore... – Un gran signore, sí! – gridò Francesco, in una risata simile a quella di poco prima, – un ladro, uno senza speranza! – A questo, ella si rivoltò: – Un ladro! – esclamò sbigottita, – non hai vergogna a dire una parola simile! – Cosí impossibile per la sua mente era il sospetto di una tal verità, ch'ella credette ad un insulto, non già ad una accusa. – Rispetta almeno la memoria, – ammonì, ritrovando per un momento quell'accento di profetessa che talora aveva, e che Francesco aveva pure, trasmessogli da lei. Ma pareva che il coraggio e l'autorità la avessero abbandonata, all'udirsi chiamare dal figlio peccatrice, e dannata, e sacrilega. Ciò che soprattutto la spogliava d'ogni potere di violenza, era una cosa raramente provata: la paura dei fantasmi, che le faceva battere il cuore. Temeva il fantasma di suo marito Damiano, morto da pochi giorni, e quello di don Nicola, insultato dal figlio; e perfino dei suoi parenti e genitori, da lungo tempo, ormai, sepolti, e della suocera, la quale ci teneva tanto a che il proprio nipote nascesse in grazia di Dio. Mentre così, quasi inorridita, sedeva nelle tenebre, a lato del figlio, i discorsi di costui le giungevano in gran parte oscuri. Però, sebbene incapace di capirne appieno il significato, ne riceveva un presentimento di minaccia; alla guisa di certi animali, quando preavvertono un qualche sconvolgimento dell'atmosfera o della terra.

Fu questo confuso orrore che spinse, un bel momento, Alessandra ad alzarsi, e ad accendere la lampada, come se suo figlio fosse malato. Intirizzita dal freddo, ella si coprì finalmente le spalle con lo scialle nero di prima; e tratto dalla cassa un paio di grosse calze nere, si coprì anche i piedi. Così, mezzo svestita, si sedette sulla sponda del letto, dalla parte di Francesco; e guardandolo maternamente, quasi che la luce accesa glielo facesse riconoscere, e le ridonasse fiducia in lui, disse, con le labbra dalle quali era fuggito il colore: – Che parole mi fai sentire! Tu che fosti sempre così rispettoso! E domani te ne vai via! – Nel chiarore tremolante e rosso, ella, ora, non aveva più, come nella penombra lunare, l'apparenza di una fanciulla. Il suo viso conservava, sì, quella perenne fanciullezza che nasceva dalla sua naturale innocenza e castità; ma le rughe, i cui tagli profondi sembravano neri alla scarsa fiammella; e la magrezza non più fresca delle guance le davano l'aspetto ormai d'una donna vecchia. Anche i capelli, che poco prima, quand'ella s'affacciava dalla finestra, apparivano una massa nerissima, si rivelavano in qualche punto incanutiti. Di ciò, Francesco non s'era mai, prima, accorto. Egli pensò: «Che voglio, da lei? Sono, io, colpevole? Valgo qualcosa, o sono senza speranza? Esiste per me un affetto che non tradirò, una fede dimostrata, un amico che non mi giudichi? Sono forse ancora un bambino, oppure non ho che senilità nei miei giorni futuri? Oh, quante cose grandi, insensate e confuse, come un minuto contraddice l'altro! Sono un valoroso frivolo o un vigliacco che si vanta? Ah, potessi sapere con certezza a chi appartenga la ragione e la vittoria! Avessi davvero un ordine del mondo, una legge sicura che mi facessero da paragone! Oh, madre mia, cara innocente, adultera mia cara! Oh, Anna!»

Fra questi pensieri informi, e insidiosi argomenti, egli ruppe in pianto. Da quando non era piú fanciullo, era questa la seconda volta ch'egli piangeva: la prima volta, però, se i lettori ricordano, egli aveva trovato nel pianto uno spontaneo sfogo. Stavolta, invece, conosceva l'amara fatica d'un pianto d'adulto, che la natura contrasta, e la volontà vuol frenare. In cui la pena, murata, s'invischia senza liberazione. E la propria voce, con vergogna, suona all'orecchio come quella d'uno straniero.

In tale faticosa e sterile guerra, Francesco, non sapendo piú che si dicesse, incominciò ad accusarsi con sua madre, chiamandosi vigliacco, mentitore, ingrato. E nel momento stesso che avrebbe voluto arrestare i propri singulti, e le mortificanti confessioni, invece, perso ogni ritegno, proruppe, a propria scusa, che in verità egli amava una fanciulla, l'amava e la voleva ad ogni costo, ecco la verità. Per colpa forse della lor condizione diversa, lei lo aveva respinto; ma era cosa insopportabile, impossibile ad accettarsi, ch'ella sposasse un altro qualsiasi, solo perché la sorte, non il merito, glielo facevano ritenere piú degno. Lui, Francesco, essendo certo di meritare l'amore di lei, non poteva adattarsi a una rinuncia che significava gelosia fino alla morte, solitudine e maledizione. Eppure, la sua volontà non gli bastava per impadronirsi di quest'unica e sola cosa alla quale egli tenesse al mondo. La sua già misera condizione era, anzi, peggiorata: d'ora innanzi, egli avrebbe dovuto giorno per giorno mettersi in cerca del suo pane. Ma lei, lei, l'amata, gli era assai piú necessaria del pane. Perché, dunque, era venuto al mondo, se il solo bene cui tenesse doveva toccare ad altri!

Al veder Francesco abbandonarsi in tal modo, sua madre quasi dimenticò del tutto il triste processo di poco prima. Anche il coraggio le ritornò, come se, all'udir nominare la sconosciuta fanciulla, i fantasmi dei morti fossero svaniti. Sebbene offesa del torto recato al suo diletto, non si sentí gelosa della fanciulla. La confidenza di Francesco la riconfortava, ed ella in cuor suo se ne compiacque; ma non osò accarezzare il figlio, essendo questi ormai fatto uomo, e capo della casa, ed echeggiando ancora nell'aria i suoi giudizi severi. Ella incrociava sullo scialle, scoperte fino al gomito, le braccia muscolose, quasi virili, percorse da vene somiglianti a corde intricate; e inginocchiatasi, con atto di passione, sul pavimento, presso il capezzale di lui, cominciò a ripetergli, piena di fuoco: – Ah, Francesco mio, sapessi che sentimenti prova tua madre! Quale donna ti difenderà come tua madre? La madre difende la carne sua, il cuore del corpo suo. Soffre di piú la Madonna ai piedi della croce, che il Figlio crocifisso –. E per ammonirlo, citava, con la solennità di un vaticinio, proverbi del paese, quali ad esempio: «*Lagrime piante per donna son come l'acqua del mare | non è buona da bere, ma è buona da annegare*».

Come lo vide calmarsi un po', gli sedette a lato; e non sapendo, malgrado il timore di provocargli un nuovo sfogo di pianto, vincere la propria curiosità, gli domandò se quella fanciulla fosse ricca, figlia di signori. E poiché il figlio, brusco, le rispose di sí, ella rimase un poco soprappensiero, vincendo un certo rammarico; ma dopo, con fierezza dichiarò: – Non so che signora sia costei; ma io, da ragazza, fossi stata pure una gran dama, avrei preferito uno sposo tuo pari a un duca! – Ma, soggiunse, Francesco non doveva disperarsi. Ah, certamente egli avrebbe in seguito trovata una fidanzata piú accorta di questa, e ancor piú signora. Ché, da una donna si richiede la dote, e da un uomo il giudizio.

All'udir sua madre fare ingenua pompa della propria saggezza di contadina, sentenziando con le parole apprese a memoria fin da fanciulletta, Francesco, ribelle al proprio pianto, fu morso da una volontà crudele. Alessandra pareva, con l'atteggiamento fra autorevole e sottomesso, sperare in una propria discolpa, o rivincita. Egli volle offendere in qualche modo questa ingenua presunzione; e, insieme, infierire su se stesso, per sopraffare la propria vergogna: – Sí, – esclamò con un breve riso di scherno, e la voce rauca dal pianto, – è proprio come tu dici! L'amore e il successo non mancheranno alla mia faccia di butterato. Sappilo, invece, nonché le fanciulle oneste, non mi vogliono neppure quelle di strada –. E le svelò come una, appunto, di costoro da lui raccolta, una sgualdrinaccia (egli aveva deciso perfino di sposarla), lo avesse tradito per un tipo qualsiasi, piú ricco di lui, che l'aveva comperata coi regali. Poteva, dunque, una signora, raccogliere i rifiuti di una sgualdrina?

– Sposare una cosí! – esclamò Alessandra, con voce alterata. La gelosia, non avvertita poc'anzi verso la fanciulla onesta, al saper di costei le sfigurò i tratti per un momento: e un odio spietato scintillò nei suoi neri òcchi di zingara. – Uno come te, sposare una femmina simile! – ripeté, ritrovando, nell'impeto, i propri accenti mistici e severi, – volevi legarti ad una croce? Ora capisco chi t'ha cambiato i sentimenti e t'ha fatto nemico di tua madre. Tu che fosti sempre il piú buon figlio del mondo, e onoravi tua madre come una regina! Ora lo so, chi t'insegnò le parole che dicevi stanotte, quest'ultima notte che passavi nel letto di tua madre. Ma per quella, non già per me, furono le tue parole. E tu ti lamenti della sorte, che t'ha liberato? Una femmina cosí, Francesco mio, non capirà mai la tua bellezza e il tuo merito: per quelle, vedere un viso di santo oppure di somaro è lo stesso, perché i loro occhi son carne venduta. Ma tu, se maledici il tuo viso, fai torto a tua madre che t'ha fatto bello. Forse che anch'io, benché madre, non ho occhi di donna? Una sposa sincera vedrà il tuo viso come te l'aveva fatto tua madre; perché il tuo difetto non è colpa né natura: è disgrazia –. Con gesto impulsivo, ella stese la sua mano scura e deformata ad accarezzare il figlio; ma questi si schermí, e girato il capo sul guanciale e celandolo a mezzo col lenzuolo, esortò sua madre a spegnere la luce e a coricarsi. Ché, soggiunse, era assai tardi, e lui si sentiva stanco. Alessandra esitò un poco; e in tono piú di rivolta che di lamento, ripeté, guardando la fiamma del lume: – E domani te ne vai via! – Poi, levatasi, soffiò sul lume, e al buio s'infilò fra le coltri; rimase, però, seduta sul letto. E in accenti monotoni, ripetendo piú e piú volte le stesse frasi, come sogliono le donne di campagna, seguitò alquanto ad ammonire il figlio o a querelarsi, ora corrucciosa, ora lusinghiera. Finché, non ricevendo risposta alcuna dal giovane, con un sospiro si distese e tacque. Né il figlio tardò molto a conoscere, dal suo respiro, ch'ella si era di nuovo addormentata.

Quanto a lui, seguitava a penare, nel disordine delle sue diverse passioni: allorché, fra queste, una prevalse, ed egli, proteso il braccio attraverso il letto, ricercò nell'oscurità la mano materna. La dormiente avvertí il suo tocco; infatti, per un secondo ella interruppe il calmo respiro e strinse forte, fra le proprie dita ruvide, quelle di Francesco. Il quale, con un subitaneo pensiero, fece a se stesso e all'amaro viso addormentato una promessa seducente, tale che solo a formularla sopiva i suoi rimorsi e medicava ogni suo male. E cioè: « Rimanderò di un giorno la mia partenza, ancora domani resterò qui ». Ma, ahimè, ben presto egli invidiò a se stesso questo fugace riposo: ché, nella consolante risoluzione, ravvisò una delle solite insidie, abili a vincere col loro gioco la sua debolezza puerile. In preda al batticuore, egli svincolò la propria mano da quella di Alessandra; e poco dopo, sopraffatto dalla stanchezza, cadde a sua volta nel sonno.

In tal modo si chiuse quella notte maligna. Il giorno seguente, come aveva già stabilito, Francesco partí dal villaggio.

Capitolo quarto

Il Cugino incontra la paura e volta le spalle alla compagnia.

Suo primo pensiero, arrivato in città, fu di correre da Edoardo; ma lo aspettava, qui, un'amara sorpresa. Aperto il portoncino d'ingresso, il servitore, che conosceva Francesco per le sue precedenti visite, rimase un poco interdetto alla sua richiesta di vedere il padroncino. E meravigliandosi ch'egli non sapesse la nuova, gli annunciò che il signorino Edoardo era partito insieme con la signora tre o quattro giorni avanti, e in casa non era rimasta che la servitú. Francesco spiegò di essere stato fuori in quei giorni, e s'informò se il signorino avesse lasciato qualche comunicazione per lui; ma il servitore rispose di non avere ricevuto nessun ordine a questo riguardo. Alla domanda, poi, di Francesco, sulla destinazione d'Edoardo e sulla durata dell'assenza, il servitore dichiarò di non saper nulla. E aggiunse che il padroncino e la signora avevano deciso la partenza da un giorno all'altro, a scopo di svago e istruzione del padroncino, e non avevano lasciato messaggi o comunicazioni di sorta. Amareggiato, senza riuscire ad aver notizie piú precise, Francesco ritornò sui propri passi. Egli pensò che Edoardo si fosse deciso, finalmente, al viaggio consigliatogli già dai medici, e rimandato piú volte, sebbene annunciato ad Anna per finta; ed aspettò, nei giorni successivi, una lettera di lui, coi suoi saluti e le sue spiegazioni. Ma né in quei giorni, né in seguito, Edoardo non si fece piú vivo. Da principio, Francesco pensò che l'amico volesse, col suo silenzio, vendicarsi di lui per la mancata promessa di scrivergli dalla campagna. Ma poiché tale silenzio si prolungava oltre i limiti d'un affettuoso dispetto, si persuase alla fine d'essere trascurato, dimenticato e tradito. Forse, egli pensò, ignorando il suo preciso indirizzo di campagna, Edoardo, da principio, aveva tardato a scrivergli, ripromettendosi di farlo piú tardi, allorché si poteva presumere ch'egli fosse tornato alla sua camera di città. Ma tale breve indugio, si diceva Francesco, era bastato, a quanto pare, perché Edoardo, distratto dalle novità, divertimenti e amicizie di viaggio, si dimenticasse addirittura dell'amico, o non si curasse piú di lui. Cosí che, per orgoglio, anche Francesco si sforzò di scacciarlo dalla memoria e dal cuore. In realtà, i fatti s'erano svolti in tutt'altro modo; ma Francesco non conobbe la sorte dell'amico se non molti anni piú tardi.

Un paio di giorni dopo la partenza di Francesco dalla città, Edoardo, entrando un pomeriggio nella propria camera, per riposarsi di una grave stanchezza, proprio sulla soglia era stato còlto da malore. Egli credette il primo istante di provare una semplice nausea, o capogiro. E dopo la gran luce che i finestroni a vetri riversavano sui corridoi, si fermò abbagliato e incerto nella penombra della camera, tenendosi a malapena in piedi contro l'uscio accostato; mentre con impulso infrenabile, sebbene languido, una schiuma sanguinosa gli saliva dal petto empiendogli la bocca. Una torpida liberazione si mescolava al suo venir meno; un fiotto piú copioso gli sgorgò dalle labbra, spogliandolo d'ogni forza, ed egli con le orecchie ronzanti, le pupille offuscate, si lasciò docilmente sopraffare da questa violenza, senza piú cercare di spiegarla. Accorsa da una stanza vicina ai suoi rauchi lamenti, una cameriera lo trovò in ginocchio presso la soglia, tutto insanguinato. Ella gridò al soccorso; e come, per far luce, furono tirate le tende, Edoardo si guardò le mani e gli abiti con occhi sbigottiti e interrogativi.

Rinvenuto, in poco tempo, dal suo passeggero deliquio, egli rivide ogni cosa con subitanea chiarezza. Al malore che l'aveva còlto, d'un tratto egli dette nella mente un nome. E ripensò ad una giovinetta, compagna di collegio di sua sorella Augusta: la quale, dopo un malore simile a questo, non s'era piú riavuta e nel giro di una stagione era morta di tisi. Durante la lunga malattia dell'estate avanti, Edoardo s'era pure incontrato con la morte; ma era, in quei giorni, sopito, nell'incoscienza della febbre. Adesso invece, vedendo con occhi spalancati e lucidi questo antico spavento, incominciò a piangere e a singhiozzare. Le lusinghe e gli inganni di sua madre e dei medici lo esasperavano invece di consolarlo; ma allorché i dottori, d'accordo, gli consigliarono la partenza verso luoghi piú salubri, non appena si fosse rimesso un poco, e gli fecero il nome d'una celebre casa di cura, egli entrò in una fretta smaniosa di partire. Quasi illuso di fuggire cosí la minaccia di morte, lasciandola in questa casa, in questa città, ripeteva che voleva partire subito, per guarire subito, subito! Chi avesse osato dirgli che la sua guarigione richiederebbe dei mesi e forse degli anni, avrebbe provocato in lui scoppi d'ira o di pianto. Nei suoi volubili umori, passando, dallo spavento, alla speranza e alla rivolta, egli dava ordine di affrettare i preparativi: ché, insisteva con puerile accanimento, lui non voleva esser malato, voleva, senza ritardo, ridiventare quello di prima. E, nel dir cosí, girava, sugli altri, sguardi irrequieti e burrascosi, come se paventasse, o sfidasse, una possibile obiezione. Gli apprestamenti per il viaggio lo resero quasi ilare; sebbene gli si consigliasse il riposo, nell'insofferenza di giacere a lungo egli seguiva per le stanze sua madre, che aveva subito stabilito di accompagnarlo nella partenza; e assisteva, neghittoso, alla febbrile attività di lei. Di tratto in tratto, poi, le si stringeva accosto, e serrandole il viso fra le palme o scompigliandole un poco la pettinatura, secondo il suo costume, le chiedeva in tono festoso: – Non sei contenta che si parte? non piace forse a donna Concetta questo viaggio? non le piace forse d'essere la mia compagna? – E ridendo, la fissava con occhi lucenti e ostinati, che le ordinavano, con prepotenza, di partecipare a quella fittizia allegria. A lei, talvolta, vedendolo tornato ai suoi modi vivaci, si dilatava il cuore nella speranza; ma poi, se riguardava quel volto assottigliato, che l'ansia e ardore di vivere consumavano, era presa d'un tratto da una disperata ribellione. E gridava: – Ah, se si fosse fatto prima, questo viaggio! Se tu avessi ascoltati i consigli di tua madre! – A queste parole, vedeva Edoardo trascolorarsi, percorso da un fremito, come ad una profezia funesta. E rimproverandosi, allora, i propri impulsi, avidamente abbracciava il figlio, lo copriva di baci; e prolungava la stretta, cui dava forse nel segreto della propria volontà un potere di magía. – Lasciami, lasciami, – diceva Edoardo, stizzito e triste, – mi farai venire la tosse –. Ché, in quei primi giorni dopo la rivelazione del male, egli paventava ogni colpo di tosse come uno spettro. Si svincolava dunque da sua madre; e imbronciato cominciava ad errare per le stanze, in preda alle sue paure. Concetta imparò, allora, a fingere un umore tranquillo. Ma un giorno, entrando d'improvviso in una stanza dov'ella, con l'aiuto della figlia Augusta, finiva di riporre alcuni oggetti, Edoardo la sorprese in una convulsione di pianto, mentre Augusta, anch'essa col viso lagrimoso, cercava invano di richiamarla alla ragione. Tale vista esasperò Edoardo, non meno che se avesse sorpreso le due donne a congiurare contro di lui. – Voi piangete per me! – esclamò con un tono in cui l'accusa e la collera si mescolavano alla ormai quotidiana, ritornante ambascia. E gettando sguardi inquieti a sua madre, accovacciata come una selvaggia sul pavimento, fra le valige sparse, prese a inveire contro di lei. Con voce dolorosa e capricciosa, gridava che quel pianto gli portava sfortuna; e di voler fuggire da simili volti luttuosi e tetri; andarsene da solo, e non esser piú ricordato né amato da chi, con le notturne orazioni, coi tristi digiuni e

400

i voti gli gettava la cattiva sorte. A questo punto, con parole violente, mentre vampe e pallori gli si alternavano in viso, Edoardo prese a insultare le Messe, le Comunioni, e le altre sacre cerimonie con cui sua madre sperava di meritare da Dio la sua guarigione: cerimonie ch'egli chiamava commedie malaugurate e fastidiose magíe. Cosí il nostro ostinato personaggio rinnovava ancora una volta l'antica battaglia contro le credenze di sua madre: agli orecchi della quale, nelle circostanze presenti, le sue grida acquistavano un suono piú che mai temerario e nefasto. Incapace di farle tacere, Concetta, i grigi capelli scomposti intorno al viso invecchiato dalle veglie, fissava sul giovane gli occhi dilatati e supplici; e bianca bianca, percossa dal timor sacro, pareva ammutolita. Ma poiché Augusta esclamò: – Edoardo! Edoardo, per amor di Dio! – e fece l'atto di segnarsi, Edoardo si rivoltò contro la sorella, e afferrato a caso un cencio fra gli indumenti già disposti nella valigia, glielo gettò in viso. Dopo tale gesto, egli ebbe un piccolo singulto; e voltando le spalle, silenzioso e curvo si sedette sopra un baule, ravviandosi con le dita convulse i bei capelli, che il male aveva un po' sfioriti. Concetta indovinò ch'egli era stanco, e già bisognoso di carezze; ella esclamò: – Edoardo mio! – e tutta tremante ancora, accostatasi a lui prese a ravviargli a sua volta i capelli, come per aiutarlo, intrecciando a quelle di lui le proprie dita. – Edoardo, che Dio ti perdoni, – ripeteva, affranta, e pervicace, – che Dio non t'ascolti e creda a tua madre, non a te, cuoricino mio prezioso, anima cara senza giudizio. Ah, tu parli senza darti pensiero delle parole che dici, sempre cosí fosti, sempre lo stesso spensierato, e come ti conosce tua madre, Nostro Signore ti conosce e ti perdona. Di che accusi tua madre? Di che t'insospettisci? di che rimproveri Concetta tua? Sentimi, sentimi, – ed ella (dicendosi fra di sé: mentire per carità non è peccato), addusse delle false scuse alle proprie recenti lagrime, che tanto avevano offeso Edoardo. Il quale, sebbene incredulo e fosco, tuttavia, docile alle altrui carezze, rimoveva un poco le labbra al sorriso; ché, mentre sua madre lo cullava come un bambino, una febbre leggerissima e ancora inavvertita, compagna del crepuscolo, gli rendeva i sensi piú acuti e lo indeboliva.

Dall'ora che quel primo, funesto malore lo aveva abbattuto nella sua camera; dal punto, dico, in cui, ripresi i sensi, aveva riconosciuto la propria sorte, Edoardo non concedeva piú alcun pensiero né a familiari, né ad amici. Dimenticato ogni altro affetto e interesse al mondo, in cuore non ebbe posto che per se stesso. Voleva partire, guarire, voleva vivere. E rifiutava con una sorta di disgusto ogni ritorno al passato, fin la fedeltà dei ricordi: poiché la memoria gettava baleni crudeli sulla sua presente disgrazia. Coloro che gli eran cari un tempo, adesso egli li odiava: per essere, loro, sani e liberi, mentre lui, già vittorioso fra tutti, era malato. E giunse a tale accidia che, stando lontano, rifuggí non soltanto dallo scriver lettere, ma perfino dall'aggiungere una firma o un saluto a quelle scritte da sua madre. Per cui, non diversamente da Francesco, anche gli altri amici della città rinunciarono infine ad ogni corrispondenza con lui.

La partenza fu di pomeriggio; nel momento che il cocchiere diede il via con la frusta, Edoardo accennò, di dietro il vetro dello sportello, un imbronciato segno d'addio. Davanti al palazzetto dei Cerentano, s'erano raccolti i parenti piú prossimi, alle spalle dei quali s'affollava la servitú, per salutare i due viaggiatori. Gli anni precedenti, al partire per la campagna, Edoardo soleva salutare uno per uno tutti i domestici, con festosa confidenza, non senza aver lasciato, ai suoi piú cari, un dono generoso. E, allontanandosi nella carrozza, piú di una volta si sporgeva a sorridere e a fare addio, quasi che si accingesse ad un lunghissimo viaggio. Ma oggi, il suo volto, che pareva rimpicciolito, si appoggiava pigro e gelido sui cuscini della carrozza. Le sue mani nervose, estremamente smagrite, si stringevano l'una all'altra sotto la coperta da viaggio. Egli non si volse neppure un istante, né girò gli occhi, lungo il percorso, a riguardare le vie dove tante volte, in libertà, s'era divertito a fare il vagabondo.

Accanto a lui Concetta, disavvezza ai lunghi viaggi, come la piú parte delle nostre signore, si costringeva a nascondere, dietro un'apparenza statuaria, i sentimenti dai quali era tutta sconvolta. Unico segno apparente della sua commozione eran le sue labbra insolitamente vermiglie, a causa dei morsi ch'ella si era data per vincere il pianto. In una occasione diversa, forse non avrebbe avuto un simile ritegno a rivelarsi turbata, e a portare il fazzoletto sugli occhi. Ma stavolta era necessario mostrarsi impassibile: affinché a nessuno venisse il sospetto che il viaggio intrapreso da lei stessa e da suo figlio non era un viaggio di piacere.

Fra i congiunti e i domestici radunati per salutare, soltanto pochissimi conoscevano la verità, e questi sotto il sigillo del segreto. Alla cameriera che aveva, per prima, soccorso Edoardo, erano stati dati ordini severi di non raccontare l'accidente ad alcuno; e inoltre s'era cercato di farle credere ad un malessere di lieve importanza. I pochi altri che, per diversi motivi, erano a conoscenza della verità, avevan solennemente promesso di non rivelarla. Difatti, nel codice sociale di quei luoghi, la malattia d'Edoardo era considerata non soltanto una sventura, ma poco meno di un disonore. Di piú, i congiunti, oltre al timore di venire sfuggiti nella loro cerchia, non volevano dar gusto all'invidia, o esca alla malevolenza altrui. Malgrado questa lor volontà, naturalmente, non si poteva impedire che, col passar del tempo, il triste segreto venisse scoperto e diffuso. Non si tardò molto, nella società dei signori, a conoscere la sventura dei Cerentano. Ma Francesco De Salvi, dopo l'abbandono di Edoardo, era per sempre diviso e lontano da tale società. La notizia, quindi, già ve lo dissi, lo raggiunse con molti anni di ritardo: fino ad allora, dell'amico egli non seppe piú nulla.

Capitolo quinto

Mia madre fa un matrimonio d'interesse.

I primi giorni, senza Edoardo, la solitudine parve a Francesco tanto grave che in certe ore desolate egli provava fin la tentazione di risalire alla cameretta di Rosaria: là, dove piú d'una volta era stato felice, potrebbe almeno ritrovare, in cambio del proprio perdono, il familiare conforto delle carezze. Francesco ignorava che Rosaria, pur essa, era sparita, e nella cameretta abitava gente estranea. D'altra parte, non gli occorse mai di saperlo: ché, non appena stava per cedere alla propria debolezza, gli sembrava scorgere il volto di Anna, dagli occhi fissi e lucenti, e sulla bocca una smorfia di spregio. La vergogna lo mordeva; e una nuova tentazione lo assaliva, tale che gli sarebbe parso di morirne, se non fosse stata una pertinace speranza che tuttavia lo incoraggiava. Subito, l'apparizione della grande e vittoriosa tentatrice Anna scacciava le altre piú volgari: poiché, cedendo ad esse, egli si sarebbe esiliato ancor piú da *lei*. E se perdeva fin l'ultimo pazzo proposito di meritarla un giorno, come potrebbe vivere?

Furon simili sentimenti che lo decisero, un bel giorno, a scrivere ad Anna. Scritta la lettera, in preda a un grave batticuore egli si recò fino al quartiere ormai noto dove abitavano le Massia; ma, non osando avvicinarsi alla loro casa, incaricò un ragazzetto incontrato nel prossimo vicolo di consegnare la lettera alla portinaia. E ciò fatto, fuggí da quei luoghi, al modo che un assassino fugge dal luogo del suo delitto. Non aveva speranza alcuna di una risposta; bramava, anzi, di stordirsi, per non cedere a tali vane speranze. Ma la sua coscienza era in certo modo placata, perché, in quei fogli, egli aveva potuto finalmente spiegare con la scrittura quanto non aveva osato con la voce.

La famosa lettera non è giunta fino a noi; ma, tuttavia, ne conosciamo la sostanza. Nessuna lettera costò mai tanta fatica: agitato da sempre nuovi pentimenti, da scrupoli tormentosi, Francesco la riscrisse piú volte, né l'arduo componimento gli pareva mai degno di colei che doveva leggerlo. Qua gli nasceva il sospetto che una frase suonasse irriverente, là che una scancellatura potesse dare ombra; e gli pareva che da una parola, messa in luogo di un'altra, potesse dipendere la vittoria delle sue speranze, o la rovina. Malgrado tanta attenzione, però, la lettera serbava i segni della irriflessiva passione che l'aveva dettata. L'umiltà piú supplice vi si confondeva con la piú temeraria baldanza; infatti, mentre la destinataria vi era celebrata quale un miraggio troppo al di là di qualsiasi merito umano, lo scrivente, poi, non si peritava di ambire a tanto merito. Egli faceva ingenuo sfoggio dei propri valori, ancora celati al mondo, ma sfavillanti nella sua propria coscienza. Come fuochi per attirare l'alata vaga, accendeva promesse, ambizioni, proponimenti da fare invidia a un erede del trono; e, forse per correggere l'umiliante ripudio già inflittogli da lei, con frasi presuntuose e ambigue alludeva ad una propria aristocratica origine. Ma, in sostanza, il primo e piú sollecito ufficio della lettera di Francesco, era di ricordare ad Anna Massia che, sebbene scacciato una volta, egli non cesserebbe mai di amarla. Anna doveva sapere che, in qualunque incertezza o difficoltà, ella aveva un protettore, un difensore, uno schiavo disposto a morire perché neppure un'ombra di male la offendesse o un filo dei suoi capelli, un ciglio, un atomo di lei subisse danno. Ah, non badasse, Anna, ad apparenze ingannatrici! Nessun uomo al mondo potrebbe amarla quanto lui! E un amore come questo ha in sé tal forza che, sotto il suo segno, uniti, avrebbero, loro due, conquistato il mondo. Ah, ch'ella avesse fede in lui, Francesco! Egli nulla le chiedeva, non osava neppure d'accostarsi a lei. Ma Anna doveva sapere che qualcuno sulla terra combatteva per lei, studiava per lei, né per altro viveva se non perché sognava di offrirle in dono la propria vittoria! Lui, che non credeva alla Madonna, aveva adesso una Maria che guidava ogni suo passo, e riluceva al termine d'ogni sua fatica, come Beatrice, come Laura, come la Giustizia e la Libertà! E questa era Anna!

Di tal sorta era lo stile della lettera; ma, in fondo a cosí folgoranti espressioni, da ultimo lo scrivente non si vergognava di fare appello alla pietà della destinataria, chiedendole almeno un poco d'amicizia, se proprio non poteva sperare di piú. Ché, soggiungeva, dopo la partenza del suo solo amico Edoardo lui era rimasto solo come non s'era sentito mai prima. (In tal modo, l'inconsapevole Francesco dava ad Anna la nuova dell'avvenuta partenza del cugino; senza sospettare quanto fosse crudele una tal nuova per lei).

Dopo una prima lettera cosiffatta, Francesco ne scrisse altre, non molto dissimili; ma, non trovando piú il coraggio per recarsi alla casa di Anna, le spediva per mezzo della posta. I giorni passavano senza che Anna desse un qualsiasi segno di risposta, o di ricevuta; ma Francesco seguitava a scriverle, perché, sebbene ella tacesse, questa corrispondenza era il solo mezzo possibile per aver qualcosa in comune con lei. In quei giorni solitari e laboriosi della sua giovinezza, Francesco si esaltava, e si dava coraggio, scrivendo tali lettere. Nel momento che s'abbandonava alla sua vena, quasi dimenticava d'essere ancora un povero studente, figlio di bifolchi: credeva alle proprie parole, si vedeva già vittorioso. Col passar del tempo, la presunzione di ricevere una risposta, magari una capitolazione d'amore: questa presunzione da principio, suo malgrado, vagheggiata, lo lasciava. Ma non piú sconfitto né mortificato da un cosí tenace silenzio, egli non rinunciava a scrivere ad Anna. Cosí come altri, nell'adolescenza, spedirono messaggi alle favorite della loro utopia, celebri attrici, o avventuriere, o signore della nobiltà: per entrare, quale incorporeo dèmone che bisbigli confidenze all'orecchio, in quelle dolci camere vietate, e arricchire con intrighi e trionfi composti di fandonie la propria cronaca scialba.

Salvo l'ora di questa corrispondenza, Francesco divideva il suo tempo fra le lezioni all'Università e lo studio in biblioteca (lo studiare a casa gli era impedito dal non poter acquistare libri e dispense). Il resto delle sue giornate, lavorava, sia dando ripetizioni o sia ricopiando tesi di laurea o addirittura componendole per allievi piú anziani e piú svogliati. Egli non rifiutava nessun incarico, per quanto noioso ed arduo, richiamandosi ad esempi di grandi personaggi passati attraverso le medesime sue prove. Per graziosa concessione dei proprietari, aveva fatto esporre nelle vetrine del caffettiere e del barbiere piú prossimi un cartello con la dicitura: *Laureando impartisce lezioni di materie letterarie a prezzo modico. Per informazioni rivolgersi alla portinaia di Vico Sottoporta 88.* Non senza ripugnanza Francesco s'era deciso ad una simile pubblicità: e le lezioni, tuttavia, scarseggiavano. Ma fin dall'infanzia, Francesco s'era avvezzato a vivere con poca spesa. E Alessandra non trascurava di spedirgli per ogni corriere del pane rustico, e altri prodotti della campagna.

Eran trascorsi, intanto, due mesi dal suo ritorno in città. Egli aveva seguitato a scrivere ad Anna; ma, da circa due settimane, non impostava piú le lettere, per via che i suoi mezzi non gli permettevano d'acquistare francobolli in cosí gran numero. Scritte le lettere, le riponeva, quale un diario segreto, dentro un cassetto chiuso a chiave, in attesa del giorno che potrebbe recapitarle.

Un pomeriggio, egli rientrava appena dalla biblioteca, e s'avviava alla propria camera, allorché la padrona di casa gli si fece incontro nel corridoio, avvisandolo che in camera c'era ad attenderlo una signorina. Francesco arrossí, per via che la moglie del vetturino vietava ai propri pigionanti di ricever donne; ma colei non gli mosse alcuna protesta, seguendolo però fino alla soglia della camera e sostando presso l'uscio aperto con una cert'aria di sospetto e d'allarme: decisa forse a salvaguardare con la propria presenza l'onore della casa. All'annuncio inconsueto, Francesco aveva pensato, in un baleno, a Rosaria; ma il suo cuore diede un balzo alla vista di Anna; la quale, in piedi presso la finestra, si volse all'entrare di lui, con la sua solita indolente alterigia. Volgendosi, ella girò su di lui gli occhi grandi e dilatati: di cui l'iride cangiante pareva, in quel momento, nera. Mai, prima, era toccato a Francesco di vedere Anna tanto consunta e livida, fra i capelli attorcigliati con trasandata violenza: come una alla quale è noia il pettinarsi, e che non desidera piacere ad alcuno. Ella si sforzava a mostrarsi impassibile; ma un tremito dei suoi muscoli, visibile nei polsi e nella faccia, rivelava quanto fosse nervosa e stremata. – È un'ora che son qui ad attendere, – disse per prima cosa, con quel dispetto irrequieto che si ritrova talvolta nei malati e nei sofferenti, – ero proprio sul punto d'andarmene via –. Poi, fissando la padrona di casa, ferma tuttavia presso la soglia, le domandò: – Che cosa aspettate voi qui? – A tali modi altezzosi, che solevano attirare da sempre, ad Anna, l'odio degli inferiori, l'altra ebbe un guizzo di rivolta, e fece per ribattere. Ma la fanciulla, torcendo un poco i labbri, con una irritazione che le inturgidí le vene del collo smagrito, senza aspettare la sua risposta le ordinò: – Vi prego di ritirarvi e di chiudere l'uscio.

La donnetta era impallidita; e Francesco le si volse, come a scusarsi, balbettando: – Signora... – Ma uno sguardo meravigliato di Anna lo empí di vergogna; per cui, rabbiosamente, lui stesso chiuse l'uscio. Per un istante non s'udí rumore alcuno: certo la moglie del vetturino, dietro l'uscio, esitava se rispondere o no all'offesa; ma poco dopo, s'udirono i suoi passi allontanarsi lungo il corridoio.

L'impetuosa e gioiosa speranza che in un primo istante, al veder Anna, aveva assalito Francesco, cadeva adesso, dinanzi al contegno della fanciulla, corrucciato e perfino ostile. Gli venne a un tratto il dubbio ch'ella fosse venuta solo per diffidarlo dal piú scrivere lettere: per annunciargli, magari, che s'era fidanzata, e che il suo fidanzato poteva adombrarsi a quell'assidua corrispondenza. Fra simili pensieri, egli mormorò: – Perché non vi sedete? – ma l'altra alzò una spalla e rimase in piedi, come per non cedere alla propria debolezza. Poi sorridendo in atto di sfida gli annunciò: – Sono venuta per mettervi alla prova... di quanto ripeteste mille volte –. E gli gettò uno sguardo pieno di rancore e d'audacia. Anche il suo tono era bellicoso e tale si mantenne per tutto il suo discorso, quantunque ella fosse interrotta di frequente da un nervoso affanno, e uscisse allora in certe risate di cattiveria donde pareva riattingere coraggio e respiro. Raramente, nel parlare, moveva gli occhi incupiti, e nei modi ostentava disdegno come chi, pur chiedendo, non si cura dell'esito.

– Non ho nessuno a cui chiedere aiuto, – disse, – eccetto voi. Guardate dunque che cosa mi succede. Mia madre e io siamo ridotte alla rovina, e, per di piú, mia madre ha avuto in quest'ultimo mese due attacchi gravi, che l'hanno resa inabile a qualsiasi fatica, perfino a scendere le scale dall'uscio al portone. Quanto a me, non conosco nessun mestiere, e d'altra parte, il lavoro m'è in odio. Non abbiamo piú risparmi, e nessun credito, e neppure un oggetto che valga la pena di vendere. Siamo peggio che mendicanti. Vedete le mie scarpe? Non che m'importi delle scarpe, né dei vestiti, né di niente. Per me, non ho altra voglia che di stendermi sopra un letto e lasciarmi perdere. Ma quella vecchia fastidiosa, lassú, non trova pace: che cosa le importi di vivere non capisco, tanto è finita per lei. Quel che le importa, in realtà, non è di vivere, è di accanirsi a morte contro il suo prossimo, di tediarlo a morte. Sempre cosí è stata; e adesso, ecco, spende le ultime sue forze per annoiarmi. Ogni mattina, le par venuto il giorno dell'Apocalisse: nella sua nevrastenia, che, in realtà, è l'unico male di cui soffra (gli altri mali di cui si lagna son tutti commedie per venir compatita), continua a disperarsi, a ripetere che morirà all'ospedale, o di fame, e che la butteranno nella fossa dei poveri. Di tutto ciò, dentro di sé, lei dà a me la colpa; e s'io non le facessi paura, non si stancherebbe mai di gridarmi chi sa quali accuse. Come se la colpa, in simili casi, fosse dei figli! Ma le sue accuse, benché taciute, io le conosco. Lei pretende, in cuor suo, ch'io potrei, se volessi, rimediare ai nostri mali, scegliendo fra due vie d'uscita. La prima le piacerebbe assai di piú, lo so, perché sarebbe la mia umiliazione. Ella ha un animo servile: già una volta, essendo io bambina che non capivo niente, si compiacque d'umiliarmi insieme con lei; ma avanti che ciò si ripeta, mi vedrà morta. La seconda via d'uscita, sarebbe ch'io mi sposassi; ed oggi, essendo ormai, mia madre ed io, ridotte all'estremo (perfino il fornaio ci ha rifiutato il pane a credito, stamattina), oggi ho deciso in questo senso. Ma il solo che m'abbia chiesto in moglie, siete voi...

Giunta a simile conclusione, Anna si abbandonò alfine sull'unica sedia della camera. E, le due mani neghittose in grembo, senza curarsi di nascondere con la palma le labbra estenuate, incominciò a sbadigliare. Intanto, chinava la fronte, da cui stillavano gocce di sudore; e con gli occhi ingranditi e fermi, pareva fissare intensamente le proprie scarpette scalcagnate. – Che avete! – gridò Francesco, – state male? Anna! – E urtandosi ai mobili corse alla tavola, donde prese una bottiglia con poco vino avanzatogli dal pasto. Non c'erano bicchieri nella camera; e dicendosi che non bisognava perder tempo, Francesco accostò la rozza bottiglia alle labbra di Anna. Ma i suoi polsi febbrili avevan perduta ogni forza: il vetro urtò contro i denti serrati della fanciulla, e alcune gocce di vino le si riversarono dagli angoli delle labbra, bagnandole la minuscola cicatrice e il mento. Allora, in un atto di volontà, Francesco osò di sorreggere col proprio braccio la testa di lei, che subito se la lasciò cadere indietro, come assonnata; ma, tuttavia cosciente, apriva gli occhi diventati d'un color chiaro, e sporgeva le labbra, come a chiedere. E mentre ella inghiottiva alcuni sorsi, e il vino le scendeva lungo la gola, Francesco le stava dappresso ansioso, coi gesti d'un ragazzetto inesperto che voglia nutrire un caprettino orfano.

Fosse o no in virtú del vino, Anna pareva riaversi; ma Francesco si diceva intanto ch'ella aveva bisogno di cibo, mentre lui purtroppo non possedeva oggi che un avanzo di quel pane campagnolo di sua madre Alessandra, raffermo ormai, rimasto là sulla tavola accanto al vino. Decise allora in cuor suo di fare atto di sottomissione alla padrona di casa, col chiederle, malgrado la scena di poc'anzi, alcuni biscotti della sua riserva familiare. Anna intanto, rifiutandosi di riposare sul letto, aveva appoggiato un gomito allo schienale della sedia, e il capo sulla mano: egli le disse che tornerebbe subito, e corse in cucina.

Le trattative per i biscotti durarono alcuni minuti; infine Francesco ritornò nella stanza, recando un piatto listato d'oro, esemplare d'un servizio che la famiglia del vetturino usava soltanto per i battesimi: nel quale eran disposti con gran cura varî biscotti della miglior qualità. Come Francesco entrava, Anna era in piedi, e, con la testa un po' di sbieco, incrociò il proprio sguardo con quello di lui. Ma in gran fretta il giovane distolse gli occhi: Anna infatti aveva in mano un pezzo di pane scuro, preso in assenza di lui sulla tavola, e vi dava morsi avidi e rabbiosi. All'opposto di Francesco, la fanciulla non si mostrò turbata; ma anzi, levando la testa e stringendo nella mano il pane sbocconcellato, tenne sul giovane gli occhi fissi e impavidi, alla guisa d'una pervicace fanciulletta che quasi goda d'esser sorpresa in colpa. Evitando di guardare quel pane, come non si fosse avveduto di nulla, Francesco posò i biscotti sulla tavola, e balbettò che la pa-

drona di casa li offriva in omaggio, trattandosi d'una sua propria spe-
cialità. – È una brava cuoca, – soggiunse, volendo ingraziarsi Anna
per conto della padrona, – e non è cattiva, è una buona donna –. Ma
Anna alzò una spalla, e posando il pane avanzato sulla tavola, accanto
ai biscotti, disse con astio: – Grazie, ho mangiato, ormai –. In quel
punto, una luce vendicativa le brillò nel gracile viso: e chinando un
poco la testa, volgendo in giro gli occhi per la mobilia della stanza,
sui libri bene ordinati, sul piatto dei biscotti, disse con un riso duro
e sfacciato, in cui suonava la volontà di schernire: – Mia madre non
fa che ripetermi che voi siete certo ricco, che siete un grande partito,
a ogni passo nomina *il barone*..., – e cosí detto, curvò sulle proprie
dita intrecciate gli occhi distratti e arroganti.

Francesco si sentí bruciare il viso, e non seppe trovare risposta a
queste parole. Egli avrebbe voluto, adesso, ripetere ad Anna gli elo-
quenti pronostici di un glorioso futuro che tante volte le aveva ripetuti
per lettera. Ma in lui c'era una tale confusione di sentimenti diversi,
ch'egli non sapeva scegliere fra essi, né esprimersi con parole compren-
sibili. Ad ogni nuovo segno di indifferenza o di avversione da parte di
Anna, lo pungeva un dolore aspro e velenoso; ma questo dolore, invece di scacciare la sua tenera pietà la accendeva crudelmente, come
un vento gelato su un fuoco. Da una parte egli bramava di abbandonarsi alla sua tenerezza, e dall'altra si ribellava ad essa, come a cosa
troppo dolce e troppo odiata. Aveva, però, una certezza; e, alla fine,
il sentimento di questa certezza vinse in lui tutti gli altri. Era il sentimento d'una infernale felicità della quale, nonostante tutto, egli era
oggi il padrone. Colei che fino ad un'ora prima gli pareva irraggiungibile, ecco, era venuta a patteggiare con lui, dispettosa, triste schiava:
a consegnarsi alla sua perenne padronanza. Egli accetterebbe il patto
crudele, pur di averla: e le leggi della società, di cui fino a ieri lui
stesso pretendeva non curarsi, sarebbero sue complici affinché un tal
patto non venisse mai piú violato. Davanti a tutti, Anna sarebbe riconosciuta sua: sí, era sua questa riottosa, invitta, immacolata signora.
Ed egli sperava di non morire prima di lei, per non lasciarla libera
dalla schiavitú.

I tratti del suo viso si segnarono d'una insolita durezza: insensati,
minacciosi impulsi nascevano da questi suoi pensieri di vittoria ed egli
li scacciò serrando forte le palpebre. Ma non seppe tuttavia tenersi
dall'afferrare bruscamente il polso di Anna premendo la propria gota
sulla palma di lei.

A un tal gesto, Anna parve smarrire l'eccessivo coraggio dimostrato fin qui; in una sorta di orgasmo puerile, svincolò la mano e in-

410

dietreggiò verso il muro. Nascondeva la mano dietro la gonna, quasi che la carezza di Francesco vi avesse lasciato un segno vergognoso. E pareva un duellante disarmato che, nella disperazione dell'orgoglio, aspetti l'ultima offesa. Ma subito si rivoltò alla propria debolezza. E con voce piuttosto afona, ma con accenti simili a frustate, quale novizia che si punisca con la *disciplina*, esclamò senza pudore: – Vi prego di non toccarmi, oggi: siamo appena fidanzati. Naturalmente, se ci sposiamo, potrete baciarmi, accarezzarmi, e far di me tutto ciò che vi piace, secondo il vostro diritto. Ma prima, non voglio –. Parole tanto sfacciate non eran certo quelle d'una fanciulla che ha paura; eppure, un súbito sollievo si dipinse sul viso di Anna allorché, dopo un istante, fu bussato all'uscio, e la padrona di casa entrò, recando, quasi a simbolo di riconciliazione, due bicchierini di marsala sopra un vassoio. – Per mandar giú i biscotti e per augurio di buona fortuna, – ella dichiarò, arrossendo fra la compiacenza e la ritrosia.

Poc'anzi nella cucina, Francesco, sia per dare un titolo legittimo a quella insolita visitatrice, e sia per giustificare la richiesta dei biscotti, aveva svelato alla moglie del vetturino che la signorina di là, in camera, era la sua fidanzata. Si sarebbero sposati assai presto, aveva soggiunto, schivo e turbato nei modi ma tradendo al tempo stesso un suo giubilo nascosto. E dunque, non poteva la signora prestargli qualche biscotto da offrire alla signorina? Alla inattesa novità, la padrona di casa aveva perdonato immediatamente le offese poco prima ricevute: un rossore di sorpresa e di festosità le aveva ravvivato il volto minuscolo e segnato di rughe precoci. Come chi abbia allevato in casa propria un animale selvatico e scopra un bel giorno in esso qualche tratto domestico, e perfino umano: cosí la moglie del vetturino, alla inattesa rivelazione, sentí cadere l'impaccio che le veniva per solito dall'ombrosità e dalla riservatezza di Francesco, e le impediva la confidenza. Dunque, il giovane, che era entrato in casa sua quasi fanciullo, e che, secondo la frase di suo marito, in tanti anni di convivenza aveva pronunciato in tutto quattro parole: il *moro*, come lo chiamavano le vicine, cosí misterioso, sempre intento a legger libri (e il vetturino che li aveva adocchiati lo giudicava un tipo di sovversivo); questo rustico, cresciuto quasi senza amici, solito a guardare con sospetto le immagini sacre sparse per la casa, e mai recatosi alla santa Messa; dunque, Francesco aveva un onesto idillio e al pari di tutti i cristiani intendeva concluderlo con le nozze. Il viso della buona donna, atteggiato un momento prima a un decoroso corruccio, si aperse subito alla soddisfazione e alla simpatia. – Rallegramenti, rallegramenti, – ella ripeteva festosa. E come se il titolo di fidanzata assolvesse Anna dal suo sgarbo recente, senza rancore alcuno, anzi con grande convinzione aggiunse che la fanciulla si rivelava a prima vista una molto distinta signorina. Cosí dicendo, ella s'affaccendava a cercare, nella credenza, il piatto piú bello, né volle mostrarsi avara di biscotti. Anzi, uscito Francesco, le parve di aver mancato in parte ai doveri e alle convenienze; per cui s'infilò fra i capelli un pettine ricurvo, adorno di pietruzze colorate, e, fattasi audace, andò a presentare alla sposa i propri voti augurali.

Anna assaggiò appena il marsala; ma, sebbene fredda e riservata, usò maniere gentili verso la donna. Era evidente il suo fastidio agli scontrosi complimenti di costei; ma tuttavia rispose ad essi con un sorriso di malavoglia, non si capiva se altezzoso, o pudico.

In tal modo fu celebrato il fidanzamento di Francesco e Anna.

Piú tardi, sul far della sera, Francesco, di nuovo solo nella sua camera, ricevette la visita del vetturino. Subito al suo primo rincasare, questi aveva appreso da sua moglie la lieta nuova; e, recando un fiasco di vino, s'era presentato a Francesco, per felicitarsi in persona col fidanzato. Il vetturino si mostrò in tale occasione oltremodo premuroso e loquace; e l'altro, acceso dal vino e dalla spontanea simpatia di lui, si abbandonò a una sincerità insolita. Egli confidò al padrone di casa la propria necessità di trovare, pur senza lasciare del tutto gli studi, un qualsiasi impiego. Giacché i suoi soli mezzi non potevano bastargli per mantenere una famiglia; mentre varie circostanze (ma tutte onorevoli, soggiunse, temendo che il vetturino potesse sospettare dell'innocenza di Anna), varie circostanze gravi consigliavano di affrettare il matrimonio. Tale era, giustamente, la volontà della sposa.

A queste parole di Francesco, il vetturino rispose levando la palma con gravità e riserbo: per indicare che non voleva entrare nei segreti del giovane, ma, tuttavia, rispettava e approvava le sue ragioni, anche s'egli riteneva opportuno tacerle. Il vetturino infatti, pur disapprovando le idee *sovversive* del suo pigionante, nutriva da tempo una profonda stima per quel giovinetto studioso, che, malgrado evidenti difficoltà, non aveva mai trascurato di pagare la sua pigione. Francesco non prevedeva certo, facendo le proprie confidenze al vetturino, che proprio costui, fra i tanti altri a cui egli si rivolse, gli avrebbe procurato l'impiego. Anzi, Francesco non pensava neppure ad una ventura simile; e se confessò le proprie difficoltà al vetturino, lo fece solo per il desiderio di comunicare a qualcuno i nuovi pensieri che lo assediavano. Ma l'aiuto, appunto, gli venne donde lui non aveva pensato: il vetturino infatti prese oltremodo a cuore la sorte del proprio pigionante. Essendosi lui medesimo ammogliato assai presto, nella prima gioventú, e non avendo avuto motivo di pentirsene, egli soleva lodare i matrimoni precoci, che sottraggono i giovani, diceva, a tanti pericoli. E tale opinione, congiunta all'affettuoso interesse destato in lui da Francesco, erano stimoli al suo desiderio di venirgli in aiuto. Con l'uno e con l'altro il vetturino parlava del suo protetto: in particolare, ne celebrò le lodi a un vecchio cliente malato d'ossa, ch'egli soleva scarrozzare ogni pomeriggio per le strade assolate della periferia, chiacchierando insieme. Quest'assiduo cliente era un pensionato delle Poste: e fu lui che, alla fine, per intercessione del vetturino, raccomandò il giovane studente ad un funzionario delle poste, suo vecchio amico. Il quale, usando la propria autorità, fece assumere Francesco De Salvi come impiegato nell'amministrazione postale. E fu cosí che mio padre varcò le porte di quegli uffici in cui, da allora, doveva trascorrere la piú lunga parte dei suoi giorni, fino all'ultimo.

Trovare un impiego non era il solo problema che Francesco aveva fretta di risolvere, in vista del matrimonio. Egli doveva anche, nello stesso tempo, trovare il denaro necessario alle prime spese ed all'impianto d'una nuova abitazione. Anna infatti aveva mostrato una ripugnanza accanita alla proposta di rimanere nell'appartamento stesso delle Massia, dov'era nata e vissuta fino ad oggi. Con lagrime d'ira nella voce, aveva gridato che il suo desiderio sarebbe di lasciare questa città, di non vedere mai piú queste vie, né questi neri cittadini. Ma poiché, aveva soggiunto ridendo con amarezza, a quanto pare ciò non era possibile, ella chiedeva almeno di trasferirsi in un quartiere all'opposto limite della città, dove non le apparissero piú queste botteghe, questi portoni e questi visi odiosamente familiari. È un fatto che il grande, rumoroso caseggiato, pareva ad Anna ormai la costruzione di un incubo. La sua vecchia avversione, da lei nascosta fino ad oggi dietro un fiero riserbo, esplodeva adesso, forse perché la partenza era decisa, in dispetti, e oltraggi contro i vicini: e in tali sfoghi Anna perdeva il suo ritegno, mostrandosi, a volte, perfino triviale. Un giorno, per esempio, sembrandole che la sarta sua vicina la guardasse di sull'uscio con soverchia insistenza, ella, che scendeva la scala, si voltò verso l'uscio di colei, fingendo, con ostentazione, l'atto di chi sputa in terra. Un'altra volta, poiché una donna del caseggiato la interpellò sul pianerottolo, chiedendole, non saprei se per curiosità o per cortesia, come stesse la professoressa sua madre, che da tempo non si vedeva piú; Anna la fissò con l'occhio aperto e inespressivo di chi guarda un eclissi di luna. E senza risponderle, né curarsi di lei, proseguí verso l'uscio di casa. Ma come l'altra, alle sue spalle, gridava inviperita: – Che maniere t'hanno insegnato? Sei sorda? – Anna rise a gran voce, ed entrata in casa sbatté l'uscio tanto forte, da coprire col frastuono le proteste di colei.

Cesira da tempo non usciva piú di casa, ed Anna non aveva un amico al mondo; per cui nessuno seppe dalle due donne dell'avvenuto fidanzamento. Assai di rado Francesco si recava a casa delle Massia: infatti, non erano liete per Anna le visite del fidanzato in quelle stanze spoglie, alla presenza della madre incurvita e consunta, ma tuttavia cerimoniosa e intrigante. Anna perciò aveva pregato Francesco di farle visita in casa il meno possibile, e preferiva incontrarlo fuori, nelle strade o in qualche caffeuccio.

La fanciulla parlava poco; ma talvolta appariva nervosamente loquace. I suoi discorsi avevano, però, qualcosa di fittizio, come di un commediante che ciancia sulla scena e desidera, col cuore esausto, di tornare alla realtà e alla solitudine. Se Francesco toccava appena l'argomento del denaro e dell'impiego, Anna subito si oscurava in volto e si chiudeva nel silenzio. Purtuttavia, Francesco aveva dovuto fin dal principio confessarle ch'egli non disponeva, in verità, di nessun castello o feudo; era, sí, aveva balbettato, di origine baronale, ma la sua famiglia, caduta in rovina, non possedeva quasi piú nulla. A questa rivelazione, Anna non aveva mostrato né rammarico, né sorpresa, come se ciò fosse ormai da tempo previsto, o di scarso interesse per lei. Una espressione dura, un po' ironica, le era apparsa sul viso. – Ma sí, ma sí, – aveva detto con impazienza, e, ad occhi bassi, aveva preso a giocherellare col suo cucchiaino. Erano rimasti, allora, ambedue silenziosi, mentre, dileguato l'ultimo riflesso di sole dalla vetrina opaca, il caffeuccio andava facendosi piú scuro. Ma d'un tratto, volgendo lo sguardo ad Anna, Francesco s'era accorto che la sua bocca tremava imbronciata; e che negli occhi, levatisi per un attimo, le brillava un umido splendore. Forse aveva ella davvero, fino ad oggi, serbato una qualche speranza in quei feudi immaginari? O forse le attraversava la mente un qualche altro pensiero? Francesco era cosí mortificato e malsicuro, da non osare di farle domande. Il silenzio s'era dunque prolungato: rialzate le palpebre sugli occhi grandi e asciutti, Anna era rimasta ferma sulla sua sedia, nell'angolo del caffè mezzo vuoto, senza piú volgersi al suo compagno. Cosí assente e severa nel contegno che si sarebbe detta una straniera di passaggio, sedutasi, tutta sola, a quel tavolino di caffè. Dal canto suo, Francesco, amaramente conturbato dal non poter conoscere gli intimi pensieri di lei, girava gli occhi su pei tavolini di ferro, sul marmo striato del banco, e sul braciere non piú attizzato dal garzone infingardo, ove le scarse faville morivano fra la cenere. Pur senza fermare lo sguardo sulla fidanzata, egli ne intravedeva le pupille dilatate e accese nel crepuscolo, come di visionaria che si figga su oggetti della sua propria mente.

Cosí passavano i giorni di quel fidanzamento breve e amaro. Anna, malgrado la sua miseria, si mostrava riluttante ad accettare ogni modesto aiuto di Francesco, finché l'appoggio di lui non fosse reso legittimo dalle nozze. Ella provava una fretta smaniosa di giungere a queste nozze: ché l'odio per la sua vecchia casa e la sua vecchia vita era tale da farle desiderare, per uscirne, perfino un evento odiato. Certe volte, davanti a Francesco, l'insofferenza dell'attesa e delle antiche abitudini la faceva scoppiare in pianto. Ma il giorno che il fidanzato poté, finalmente, annunciarle d'aver trovato l'impiego, ella si mostrò noncurante e ironica allo stesso modo di quando, tempo prima, egli le aveva confessato di non essere un feudatario. Aggiungiamo qui che Anna non tardò molto a scoprire che i De Salvi erano solo dei bifolchi, non dei baroni rovinati; ma s'intende che questa scoperta non cambiò la sua decisione di sposare il loro bugiardo erede, poiché Anna non aveva altra scelta per l'avvenire. Ella dunque non disse nulla su ciò, chiudendo in sé i propri sentimenti di rancore e di sprezzo per la nascita di lui e per la sua menzogna: sentimenti destinati ad esser gridati piú tardi. Francesco intanto aveva tacitamente compreso ch'ella conosceva la verità; ma un tale argomento fu lasciato in ombra dall'uno e dall'altra.

Giorno e notte, Francesco pensava al come trovare una bella somma per le spese delle nozze, e per iniziare la nuova vita. Ma non gli appariva risorsa alcuna. Il vetturino gli aveva prestato, nei primi giorni del fidanzamento, un po' di denaro già speso che era tempo ormai di restituire. Ma d'altra parte, dopo l'abbandono d'Edoardo, egli non aveva un solo conoscente ricco; né forse, anche se Edoardo gli fosse rimasto, si sarebbe risolto a chiedergli aiuto. Era avvenuto che, nei primi giorni del fidanzamento, Francesco, al vedere le condizioni miserabili di Anna e di sua madre, aveva un giorno imprecato contro i Cerentano, i quali vivevano in un palazzo e lasciavano languire i loro parenti piú stretti. Ma a tali parole, aveva visto Anna impallidire come ad un insulto. Con occhi lucenti e vitrei, tutta irrigidita nell'ira, ella gli aveva gridato di non pronunciare mai, mai piú in sua presenza il nome dei Cerentano. Costoro, per lei, erano come morti, anzi non mai nati: e tali dovevano essere per chi le stava vicino. E se ancora una volta, una sola, Francesco avesse accennato ad essi, poteva esser certo di non rivederla mai piú. Francesco, a simile scena, non sapeva come farsi perdonare per aver ferito Anna con l'incauto discorso. Egli immaginò le umiliazioni che la fanciulla doveva aver subíto dalla famiglia paterna, e da allora, per molti anni, fu questa l'unica volta che fra loro due venne fatto il nome dei Cerentano. Francesco non sapeva che, se Anna rinnegava i Cerentano, se fuggiva fino il suono del loro nome, ciò non era solo effetto della ripugnanza e della vendetta d'un'anima umiliata. In realtà, era cosa troppo acerba per lei l'udire il nome del suo idolo su labbra indegne: e tali le parevano quelle del fidanzato.

Trovato che ebbe l'impiego, Francesco credette di potere, senza piú eccessivi scrupoli, ricorrere al solo mezzo di cui disponesse per ottenere i denari necessari alle nozze: la residua eredità, cioè, di suo padre Damiano. Non poté tuttavia, tale era la sua riluttanza, risolversi ad una nuova visita al paese. Per cui, scrisse due lettere, una a sua madre e l'altra al notaio. Nella prima, egli annunciava ad Alessandra il suo prossimo matrimonio con la nobile signorina di cui le aveva parlato nel loro colloquio notturno. E le spiegava che, trattandosi di una signorina tanto da piú di lui, non poteva, lui, far la figura del disgraziato. Si vedeva perciò costretto a chiedere a sua madre un ultimo sacrificio: il permesso, cioè, di vendere una parte della loro terra; ma ella non doveva temere per il proprio avvenire ché, d'ora innanzi, il figlio l'avrebbe compensata di ciò che oggi le toglieva inviandole un assegno mensile per il suo sostentamento. Poiché, da oggi, egli godeva d'una posizione sicura. La pregava dunque di sopportare per amor suo quest'ultimo colpo, comprendendo quanto al figlio fossero necessari dei denari contanti, da disporne per le prossime spese: da ciò dipendeva tutta la sua felicità, e il suo futuro successo. Egli sperava dunque nel perdono d'Alessandra: e che la nuova delle sue nozze fosse accolta da lei con gioia. Sperava di rivederla assai presto e si doleva di non poter venire al paese, per ora, causa le sue troppe occupazioni in città.

Con la seconda lettera, diretta al notaio, Francesco dava a costui procura per la vendita d'una parte delle sue terre, spiegando i motivi per cui non poteva recarsi in persona al paese e aggiungendo che si fidava del notaio stesso, per il suo noto acume e per la vecchia amicizia da lui concessa al povero Damiano. Raccomandava di ottenere dalla vendita il massimo possibile; e anche qui, come nell'altra lettera, mostrava di non aver dimenticato i propri doveri di figlio, dichiarando al notaio che, quanto al danno arrecato dalla vendita ai proventi di sua madre Alessandra, egli vi avrebbe rimediato con larghezza, poiché intendeva, d'ora innanzi, provvedere al benessere di sua madre con l'invio di assegni regolari. Infatti disponeva ormai d'una posizione stabile e decorosa. Ciò detto, egli terminava la lettera pregando il notaio di sbrigare al piú presto il negozio, poiché la data delle nozze si appressava.

Ambedue queste lettere di Francesco spiravano ottimismo e fierezza di vittoria. Tale, almeno, fu la convinzione dei destinatari: e, arrivato insieme con l'annuncio di un nobile matrimonio e di una buona sistemazione burocratica, l'ordine precipitoso di vendita non parve a nessuno un indizio di fallimento. Ad Alessandra meno che a tutti gli altri; ma, ciò nonostante, mentirei se dicessi che il sacrificio richiestole dal figlio non fu acerbo al suo cuore di proprietaria. Ella vi si rassegnò tuttavia, come, non molto tempo prima, s'era rassegnata al sacrificio degli ori; ma la battaglia dei suoi sentimenti traspariva nella lettera di risposta al figlio, scritta, sotto la sua dettatura, da una esperta penna del paese. In essa, nel bel mezzo d'una frase di complimento o di festa, s'intravvedeva sanguinare la ferita d'Alessandra per i suoi campicelli perduti; e, di fra il materno orgoglio per gli aristocratici sponsali del figlio, balenava qua e là un lampo di gelosa polemica contro la sposa gran signora. Alessandra incominciava rallegrandosi per la fortuna del figlio, e mandava i suoi voti a lui e alla sposa. Circa la vendita dei campi, faceva osservare al figlio come il possesso di un poco di terra sia preferibile a un mucchio di denaro speso *per bella figura*. Ma certo, soggiungeva, la sposa, essendo signora, non faceva di questa poca terra la stima che ne aveva lei stessa, Alessandra: la quale aveva sperato di conservare almeno questa poca rimasta dei possessi di Damiano. Ma senza dubbio il figlio sapeva meglio di lei ciò chè gli convenisse, e dunque lei si sottometteva alla sua volontà. Ella sperava di conoscer presto la sposa, di cui tutti parlavano nel villaggio, cercando d'indovinarne l'aspetto e le maniere. Quanto a lei stessa, Alessandra, ella non pensava che Francesco volesse ancora portare sua madre a vivere in città, insieme a lui, come tante volte le aveva promesso fin da ragazzo. Ché, d'ora innanzi, lui vivrebbe con questa signora sua sposa: e lei stessa, Alessandra, altro non essendo che una contadina, sapeva stare al suo posto. D'altra parte, ella era troppo avvezza a queste campagne per lasciarle adesso che non era piú giovane. Sperava però di vedere almeno la festa delle nozze: e a tal fine, pregava il figlio di avvisarla a tempo, cosí ch'ella potesse fare i preparativi necessari. Un abito degno, lo aveva, ed era quello del suo proprio matrimonio, sempre nuovo e ben conservato. Ma pregava il figlio di provvederle il denaro per il viaggio, non disponendo, lei, di sufficienti risparmi. Qui la lettera si dilungava un poco nei progetti su questo prossimo viaggio. Dopo di che, Alessandra si augurava di ospitare per qualche tempo gli sposi nella sua propria casa, al villaggio: casa De Salvi era, sí, una casa di contadini, ma in nessun posto, anche se di lusso, si è trattati con le attenzioni che può usare una madre. A questo punto, Alessandra non sapeva nascondere un'intima e irresistibile speranza: chi sa, scriveva, che il suo Francesco, ritornando al villaggio con la sposa ricca, ormai capo di casa, e padrone della sposa e delle sostanze, non ricordasse la promessa già fatta alla madre: di riscattare un bel giorno tutta la terra dei De Salvi! Ma in questi argomenti non poteva, lei, Alessandra, dar consigli: lui saprebbe decidere per il meglio. Riguardo al posto da lui trovato in città, seguitava la lettera, Francesco poteva immaginarsi la gioia d'una madre a questa notizia. Lei non aveva mai dubitato che anche in città verrebbero onorati i meriti del figlio: e conosceva qualcuno in paese che si consumerebbe d'invidia al sapere il giovane De Salvi stipendiato in città, mese per mese, con una posizione sicura! Circa all'assegno mensile offertole, ella ringraziava il figlio, pregandolo di non darsi troppa pena per lei: ché i proventi della lor proprietà residua bastavano tuttavia perch'ella non mancasse di nulla, e, secondo i suoi bisogni, vivesse come una signora. Del resto, sebbene non piú giovane, ella era tuttavia forte come una ragazza e capace di provvedere a se stessa. Ciò detto, ella invitava il figlio ad abbracciare per lei la fidanzata: sperando che la fanciulla non disdegnasse questo abbraccio. Difatti, sebbene contadina, Alessandra era stata la prima a capire i meriti di Francesco, e se non fosse stato per lei medesima, e per il povero Damiano, la signorina non avrebbe oggi uno sposo dottore.

Dopo di ciò, aggiunti i dovuti auguri di amore, di felicità, di lunga vita, di figliolanza, la lettera terminava. Essa era oltremodo lunga, e doveva esser costata non poco lavoro all'anonimo scrivano.

Insieme alla risposta di Alessandra, giunse quella del notaio. E dopo uno scambio di lettere con costui, si concluse alla fine il negozio. Il compratore fu il medesimo possidente che già aveva ottenuto in pagamento dei suoi crediti la piú gran parte della proprietà De Salvi: ben poco, ormai, rimaneva ai De Salvi della loro antica proprietà, ma pure, nonostante il buon prezzo pagato, la vendita fruttò a Francesco una somma inferiore a quella minima da lui richiesta per le sue spese.

In possesso del sospirato denaro, prima d'ogni altra cosa Francesco acquistò un anello di fidanzamento: e fu per l'appunto quello col minuscolo rubino, ch'io dovevo piú tardi vedere al dito di mia madre nei giorni piú ricchi dell'anno. Dopo l'acquisto dell'anello, Francesco incominciò a vagheggiare desiderî e ambizioni strane. Gli nacque, per esempio, la brama di celebrare le proprie nozze con Anna in un principesco salone, costruito a navate e ad archi, addobbato con arazzi, ori e statue: in cui la luce del mattino piovesse, magnificata, da vetrate dipinte, e le fiamme dei ceri bruciassero per sola bellezza, come rose. In quest'aula, al suo braccio Anna, in veste bianca a strascico, una candida coroncina in fronte, camminerebbe su un tappeto purpureo, sopra un pavimento di mosaici. E dall'abside suonerebbero antiche parole, tali che il loro comando sarà per tutti, da oggi, una legge: « Ciò che sia stato congiunto in cielo, nessuno potrà disgiungerlo sulla terra ». E i cori d'organo, quali echi di tuoni e di cascate fra picchi di montagne, risponderebbero, a riaffermare questo verdetto di sterminata schiavitú.

La brama di un simile rito arse cosí forte in Francesco, da farlo quasi erompere in singhiozzi di commozione. E senza esitare, egli decise in cuor suo di sacrificare l'intera somma in suo possesso pur di celebrare in tal modo le nozze. Il giorno stesso, arrossendo, egli comunicò ad Anna le proprie intenzioni di festa e di pompa: domandandole s'ella non pensava a farsi l'abito bianco da sposa. Ma corrugando i cigli, dispettosa e aspra Anna gli rispose ch'era una pazzia pensare a cose simili per un matrimonio come il loro. Non si rendeva, egli, conto che il denaro di cui disponevano non era neppur bastevole ad apprestare degnamente un alloggio? E inoltre, proseguí con un sorriso cattivo, non le aveva egli detto altra volta di essere un ateo, e di considerare il matrimonio soltanto un patto, una scrittura da valersene per le leggi della società presente? Ed ecco, lei pure, Anna, era di questa idea medesima. Fin dall'infanzia, ella non credeva in Dio, non frequentava le chiese. La santa cerimonia le sarebbe parsa una commedia. E quali sarebbero poi gli amici invitati alla grande festa? Certo la famiglia del vetturino? E i futuri colleghi delle poste? A questo punto, Anna uscí in una gran risata; e si rinchiuse la faccia fra le palme, come se il suo riso fosse, al pari del pianto, un cosa che ama celarsi.

Sebbene umiliato, Francesco pensò che in fondo Anna aveva ragione di schernirlo: per cui, soffocati i propri bizzarri desiderî, seguí da quel momento la volontà della fidanzata. Il piú modesto suggerimento di abbellire il giorno delle nozze con qualche segno festivo o solenne la faceva spazientire e la infastidiva. Non soltanto ella rifiutò l'abito bianco da sposa, ma dichiarò di non volere nessun abito nuovo da indossare per la cerimonia: poiché, disse, preferiva di andar vestita come tutti i giorni piuttosto che « sentirsi addosso un abituccio rimediato per l'occasione ». Al saper, poi, che Alessandra chiedeva la data delle nozze, e desiderava di assistervi, ella ebbe uno sguardo sarcastico e duro: dopo di che, incominciò quasi a smaniare, e con voce prepotente, stizzosa, esclamò che, ad eccezione dei testimoni, ella non voleva nessuno presente al matrimonio, neppure sua madre Cesira. E che si doveva, per evitare sorprese, tenere Alessandra all'oscuro sulla data e scriverle magari a nozze già avvenute: spiegandole che esse si erano svolte con grande riservatezza, e rinviando ad un futuro indefinito, con una qualsiasi scusa, il suo viaggio in città e il suo incontro con la nuora.

Francesco si sentiva, perché povero, così colpevole verso Anna, da giustificare simili capricci. E, rosso di vergogna, s'irritava in segreto contro Alessandra, analfabeta e bifolca, per i suoi desideri inopportuni. Così pure, non osava insistere troppo allorché Anna si mostrava pigra ad accompagnarlo nei loro acquisti per l'alloggio futuro, e magari gli diceva, languida, inerte, d'occuparsene lui solo, di comperare ciò che gli piaceva. Non di rado, Francesco, per aver consigli di donne, ricorreva a Cesira, e alla moglie del vetturino: l'una e l'altra si mostravano assai compiacenti, ma purtroppo, dopo l'acquisto dell'anello, la somma rimasta era alquanto esigua, e neppur bastevole per le compere più necessarie. Ciò non impedì a Francesco, tuttavia, di comperare delle superfluità, che lo tentarono col loro aspetto vistoso, e con cui, certo, egli voleva dar qualche lustro alle nostre povere stanze. Fecero così il loro ingresso nella nuova casa alcuni oggetti che, in seguito, io bambina dovevo giudicare in certo modo importanti e straordinari, a causa, appunto, della loro vistosa vanità (la giovane fantasia, difatti, a somiglianza del vino o dell'oppio, riveste qualsiasi forma di una « eleganza favolosa », di un « lusso miracoloso »). Non so in quale stambugio di robivecchi, o immondezzaio, abbian chiuso i loro destini questi oggetti ch'io vi dico: ma essi splendono nella mia memoria, intatti, nel luogo medesimo dov'io, durante l'infanzia, li vedevo ogni giorno. Ad eccezione della lampada di bronzo, posta sul tavolino da notte, in camera, tutti gli altri abbellivano il salotto. Il tappeto da tavola, finto orientale, con fili argentei nella trama, ne ricopriva il tavolino rotondo al centro. Sul quale si ammirava altresì il portafiori di peltro dorato, col suo mazzo di polverosi e tristi semprevivi. Al di sopra dello scrittoio, si ammirava la grande oleografia: sul cui sfondo di nubi gonfie, accavallate, si scorgeva una remota battaglia, con soldatini in giubbe rosse, cavalli impennàntisi, minuscole fumate di cannoni, e fiamme, e bocche di fuoco in una mischia diabolica; mentre che in primo piano, su un prato verde come una bandiera, due personaggi a cavallo, in tenuta regale e guerresca, si stringevano la mano al di sopra delle loro inquiete cavalcature. Probabilmente si trattava di un quadro storico; ma in quel tempo, sebbene vi architettassi intorno, mai, per un riserbo puerile, io chiesi la spiegazione della scena. E ancora oggi, non saprei come spiegarla, né dare un nome sicuro a quei cavalieri sontuosi, quantunque ne ricordi perfettamente l'aspetto e il vestito, dagli elmi scintillanti ai baffi di pece e alle fodere purpuree dei mantelli spalancati dalla tempesta.

Dopo il quadro, rimane da ricordare il soprammobile sulla mensola: una baiadera di porcellana colorata, indorata, adorna d'alti braccialetti ai polsi e alle caviglie, e appoggiata, in atto di danza, ad un'anforetta minuscola per uso di portafiammiferi o portastecchini. Infine, ricorderò la lampada di bronzo dal paralume rosso, sul nostro tavolino da notte; la quale recava sul sostegno un gentiluomo anch'esso di bronzo, in bautta e costume, e in atteggiamento declamatorio: forse un qualche personaggio d'opera.

Tutti questi gingilli, Francesco li acquistò appunto nei giorni precedenti le nozze, mentre si occupava ad arredare il nuovo alloggio. In tale lavoro, come s'è visto, Anna lo accompagnava di rado e di malavoglia; Cesira, malata ed esausta, non poteva uscire di casa; e la moglie del vetturino, che, malgrado le sue molte faccende, si prodigava con entusiasmo, non era una compagna troppo ben accetta al giovane fidanzato. Spesso, dunque, egli era solo; e in particolare, le superfluità che vi ho descritto furono acquisti suoi propri e spontanei. La loro attrattiva certo fu grande ai suoi occhi, s'egli rinunciò, per averle, ad altre spese necessarie. Non credo che Anna, meno rozza di lui seppure ignorante, condividesse una simile ammirazione; ma tuttavia, per incuria o indifferenza, ella non rimosse mai quegli oggetti dal loro posto: ed ivi essi restarono, finché durò la nostra famiglia.

È facile immaginare i desideri e le speranze che dovettero esser compagni a Francesco mentr'egli acquistava i nuovi arredi; e quante volte, impedito dai suoi scarsi mezzi, egli lasciò il cuore nelle botteghe, e di quali fasti illusori si accesero, nella sua fantasia, le nostre future stanze, allorché cedette alla tentazione di quegli adornamenti esecrabili. E le guerre amare ch'egli affrontava in segreto, allorché la sua tenerezza per Anna, l'orgoglio di possederla, e la brama di celebrarla, si trovavano di fronte a poteri tanto esigui, e dovevano rinchiudersi in troppo umili doni. Inutile dilungarci su ciò.

Inutile, pure, dirvi come Francesco, nello sposare una fanciulla che non lo amava, si lusingasse, tuttavia, con la speranza d'esserne amato un giorno. Una sola cosa egli le aveva chiesto, fin dai primi giorni del loro fidanzamento: di giurargli che, se non amava lui, ella non amava, però, nessun altro uomo. E Anna, dopo un attimo d'esitazione, aveva giurato.

S'è già detto che Francesco raramente saliva dalle Massia, e che le due donne non parteciparono il fidanzamento ad alcuno. Ma tuttavia, qualche notizia doveva esserne trapelata, e qualcuno dovette darsi la pena d'indagare. Difatti, da appena tre giorni erano esposte in Municipio le pubblicazioni delle prossime nozze, quando Francesco incominciò a ricevere delle lettere senza firma (un tal costume non è raro nei nostri paesi all'annuncio d'un fidanzamento). Queste lettere tutte, per la incertezza della scrittura e la rozzezza del foglio, tradivano una origine comune. Anche lo stile non differiva troppo dall'una all'altra: esso era, nelle accuse contro Anna, cosí generico e oscuro da far pensare ad un autore provvisto, sí, di malevolenza ma non di acume. Eran frasi che suonavano, all'incirca, cosí: « Voglio farti sapere con questa mia che se credi di sposare un fiore senza macchia ti sbagli, e ti chiamo a testimonio tutto il quartiere », oppure: « Vi prego di dire da parte mia a una certa signorina che farebbe meglio a non darsi troppe arie da principessa con le ragazze oneste, perché lei davanti a loro dovrebbe toccare la terra con la fronte ». O ancora: « È mio dovere di avvisarti che la porta di una certa signorina Massia s'è aperta ad altri giovanotti prima che a te. Ma se ti piacciono gli avanzi, ti faccio i miei complimenti ». Naturalmente, la grammatica degli originali non era la stessa che in questa mia corretta trascrizione.

Ma, a differenza dell'unica e fatale denuncia che tradí Rosaria, tali lettere accusatrici non sortirono effetto alcuno. Francesco indovinò senz'altro la loro provenienza: che era, ognuno l'intende, il casamento stesso delle Massia. Non ignorando i rancori dei vicini contro le due donne, in quelle diffamazioni egli riconobbe delle calunniose vendette; né la venerata innocenza di Anna poté, ai suoi occhi, ricever ombra da cosí goffi insulti. Si aggiunga poi che mentre, nel caso di Rosaria, il suo cuore, all'insaputa di lui stesso, aspettava un'occasione di liberarsi, adesso quel medesimo cuore bramava, al contrario, la schiavitú.

Delle prime due lettere, egli non disse nulla ad Anna; ma, come gli giunse la terza, la uní alle altre, e, a provare il nessun conto che ne faceva, mostrò alla fidanzata l'indegna corrispondenza. Ma Anna non gli fu grata per questa prova di fiducia: subito alla lettura delle prime righe, i suoi occhi parvero mutar colore, che era, in lei, segno d'una commozione violenta. Con disgusto, ella gettò quei fogli ai piedi di

Francesco e lo esortò, poiché raccoglieva con tanta cura simili scritti a recarsi dai loro autori, ché scoprirli era facile, e a discorrere con loro sull'argomento delle loro lettere, ché forse ciò lo svagherebbe. Ma, soggiunse, come poteva mostrare a *lei* certa roba! Il nome di Anna, tracciato da simili mani, su simili fogli! Mostrare ciò a *lei*! Cosí dicendo, Anna parve sopraffatta dallo sdegno: e d'improvviso si rivoltò con impeto, quasi volesse vendicare su quei fogli l'offesa ricevuta. Ma poi subito si ritrasse, e con lo stesso impeto uscí dalla stanza, e andò a rinchiudersi nella propria camera.

Inutilmente Francesco bussò all'uscio e la chiamò: per quel giorno, ella non volle piú mostrarsi. Ma accostando, ansioso, l'orecchio all'uscio, Francesco udí un pianto che non somigliava affatto all'iraconda, superba Anna. Un pianto solitario e sommesso: come di un fanciulletto sensibile che altri abbian ferito in una sua fanciullaggine gelosa e cara. Né, infatti, era molto diverso l'oltraggio che Anna pativa; ma il suo difeso tesoro, ciò ch'ella proteggeva con tanta gelosia dagli sguardi e pensieri dei volgari, non era soltanto, come credette Francesco, il mistero virgineo dell'innocenza.

Prima di uscire, senza aver rivisto Anna, dalla casa delle Massia, Francesco raccolse quei maledetti fogli e li stracciò con le sue mani. Dopo quella volta, se ricevette ancora di simili lettere, riconoscendole alla scrittura, egli le lacerò senza neppure aprirne la busta.

Secondo la volontà di Anna, nessuno fu invitato alle nozze. Grande fu la delusione di Alessandra allorché ne ricevette partecipazione dal figlio, a cerimonia compiuta: senza un invito a recarsi presso gli sposi in città, né, almeno, la promessa d'una visita loro al villaggio. Non meno grande, direi, fu la delusione nella famiglia del vetturino. A cui, per consiglio di Anna, al fine di evitare spiegazioni e domande, fu nascosta la data precisa delle nozze. Ed ecco, una mattina Francesco, uscito di buon'ora, rientrò verso le undici nella sua cameretta di studente: e alla signora del vetturino, affacciàtasi sulla soglia per dargli il buon giorno, annunciò non senza impaccio di aver celebrato il proprio matrimonio quella mattina stessa, non piú di mezz'ora avanti. E di esser qui, adesso, per raccogliere le sue proprietà in una valigia: dopo di che, raggiunta Anna che lo aspettava in una pasticceria poco lontano, si sarebbe trasferito, insieme con la sposina, alla casa nuziale. A un annuncio cosiffatto, la buona donna non nascose il suo sbalordimento e rammarico: né le ragioni addottele da Francesco, e cioè le idee moderne, condivise da lui stesso e dalla sposa, per cui le nozze non vanno considerate una festa pubblica, ma un patto privato fra due coniugi; né, dico, tali ragioni potevano bastare a convincerla. Tuttavia, vedendo che Francesco, fra la confusione e l'impazienza, non sapeva da dove incominciare i suoi preparativi, si adoperò volonterosa ad aiutarlo; e nel mentre che si affaccendava per la camera, non cessava dal fargli le proprie deplorazioni. Ciò che le dispiaceva soprattutto, ripeteva ogni istante, era che il vetturino suo marito, all'oscuro degli eventi, non si trovasse in casa; e non potesse neppure salutare lo sposo, al momento che questi lasciava il loro alloggio. Almeno, ella suggerí, il signor De Salvi avrebbe potuto condurre su la sposina, per avere insieme un piccolo rinfresco. E a saperlo il giorno avanti, si poteva preparare un poco di festa, un pranzo! All'udire tali querele, Francesco cercava di persuaderla che proprio per evitare scene convenzionali, e riti esteriori, lui, d'accordo con Anna, aveva tenuta nascosta la data delle nozze! – Ma un pranzo in famiglia, fra di noi, per far buon augurio! che sarà mai? – ripeteva la donnetta mortificata, – almeno un bicchier di vino insieme a mio marito! – Alla fine, Francesco le promise di farle presto visita insieme con la sposa, un giorno di domenica, per trovare anche il padrone. E con tale vaga promessa, egli oltrepassò per l'ultima volta la soglia della propria dimora giovanile.

Poiché non avremo piú occasione, in seguito, d'incontrare il vetturino e la sua famiglia, mi sia concesso qui di concludere su questo soggetto, precorrendo un poco i tempi: onde lasciare poi questi personaggi secondari al loro destino. Dunque, dopo la frettolosa partenza il mattino delle nozze, Francesco parve dimenticare la sua promessa; e malgrado la lunga ospitalità e i segni di favore e di affetto ricevuti dai padroni di casa, non si curò di ricercarli né si fece mai piú vivo con loro, come se non li avesse conosciuti mai. Si aggiunga poi che la delusione della padrona di casa per il disadorno sposalizio di lui divenne ancor piú amara allorché, non so come, ella apprese che quello sposalizio non era stato celebrato in chiesa, secondo la legge dei cristiani, ma soltanto al municipio. Un matrimonio non religioso non era, ai suoi occhi, neppure un matrimonio: onde la sua compiacenza per l'onesto idillio del pigionante sparí del tutto. Il volto di Anna, apparsole già cosí gelido e cattivo, le parve, allora, anche empio e sfrontato, come quello di una concubina; ma pensando a Francesco, ella non sapeva vietarsi una certa materna indulgenza. Suo marito, però, sdegnato, non a torto, contro l'ingrato pigionante, le impose di non occuparsi mai piú di quell'ateo, né della sua degna compagna, e di non pronunciarne neppure il nome. Ché, quanto a lui, quell'amicizia l'aveva ripudiata. In ciò, il vetturino fu aiutato dalla sorte. Difatti, il vecchio cliente, pensionato delle Poste, a cui Francesco doveva l'impiego, e che soleva domandare spesso, durante le scarrozzate, le nuove del suo studente (e il vetturino da ultimo s'era ridotto, non potendo sfogarsi, a rispondere con qualche incerto brontolio); il famoso cliente, dico, fu còlto proprio in quei giorni dal piú grave attacco della sua vecchia artrite. La quale per qualche mese lo tenne rigido nel letto, senza neppure il solito conforto delle scarrozzate al sole; e una notte, nel dormiveglia, lo uccise, lacerandogli il tessuto del cuore come fosse un foglio di carta. In tal modo, sparí dal mondo l'unica persona che, per innocenza, osava nominare Francesco De Salvi al vetturino.

La moglie di costui, però, sebbene tacesse, non sapeva rassegnarsi alla mala azione del pigionante: il quale, sebbene non devoto verso la Chiesa, le era sempre apparso un giovane onesto e serio. S'egli si comportava in tal modo con loro, che gli erano stati sempre cortesi, certo, si diceva la buona donna, doveva essergli accaduta qualche disgrazia. E in questo pensiero, un giorno (eran passati circa due mesi dalle nozze dei De Salvi), ella si fece coraggio e all'insaputa del vetturino, in compagnia del proprio figlioletto minore, si recò al domicilio dei giovani sposi. Francesco era assente, trovandosi a quell'ora all'ufficio; ma la sposina era in casa. Onde, con questa visita, la moglie del vetturino poté assicurarsi che l'uno e l'altra godevano ottima salute, e non erano stati colpiti da sventure di sorta. D'altro canto, il benvenuto della sposa che le aperse l'uscio fu cosí glaciale (quasi trattasse con un servo, Anna non la invitò né ad entrare in salotto né a sedersi e la ricevette in piedi nell'anticamera), che la moglie del vetturino perse ogni volontà di ritentare la prova. Da questo punto si perdono le sue tracce, né avrò piú, in seguito, motivo di ricercarle.

Lo sposalizio di Francesco e Anna si svolse, dunque, al municipio, senza cerimonia religiosa. E alla presenza dei soli testimoni, i quali erano degli studenti, compagni di corso di Francesco, ma non legati a lui da particolare amicizia. Volentieri, alla sua preghiera, essi avevano assunto la loro parte nella funzione; ma s'erano scusati col compagno se non potevano fargli l'usuale dono di nozze, mancando, come spesso accade agli studenti, di denaro da spendere. Tuttavia, per ricompensarli dell'incomodo, gli sposi non potevano salutarli senza prima invitarli a uno spuntino. E fu cosí che, uscendo, a nozze avvenute, dal palazzo del municipio, la piccola compagnia si recò ad un vicino caffè.

Francesco aveva in animo di accompagnare al nuovo alloggio la sposa, dopo terminato il rinfresco; e di recarsi piú tardi, con maggior comodo, ad avvertire i suoi vecchi affittacamere e a prendere il suo bagaglio. Ma Anna s'impaurí al pensiero di trovarsi sola nella nuova casa nuziale: e con tanta ostinazione esortò Francesco a sistemare senza indugio le ultime faccende nella sua vecchia casa, che il giovane a malincuore dovette cederle. E lasciando per un poco la sposa, in compagnia dei testimoni, al tavolino della pasticceria, corse all'ultimo, frettoloso commiato dalla propria vita di celibe.

I testimoni erano giovani, di umore galante e gaio, e, di piú, in una gaia circostanza: essi avevano perciò la miglior volontà di tenere allegra la sposina, in quella breve assenza dello sposo. Ma lei se ne stava malinconica, nel vestito usato e dimesso: non aveva neppure bevuto tutto il suo cioccolato, e aveva ricusato i pasticcini. Pareva non curarsi dei suoi compagni: e alle loro festose gentilezze volgeva gli occhi seri, sognanti, quale una sorella grande alla presenza dei fratellini che giocano. Ogni tanto, si appoggiava il volto sulle mani, ch'erano entrambe inanellate (la sinistra recava la fede e la destra il piccolo rubino donato da Francesco); e in tale atto pareva assonnata e stanca. Aveva, infatti, vegliato per tutta la notte.

Il suo contegno intimidiva un poco i testimoni, ma non bastò ad offuscare la loro allegria. Essi, tuttavia, giudicarono da quell'atteggiamento della sposina ch'ella non doveva esser felice del suo matrimonio. Inoltre, tutti furono d'accordo nel giudicarla poco socievole, autoritaria, scontrosa e smorta; di umore indipendente, e, forse, di salute delicata. In conclusione, poco adatta a diventare una madre di famiglia.

Come tornò Francesco, gli sposi presero commiato dai testimoni, e, sopra una carrozza da piazza, si recarono alla vecchia casa di Anna; qui giunti, Francesco salí nelle stanze ormai quasi vuote dove lo aspettava Cesira, e, poco dopo, riapparve sul portone, con la suocera appoggiata al braccio. L'indomani, egli sarebbe tornato qui per il trasporto delle poche masserizie rimaste: delle quali alcune verrebbero nella nuova casa. E le altre (anche il letto matrimoniale dei Massia), toccherebbero al loro nuovo proprietario, un rivenduglíolo che le aveva acquistate a basso prezzo.

Dopo di ciò, la casa dei Massia verrebbe chiusa e le chiavi riconsegnate all'amministratore. E tutte queste cose eran còmpito di Francesco: poiché Anna, uscita da quella casa la mattina delle nozze, non voleva ritornarci mai piú.

Ella aveva aspettato dabbasso che suo marito e sua madre scendessero: era rimasta seduta nella carrozza, chinando le palpebre sbattute dalla veglia, in una specie di sopore. La carrozza s'era fermata proprio nel mezzo della piazzuola, dinanzi al casamento delle Massia;

e, come accade, aveva attirato un certo numero di ragazzetti curiosi, i piú con le loro cartelle a tracolla, essendo l'ora d'uscita dalla scuola. Anche la portinaia s'era fatta sulla soglia del palazzo, e, infagottata nel suo vestito di fustagno, guardava alla sposa con occhi indifferenti e opachi, simili a quelli d'un'anitra. Mentre ai varî piani, di tra le persiane socchiuse, volti curiosi spiavano in giú, per vedere le Massia partire dalla casa dove avevano abitato per vent'anni e dove non lasciavano un solo amico.

Immobile e raccolta, Anna pareva non accorgersi di quella curiosità piú di quanto se ne accorgesse la cavalla nera fra le stanghe della carrozza. Ma come, saliti Cesira e Francesco, le ruote ebber fatto i primi giri sul suolo fangoso, d'un tratto da una finestra degli ultimi piani squillò un coro di risa femminili, quali può avvenire di udirne in una corsia di frenetiche. Anna si riscosse, come ad una frustata, a questo maligno addio; e col sangue acceso, volgendosi d'impeto a quell'alta finestra, rise a sua volta contro le sue nemiche, una risata che parve l'eco dell'altra. Ancora ella rideva, col volto sfigurato dalla derisione e dalla collera, quando già la carrozza aveva svoltato nel vicolo fuor dalla vista della piazzuola. – Anna! – la richiamò, con voce impaurita, Francesco; ma lei, senza badargli, fissava nel vuoto gli occhi ardenti e caparbi, come se non riconoscesse il suo proprio nome. E tale fu il commiato di Anna dalla sua casa di fanciulla e di bambina.

Capitolo sesto

La casa nuziale.

Dopo quel miserabile sfogo, ella rimase trasognata: come un bellicoso e futile ragazzetto che abbia voluto, ad ogni costo, dare l'ultimo colpo in una zuffa, e poi, sulla via del ritorno, si sente i ginocchi mancare. Passata appena la soglia della casa nuova, si sedette nella stretta anticamera, che conteneva, per tutto mobilio, una cassapanca, due sgabelli intagliati e un'ombrelliera; e che, non provvista di finestre, era illuminata dalla lampada del soffitto. Per un minuto, ella rimase là sola, ché Francesco accompagnava la suocera nella sua piccola stanza. Ma poi, lo sposo non tardò a ricercarla: e simile ad un cane che pur non avendo parole invita coi suoi modi il padrone alla confidenza, al coraggio, incominciò a carezzarle i capelli e la fronte. Fu questa la prima volta che lei non si ribellò alle sue carezze: forse, era troppo stanca, oppure, tenendo fede alle parole dettegli un giorno, gli riconosceva ormai la potestà di marito; e già rinunciava, in questa prima sommissione, ai propri diritti di vergine.

Secondo il desiderio di Anna, la nuova casa si trovava in un quartiere opposto a quello della sua fanciullezza. Ma era anch'esso, come l'altro, un quartiere di periferia: popolato, al pari dell'altro, d'impiegatucci e d'umili operai, sebbene, per esservi le case di costruzione piú recente, avesse all'aspetto maggiori pretese di decoro.

Eccoci dunque, infine, al mio quartiere, alla mia casa natale: di cui forme, aria, figure, sono fissi e presenti in me come fossero i lineamenti d'una maschera sospesa qui, alla parete di fronte ai miei occhi.

Oltre all'ingresso e al salottino di cui s'è detto, la casa si componeva di ancora due stanze: e cioè la camera matrimoniale, e la cameretta di mia nonna. Che era piuttosto un bugigattolo, e, al pari della cucina, s'affacciava sul cortile. Tutte le finestre che davano sul cortile avevano stuoini verdognoli invece che persiane di color bruno come quelle sulla strada. Il cortile, che ambiva a parvenze di giardino, era pavimentato con sassolini e ciottoli; ma unica sua flora era, nel centro, un alto e scolorato palmizio, triste quanto un albero morto. Dal cortile, si usciva sulla strada attraverso un passaggio a volta ripercorso avanti e indietro, quasi di continuo, dal portinaio in giubba grigia che vi aveva il suo sgabuzzino. La via, regolare, abbastanza larga, fra due file di palazzi in tutto simili al nostro, sboccava in un prato non lungi dal quale, piú tardi, passarono le rotaie del tram; e dove nell'estate sorgeva una giostra, circondata da qualche dipinta bancarella di tiro a segno, dal burattinaio, dal cocomeraio col suo carretto; oppure vi sostava un carrozzone di zingari, che v'impiantava un teatrino d'opere e commedie.

La camera matrimoniale dei De Salvi, e l'attiguo salotto, non davano, però, sulla via che ho descritta; ma, trovandosi sul lato opposto del palazzo, si affacciavano su un terreno aperto, e quasi ancora campestre. Sul fondo di questo terreno disordinato, sterile, diviso da recinti di ferro spinato, si levava una brulla montagna tutta sparsa di cocci e di vetri. La quale, diceva la leggenda, altro non era che il cumulo gigantesco, antichissimo, dei rifiuti e rottami che per secoli gli abitanti della città avevan continuato a gettare in quel luogo.

Dietro la montagna, si vedevano salire dei fumi, per esservi dall'altra parte una fabbrica di vetri. Sulla sinistra, poi, della montagna, in piano, si vedeva una chiesa bassa e lunga, provvista d'un alto campanile: era una costruzione moderna, color mattone, con finestre a triplice ogiva, e la facciata adorna di musaici. I quali musaici, e cosí pure le vetrate ogivali, eran popolati di santi e di sante dalle figure fra bizantine e gotiche sfolgoranti al calar del sole.

La camera e il salotto di casa nostra si affacciavano, infatti, sul lato di ponente. Del salotto, che in parte già descrissi, rimane da ricordare la tappezzeria delle pareti, fatta di una carta spessa, di un colore viola scuro, con rami intrecciati d'oro. Nella camera, invece, la carta del parato imitava un damasco sanguigno. Il letto, grande ed alto, era di ferro verniciato di un color noce, dipinto a scene marinaresche e incrostato di pietruzze vivaci (tale era, a quei tempi, la moda dei poveri). Esso aveva, ai lati, i due tavolini da notte di cui l'uno recava sul ripiano marmoreo la già descritta lampada di bronzo. Di fronte al letto, c'era il cassettone di noce massiccio, che proveniva dalla casa natale di Anna come pure l'armadio stretto ed alto, chiuso da un solo sportello con alto specchio. Oltre a questi due mobili, i soli residui di casa Massia erano il tavolino rotondo nel centro del salotto, e un minuscolo scrittoio nero, di cui mia nonna era oltremodo gelosa e che, per l'appunto, era stato posto nella cameretta di lei. Su quello scrittoio, ella teneva uno scrigno anch'esso di legno nero, con graziosi intarsi d'avorio: in esso erano rinchiusi i famosi gioielli da me descritti nelle prime pagine di questo libro.

Sia lo scrittoio che lo scrigno provenivano dall'antico palazzetto di Teodoro Massia, ed erano sfuggiti, non so perché, al sequestro e alla vendita di tutta la sua mobilia, avvenuta, come ricorderete, venti anni avanti. Dopo di allora, essi erano stati risparmiati anche nei momenti piú duri e adornavano ancora la nostra casa in grazia soltanto di quell'accanita avarizia della sua proprietà privata che distingueva mia nonna Cesira.

Essi erano, peraltro, le sole eleganze della sua camera. La quale, in forma di rettangolo, misurava all'incirca tre metri nel suo lato piú lungo: la tappezzeria vi era piú modesta che nelle altre stanze, una carta opaca di un color giallino a fiorami azzurrastri. Soli mobili, oltre ai suddetti, vi erano il lettuccio pieghevole di ferro nero, una seggiola di paglia, e la cesta per gli indumenti: ché Cesira fin da principio si ricusò assolutamente di riporre la propria roba nell'armadio o nel cassettone della camera grande, insieme con la roba degli altri.

Riman da parlare della cucina: dove si pranzava; dove, piú tardi, io dovevo fare i miei còmpiti; e dove, insomma, dovevano trascorrere, in seguito, molte ore delle nostre giornate. Ma essa era uguale ad altre centomila dello stesso genere: un rettangolo piuttosto buio, dai muri affumicati e scrostati, e dalla cappa nera di fumo sul focolare di piastrelle rosse. Oltre alla credenza a due piani che conteneva le nostre poche stoviglie, c'era una tavola quadra, con una tovaglia d'incerato. Alla parete un calendario di cartone bianco, adorno, ch'io mi ricordi, della figura d'una dama in cappello e stola, sullo sfondo d'un parco.

Questa dunque era la casa dei miei genitori. Pochi giorni dopo le nozze, Francesco fece il suo primo ingresso agli uffici postali e iniziò la sua vita d'impiegato. Pochi mesi piú tardi, Anna rimase incinta.

In quei primi anni, oltre alla mia nascita non avvennero fatti mòlto notevoli, se si esclude la vendita graduale di tutta, o quasi, la residua eredità di Damiano, eseguita da Alessandra per incarico scritto, e procura, di suo figlio Francesco. Infatti, cresciutagli la famiglia e non bastando il suo stipendio alle spese, egli non sapeva a quale altro mezzo ricorrere; e si fermò soltanto quando, sparita l'ultima vigna e l'ultimo capo di bestiame, ad Alessandra non rimase che la casa e un pezzetto d'orto: il quale ultimo, assai minuscolo territorio in verità, fu lasciato fuori dalle vendite, «perché», scriveva a tal proposito il notaio a Francesco, « la povera vedova intristirebbe senza neppure un'idea d'orto di sua padronale appartenenza ». A quanto pare, ogni volta Francesco ripeteva a sua madre la promessa di un prossimo assegno mensile, in cambio dei beni perduti; ma una tale promessa non fu mantenuta mai, neppure sul principio, e ne è prova una lettera di Alessandra, da me ritrovata or non è molto fra le carte della mia famiglia, e che risale, per la data, ai primi tempi dopo la mia nascita.

In essa, per mezzo di una compiacente penna del paese, la vedova analfabeta si lagna col figlio per il di lui continuo silenzio (a quanto si direbbe, negli intervalli fra una vendita e l'altra, il figlio non era un corrispondente molto assiduo). « Carissimi figli, – è l'esordio della lettera, ma nel seguito è usato sempre il *tu*, non già il *voi*, quasi che la seconda intestataria, la nuora, valesse solo a titolo di convenzione, per le buone creanze. – Questa mia, – continua all'incirca la lettera, – non è per dirti del mensile che tu mi promettesti, e che non mi è mai arrivato. Tu mi rassicurasti già nei miei timori che questi denari si fossero perduti, e mi spiegasti che per il momento non t'era possibile mandarli. Ora io ti dico, figlio mio, non pensarci piú, a questo mensile, e se non l'hai mandato fino ad oggi, cosí seguita in futuro. Per me non darti pena, ché io non sono piú giovane, ma sono forte come da ragazza e posso provvedere a me stessa. Con questa mia, invece, vengo a pregarti di farmi sapere qualche notizia di te, della tua sposa e della carissima nipotina. Ti ricordo pure la tua promessa di venire al paese a farmi conoscere la sposa e la mia amata nipote. Capisco che la sposa, essendo nata signora, non si troverà bene in una casa di contadini, ma tu potresti venire, almeno, e lasciare da parte l'impiego per una giornata e una notte. Se tu non puoi, volentieri mi deciderei a fare io questo viaggio: sono stata altre volte in città, e se, come dici, a casa tua non hai letto dove farmi dormire, potrei adattarmi in terra, ché tanto non mi fa niente, io non sono una signora. Per i soldi del viaggio, capisco che tu hai troppe spese; ma io spero di ammucchiarli a poco a poco da sola, con certi lavori che faccio... »

E su questo tono, ripetendo piú di una volta i medesimi concetti, la lettera prosegue per altre due pagine (è, infatti, piú lunga che non siano per solito lettere di tal genere, scritte sotto dettatura). Piú di una volta vi si ritrovano le lagnanze sul silenzio del figlio, piú di una volta il desiderio di vedere la nipotina, e la proposta della mittente di venire in città. Ma ho ragione di credere che il figlio trovasse sempre dei buoni motivi per respingere tale proposta. Si sa, d'altra parte, che, in campagna, il tempo scorre con un ritmo diverso, a causa delle monotone, ritornanti stagioni: per cui mentre si propone, si discute, si decide, passano anni ed anni. Fu cosí che, malgrado la mancata visita del figlio, passarono piú di dieci anni d'ininterrotta lontananza prima che Alessandra si decidesse, infine, a partire per la città. Ma, come vedremo, il suo viaggio fu inutile.

È un fatto, ch'io non conobbi mia nonna Alessandra, e poco sentii parlare di lei. Giungevano, sí, quelle sue lettere, che mia madre, allorché il portinaio gliele consegnava, riconosceva dalla busta alla prima occhiata (e credo, del resto, che questa nonna sconosciuta fosse la nostra sola corrispondente). Con gesto di noia e di stizza, mia madre, senza aprirle, gettava simili lettere nel cassetto di mio padre. Dov'egli, talvolta, le trovava con un certo ritardo: ostentando, se mia madre era presente, indifferenza e poca fretta di leggerle, non senza una malcelata vergogna; e scrivendo le sue risposte di nascosto, quando pur le scriveva. Ad intervalli, giungevano altresí dal villaggio, indirizzate al mio nome, delle cassettine di giunchi, con dentro fichi secchi, ciambelle, colombi o bambole di pasta e altri simili doni campagnoli. Ma al pari delle lettere, questi pacchi trovavano una fredda accoglienza in casa nostra: io pure, per non degradarmi agli occhi altrui, fingevo di tenerli in poca stima, sebbene essi fossero, in realtà, fra le rare sorprese e feste della mia povera infanzia.

Come s'è detto, Alessandra, in seguito alle vendite successive della proprietà De Salvi, era rimasta col solo possesso della casa e d'un angolo d'orto. E non bastando quest'orto al suo sostentamento, un bel giorno ella s'era fatta coraggio: ed era tornata, come da fanciulla, operaia a giornata nei campi altrui. Era, tuttavia, padrona della casa, e d'un poco di terra: per cui, se pensava al niente donde era partita, non poteva lagnarsi della propria sorte. S'intende che, pur essendo lei giovane ancora, e robusta, il suo lavoro non valeva quello di una ragazza; e inoltre, le giornate di lavoro, alle donne, eran valutate assai poco. Ma pure, ella guadagnava olio e farina quanto le bastava per nutrirsi, aggiungendovi i suoi propri ortaggi. In piú, ella possedeva un pollaio; ma finché visse, io credo, non gustò mai né un uovo né un poco di carne o di brodo. Ché il pollaio era sempre stato, ed era adesso piú che mai, l'unica sua sorgente di denaro: solo se il figlio si fosse deciso alla sospirata visita, ella avrebbe osato di sacrificare per uso di famiglia qualcuno dei suoi polli. Dei quali, mancando il figlio alla promessa, ella ne sacrificò piú d'uno, durante quegli anni, per mandarceli in dono col corriere espresso, al tornar dei Natali e delle Pasque. Ma, eccettuati questi materni sacrifici, ella usava del suo pollaio soltanto per fini di vendita e di speculazione. E la si vedeva ogni domenica, sul far del mattino, avviarsi al suo commercio per la strada provinciale che conduceva al prossimo centro. Portando un paniere d'uova, o un grosso canestro coperto, in cui s'avvertiva un frullar d'ali.

L'unità di moneta, in simile commercio, era, per lo piú, il soldo, o addirittura il centesimo. Pure, una domenica dopo l'altra, Alessandra andava ricomponendo un esiguo mucchio di risparmi. Per sua natura, ella era sempre stata avara: al punto che adesso l'accrescimento di quel piccolo mucchio poteva, per lei, valere come sufficiente ragione di vita. Forse ella vagheggiava di riconquistare, un bel giorno, in cambio di quel mucchio fatto gigante, qualcuno dei poderi di suo figlio. Ma non posso dire, d'altra parte, che avesse rinunciato del tutto alla speranza di vedere un bel giorno Francesco mantenere la promessa antica: di vederlo, cioè, tornare al villaggio da gran signore, con carrozza e cavalli, e ricomprare con una sola parola tutte le terre di Damiano.

È da credere che, in quei primissimi tempi della mia vita (svaniti dalla mia memoria), ad ogni vendita di un nuovo pezzo di proprietà laggiú al villaggio una ricchezza effimera accendesse le nostre stanze cittadine d'incredibili splendori. Immagino che, per qualche giorno, Francesco si trasmutasse in un sultano il quale può, senza freni o limiti, coprire di favori la sua diletta. Al pari di uno che abbia venduto l'anima alle streghe, egli sfogava, nel corso di quei brevi giorni, la sua repressa prodigalità. Echi e riverberi di quelle ore famose duravano ancora in casa nostra al tempo ch'io toccavo l'età della ragione. E restavano, a loro memoria, quei gioielli di mia madre ch'io descrissi all'inizio del presente libro: gli orecchini di perle, la collana di agate, la spilla col cammeo. Ché, giuntogli appena il nuovo assegno, Francesco (per lunghi mesi la presente letizia era stata da lui sollecitata e pregustata), Francesco si recava alla bottega del gioielliere. Al passionale orgoglio di adornare l'amata, si accompagnava, in lui, la conoscenza di quanto potesse la luce di una pietra sul cuore di Anna. Noi tutte, già ve lo dissi, nella nostra famiglia, ci trasmettiamo l'una all'altra il folle gusto per questi ninnoli (e non vi faccia meraviglia se anch'io mi tengo nel numero delle altre, mie parenti o antenate, attribuendomi un consimile gusto: ché, come ho cercato di farvi capire nell'introduzione di questa storia, in realtà la modestia di Elisa è soltanto apparente; e come già altre di noi cedettero le proprie gioie alle statue sacre, cosí gli splendori negati alla sua propria bruttezza, Elisa li sfoggia nel pensiero, intorno a bellezze immaginarie).

Dunque, a noi tutte è comune il folle gusto per questi ninnoli. Pari ad un girasole, la nostra indolenza si gira verso le loro fredde, incorruttibili fiamme. E se udiamo le loro voci sonore, se vediamo allo specchio i nostri pallori scintillare fra i loro lampi e iridi, allora la nostra anima frivola si apre tutta intera, come la ruota d'un pavone. E il donatore riceve il nostro bacio venduto, eppur folle e sincero come un bacio d'amante.

Un'immagine m'è rimasta nella memoria, che certo risale ad uno di quei giorni trionfali. Siamo nella cucina, io presso il focolare, mio padre e mia madre sull'uscio. Mia madre si aggancia all'orecchio il fermaglio d'un orecchino, e mio padre, davanti a lei, sorregge con le due mani uno specchio perch'ella vi si guardi. Certo quegli orecchini sono un regalo oggi stesso acquistato, ella se li prova per la prima volta: la compiacenza di se stessa la incatena, si direbbe, alla sua propria parvenza. Ma mio padre le ritoglie lo specchio; e stringendole fra le due palme il capo la bacia d'un tratto sulle labbra.

Or debbo tenere avvertiti i miei lettori che, mentr'io scrivevo le pagine che precedono, un subdolo cambiamento avveniva intorno a me, in questa mia camera. Come, seguendo il mio racconto, io lasciavo il vecchio quartiere di Anna e mi avvicinavo alla mia casa natale, ecco, alle mie conversazioni fantastiche succedeva qui il silenzio. Le figure dei miei, che m'avevano circondato fin qui, e con le loro voci defunte mi descrivevano le proprie stanze antiche, la propria città di larve; confidandomi segreti e pensieri ormai da tempo sepolti; le triste figure dunque diventavano via via piú frettolose e roche, dileguavano una dopo l'altra. Onde finito è d'ora innanzi il mio privilegio d'assistere, sola spettatrice, a una commedia di spiriti. Non udirete piú da me la vóce molteplice della dormiente. Una lucida insonnia s'impadronisce di me, e io, nella camera taciturna e spopolata, altro non potrò interrogare d'ora innanzi che la mia vera memoria. Altro non potrò raccontare, cioè, se non le cose che vidi coi miei propri occhi, udii coi miei propri orecchi, e di cui mio padre e mia madre, nella loro diversa insania, mi fecero confidente e testimone.

Non posso, tuttavia, non meravigliarmi, riconoscendo nella mia memoria una cosí vivida, accesa presenza. Io ritrovo oggi quel dramma della mia puerizia come un libro che, letto da bambini, ci parve astruso, e, ripreso piú tardi, si svelò piú chiaro e piano alla nostra mente adulta. Tutti i suoi simboli e segni li rivedo stampati nella mia mente, e molti, fra quelli che mi parvero allora assurdi o arcani, la mia esperienza me li traduce oggi nel loro vero significato. Simile nuova chiarezza trasforma ai miei occhi l'antica scena. La città della mia infanzia non mi sembra piú, sebbene lo sia, la medesima nella quale si sono svolte fin qui le vicende dei miei personaggi. Dal punto ch'io mi sono inoltrata nella mia casa natale, ha invaso le sue strade una luce penetrante e fredda: la luce stessa di quella mia prima casa e delle sue stanze di morte. Là i ricordi, come animali giaciuti in letargo, si scuotono al mio richiamo, e si avvicinano a me con passi vellutati e funebri. Fissandomi coi loro occhi infidi, mansueti, dove è scritta la negazione e il rimorso. Il nessun aiuto, e il nessun rimedio fuori che il triste sonno.

Altro costoro non sanno dirmi; né avrò altri compagni nella narrazione, a cui mi accingo, della nostra fine. Nella mia memoria, gli anni che precedettero l'ultimo sono nascosti da una penombra. I miei ricordi piú chiari incominciano, come accade, con l'età della mia prima ragione. Li riprenderò dal punto che dà inizio alla prima parte di questo libro, all'incirca il tempo che morí mia nonna. Avevo, allora, poco meno di nove anni.

PARTE QUINTA

Inverno

Capitolo primo

> Il butterato ha nuove sfortune in amore.
> Una patrizia si umilia.
> Breve e trascurabile apparizione d'una finta monaca.

Come già vi dissi nella prima parte di questo libro, dopo la morte di mia nonna Cesira il rancore di mia madre verso mio padre sembrò farsi piú aspro e infrenabile. Infatti, del tempo che mia nonna era viva, serbo ancora nella mente qualche scena di confidenza o di concordia fra i miei genitori. Ricordo, per esempio, di averli veduti un giorno discorrere fra loro a voce bassa con le teste accostate e chine su di un foglio (una lettera o un documento), per tacer subito e celare quel foglio al sopraggiungere della vecchia, come due complici. Senza dubbio essi parlavano di spese domestiche, o di interessi familiari, questioni tutte da cui mia nonna era esclusa. Ricordo pure di aver trascorso, bambina, dei lunghi pomeriggi nella casa solitaria: poiché mia nonna se ne stava nella sua piccola camera, e i miei genitori erano usciti insieme. Ricordo ancora d'aver udito mio padre cantare a gran voce dei pezzi d'opera, con diletto di mia nonna, la quale, nonostante la sua sordità, riusciva ad afferrare i motivi, e perfino li canticchiava con la sua vocina tremolante, e ne segnava il ritmo con la mano. Era gran vanto di mia nonna la conoscenza dei principali melodrammi, frutto d'un paio di stagioni d'opera da lei frequentate nella giovinezza: la prima quando suo padre bottegaio era ancor vivo ed era orgoglioso di mostrare al mondo la graziosa figlia minore; e l'altra nei primi tempi delle nozze con Teodoro, avanti la nascita di Anna. Tanto bastava a mia nonna per discorrere di teatri e di serate col tono saputo di una signora di mondo, già solita ad avere il suo palco nelle *stagioni* piú famose.

Ma la vecchia non era la sola che ascoltasse con diletto mio padre cantare: anch'io, s'intende, ne godevo; e, ciò che importa, anche mia madre porgeva orecchio a quelle melodie, non senza piacere. Al punto da richiedere a mio padre, certe volte, l'una o l'altra melodia preferita.

439

Vi fu, però, una sera che mio padre disse a mia madre: – Anna! ti ricordi?... – e, senza invito, incominciò a cantare una romanza: e a questo canto, da me dimenticato adesso, lei, bianca e severa, parve farsi di pietra, come quando alcuno s'abbandonava, in sua presenza, a troppo intime confessioni. Ciò non poté sfuggire a mio padre, che tacque subito; e fra noi sopravvenne il silenzio, poiché mio padre non ebbe piú cuore di cantare per quella sera, né mia madre, fattasi muta, lo richiese d'altre romanze. Quanto a me, sebbene bambina, intuii che mio padre aveva offeso, non sapevo perché, mia madre, suscitando la sopita ostilità di lei; e che, per tal fatto, egli era adesso vinto e smarrito, come per una malattia mortale. Ma le ragioni di tutto questo rimasero misteriose per me: fu uno dei curiosi misteri davanti a cui la mente fanciullesca s'adombra, sebbene rispetto e ritrosia vietino di domandarne la spiegazione.

Tornando dunque a quanto dicevo, è un fatto che pur cosí rare, esigue parvenze di concordia domestica scompaiono dalla nostra casa, dopo la morte di mia nonna. Forse perché, lei viva, mia madre non aveva soltanto *uno* su cui gettare l'ombra della propria incessante, collerica malinconia. Forse, quel piccolo, maltrattato testimone era pur sempre un ostacolo al prorompere di tanti impulsi funesti, e mia madre, in sua presenza, serbava ancora pudore e riserbo. Forse, infine, scomparsa la compagna, anche se odiata, della sua fanciullezza, al trovarsi nel proprio mondo adulto sola col *nero*, col *butterato*, mia madre si smarrí, in una rivolta senza speranza, come una indocile rinchiusa che picchia coi pugni l'uscio della cella. Ho detto *sola* con lui: infatti, io non contavo per mia madre. Ella soleva, in genere, trattare i fanciulli come una razza inferiore, una sorta di animali fastidiosi, i quali, incapaci di provvedere a se stessi, costringono gli altri a tale ingrata cura. Come già sapete, un solo fanciulletto, forse, ella sarebbe stata capace di amare: uno nato soltanto nella sua virginea fantasia, fedele specchio dell'altro che, piú di vent'anni prima, le aveva gridato dalla carrozza: – Addio! Addio, Anna! – Ma io nulla avevo di comune con questo bambino; e quantunque non possa dire ch'ella mi odiasse o mi trascurasse, i suoi sentimenti verso di me, non erano, credo, troppo diversi dall'indifferenza e dal fastidio ch'ella provava verso i fanciulli altrui. Accudiva ai propri doveri materni con severità brusca, quasi minacciosa. Quando mi ammalavo, la vedevo al mio capezzale accigliata, impaziente, come se l'ammalarsi fosse una colpa. Né, trovandosi nell'intimità, si peritava di comportarsi in mia presenza al modo stesso che se fosse sola; come s'usa, appunto, con gli animali privi d'anima e di giudizio. Soleva, inoltre, condurmi dietro a sé dovunque

andasse: forse per non lasciarmi sola in casa, o forse perché, al modo
che avviene, al solito, coi fedeli animali, la compagnia della sua schiava
le faceva da riparo e da pretesto, dandole maggiore audacia e sicurezza
di sé. Tuttavia, pur traendomi sempre al suo seguito, non di rado
pareva dimenticarsi addirittura della mia persona, o considerarla un
peso inevitabile, piuttosto che una cosa viva. Cosí, senza tener conto
delle mie piccole forze, mi trascinava per lunghe passeggiate e cammini, senza rivolgermi la parola mai. Né io, tanto timore m'incuteva,
osavo ribellarmi: reprimevo anzi fino i sospiri e i gemiti di stanchezza.
Quando poi, finalmente, ella si fermava in un giardino pubblico, e si
sedeva esausta sopra una panca, io mi sedevo al suo lato, o mi accoc-
colavo ai suoi piedi, pensierosa, e in ozio. Avvertivo infatti il disprezzo
di lei per la piccolezza e frivolezza di noi bambini: e mi vergognavo
di giocare, sperando oscuramente, col rinunciarvi, d'acquistare stima ai
suoi occhi.

Al tempo di cui vi parlo, già da due o tre anni io frequentavo la
scuola delle suore francesi. Era per volontà di mia madre che mio
padre, malgrado la sua ripugnanza, aveva dovuto acconsentire a man-
darmi alla loro scuola. Mia madre, da parte sua, non era certo devota;
ma, pur disdegnando quelle religiose, aveva voluto ch'io m'istruissi
al loro convento e anzi, non essendo io stata ancor battezzata, ed esigendo le suore il certificato di battesimo, aveva accettato di farmi
battezzare nella loro cappella. Tutto ciò, credo, fu perché nei conventi,
appunto, solevano venir educate le signorine Massia o Cerentano, e
mia madre, per orgoglio, non volle esser da meno della sua nobile
parentela (della quale io peraltro ignoravo l'esistenza, come si vedrà
meglio in seguito). Ricevetti dunque il santo battesimo, all'età di sei
anni, nella minuscola cappella del convento. I miei genitori, pur dando
il loro consenso alla cerimonia, rifiutarono di assistervi. E fu in compagnia d'una madrina sconosciuta, offertasi umanamente per l'occasione, e da me non rivista dopo mai piú, ch'io venni accolta nel numero
dei cristiani. Opportunamente istruita dalle suore sul significato del
Battesimo, io provai, ricordo, nel riceverlo, una commozione straordinaria, nella quale al gaudio si mescolavano disperazione e paura.
Infatti, il rito aveva per me il senso di una mistica tragedia: nel momento stesso che, lavata dal peccato originale, ero fatta simile agli
angeli, io venivo per sempre separata da mia madre, la quale giaceva
fra i reprobi, in compagnia delle donne barbare e delle giudee.

Naturalmente, i miei genitori non potevano sostenere la spesa ·di
un pensionato: onde io frequentavo il convento solo per le lezioni
del mattino, e rincasavo a mezzogiorno, sola per lo piú e talvolta in

compagnia di mia madre che m'aspettava all'uscita. Malgrado il riserbo mostrato dalle suore verso mia madre, per l'alterigia dei suoi modi e il suo poco rispetto della Chiesa, io ero, tuttavia, molto fiera della persona di lei, e per tutta la mattina, in classe, bramavo ch'ella venisse ad incontrarmi. Accendendomi in volto per l'orgoglio se distinguevo fra le altre, isolata, la sua grande figura.

Il mio amore per mia madre era qualcosa di sacro e di vile nel tempo stesso: non troppo diverso dal sentimento d'un selvaggio alla presenza d'un simulacro sfolgorante. La vestiva, ai miei occhi, un tal prestigio, che non mi sarei stupita di vederla su un trono. Né mi attraversava la mente il sospetto ch'ella potesse esser tenuta in disparte o spregiata dalle piú grandi signore e dame; fra le quali, anzi, mi sarebbe parsa la regina. Meditando sulle lezioni delle suore, sul peccato mortale, sulle opere di carità, io mi convincevo sempre piú, con un brivido, che non soltanto ella era una infedele e una reproba, ma, di certo, una dannata. Non per questo, tuttavia, il suo prestigio diminuiva ai miei occhi; erano, al contrario, la gloria e felicità della sede celeste che si velavano di qualche dubbio nel mio pensiero. S'io disperatamente, nel segreto, pregavo che la mia ribelle si schierasse coi beati, ciò non era tanto per la sua salvazione, e perché a lei fossero risparmiate le tenebre e lo stridor di denti (mi era, infatti, difficile d'immaginare un potere capace di castigare, di atterrare mia madre); bensí, piuttosto, per la confusa volontà di salvare la mia propria fede nel Paradiso.

La sua sgarbata, arida severità mi teneva, davanti a lei, in un perpetuo stato di trepidazione e sommissione. Ma, strano a dirsi, un tale stato non mi era odioso, anzi, io di continuo anelavo alla vicinanza della mia tiranna. È un fatto che i miei batticuori, al suo cospetto, non eran causati soltanto dalla paura; ma da una brama inguaribile, sebbene sempre delusa, di conquistare la sua stima, anzi, addirittura, la sua ammirazione. Niente, però, valeva: non le medaglie datemi in premio al convento, né i buoni rapporti delle suore maestre allorché mia madre veniva a informarsi sul mio conto (le suore, in tali occasioni, talvolta deploravano velatamente il pericolo che i miei promettenti inizi cristiani venissero deviati in famiglia; ma il silenzio distante e ambiguo di mia madre, la piega delle sue labbra a questo discorso, facevano subito desistere le pie donne da simili interventi nel mio destino).

Durante questi rapporti cosí lusinghieri per me, io me ne stavo al fianco di mia madre, e tacevo, tutta in fiamme, bilanciandomi ora su un piede ora sull'altro. Ma inutilmente, alla fine della visita, uscendo con lei nella strada, spiavo nel volto, nel contegno di lei qualche segno di compiacenza, o di lode! Ella pareva già intenta ad altri pensieri, e non badava a me: come se colei che la seguiva passo passo non fosse la brava scolara, l'anima pia celebrata poc'anzi dalla suora; ma una che per via delle sue gambe nude, e della piccola statura, e del nastro nei capelli, va giudicata alla stregua delle sue pari, le ragazzette, degne d'attenzione quanto un cagnòlo.

Quanto a mio padre, non erano molte, certo, fra me e lui, le manifestazioni di confidenza o di affetto. Anzitutto, egli trascorreva quasi tutto il suo tempo all'ufficio, e, quando ne tornava, mi trovava per lo piú coricata. Inoltre, egli era in potere di un solo idolo: il quale straziava e deformava i suoi affetti a tal punto da privarlo fin della carità, che ci rende attenti alle altre creature. Ma su tutto questo, forse, avrebbe infine prevalso l'istinto paterno di lui, e la celata espansività del suo carattere, se i suoi rari tentativi di carezze o di confidenze avessero trovato dalla mia parte una risposta. Invece, ogni suo timido approccio veniva respinto da me, or con un semplice atto di diniego, or con un freddo, imbronciato silenzio, or con una ruvida parola. S'egli mi attirava a sé, accostando alla mia la sua guancia, io mi sottraevo, e mi coprivo il volto col gomito, dichiarando, querula e scontrosa, ch'egli con la sua barba ruvida mi pungeva. S'egli mi portava qualche regalo, un dolce, per esempio, o un libro illustrato, io, pur cosí amante dei doni, sogguardavo mia madre la quale, era noto, disapprovava simili spese, atte a *far crescere i capricci nella testa dei fanciulli.* E avvertendo la volontà di lei nel suo riserbo ostile, mi tenevo in un silenzio ruvido e ingrato, senza concedere a mio padre quella festa, quel sorriso di piacere che forse erano stati il solo scopo del suo frivolo acquisto.

Perfino il vanto ch'egli faceva di me talvolta, a causa dei miei successi scolastici, e la effimera luce d'orgoglio che gli splendeva negli occhi, non m'erano graditi. Ché tali non erano a *lei*; e *lei*, la sola di cui mendicavo l'applauso, me lo negava.

Ricordo l'intima rivolta e umiliazione che provavo allorquando, in presenza di *lei*, qualcuno esaltava la mia grande somiglianza con mio padre, confrontando i nostri occhi del medesimo colore cupo, ugualmente meditativi e tristi; la identica forma dei nostri volti ovali (mia madre invece serbava nelle guance la rotonda curva infantile); il medesimo colore bruno della pelle (che mia madre aveva cosí bianca), e il medesimo disegno delle narici, e delle labbra. Mio padre, se era presente a questi confronti, si accendeva d'orgoglio amoroso: mescolato, però, ad una ribellione non meno amorosa dell'orgoglio. Infatti, per avere intera la gloria di quel momento, egli voleva che, insieme ai suoi propri, si riconoscessero in me *quegli altri segni*: nei quali ciascuno potesse leggere, intrecciato al suo, il nome di Anna. Come s'io fossi il trofeo d'una sua crudele vittoria, egli additava agli sguardi estranei, sulla mia persona, le rare impronte di mia madre: il polso delicato, i capelli, la mano sottile. Ma queste somiglianze, care a me quanto le altre m'erano ingrate, in quel momento mi suscitavano una misteriosa collera. In verità, la mia persona, unendo in sé le due somiglianze, era a Francesco emblema di vittoria; ma, ad Anna, di amara strage. Io sentivo l'incessante vendetta di *lei* contro mio padre cadere in quel momento anche su me. Ella aveva abbassato gli occhi; e mio padre, superbo, un momento prima, come il Maligno stesso, invano cercava, coi propri sguardi abbuiati, quelle nascoste pupille, a cui confessare la propria colpa.

In questa guerra adulta, il mio cuore ignorante si lacerava, parteggiando sempre per *lei*. I miei affetti precoci s'imbevevano, per cosí dire, dell'astio di mia madre verso mio padre. Era una sorta di avidità struggente che mi faceva cogliere sul viso materno ogni ombra di rivolta, d'odio o di spregio che vi passasse: e tali sentimenti, ch'io non giudicavo, e di cui non conoscevo l'origine, s'impadronivano della mia mente stregata gettando su mio padre il loro malefizio. Cosí, via via che dai miei occhi si diradavano le indulgenti nebbie della prima infanzia, al posto di mio padre s'andava disegnando un nero, malvisto personaggio, nato dalla derisione e dal rancore. Ché non una parola, non un atto ironico o insultante di mia madre verso di lui mancava il segno: e ogni litigio dei miei dava nuovo risalto al funesto simulacro della mia immaginazione.

Nei litigi, mia madre perdeva il suo matronale riserbo: di lei s'impadroniva un dèmone volgare che prendeva, agli occhi della mia parzialità, le sembianze della ragione e della giustizia. I tratti di lei, pallidi e scomposti, mi parevano testimoniare le offese da lei sofferte; e tutti gli oltraggi che la sua bocca sfrontata gridava a mio padre erano per me dei verdetti santi, e senza appello. Ricordo di avere, bambina, attribuito all'innocuo titolo di *barone* un significato di onta e di delitto, perché piú di una volta mia madre, nell'ira, con una risata strana, gettava tal titolo a mio padre. Cosí pure, piú di una volta la udii rinfacciargli quei disgraziati sfregi che gli guastavano il viso. Lei, che soleva negare Dio, pareva, in tali occasioni, convinta d'una fede nefasta; levando una mano, con occhi scintillanti e mistici, gridava al marito: – *Segnato da Dio, non accostarti!* – ed ecco, questo proverbio di donnicciole assumeva per me un valore profetico. Io non dubitavo che quegli sfregi sul volto di mio padre fossero il sigillo col quale il Re del Cielo marchia i suoi nemici.

Mia madre soleva altresí rimproverare a mio padre il color bruno ch'egli aveva nelle carni e negli occhi, come fosse una infamia. E con cuore futile, piuttosto di bambina che di donna, gli gridava: – Hai l'anima scura come la faccia! Anima nera! Pecora nera! – Meglio che in accuse ragionate e chiare, il suo odio, come quello, appunto, nutritosi in cuori acerbi, era bravo a sfogarsi in simili oltraggi insensati; ma ella gridava le sue fanciullaggini con la solennità d'una suora che scaccia una apparizione infernale, e per me che tremante, devota, la udivo, mio padre si trasformava in una figura delle tenebre. Simile a quei neri, alati nottambuli di cui talora nelle sere estive, giacendo in camera a lumi spenti, io paventavo il volo basso intorno alla mia finestra spalancata. E già vedendo quegli ospiti fantastici posarsi al mio capezzale con le ali distese, balzavo impaurita dal letto, e mi rifugiavo nella cucina illuminata, dove ancora vegliavano i miei.

I modi stessi di mio padre, allorché, vinto a sua volta dalla collera, ma incapace di offendere mia madre, si vendicava sugli oggetti inanimati, fin contro le pareti, o sulla propria persona; questi modi stessi rinvigorivano la immagine deforme che m'ero fatta di lui. Non era forse, questo indemoniato, dalla fronte corrugata e nera, uno spirito selvatico, uscito dalla notte per trascinarci con sé nei suoi tristi, umiliati nascondigli? Non sarebbe meglio scacciarlo, come un cane straniero salito dalla strada, avanti che la sua violenza si volga contro mia madre e non vi sia piú rimedio al male? Egli mi impauriva, quando s'adirava; ma tuttavia, per farmi onore agli occhi di mia madre, io lo affrontavo. E tentando con le mie mani di frenarlo e di sospingerlo fuori dalla stanza, gli gridavo fra i singulti: – Vattene! Vattene via! – Egli pareva non udirmi e non riconoscermi, distratto dalle furie; ma pure, mi scansava da sé con una delicatezza strana, in contrasto con la sua frenesia. Non ricordo mai che, in simili momenti, egli abbia nemmeno involontariamente maltrattata o percossa la piccola temeraria che lo sfidava. Mi guardava con occhi offuscati, in una specie d'incoerente stupore; ma l'istinto gli comandava di risparmiare la mia fragilità. Similmente, ho udito dire, i cani nelle rabbie risparmiano il padrone o alcun altro della famiglia amica: volgendo a costui, se si avvicina, le loro pupille sbigottite e animalesche, per esortarlo a fuggire la loro innocente strage.

Mia nonna era morta sul principio dell'inverno; e in casa nostra nessuno, neppure mia madre, aveva vestito il lutto: sia per incuria, o disprezzo delle convenienze, che per la povertà del nostro guardaroba. Del resto, quella prima visita della morte in casa nostra era stata una visita fugace, e quasi inosservata. Dopo il breve, acerbo pianto al letto della defunta, mia madre, con gli occhi asciutti, aveva ripiegato nell'angolo della cameretta il vuoto lettuccio di ferro. E in quella cameretta non di rado io mi ritiravo a studiare, o mia madre a riordinare la biancheria di casa; senza che il geloso spettro domestico dell'antica proprietaria venisse a turbare le nostre occupazioni.

Nel corso di quell'inverno, accaddero varî episodi ch'io devo ricordare in questa storia. Del primo, che si svolse in altra parte della città, non giunse nessuna eco a noi, nel nostro quartiere isolato; per cui, mia madre ed io ne avemmo notizia solo alcuni mesi piú tardi. Ma io, per evitare che la mia storia possa, in seguito, sembrarvi oscura, lo ricordo qui.

Verso la fine di novembre, dunque, nella parte piú antica della nostra città, là dove lungo i corsi, e nelle piazzette silenziose, sorgevano i palazzi dei signori; e nell'intrico dei vicoli circostanti, fra le decrepite botteghe, i cadenti balconcini, le innumeri, strette finestre pavesate di cenci, brulicavano i poveri; in quella parte, dico, si assistette a uno spettacolo abbastanza raro. Raro soprattutto a causa della protagonista, la quale apparteneva ad un'aristocratica famiglia della città, ed era nota e rispettata in tutto il quartiere. Da parecchi anni, ella era spesso in viaggio, riapparendo solo ad intervalli nella sua città nativa. Ma, sebbene fosse assai mutata nell'aspetto, quasi tutti la ravvisavano; e dagli eleganti personaggi ai piú umili straccioni se l'additavano l'uno all'altro, la osservavano curiosi dalle finestre, e meravigliati ne dicevano il nome. Or colei che si esponeva a questa specie di ludibrio, era una delle nostre dame piú altère, ed era, altresí, una mia parente, sebbene, a motivo appunto della fiera giustizia innata nel suo carattere, fosse per me ancora una ignota.

Si vide, dunque, nell'ora piú popolosa del mattino, questa donna percorrere, con ordine, ogni strada e piazza del quartiere. Una precoce rigidezza invernale era nell'aria, e la polvere delle strade era bagnata per una pioggia effimera, caduta sul far dell'alba; adesso il cielo era fermo, e coperto da una nube senza limiti e senza colore.

L'abito della signora, fra di bigotta e di vedova, era una sorta d'informe tonaca di lana nera lunga fino ai piedi e infangata fin sopra i ginocchi. I piedi erano nudi; e, sebbene macchiati dalla fanghiglia, risaltavano tuttavia per la loro candida bianchezza fuor della gonna nera, nella luce incolore. Essi erano minuscoli, colmi e ben fatti, e apparivano bambineschi a paragone del corpo senile e ingrossato.

Sul capo, questa dama singolare portava un semplice velo nero, donde uscivano trasandate ciocche grige. Il volto grasso, disfatto ed esangue si protendeva innanzi coi suoi grandi occhi luttuosi sotto i sopraccigli rimasti color d'ebano. Nel centro delle pupille, scintillavano due luci inanimate, tali da far supporre che la signora compiesse la sua passeggiata nel delirio. Ma ella aveva invece, nei gesti, sicurezza e calma dominatrice.

Le sue labbra rigonfie, un po' screpolate, ripetevano senza riposo, a voce bassa ma bene udibile, le parole latine delle preghiere; e le sue mani, adorne soltanto della fede vedovile, candide e grassocce al pari dei suoi piedi, facevano scorrere la corona del Rosario.

Ella era seguíta da una fanciulletta di sei o sette anni; la quale, per la docilità e lo zelo del suo contegno, senza alcun sospetto di vergogna (semmai, con un certo pavoneggiarsi), si sarebbe detta caduta proprio allora dal Paradiso. L'esile corpo di questa fanciulletta era vestito di un costume da monaca, perfetto e cucito sulla sua misura; una grossa croce di ebano le pendeva sul fianco, e di sotto le pieghe della tonaca sbucavano, piccoli come quelli di una bambola, i suoi piedi frettolosi nei neri stivalini. Con le due mani, ella stringeva una borsa rivestita di broccatello ricamato, di quelle che si usano durante la Messa per raccogliere le elemosine. E le nude punte delle sue dita, uscenti dalle maniche larghissime, apparivano vermiglie: ella non era, si vede, insensibile al freddo come la dama; eppur sembrava non curarsi di simili sofferenze, tanto la sua parte le piaceva.

Dalla benda monacale, stretta sulla fronte, le sfuggiva una ciocchettina d'oro. E nella sua bianca, minuta faccia, colorata dall'aria invernale: negli occhi focosi, castani come le foglie; nei tratti disegnati con genio capriccioso, e volubile malinconia, si potevano riconoscere i caratteri dei Cerentano *Normanni*. La bambina era infatti, una Cerentano per parte di madre; ella era nipote della signora, per esser figlia della sua primogenita Augusta; e già da qualche tempo viveva rinchiusa in collegio, dove a quest'ora le sue compagne eran sedute in classe per la lezione.

Sua nonna, d'accordo con sua madre, l'aveva votata a sant'Agata per ottenere una grazia: il che voleva dire, per la bambina, vestire quel costume insolito fino a grazia ottenuta, ogni giorno, anche in classe, anche nel parlatorio. Il costume, ch'ella indossava oggi per la prima volta, era stato cucito con gran cura dalla sarta del convento, ed ella era oltremodo contenta di sfoggiarlo. Infatti, le sue compagne la ammiravano e la invidiavano, poiché lei sola, di tutte le bambine e ragazze del collegio, pareva all'aspetto una vera suora.

Secondo le istruzioni ricevute, ella rispondeva con diligenza alle litanie della nonna: distraendosi soltanto un poco allorché passava un qualche cane di una forma nuova per lei; oppure, se nelle promiscue viuzze s'incontrava addirittura una capra, guidata da un piccolo lattaio cencioso; o una chioccia accompagnata dall'intera sua famiglia; insomma, ogni volta che uno spettacolo curioso o singolare attirava i suoi occhi irrequieti. In tutta la sua vita, ella aveva ben poco frequentato le strade, e mai quelle abitate dai poveri; giacché per la passeggiata quotidiana era avvezza a percorrere, con le sue governanti, sempre la medesima via, regolare e pulita, che conduceva ai giardini. Non erano rari, dunque, per lei, gli spettacoli degni d'attenzione; ma il fatto di essere, lei medesima, uno spettacolo, non le dava alcun turbamento. Certo ella doveva avere, innata, la coscienza che qualunque azione di sua nonna, o della sua famiglia, o di lei medesima, fosse giusta e logica, libera da ogni intervento o giudizio umano, al pari di una legge di natura.

Sua nonna si arrestava ad ogni uscio, anche a quelli piú miseri, che si aprivano lungo i vicoli, e davano direttamente su nere camere senza finestre: camere occupate in gran parte dagli enormi letti di ferro, intorno ai quali si accatastavano le piú diverse masserizie, e la popolazione piú svariata. Non c'erano infatti soltanto donne, e ragazze, e bambini in gran numero; ma galline, capre, uccelli nelle gabbie sospese, e perfino qualche porcello, affaccendato a frugare nel terreno. Gran parte della popolazione stava fuori sulla strada, malgrado l'aria già invernale: donne intente ai loro fornelli di latta, bambini che giocavano, e giovanotti semistesi, col dorso appoggiato al muro, e che parevano dormire nei loro frusti cappotti, sotto il berretto abbassato.

A gente cosiffatta, come pure ai portieri gallonati dei palazzi, ai signori del passeggio, e a tutti insomma, la signora tendeva la mano, col gesto di una mendicante. Allorché un suo conoscente, incuriosito, o commosso, la interrogava con discrezione, ella non rispondeva nulla, ccme non avesse udito; e rimaneva immobile, con la sua mano di statua protesa e bianca, e gli occhi allucinati. Lo stesso accadeva se una tetra, scapigliata donna dei vicoli, vinta da compassione materna le faceva domande, o con ardente rispetto le volgeva parole di speranza. A molti, credo, parve di non aver incontrato, quella mattina, la vera Concetta Cerentano; ma un suo sosia, una larva propiziatrice: di cui la voce liturgica pronunciava soltanto delle preghiere e gli occhi fissavano tuttora la regione donde si evocano i fantasmi.

Davanti agli usci dei poveri, una piccola folla si accalcava intorno alle due postulanti. Soprattutto la nipotina era causa di ammirazione

448

e d'interesse: i suoi coetanei straccioni accorrevano per vederla, dicendosi l'un l'altro che c'era una sant'Agata, un'Agatina, un voto. Ma ella non si curava di loro se non per curvare un poco da una parte, sul bianco soggolo, la testolina vivace. In un gesto di civetteria che sapeva, però, mantenere a distanza gli ammiratori.

Quasi nessuno rifiutava il proprio obolo; che veniva deposto non già nella mano tesa della signora, ma nel portaelemosine della monachella. La quale provava sempre la tentazione d'imitare il chierico alla Messa, di scuotere, cioè, la borsa per far tintinnare le monete. Senonché, ella era stata severamente ammonita a non fare un tal gesto, e con eroica volontà resisteva alla tentazione.

Si capisce che il portaelemosine non tardava molto a riempirsi; ma non per questo il pellegrinaggio aveva termine. Infatti, come la borsa appariva ricolma, le due pellegrine si avviavano alla piú prossima chiesa. Là giunte, la signora s'inginocchiava dove sostano i mendichi, e cioè fuori del tempio: o lungo la gradinata, oppure, se la chiesa era umile e di semplice architettura, sul suolo calpestato e melmoso davanti all'ingresso. La sua voce orante allora si levava di tono: monotona, ostinata e grave d'ambascia, come un canto selvaggio. E cosí salmodiando, l'inginocchiata fissava il portale della chiesa con occhi d'imperio e di cupidigia: quasi volesse dominare, col proprio sacrificio, la santa aula donde lei medesima si bandiva. E imporre, dal fondo dell'umiliazione, la propria volontà ai padroni occulti.

Mentre la nonna pregava in tal modo, genuflessa fuori della chiesa, la nipotina, segnatasi col segno della croce, saliva in fretta in fretta i gradini, e oltrepassava il portale. Entrata nella chiesa, faceva una riverenza al cospetto dell'altar maggiore; e senza curarsi degli sguardi e dei commenti bisbigliati sul suo passaggio dai devoti, si dirigeva alla porticina della sacrestia. Quivi, al guardiano che incontrava, chiedeva di parlare con un Padre. E al sacerdote, subito sopraggiunto, offriva le elemosine fin qui raccolte spiegando, come le era stato insegnato, che esse erano il frutto di una penitenza compiuta da sua nonna e da lei medesima per ottenere una grazia; e che sua nonna, e lei, ne facevan dono alla chiesa, supplicando i reverendi padri di volere, durante la Messa, pensare una preghiera alla loro intenzione.

Questo discorso, ella lo pronunciava senza impaccio né sussiego; ma cantilenando con la sua voce acerba, gettando un poco indietro la testolina al modo degli alati quando bevono. Animosa, galante come un paggio o messaggero reale, il quale specchia la dignità di chi lo manda. Innamorato al primo vederla, il sacerdote le sorrideva contento, e carezzandole la guancia le diceva: – Brava! brava! Di' alla tua cara nonna che da noi sarà fatto secondo il suo desiderio. E Dio voglia, amate figlie, che la vostra fede sia esaudita –. Non di rado, egli aggiungeva pure un saluto particolare, quale: « *Addio, la mia sorelluccia* », o « *Agatina* », o « *anima mia* », o altro complimento simile. E la piccola monaca, esperta del cerimoniale, gli posava sulla mano un bacio. Dopo di che, riattraversata la chiesa, con una nuova riverenza prendeva commiato dall'altar maggiore e tornava di fuori, presso la nonna inginocchiata, per attendere, in piedi al fianco di lei, ch'ella terminasse l'orazione.

Ciò non era senza sacrificio: non solo per il freddo che, stando cosí ferma, la fanciulletta avvertiva piú acuto (sebbene, sotto la veste di monaca, le avessero fatto indossare calze e biancheria di maglia pesante); ma soprattutto perché simili attese erano la parte meno sorprendente e ricca di quell'avventura. Ella nascondeva tuttavia la propria impazienza; e stringendo sul petto, con le due mani in croce, la vuota borsa delle elemosine, si distraeva pensando ai racconti grandi e straordinari, ai vanti con cui, piú tardi, avrebbe assordato le compagne: poiché aveva un cuore di pavona, e le piaceva oltremodo di far mostra. Meditava pure di colorare la propria avventura con qualche variegata frottola. Dicendosi che, tanto, le bugie dette per gioco non meritano, al pari delle bugie vere, sette anni di purgatorio per ciascuna; ma sono peccato veniale, e basta accusarsene in confessione per esserne perdonati. Con simili pensieri, la piccola monaca ingannava l'attesa: finché la nonna, levandosi, dava il segno di riprendere il pellegrinaggio.

Ma l'edificante pazienza della fanciulletta durò fino alla fine? Oppure, avanti che il pellegrinaggio terminasse, ella tradí, con qualche broncio o subitanea rivolta, il proprio spirito frivolo e immaturo? Su questo punto, io devo lasciarvi nel dubbio. Infatti, già troppo mi sono trattenuta ad ascoltare quest'arietta allegra, nel mezzo della oscura sinfonia. Troppo mi sono indugiata su un personaggio, amabile quanto volete; ma la cui breve parte d'intermediaria fra Concetta e gli angeli funerei, ha un valore insignificante nella mia storia, e finisce qui. Troppo lungo sarebbe seguirlo in ogni fase del pellegrinaggio, e nelle successive stazioni davanti alle chiese. Tali stazioni infatti furono otto, ché tante erano le chiese sparse nel quartiere; e soltanto all'ottava stazione, che fu la cattedrale, Concetta ebbe conquistato il diritto di entrare, finalmente, fra le mura consacrate. Ella celebrò la propria conquista col supremo trionfo: nella veste insudiciata, i nudi piedi deturpati dal fango, s'incamminò, come nella pompa d'uno sposalizio, verso l'altar maggiore. E piegò i ginocchi sull'inginocchiatoio riservato ai Cerentano, dove poco dopo accolse, dalle mani del celebrante, l'Eucarestia. Ricevuta l'ostia, non abbassò il capo, ma chiuse gli occhi, quasi per radunare i propri spiriti guerrieri a questa ultima vittoria. Il suo viso pareva un viso di morta: ché ella si teneva impassibile, come fosse una sultana, della quale sia concesso al popolo di contemplare un simulacro, ma il vero sembiante, no, mai.

Era la Messa delle dodici e mezzo, a cui la folla suole accorrere piú numerosa. Quel giorno, la calca era piú fitta del solito: e l'universale mormorio circondava Concetta Cerentano, quasi che in quel divino teatro fosse lei la protagonista, e non già il Sovrano degli altari. Il bianco simulacro di Concetta fu scosso dalla superbia; e la sua mente, sciogliendosi, come una folle, dalla spettrale angoscia, ruppe i freni mortali, per gustare quella gloria, dopo l'umiliazione. Alla fine della Messa, insieme al suo paggetto nero, ormai svagato ed esausto, ella attraversò la navata fra il popolo che si divideva per lasciarla passare. E si avviò all'uscita, senza alcun segno di stanchezza né di compunzione; ma diritta, solitaria, al pari di un capitano di eserciti che rechi gli emblemi della fortezza espugnata.

All'uscita della chiesa, una vettura padronale aspettava la nonna e la nipotina. E come queste furono scomparse, i fedeli di ogni ceto si attardarono sulla piazza a parlare dell'avvenimento, la cui fama si era diffusa a quest'ora per tutto il quartiere e nell'intera cerchia della nobiltà cittadina. Coloro che si erano stupiti incontrando, al mattino, Concetta Cerentano in atteggiamento di mendíca, sapevano adesso ch'ella aveva di propria volontà compiuto simile penitenza, al fine d'impetrare la guarigione di suo figlio Edoardo. Il quale, dal giorno che, molti anni prima, era partito insieme a sua madre, non era mai piú ritornato nella città. Concetta invece, vi faceva ritorno talvolta, dopo lunghi intervalli di assenza, per ripartire dopo qualche mese o settimana di vita claustrale e inquieta. Pochi ignoravano ormai che Edoardo viveva lontano per curarsi della tisi. Piú d'una volta la sua famiglia s'era illusa ch'egli fosse guarito; ma sia che, come avviene, il suo male fosse soltanto addormentato, e non spento; o sia che la vita malsana e tumultuosa del convalescente lo riaccendesse: è un fatto che, dopo le stagioni di speranza, presto o tardi i segni funesti eran sempre riapparsi. Ma, nonostante le ripetute prove, Edoardo, diventato forse il giocattolo di un capriccioso, pertinace aguzzino, ad ogni effimero ritorno della salute, teneva per certo d'esser guarito. Egli ridiscendeva, libero, dal suo sanatorio sulla montagna, come un bandito cui s'annunci il trionfo della sua parte. I recenti terrori volavano via dalla sua memoria; e lui, temerario, come credesse ormai d'esser fatto invulnerabile o immortale, si abbandonava ai nuovi giorni di ricchezza. Prima di tutto, ripudiava la compagnia di sua madre, che lo aveva seguíto da presso durante la malattia, soggiornando con lui nel sanatorio stesso o in qualche vicino albergo di montagna: donde ogni giorno, con la prima luce, soleva recarsi alle chiesuole alpestri, per chiedere la guarigione di lui; struggendosi poi nel pensiero di lui durante le poche ore che, per qualsiasi motivo, non le era concesso di stargli a fianco.

Ma non appena Edoardo lasciava il sanatorio, ella, respinta, ritornava alla città nativa: dove Edoardo, per una superstizione che aveva in mente, ripeteva di non voler tornare mai piú. Questi ritorni solitari di Concetta alla propria casa erano mescolati, però, di consolazione. Infatti, strano a dirsi, ella era vittima dello stesso persecutore ingegnoso che da anni, fra seduzioni e astuzie, dava la caccia a Edoardo. Anch'ella, come il figlio, s'illudeva ciecamente, ogni volta, che l'ultima guarigione fosse la vera: credendo d'avere lei, per mezzo delle sue continue preghiere, meritato il prodigio. E con tal fede, ch'ella inculcava nei familiari; coi quotidiani rendimenti di grazie; con le conversazioni degli intimi, soprattutto di Augusta, sempre sul medesimo argomento; insomma, col pensare, fantasticare, agire, sempre nel nome d'Edoardo, Concetta si consolava della lontananza dal suo diletto. Perfino al confessionale, spesso ella dimenticava i propri doveri di penitente; e si tratteneva in ginocchio dinanzi alla grata per effondersi col vecchio confessore intorno ai meriti del figlio: di cui, con loquacità donnesca, vantava la prestanza, l'amore filiale, l'ingegno raro e poetico, e la riacquistata, florida salute. Magari, descriveva gli itinerari dei viaggi di lui; e citava passi delle sue lettere, quasi fossero documenti preziosi, e addirittura edificanti pel vecchio prete.

In realtà, la corrispondenza d'Edoardo con sua madre era disordinata e rada: Concetta gli scriveva ogni giorno, ma, per la instabilità di lui, la lettera materna aveva appena il tempo di arrivare ad un indirizzo, che già egli ne era partito. Cosí vagavano da un luogo all'altro, perdendosi talvolta, e talaltra ritornando alla mittente, le lunghe prose di Concetta. Dov'ella, per i propri domestici consigli, per le notizie familiari, e soprattutto per ammonire il figlio a salvaguardare la sua salute, usava uno stile esaltato, fiammeggiante, simile a quello d'una vergine nutritasi di passioni in un chiostro. Cosí pure, virginea pareva la scrittura, obliqua e regolare, quasi immutata dai tempi del collegio. Ché, dopo le amicizie giovanili e il fidanzamento, Concetta aveva avuto ben poche occasioni di esprimere per iscritto l'intimo fervore.

Le lettere di Edoardo a lei non erano tali, in verità, da incoraggiare questi modi appassionati. Ché egli era troppo incalzato dalla gioia, dalla curiosità dei viaggi, dall'avara libertà per aver tempo di scrivere. Ma per lei, qualsiasi segno tracciato dalla cara mano era gemme e oro. D'altra parte, non era lei la sola, in tutta la città, che ricevesse posta da Edoardo? Doveva, dunque, esser paga di un simile privilegio. Edoardo le scriveva, piuttosto che vere lettere, dei biglietti frettolosi; lasciando passare fra l'uno e l'altro lunghi intervalli di silenzio che erano, per lei, tempi di incertezza e di spasimo. In quei rari biglietti, riempiti da una scrittura grande e sbilenca, egli le affidava per lo più degli incarichi, quali spedire alla tal banca il tale assegno al suo nome, o le dava succinte notizie sulle proprie occupazioni e sulla propria salute. Non tralasciava mai, tuttavia, di svelare i suoi vivaci e amorosi impeti con una frase quale: « Ti lascio, ma non mi dimentico di te, madruccia bella, imperatrice di tutte le donne », oppure: « Buona notte, Concetta, compagna del mio cuore », oppure: « Mille volte mi domando: che farà a quest'ora la mia passione, la mia bella badessa? pensa certo ai suoi amori, ai santi e ai beati, e non si ricorda di Edoardo », oppure semplicemente: « Ti bacio in fronte, ti bacio la mano ».

Simili frasi, ad ogni istante della giornata, si riaccendevano nell'immaginazione di Concetta, come fossero scritte col fuoco in cielo. Da esse, la madre orgogliosa sviluppava romanzi di amore e di comunione filiale, che celebrava con amici e congiunti, a loro edificazione e a sua propria gloria. E all'arrivo della posta, accadeva che, trasfigurata, piangente, leggesse forte ad Augusta periodi come questi: « Sto bene! Dormo un sonno solo fino a mezzogiorno. Ho sempre fame, come quando si è ragazzi e si deve crescere. Difatti aumento di peso..., e se voglio posso anche cantare meglio di prima..., e se voglio posso anche correre... »

Ad ogni lettera che arrivava, Concetta, decifratone il luogo di provenienza, andava a cercarlo sulla carta geografica. Edoardo scriveva da città straniere, che spesso ella non conosceva neppur di nome, e l'interessavano soltanto perché godevano il fugace privilegio di ospitare il suo diletto. Avidamente ne studiava la posizione, il clima, le costumanze; e, senza tregua, fra i fantastici timori dell'ignoranza, le gelosie mordenti, le volontà autoritarie e disperate, ella andava inseguendo a vuoto, insieme alla compiacente Augusta, le vicende del suo viaggiatore. Passavano così le settimane e i mesi; e, presto o tardi, avveniva che uno dei soliti, mortali intervalli di silenzio si prolungasse oltre misura. Finché, ad interromperlo, giungeva una lettera, ma non di mano d'Edoardo; bensí del direttore del sanatorio di X. Il quale informava doverosamente la signora Cerentano che suo figlio Edoardo era approdato febbricitante alla casa di salute, per affidarsi di nuovo alle cure di quei medici. Altra volta, era il medesimo Edoardo che interrompeva, alla fine, il silenzio; o con un telegramma, o con una breve e sconnessa lettera, in cui supplicava sua madre di correre subito da lui, di non lasciarlo solo *lassú* nemmeno un giorno: ché lui s'era ammalato di nuovo e voleva guarire senza indugio, e lei doveva aiutarlo.

Non di rado, poi, colui che aveva scritto: «aiutami, mamma mia, parti subito», piú tardi, nelle crisi della malattia, nervoso, febbricitante, prendeva in odio la sua fedele. Dei suoi tristi capricci, ella era il solo bersaglio; e, nelle sue deliranti angosce, la persona di lei gli dava ombra. Egli l'accusava allora d'esser la causa del suo male, di portargli sventura, di stregarlo. Pretendeva d'avere udito in sogno delle voci che lo ammonivano a liberarsi da lei, se voleva salvarsi da un grave e nefasto incantesimo. Giungeva allora a scacciarla dalla camera gridando: – Vattene! Vattene! – e, si diceva, perfino a percuoterla. C'eran giorni che, frenetico, ostinato, rifiutava di vederla; e s'ella, perduto ogni dominio di sé, insisteva per entrare, lui la respingeva con singhiozzi e grida; cosí che i medici stessi la pregavano di ritornare un altro giorno, per non agitare il malato. Ella ridiscendeva allora, verso il suo albergo, i ghiacciati sentieri della montagna: affascinata, sbigottita e livida come si trovasse nel mezzo di un sabba, o di un gran tumulto. Non vista né udita da alcuno, balbettava: – Aiutami, Edoardo mio! caro mio sangue, abbi pietà di tua madre! Soccorrimi, dammi coraggio, non condannarmi! – E altra possanza non invocava: quasi che il gracile giovinetto che smaniava lassú, nella camera del sanatorio, fosse un gran despota, padrone delle valanghe e dei precipizi.

Eran trascorsi piú di nove anni in simili vicende: e nell'inverno a cui siamo giunti con la nostra storia, già da due mesi Edoardo languiva, dopo l'ultima ricaduta del suo male. Ma stavolta, la cura non gli portava il solito miglioramento; al contrario, egli deperiva con una fretta cosí rovinosa, che Concetta, alla prima luce della mattina, rivedeva il figlio mutato e sfigurato dal giorno innanzi. Ella accusò i medici e gli infermieri; e non fidandosi di alcuno, divenne la guardiana notturna del suo malato, sperando forse di difenderlo, vigilando senza riposo, contro la subdola e ininterrotta strage. Ma verso la fine del secondo mese, il professore la chiamò per comunicarle che la salute di Edoardo non si poteva piú riconquistare con mezzi umani; e che, salvo un miracolo del cielo, prima che finisse l'anno Edoardo era perduto.

Quel tenace spirito degli inganni, che da quasi dieci anni ormai teneva schiavi Edoardo e Concetta si era, dunque, stancato del gioco? Per Concetta, ciò voleva dire un ultimo ritorno alla casa familiare con una compagnia tutta mutata da quella che, le altre volte, soleva consolarla. In luogo di un errante fuoco, di un desiderio infaticabile, le resterebbe una salma, e non altro, da recare con sé alla città nativa. La sepolcrale certezza sarebbe il suo solo compagno; e la sua sorte, un riposo libero dalla speranza.

Un simile futuro può sembrare possibile, inevitabile magari, a noi spettatori. Ma la mente di lei si chiuse ostinata fino al concetto, al nome del proprio futuro. All'udir la parola *rassegnazione*, ella pareva farsi di pietra, come un navigante al canto maledetto di una sirena. Dal momento che il direttore del sanatorio le svelò la disperata realtà di Edoardo, ella non fu piú se stessa, ma una statua della negazione: se appena intravvedeva i presagi e i sogni avanzanti per assediarla, diceva di no, e voleva diventar sorda, accecarsi, la folle capitana d'una nave spopolata, stracciata, da lei sola difesa ormai!

Cosí ella decise quell'ultima battaglia dell'orgoglio unito alla fede, per conquistare la salvezza del suo diletto. Si mise dunque in viaggio verso la città natia, dopo aver annunciato con una lettera ad Augusta il proprio arrivo, e il sacrificio che offrirebbe in voto ai santi tutelari della città. Al malato nascose questo disegno, inventando un pretesto per la propria assenza, la quale non doveva durare piú di tre giorni. Difatti, la visita di Concetta alla nostra città fu rapida: arrivata nella notte, ella fu veduta, sul primo mattino, per le strade, nel modo che vi ho descritto. E un'ora appena era trascorsa dalla Messa nella cattedrale, che già ella era sul treno, per tornare al letto dell'agonia.

Di tutto ciò, in vario modo, parlavano conoscenti e amici dei Cerentano; ma, come vi ho detto, nessuno di questi rumori giunse fino a noi. A casa nostra, il nome dei Cerentano, mai, ch'io mi rammenti, era stato pronunciato; tanto che io bambina ignoravo assolutamente di avere una cosí illustre parentela. Neppure mia nonna non aveva mai, con parola o atto, rimosso l'oblio che per volontà di Anna doveva ricoprire Edoardo e la sua gente. Non so a qual potere ubbidisse la vecchia indiscreta serbando, pur nei contrasti con mia madre, un cosí tenace silenzio su questo soggetto. Forse, ella non volle mai, nonostante i suoi rancori, tradire, alla presenza mia e di mio padre, una sua femminea complicità di segreto con la figlia. Ma, di piú, ella doveva, senza dubbio, avere udito da mia madre un divieto cosí feroce di riaccendere il piú leggero baleno su quel sepolto romanzo fra i due cugini; che le sue tentazioni di tradimento furon sempre vinte dalla paura.

Cosí il nipote di Cesira, l'amico di Francesco fu, per tutti quegli anni, bandito, fin nel nome, dalla nostra vita familiare. E in casa nostra nessuno seppe della malattia di lui, né delle sue vicende e della pubblica penitenza di Concetta. Come già vi dissi, non trascorsero però molti mesi da quest'ultimo episodio che mia madre ed io venimmo a conoscenza di tutto ciò, e d'altre cose. Quanto al modo, poi, di tale subitanea conoscenza; e alla parte arcana e terribile che assunse per me, nell'istante medesimo, il cugino di cui, fino a quell'istante, avevo ignorato l'esistenza e il nome; è proprio là che vuol condurvi il mio racconto, non senza concedersi, tuttavia, qualche deviazione interessante.

Capitolo secondo

Una signora di mio gusto.

Quell'inverno, il primo nella mia vita del quale io serbi una vera e cosciente memoria, trascina, ecco, nelle nostre piccole stanze, l'infingarda sua figura. Mio padre, sebbene prolungasse l'orario di servizio con delle ore di lavoro supplementari (che nel gergo degli impiegati si chiamavano *gli straordinari*), trattenendosi spesso all'ufficio fino a tarda sera, non riusciva tuttavia a fornirci il necessario coi suoi poveri guadagni. Già da tempo egli aveva rinunciato al suo primitivo disegno di proseguire, malgrado l'impiego e la famiglia, i suoi studi all'Università. Il primo anno dopo il matrimonio, egli s'era iscritto puntualmente ai corsi; ma, troppo occupato dai suoi nuovi doveri, aveva rimandato gli esami a un altr'anno. Senonché, per l'aumentare delle spese e delle ristrettezze, nell'anno seguente e nei successivi aveva dovuto rinunciare al pagamento della tassa, e accontentarsi di versare una piccola somma, che, senza dargli alcun diritto ai corsi né agli esami, gli conservava però il suo titolo di studente. Ma dopo tre anni, questa piccola somma divenne eccessiva per la sua borsa; eccessiva e inutile, ché le altre sue cure lo avevano ormai distolto dallo studio e avevano addormentato in lui, nonché l'ardore, fin quasi la memoria di quella che un tempo gli era parsa la ragione della sua vita.

I libri che egli soleva leggere da studente rimasero allineati per lungo tempo sulla scansia del nostro salotto. Ma se i primi anni talvolta poté avvenire che nelle scarse ore libere mio padre li togliesse di là e s'indugiasse sulle loro pagine (cercando invano in sé quell'intenta passione che già lo avvinceva ad essi); piú tardi, invece, egli pareva, al solo sfogliarli, còlto dal fastidio o dalla pena, e subito li rimetteva al loro posto. Forse, io credo, il semplice fruscío di quelle pagine gli pareva una voce d'agonia: come di un generoso amico ripudiato di cui si teme lo sguardo, e l'inutile richiamo. Andò a finire, cosí, ch'e-

457

gli non toccò piú i suoi libri. E dopo la morte di mia nonna, mia madre, raccolti un giorno quei volumi squinternati e consunti, coperti di segni e di note, li relegò nello stanzino già abitato dalla vecchia. Lasciando nella scansía soltanto *Il padrone delle ferriere*, e quei cinque o sei romanzi di Dumas padre e dello Scott ch'erano stati l'unico nutrimento letterario di lei fanciulla; e che formavano, insieme coi miei libri di scuola, tutta la nostra biblioteca.

Mio padre viveva perduto nella corsa dei poveri guadagni e delle spese: corsa insensata, sotto lo sperone incessante di un pazzo amore, e cieca per tutto quanto esisteva fuor del suo sentiero stretto e vertiginoso. Al tempo ch'io ricordo, la persona di lui appariva smagrita, pur nella struttura massiccia e rozza. Il suo vecchio abito nero, goffamente tagliato, era liso alle ginocchia e ai gomiti, sebbene egli non trascurasse mai, sedendosi, di rialzare un poco i pantaloni sulle ginocchia, e nella buona stagione, all'ufficio, sostituisse la giacca solita con una di *alpaga* nera. Questa giacca d'impiegato, coi suoi duri serici riflessi faceva risaltare il pallore olivastro di quel viso butterato, incavato nelle guance, e nel quale bruciavano come fuochi di carbone gli occhi selvatici e pensosi. Egli usava ancora, a quel tempo, le abituali attenzioni per apparire ben vestito e ordinato all'aspetto. Lisciava piú che poteva i folti ricci neri, si nettava e curava le unghie, e ogni sera, ripiegati i pantaloni, li disponeva sotto il materasso affinché serbassero la piega. Cosí pure, la sera, egli imbottiva di vecchi giornali le proprie scarpe, affinché non si deformassero: e le sue scarpe, anche se avevano talvolta le suole rotte, apparivano sempre lustre oltremodo.

Egli non possedeva, credo, piú di un paio di sfilacciate cravatte; ma ne curava il nodo con molto studio, fermandolo poi con una spilla di nessun valore (non piú, s'intende, quell'antica spilla a forma di R che gli vedemmo addosso la prima volta, e che probabilmente era stata da lui sprezzantemente gettata via nell'occasione della sua rottura con Rosaria. Di essa, comunque, dopo quella famosa occasione, si perdono le tracce nella nostra storia).

Sebbene sollecito della propria apparenza, mio padre, tuttavia, non spendeva mai nulla per sé. E se il nostro guardaroba era meno che modesto, al suo non occorreva neppure un posto nell'armadio, giacché, per solito, egli portava addosso tutto ciò che possedeva. D'inverno, indossava ancora un suo cappotto di studente, fatto piú volte rivoltare durante tutti quegli anni, e ridotto, si può dire, alla sola trama. E ancora mi pare di aver fra le mani i suoi guanti di filo, bucati e consunti, con le grosse e tozze forme delle sue dita; guanti ch'io solevo, pregata da lui, rammendare con maestria, grazie alle lezioni di cucito delle suore.

Fiera di provare tale maestria, ben volentieri io rappezzavo tutti i cenci che mio padre, con un sorriso di preghiera, affidava alle mie mani. Terminato il lavoro, egli esclamava contento: – Sembra nuovo! non si vede neppure! – Ma alla fine, malgrado i suoi sforzi, in quei suoi logori panni informi, in quel suo corpo affaticato di contadino e con quel viso, egli appariva sgraziato e povero.

In casa nostra, non entravano feste né celebrazioni a rallegrare i giorni d'inverno. Esaurite ormai da parecchi anni le ultime risorse di mio padre fuori dello stipendio, del tutto dimenticate erano pur le feste fugaci dei primi tempi, quando la vendita di un campo veniva celebrata con giorni di sperpero e di oblio: giorni dei quali io non serbo memoria alcuna se non come di un mito familiare.

Anche in questo dicembre, è vero, mio padre, senza tener conto del nostro lutto, aveva usato la *gratificazione* natalizia per riscattare dalla Casa dei Pegni i gioielli di mia madre. Egli non sapeva mai resistere alla tentazione di rivedere cosí i rari colori della gioia tingere le guance di lei; e di comperare da lei, con quei poveri ninnoli, sguardi e atti quasi d'amore.

Ma non piú di due settimane, secondo il solito, era durata la lucente apparizione: ché ben presto la necessità aveva costretto mia madre a cedere di nuovo le sue spoglie, come la nera, disadorna gazza della leggenda.

Era appunto in occasioni come questa che scoppiavano i litigi fra i miei genitori. Senza che nessuno la obbligasse né la consigliasse, di propria volontà mia madre s'era decisa una mattina al sacrificio; e nella nostra assenza, toltasi i gioielli fino alla fede d'oro, s'era recata al noto ufficio squallido, in un altro quartiere. Dove, silenziosa fra la loquace folla dei poveri, aveva aspettato il turno dell'umiliazione.

Al nostro ritorno, la trovavamo spogliata di quegli ornamenti ch'ella fino ad oggi s'era compiaciuta di portare anche in casa, a ogni ora. Nessuno di noi diceva nulla: seria, ostinata nel suo silenzio, ella ci serviva i cibi. Ma la piú piccola, involontaria occasione bastava perché in quegli occhi fissi e duri s'accendesse la tempesta, ed ella riversasse su mio padre, incolpandolo della nostra miseria, la tristezza e la furia adunate la mattina.

Spesso, in casa nostra, si parlava o si gridava di debiti, e di cambiali, e di rate: cose tutte delle quali aveva colpa mio padre, né c'erano dubbi in proposito, poiché mia madre l'affermava. Mai, ch'io ricordi, egli le ribatté, da parte sua: – Tu eri forse ricca? avevi forse una dote, quando ti presi? – ché, di certo, già troppo grande e im-

459

meritato gli pareva il dono ch'ella gli aveva fatto di se stessa. Soltanto, lo udii talvolta affermarle che diverso sarebbe stato il suo e il *loro* destino s'egli avesse potuto terminare i propri studi, e compiere quanto aveva in mente. Infatti, aggiungeva con occhi disperati e lucidi, col viso in fuoco, infatti lui non era nato per una sorte mediocre, aveva in sé, ne era certo, quanto bastava per vincere nella vita, e rendere orgogliosa qualsiasi donna. Tutto ciò, egli lo dichiarava non con espressioni di risentimento verso mia madre, ma anzi con una sorta di servile umiltà, quasi supplicasse Anna a concedergli almeno un simile riconoscimento. Ma alle sue parole temerarie mia madre rideva con durezza, gettando indietro il capo e gli gridava: – Barone! Cantante! Predicatore da fiera!

L'inverno, anche nel sud, ha giorni rigidi; ma in casa nostra non v'era alcuna stufa. Per cui non di rado, intirizzita, io scrivevo i miei còmpiti sui mattoni del focolare, affinché il fiato delle braci mi riscaldasse un poco le mani. Al mattino, che piovesse o no, per recarmi a scuola non avevo altro costume che un impermeabile bruno, lungo fin quasi ai piedi, e un largo cappello d'incerato nero. Le mie compagne, ricordo, avevano occhiate di canzonatura per quel mio costume strambo, sempre uguale dall'ottobre al marzo. Esse erano tutte ricche o agiate, ma io mi difendevo con la mia solitudine scontrosa dal disagio d'esser fra loro diversa. In piú, avevo un altro ordine di privilegi, per compensarmi dei loro, che mi mancavano. Nella mia classe, ero io che ottenevo i voti migliori; ma fra le mie compagne, solo a colei che considerassi in quel momento la mia prediletta concedevo suggerimenti e aiuti, e ciò non senza preghiere da parte di lei, né dignitosa condiscendenza dalla mia parte. In simili occasioni, io vedevo le compagne umiliarsi al mio cospetto; ma ciò che sopra ogni cosa mi faceva raggiare d'orgoglio, era il mostrarmi ad esse al fianco di mia madre.

Come già vi dissi, nessuna madre al mondo mi pareva reggere al paragone con la mia. Ora, poiché mia madre non vestiva pelliccia, questo lussuoso vestimento delle altre signore perdeva ai miei occhi ogni prestigio. E se altre signore venivano alla scuola in carrozza, o in automobile, ciò non era segno di supremazia, poiché mia madre andava a piedi. E se loro portavano gioielli, mia madre anch'ella possedeva delle gioie, le quali (pareva a me), erano senza confronto le piú belle che si fossero mai vedute.

Allorché, nelle mie rare conversazioni con le compagne, andavo dicendo « mia madre, mia madre », esse m'ascoltavano con rispetto e invidia; cosí gran potere aveva la mia fede sulle loro menti puerili.

Conoscevo soltanto una signora, che, dopo mia madre, poteva avvincermi la fantasia con lo splendore della sua persona. Avevo fatto la sua conoscenza al principio di quello stesso inverno, durante una passeggiata con mio padre.

Questi soleva, nei suoi rari pomeriggi di riposo, condurmi a passeggio: ché certo sentiva, in quelle ore, piú crudelmente l'impaccio della propria presenza in casa, e d'altra parte gli repugnava di aggirarsi solo per le strade, in ozi inconsueti. Se non pioveva, mi conduceva, a piedi, al monumentale giardino pubblico della città. Quivi si scorge dall'alto l'intera città vecchia il cui massiccio grigiore è interrotto dai multicolori scintillii delle chiese: come se il tetro, uniforme genio dei nostri architetti diventasse fantastico per sola virtú della fede cristiana. In verità, fra i palazzi di pietra annerita, quasi caverne a rifugio delle estati roventi, per le vie tortuose, anguste, le Chiese paiono gioiellerie favolose. Chi vide mai splendori simili a quelli dei loro musaici, dei loro marmi orientali, delle loro statue in corone e mitrie d'oro, allorché li accende il mezzogiorno d'estate? Ma ricchi ancor piú sono gli interni, i cui tesori balenano per le buie navate come una luminaria di notte; onde le fanciulle dei quartieri piú miseri, lasciando la loro camera priva di finestre, e aperta sul vicolo, hanno qui agio di fantasticare intorno a feudatari e a duchi. E quanto piú logora, disadorna è la loro veste, tanto piú venerabile e possente appare ai loro occhi la nera, gigantesca Madonna ingioiellata come una principessa africana.

Cosí nelle vie come nel giardino pubblico o nei sentieri campestri del sobborgo, mio padre non amava fermarsi. Camminava silenzioso, adeguando il suo passo al mio, senza interessarsi né a panorami né a monumenti e neppure agli spettacoli o personaggi insoliti che si possono incontrare in istrada. In questo, egli somigliava a mia madre; ma era, al contrario di lei, per me bambina un docile accompagnatore. Fuori di casa, egli perdeva innanzi a me un poco della sua trista leggenda. Osavo con lui ciò che non osavo mai con mia madre: e cioè di sostare un poco se un qualche oggetto m'incuriosiva; ed egli pazientemente sostava a sua volta o rallentava il passo per aspettarmi. Cosí pure, quando mi sentivo stanca, lo dicevo, o lo lasciavo intendere con un gran sospiro: e lui, se eravamo in campagna, si sedeva accanto a me in attesa ch'io mi riposassi; e magari, nei giorni d'umore piú allegro, m'insegnava i nomi delle erbe o mi cantava pezzi d'opera. Se invece eravamo in città, mi conduceva in un caffè, e, sedutosi con me ad un tavolino, mi offriva una tazza di latte e un panino con lo zibibbo.

La nostra conversazione era assai stentata; ché, pur se lui cercava degli argomenti adatti alla mia età, al solito io rispondevo con tale malagrazia e ritrosia da scoraggiarlo. Onde per lo piú egli leggeva il giornale, o si perdeva nei suoi pensieri; mentre io, senza annoiarmi, osservavo la povera clientela del caffè, o i garzoni, oppure (questo era il mio piú amato passatempo), m'intrattenevo col solitario gatto della bottega, e perfino dividevo il mio panino con esso. Alfine, davo in un gran sospiro; e mio padre, comprendendo che m'ero riposata abbastanza, mi conduceva via.

In istrada, mi comperava le nocciòle o le caldarroste; e allorché, passando davanti alle chiese, io mi segnavo come volevano le suore, egli non vedeva, o fingeva di non vedere, tanto che io compievo la mia devozione in fretta sí, ma senza troppo turbamento. Non mi accadeva lo stesso con mia madre, di cui temevo gli occhi sprezzanti al punto che, davanti alle chiese, usavo il sotterfugio di voltare il capo con un pretesto, al fine di nascondere il mio gesto devoto. Eppure mio padre, assai piú di mia madre, si professava nemico di Dio.

Le vacanze di mio padre cadevano per lo piú di domenica, giorno che mia madre trascorreva chiusa in casa, mal sopportando la folla festiva; del resto, ella non amava recarsi a passeggio nella stagione invernale, e già da tempo, in ogni stagione, evitava di uscire con mio padre.

Fu dunque una domenica sul principio dell'inverno ch'io conobbi la bella signora che v'ho detto. Eravamo usciti, mio padre e io, per la passeggiata pomeridiana, indecisi sulla mèta da scegliere a causa del tempo, tiepido, ma incerto. Ci eravamo spinti cosí fino a una via del centro, e ne percorrevamo senza fretta il lungo marciapiedi, allorquando, sui rumori della via, squillò una voce di donna, canora ed esultante, che chiamava il nome di mio padre. Mentre dubbiosi ci guardavamo intorno, la voce insisté: – Francesco, Francesco De Salvi! – e questa volta dietro a noi, sul nostro medesimo marciapiedi. Ed ecco, voltandoci, vedemmo una signora grande e fastosa affrettarsi alla nostra volta, senza curarsi in alcun modo di dominare, agli occhi della gente, la sua precipitosa emozione. A motivo della sua grassezza, affannava un poco; e nella corsa risuonava tutta di metalli leggeri, come una cavalla in preziosi finimenti. Giunta innanzi a mio padre, in tono incredulo gli ripeté: – Francesco! – e lo guardò con occhi radiosi e mansueti, come per incoraggiarlo.

Io la fissavo attonita, giudicandola persona d'altissimo rango. Stretta nel busto, e ridondante nei fianchi e nel seno, ella appariva piú solenne di un arcivescovo; né parevano, quelle che la coprivano,

462

stoffe da signora, bensí drappi e tende, apprestati per qualche gran cerimonia. Era carica di collane, braccialetti, pendenti, e anelli d'ogni foggia; ed io rimpiangevo che i suoi moti troppo vivaci m'impedissero di studiare uno per uno quegli ingegnosi ornamenti. Un tricorno punto da tre spilloni posava sulla sua capigliatura rossa, non lunga, ma ol-tremodo gonfia e cresputa: ché ella evidentemente non si curava di domarla, tenendola invece a insegna di gloria, come le donne barbare. Aveva un fresco e lentigginoso incarnato; ma i rossi naturali delle sue guance eran velati dalla cipria, mentre un falso purpureo le ac-cendeva la bocca dipinta. Gli occhi, poi, sebbene ilari e umani per lor natura, parevano, nel troppo bistro, due luci invasate e spudorate. Né i tanti lisci e cosmetici erano spalmati con arte, ma, al contrario, in una maniera brutale e primitiva: come se colei si compiacesse di mascherarsi, piú che di abbellirsi.

A me, sebbene mia madre non usasse mai cosmetici né cipria, quei colori teatrali ispirarono un grande rispetto. E per quanto rossa di capelli e lentigginosa (che eran difetti gravi a mio giudizio), colei mi abbagliava. Mio padre, al vederla, mutò faccia e mormorò dopo un poco: – Signora... Rosaria –. Contenta, pareva, di venire riconosciuta e salutata, ella incominciò a ridere, e a discorrere rumorosamente, quasi che non parlasse a mio padre solo, ma all'intera cittadinanza. Spiegava come, passando in carrozza, ci avesse scorti da lontano; e come avesse subito fatto fermare al primo crocicchio, e ci avesse inse-guiti. E come si trovasse nella nostra città da appena due settimane, e intendesse trattenervisi alcuni mesi, per riposarsi un poco e fare una vita tranquilla, piú vicina al paese dov'era nata e dove si recherebbe ogni tanto a visitare i suoi parenti. Ella abitava, spiegò, un apparta-mento prestatole da una signora sua amica, alla quale, a sua volta, ella aveva prestato il proprio appartamento nella Capitale per tutto il tempo che si tratterrebbe qui. Da dieci anni a questa parte, aggiunse, vale a dire dal giorno che s'era trasferita alla Capitale, era questa la prima volta ch'ella rivedeva la nostra città, e fin dal primo istante che v'era rientrata aveva avuto il presentimento che, un giorno o l'altro, s'imbatterebbe in mio padre.

Qui la signora s'informò da mio padre s'egli fosse rimasto nella medesima città durante tutti i trascorsi anni. Poi guardando me che vergognosa abbassavo il capo, domandò: – E questa, è una figlia tua? Lo seppi, lo seppi, – aggiunse frettolosa, – che t'eri sposato –. E ripeté: – Questa è una figlia tua? – Mio padre le spiegò ch'io ero l'*unica* sua figlia: al che lei, deplorando, esclamò: – Una femmina!

Una femmina sola! Almeno fosse un maschio! Perché, – soggiunse, – non fai un bel maschio, cosí Rosaria gli fa da comare!

Ciò detto, rise, e senza piú guardarmi, riprese a discorrere chiassosamente. Ogni tanto, nel parlare, si volgeva indietro, e faceva grandi gesti d'intesa al vetturino d'una carrozza pubblica, fermo ad aspettarla a una distanza di cinquanta metri, sull'imbocco di una via laterale. In risposta, il vetturino, un omino freddoloso e dimesso che, lassú a cassetta, pareva impagliato, muoveva la mano lenta lenta, con aria di filosofo, quasi a dire: «Non preoccuparti, signora mia, fa' il tuo comodo e non darti pensiero. Ché, per me, io son disposto ad attenderti qui fino al giorno del Giudizio».

Intanto, mio padre ed io ci eravamo ritratti verso il muro; ma colei pareva non accorgersi d'ingombrare il marciapiedi, affollato per il passeggio domenicale, e di mettere a prova la pazienza altrui. I passanti la osservavano con occhiate di scandalo, e alcuni disapprovavano il suo contegno ad alta voce; ma si sarebbe detto che, alle loro voci, ella fosse sorda. Una simile spensieratezza nei riguardi della gente era per me un nuovo segno dei suoi privilegi, e del suo rango: e adesso ch'ella non mi guardava, io non distaccavo le mie pupille da lei.

Mio padre invece abbassava gli occhi, severo e irrequieto. Svanita la prima sorpresa, il suo volto esprimeva una volontà ostile e perfino beffarda. Egli rispondeva alla signora con brevi, aride parole; e addirittura, all'opposto di me, sembrava parteggiare coi passanti contro di lei. Di tanto in tanto, si raschiava la gola con impazienza, quasi per ammonire quella ciarliera ch'era ormai tempo di por fine alla conversazione, e di lasciare il passeggio sgombro; ed io m'irritavo in cuore per le sue sgarberie, temendo che offendessero la bella dama. Ma lei non dava segno di accorgersene; anzi, propose di recarci tutti e tre insieme a far merenda a casa sua, dove, soggiunse rassicurante, non c'era nessuno, soltanto la serva, ch'ella s'era portata dietro dalla Capitale. Io speravo che mio padre accettasse; ma poiché egli si mostrava restio, la signora d'un tratto gettò uno sguardo irato su di me, e mi disse con dispetto: – Via, ragazzina, rassicura tuo padre che non farai la spiata alla mamma, e non ti sporcherai le scarpe se metti i piedi in casa mia. Vedrai che ti tornerà il conto a venire da me, vedrai.

Sorpresa da quella sfuriata e da quella ingiustizia, sorrisi timidamente; ma, benché maltrattata, alla domanda di mio padre se mi piacesse di andare con la signora, non seppi nascondere il mio desiderio e divenni tutta rossa. – Che idee vi vengono in testa? – disse quindi mio padre alla signora. E le spiegò ch'io non ero una bambina come tutte le altre, che ero seria al pari d'una vecchia, e, in verità, valevo assai piú d'un maschio. Che non raccontavo nulla né facevo spiate, – e d'altra parte, – soggiunse duramente, – non credo che a *sua madre* interesserebbe gran che di sapere.

La signora rimase interdetta a questo discorso; e subito dopo, con fuoco, mi promise gran copia di dolci per la merenda, e mi annunciò inoltre che a casa sua c'era un grammofono. Indi, seguita da noi, s'avviò trionfante alla carrozza. Avanzava tranquilla, come una giraffa, con la testa alta sulla folla cittadina. Il vetturino che aspettava portò una mano al berretto, senza nemmeno guardarci; e dicendo: – Uh! uh! – diede il segnale di partenza al suo cavallo neghittoso e tardo.

Nella carrozza, mio padre e io sedevamo di fronte a lei, che troneggiava sola al posto d'onore. La casa prestatale dall'amica, dov'ella abitava, si trovava in una via secondaria, lontana dal centro; ma io non guardavo le strade né il paesaggio, tanto la vista di lei mi avvinceva. Miravo le fibbie dorate sui suoi scarpini, le sue file di perle, i braccialetti che le si urtavano sui polsi; e la sua borsetta di maglia d'oro, con appesi i piú diversi amuleti, quali un minuscolo gobbo d'argento, un quadrifoglio di smalto, un cornetto di corallo, un dromedario d'avorio. Tutto ciò, io potevo, adesso, osservarlo a mio comodo, ché ella si adagiava immobile contro lo schienale, posando sul grembo le mani senza guanti, grassocce e lentigginose, e adorne di anelli quasi a ogni dito. Fra gli altri, al mignolo della destra le splendeva un cerchio d'oro che recava incastonati un diamante e un rubino: era questo il piú scintillante di tutti i gioielli ch'ella portava addosso, ché fra le diverse pietre, nessuna, al pari del diamante, raccoglieva tante luci, rifrangendole variamente ad ogni sobbalzo della carrozza. Le mie pupille si fermarono su quel minuscolo prisma, attirate soltanto, però, dal suo vittorioso splendore. Difatti, io non avvertivo i sortilegi rinchiusi nella doppia luce di quel cerchio, e certo, se avessi potuto indovinarli, invece di fissare ammaliata l'anello, ne avrei distolto lo sguardo con disgusto; ma esso con finta innocenza suscitò allora in me soltanto il vanesio amore per le pietre, comune alle donne della nostra famiglia.

La signora, seduta di fronte a me, s'accorse, dopo un poco, della mia grande ammirazione. Ella chinò gli occhi sulla propria mano, e d'un tratto, gettandomi uno sguardo insospettito, se la nascose sotto la stola di pelliccia, senza interrompere i propri discorsi con mio padre. Le sue mani, ambedue sotto la stola, si mossero un poco subdole e quiete; e allorché la destra riapparve alla luce, l'anello col diamante e il rubino ne era stato tolto.

Mi meravigliai quando vidi il mignolo della signora privato dell'anello; ma non posi mente a tale fatto piú d'un minuto, subito distratta da altre cose. Noterò qui, tuttavia, che in seguito, io non rividi mai piú quell'anello al dito della signora, salvo che in una occasione, come si vedrà a suo tempo. Quanto a mio padre, egli non aveva notato l'anello, né certo, notandolo, lo avrebbe riconosciuto; e non si accorse del gesto furtivo con cui la signora se lo tolse, durante la conversazione in carrozza.

Meglio che conversazione, veramente, dovrei dire monologo: mio padre, infatti, rimaneva taciturno, guardando, al contrario di me, piuttosto le strade attraversate dalla carrozza che la signora. Ma i suoi sguardi, dovunque si posassero, non mostravano interesse o curiosità di sorta; apparivano distratti, malinconici, a momenti perfino torvi e leggermente schernitori. Davvero, io non so spiegarmi perché egli avesse accettato quell'invito: se per solitudine, o per compiacenza, o per inerzia, o per vendetta. Una cosa era evidente tuttavia, ed anche un fanciullo piú semplice di me se ne sarebbe accorto: e cioè che alla gioia, alla gratitudine inebriante della signora egli opponeva una durezza spietata, e un selvatico dileggio. Ma ciò non pareva in alcun modo offendere o agghiacciare i sentimenti della signora; anzi, tanto piú malvagio e noncurante era il contegno di lui, tanto piú ella si appassionava e si struggeva. S'era appena seduta nella carrozza, che dai suoi occhi, già umidi, cominciò a piovere il pianto; ed ella, come per volgere in ischerzo la propria emozione, sorrise e disse con voce rotta: – L'ho ritrovato, l'ho ritrovato alla fine questo butterato, questa pellaccia maligna! – scuotendo maternamente il capo. Presto il suo sorriso non fu altro che una smorfia convulsa, quali sogliono fare nel pianto le ragazzette; ed ella parve una gigantesca e grassa bambina. Cosí torcendo la bocca dipinta, e lagrimando senza ritegno, ogni tanto ella sollevava mollemente la sua mano gemmata, passandosela sugli occhi e sulle guance sudice di bistro; poi se la lasciava ricadere in grembo, e contemplava mio padre con l'atto d'una pellegrina devota, ripetendo: – Francesco! Francesco! – Oppure si toccava il cuore come fanno le cantanti, e, con una voce modulata ed enfatica, ridiceva spesso in dialetto questa frase singolare, che non pareva sua, ma somigliava, appunto, a un ritornello di canzone: – Ecco il giorno del cuore mio!

Un bel momento, però, ella alzò una spalla e con accento gutturale e volgare, quasi da maschio, esclamò, corrugandosi in aria spavalda: – Be', lo sapevo che dovevo incontrarti, un giorno o l'altro!

E, forse per eludere il pianto con le chiacchiere, incominciò a raccontare, in uno stile confuso e sgrammaticato, come, dopo aver inutilmente sperato di rivedere mio padre, si fosse rivolta ad una cartomante. E non una volta sola, ma venti, trenta volte durante tutti questi anni: ché, se eran passati piú di dieci anni, non per ciò ella s'era dimenticata di Francesco. Passassero pure cent'anni, si dimentica il cuore di Gesú? si dimentica l'arcangelo Gabriele? (a questo punto, ella baciò una crocetta che portava addosso fra i suoi ciondoli). La cartomante, dunque, l'aveva ammonita anzitutto a non ricercare piú Francesco, e a non forzare la sorte, che, presto o tardi, glielo avrebbe fatto incontrare. Se lo incontrava, badasse a non riperderlo! ma fino ad allora, cercarlo sarebbe inutile, anzi nefasto per lei. C'era di mezzo una donna bruna, che le voleva male e poteva causare la sua rovina. C'era di mezzo pure un militare, un tipo assai potente, che le voleva male. Stesse attenta, dunque, e lasciasse girare la terra, che non perde mai il conto dei suoi giri e conosce l'ora e il minuto giusti. Ora, non sarebbero passati novecentonovantanove giri meno nove e nove rivoluzioni che lei l'avrebbe ritrovato, il suo Francesco!

Nel pronunciare, scandendole, queste cifre, che certo aveva con gran cura conservato nella mente, la signora ebbe l'aria compunta, autorevole e solenne, di chi ripete un oracolo imparato a guisa di filastrocca, senza però capirci nulla. Quanto alla pedante ch'io ero, già meditavo calcoli astrusi intorno a quegli enigmi aritmetici, e dondolavo le gambe in silenzio; assorta, io consideravo quei numeri con rispetto, quali apparizioni gravi e religiose. Invece mio padre ebbe una risata insolente, e la signora, stavolta, parve raccogliere l'insulto e se ne risentí, sebbene, al solito, non contro il colpevole. Ella interruppe il proprio racconto, e si morse il labbro; ma come il suo sguardo, lagrimoso e umiliato, cadde su di me, fu acceso da un lampo avverso. E col medesimo tono di collera di poco prima sul marciapiede, ella mi disse: – Uh, muso pallido, che hai da guardare con quegli occhi fissi! Ascolta, ascolta bene i discorsi che non ti riguardano, e poi va' a ricantare tutto a casa, fintona! – Un terribile corruccio m'invase a questa nuova calunnia; ma non trovando la via di sfogarlo, palpitante, tutta in fuoco, fui tentata di buttarmi giú dalla carrozza. Non posso dire che il mio sentimento fosse d'odio: avrei voluto, invero, rispondere alla brutalità di colei con peggiori brutalità, né sapevo quale avrei scelto fra i miei tumultuosi istinti. Morderla alla gola! strapparle orecchini e collane, trascinarla per i capelli, percuoterla in viso! gridarle: – Rosso Malpelo, vigliacca, faccia lentigginosa! – Con uno qualunque di simili atti, avrei potuto salvarmi e perdonarle. Ma siccome, impigliata nella mia piccolezza e goffaggine, nonché vendicarmi, non fiatavo nemmeno, mi sentii perduta. Ah, quanto doveva, lei, disprezzarmi in cuor suo! Non vedevo già il suo viso di bambola glorioso della mia onta? Pensavo che la sola salvezza fosse ormai la morte di una di noi due, quando mio padre venne alla mia difesa: — Vi ho già detto che potete risparmiarvi discorsi simili! — egli disse alla dama con un accento sicuro e feroce ch'io non gli avevo udito mai, — perché giudicate gli altri da voi stessa? La mia bambina è piú savia di quel che a voi sia dato capire, e molte *signore* non hanno neppure la metà del suo giudizio! — A questo rimprovero, la dama per la mortificazione arrossí fino alla fronte e fin sui minuscoli orecchi gemmati: onde, di colpo, riconquistò il mio cuore, che arse invece di sdegno contro mio padre: « *La mia bambina!* — ripetei fra me, con ribellione e vergogna, — come osa, lui, di chiamarmi *la sua bambina*? E d'altra parte, è lui la colpa di tutto! È lui che irrita la signora, ricambiandole i complimenti e le premure con delle manieracce! tanto che, certo, finirà per disgustarla! » Non osavo, s'intende, esprimere tali pensieri a voce alta; ma volli tuttavia svelare alla dama che le ero alleata, non già nemica. E attingendo allo spirito di rivolta il coraggio, dissi, piegando il capo con molti rossori (senza avvedermi che nel mio discorso scimiottavo mio padre): — Signora, non abbiate paura, io non sono una che racconta le cose. Tanto, la mia mamma non s'interessa, e non mi fa nessuna domanda!

— Oh, la gran saccente! — esclamò per tutta risposta la dama, torcendo dispettosamente la bocca. Al veder cosí male accolti i miei favori, ammutolii. Mi tremava il mento, le orecchie mi ronzavano, e credo che non avrei potuto rattenere il pianto, se mio padre, ancora una volta, non avesse fatto le mie vendette: — Oh, infine, smettetela! — egli intimò alla dama, con tale accento di comando e di spregio ch'io rabbrividii, — ho accettato il *vostro* invito, e conduco in casa *vostra* mia figlia, ma non per questo vi permetto di tormentarla!

« E invece è *lui* la colpa di tutto, è per causa di *lui* che la signora mi odia », pensai rabbiosamente; quand'ecco, i miei pensieri fuggirono in disordine all'udir che la signora, mutato umore d'improvviso, rideva a gola spiegata, allegra come una pazza, tanto da far voltare i pochi passanti verso di noi. Non capii s'ella ridesse per beffarmi, o, al contrario, per dire che il suo crudele contegno nei miei riguardi era stato uno scherzo, e meritava il perdono. Pur fra questi dubbi, nondimeno, io feci eco al suo riso, docile e sottomessa, e la guardai con occhi servili.

Intanto, eravamo giunti all'appartamento ch'ella occupava. Il quale, oltre alla camera, comprendeva in tutto e per tutto una sola, ampia stanza, avente un'unica finestra (che guardava sulla corte), e tre usci: il primo dava sull'ingresso, il secondo sulla camera suddetta, e il terzo sulla cucina. La serva che venne ad aprirci aveva, a somiglianza della signora, anch'essa una capigliatura gonfia e cresputa: non rossa, però, ma nera come il carbone. I suoi occhi erano nerissimi e il colorito sano e vermiglio. Ella era di persona minuscola e ben fatta e mostrava circa sedici anni. Si chiamava Gaudiosa.

Non tardammo ad accorgerci che la padrona la trattava a momenti con estrema familiarità e bonomia; a momenti invece con rigore dispotico, e perfino con brutalità; passando dall'uno all'altro di tali opposti sistemi nel modo più incostante e imprevedibile. Ma Gaudiosa, per sua buona sorte, era cosiffatta da accogliere con uguale umore sia le confidenze, i complimenti e i regali come gli insulti, i soprusi e le percosse. Solo, se lo schiaffo era troppo crudele, ella si voltava un istante, ad asciugarsi le lagrime e a soffiarsi il naso nella sua sudicia sottana; e un istante dopo era di nuovo gaia e spensierata come se non avesse memoria né per il male né per il bene e non prendesse mai la propria signora sul serio.

Era vestita con gli abiti smessi della signora; ma, sebbene questa fosse tre volte più grande e grassa di lei, la negligente Gaudiosa si limitava ad accorciare e rimbastire alla meglio l'orlo delle gonne e a rimboccare le maniche dei suoi generosi vestimenti. I quali inoltre testimoniavano ancora la loro appartenenza originaria in grazia dei lor velluti, rasoni, lustrini e merletti; nastri e ricami d'oro.

Così pure, nelle scarpe della fanciulla l'origine padronale era riconoscibile dai residui di fibbie e bottoni vistosi e dagli altissimi tacchi ormai fiaccati del tutto e ripiegati in dentro. La misura, poi, di quelle scarpe, era tanto eccessiva per i piedini di Gaudiosa, che il suo passo aveva un carattere assolutamente originale. Ancora oggi, dovunque io mi trovassi, fosse pure in Cina; se udissi, a un bel momento, un certo passo nei dintorni, senza timore di sbagliarmi griderei: Gaudiosa!

Conoscendola, quel giorno, per la prima volta, io non prevedevo certo che Gaudiosa sarebbe stata in futuro, durante molti anni, la sola mia compagna per lunghe ore del giorno, spesso per intere giornate e settimane. E che, da magra fanciulletta, si sarebbe trasformata in donna grassa, quasi sotto i miei occhi. Soltanto da pochi anni l'ho perduta di vista, e non so quale sia la sua sorte. Ma spero, dovunque ella sia, che le avvenga di leggere questa mia pagina (a differenza della signora, ella, per non so quali casi della precedente sua vita, sapeva leggere e scrivere): altra occasione io forse non avrò mai, dopo di questa, per chiederle perdono. O Gaudiosa! Non soltanto la tua padrona, ma anch'io spesso dovevo sceglierti per facile e invendicata mia vittima. Quante volte, ferita in cuore per causa della nostra signora capricciosa, io sfogai contro di te, o innocente, il dispetto e la noia! Quante volte le mie mani fanciullesche infuriarono sulla tua faccia paffuta, o sui tuoi grandi capelli africani; e tu, che avresti potuto sterminarmi con due colpi, ti contentavi di proteste e di lagrime! Quante volte rispondesti ai miei maligni improperi con umane offerte di giochi e di passatempi: consolazioni puerili! Tu, in verità, oltre che di pazienza, non difettavi di furbizia. Sapevi bene che, pur facendomi soffrire, la nostra signora non perdonava a chi osasse di offendermi. Tu rinchiudevi in te due cuori: uno di giocondo agnello, e uno di inerme volpe... Ma ora, addio, Gaudiosa! che gusto possono trovare i miei lettori nei rimorsi postumi e nelle divagazioni premature? Torniamo al nostro primo incontro.

Nel buio, minuscolo ingresso di Rosaria, un lucignolo ad olio sopra una mensola illuminava un Sacro Cuore appeso alla parete. Di dietro la cornice del quadro, spuntavano un ramo d'ulivo pasquale e uno di agrifoglio natalizio. Appena entrati, si respirava un odore denso di rinchiuso, di sigarette e di cucina.

Nelle stanze (le quali, come v'ho detto, erano due: una ampia, e una, la camera, non piú larga d'un bugigattolo), nelle stanze, dunque, semibuie a causa delle scarse finestre e dei tendaggi, regnavano il disordine e il sudiciume. Nella camera su cui ci affacciammo (Rosaria, per prima cosa, volle mostrarci il proprio appartamento), l'armadio giallo, dipinto di amorini e rose, aveva i battenti spalancati; abiti giacevano in confusione sul gran letto disfatto; e sulle sedie e per terra si vedeva dove una calza, dove un cappello capovolto, dove una giarrettiera, o una pantofola orlata di cigno. Nella stanza piú grande, il disordine non era minore. Com'era evidente, tale stanza fungeva da salotto; ma vi si notavano qua e là degli oggetti che non appaiono per solito nelle sale da ricevimento. Per esempio, sopra una mensola dorata, fra i piú svariati soprammobili e i portacenere pieni di mozziconi, si vedeva un pettine con qualche ciocchettina di capelli rossi. Oppure a terra, presso una pelle d'orso dalle fauci aperte, una pantofola, gemella dell'altra già veduta in camera. E sopra un tavolino rotondo, vicino alle carte d'un *solitario* interrotto, una lima per unghie e un fazzolettino appallottolato. Ciò nonostante, alla mia puerile inesperienza quell'abitazione parve elegante e sontuosa, per via delle pelli e dei tappeti che coprivano il pavimento, dei broccati gettati sui divani, delle tende damascate che nascondevano finestre e usci. Tutti questi addobbi apparivano alquanto frusti, impolverati, sfrangiati e unti: una larga macchia di caffè deturpava il tappeto di stile arabo sul tavolino del *solitario*; la frangia del paralume, presso il canapè, aveva perduto gran

470

parte delle sue multicolori perline; il parato di carta color paonazzo e oro aveva, in alto su una parete, un lembo strappato che pendeva scoprendo la calce del muro sottostante. Ma in compenso, le pareti erano quasi in ogni punto adorne di arazzi raffiguranti idilli pagani fra pastori e ninfe, oasi d'oriente con sultani arabi e giovinette seminude, scene patriottiche e monumenti famosi. Oltre agli arazzi, adornavano le pareti ventagli giapponesi, semicerchi di cartoline illustrate, immagini miracolose di Santi e di Vergini, e perfino bizzarri copricapi di carta increspata e di stagnola (reliquie di balli carnevaleschi). Inoltre, eran per me forme di lusso e di eleganza le colonnine dorate che sostenevano il letto, le ghirlande di rose finte, bruttate dalle mosche, intorno allo specchio, i fiori artificiali di stoffa o di piume, sporgenti dai vasi, e i frutti di vetro in fruttiere di metallo. Su un tavolino del salotto, un grammofono levava la gigantesca sua tromba; e a terra, sul tappeto erano sparsi alcuni dischi. Un paio di bambole, non in figura di pupe, ma di signore o principesse, troneggiavano sul sofà.

Quanto agli innumeri soprammobili di cui v'ho fatto cenno, non mi fermerò a descriverli: fra di essi, stavano in mostra ritratti bene incorniciati di signori e di dame in gran gala, o addirittura in abito da maschera, ch'io giudicai cantanti d'opera. E fra i ninnoli e la polvere, ogni tanto una buccia d'arancia o di caldarrosta, un involucro di cioccolatino, una scatola di confetti o di canditi svelavano la ghiottoneria della padrona.

La quale, benché frettolosa e succinta nel presentarci tanta magnificenza, ne faceva gran pompa tuttavia, disapprovando soltanto in alcuni particolari il gusto dell'amica. Ciò, credo, piuttosto per gelosia che per convinzione: difatti, ella ripeté piú volte che sí, senza dubbio, questo era un bell'appartamento, ma il suo proprio, nella Capitale, lo batteva al confronto. Basti dire ch'ella aveva fatto affrescare i soffitti da un pittore, e che, in luogo dei lumi a piedistallo, nel suo salotto si ergevano statue di marmo il cui solo ufficio era di reggere le lampade. D'altra parte, ella soggiunse, le cose piú belle che potevamo ammirare qui appartenevano a lei, non all'amica: avendo lei, per dare un'impronta sua propria alle stanze, portato con sé qualche oggetto dalla Capitale. In cosí dire, ella ci indicava questo o quel ventaglio, o ninnolo, o broccato, aspettando i nostri complimenti. Mio padre, non meno di me, pareva abbagliato da tanto lusso; ma non si fermava, come me, ad osservare; e dopo aver girato intorno lo sguardo stupito e incerto, si ritirò nel vano della finestra. Quanto a me, io miravo ogni cosa con occhi attenti e spalancati, dimenticando, nella curiosità, i rimbrotti avuti poco prima a causa dei miei *sguardi fissi*. Soprattutto le fotografie di dame vestite da attrici e da cantanti mi destavano interesse e invidia: quelle dei signori, piú comuni e scialbe, mi attiravano ben poco, e una, in particolare, non avrebbe fermato la mia attenzione piú delle altre, se non fosse stato per il piccolo incidente che ora vi dirò. La fotografia di cui si parla troneggiava in primo piano sopra una *consolle* al centro della parete, e, di dimensioni maggiori che le altre, ravvivata da colori naturali, era chiusa in una cornice assai vistosa. Raffigurava, a mezzo busto, un signore vecchiotto, atletico e sanguigno, il quale, come in un avviso pubblicitario, rideva giovialmente puntando il dito sulla propria spilla da cravatta. La spilla, d'oro, a giudicare dalla tinta giallina che le aveva dato il coloritore, era in forma di R maiuscola attraversata da una freccia. Posso assicurarvi che il mio sguardo, nell'osservare quell'ignota effige, era assolutamente libero da malizia; non essendo io, fanciullina inesperta, capace d'intendere la galante e sentimentale allusione del pasciuto personaggio. Ma la signora, accortasi ch'io guardavo quel ritratto, sopravvenendo rapida e sgarbata lo afferrò di sulla *consolle*; e, con un'occhiata imperativa d'intesa, lo porse alla servetta che ci veniva dietro. Forse già istruita per occasioni consimili, Gaudiosa non ebbe bisogno d'altre spiegazioni; e senza esitare, celato sotto il suo sudicio grembiale il ritratto, corse in cucina. La scena durò pochi secondi, e, non diversamente dall'altra dell'anello, non fu notata da mio padre intento a guardare fuori nel cortile. Del resto, io sospetto che la signora, comportandosi in quel modo, ubbidisse alla propria diffidente ostilità verso di me non meno che ad un capriccioso istinto di sotterfugio. E osserverò qui inoltre che, se si deve credere a prove evidenti, ella ascoltava un simile istinto solo in certi casi; né è facile dire, ripensando alla sua sfrontata sincerità di altri momenti, quali cose ella amasse nascondere a mio padre, e quali professare e ostentare.

Con voce acuta, intanto, ella aveva gridato verso la cucina a Gaudiosa di portarle lo scaldino; e avutolo, spedí la ragazza alla pasticceria, con l'incarico di comperare un gran numero di tartine e paste dolci. A tal fine, consegnò a Gaudiosa alcune monete, né la lasciò andare prima di aver fatto lei stessa, scrupolosamente, sulle dita il conto della spesa, e avere ammonito: – Bada: se tu, scema e sbadata come sei, non mi riporti il resto dovuto, stavolta pagherai sul tuo stipendio.

Dopo di che, partita Gaudiosa, ella si gettò sul divano, dinanzi al tavolino del *solitario* e ci invitò ad occupare le vicine poltrone. Quindi, poggiando per terra, accanto a sé, lo scaldino di terracotta

472

pieno di braci, per prima cosa si sfilò le scarpe, che con un colpo del piede spinse sotto la tavola; poi, sbottonatosi un poco il davanti dell'abito, si sganciò il busto che aveva sotto. Ciò fatto, si rialzò la gonna sulle ginocchia, mostrando la sottana rosa orlata d'un ricamo a trafori anch'esso rosa: la qual sottana le scopriva i polpacci tondi e forti nelle calze trapunte e, annodati sotto i ginocchi, i legacci di raso nero. Infine, posando sul manico dello scaldino i due piedi infreddoliti, ella s'adagiò con un gran sospiro contro lo schienale imbottito del sofà. Ma avvedendosi subito, nell'atto di poggiare il capo, che i pettini e le forcine sulla nuca la infastidivano, se li tolse in fretta e dette una scrollata ai suoi gonfi ricchi capelli: che arrivandole appena appena alla spalla, cosí sciolti la rendevano simile a un angiolone discinto e fanciullesco.

Mentr'io miravo, fra la repulsione e lo stupore, questa dama stravagante *mettersi in libertà* senza ritegno alcuno davanti a noi, lei da parte sua cominciò a guardarmi. E quasi non si fosse accorta, fino a quel momento, di com'ero fatta, girando gli occhi attenti da me a mio padre uscí in grandi esclamazioni di sorpresa per via della nostra somiglianza, e prese a confrontare con voce alta e commossa i nostri lineamenti, gridando ogni volta come se facesse una scoperta: – La stessa bocca! la stessa fronte! lo stesso colorito! lo stesso sguardo! – Voi sapete quanto potere d'irritarmi avesse un tal soggetto; senonché, in grazia di esso, la signora parve dimenticare i propri sentimenti malevoli verso di me, e sostituirli, anzi, con altri del tutto opposti. Per meglio osservarmi, m'aveva attirato al suo fianco; e nel fervore del discorrere mi prese sui ginocchi e toltosi di sotto i piedi lo scaldino me lo pose in grembo affinché mi riscaldassi. Cosí tenendomi stretta a sé, ogni volta che nominava, per confrontarmi a mio padre, un particolare della mia persona, mi dava una carezza o un bacio. Per esempio diceva: – gli stessi cigli lunghi! gli stessi occhi seri! – e mi accarezzava col dito i cigli o mi baciava l'una e l'altra palpebra. – Gli stessi capelli! le stesse piume di corvo! – e inoltrando le dita fra i miei capelli come per pettinarmeli, ora mi dava una gentile strappatina alla treccia, ora mi solleticava sulla nuca, ora mi aggiustava la scriminatura sulla fronte, ravviandomi le due bande col palmo della mano. – Lo stesso naso diritto! lo stesso nasino! – e mi mordicchiava la punta del naso, con un morso che era piuttosto un bacio. – La stessa bocca, o amore di Rosaria tua! La stessa cara bocca! – e mi baciava le labbra piú e piú volte, come se la mia bocca fosse un grappolo di ciliege, e ad ogni bacio ella ne piluccasse una. Mirava poi le mie mani, che avevo ereditate, come sapete, da mia madre; e perdonando la lor differenza, anche ad esse dava la lor parte di lodi. – Manine di bambola! – esclamava, – zampine di formica! – e, come se vi deponesse un regalo o un segreto, ne baciava la palma, che poi richiudeva. Oppure, quasi mi considerasse troppo piccola per far da me, adattava lei stessa, con cura, intorno al sostegno dello scaldino le mie dita docili e confuse; e appoggiando sulle mie mani le proprie, diceva: – Riscaldiamoci insieme, amore di Rosaria! – S'io ridevo, ella rideva allegra e congiungeva alle mie le proprie labbra umide e ridenti; s'io piegavo il volto vergognosa, ella diceva: – Ecco! la stessa faccia scura, lo stesso cipiglio! Oh, grinta mia, vieni da Rosaria, che ti baci! – e accostava la propria guancia morbida e incipriata alla mia guancia. Arrivata la merenda, di cui, per abbondanza e varietà, non avevo mai veduto l'eguale, ella andava scegliendo per me le cose piú dolci e piú squisite, e voleva lei stessa imboccarmi dicendomi: – Senti com'è buono! Mordi qua, sorcetto mio! Ah, che sapore, bocca mia d'oro! – E pur mangiando, per conto suo, golosamente e in gran copia, non cessava tuttavia di carezzarmi, di serrarmi contro il petto, di battermi teneramente la palma sul fianco. Ed ora mi rialzava la manica fin sopra il gomito per vedere quanto eran fini le mie braccia; ora voleva guardare se eran belli i miei orecchi, e rideva al vederli farsi vermigli, compassionandoli per i loro lobi disadorni, e neppure forati. E mi faceva ogni sorta di promesse, ripetendo ogni minuto: – Oh, Franceschina mia! oh, la mia bella moretta, carne di velluto! oh, la mia prugnina, la mia gatta nera! – Per la prima volta, io sentivo lodare, come gran pregi, dei caratteri brutti e biasimevoli della mia persona, quali il colorito scuro, e l'aspetto imbronciato e selvatico. E per la prima volta, sebbene ciò possa apparire strano, per la prima volta dacché avevo incominciato a ragionare e a ricordare, io venivo accarezzata, vezzeggiata, tenuta sulle ginocchia al pari d'un bambino che non cammini ancora, e trattata come una cosa delicata, preziosa e amabile. Sul primo momento, ciò mi sconcertava; ma piano piano, fosse il tepore delle braci o la profumata mollezza di quel grembo, mi sentii bene come non m'ero sentita mai. Davvero, mai, neppure sulla piú comoda poltrona, io m'ero trovata a mio agio come su quella sottanella rosa, e contro quel corsetto mezzo slacciato e in disordine. Mai nessuna leccornia m'era sembrata dolce al gusto come i pasticcini portimi da quella mano lentigginosa e grassa, o mordicchiati insieme dalla mia bocca e da quella bocca ridente (eppure, io ero di solito assai schifiltosa!) Mai complimento o lode, neppur gli elogi delle maestre, mi aveva consolato e cullato come quei bambineschi vezzeggiativi. E, infine, mai m'ero sentita cosí libera e vittoriosa, cosí d'accordo con me stessa, come in quel tenero abbandono. O misterioso incontro! Senza aver coscienza del prodigio, né tanto meno cercarne il motivo, sentivo in quel momento d'essere una cosa bene accetta e naturale nel creato, amica e compagna in mezzo alle altre cose, non meno di una pianta, o di un animale, o d'una qualsiasi spensierata bambina. Sparito il continuo sospetto d'essere fra gli altri un uccellaccio straniero, di chi sa quale specie diseredata, e inadatta a tutti i climi; sparita la faticosa costrizione dell'orgoglio, sola mia difesa contro i nemici (e chi, prima d'oggi, non era mio nemico?) Belle mi parvero, d'un tratto, le fanciullette magre e nere; bellissimo nome mi parve Elisa. Tutto questo sentii? Sí, tutto questo, per l'appunto, sebbene soltanto adesso che scrivo, io sia capace di una pur mediocre analisi dei miei sentimenti. Che piú? Mi compiacevo, in cuor mio, delle mie braccia, dei miei capelli, di tutta la mia persona, ed ero tentata ad atteggiarmi in pose che facessero risaltare le mie bellezze. M'accorgevo d'un tratto di possedere, chiuse in me, ricchezze e grazie traboccanti: per esempio, capricci e civetterie, parole pazzerelle e innumerevoli carezze e baci. Tutto ciò poteva, ad ogni minuto, riversarsi da me spontaneamente, in gran festa e grande oblio, come le faville dal fuoco. Oh, piacere di mostrarsi senza vergogna! di dare il mio tesoro a chi lo esalta! d'esser umile senza sentirsi umiliata! Caro e miracoloso momento che troppo di rado si ripeterà nel futuro!

La presenza di mio padre non mi turbava piú: l'avevo quasi dimenticata. E già alle parole di Rosaria, incominciavo a ridere con una voce inusata e melodiosa; già le mie dita, non piú goffe o riluttanti, giocavano con la sua catena d'oro, o coi nastri del suo busto; già stringevo fra le mie la sua mano, e ne contavo gli anelli e la vagheggiavo. Avrei voluto mangiarla, quella mano cortese, tanto mi era cara! Due passioni provavo, due tentazioni: una, la violenza, per esprimere senza misura il mio turbolento affetto; e l'altra, il sonno, per abbandonarmi alla mia tenera e riposante fiducia.

Credo che avrei gridato: « Signora, io ti amo! », se, proprio in quel punto, ella non si fosse stancata di tenermi sulle ginocchia e di occuparsi di me. Il trapasso dall'amicizia all'indifferenza, benché ingiustificato, avvenne in lei nel modo piú naturale. Avevamo mangiato insieme, e con uguale piacere, buona parte dei pasticcini apprestati da Gaudiosa; al contrario di mio padre, il quale, nonostante i fervidi inviti della signora, non aveva toccato quasi nulla. Durante la merenda, egli non aveva interrotto mai di fumare; e se ne era rimasto, in posa indolente, sulla sua poltrona, assorto nei vapori del fumo, senza partecipare alla conversazione né curarsi dei propri doveri di ospite. Or la signora, mortificata al vederlo disprezzare le squisitezze d'ogni genere ch'ella aveva apparecchiato per noi, gli disse a un certo punto: – Eppure, una volta, se i dolci non vi piacevano, le tartine col prosciutto, invece, quelle sí che vi piacevano! Perché dunque non ne assaggiate? – Vedo che avete una buona memoria, – rispose mio padre. E in questa semplice frase egli fece udire quella misteriosa intenzione di ripulsa che piú volte, in quel pomeriggio, avevo avvertita nelle sue parole: come se ogni atto o discorso della signora fosse moneta falsa, o di basso conio.

La signora, che aveva in questo momento addentato un nuovo pasticcino, di apparenza invitante e ottima, lasciandolo a mezzo lo depose sul vassoio, come chi abbia morso una mela bacata. Inghiottí poi di malavoglia il pezzo che teneva in bocca, e rimase per un poco scontenta e soprappensiero, senza occuparsi di me. Con aria svogliata, accese una sigaretta, e incominciò a fumare; e mentre io la osservavo (non ero avvezza a vedere dame che fumavano), d'un tratto, risoluta, ella mi tolse di mano lo scaldino, e presami sotto le braccia mi depose a sedere su un cuscino per terra. Quindi raccolse in un mucchio le carte unte e sgualcite del *solitario* e me le porse, invitandomi a divertirmi un poco per conto mio.

Ella appariva distratta e di malumore. S'era sdraiata, adesso, sul divano, e, lunga distesa, appoggiandosi al gomito, non si curava di assestarsi le gonne, che le si ammonticchiavano intorno ai fianchi, né di abbassarsi, almeno, la sottana. Per cui si vedevano le sue calze arrotolate alla meglio sui legacci; e, nudi, i suoi ginocchi bianchi e rosa. Cosí, fumando, ella trasse un fiero sbadiglio; ma poiché mio padre, pensando forse ch'ella volesse dormire, fece atto d'accomiatarsi, ella vivacemente rimise i piedi in terra, e rimbrottò mio padre, osservando con voce bisbetica, gli occhi fiammeggianti, che non era educazione prender congedo subito dopo aver mangiato, anzi col boccone in bocca. E che si meravigliava di dovere, lei, insegnare certe cose a un professore. Mio padre, a tali rimproveri, divenne rosso e rimase nella propria poltrona, senza saper che dire né che fare. – Non hai niente da dirmi? – ella gli chiese allora, nello stesso modo aggressivo. – Che dovrei dire! – egli esclamò. E poi, guardandosi intorno, con un sorriso che smentiva le sue parole cortesi, aggiunse: – Vi faccio i miei complimenti. Vedo che, a quanto pare, avete fatto fortuna.

Questa frase, chi sa perché, sembrò eccitare la signora al massimo grado. Ella uscí in una risata altissima, guerresca e piena di vanto.

E levatasi in piedi, incominciò a passeggiare in su e in giú, senza scarpe, con la sua andatura da giraffa; e passeggiando, e dimenandosi or su un fianco ora sull'altro, e girando il capo come se facesse la ruota, ragionava rumorosamente; ma i suoi discorsi suonavano per me difficili e spesso impenetrabili. Cominciò con l'approvare mio padre, dichiarando, non senza molti scongiuri contro le potenze nefaste, che sí, difatti la fortuna le era compagna, il malocchio stava lontano dalla sua porta; per sua buona sorte, proseguí in aria pomposa, lei, Rosaria, aveva trattato sempre con persone come si deve, amici proprio in ordine, che la tenevano in grande considerazione e facevano gran mostra di lei. Qui, fermatasi un poco dal suo passeggiare, ella si rivolse a mio padre, e gli dichiarò che, quanto a lui, sia pure con buone intenzioni, s'era sbagliato allorché aveva voluto distoglierla dalla sua strada: poiché lei, Rosaria, per vocazione e per destino, era una... (e qui disse una parola a me sconosciuta e di cui non intesi il significato), e si ha torto a voler contrastare la vocazione e il destino della gente.

A queste parole, mio padre ebbe nel viso un'espressione che a me parve quella del diavolo; e chiese alla signora s'ella non temesse, cosí facendo, di precipitare nell'inferno. Ma la signora, con fuoco, gli si rivoltò; e asserí di potere spiegare, lei, la legge e la volontà del Creatore meglio di tante persone istruite. Sarebbe stata, proseguí, una bella logica e una bella giustizia da parte del Signore quella di condannare all'inferno i cristiani sol perché erano quali Lui stesso li aveva fatti! Si chiede, forse, a una gallina di spingere l'aratro? o ad una vacca di deporre le uova? E dunque, si dovrebbe supporre il Creatore piú capace di giustizia verso le bestie che verso i cristiani? Davvero che un'idea simile sarebbe una bestemmia! La verità è che, in campagna, c'è da fare per le galline e per le vacche; e, in città, ogni cristiano ha la propria parte da fare. La nobildonna fa la nobildonna, il cappuccino fa il cappuccino, e la... (ella ripeté la solita parola), fa la sua parte. Lei, Rosaria, per l'appunto, era nata cosiffatta, e compieva il proprio dovere. E d'altro canto, come andrebbe avanti, il mondo, se non ci fossero quelle come lei? Lei dunque seguiva la sua propria strada, ed era persuasa di non commettere peccato. Di ciò, le dava riprova santa Rosalia, la sua protettrice, la quale, prima o poi, sempre le concedeva le grazie che lei fiduciosamente le chiedeva. E cosí dicendo, la signora si frugò nel corpetto, e staccata una piccola immagine di panno ricamato che teneva appuntata sul busto con una spilla da balia, la baciò devotamente. Poi riponendola di nuovo al suo posto e fissandovela con la spilla, grave e compunta spiegò di tenere là quella santina affinché facesse buona guardia ai suoi risparmi ch'ella portava cuciti al busto, dentro un fazzoletto, proprio accosto all'immagine. E riabbottonatosi alla meglio il corpetto, si baciò le dita.

Dopo di che, interrotto il suo gran passeggiare, ella si risedette sul divano, ma appena sull'orlo, chinandosi in avanti; e festosa, irrequieta, come se le sue proprie chiacchiere le avesser messo in corpo la febbre, domandò a mio padre: – E tu, che fai, tu? Il professore? Il dottore? – Mio padre ebbe un gesto di diniego, e rispose che no, lui non faceva niente di simile. – E allora, che fai? – insisté la signora. Al che lui rise forte, e con asprezza e gusto (la franchezza di Rosaria era stata forse contagiosa), rispose che probabilmente la legge da lei poc'anzi enunciata riserbava a certuni la parte di falliti, di carcerati, di condannati alle galere. Lui, per l'appunto, era uno di questi. A tali parole, la signora lo guardò con tutt'altra espressione nel viso; e notando, forse, soltanto ora, l'aspetto dimesso e smagrito di lui, gli domandò se fosse malato, o sofferente. Egli alzò una spalla e rispose di no, che stava bene; poi, con minor sicurezza, abbassando il tono e gettandomi di sbieco un'occhiata, come se per la prima volta in quel giorno la mia presenza gli fosse di ostacolo, accennò ai propri studi interrotti, alle proprie strettezze, e a gravi dissesti della propria famiglia d'origine. La quale, a sentirlo, pareva caduta in rovina da chi sa quali altezze non precisate: egli si dipingeva, insomma, una vittima di quelle sventure di stile nobiliare che sono, in realtà, un attributo della mia sola ascendenza materna.

La signora, tuttavia, non vedendo, delle parole di mio padre, il rovescio menzognero (né del resto lo vedevo io che a malapena afferravo il senso di quei discorsi), apparve, a tali notizie, commossa e agitata. L'ardore di un affetto impetuoso le colorò le guance, e guardando la persona di mio padre, come se con lo sguardo appassionato leggesse tutte le privazioni e le miserie di lui, cominciò a dire: – Ah, Francesco! Ah, Francesco! E io che durante questi anni ti credevo diventato un gran dottore, un signore, da essere una mendicante al tuo confronto! M'avessero detto, invece, che per te andava male! Come avrei potuto godermi la vita pensando che tu stentavi? Ah, Francesco mio! – Fra queste esclamazioni confidenziali ed enfatiche, ella s'era accostata a mio padre; e chinando su lui la faccia ardente, rigata di lagrime, gli domandò: – Ma tu, perché, nel bisogno, non ti ricordasti mai di Rosaria? Non sai che tutto quanto è mio, è tuo? Eh, – soggiunse, battendosi sul corpetto con atto spavaldo, – non per niente santa Rosalia fa buona guardia! Francesco, cuore mio prezioso, amore eterno di Rosaria, non farmi torto! Rosaria non ha dimenticato il suo ragazzo, il fratellino suo! Quel ch'è di Rosaria, è di Francesco!

478

Se Rosaria è regina, Francesco sarà imperatore! – Cosí dicendo, la grandiosa dama s'era inginocchiata davanti a mio padre; e piangendo, ridendo, esaltata, in uno sfrenato abbandono, gli aveva preso ambedue le mani e le copriva di baci.

Simili dimostrazioni avrebber meritato, a mio parere, almeno la gratitudine. Non cosí, invece, la pensava il barbaro e ingrato Francesco; il quale, al contrario, andava facendosi piú fosco nel volto, come se la signora non pietà e baci gli elargisse, ma schiaffi e oltraggi. Come ella gli si accostava piú da presso, lui si ritraeva pieno di ripugnanza. Infine, mentre lei, nella sua sconsiderata adorazione, gli baciava le mani, d'un tratto respingendola brutalmente egli si levò. E con un accento pieno di sdegno e di sprezzo, quale di chi voglia, offendendo, vendicarsi di gravi offese, disse alla signora che soltanto una della sua specie, vale a dire, oltre al resto, sciocca ed ignorante, poteva proporre al barone Francesco de Salvi di partecipare a certi guadagni. S'ella, malgrado tutto, non fosse stata pur sempre una donna, non sarebbero bastate le sole parole per rintuzzare una cosiffatta proposta. Ma d'altronde, perché meravigliarsi? Fra le tante cose infami e stolte da lei dette oggi, pure una giusta ve n'era; e cioè che lui, Francesco, aveva avuto gran torto una volta e s'era dimostrato davvero ingenuo pretendendo di coltivare una cosí putrida palude. Ma egli era assai giovane, allora. Quanto a lei, la sola fortuna toccatale era di non capire qual sorta di disgraziata ella fosse, e come nera, malaugurata, peggio di un incubo, fosse la vita che le pareva cosí gioiosa. Tuttavia, se a lei piaceva, poteva godersela: lui, Francesco, non era piú il povero illuso che pretendeva di redimere il prossimo. Non gli importava neppure d'andare in malora lui stesso: che mai poteva importargli d'un altro? Le faceva, anzi, i migliori auguri. Ma essere insultato da una brutta e trista femmina come lei, questo no! E lei doveva guardarsi bene un'altra volta non solo dal dir certe cose, ma fin dal pensarle! Qui mio padre si riposò un momento, come ubriacato dalla propria crudeltà. Il suo viso illuminato e stravolto sempre piú rassomigliava a quello che, nella mia mente, io prestavo a Satana. Non avevo mai veduto mio padre tanto vittorioso e sicuro, se non forse in rari momenti, allorquando, uscito con me nei solitari sentieri della campagna, cantava pezzi d'opera. Ma il demonio, si direbbe, lo stimolava ancor meglio della musica! Egli s'atteggiava come su una scena, dava spettacolo (da quanto tempo un simile spettacolo di gala gli era negato?) Né la mia presenza lo intralciava piú, essendo anzi io, per l'appunto, il suo pubblico. Difatti, al termine del suo discorso egli si volse a me; e con l'aspetto non già di un padre che fa la morale, ma di uno che trionfa nella vendetta (tanto che ebbe, dopo le parole, una trionfante e vendicativa risata), si volse a me, dunque, e mi disse: – Lo vedi, Elisa! Cosí van trattate donne di questa specie!

Rincantucciata per terra, sul mio cuscino, indignata, tremante, io m'attendevo di momento in momento che la signora, ubbidendo a una giustissima collera, per lo meno ci scacciasse. Ma m'ingannavo. In piedi di fronte a mio padre, ella, tutta in fuoco, gli sguardi corruschi, tentava di opporsi o difendersi; ma i lamenti che le salivano dal petto impedivano alle sue labbra di parlare. Alla fine, prorompendo in singhiozzi rabbiosi, gridò: – Francesco! Francesco! Ascoltami! – e mosse qualche passo rapido senza una direzione, accecata e inferocita dal pianto, girando intorno i suoi sguardi selvaggi e chiamando: – Gaudiosa! Gaudiosa! – Questa non tardò a presentarsi, dalla parte della cucina; e allora, senza esitazione, la sua padrona venne a me, e alzatami dal cuscino cosí rudemente come se volesse picchiarmi, mi sospinse verso la serva, dicendomi: – Va' di là, tu, va' un poco in cucina con Gaudiosa, ch'io devo parlare a tuo padre –. Poi, sempre con la medesima furia, sollevò l'enorme grammofono di sulla tavola, e lo pose fra le braccia della serva ordinandole di intrattenermi e divertirmi, ché lei doveva parlare col signore in privato. Ubbidimmo, e ci trasferimmo nella cucina: dove, però, Gaudiosa non chiuse l'uscio di comunicazione, che era celato, dalla parte del salotto, dietro una fitta tenda; posato il grammofono ella si limitò a tirar bene la tenda, e poi s'appostò dietro l'uscio socchiuso, con l'evidente intenzione di ascoltare, non vista, quanto accadeva nel salotto. Ella non mi nascose affatto una tale intenzione; anzi, mi fece un cenno malizioso per invitarmi a origliare con lei. Le risposi alzando una spalla, sdegnosa e imbronciata; senonché, la signora di là parlava con voce tanto acuta, che non sarebbe bastato, a coprirla, neppure lo schermo dell'uscio, ed io la udivo perfettamente. Ella rievocava eventi passati, ed a me ignoti, onde i suoi discorsi m'erano alquanto oscuri. Si potrebbe ragionevolmente attribuire anche a Gaudiosa una consimile ignoranza di quegli eventi lontani; ma si supponeva il contrario a vedere l'interesse con cui la curiosa fanciulla origliava, tenendosi in punta di piedi accosto alla tenda, in una posa di grande raccoglimento e attenzione. In principio, si udí la signora ripetere con frenesia dolorosa: – Ascoltami, Francesco! ascolta quel che ti dico, Francesco! – e poi, fra lagrime e singhiozzi, la si udí gridare che sí, era vero, lei era una mala femmina, una... Ma a lui, a lui, Francesco, ella non aveva mai fatto alcun torto. Era stata, con lui, sincera come una santa, la sua coscienza era bianca al pari d'una tortora e dell'Ostia consacrata. Nel tempo che gli apparteneva, ella non aveva concesso ad altri neppure la punta d'un'unghia, neppure un bacio in fronte. Ah, Francesco non sapeva, non saprebbe mai quanto male le aveva fatto e di quale ingiustizia si era macchiato, credendo a delle apparenze, a dei sospetti, e a delle maledette calunnie! E le avesse almeno, quel giorno remoto, in quella cameretta piena di furie, concesso di spiegarsi! Ma no, l'aveva lasciata sola in un inferno senza nemmeno dirle: addio, cane! Ma se la Madonna vorrà concederle, un giorno o l'altro, di sapere chi fu a calunniarla, s'ella saprà il nome di quella bugiarda e dannata spia... Qui Rosaria pronunciava, all'indirizzo dell'anonimo, spaventose e irripetibili minacce; e poi di nuovo proclamava la propria innocenza, rafforzando i suoi detti persuasivi con tutti i possibili giuramenti, e chiamando a testimoni delle sue parole i santi piú onorati. Fu a tal punto che Gaudiosa mi fece assistere a una scena sconcertante. Ella si staccò dalla tenda, in gran premura, e, postasi nel centro della cucina, s'inginocchiò a terra, si batté per tre volte il petto mormorando frasi incomprensibili, e per tre volte baciò con fervore il sudicio ammattonato. Io non seppi che pensare d'una simile commedia: di cui potei scoprire l'enigma soltanto molti mesi piú tardi, allorché, o mio bizzarro destino!, penetrai nel vivo cuore di quei cerimoniali domestici. Soltanto allora, dunque, seppi esser quella una sorta di penitenza o rito, ripetuto da Gaudiosa, per incarico della sua padrona, ogni volta che costei, per via di circostanze, era tratta a giurare il falso o a mentire in cospetto al Cielo. Per meglio spiegarci, quella mimica vistosa e fanatica di Gaudiosa altro non era che un diversivo con cui si sperava di attirare sulla serva riverente l'attenzione di tutti i giudici e ministri celesti, deviandola dalla padrona. Onde le spergiure parole di costei, sfiorando a mala pena i distratti orecchi degli Eterni, svanirebbero inascoltate, o cadrebbero come non pronunciate mai; o insomma non potrebbero, in ogni caso, *venir corredate dalla sufficienza di prove*.

Tale, all'incirca, era il senso e il fine di quel prosternarsi di Gaudiosa. Ed essa, in verità, malgrado l'età fanciullesca, pareva compresa fino in fondo all'anima del proprio solenne ufficio che era, ci sia lecito il paragone, di far da specchietto o da uccello di richiamo per i fatali sorveglianti celesti. Né, certo, ella aveva alcun dubbio sull'infallibilità e la santità d'un simile esercizio: in preda a orgasmo e a rapimento, volgeva i belli, focosi occhi al cielo, e non sembrava accorgersi piú della mia persona. Terminato il suo rito, però, circospetta e badando a non fare rumore alcuno, chiuse l'uscio di cucina e smise di origliare: forse per esimersi cosí, senza scrupoli di coscienza, da nuove genuflessioni e baci alla terra. Quindi si appressò all'acquaio, su cui s'accatastavano, come pure sul focolare, tegami e stoviglie ancora sporchi, rimasugli del pranzo, e, confusi ad essi, oggetti disparati, il cui legittimo posto evidentemente era altrove. Fra questi, la spensierata Gaudiosa m'indicò furbescamente un quadro, appoggiato sulle pietre del fornello con la faccia contro il muro; e tralasciando la rigovernatura dei piatti, si affrettò a mettermi sotto gli occhi la medesima effige ridanciana che poco prima, per ordine di Rosaria, aveva sottratto alla mia curiosità. Il personaggio effigiato, come vi dissi, non era per nulla interessante; ma Gaudiosa mostrava di considerarlo un essere d'importanza straordinaria. Con pupille lucenti e ingrandite, fece con la mano dei gesti per significare enormi distanze; e, sottovoce, nominò la Danimarca. Ma vedendo lo scarso effetto di questa arcana allusione, mi rivelò che quel personaggio possedeva una sorella sposata in Danimarca, e si era da poco recato lassú, presso la sorella, per trattenervisi fino all'estate e farvi inoltre acquisti di bestiame raro. Infine, accorgendosi che neppure tali notizie parevano colpirmi, ella puntò ripetutamente il dito sul quadro, accennò misteriosa alla padrona nell'attiguo salotto, e, con una risata che le balzava in gola, sussurrò la parola *amico*. Mi strinsi nelle spalle, giudicando simili chiacchiere alquanto insipide; senonché ella mi fece capire con ogni sorta di sdilinquimenti e di commedie il senso da lei dato alla parola *amicizia*. Ed io rimasi incredula e amareggiata, poiché, veramente, quell'uomo della Danimarca, non aveva all'aspetto nessuno dei requisiti ch'io ritenevo adatti al fidanzato d'una bella signora. Sotto questo riguardo, Gaudiosa pareva della mia stessa idea: ella infatti gonfiò le guance per mostrarmi quanto colui fosse grasso; e poi, per rappresentarmi tutto intero il personaggio, raccolti alla rinfusa dei panni da un mucchio d'indumenti sudici in un angolo della cucina, se li ficcò sotto le prolisse sue vesti, sí da apparire panciuta e obesa. Fatto ciò, reggendosi con le due braccia l'imbottitura, si diede a passeggiare comicamente, con grandi risate di piacere che io, mio malgrado, condivisi.

Durante queste scene, non eran cessati nel vicino salotto i gridi e il pianto; ma io, distratta dalle chiacchiere di Gaudiosa, non avevo piú ascoltato i discorsi della signora. La voce di mio padre non s'era udita quasi affatto: solo, a un certo punto, mi parve ch'egli ripetesse a voce alta e gelida, come un feroce insulto, quella medesima parola incomprensibile pronunciata poco prima dalla signora, e indicata da me, sulla pagina, con dei semplici puntini. Forse, le orecchie m'ingannarono; ma, ad ogni modo, è certo che né giuramenti, né lagrime, né sospiri, indussero mio padre alla compassione. Difatti, Gaudiosa s'era

482

appena accinta a caricare il grammofono per accompagnare con la musica la sua parodia; quando l'uscio si spalancò e la signora apparve. Per amor proprio, ella frenava adesso il pianto; ma la sua figura impudica e tempestosa esprimeva, da capo a piedi, una tragica sconfitta. Senza badare allo strano contegno di Gaudiosa la quale, in grande spavento, aveva lasciato cadere ai propri piedi l'imbottitura, ella si rivolse a me. E con decoro mi disse che ero desiderata di là da mio padre, il quale non intendeva trattenersi un minuto di piú in questa casa, giudicandola indegna delle nostre persone. Dopo tale discorso, ella tacque, rigida e impettita; ma prima ch'io raggiungessi la soglia, chiuse l'uscio alle proprie spalle, e mi si avventò sopra, accovacciandosi per adeguarsi alla mia statura, e stringendomi al seno in un dirotto pianto. Poi scapigliandomi e ravviandomi, e strisciando la propria guancia sulla mia mano, e mordicchiandomi a modo di una cagna dolorosa e appassionata si diede a supplicarmi di ricondurle presto mio padre. – Prometti, prometti, – insisté con una voce gonfia e roca, aggiungendo ch'ella rimarrebbe ogni pomeriggio in casa ad aspettarci, e che terrebbe pronti per me dolci e biscotti in quantità doppia di oggi, e qualunque giocattolo mi piacesse, affinché mi divertissi durante le visite. Mi suggerí i modi di costringere, con preghiere e capricci e ricatti, mio padre a riportarmi qui da lei. E ad ogni frase di tali suoi discorsi e consigli, m'andava chiamando la sua bella Madonnina, la sua Franceschina, la sua salvatrice, fra carezze delicate, e baci senza fine, e dolcissimi schiaffi. Né mi lasciò andare se non quando io le ebbi promesso nel modo piú solenne quanto ella voleva.

Cosí ebbe termine quella memorabile visita. La quale non fu l'ultima, giacché mio padre, senza intervento alcuno da parte mia, mi ricondusse lassú piú d'una volta. È vero che le nostre visite eran sempre piuttosto brevi; né le insistenze di Rosaria valevano a trattenerci. Infatti, benché si fosse recato di sua propria volontà in casa di Rosaria, dopo appena mezz'ora mio padre sembrava pentito di tale sua risoluzione, irrequieto e stanco: per cui, bruscamente prendeva commiato.

Egli non aveva modificato gran che il suo contegno del primo giorno, e Rosaria, se si esclude qualche ribellione violenta e passeggera, dava prova di vera pazienza, sopportando un cosí ispido visitatore. Il quale ascoltava i discorsi di lei, fino ai piú patetici, sempre con la stessa aria distratta, o trascurata, o, peggio, torva e beffarda. E per quanto ella si dipingesse, agghindasse, e addobbasse d'ori e di gioielli in onor suo, non le concedeva altri sguardi se non quelli che un passante, nel percorrere un marciapiede, getterebbe su un vitello macellato appeso a un gancio, o su altro spettacolo animalesco e triste. E parlando delle signore, usava due termini distinti, a indicare, pareva, due specie opposte, l'una umana e l'altra bruta: *donne* e *donnacce*. Senza nascondere affatto che annoverava la nostra ospite fra le seconde. Non basta: egli voleva, ad ogni occasione, far conoscere che, fra le *donne*, una vinceva tutte le altre in bellezza, anima e innocenza: una che a Rosaria non era dato neppur di accostare, perché col solo sguardo la offenderebbe. Un uomo che avesse conosciuto tanta purezza e tanto orgoglio non poteva appagarsi con altre donne (figuriamoci poi con le donnacce), se non a prezzo di tradire se stesso e degradarsi. Questa bella donna, questa sovrana, apparteneva a Francesco, e si chiamava *Anna*.

Avvenne un giorno che Rosaria (la quale aveva inteso, dai suoi discorsi, il poco amore di mia madre per lui) gli gridò fieramente, infiammata in viso: – La tua Anna, io la odio e la disprezzo. È una infame, ha un cuore di pietra, incapace d'amare, è peggio d'una bestia. Essa ti tiene per suo schiavo, e, se tu morissi per lei, ti guarderebbe con gli occhi asciutti. La signora! Si riterrebbe offesa da un mio sguardo! Ma io, se me la trovassi davanti, la schiaffeggerei sulla faccia! – Mentre Rosaria gridava in questo modo, mio padre, levatosi in piedi, s'era fatto assai pallido. Poi con voce soffocata, ma cosí terribile ch'io ruppi in pianto, esclamò: – Che hai detto? Quel nome santo, adorato sulle tue labbra... Pazza! Guardati bene in futuro! Guai a te se manchi di rispetto a quel nome! – Rosaria ammutolí, ma fissando mio padre con occhi strani, scoppiò in una risata di sfida: la quale altro non fu se non l'araldo d'un pianto barbaro e tumultuoso. Onde Rosaria, abbattutasi sul divano, seppellí fra i cuscini lo sfigurato suo viso; ma di là sotto, con una voce sottile che non pareva la sua, disse lagrimando: – Perché mi parli sempre di lei, Francesco, sempre di lei!

Pure, l'infelice Rosaria si riduceva sovente a provocare lei stessa l'argomento odiato. Non v'era infatti altro mezzo per far sí che mio padre s'interessasse alla conversazione e prolungasse di un poco le visite. Giunta, dunque, l'ora temuta in cui mio padre, con l'ostinato silenzio o coi modi ruvidi e foschi preannunciava vicino l'addio, Rosaria, perduta, chiamava in proprio aiuto la sua rivale stessa, colei che, si può credere, ella detestava sopra ogni altra cosa al mondo. Ella era, a quanto pare, di quegli innamorati che talora, dovendo scegliere fra la separazione e l'inferno, scelgono quest'ultimo. Ditemi, infatti, vi prego: credete voi che, fra i tormenti infernali, uno ve ne sia pari a quello che s'infligge una gelosa, ascoltando l'uomo amato mentre le parla d'un'altra donna? Vedere il viso di lui, finora disanimato e terreo, ravvivarsi; gli occhi malevoli splendere d'una fede fanciullesca;

484

la gelida voce farsi musicale e tremante, per sola virtú di *quell'altro nome*! Veder l'amato dimenticare l'ora che passa, la fretta addotta in iscusa poc'anzi, i pretesi impegni, per discorrere di *lei*: mai sazio, come un astronomo che si pone ai propri strumenti sul far della sera ed è sorpreso dall'alba ancora in contemplazione delle stelle! Ascoltare un egoista il quale non suppone, sembra, che l'ascoltatrice abbia cuore umano, o, almeno, udito e membra soggetti alla fatica; ma pare, al contrario, convinto che l'argomento a lui caro, in guisa d'un vapore celeste, renda ognuno beato, e, come l'acqua della grazia, asseti di sé chi lo beve! Che altro ancora? Star di fronte a un cieco, il quale, mentre confida gli incendi e le guerre inani di un amore senza speranza, non vede sfavillare nelle pupille di chi lo ascolta la scritta: « Ah, sperperatore insensato! Tu dài tutto a una che rifiuta, e a me, cui basterebbe un poco per farmi felice, neghi anche il poco! » Sospettare, infine, e forse non a torto, che il massimo piacere ch'egli si ripromette in questa camera, il massimo interesse che lo conduce qui, la massima ragione della bramata sua presenza, sia proprio l'inesauribile voglia di parlare dell'*altra*! magari il gusto malsano di parlarne a chi lo ascolta *per passione* e riluttante, avida, ora, nell'ascoltarlo, viene meno dall'invidia, ora si consuma nel rimpianto; ora si lusinga di meritare un premio alla propria ipocrisia, ora s'irrigidisce nella certezza d'essere ripudiata; or si mortifica, ora si ribella; ora sta in guardia, ora si dà per vinta. Mentre che le confidenze spietate, esponendole dinanzi, come in una fiera, mille preziose mercanzie di cui le è negato il possesso, la gettano dalle tentazioni della lussúria alle gelosie per la virtú. E fra tanti contrasti, la infelice deve simulare, frenarsi! Giacché, ricusando il supplizio, rinuncerebbe alla speranza. Fu preciso e severo l'ammonimento dell'indovina: non cercare colui che ami, ma, quando l'avrai ritrovato, bada a non riperderlo! Ora, sebbene analfabeta, Rosaria non manca dell'istinto d'orientamento, né ignora le vie traverse usate spesso da Amore. Dall'inimicizia alla confidenza; e attraverso la confidenza all'assiduità, e all'abitudine, e alla simpatia; finalmente all'abbandono. E dall'odio alla crudeltà; dalla crudeltà al gusto; dal gusto alla voluttà. Ci si ritrova, alla fine, sulla strada maestra!

Per cui, s'ella vuole riconquistare il suo piú caro, deve incatenare la propria indole impetuosa! Alla sua passione è negato di sbrigliarsi come un'impaziente bambina che corre a giocare per i frutteti. La sua passione, ohimè, ha la triste sorte di stare legata e mascherata come uno spauracchio in mezzo al campo, al fine di scacciare i predoni e proteggere il tesoro!

A simili prove, ne son certa, fu sottoposta l'eroica Rosaria. Ma io, mi perdoni il Cielo, non capivo nulla di tutto questo. Allorché l'umore di mio padre annunciava prossimo il momento dei saluti; e che Rosaria, avendo invano dispiegato, come spavalde bandiere, ogni sorta di spiriti e di bellezze, d'un tratto girava il discorso, per esempio, così: – E tua moglie era anche lei, da bambina, tanto studiosa? – oppure: – Anche tua moglie predilige il rosso? – queste domande innocenti non destavano in me alcun sospetto e la conversazione mi pareva la piú naturale. Alla súbita eloquenza di mio padre non indovinavo certo ch'egli s'era lasciato cogliere volentieri in un tranello. E mentre Rosaria, simile ad un serpe incantato, gli stava di fronte con gli occhi scintillanti e duri, io non vedevo l'astuzia e la viltà nel sorriso sfrontato di lei; né mi accorgevo, all'udire le·sue finte parole, ch'ella aveva al posto della lingua una fiamma forcuta; e che al nome di *Anna* le luci fisse dei suoi sguardi gettavano malefizi. Ero infatti convinta che tutti dovessero, come me, sentirsi beati e non mai sazi d'ascoltare le lodi di Anna. Onde le rare volte che Rosaria, incapace di contenersi, usciva in giudizi amari o addirittura in imprecazioni contro mia madre, io la fissavo piena di sdegno, percossa dallo stupore; e credo che le sarei saltata agli occhi come una leonessa, se non vi fosse stato mio padre per rintuzzare le sue parole temerarie. Rimanevo, tuttavia, nel dubbio d'aver frainteso; e mi dicevo che, forse, ero caduta in un equivoco supponendo che Rosaria insultasse mia madre. Forse, quelle parolacce e quegli sdegni erano rivolti ad un'altra. Rosaria pareva sempre tanto contenta di sentir parlare di *lei*! anzi il mio piacere di tali conversazioni era doppio, perché lo ritenevo condiviso. E mi sentivo defraudata e offesa se Rosaria mi mandava in cucina con la serva. Mio padre, che per solito si opponeva a ch'io mi allontanassi o mi richiamava assai presto, lasciava fare o addirittura si dimenticava di me quando si parlava di Anna. Ed io là nella cucina, a testa bassa, aggrondata e muta, mi consumavo di rabbia e di gelosia. Volevano forse, quei due, contestarmi il diritto d'ascoltare, quando si conversava dell'amore mio? L'amavano, forse, loro piú di me? O forse, perché adulti, approfittavano della mia piccolezza per sopraffarmi? O supponevano, forse, ch'io preferissi le puerilità della matta Gaudiosa a quell'argomento sublime? Quale mortificazione e quale ingiustizia! Mai, come in quelle occasioni, detestavo Gaudiosa, e la sua cucina maleodorante e affumicata! e la sua contentezza di stare in compagnia, le sue rosse, infingarde manine intrise di risciacquatura di piatti; le sue confidenze, e perfino le sue storie di santi! con disdegno io respingevo consimili passatempi servili! e s'ella insisteva a voler distogliermi dal mio cupo mutismo, doveva a suo proprio danno conoscere le mie rabbie! Neppure quando, venuta l'ora dei saluti, mi si chiamava di là, io lasciavo cadere il broncio; anzi ogni aspetto della mia persona, dal passo riluttante ai sopraccigli corrugati, lo dichiarava fieramente. Se mi si invitava a salutare, io tendevo una mano svogliata e molle; se mi si offriva un bacio, io scontrosa negavo la bocca e a malapena concedevo la guancia. Ma Rosaria, in quei momenti, era troppo confusa lei stessa per accorgersi dei miei malumori; e credo che volentieri invece d'un bacio m'avrebbe dato un morso. A me, anche stavolta, le cause della sua passione e stizza erano in gran parte sconosciute. Come ignoravo l'occulta illusione che consigliava Rosaria a esiliarmi, cosí non sapevo che questa illusione giaceva calpestata un'altra volta: lo smemorato Amore non ritrovava la strada maestra!

Verso di me, i sentimenti di quella tenace guerriera apparivano sempre assai mutevoli: a volte pareva considerarmi un impaccio, a volte invece un utile pretesto o addirittura una prònuba. Onde, se all'arrivo, vedendo mio padre presentarsi in mia compagnia, mi gettava uno sguardo velenoso; al commiato, invece, mi toccavano moine e carezze perch'io fossi invogliata a tornare. Se un momento ella m'abbracciava, mi chiamava *Franceschina*, mi arricciava i capelli o mi ninnava, un momento dopo mi scacciava dalla stanza con modi sgarbati, e mi chiamava maligna, *signorina*, gatta morta. Quando per poco restava sola con me, incominciava a farmi domande su mio padre (com'egli trascorresse le sere, e se avesse fatto la pace con mia madre, e se mi parlasse mai di lei, Rosaria); e poiché mi mostravo ritrosa nelle risposte, mi dava stratte violente e perfino mi prometteva uno schiaffo. Ma subito dopo, guardando il mio viso torvo, rideva a piena gola e diceva con delizia: – Ah, sembri lui quando ha le furie, sei proprio il suo ritratto, Franceschina mia, gioia di Rosaria! – e invece di schiaffi, mi dava baci. Un'altra volta, mi parlava di mia madre, chiamandola sprezzantemente *la signora*, e gettando le accuse piú malvage contro di lei; ma al vedere il mio sguardo inorridito e severo, prendeva un tono di commedia, fingeva d'aver alluso alla signora Tale o Talaltra, e inventava lí per lí dei nomi grotteschi per farmi ridere: – Che cosa hai dunque pensato? – soggiungeva, – o perché t'offendi? Son forse amiche tue, queste signore? – Tuttavia, come, ricredutami, io mi rasserenavo, ella mi faceva promettere di non ripetere a mio padre queste sue maldicenze. E per ottenere la mia promessa mi parlava in tono supplichevole, confidenziale e insistente, lisciandomi nel contempo e facendo smorfie bambinesche proprio come fosse una mia compagna.

Quanto a me, fin dal primo giorno il mio cuore aveva scelto il proprio partito nei riguardi di Rosaria. La persona di lei m'era cara, mi piaceva di starle vicino; e soprattutto in grazia dei suoi complimenti e lodi e carezze provavo spesso, accanto a lei, la piena felicità. Come l'amavo quando m'era cortese, così, quando m'era nemica, la detestavo. E come mi struggevo di potermi sdebitare ricambiandole, moltiplicati, i baci e le tenerezze; così avrei voluto, allorché mi offendeva, sbranarla e distruggerla con le mie mani, e nessuna possibile vendetta era pari al mio odio. Bastava, però il minimo segno di rimorso o di simpatia da parte di lei, perch'io dimenticassi il mio furore e di nuovo l'amassi. L'amassi! Questo verbo, in realtà, non suona giusto nel presente luogo; e s'io voglio esser precisa quanto sincera, non m'è dato di usarlo che per una sola persona, l'unica degna d'*amore* per me. Chi sa quanti, a leggere qui un tale verbo, m'han supposta infedele, o per lo meno han creduto il mio cuore condiviso! Ora, invece la persona di Rosaria, per quanto amabile e cara, valeva meno di una bambola se confrontata con quella della mia dea. Né avrei certo esitato a gettar via mille dolcissime Rosarie per la sola amara Anna!

Devo dire, adesso, che mia madre, pur essendo, in certo modo, il dèmone delle nostre visite a Rosaria, seguitò fino alla fine ad ignorare tali visite, anzi addirittura l'esistenza di quella dama. E non per la promessa da me fatta a Rosaria; ché nessuna forza d'animo o vincolo di segretezza mi avrebbe tenuto dal parlare, se Anna l'avesse voluto. Né avrei certo esitato, seppur con dolore, fra il tradire Rosaria e il mentire a mia madre. Il fatto è che un dilemma simile fu risparmiato alla mia coscienza; mia madre infatti, se poco s'era interessata finora all'impiego dei nostri pomeriggi di festa, da qualche tempo trascurava perfino di farmi, al ritorno, le solite domande distratte e casuali. Se poi le avveniva, per abitudine, di domandarmi: « dove sei stata? », o: « ti sei divertita? », io cominciavo appena a rispondere, turbata e vaga: « Abbiamo preso il tram di Fuoriporta... », ovvero: « Siamo stati a far merenda... », quando mi accorgevo ch'ella non m'ascoltava già più, intenta e fissa a un suo misterioso altrove. Per cui, grata, una volta tanto, d'esser men che nulla nei suoi pensieri, lasciavo la mia risposta incompiuta.

Capitolo terzo

> *S'incomincia con una vistosa lode di Elisa.*
> *Di nuovo la medesima signora del capitolo precedente.*
> *Una serata all'Opera.*
> *L'«ambulante» e il brutto Caboni.*

La nostra assiduità presso Rosaria, incominciata sul principio dell'inverno, durò fino ad inverno avanzato: epoca in cui, come vedremo, quelle nostre visite si diradarono per cessare, piú tardi, del tutto. Fino ad allora, ogni passeggiata in compagnia di mio padre si terminava in quella casa. E se qualche padre timorato, qualche riverente e casta figlia vorrà sapere perché mai mio padre non si facesse scrupolo di condurre una innocente in una società cosí svergognata, io davvero non potrò dar loro una risposta che li soddisfi. La mia spiegazione, infatti, suonerà strana ad orecchi pietosi e sensati, ma è la sola cui sappia giungere, oggi, l'adulta Elisa. Io penso, cioè, che a quel tempo, sebbene io fossi appena sulla prima fanciullezza, in realtà mio padre e mia madre erano i miei fanciulli. Non soltanto il nero, disgraziato Francesco, ma la lucente, la superba Anna, non osavano affrontare il mondo se non armati di questo piccolo schermo: Elisa! Ora minuscolo ponte gettato fra loro e gli altri; ora ostacolo affinché non li si potesse giungere; ora scudo per difenderli! Ora maschera per i loro inganni, ora ventaglio per i lor bisbigli confidenziali, ora bambola per i loro giochi! Tutto ciò tu fosti, Elisa! E quale altro pubblico, se tu non c'eri, avrebbe assistito alle loro insane commedie? chi li avrebbe ascoltati, credulo, nel loro farneticare? chi avrebbe fatto da ingenuo intermediario fra essi e i loro frivoli spettri? a chi avrebbero confidato senza vergogna i loro tumulti scandalosi? O Elisa! Quale il cane per il cieco nato, quale la mezzana per il giovinetto inesperto, quale l'ambasciatore per il re straniero; tale tu eri per loro! E sebbene arida e furiosa sia stata la loro corsa, ancor piú perfidamente li avrebbe bruciati l'arsura; ancor piú barbaro avrebbe riecheggiato intorno ad essi il mistero delle loro proprie voci, se tu, o Elisa, non ti fossi accesa di splendori ai loro futili incendi, e non avessi accolto come ragioni le loro menzogne! Se tutto questo parrà uno scandalo ai genitori savi, alle figlie bene allevate, che t'importa? Ciò che per altri è bruttezza e scandalo, è per te un riscatto trionfale, donna Elisa! Soltanto la presente illusione può sopire i tuoi rimorsi; e chi potrebbe mai perdonarti la tua vita intera, cosí infruttuosa e maligna, se, nella tua prima età, tu non avessi, almeno, servito un poco ai tuoi due fanciulli!

Tornando adesso, dopo questa cincischiata ed enfatica, non meno che insulsa, interruzione; tornando al mio racconto, preciserò che malgrado la nostra assiduità presso Rosaria, le nostre visite, a volerle contare, non furono molte: mio padre infatti non si concedeva molte vacanze, usando spesso di lavorare anche nei giorni di festa ai suoi *straordinari*. Sebbene pochi di numero, questi primi incontri con Rosaria splendono però vividi e fermi nella mia memoria, a causa del gran posto che Rosaria ebbe in seguito nella mia vita. Non posso, tuttavia, soffermarmi a descrivere tutto quanto ricordo di quelle nostre visite invernali. Mi contenterò di annotare qui che per lo piú, al nostro arrivo, ci veniva aperto l'uscio da Gaudiosa; e, dopo un intervallo, la padrona appariva, avvolta in una vestaglia di color nero, ricamata d'oro e d'argento, le cui maniche eccessivamente ricche scoprivano, ad ogni gesto, le braccia rosate e lentigginose. Altre volte, Rosaria ci riceveva in camera, dove, sia ch'ella prolungasse la siesta o che, per aver fatto tardi la notte avanti si fosse da poco svegliata, la trovavamo ancora nel letto, e spesso non ancora spoglia dal sonno, onde seguitava a lungo a sbadigliare. Sempre teneva accanto a sé, sul tavolino da notte, un gran cartoccio di fichi secchi, o di confetti o di noci per mangiucchiarne di continuo mentre discorreva. E sempre aveva presso di sé le sue carte da gioco: poiché spesso, quando s'attardava nel letto e non aveva compagnia, soleva svagarsi interrogando le carte sull'esito di ciò che le stava piú a cuore, e conosceva circa trenta sistemi per far parlare quelle Sibille. Inoltre a terra, o su una sedia accanto al suo letto, c'eran sempre delle riviste illustrate di mode, e un giornale cittadino: ché Rosaria ogni giorno al suo risveglio amava farsi leggere da Gaudiosa (non sapendo farlo lei stessa), le notizie di cronaca piú interessanti, vale a dire le tragedie passionali, gli scandali, i processi e gli avvenimenti mondani. Gaudiosa, sebbene non fosse, neppur lei, troppo esperta lettrice, faceva tuttavia del suo meglio: e s'interessava a quelle notizie non meno della padrona.

Questa approfittava sovente delle nostre visite per farsi rileggere da me degli appassionanti fatti di cronaca che la stentata lettura di Gaudiosa non le aveva fatto gustare appieno. In tali occasioni, Rosaria mi guardava come fossi un fenomeno per via che, cosí piccola, io sapevo leggere in un modo degno di una dottoressa. Tale almeno era la sua opinione, ed io certo non la contraddicevo: erano, quelli, degli attimi trionfali per me. Ella mi ascoltava coi suoi occhioni spalancati, attenta e rispettosa, quasi fosse lei la bambina. Accadeva tuttavia che, a un certo punto, il suo cuore impetuoso vincesse il rispetto: e allora, interrompendomi con violenza, ella mi stringeva il volto e mi scoccava ardenti baci sulle labbra: – Sei proprio in tutto come tuo padre! – esclamava, – cosí istruita, cosí studiosa. Angelo mio, mi sembri il Bambino Gesú! – A queste lodi, perfino il volto di mio padre si schiariva. Effimere glorie da prima della classe, o Elisa!

Ricordo, infine, che, un paio di volte almeno, mio padre ed io, saliti per visitare Rosaria, ci sentimmo dire da Gaudiosa, all'ingresso, che la signora non era in casa. Una volta, però, nel dir cosí la matta Gaudiosa mi tirò per la manica, e ammiccandomi rise furbescamente, mentre, celandosi a mio padre, mi indicava di soppiatto l'uscio chiuso della camera, e mi faceva segno di tacere. La povera Elisa non s'era, a quel tempo, addentrata ancora nei misteri della galanteria: per cui non capí nulla di quella commedia di Gaudiosa. Ma oggi, essa non è da meno dei suoi lettori; e non le è molto difficile intendere che, se-condo ogni evidenza, l'allegro signore della Danimarca aveva dei rivali fortunati.

Le nostre visite a Rosaria, abbastanza frequenti, come v'ho detto, durante l'inverno, incominciarono a diradarsi verso il febbraio. Ri-cordo bene quest'epoca del famoso anno, perché essa portò dei cam-biamenti nella nostra casa, e soprattutto nelle abitudini di mio padre. E ciò in seguito a nuove e piú amare guerre dei miei genitori ca-pricciosi.

A motivo dei suoi lavori fuori orario, mio padre rincasava, in quelle notti d'inverno, cosí tardi, che spesso mia madre ed io ci era-vamo già coricate. In tal caso, egli consumava da solo la cena, lascia-tagli da mia madre nella cucina presso le braci; e poi si ritirava nel sa-lotto, dove mia madre ed io gli avevamo preparato il letto sul divano. Erano varî anni ormai ch'egli dormiva solo, nel salotto; devo rian-dare alla mia prima infanzia, per ritrovare appena delle immagini lontane e nebulose di mio padre dormiente nella camera con noi.

Di solito, rincasando tardi, egli si studiava di far poco rumore per non destarci; ma io sentivo nel dormiveglia, attraverso l'uscio, il suo tossicchiare soffocato di fumatore, il fruscío dei giornali e il leggero tonfo delle scarpe. Rumori familiari, che mi arrivavano attutiti dal sonno, come voci di un limbo. Talvolta, poi, malgrado la stanchezza del suo lavoro prolungato, sembrava che mio padre non sopportasse il riposo. Mi accadeva, infatti, di svegliarmi di soprassalto (avevo il sonno assai leggero), nel piú fondo, a me pareva, della notte; e di vedere mio padre che, dischiuso pian piano l'uscio fra il salotto e la nostra camera, si avvicinava al grande letto matrimoniale. Egli era ancora vestito da capo a piedi, nel suo solito abito nero; solo, certe volte s'era tolto la cravatta; e dal collo semiaperto della camicia si vedeva un poco del suo petto bruno. Trattenendo il fiato, con la testa quasi del tutto coperta dal lenzuolo, io lo sogguardavo attraverso due strette fessure delle palpebre, ché volevo fingere di dormire. Egli si accostava al capezzale di mia madre dormiente, e rimaneva a guardarla, con la bocca un po' affannosa come se avesse corso per arrivare fin lí. Non c'era altro lume se non, sul cassettone, il lucignolo da notte: la cui fiammella rossastra si riaccendeva, s'egli volgeva il capo, nel doppio riflesso delle sue pupille, cosí ch'egli pareva aver occhi rossi di dannato. Oppure, s'egli voltava le spalle al lucignolo, le luci proprie di quegli occhi dilatati dall'insonnia balenavano nere nere su di noi. Per solito, dopo essersi indugiato a guardare mia madre supina, pacificata nel sonno, egli se ne andava senza dir nulla, com'era venuto, richiudendo piano dietro di sé l'uscio del salotto, né io mai dicevo a mia madre di quelle visite. Ma una notte, con una voce soffocata, irresistibile, dannata, mi parve, anch'essa, egli chiamò: – Anna! – Mia madre ebbe un trasalimento, e, nell'attimo stesso che si svegliava, subitamente accese la lampada sul tavolino da notte. Intimorita, io chiusi forte le palpebre sotto il lenzuolo; e udii mia madre dire a mio padre, con voce bassa, concitata e stridente, s'era pazzo a svegliarla in quel modo: e ripetergli di andar via. Poi, ridendo affannosa, con irritazione, ella soggiunse: – Sei ubriaco! –; e poiché mi parve sentire, nell'accento di lei, che mio padre le faceva paura, mi drizzai a sedere sul letto con gli occhi spalancati. Vidi allora mio padre che le stringeva il viso, baciandola sulle labbra scomposte; mentre lei, sbigottita e terrea, lo guardava come si guarderebbe uno sconosciuto, un ladro delle strade, che ci sorprenda indifesi e inermi nel cuor della notte.

Sentii le mie membra irrigidirsi nella rivolta; e rabbiosa, battendo i denti, proruppi: – Ubriaco! ubriaco! – Egli mi parve confuso; e come io, seduta sul letto, nei miei grandi capelli sciolti, ero già sul punto di scoppiare in pianto, egli lasciò libera mia madre, e uscí.

Un'altra sera, invece, mia madre si acconciava per la notte, ed io giacevo sotto le coltri, assopita, quando mio padre rincasò. Udendo qualche movimento nella camera, egli capí che mia madre era ancora alzata, e, dopo aver picchiato lievemente all'uscio, entrò e la sorprese nell'atto d'intrecciarsi i capelli al chiarore del lumino da notte. Udii ch'ella lo ammoniva a far piano per non risvegliarmi; ma lui, maldestro, urtò una seggiola o rovesciò una boccetta sul piano di marmo del cassettone: cosí che i miei sensi, già all'erta, furon quasi del tutto svegli. Vedevo la figura di mio padre allacciare l'altra, fra folli bisbigli; e l'altra portare le mani alla treccia ancora non fatta, nel tentativo di proseguire l'interrotto suo lavoro, quasi che un tal pretesto dovesse aiutarla a salvarsi. Per un istante, vidi gli occhi di lui rispecchianti, come acque nere, il fuoco del lucignolo; e le bianche dita di mia madre che aveva ripreso a intrecciarsi i capelli, con una rapidità febbrile. A un tratto, ella abbandonò la treccia non compiuta; nel silenzio non si udiron che i loro due respiri, mentr'egli le cingeva le spalle, e, pari a una bianca vittima, la traeva con sé nel salotto.

Non potrei dire se la causa furono proprio gli episodi ora narrati; ma è certo che, in quei giorni appunto, l'ostilità di mia madre verso mio padre assunse un nuovo aspetto, e diventò anche piú acerba a sopportarsi, perché chiusa e senza sfogo. Essa non prorompeva, come prima, in furori e violenze che eran pur sempre un segno di vita. Adesso, mia madre fuggiva la presenza di mio padre, ne evitava la conversazione, e ne temeva la vicinanza pur se innocente. Quando la necessità la costringeva in una stanza medesima con lui, rimaneva muta, o, interrogata, rispondeva senza guardarlo, con frasi rapide e un accento selvatico e impetuoso che tradiva sempre un'intima riluttanza: come se le costasse una ferita, un oltraggio, ogni volta, lasciare l'amato silenzio.

Nei rari momenti che stavamo raccolti tutti e tre intorno a una stessa tavola, ella s'irrigidiva in tutta la persona, fino alle pupille inerti, come una figura senz'anima: invece, si sentiva dietro quella sua fronte dura la sua triste anima in agguato. Mio padre fingeva di osservare un giornale, o un qualche mio libro di scuola posato sulla tavola; ma i suoi occhi si fissavano a lungo, spaventati, su un titolo insignificante, o erravano qua e là sulla pagina, al modo di animali in una gabbia.

Io non fiatavo; da tempo avevo imparato a ricacciare i ciarlieri, puerili spiriti che *lei* aveva mortificato col suo disprezzo. Tentavo di sprofondarmi nei còmpiti; ma *lei* mi stringeva nel suo cerchio. In qualsiasi aspetto mi apparisse, m'affatturava, la bella maga. S'ella era una guerriera, io combattevo al suo fianco; se un'agnella, io la difendevo; ma quando mi sovrastava, come una nube fuor della terra, insensibile al linguaggio umano, che mai poteva fare questo povero selvaggio ch'io ero? Null'altro se non prostrarsi al cospetto di quei maestosi vapori; senza illudermi che lei, grande e padrona nella dimora delle tempeste, si accorgesse di me.

D'altra parte il suo contegno, che cosí turbava i suoi schiavi, non era effetto della sua volontà. Si sarebbe detto (soltanto adesso riesco a esprimere oscuramente ciò che allora oscuramente avvertivo), si sarebbe detto che nella persona di mio padre, sí, proprio in quelle fattezze, in quell'abito, in quella voce, ella riconoscesse ogni volta l'effige di chi sa quale onta, o minaccia, o dolorosa rovina. La presenza, la vista di lui non erano che la vivente apparizione di tali reminiscenze e presagi: davanti ai quali ella indietreggiava piena di ripulsa. Al modo di un bambino che, nella febbre, supplica la madre di scacciare dalla stanza quel gigante nero, quell'animale feroce: mostri a lui solo visibili, e leggende informi della puerizia cui la febbre dà corpo, né vale, a scancellarli, la ragione o la preghiera.

Per la devozione carnale che mi legava a mia madre, io ero, come sempre, toccata dal suo contagio. Non che udissi dalle sue labbra neppure una sillaba intorno ai suoi turbamenti segreti: anzi, la questione s'io fossi o no provvista d'occhi, e d'udito, e di anima: s'io fossi, insomma, una persona vivente, o un disutile oggetto; una questione di tal genere, dico, mai, come adesso, pareva indegna per lei di qualsiasi considerazione. I suoi sentimenti verso mio padre mi apparivano dal suo contegno in presenza di lui; ma non ricordo mai ch'ella si degnasse di confidarli a me bambina, o di pronunciare giudizi e allusioni su questo o altro argomento. I suoi discorsi con me riguardavano soltanto le pratiche faccenduole della mia vita di bambina e di scolara. E il suo silenzio su tutto il resto non era un segno di rispetto per l'innocente ch'io ero (la vedemmo, infatti, esprimere senza ritegno, in mia presenza, ogni sua passione piú trista); ella taceva con me solo perché non mi teneva in nessun conto, e si comportava come se le scene, delle quali ero testimone, fossero cose prive di senso per me, subito cancellate dalla mia sciocca mente non appena eran trascorse. D'altra parte, esisteva al mondo qualche persona con cui ella amasse confidarsi? e le importava forse alcunché di me, sua figlia, e del mondo intero?

Io la vedevo, tuttavia, sebbene tacesse, mutar colore e riscuotersi, come per un leggero brivido, allorché s'udiva per le scale il passo di mio padre che tornava a casa. Vedevo le sue pupille dilatarsi e poi spegnersi, e quasi vedevo il suo cuore contratto sanguinare da una sottile puntura. Tutto ciò io vedevo, e tutto ciò provavo nella mia stessa carne; né udivo, ormai, quel passo, o il suono della chiave nella toppa, senza che una voce pavida, pungente, gridasse in me: «Ecco, la vostra cara solitudine è finita! *Lui* ritorna! *Lui* sempre ritorna in questa casa! »

Il languido silenzio di mia madre diventava allora il silenzio teso di un animale all'erta; una convulsa aria agghiacciante entrava nella casa. Ciò si ripeteva ogni giorno; non mancava mai quest'ora il triste orologio!

Mio padre, malaccorto, e servo dei suoi sentimenti, acuiva il male, invece di attenuarlo. Rincasava piú presto del solito, e si tratteneva piú a lungo, avido, si sarebbe detto, del proprio tormento. Se mia madre lo evitava, egli la seguiva coi suoi occhi umiliati e inquieti; e la sua voce, fin nel piú insignificante discorso, tradiva i suoi pensieri, ch'eran sempre d'amore.

Ciò durava da alquanti giorni; allorché una sera (credo fossimo sul principio di febbraio), mio padre rincasò che s'erano appena accesi i lumi nelle strade. Mia madre non s'era ancora accinta a preparare la cena, ed io scrivevo i còmpiti sulla tovaglia d'incerato, quando, cosí ilare da non sembrare del tutto in sé, egli apparve, carico di pacchi, e mi disse di far posto sulla tavola. A mia madre, disse di non preoccuparsi per la cena; e com'ella gli volse uno sguardo interrogativo, non le diede spiegazione, ma incominciò a svolgere i suoi pacchi quasi con violenza. Appariva disinvolto, coraggioso e felice come non l'avevo mai visto; e soltanto un ardore fatuo delle pupille, e un certo accento musicale della sua voce, tradivano ch'egli doveva essersi un poco inebriato col vino, per rendersi qual era.

Affascinate, nostro malgrado, dalla curiosità, vedemmo uscire dal primo pacco anzitutto i noti gioielli di mia madre, ch'ella aveva riportato all'ufficio dei Pegni fin dal gennaio precedente. Di piú, in un piccolo astuccio, un gioiello nuovo, una spilla in forma di mezzaluna, adorna di turchesi; e, sempre per mia madre, in una larga scatola di cartone, una stola di tessuto pesante, quasi d'arazzo, ricamata con fili d'oro rossiccio e argentei, secondo la moda di allora. Apparve inoltre, per lei, un paio di calze di seta nera, trapunta, in uso a quei tempi fra le eleganti. E poiché io guardavo tutto ciò come uno spettacolo, mio padre mi volse uno sguardo ridente, esaltato, che significava: « C'è un regalo anche per te ». Ed estrasse un paio di guanti di lana e un libro: egli non aveva osato, certo, comperare giocattoli per non contrariare mia madre.

Mi accigliai guardando il titolo e la copertina del libro: ché, sopra la figura di un veliero, il titolo parlava di corsari; ed io sospettai che si trattasse di una lettura adatta ai gusti d'un maschio, non d'una fanciulla. Ma invece, piú tardi, a leggerlo, quel romanzo mi piacque.

Mio padre aveva portato pure dei cibi già cucinati, vino e dolci. E poiché non eravamo in tempo di *gratificazioni* pasquali né natalizie, mia madre rise nervosa e domandò: – Hai rubato? – Ma, distratta dall'avvenimento inaspettato e bizzarro, non si curò di cercare spiegazioni. La sua dura inimicizia pareva sciogliersi come cera alle luci minerali delle gemme: ella le raccoglieva, le toccava come una bambina che fruga cose proibite. Ma da ciò le derivava un umore disordinato, che destava la pietà; leggére fiamme le salivano al viso, poi si rispegnevano. E nei monosillabi, nelle parole turbate che le uscivano dalle labbra c'era un tono di civetteria, volta però non a mio padre, bensí a se stessa: come di ammalata che si guarda nello specchio e si compiange.

Mangiammo quelle buone cose, e bevemmo di quel buon vino. Anch'io ne bevvi, ché mio padre cosí volle con un atto d'inaudita, fanciullesca rivolta, sebbene mia madre si opponesse. Bevvi dunque un mezzo bicchiere: dopo il quale, la serata mi parve magnifica, e la figura di mio padre spoglia di tutte le paure, confidenziale e chiara. Fu a questo punto ch'egli trasse di tasca due biglietti per l'Opera: si dava, al Teatro Lirico, l'*Aida* in serata di gala, ed egli aveva acquistato due posti di poltrona. Invitò dunque mia madre a vestirsi per lo spettacolo, che incominciava alle nove; e, per la prima volta in quella sera, nell'invitarla apparve agitato e sofferente, dal timore d'un rifiuto.

Invece, fosse la gratitudine per i doni, o la leggerezza del vino, o, infine, il piacere di rompere il buio carcere invernale con quella uscita notturna, mia madre accettò; ella raccolse i doni di mio padre, e si ritirò in camera per vestirsi. Intanto, io chinavo il capo sulla tavola, sentendomi la gola soffocata da un nodo: ché la festa si concludeva, per me sola, nell'abbandono e nell'invidia. Gli altri andrebbero al teatro, ed io rimarrei sola a casa. Alla parola *teatro* i miei sensi tutti all'unissono si destavano, suggerendo alla mente grande spazio, brulicare di splendori, voci strane e corali, odori d'incenso. Un tumulto quasi di foresta, e una religione di cattedrale; l'esaltazione della favola, il gioco fattosi cosa divina. Tutto ciò per *loro*, mentre io resterei sola nella piccola casa, con questo sapore di sale in bocca.

Mio padre si avvide forse dei respiri dolorosi che mi alzavano e abbassavano il petto, e n'ebbe compassione. Egli appariva trasformato, incosciente quasi, pieno di foga e di speranza; mentre mia madre si vestiva, per consolarmi forse, mi raccontò la leggenda dell'*Aida*, e me ne cantò dei pezzi: « Celeste Aida », e poi « La fatal pietra sopra me si chiude », con la promessa di recitarmi l'opera intera la prossima domenica. Con grave pena, io mi ribevvi in sua presenza le lagrime;

ma allorché mia madre ricomparve (simile ad un'attrice, pensai), nella sua magnifica stola arabescata, e in tutti i suoi gioielli; allorché, insieme a mio padre, ella fu scomparsa, e udii sbattere l'uscio, mi gettai bocconi sul letto, con terribili singhiozzi.

L'idea di dover trascorrere lunghe ore sola, col pensiero dell'altrui felicità, faceva montare sempre piú alto il mio pianto. Non mi sarei forse, tanto disperata, se avessi presentito che la sera, per me, doveva trascorrere veloce al pari d'un attimo. Difatti, nel pianto, e vestita com'ero, mi addormentai. Mi ridestò di colpo il ritorno dei miei genitori; sul comodino la sveglia segnava piú di mezzanotte. E mentre io, piena di paura, già pensavo a quel che direbbe mia madre, ritrovandomi ancor vestita, e col lume acceso, ella entrò.

Il suo rimprovero fu meno grave di quel ch'io temessi: infatti, ella disse solo: – Che fai! Non dormi! Va' subito a letto! – e non aggiunse altre parole. Ma queste poche furon pronunciate con una voce tanto rabbiosa e gelida, e il volto di mia madre era cosí mutato da quando l'avevo veduta uscire, poche ore prima, ch'io mi sentii sgomenta. Mentre mi spogliavo in fretta, anch'ella si spogliava, e i suoi tratti parevan quelli d'un carceriere avverso. Nei suoi gesti, c'era, invece, la furia di chi vuol gettarsi a precipizio nel buio, e spera nell'inco-scienza del sonno. Ella pareva bramosa di separarsi dai suoi panni diurni, come da una persona troppo viva ancora, tiepida e dolorante; e i gioielli, se li strappava dalle dita, dagli orecchi e dal petto, quasi desiderasse, con violenza, lacerarsi e sanguinare. Il giorno seguente, accadde un fenomeno assolutamente nuovo nella nostra vita: mia madre, cioè, sebbene disponesse di tutti i suoi gioielli, non se ne adornò, lasciandoli riposti nel cassetto, tutti, fino alla fede d'oro. Essi giacquero là dentro per alcuni giorni: dopo i quali furono sostituiti dalle solite polizze rossastre dei pegni. Ma nessuno li rimpianse, sta-volta, ché mia madre non s'era piú compiaciuta di essi. Che cosa mai l'aveva offesa? di che colpa s'era macchiato mio padre per meritare quest'ultimo affronto?

A tali domande avrei potuto rispondere molti mesi dopo, allorché un giorno, da una conversazione fra estranei, cadendo il discorso sui miei genitori, io conobbi la vicenda di quella lontana serata di festa. Era avvenuto che mio padre e mia madre, giunti al Teatro Lirico, erano stati respinti all'ingresso della platea, perché, la serata essendo di gala, venivano ammessi soltanto signori e signore in abito di società. Mio padre e mia madre ignoravano forse questa norma, o non se ne ricordavano: d'altra parte, essi non possedevano un simile abito. Mia madre s'era subito ritratta dall'ingresso, esortando mio padre a tornare a casa; ma come essi, quasi di corsa, fra le luci incrociate delle vetture e dei fanali, attraversavano la affollata piazza dell'Opera, s'erano imbattuti in un collega d'ufficio di mio padre, il quale, in compagnia d'una sua sorella, si dirigeva gaiamente ad un ingresso posteriore del Teatro. Fratello e sorella, entrambi, vestivano il loro solito costume del passeggio domenicale; difatti, per i posti di loggione, da loro prenotati, non era d'obbligo altro costume. Ora, si dava il caso che quella brava gente disponesse di ancora tre biglietti di loggione, già acquistati per la restante parentela che all'ultimo momento aveva dovuto, per suoi motivi, rinunciare alla festa. Essi avevano portato con sé quei biglietti in soprannumero, con l'intenzione di rivenderli a qualche ritardatario; e discorrevano, appunto, di ciò, allorquando s'imbatterono nei miei genitori che simili a fantasmi fuggivano dal teatro. Il collega apostrofò gaiamente mio padre; e vedendolo pallido, sconvolto, coi suoi biglietti di poltrona fra le dita, e saputa la causa della fuga, gli offrí senz'altro i posti di loggione che aveva di troppo: e non già in vendita glieli offrí, ma in regalo, ché, disse, gli bastava in cambio il piacere d'una compagnia cosí gradita, e l'onore di seder vicino a una cosí bella signora. L'esuberante cordialità di colui sopraffece la timida riluttanza di mio padre; e mia madre, nonostante le sue fredde ripulse, si trovò, quasi sospinta, lungo la squallida gradinata che conduceva al loggione, pigiata fra la grande folla che s'avviava agli ultimi posti. Con la confidenza passionale, quasi amorosa, che è propria di certe zitelle del mezzogiorno, la sorella dell'impiegato stringendole il braccio la difendeva dalla calca. Mio padre infatti s'era allontanato insieme al collega, il quale, nel suo zelo entusiasta, lo aveva trascinato con sé allo sportello dei biglietti, allo scopo di farsi rimborsare il prezzo delle due poltrone. Gridando vittoria, l'impiegato non tardò molto a ricomparire, seguito da mio padre, nella galleria chiassosa, gremita d'un pubblico povero e promiscuo. Ma già gli accordi dell'orchestra s'erano taciuti quand'essi entravano; e nel buio sopraggiunto, montava la prima ondata della grande Sinfonia.

Durante tutto lo spettacolo, mia madre si tenne immobile sulla sua dura sedia di legno. Ad ogni intervallo, il collega di mio padre con umile galanteria la supplicava di accettare, insieme a suo marito, un bicchierino, un ponce, un cioccolato caldo, alla *buvetta*: di non negargli questo piacere e quest'onore. Ma ella rifiutò ogni invito, fosse anche ad una semplice passeggiata nei corridoi « per avere uno scambio d'impressioni con conoscenti e amici », o « sgranchirsi le gambe », secondo le parole dell'impiegato. Pareva che la bocca della signora sapesse pronunciare soltanto: « No, grazie ». In conclusione, anche il

498

collega di mio padre e sua sorella, non volendo a nessun costo mancare ai propri doveri verso gli invitati, rimasero ai loro posti durante l'intero spettacolo. Ciò non fu, credo, senza sacrificio da parte loro; ma immagino che quella brava gente non abbia ricevuto alcun premio in cambio di tanta rinuncia. E ben presto, l'affettuosa, cantilenante loquacità della zitella, cadde, non ne dubito, davanti allo spettrale silenzio di mia madre. La quale (affermavano gli estranei che alla mia presenza, piú tardi, rievocavano l'episodio), pareva insensibile alla musica, alla gran gala, e alle cortesie dei suoi compagni; né ad essi mai non volgeva il viso immutabile, livido sotto i lampadari come un muro di calce. Ed io, quasi gli anni trascorsi fossero un mezzo limpido, che non nasconde le immagini, ma anzi risuscita quelle non viste, io la vedo, oggi, la vedo, la mia bella, ingioiellata signora. Seduta in quella seggiola di loggione, fra i compagni ciarlieri, ella è come un dannato in una bolgia, e d'altro non si cura se non del proprio cuore che, per odio, vorrebbe torcere come un cencio fra le dita inanellate. Le non ascoltate musiche, le voci, i lumi, dentro la nube del suo terribile odio, stendono un velario brumoso fra la sua bolgia e la platea: quella platea, quei palchi gemmati dove s'aggirano in abito di società gli uguali dei Cerentano. Ah, solo per superbia ella si domina: ché, non fosse la superbia, il cuore le detterebbe di balzare dal suo posto, di strapparsi dalle dita le gemme troppo umili. E di buttare il proprio disprezzo in faccia ai suoi vicini, gridando come una bestia rabbiosa. E vorrebbe esser morta per non udire quelle stupide voci che le ripetono: *Signora, signora!*

Al suo fianco, vedo mio padre, al quale ancora i fumi del vino addormentano un poco la mortificazione e l'angoscia. La musica, suo malgrado, lo ruba ogni tanto a se stesso; ma l'avverso influsso della sua tiranna lo richiama senza posa in terre desolate e amare. Ed ecco, invano, oggi, la mia ragione adulta mi suggerisce nomi spietati, d'inferno, per condannare quella tiranna. Invano il mio giudizio tenta di chiamarla stupida, perversa, e volgare donnaccia; il giudizio, ahimè, non può nulla, ché ancora oggi il mio sentimento riveste d'un colore divino quella figura. La cattiva matrona, la guastafeste, la perfida moglie, io non posso vederla che coi miei occhi bambini: eccola, rifulgente nella sua stola ricamata, nelle sue pietre preziose, nobile e bella come una Nostra Signora orientale. I suoi cattivi pensieri le splendono intorno al capo come un'aureola; e i desideri turpi e disumani che la trafiggono mi paiono spade sante.

La mia memoria non serba traccia di altre sere trascorse dai miei genitori a feste o a teatri. Se altre ve ne furono prima, da me dimenticate, non so dire; ma è certo che, dopo quella volta, mio padre e mia madre (salvo che in una occasione, come vedremo), non uscirono insieme piú. Nei giorni che seguirono, io non osai chiedere a mio padre di cantarmi l'*Aida*; quanto a mia madre, dopo la effimera tregua d'un'ora, ella era tornata di nuovo la stessa, con qualcosa, nell'apparenza, di piú inquietante e triste. Nel suo pallore c'era, adesso, un che di malsano, e gli occhi, sempre scintillanti, apparivano tuttavia di un colore torbido, come se ricevessero la loro luce non dalla mente, ma dai fuochi d'un sangue malato. Mia madre infatti, sebbene ingrassata oltremodo negli ultimi anni (al punto che solo occhi amanti potevano vedere in quella guasta bellezza la stessa Anna di una volta), mia madre pareva un'ammalata. Ciò si doveva forse ai veleni dell'insonnia; ella dormiva poco, da qualche tempo, e le sue veglie notturne erano, di piú, agitate da non so quali angosce. Ella non sospettava ch'io l'avessi scoperta; contro la sua volontà, forse, i crudeli spiriti che la tenevano sveglia, mal sopportando il loro carcere, le prorompevano dal petto, e cosí ella si tradiva. Non credo che piangesse; ma, piú d'una volta, nella notte, rauchi e profondi sospiri al mio fianco mi rompevano il sonno, o gemiti strani, quali di una donna orgogliosa che venga ferocemente percossa. Ella era assorta nei suoi lamenti, cosí da non accorgersi d'avermi svegliato; in brevi istanti, del resto, il sonno mi riafferrava, ma in quel passaggio fugace intravvedevo, simili a due bruchi luminosi su una strada piena di nebbia, le due sottili strisce dei suoi occhi. Ella teneva le palpebre semichiuse, e spesso girava dolorosamente la testa sul guanciale, mantenendo però il corpo supino e immobile. Pur nel sopore della coscienza, l'istinto mi ammoniva a non chiamarla, a non farle domande; ché, certamente, sarei riuscita solo a provocare la sua ira. Credo ch'ella giacesse lunghe ore senza trovar sonno: forse fino al declinare della notte. E s'era, forse, da poco addormentata, quando, nel primo crepuscolo del mattino invernale, l'orologio sul tavolino da notte squillava la sveglia per me e per lei. Non so quale idea di dovere, o volontà, o impulso d'orgoglio, istigasse lei, pigra per natura, a ubbidire senza indugio allo squillo mattutino, levandosi, ancora incosciente, dal letto. Scarmigliata, distratta e torva, ella mi aiutava nei preparativi per la scuola, accendeva il fuoco, serviva la colazione. Ed io vedevo, in quel suo modo di accudire ai soliti doveri materni nonostante i suoi mali segreti, un nuovo segno della sua noncuranza di me. Nell'assestarmi l'abito, o i capelli, con le sue manine diacce, nell'esaminare i miei quaderni, ella aveva lo stesso volto chiuso e aggrondato, la stessa rapida violenza di quando attizzava la fiamma sul focolare o sprimacciava le coltri del letto. Come s'io fossi un cosa insensibile, e uno dei tanti còmpiti indegni e amari svolti per necessità, pensando ad altro. Ah, se una mattina ella m'avesse detto: « Sto male, oggi, non ho dormito. Lavora tu, oggi, al posto mio », con quale rapimento e zelo mi sarei affaccendata e l'avrei servita! Ma lei non mi accordava neppure di farle da serva; solo di rado mi affidava un incarico, una faccenduola senza importanza, e forte era il mio batticuore in simili occasioni. Ché temevo di mostrarmi incapace, goffa e maldestra, cosí da non meritare piú, in seguito, i bramati suoi comandi.

Era una stagione burrascosa; ella usciva soltanto alla mattina, mentre io ero a scuola, per recarsi al mercato, e rimaneva in casa per tutto il restante giorno. Era sua nuova abitudine di consumare lunghe ore nella cameretta della nonna defunta, sul povero lettuccio fornito di un semplice materasso e di una coltre scolorita. Là ella rimaneva a lungo stesa, come una dormiente; in realtà, la coglievano scarsi e fuggevoli sopori, dai quali si riscuoteva intirizzita, chiedendomi di portarle un'altra coperta. La maggior parte del tempo, lo trascorreva sveglia, senza leggere, né cucire, né occuparsi in nessun modo; se ne stava supina, o appoggiata al gomito, come fosse in castigo, o ammalata. Ma alle mie timorose domande se avesse male, se le occorresse qualcosa, rispondeva brusca: – Non voglio niente. Vattene.

Io le ubbidivo; ma poco dopo, un'attrazione irresistibile mi richiamava in quella stanzetta. M'insinuavo per l'uscio socchiuso, come una gatta devota, o un innocuo folletto domestico, e rimanevo là dentro l'intero pomeriggio, evitando di far domande o chiacchiere, per non venire scacciata. Difatti, s'io tacevo e la lasciavo in pace, ella non mi respingeva né si occupava di me. Spesso io portavo là i miei libri, i miei còmpiti, e mi sedevo al piccolo scrittoio, paga di non venire scacciata da quella camera; ed ella pareva obliare la mia stessa esistenza. Finito il còmpito o la lettura, io rimanevo nel mio cantuccio, sulla mia sedia di paglia, donde lasciavo penzolare le mie gambe coperte di lunghe calze nere. E per distrarmi, spesso ricorrevo all'immaginazione, architettando certe favole o sogni dai quali un medico avveduto avrebbe forse pronosticato il morbo fantastico che doveva assalirmi piú tardi. Queste invenzioni, imitate dai libri di fiabe e di sante leggende ch'erano le mie letture di allora, si distinguevano per avere a protagoniste sempre una madre e una figlia: le quali, attraverso cattiverie, guerre e pericoli, si ritrovavano sempre alla fine congiunte in una vittoria suprema, ch'era amore, riconoscenza, e riscatto. Una volta, per esempio, le dette madre e figlia erano due pellegrine, che erravano per la terra mendicando. Or ecco un giorno la figlia accattona, allontanatasi un poco dalla madre, s'imbatte in un uomo a cavallo, specie intermedia fra San Giorgio e il figlio del re; invaghitosi delle grazie della fanciulla, costui le fa nascere una stella in fronte, e la porta con sé nel suo regno. Intanto la madre derelitta, non ritrovando piú sua figlia, erra di porta in porta supplicando: – Dov'è la mia figlia bellissima, la mia adorata, dov'è tutto il mio bene? – Sette anni dura questa ricerca; infine, la figlia, coperta di gioielli come una beata, cinta di corona, appare in sogno a sua madre insegnandole la strada. E dopo aver camminato per altri sette anni, la madre arriva al regno dove sua figlia è principessa, e lei stessa è fatta regina.

Un'altra volta, la figlia è una fanciulla crudele, che insulta e maltratta sua madre. Quand'ecco, una notte, i dodici Apostoli, comparendole in sogno la avvisano che per punizione, ella si sveglierà alla mattina sotto le spoglie d'un serpente, e tale rimarrà finché non sarà riuscita, sotto quel disgustoso aspetto, a conquistare l'amore di sua madre. L'avvertimento degli Apostoli s'avvera, alla mattina la figlia è scomparsa, e al suo posto v'è un rettile sconosciuto; senonché, questo muto serpentello compie tali prodigi di cortesia, di sacrificio e d'eroismo, che la madre, pur non sospettando mai ch'egli è sua figlia, finisce con l'amarlo, anzi addirittura col venerarlo e glorificarlo. E un bel giorno, secondo l'apostolica promessa, ecco il viscido serpente sollevarsi come una fiammella e con un grido trasformarsi nella bella figlia perduta! la quale è adesso, oltre che bella, cosí buona, da ottenere una stella in fronte come naturale ornamento, e in piú una lettera di lode scritta di propria mano dal Papa.

Fra simili immaginosi divertimenti, di tanto in tanto io riguardavo mia madre. Torpida, esangue, ella fissava i grandi occhi cerchiati sui fiori della tappezzeria; né d'altra noia si lamentava se non del freddo, per cui sovente si ravvolgeva meglio nella coperta, facendo cigolare il letto col pesante suo corpo. Aveva forse anche lei, nella mente, vicende e favole? Pensierosa all'aspetto, appoggiandosi sul gomito, andava tracciando con l'indice, sopra la coperta, segni incessanti e oziosi; oppure, messi i piedi in terra, neghittosamente seduta sulla sponda, si passava le dita fra i capelli di cui faceva e disfaceva lunghi boccoli, come giocando. Poteva sembrare, in quella penombra, una languida, accidiosa matrona del Mezzogiorno, che s'indugia nella siesta pomeridiana: una sposa dal cuore già maturo, in pace con la propria sorte. Ma allorché, venuta l'ora di accendere le lampade, appariva in piena luce il suo volto sbattuto, d'un colore terreo, con quegli occhi tristi e disumani e la bocca imbronciata; e lei si risolveva ad alzarsi, piena di disgusto, come se quella mortuaria sonnolenza fosse il suo solo rifugio, e l'unico suo bene; allora si aveva pietà della giovinezza di lei. Non piú negligente matrona la si giudicava, ma una creatura larvale, una insensata, fosca bambina senza cuore, che ancora si pasce di sogni. E ci si domandava quale fine avrebbero un giorno i suoi falsi riposi; e dove cercherebbe aiuto o salvezza la sua anima inquieta e immatura. Queste, o simili cose, immagino, si sarebbe domandato al vederla uno spettatore accorto; sebbene non credo ch'egli avrebbe potuto, pur nelle sue fantasie piú tristi, presagire il vero. Ma, quanto a me, non ero certo atta a giudicare, né a presagire nulla: a me bastava la quiete fittizia dei nostri pomeriggi solitari.

La nostra solitudine fu in quel tempo liberata anche dalla familiare paura che soleva turbarla: dall'attesa, cioè, del ritorno serale di mio padre. Egli, infatti, in luogo del suo lavoro consueto all'ufficio postale, aveva da poco assunto la funzione d'impiegato *viaggiante* che lo costringeva a lavorare quasi ogni notte. Ciò era incominciato verso la metà di febbraio, vale a dire non molti giorni dopo la serata all'Opera. Gli impiegati viaggianti ricevevano una paga un poco piú alta dei loro colleghi sedentari, e godevano, di piú, d'un supplemento alla paga ogni volta che eran di servizio sui treni. A questo servizio, faticoso e sfibrante, essi solevano, di regola, avvicendarsi a turno; ma mio padre, ricordo, ogni giorno indugiava negli uffici delle Poste fino a tardi, per tenersi pronto a supplire, sui treni in partenza, i suoi compagni che per caso risultassero assenti, o disertassero quell'ingrato servizio: e una tal circostanza non era troppo rara, soprattutto per i viaggi notturni. Questi servizi di supplenza, mio padre se li addossava per sua propria volontà, imitato da pochi colleghi fra i piú bisognosi e robusti. Tenendosi sempre in agguato negli uffici come faceva, egli riusciva a viaggiare quasi di continuo, e spesso lungo il medesimo itinerario, avanti e indietro. Ricordo che sovente udivo parlare in casa dell'*ambulante*, vale a dire del treno-ufficio sul quale mio padre lavorava. Adesso, egli non rincasava quasi mai la notte, e, se pernottava in casa, non veniva piú a turbarci nel sonno con le sue visite misteriose, come una volta. Dopo quella lontana sera, in cui, sorpresa mia madre ancora sveglia a pettinarsi, l'aveva portata via con sé nel salotto, egli non era entrato nella nostra camera mai piú. Grazie al suo perenne viaggiare, le nostre condizioni finanziarie migliorarono un poco; ma le giornate di lui, pur sempre monotone, avevan rovesciato la lor naturale vicenda, e lui, nelle sue rapide apparizioni, sempre piú rassomigliava a un'abbagliata creatura della notte. Sovente, il suo treno partiva dalla nostra città il pomeriggio presto, e, compiuto il percorso d'andata e ritorno, sull'alba del giorno seguente si fermava di nuovo alla nostra stazione. Per cui, mio padre rincasava alla prima luce, avanti che noi ci destassimo; e, consumato il pasto che lo attendeva in cucina fin dalla sera, si coricava poi nel salotto, cadendo subito in un pesante sonno. Toccava a me di ridestarlo, dopo il mio ritorno dalla scuola, nell'ora del nostro pasto familiare. Ma piú volte, e con violenza, dovevo bussare al suo uscio chiuso, e chiamarlo e incitarlo, prima ch'egli si decidesse a levarsi. Appariva a tavola fra noi che già la minestra si raffreddava nei piatti; e mangiava voracemente, sebbene le sue palpebre piegassero al sonno. La sua nera barba di meridionale, non rasa ancora dal giorno prima, e cresciuta inegualmente per via delle cicatrici, lo faceva apparire piú stralunato e pallido: egli non pronunciava una parola fin dopo il caffè.

Questa bevanda, in casa nostra, era riserbata a lui solo: ricordo ch'egli la preferiva amara, e assai forte. Mia madre gliene versava una fonda tazza ricolma, dopo il nostro pasto comune; e inoltre gliene riempiva una bottiglia da portare in viaggio, insieme con la pagnotta imbottita, suo pasto serale sull'*ambulante*. Mentr'egli beveva il suo caffè, mia madre, levatasi da tavola, rassettava la cucina senza badare a noi. Mio padre diventava, dopo il caffè, piú loquace e nervoso; e raramente, in quell'ora, sapeva resistere alla tentazione di accusare i propri disgusti, come se volesse venir compatito per un lavoro cui si sobbarcava lui stesso, di sua propria volontà. Con gli occhi torvi, e un sorriso mezzo compiaciuto; magari con delle inattese risate baritonali e malvage, egli raccontava ad esempio che perfino in sogno rivedeva di continuo leve e ruote, e udiva pulsare di stantuffi, strepiti di saracinesche, o veniva destato di soprassalto da un grido immaginario di stazione. Poi dichiarava di sentirsi, al posto del cervello, un congegno dentato, che girava dandogli delle trafitture; e per ironia soggiungeva che, in verità, l'organo del pensiero umano era motivo di grandi gioie e soddisfazioni per lui! Tutto ciò, egli lo diceva con una sorta di piacere e di trionfo, alla guisa d'un soldato spaccone che si vanta d'una strage. Ricordo che un giorno mia madre si volse, nel mezzo di queste sue querele, e gli disse: – Perché reciti la commedia? Nessuno esige da te tante fatiche eroiche e sacrifici. Ti costringiamo noi forse? – Egli arrossí alla parola *commedia*; ma le parole di mia madre non esprimevano altro che una verità.

Accadeva pure, in quell'ora, ch'egli si volgesse a me con intenzione scherzosa, benché una goffa, sconsolata sfiducia guastasse inevitabilmente il suo tono allegro. Fingendosi dimentico di avere una figlia che, al dire di lui medesimo, *valeva da piú d'una vecchia*, egli pretendeva di farmi credere certe fanciullaggini. Per esempio, affermava di nascondere un trenino magico sotto la giacca; e soffiando il fumo della sigaretta esclamava: – Ecco il vapore! – E non vedevo dunque, aggiungeva, i vagoncini fuggirsene via per l'aria, simili a bolle? Ahimè, non avevo guardato a tempo, e avevo perduto lo spettacolo, essi erano svaniti! Ma ecco, ecco il capostazione che agitava la bandiera! Non vedevo dunque neppur lui? Già, non era piú grosso d'una tignola; e ci voleva un occhio esperto da impiegato *viaggiante* per distinguerlo in mezzo al fumo.

Queste gaie metamorfosi di mio padre, queste sue frottole improvvisate parevano, a me che lo ascoltavo, quasi uno stolto e insignificante delirio. Evitavo gli occhi di lui, neri neri e tristi, che volevan camuffarsi con tinte immaginose, e alle sue giocose domande mi schermivo, stringendomi sgarbatamente nelle spalle. Se alle parole: « Guarda! è là! è là! guarda il treno! », a mio dispetto mi accadeva di voltarmi, arrossivo di vergogna, e subito ostentavo una finta tosse, un finto sbadiglio, per dare a intendere che il mio movimento spontaneo si dovesse a simili cause, non già ad un interesse ingenuo quanto assurdo. Come mi avrebbe giudicata, infatti, mia madre, se mi avesse creduta seguace di fole da bambini?

D'altro canto, mio padre stesso, mentre faceva mostra d'intrattenermi con le sue fole, ad ogni istante sogguardava mia madre. Ma lei pareva non udirlo nemmeno: si sarebbe detto che il pensiero segreto di cui si nutriva nelle notti e nei pomeriggi la contendesse agli oggetti presenti e a noi. Come s'avvicinava l'ora dei suoi sogni pomeridiani ella già piegava a quelle voci maliose, piú prossime ad ogni minuto. E ogni gesto pareva costarle pena, quasi ch'ella muovesse le membra non già in arie calme e stagnanti, bensí contro i risucchi d'un vento impetuoso. Di tutto questo, la mia ragione non si rendeva conto, ma l'istinto mi avvertiva; quanto a mio padre, egli non leggeva in quei modi nulla, fuori dell'ostilità consueta. Ciò si direbbe, almeno, dal comportamento che tenne piú tardi.

Sovente, accorgendosi del poco successo avuto coi suoi giochi, egli non si dava tuttavia per vinto nella sua voglia di conversazione. E incominciava a domandarmi s'io non mi spazientissi per dover ogni giorno, affinché lui si scuotesse dal sonno, richiamarlo piú e piú volte: io che la mattina, senza farmi pregare, sapevo levarmi alla prima chiamata. Oppure m'interrogava sulle mie lezioni, sulla mia scuola, e via di seguito. Ma io, sebbene in un modo oscuro, avvertivo il senso fittizio e la falsità delle sue domande. Sapevo ch'egli non s'interessava, in realtà, né alla mia scuola, né alla mia persona, e che ne usava come d'un pretesto. Onde, maligna, io rifiutavo di servire ai suoi fini; e rispondendogli controvoglia, a cenni, corrucciosa e annoiata, lo scoraggiavo dall'insistere in quei suoi approcci menzogneri.

Infine, veniva per lui l'ora di alzarsi da tavola: egli si lavava, si radeva, e si vestiva con cura, ché non aveva perduto, malgrado la continua stanchezza, le proprie ambizioni di decoro e di eleganza. Poi, chiusi in una busta di pelle il cartoccio della cena, i giornali, la bottiglia del caffè, si avviava alla Stazione, per il suo viaggio di turno; o all'ufficio delle Poste, dove si teneva *disponibile* (secondo l'espressione comune da lui stesso usata) per occasionali supplenze sui treni postali.

Ricordo un pomeriggio tardi (si era, credo, già nel mese di marzo, ma la giornata era invernale), che mia madre ed io dovemmo recarci al treno per non so che commissione da affidare a mio padre avanti che partisse. Mio padre quel giorno era di turno sull'*ambulante*; il quale era ancor fermo sui binari della stazione, sebbene già da tempo gli impiegati viaggianti fossero al loro lavoro, nel vagone-ufficio. Mia madre fece chiamare mio padre da un inserviente, e, poco dopo, egli discese dal treno sul marciapiedi dove noi stavamo ad attenderlo: era vestito di un lungo camice grigio. Mentr'egli parlava con mia madre, io mi appressai, curiosa, al treno, e guardai dentro per lo sportello aperto donde mio padre era disceso: non avevo mai visto, infatti, il famoso *ambulante*, né ebbi piú, in seguito, occasione di vederlo. Era un pomeriggio piovoso: per cui questa scena serba nel mio ricordo una luce di crepuscolo.

Il vagone postale, su cui mio padre viaggiava, mi parve somigliante nell'interno a un carrozzone da zingari. Senza scompartimenti, né sedili, era diviso in due da un tramezzo verniciato di un color grigio sudicio. Di qua dal tramezzo, sul pavimento cosparso di paglia e fangoso, erano accatastati dei sacchi rigonfi, recanti ciascuno una scritta. Nel tramezzo eran tagliati una porticina senza battenti e uno sportello col saliscendi sollevato: donde si scorgeva, al di là, una stanza fornita di casellari e di leggii, e, dietro lo sportello, un impiegato di mezza età che indossava sull'abito, al pari di mio padre, un camiciotto di tela grigia, ed era intento a timbrare dei fogli. Dalla parte visibile del suo busto alquanto incurvato, s'indovinava che doveva essere di lunga e allampanata statura.

M'incantai, quasi, ad osservare i suoi movimenti esatti e rapidi.

506

Era un uomo dall'apparenza malaticcia, dai capelli radi e in parte canuti. Egli aveva una stranezza nel volto, e cioè, sulle tempie e sulla fronte, fin dove gli nascevano i capelli, delle gonfiezze che non parevano causate da disgrazia né da malattia, bensí da una deformità propria delle ossa. Fuori di questo difetto, non aveva nulla di notevole né di strano: portava gli occhiali, e i baffi, trascurati e grigi, gli cadevano sulle grosse labbra scolorite. Al vedermi, interrompendo per un poco il suo battere, mi domandò come mi chiamassi. Di malavoglia risposi: – Elisa. – Elisa! – egli ripeté, – un bel nome! E il cognome, scommetto che l'indovino – soggiunse, in un sorriso che lasciò intravvedere i suoi denti malati, – vediamo: *Elisa De Salvi.*

Lo guardai con meraviglia, ed egli dondolò il capo ridendo e disse che parevo, a vedermi, un ritratto di Francesco De Salvi: non era difficile riconoscermi. Non sapeva, è chiaro, d'indispettirmi con queste parole: rabbuiata io tacqui. Intanto, egli s'era tolti gli occhiali per detergerli con un lembo del suo camice: e fermando su me le pupille mezzo spente, che parevano d'un addormentato, mi domandò se non volessi, per caso, partire anch'io sul *postale*, insieme a lui e a mio padre. Io dubitai ch'egli non dicesse sul serio; ma l'invito, al primo udirlo, piacque tanto alla mia fantasia, che la speranza mi fece avvampare in viso. Senza indugio, però, mi sopravvenne il pensiero che, partendo, lascerei mia madre a terra: onde la speranza diventò paura. In grande orgasmo risposi: – No! No! – e, col batticuore, mi staccai dallo sportello per correre presso mia madre, e aggrapparmi al suo braccio.

Ora, ecco, dal marciapiede dove stavo, udii lo sconosciuto, sul suo treno, ridere, certo divertito dal mio grande spavento: finché la sua risata si spense in un tossicchiare secco di fumatore. Tremai per l'irritazione; ma, d'un tratto, in luogo dell'irritazione, m'invase, e crebbe, un'immaginazione paurosa. Sospettai, cioè, che colui potesse costringermi a partire sul postale, a dispetto della mia volontà, separandomi da mia madre. La quale, pensavo, certo non mi difenderebbe, né si opporrebbe: tanto piú che, il giorno dopo essendo vacanza, il viaggio di andata e ritorno non mi farebbe perdere nessuna lezione. Questo sospetto fantastico apparve, in pochi istanti, cosí verisimile alla mia mente che il respiro mi mancava: non osai guardare verso lo sportello del treno, donde di momento in momento poteva apparire quella testa occhialuta. Mi figurai che colui fosse un personaggio autorevole, il capo, forse, di tutti i treni e della stazione, e, di piú, un uomo dispettoso e maligno. Per cui, se un facchino mi passava accanto con la sua carriola, o un impiegato della stazione avanzava di lontano, concitato e veloce, nel suo nero impermeabile; io rabbrividivo, pensando che ognuno, per comando di colui, si preparasse a caricarmi sul postale. Questo disordine della mia ragione durò alcuni minuti, vale a dire tutto il tempo necessario a mia madre per fare a mio padre la sua commissione. Intenti a discutere fra loro, né l'una né l'altro s'erano avvisti di nulla: mio padre infine risalí sull'ambulante e mia madre si staccò di là, tenendomi per mano. La minaccia però m'inseguiva ancora, ed io nel camminare tenni la testa bassa, come una capra che si difende, finché il treno postale non fu lontano dalla nostra vista.

Dileguato il pericolo, io pensai con vergogna che lo sconosciuto, in quel momento preciso, raccontava forse a mio padre la nostra avventura, e insieme ridevano di me. Intanto, mia madre mi conduceva fuor della stazione; ma per qualche suo motivo che non ricordo, invece di passare, come alla nostra venuta, per l'ingresso principale che dava sulla piazza, ella seguí stavolta i binari fin dove, cessate le fabbriche e le tettoie della stazione, essi si perdevano fra le campagne, e attraverso passaggi secondari e recinti non sorvegliati, si usciva dalle ferrovie nel suburbio della città.

Appunto in questo passaggio, mentre, lasciata la direzione delle rotaie, ci avviavamo alle uscite laterali, mi apparve per pochi istanti l'inizio della grande pianura, dove il treno accelera la sua corsa e il viaggio comincia. Era una vista non dissimile da mille altre che s'incontrano per solito al limite delle stazioni: specie di zona di confine fra la città e la campagna. Ma, per colpa forse del maltempo e dello sgomento irragionevole che non mi lasciava, essa a me parve, di tutte le visioni, la piú orrida e triste. In qualche parte, a noi non visibile, della ferrovia, doveva esserci un treno in partenza o in arrivo; ché, attraverso l'aria umida, in alto correva l'ululato della sirena, e piú basso il frastuono ansimante dei congegni, mentre un fumo, spinto dal vento di pioggia, si trascinava su di noi. Per via del piovasco sospeso, piú fitto in distanza, non si scorgeva, della pianura, né orizzonte né confine: quanto appariva, era un campo angusto ma illimitato, sparso di polvere nera e di detriti, con qualche cumulo di carbone o catasta di travi. Delle figure in mantelli d'incerato lo percorrevano rapide, o lavoravano, curve sui cumuli, con la pala o con l'accetta; e il suono regolare di questi lavori veniva rotto, all'improvviso, da un fischio, o da un comando. Penetrava nelle narici un gelido, fuligginoso odore; e come fummo dinanzi al recinto, certe lampade che pendevano dall'alto entro gabbiette di ferro, oscillando al vibrare dei loro cavi, misero un sottile ronzío.

È questa l'ultima cosa ch'io ricordo della mia visita alla stazione. I giorni seguenti, i miei timori non si avverarono: difatti, sia che ignorasse l'episodio o che altri pensieri gli distraessero la mente, mio padre non accennò in alcun modo alla mia avventura col suo collega del *postale*. Di costui mi avvenne, per caso, di conoscere il nome: si chiamava Caboni, e udii che mio padre, nel far questo nome, vi aggiungeva il titolo di *cavaliere*. Non molto esperta di onorificenze, io ritenevo che un cavaliere fosse di necessità un personaggio uso ad andare a cavallo. E rifuggendo, per il mio carattere scontroso, dal far domande agli adulti, rimasi ferma nella mia convinzione: sí che la subdola, arcana autorità di cui nella mia fantasia avevo rivestito il vecchio impiegato, s'accrebbe al pensiero della sua cavalcatura. Egli m'apparve dritto in arcioni su una bestia a sua somiglianza allampanata, gigantesca, livida, che dalle grandi occhiaie cave mandava barlumi sonnolenti, e infidi ammicchii. Tale, dico, egli m'apparve non solo nel pensiero desto, ma anche nel sogno. Dove, in forma d'incubo pauroso, m'inseguiva attraverso pianure simili a quella intravista all'uscir dalla stazione con mia madre: spazi burrascosi, incerti, e interrotti da nebbie alte come mura, al di là delle quali io, nella mia fuga disperata, non sapevo se avrei trovato il vuoto, o la terra. L'incubo ritornò spesso a visitarmi: nella realtà, invece, non rividi la famosa pianura se non una volta, pochi mesi piú tardi, nel lasciare per sempre la mia città natia; ma non la ravvisai neppure, fra le mille novità che mi distraevano. Quanto al vecchio impiegato, dopo quell'unico nostro colloquio sull'*ambulante*, non lo incontrai mai piú in vita; ma non ho voluto tacere questo episodio, per se stesso trascurabile e innocuo, perché altrove, e in una occasione particolarmente, vedremo ritornare nella mia storia il fantastico spettro del cavaliere occhialuto.

Capitolo quarto

*Un ritrovo mal frequentato.
Il butterato si vanta
e un carrettiere racconta un'assurdità infernale.*

Dacché aveva incominciato il faticoso mestiere del viaggiante, mio padre non poteva piú, come prima, recarsi all'ufficio anche nei giorni festivi, per i suoi lavori *straordinari*. Il suo riposo settimanale gli era ormai necessario e diventarono allora piú frequenti le mie passeggiate in sua compagnia.

Piú frequenti, e anche piú sgradite: tanto che solo per un difetto di coraggio mi assoggettavo ad esse. Un simile coraggio non mi sarebbe, certo, mancato, se mia madre m'avesse dato il piú piccolo segno d'esser mia complice o di approvare la mia riluttanza. Ma quando mio padre, levandosi dai suoi lunghi sonni festivi, m'invitava ad accompagnarlo, invano i miei sguardi chiedevano una risposta agli occhi indifferenti di lei. Con la sua solita impazienza distratta, ella mi apprestava l'abito e la biancheria per uscire; ed io seguivo tali preparativi col cuore stretto dalla gelosia, pensando al pomeriggio ch'ella trascorrerebbe in casa senza di me.

La rivolta e la nostalgia mi guastavano la passeggiata, ed ero, per mio padre, una trista compagna. A momenti, perfino, il pianto mi gonfiava gli occhi; ma per superbia evitavo che mio padre se ne accorgesse. Lui, del resto, non faceva troppa attenzione ai miei misteriosi umori.

La piú amara prova della mia gelosia mi aspettava al ritorno, allorché rientravamo nelle nostre stanze già illuminate dalle lampade serali, e dove già mia madre era intenta alla cena. Ed io, quasi possedessi i sensi acuti dei cani e dei gatti che, si dice, scorgono i fantasmi, avvertivo intorno i dileguanti vestigi della sua solitudine non condivisa.

Il solo miraggio che sapesse ancora consolarmi un poco, mentre mi accingevo a quelle tristi passeggiate, andava assumendo, ormai, senza speranza, la qualità falsa ed effimera ch'è propria dei miraggi; e lo vedevo già dileguarsi del tutto. Intendo parlare delle nostre visite a Rosaria.

Mio padre, col mutar delle sue trascorse abitudini, aveva interrotto le nostre visite domenicali alla bella signora. Io seguitavo, tuttavia, a vagheggiare per ogni nostra uscita quella mèta diletta; ma di ciò non facevo parola alcuna, anzi tanto piú mi adoperavo a tenere imprigionata e occulta la mia speranza, quanto piú essa ardeva e scalpitava. Mi guardavo bene, dico, dal nominare Rosaria; ma per tutto il pomeriggio seguitavo a sospirare in segreto la sua persona e le sue stanze. Finché, declinando la nostra giornata di festa, anche la mia speranza finiva.

Passavano piú settimane senza che mio padre mi conducesse al caro indirizzo. In verità, egli soleva adesso, a quanto capii, recarvisi da solo, anche se ciò non avveniva sovente. Insieme a me, poi, capitò lassú, da allora, non piú che due o tre volte in tutto. Egli ormai preferiva altre strade; e allo stesso modo che, prima, dovunque si andasse, quasi sempre si finiva da Rosaria, adesso la nostra mèta abituale era la bottega di Gesualdo.

Gesualdo era un oste, e la sua bottega, o cantina, si trovava a circa un chilometro da casa nostra, in una via del sobborgo, prossima alla strada provinciale e alla campagna. Sebbene fornita di tavoli e di panche essa era piuttosto una rivendita di vini che un'osteria, né Gesualdo poteva, nella buona stagione, ingrandire il cerchio della clientela esponendo qualche tavolino all'aperto, giacché nella via c'era appena spazio sufficiente per il passaggio dei carri e dei veicoli, i quali, per di piú, vi sollevavano una gran polvere. Dalla porticina sulla strada, alcuni gradini scendevano alla bottega, dove s'avvertiva un odore gelato e macero di cantina mescolato a un aroma d'aceto. Il pavimento di color lavagna era qua e là rotto e consunto, e dalle finestruole a inferriata pioveva una luce scarsa. Sulla destra c'era non piú che tre o quattro tavoli in tutto, circondati da semplici panche e sedie di paglia; mentre che la sinistra era ingombra di botti e damigiane, e vi si apriva sul fondo, dietro il banco, la porticina del retrobottega. Da questo, per una scaletta a chiocciola, si saliva all'abitazione di Gesualdo; e spesso si udivano scender dall'alto, per quella scaletta, come angelici squilli di tromba, i richiami della moglie di Gesualdo, la quale però non si mostrava mai nella cantina, essendo Gesualdo un marito assai geloso.

Tale gelosia, come pure la focosa e provocante bellezza dell'ostessa reclusa, erano talora oggetto di commenti fra gli avventori. Ch'io ricordi, non mi fu dato mai di vedere l'ostessa nel volto; tutto quanto conobbi di lei, fu la voce, che aveva quel timbro squillante e patetico, misericordioso e animalesco, non raro nel Mezzogiorno.

Dell'oste geloso, poi, non ricordo la faccia, al posto della quale non vedo piú che una macchia d'un giallo pallore. Egli soffriva di malaria, e a ciò si doveva forse la sua selvatica tristezza, attribuita pure, di solito, al fatto che il suo matrimonio rimaneva sterile, mentr'egli desiderava ardentemente un figlio. Gesualdo era d'indole solitaria, e assai poco loquace: non soleva mai partecipare alle conversazioni degli avventori, e pareva, anzi, non udirle, mostrando nel contegno un perenne distacco dalla gente che serviva e dal proprio mestiere stesso. Solo se, talvolta, fra i bevitori scoppiava un litigio, egli si faceva avanti e con una sorta di apatia feroce invitava i contendenti a uscire nella strada, ché non voleva risse nel suo locale. Ma ciò avveniva assai di rado, poiché gli scarsi frequentatori di quella bottega fuorimano erano per solito tranquilli.

Gesualdo se ne stava per lo piú dietro il banco, donde si muoveva, con la sua tetra indolenza, per servire la clientela; e quando lo prendevano le sue crisi di febbre, chiudeva la bottega, perché non aveva servo o garzone che lo sostituisse, e non voleva mandare dabbasso la moglie.

Un altro notevole personaggio della cantina era la gatta dell'oste, la quale, nel tempo ch'io la conobbi, era gravida: onde ogni volta io ritornavo da Gesualdo con l'impaziente speranza di trovare i gattini nuovi. Era una gatta striata, rossa, coi baffi e la pelliccia bruciacchiati per il suo vizio di troppo accostarsi ai fuochi. Il padrone, affinché non si distraesse dal cacciare i sorci, le negava qualsiasi cibo delle mense umane; ed era forse per la ferinità esclusiva dei suoi pasti che essa rassomigliava ai suoi avi delle selve, e nessuna qualità domestica raddolciva la sua primitiva natura. Per quanto io cercassi di attirarla, essa evitava la mia compagnia, diffidando di ogni uomo; né altro mi concedeva, se non di guardarmi, stando appostata a una certa distanza, con agghiaccianti occhi di belva nella sua faccia camusa: pronta a scattar via con un soffio minaccioso non appena io tentassi di avviare una piú amichevole relazione fra noi.

In questa società cosí poco comunicativa mi toccava talvolta di trascorrere degli interi pomeriggi; né valeva piú la mia vecchia usanza, di trarre lamenti o sospiri per significare che ero stanca e avevo voglia d'andar via: mio padre sembrava non udire quei suoni dolenti, o non tenerli piú in conto alcuno. Prima di scendere nella cantina, egli aveva acquistato per me un cartoccio di lupini o di caldarroste, perché Gesualdo, se per gli uomini aveva il vino, per le ragazzette mie pari non aveva da offrir nulla se non una insipida gazosa in bottiglie azzurrastre. Eccomi dunque, fornita del mio cartoccetto, seduta sulla panca di fronte a mio padre, per ore, senz'altro divertimento se non, talvolta, ascoltare i suoni straziati e attutiti di un organetto fermatosi in quei dintorni. E osservare, guardando in su, per le finestre ad inferriata, i piedi dei passanti, il polverone sollevato dai veicoli e, nei casi piú fortunati, un cane fermatosi ad annusare quegli odori sotterranei, il quale subito giudicava tali odori non troppo degni d'interesse, e scodinzolava via.

Non di rado, accadeva pure che dei visi infantili si chinassero dietro le inferriate, a spiare nell'interno; e, vedendomi laggiú, mi facessero cenni e smorfie, dileguando poi subito per paura dell'oste e degli avventori adulti. Ovvero, altre volte, dietro una corsa di piedini nudi e fangosi, fra un chiassoso giubilo, si vedeva passare in un baleno la striscia di una stella filante, ultimo avanzo carnevalesco. Questo era tutto: e nessuno nella cantina di Gesualdo, né l'oste, né mio padre, né gli altri avventori, nessun altri che me s'interessava a simili spettacoli.

Il vino fornito da Gesualdo, di un genere assai comune nelle nostre parti, era denso, e appena bevuto lasciava sul vetro la sua traccia nero-purpurea, come fosse un sugo di more. Al gusto, però, non era dolce come le more, bensí amaro, pesante; e, dopo un passaggio di vivacità fittizia, produceva malinconia, caligine e sonno. Si sarebbe detto che dovesse quel suo color bruno a semi di papavero infusi. Impastava la lingua e, a berne fuor di misura, gettava in un letargo donde scacciava perfino i sogni, oltre che la memoria.

Mio padre non ne beveva mai tanto da ubriacarsi: egli passava, attraverso la fase dell'esaltazione, all'indolenza, e in questo stato rimaneva assorto senza ricordarsi del tempo, e della mia stanchezza. Finché, in quei sonnolenti vapori, anche la mia mente s'intorpidiva: ed io stavo ad ascoltare, mezzo assopita, le frasi brevi e scarse, per me spesso enigmatiche, delle conversazioni intorno ai tavoli vicini; o, dalla strada, i numeri gridati dai giocatori di morra.

I clienti abituali di Gesualdo erano carrettieri soliti a passare per quelle parti, carbonai delle montagne, zingari accampati nei sobborghi. A causa del loro viaggiare solitario, o della razza antica, costoro avevano l'abitudine della meditazione e del silenzio: per cui la sonnolenta natura di quel vino era fraterna ad essi. Di solito, sedevano in tre o quattro alla stessa tavola, con gli occhi bassi e velati, bevendo lentamente senza mai guardarsi né dirsi una parola; ed anche nel gioco erano quasi sempre taciturni, indifferenti, sembrava, alla perdita o al guadagno, sebbene trascorressero ore ed ore intorno alle carte. Coi loro volti semitici dalle barbe trascurate, le occhiate indolenti prive d'interesse o di curiosità, non eran diversi, nella specie, dal padrone sonnambulo e dalla gatta selvatica: e non per nulla, certo, frequentavano assiduamente quell'osteria.

Nell'effimera animazione dei primi bicchieri, mio padre soleva trattare simili vicini da confidenti e amici. Mai prima, se non forse talvolta in presenza di Rosaria, lo avevo veduto in questo aspetto di vantatore, menzognero e loquace, pontificante, espansivo fino alle lagrime; e devo aggiungere che non gli perdonavo tale nuovo aspetto piú dell'altro a me già noto. Egli chiamava per nome quei carrettieri e zingari, batteva sulla loro spalla in aria protettiva; ed or si comportava come un loro uguale, or si atteggiava ad alto personaggio. Al suonar d'un lontano organetto, incominciava a cantare delle romanze d'opera, che quasi sempre tralasciava sul piú bello, dichiarando di non *arrivarci* con la voce. E intratteneva l'uditorio su argomenti filosofici, e citava nomi e frasi di questo o quel sapiente, come fosse in mezzo a un pubblico di dottori. Non di rado, con grandiosità principesca, ordinava da bere per tutti a sue proprie spese: e coloro lo ringraziavano levando i bicchieri colmi all'altezza delle loro fronti e dicendo: – Avvocato, salute! – Lo chiamavano avvocato, sia per l'eloquenza da lui profusa, e sia perché, mi pare, lui medesimo s'era proclamato possessore di un tale titolo; allo stesso modo che s'era dichiarato, Dio sa con qual diritto, figlio di un *gran signore*; celebrando, nel fuoco dei suoi racconti, viaggi e conoscenze che pretendeva d'aver fatto in passato, e descrivendo paesi, costumi, istituzioni come fosse un cantastorie in una fiera.

Io lo ascoltavo con scettico stupore; ma, a volte, ero quasi convinta ch'egli non mentisse, tanto i suoi accenti suonavano persuasivi e veraci!

La mia presenza, in quell'ora enfatica, non valeva a frenarlo. Nei suoi gran gesti e perorazioni, egli gettava, sí, sguardi accesi sulla sua piccola compagna; ma non con l'aria interrogativa, confusa, di chi sa d'aver di fronte un giudice severo, bensí con una illusione entusiastica. Pareva che le sue menzogne, appena dette, e in virtú, appunto, della sua parola di ebbro, non fossero piú menzogne per lui, ma acquistassero tradizione e sostanza di verità. E che ognuno dei circostanti apparisse, ai suoi sguardi ispirati, seguace della sua medesima teatrale illusione. Egli presumeva, certo, in simili momenti, di dir cose ben piú grandi e importanti che delle semplici fanfaronate. Vi furon giorni che, non curando il presente, incominciò a vaticinare progressi, e conquiste, per cui l'uomo dei secoli futuri sarebbe libero e felice; ed ebbe, nel profetare, la medesima foga visionaria di quando raccontava menzogne

514

sul proprio conto. Sembrava, cioè, non un profeta che crede nella sua repubblica avvenire, ma addirittura un messaggero che celebra la propria vivente patria: scancellandosi per lui, nell'artificio di quegli istanti, ogni intervallo fra le parole e le cose, fra il presente e il futuro.

Mi è difficile dire quale opinione avessero di mio padre gli ascoltatori. Il loro contegno denotava un certo generico rispetto nei suoi riguardi; ciononostante, quand'erano intenti a una partita, essi non si curavano di lui che perorava se non per gettargli appena appena qualche rara occhiata di sbieco, ritornando subito alle proprie carte. Se poi nessuna occupazione li distraeva dal loro ozio contemplativo, non per questo si potrebbe giurare che udivano le parole di mio padre. Essi non usavano, per lo più, guardare la gente in faccia, ma volgevano le pupille obliquamente: e ciò dava ai loro sguardi un carattere diffidente e neghittoso, cosí come il loro modo di sorridere a mezzo, senza schiudere le labbra, pareva celare un senso non saprei dire se ironico, o sornione. Seduti in pose neglette, avvolti nel loro fumo, essi partecipavano alla conversazione solo con cenni di consenso, o commenti pigri e avari, adoperando frasi già belle e fatte, motti, proverbi, che suonavano spesso privi di senso per me. Alcuni di questi rimasero fissi nella mia memoria appunto in grazia della loro indole sibillina, ch'io cercavo invano di decifrare. Avevano per soggetto le donne, e ne appresi il significato solo varî anni piú tardi, un giorno che, scherzando senza malizia, m'avvenne di recitarli a Rosaria. E lei, ridendo come pazza per la mia grande innocenza, mi spiegò il mistero di quegli enigmi inverecondi e triviali.

Non di rado, da Gesualdo, si parlava di donne. Mio padre, che non parlava mai di mia madre fra quegli estranei, soleva atteggiarsi a seduttore, facendo gran vanto di certe sue conquiste, e soprattutto di una, una donna di lusso, bella, grassa, elegante, la quale lo amava alla follia. Ma lui la detestava, invece. In primo luogo, perché era una mala femmina, e quindi non era una donna, giacché, lui, sull'altare della Madonna, alla quale non credeva, metteva la donna onesta, la donna pura, la donna, infine; ma al contrario, le male femmine gli parevano bestie. In secondo luogo, la suddetta signora aveva i capelli rossi, e lui odiava le rosse, quelle teste accese, le odiava!

A questo punto, uno dell'uditorio, con la sua voce stracca e cantilenante, sentenziava che bisogna guardarsi dalla razza maligna delle rosse. Rosso Malpelo! Le donne di questo colore son simili alle volpi e alle faine. Al che mio padre, con una risata guerresca e fatua del tutto insolita in lui, ribatteva che, per quanto lo riguardava, tali donne sprecavano le loro arti. Sebbene, soggiungeva, per diverse circostanze, egli avesse talora ceduto alle seduzioni della dama lentigginosa, l'istante dopo gli era parso d'essersi contaminato, quella giovane, bella in realtà, gli appariva deforme, quei capelli sulfurei sul medesimo guanciale dove lui posava la testa gli sembravano i crini d'una cavalla, ed egli non bramava che di fuggire, preferendo il fumo di carbone alla vicinanza di colei!

Tali discorsi suscitavano sconce risate di consenso nel gruppo dei nostri vicini. Cosí, io dovevo soffrire che si sparlasse con tanta villania della mia bella Rosaria (sebbene mio padre non la nominasse, non era difficile intendere ch'egli parlava di lei). Né potevo far nulla in sua difesa, se non imbronciarmi e aggrottare la fronte; ma queste mute manifestazioni di biasimo passavano inosservate, e mio padre sembrava non vedere affatto i burrascosi miei sguardi!

D'altra parte, le sue pupille già si velavano. Era questa l'ora ch'egli incominciava a discorrere nel comune dialetto della regione, per ingraziarsi, forse, i presenti. E poi, per adularli, adeguando la propria alla loro misera sorte, compativa se stesso, lamentandosi del proprio mestiere, del fumo e della polvere di carbone ch'era costretto a inghiottire ogni giorno, dei freddi notturni, dell'eterno rumore e via di seguito. Ma coloro non parevano commossi dalle sue confidenze piú di quanto lo fossero dalle sue millanterie; in pose d'ignavia, udivano dolori e imprecazioni col solito ambiguo sorriso, le solite occhiate sfuggenti. E per qualsiasi discorso avevano i medesimi cenni di consenso non saprei dire se ipocriti, o dementi, o schernitori. Come servi d'un automa, fattisi tetri e senili sotto la strana tirannide, essi parevano giudicare futile e monotono, anche se funesto, ogni vario movimento del destino; e fanciullaggini, ormai, la sorpresa, la curiosità e la speranza. Che mio padre dicesse il vero o il falso, e ch'egli si vantasse *figlio d'un gran signore* o si lamentasse della sua misera fatica, era uguale per essi. Né davano altra risposta che quei proverbi, o sentenze sibilline, nel loro antiquato accento di nenia.

Avvenne tuttavia, seppure in rarissime occasioni, che alcuno di loro si dilungasse a parlare; e fu per raccontare qualche avventura vissuta (o inventata piuttosto) suscitata alla lor mente da una parola dei vicini, o da un estro improvviso. In simili casi, il parlatore si mostrava perfino prolisso, e si rivelava, non meno di mio padre, empio e bugiardo. Uno di questi racconti da me uditi allora m'è rimasto nella memoria. Fu un giorno che mio padre si doleva, appunto, come già altre volte, del proprio lavoro eccessivo, ma pure insufficiente a guadagnar la vita. In confidenza, egli raccontava d'esser costretto dalla necessità a far debiti (il pensiero dei debiti pareva, da qualche tempo, opprimerlo piú del solito), e ripetutamente, caparbio, si chiedeva a quale scopo mai serva la fatica, s'essa non basta a farci vivere con onore. Questa domanda era un ritornello che risuonava spesso sulle sue labbra a quell'ora dei nostri pomeriggi domenicali; essa, s'intende, non voleva una risposta, ma indicava per solito in mio padre una disordinata stanchezza dei pensieri, avanti che il torpore del vino lo quietasse. Accidiosi, infagottati, simili a gufi, gli ascoltanti assentivano uno ad uno, secondo l'abitudine. Ed ecco, uno di loro, dall'aspetto brigantesco e torvo, alza un sopracciglio, come per dileggio, e allungando lo sguardo verso mio padre dice:

– Be', avvocato, volete sentirne una? Vi racconterò un esempio che è successo a me, quand'ero giovanotto.

Io, da giovanotto, facevo il carbonaio. Ero un giovane timorato, e andavo in chiesa come fossi stato una donna. Non avevo bottega né fortuna, e posso dire che le mie mani, al pari di quelle dei francescani, non vedevano mai moneta. Mi guadagnavo da vivere salendo in cima alle montagne, dove non arrivano neppure i lupi, e dove la scarsa legna che si raccoglie non è rubata a nessuno. Facevo cosí il mio carbone, che mettevo in un sacco e portavo a spalla giú in pianura, per cederlo ai contadini in cambio di farina o di minestra. Una mattina d'inverno, tanto buia da parere una notte, m'incamminai per la montagna secondo il solito. Il vento soffiava cosí forte, che la rada boscaglia della pendice urlava e fischiava al pari d'una foresta; ed io venivo ricacciato ad ogni passo. Mi venne fatto, allora, di pensare che avrei potuto senza difficoltà, in quella zona deserta del monte, raccogliere legna dove potevo, lungo la pendice, rinunciando alla salita, e far fuoco in un piccolo spiazzo ch'era là, riparato da una roccia; difatti, pur essendo, quello, un bosco padronale, il gran vento sperdendo il fumo avrebbe cancellato nell'aria le mie tracce. Non c'era dunque pericolo d'essere scoperti; ma rubando la legna d'altri avrei commesso peccato: e per questa ragione dovetti rinunciare a tal disegno. Seguitavo dunque la mia salita faticosa, allorché mi parve d'udire nel frastuono un fischio umano, un motivo, come d'un amico che mi chiamasse. Mi spinsi là donde era venuto il fischio, ma non vedendo persona viva, pensai d'aver sofferto un'allucinazione dell'udito. Nel dubbio, tuttavia, m'indugiavo, e intanto m'accadde, giocando, distrattamente, di staccare un ramoscello dall'albero piú vicino; allora mi suonò accosto all'orecchio un urlo che mi gelò il sangue.

– Chi è? – domandai senza voce; ma nello stesso momento riconobbi nell'urlo una parola umana: – Sono io. – Chi tu, se non vedo nessuno! – Son io, colui che tu mutilasti! – Come? – dissi, rigirando il mio ramicello, – sarebbe dunque l'albero che parla? – Non sono un albero, – rispose quel tronco, – ma un uomo battezzato come te, un carbonaio. Questo è il corpo mio, rabbioso e contorto, e questi rami agitati son le braccia mie, queste radici sono i piedi miei. – E perché, se uomo sei, pianta sembri? – Per dannazione del mio peccato. – E che peccato hai fatto, si può sapere? – Ho fatto, mi rispose, – il carbonaio.

– Incomincio a capire, – io gli dissi, – tu facevi il carbonaio con la legna rubata. – Ma no! ma no! – gridò colui, – tu sbagli. Non fui mai ladro, facevo il carbonaio onestamente, secondo la legge. – Ma allora, di che peccato parli? – io domandai, – fare il carbonaio, guadagnarsi la vita col proprio mestiere, è forse peccato? – Fratello mio, – rispose l'albero, – cosí giudica Colui che può. Mi avevano appena sotterrato dopo morto, quando rinacqui in questo luogo e in questa forma. E udii Colui dire: *Chi, da vivo, bruciò rami e alberi per far carbone, sia condannato, da morto, a vegetare nel suolo, e venga straziato, rotto, bruciato nelle membra per far carbone, riger-mogliando nuovamente in eterno.*

All'udire dal morto carbonaio simile rivelazione, io tremai, preso da un malore che quasi mi fece cadere a terra. Ma poi trovai la forza di chiedere: – E dimmi, io, che faccio il carbonaio come te, sono ancora in tempo a salvarmi?

L'albero si sconvolse nel gran vento, e mi dette questa risposta: – S'io fossi stato certo che tu non sei piú in tempo, non t'avrei chiamato.

– Ti ringrazio, amico, – io dissi allora, – e da oggi, puoi star fiducioso che non riceverai piú offesa dalla mia mano: mi guarderò, d'ora innanzi, dal cogliere un ramo o una foglia dalla terra, per nessuna ragione al mondo –. Cosí detto, rimasi un poco a pensare; e poi mi volsi nuovamente all'albero, e gli dissi: – Ascoltami, spirito. Tu eri carbonaio come me, e avesti la tua sorte. Ma dunque il macellaio, che sgozza e sventra gli animali, quale sorte avrà?

L'albero non mi dette altra risposta che un gemito di lupo. – Capisco, non occorre che tu mi spieghi, – io ripresi rabbrividendo, – ma allora, il fornaio, che cuoce il pane? il falciatore, che falcia le spighe? il fabbro, che infuoca il ferro? – A ciascuna di queste mie domande, l'albero, invece di rispondere, rideva alla maniera d'una strega.

– Ah, capisco tutto, – io dissi. – E adesso un'ultima domanda. Il gran signore, che non fa niente, quale sorte avrà?

– Chi non fa niente, – mi chiese l'albero di rimando, – fa peccato?

– Mah, non direi, – risposi io, – se niente fa, neppure peccato fa.

– L'hai detto, – rispose lui, – chi non fa niente da vivo, si riposa anche dopo la morte.

Allora, come potete capire, la mia mente cadde nel disordine e mi vennero dei pensieri mai prima avuti; per cui, dopo un intervallo, mi rivolsi di nuovo all'albero e gli dissi: – Amico mio, le tue parole m'hanno messo in una tale confusione ch'io non capisco piú nulla, mi pare d'aver dimenticato perfino i numeri per contare, non ricordo piú con quale mano si fa il segno della Croce e non riconoscerei mia madre se tornasse. Ma rispondi a un'altra domanda ancora, una e poi basta: rubare è peccato?

Lo spirito non dette risposta. – Rubare è peccato? – ripetei. Silenzio. – Pazienza, – conclusi allora, – l'albero è ridiventato muto. Grazie lo stesso, e addio –. Cosí ridiscesi il monte, senza far carbone, e mentre scendevo, andavo pensando alla mia sorte e al mestiere da scegliere al posto di quello di carbonaio. Rubare non mi sembrò conveniente, perché, pur nel dubbio di commettere, o no, peccato, rimane il fatto che su questa terra rubando si finisce in galera. Decisi infine di fare il carrettiere e ditemi se ragiono bene. Che cosa fa, dite, il carrettiere, da vivo? Se ne sta sul carro, e si fa portare dal mulo. E allora, che condanna potrà toccargli, dopo morto? A lui toccherà portare, e il mulo se ne starà sul carro. Be', è sempre meglio passare i secoli dei secoli fra le stanghe a scarrozzare un mulo, piuttosto che venire smembrati e bruciati per far carbone. Avete sentito le sorti dei lavoratori, avvocato.

Questo aneddoto suscitò nel cerchio degli ascoltanti una corale risataccia, ma mio padre non s'uní al coro. Egli non aveva, forse, neppur ascoltata la narrazione del carrettiere: infatti, a quell'ora del pomeriggio, diventava per solito distratto, e seguiva idee diverse e solitarie. Inoltre, quando aveva, come appunto quel giorno, incominciato a parlare dei propri debiti, era difficile distrarre i suoi pensieri altrove. Sotto l'influsso, io penso, della sua materna stirpe contadina, avvezza a considerare il debito un male piú triste della morte, egli appariva in quei momenti invecchiato, piú magro e difforme nel viso; ed or si effondeva in discorsi violenti, or si chiudeva severamente in sé. Ricordo, tuttavia, che spesso, mentre egli malediva ai propri dissesti economici, suonava nella sua voce una sorta di orgoglio, simile a quello di un ragazzo che vanti imprese virili. In realtà, sebbene allora io lo giudicassi un vecchio, egli era ancor molto giovane; e l'idea di avere delle responsabilità sue proprie, o la coscienza di subire un'ingiustizia, o il diritto alla rivolta, potevano ancora essergli motivo per esaltarsi,

e far pompa di sé. Di piú, le responsabilità e le gravezze ch'egli sosteneva eran tutt'uno coi suoi doveri d'uomo sposato: e la sposa era
Anna! Ella lo rinnegava, è vero, fra le mura della nostra casa; ma
tuttavia, dinanzi al mondo, Francesco era unito a lei non solo da un
dovere, ma da un diritto, e, forse inconsciamente, si sentiva, al cospetto degli altri, investito della sua padronanza su Anna come di un
titolo feudale. Seppure, alla guisa d'un re in incognito, egli occultava
i propri splendori segreti a quegli zingari ubriaconi, era il taciuto nome
di Anna che dava talora un suono squillante ed eroico alle sue proteste
di umiliato. Le accuse ch'egli moveva ai propri doveri di capo di famiglia dichiaravan pure il suo legame con la diletta; e valevano ad
evocargli, là in fondo alla cantina di Gesualdo, le nostre stanze e la
loro padrona Anna. Similmente, altra volta, mostrando ad un estraneo
le mie manine, minuscole di forma e scure di colore, e recanti perciò,
insieme commisti, il segno di Francesco e quello di Anna, mio padre
s'illuminava, nel volto, della propria memoria orgogliosa.

Sorda ai segreti echi, ma non all'enfasi paterna, io dovevo a quest'ultima la mia puerile opinione che i debiti d'un capo di famiglia,
per quanto nefasti e sciagurati, abbian pure una loro qualità eroica.
A un certo suo debito, però, mio padre alludeva con un accento misterioso, in cui suonava soltanto ripugnanza e rancore. Egli parlava di
questo debito soltanto nell'ebbrezza del vino, e coi modi d'un pecca-
tore che si accusa pubblicamente d'una colpa per riscattarla davanti
alla sua propria coscienza. Taceva la persona del creditore, ma dichiarava la cifra del debito, una cifra per me, a quel tempo, inaudita,
enorme; e aggiungeva essere tal debito un simbolo non solo della
miseria, ma del disonore, cosí ch'egli non potrebbe aver pace finché
non se ne liberasse. Mio padre dava in tale occasione alla parola
onore quel tono drammatico e facondo che le dànno solitamente i meridionali. Ah, esclamava, una macchia simile era indegna d'un gentiluomo suo pari, e insudiciava il suo petto decorato di medaglie! Io
guardavo allora la frusta giacchetta di mio padre, il suo colletto d'impiegato, e ancora una volta avevo la prova del suo vizio di mentire.
Dov'erano le sue vantate insegne di gloria? Lui non ne possedeva alcuna, e, in realtà, le sole medaglie al merito, in casa nostra, eran quelle
mensili a me concesse dalle suore francesi, recanti, incise nell'argento,
le lettere B. M. (*Bon Mérite*). Eccolo, dunque, il mio bel padre, millan-
tatore al cospetto di tutti!

La realtà dei suoi debiti, invece, non era dubbia; e, come già dissi
altre volte, se ne avevano in casa nostra le prove. Circa le somme, poi,
dovute da mio padre a creditori diversi, mi accadde tempo fa di ritro-

vare, fra vecchie carte di famiglia, dei lunghi conti di bottegai, delle cambiali, e delle ricevute di saldo firmate da qualche strozzino il cui nome basta a rievocare di sotterra scene familiari e miei puerili spettri. Tanto esigue, tuttavia, mi appaiono oggi le somme scritte sulle vecchie note, che mi vien fatto di sorriderne. Erano questi, mi domando, i nostri famosi rodomonti di debiti? Ma tant'è: per cifre simili mio padre era costretto a vendere di giorno in giorno la propria vita.

Quanto al mistero del debito disonorante, ancora poche pagine e la persona del creditore anzi creditrice, si svelerà ai nostri acuti lettori. I quali conosceranno cosí, nel tempo stesso, anche l'origine delle tante splendidezze di mio padre nella famosa serata dell'*Aida*. Mia madre, nella stregata inerzia che la possedeva in quei giorni, non si curò affatto di ricercare l'origine di tale inopinata ricchezza, la cui somma precisa, per chi volesse conoscerla, fu di mille e cinquecento lire. Era questo, senza paragone, il piú ingente fra i debiti di mio padre.

Capitolo quinto

Amare visite e amara strage.

Sebbene sparlasse di Rosaria come s'è veduto, mio padre non nascondeva, nei suoi fatui discorsi all'osteria, che la scandalosa dama era pur degnata da lui di qualche visita. Anzi, egli non si faceva scrupolo di accennare, con frasi velate, a suoi colloqui recenti con la rossa; e simili accenni, dei quali io non intendevo il senso riposto che faceva ammiccare e ridere l'uditorio, mi lasciavano capire invece una cosa amara. Da molte e molte settimane ormai, mi dicevo, egli non mi conduce piú da Rosaria; ma lui, dal canto suo, continua a vederla. Ciò vuol dire che preferisce visitarla senza di me, e certo si recò da lei la tal domenica, o la tal'altra, ogni volta, insomma, che non mi invitò ad uscire in sua compagnia. Mentre che invece, quando mi invita ad uscire, mi conduce in questa cantina, fra questi odiosi omacci.

Cosí pensando, io ero nel vero. Ma non intendendo chiaramente i motivi della mia triste esclusione mi arrovellavo fra i sospetti piú fastidiosi. Forse Rosaria non mi voleva piú a casa sua? ma al nascere di questo dubbio, mi richiamavo alla mente le feste e i baci di lei nei suoi momenti buoni, e mi dicevo che no, ciò non era possibile. E allora? che poteva mai pensare, Rosaria, non vedendomi piú? Certo ella credeva ch'io l'avessi dimenticata, o la odiassi, e non sapeva che, invece, la colpa della mia lunga assenza era soltanto di mio padre. Certo ella gli chiedeva di me, al vederlo. E lui, questo bugiardo, che cosa le rispondeva?

Non trovando risposta a simili domande, io soffrivo in silenzio i morsi del rimpianto, dell'invidia e dell'ira. Finché un pomeriggio, inaspettatamente, mio padre lasciò prima del consueto il tavolino dell'osteria, vinto forse da una súbita noia di quel luogo. Tenendomi per mano, egli si avviò per una strada: e non occorre dirvi con quale batticuore io riconobbi il noto cammino che conduceva da Rosaria!

Ma questa sospirata visita mi deluse crudelmente. Fin dal primo istante, infatti, che Rosaria ci venne incontro sull'uscio, mi avvidi che la mia presenza non la rallegrava affatto, anzi l'annoiava. Sí, perché nasconderlo? Il suo volto, che s'era tutto schiarito all'apparire di mio padre, si allungò appena ella mi scorse, e le sue braccia che già si levavano in un moto appassionato, ricaddero neghittosamente. E senza volgermi il minimo saluto, ella borbottò nell'orecchio di mio padre, non tanto piano da non essere udita da me, che non le pareva necessario, veramente, portarsi dietro la ragazzina. Mio padre allora le rispose ad alta voce d'esser salito da lei soltanto per farsi vivo, passando casualmente da queste parti, mentre conduceva me a passeggio; e che la nostra sarebbe una breve visita, avendo io bisogno di respirare aria pura (giacché ero molto patita), ed essendo sua intenzione di condurmi oggi fuori porta. All'udir ciò, Rosaria ebbe una risata stridula, e disse che in tal caso, mio padre avrebbe potuto risparmiarsi di salire fin quassú. Quanto a lei medesima, meritava di venir pestata e messa alla berlina per la sua stupidaggine; infatti, le tornava conto, davvero, di rimaner sacrificata in casa ogni domenica per la sola speranza di veder costui; quando alla fine, dopo due settimane d'inutile attesa, le veniva fatta una cosí gran degnazione!

– Io non vi chiesi mai, signora, di rimanere in casa ad aspettarmi, – osservò mio padre a questo punto, – né tanto meno vi promisi di visitarvi ogni domenica. – È vero! è vero! – gridò allora lei con una risata folle, – è giusto, è giusto! Oh, Santa Rosalia bella, dammi pazienza, aiutami tu! – e cosí detto si buttò a sedere sul divano coprendosi la faccia con le palme e scuotendo rabbiosamente la sua testa arruffata.

Forse la sua santa protettrice le consigliò in quegli istanti una maggior calma: è un fatto che, dopo essersi scoperto il viso, Rosaria rimase un po' a testa china, come incerta se mostrarsi corrucciata o consolarsi. Poi levò il capo e, chiamata Gaudiosa, le ordinò quasi ilare di condurmi in cucina e di farmi giocare: magari, di condurmi fuori a spasso, aggiunse sogguardando mio padre. Ma questi, con una smorfia di cattiveria, mantenendo il freddo, cerimonioso contegno che aveva assunto fin dall'entrata, senza alzar gli occhi su Rosaria disse: – Mi spiace, devo oppormi, signora –. E dichiarò che, accompagnando la propria figlia a passeggio, si ha il dovere di tenerla presso di sé; per cui non permetteva ch'io mi riducessi in cucina, e tanto meno che uscissi con la serva. Né v'era poi motivo, aggiunse, di escludermi dalla conversazione; poiché, giovava ripeterlo, egli era qui per recare un saluto, passando, a fine di cortesia. Non vedeva dunque necessità alcuna di farmi torto: ero forse io di quelle bambine turbolente, che posson disturbare una conversazione educata? Mentre mio padre cosí parlava, Rosaria lo fissava in aria sospettosa e ombrosa; infine, gli occhi le fiammeggiarono, ed ella, accomodandosi nervosamente sul sofà esclamò: – Benissimo! Conversiamo, allora, conversiamo, – come recitando la commedia di una signora in un salotto. – Gaudiosa! – ordinò quindi alla serva, – porta il caffè, – e picchiando la sigaretta con l'indice sul portacenere improvvisò qualche frase scucita intorno agli argomenti piú abusati e innocui, ma in tono di subdola tempesta. Trascorsi pochi istanti, tuttavia, la sua bonaria indole prevalse, ed ella prese a discorrere in modo piú naturale.

Quanto a mio padre, il suo contegno in presenza di Rosaria mi apparve assolutamente mutato da quello di un tempo. Non piú impacciato, né impetuoso, egli non la aggredí neppure una volta con quelle rampogne, terribili giudizi e invettive di cui soleva, nei miei ricordi non lontani, armarsi contro di lei. Ostentava, anzi, dei modi fin troppo cortesi che parevano, io non so come, piú arroganti e offensivi dei vecchi insulti. Nel parlare, piegava i labbri a un sorriso accidioso e ironico; e alludendo a se medesimo, usò i piú gelidi sarcasmi, rappresentandosi in aspetto d'individuo maturo, inaridito, e guasto, e pago di esserlo. Né risparmiò i ragionamenti piú cinici, i quali, se volevan tradire un sentimento disperato, accusavano pure una notevole prosopopea senz'ombra di umiltà. Mi avvidi inoltre che mia madre, gloria un tempo di queste conversazioni, era adesso un argomento proibito. Ad ogni accenno fattovi da Rosaria, mio padre sembrava adombrarsi, e rinchiudersi come una sensitiva; ma Rosaria, per questo verso, fu assai prudente.

Bandito dai lor discorsi quel caro nome, io non mi curavo troppo di ascoltarli. Ad altro era fisso il mio pensiero: ché la mia triste attenzione scopriva, ad ogni momento, nuovi segni dell'inimicizia di Rosaria per me. La nostra visita si prolungava oltre il voluto: mio padre infatti era un poco alticcio al suo giungere e ora, svaporata da lui la prima ebbrezza loquace, si adagiava nell'inerzia del vino. E durante tutto il tempo, io, che avrei potuto figurare da sola persona savia in quella commedia, non fui che una pupattola nelle mani di una capricciosa. Fino all'ultimo, sperai che la capricciosa Rosaria si ravvedesse, mutando umore d'un tratto come già soleva; ma lei, nel caso migliore, non s'occupò di me. Se poi, senza volerlo, mi avvenne di fissarle addosso gli occhi interrogativi e appassionati, come a rammentarle i bei madrigali, le feste e le carezze di prima, e a chiederle perché tutto ciò non si ripetesse; ecco, ella si voltò, quasi richiamata dal mio sguardo, il cui linguaggio, però, fu male inteso: – Che cos'hai per fissarmi in quella maniera, intrigante che sei, gattamorta! – ella mi gridò piena di stizza, pensando certo ch'io covassi i propositi piú maligni. In seguito ogni pretesto le fu buona occasione per offendermi. Né in quel pomeriggio mi volse appellativi piú amabili che *ragazzina* o *signorina*.

E d'altra parte, anche odiandola, come avrei potuto non fermare gli occhi su di lei, quando il suo contegno era uno spettacolo dei piú stravaganti? La stagione era ormai tiepida, non c'era piú il freddo a proteggere il pudore, ed ella indossava una vestaglia negletta, malchiusa alla vita da una cintura di velluto. Le bastò accavallare le gambe, sedendosi sul divano, perché la vestaglia si aprisse mettendo in mostra la sua sottoveste corta, e, piú su delle calze arrotolate, i ginocchi nudi. Né ella si dava pensiero di nascondere tutto ciò; ma anzi, come facevano talvolta, nel nostro monastero, certe scolarette malaccorte di prima e seconda, sciocche ancora e innocenti: cosí lei, benché signora, pareva non accorgersi che *mostrava ogni cosa*. Né io potevo, non essendo la sua maestra e neppure una sua compagna, richiamarla con voci di scandalo all'attenzione e alla decenza. Perciò, quell'inavvertita conversava disinvolta, come nulla fosse, nelle pose piú sguaiate. Non si accontentava di accavallare i ginocchi: eccola tirar le due gambe sul sofà, piegarle in fuori e incrociar le caviglie, restando seduta alla maniera d'un sultano; oppure allungarsi giú distesa, le braccia sotto il capo e la vestaglia spalancata da cima a fondo. Magari, lamentandosi per causa d'una pulce che la mordeva sotto i panni, o di un laccio che le si era slegato, si alzava perfino la sottoveste e quanto portava sotto, o si abbassava la spallina della camicia, sciogliendo il nastro che gliela stringeva sul seno. Poi, dimentica di riassestarsi, nel chiacchierare si dava dei colpetti sulle spalle o sulle gambe mezze nude, come s'usa coi bambini molto piccoli allorché per ischerzo si finge di castigarli; oppure si accarezzava il petto adagio adagio, e assai gentilmente, quasi che esso non fosse una parte della sua persona propria, ma un caro gattuccio, o un piccione domestico, avvezzo a dormire in seno alla padrona.

Tutte queste cose, le faceva senza badarvi, con la massima stupidità ed innocenza, proprio come fosse una compagna ancora immatura e priva di vergogna e di malizia.

Io la riguardavo, mio malgrado, sbigottita da tanta barbarie. E poi guardavo mio padre, e ancor piú mi stupivo, al veder ch'egli non accusava né curiosità né riprovazione di sorta, e che, anzi, le sue pupille distratte si posavano appena appena su quella vista scandalosa. In realtà, le fattezze e le vesti di Rosaria gli passavan davanti, io credo, in un alone fosco e lontano, come fosser le macchie della luna. Tuttavia, nel volger gli occhi da me sulla dama sdraiata, un bel momento egli si riscosse, e con voce asciutta invitò la signora a una maggior compostezza, per riguardo a me presente. – E che fa? – ribatté Rosaria impennandosi alla guisa d'un gallo battagliero, – tua figlia non è forse donna anche lei? – Poi rivolta a me: – Non sei donna pure tu, di', ragazzina? E vieni qua, raccontami una cosa: le altre signore che hai veduto in *disabbiglié* eran piú brutte, sí o no, di Rosaria? Avanti, perché non rispondi, invece di star lí imbambolata, con la faccia arcigna! Non ti paio bella, forse? – e cosí detto, incominciò a stender la gamba, e a sporger l'anca, e a pavoneggiarsi esclamando: – Vedi che belle gambe! Vedi che bei fianchi ho io! Non c'è niente di finto, son tutte cose che ha fatto la mia mamma, e senti, tocca qui, oggi non porto nemmeno il busto. Non ho paura, io, signorina, di mostrarmi senza busto, non sono come certe baronesse pretenziose, che appena sposate sembrano vecchie di quarant'anni, e nessuno le guarda piú. Quanto a te, poi, madama alice, dovrai mangiare molto pane e molta pasta avanti di diventare una bella donna come me! – Quest'ultimo discorso mi fece arrossire: e al vedermi rossa ella rise sguaiatamente. Per conto suo, mio padre non le dette altra soddisfazione che una alzata di spalle; e non so se fu proprio il suo gesto a provocare le ire di Rosaria. È un fatto che ella cessò di ridere, levandosi su inferocita per gridarmi a conclusione del suo discorso: – E tuo padre, se ha paura che ti si guastino gli occhi in casa mia, farà meglio a mandarti a passeggio con la Gran Signora di tua madre, invece di condurti qui. Giacché io, per tua norma, non sono una Gran Signora, sono una mala femmina, e me ne glorio! Hai capito? Ma tuo padre, se non fosse un buffone e un furfante, non ti porterebbe in casa d'una mala femmina!

Dopo di che, senza aspettare la replica di mio padre, il quale s'era alzato a sua volta, gli gridò in viso: – Sí, tu sei un furfante, un assassino! Sei un disgraziato, servo di chi ti rifiuta! – Ma, proseguí, forse per riavvalersi voleva egli fare affronto a lei, Rosaria? o forse per via che si reputava un dottore? Ma lei, Rosaria, si teneva da piú di tanti dottori e di tante gentildonne! Lei conosceva dei signoroni disposti a riverirla, a correrle dietro, a dichiarare fallimento per lei! Dei signori coi quali mio padre, malgrado il suo dottorato, avrebbe guadagnato molto a fare il cambio! Lei non era avvezza a sopportare affronti da nessuno, e non doveva fare inchini a nessuno, a differenza di certe dame schifiltose, le quali torcono la testa, sí, e arricciano il

526

naso, ma se han bisogno di quattrini, non disdegnano di tender la mano di sotterfugio a una donnaccia come lei!

A queste parole, mio padre s'irrigidí, gli occhi foschi e bassi, come un gentiluomo sul punto di gettare una sfida a morte. Ma subito dopo, atteggiò i labbri a un sorriso sarcastico, e volgendosi a me, disse: – Andiamocene, andiamocene via, Elisa!

– Guai a te! Non muoverti! – mi gridò da parte sua Rosaria; e sbarrando l'uscio con la persona incominciò a proferire ogni sorta di minacce contro mio padre. Gli promise che avrebbe trovato il nostro indirizzo, e sarebbe venuta a gridare quel che pensava alla *signora*. Oppure che avrebbe imparato la strada per recarsi all'ufficio delle Poste, e avrebbe fatto ivi uno scandalo. E cosí di seguito, altre minacce e ricatti che non ricordo. Ma mio padre le rispose duramente: – Se farete una di queste cose, lo sapete bene, userete il mezzo piú sicuro per non rivedermi mai piú.

A ciò Rosaria ebbe una risata rabbiosa; e dopo un istante di esitazione, con volto infiammato, animalesco si precipitò nella cucina e ne tornò impugnando un grosso coltello. Cosí armata, fece l'atto di avventarsi su mio padre. Io gridai; ma mio padre rise forte, e con accento generoso invitò la dama a colpirlo. Ché, aggiunse, di tutte le trovate bislacche di lei, questa era la sola felice. Ella si acquisterebbe infatti una vera benemerenza liberando il mondo di un individuo malnato come lui; nessuno piangerebbe una simile perdita, e, quanto a lui, considererebbe d'aver ricevuto il massimo dei favori. Tutto ciò fu detto da mio padre in tono melodrammatico; ma egli sembrava avere il petto oppresso, come se contenesse a fatica dei sinceri singhiozzi.

Mentr'egli parlava in tal modo, Rosaria stava a sentire, le braccia rilasciate, quasi incantata nella sua stessa protervia. E sebbene i suoi labbri si sporgessero ancora pieni di corruccio, negli occhi burrascosi le nasceva uno sguardo tenero, parlante; allorché, deposto il coltello, in luogo d'uccidere mio padre ella lo strinse in un abbraccio sfrenato. E gettandosi ai suoi piedi, baciando le sue rappezzate scarpacce come fossero le pantofole del Papa, lo supplicò di punirla, di pestarla, ch'ella era una servaccia, una donnaccia di strada, una sporca pastora ignorante, e s'era armata la mano per versare un sangue signorile e benedetto: – Prendi il coltello, – ingiungeva ella a mio padre, – e taglia questa mano. Voglio esser monca per ricordarmi d'usarti rispetto d'ora in poi. Rompimi il viso, ch'io non mi rivolterò e ti dirò grazie, – e nel dir cosí la pentita porgeva il viso e tendeva la mano, quasi avida di ricevere davvero castighi tanto feroci. Ma grazie a Dio mio padre non pensava affatto a punirla, e badava soltanto a scostarla da sé ripetendole di non fare scene. – Ah, Francesco mio! – gridò Rosaria allora passando dal rimorso a una severità disperata, – come hanno potuto traviarti in questo modo! Quale strega ti ha reso cosí infame, tu che eri una passione vivente! Non ti ricordi piú della nostra cameretta? delle nostre notti? A quel tempo tu non mi scansavi come s'io fossi immondizia, non mi facevi scontare un'ora d'amore con cento di sospiri! A quel tempo io ero la tua ragazza e le mie bellezze ti saziavano, e ti davano ogni contentezza, salvo una piaga, la gelosia! Tu eri geloso, allora, sí, eri un uomo, mi chiedevi: « dove sei stata? », e « che cosa facesti là? », e mi trattavi come la carne tua, ma sempre con la persuasione, col rispetto! Ah, che Paradiso, che ricordi! Nessuno sapeva discorrere bene come te, tu mi parlavi come a una persona istruita, e volevi insegnarmi a leggere, non fossi stata una fannullona: e d'altra parte, io tale sono, e chi mi vuole, tale ha da prendermi. Lo stesso, però, mi piaceva d'ascoltarti, sí, mi piaceva! Tu m'insegnavi la giustizia, la volontà... insomma! le parole non valgono, sono uno stampo inventato per la voce: quello che conta è il suono, e i tuoi discorsi avevano un suono tale che mi pareva d'ascoltare l'organo in Chiesa! Adesso invece quando parli, mi sembra d'udire il fischio di Satana e quando fai quel sorriso, vorrei metterti fra i denti un coltello e affondartelo in gola!

A simile scena, io, sola testimone di quell'ineguale duetto, non ressi alla pietà e singhiozzai. Davvero, mi dicevo intanto piena d'invidia, davvero ci vuole un cuore di Satana per respingere carezze cosí gentili! e invece, ecco, a Elisa, che non è un Satana, non toccano né carezze né baci. L'affetto di Rosaria per mio padre pareva ancor piú grande di quello che si ha per un caro fratello, e, fors'anche, per un fidanzato. Ma a mio padre, era evidente, i discorsi d'amore suonavano piú odiosi delle minacce e degli insulti. Come se il tocco di Rosaria lo offendesse, egli si ritraeva, pieno di ripugnanza; e al parlar ch'ella fece dei loro comuni ricordi, le ingiunse: – Taci! taci! – mostrando fin troppo chiaro, nei modi, che quelle evocazioni, per lei cosí piacenti, erano quasi un'onta per lui. Richiamato, forse, da un mio singhiozzo, bruscamente egli pose fine alla scena; si svincolò da Rosaria e volgendosi a me che mi asciugavo in fretta le lagrime, disse: – È tardi, ormai, basta. Andiamo, Elisa.

– Ah, questa è la tua risposta! – disse Rosaria con viso alterato; poi vedendo che mio padre, con me per mano, si avviava deciso all'uscio, gli gridò: – Vattene! Vattene e non tornar mai piú in casa mia!

Mio padre non si curò di rispondere, e uscimmo richiudendo dietro di noi la porta d'entrata; senonché, avevamo disceso appena una rampa di scale, quand'essa fu di nuovo spalancata con fracasso. E tutta in disordine, fuor di sé, Rosaria si sporse dal ballatoio e urlò su noi:

– Però voglio riavere i miei denari!

– Li riavrete, – le gridò mio padre seguitando a scendere, – li riavrete fino all'ultimo centesimo –. A ciò seguí, dall'alto, un breve intervallo di silenzio; poi si udí un respiro affannoso, e il passo di Rosaria che ci rincorreva a precipizio giú per le scale. Raggiuntici, ella guardò mio padre con gli occhi d'un animale spaventato: – Per carità, Francesco mio! – disse, – per carità, non badare alle parole d'una ignorante! – E con molte lagrime, gli chiese perdono. La credeva egli forse, aggiunse, una ingrata? Non aveva lui stesso, in altri tempi, diviso con lei tutto ciò che possedeva? E cosí detto, professandosi la sua serva, lo scongiurò di ritornare, magari soltanto per darle un saluto, magari per farle uno sgarbo, ché lei rimarrebbe a casa ogni pomeriggio di domenica ad aspettarlo. Mio padre le rispose con qualche promessa, e finalmente ella ci lasciò.

Ebbene, chi lo crederebbe? La commedia di quel pomeriggio si ripeté la seguente domenica, sebbene con un finale diverso. Infatuato dal vino, mio padre lasciò la cantina di Gesualdo, e mi condusse di nuovo a casa di Rosaria. Il pomeriggio era tiepido, assolato; Rosaria, ancora a letto, ci ricevette in camera. E supina, allungando spesso il braccio nudo verso il tavolino da notte a prenderne un confetto o una noce, e mangiucchiando con gli occhi semichiusi, rideva oziosamente e presa una mano di mio padre gli ripeteva: – Perché non dici alla figlia tua di andare un poco di là, cosí io posso vestirmi?

– *Andiamo* di là, Elisa, – disse allora mio padre, – lasciamo la signora, affinché si vesta –. Ma a tali parole, Rosaria ebbe un'occhiata di dispetto, e si affrettò a dire che aveva cambiato pensiero, intendeva di riposare ancora. Poi tacque un poco, sbadigliando, con aria scontenta, e girandosi di qua e di là con languore. Alla fine, incominciò a smaniare e a lagnarsi di non riposare bene, oggi: perché, avendo preso la sua colazione in letto, le si erano sparse sotto le coltri delle molliche e delle briciole che le pungevano la carne: – Accostati, don Francesco, – aggiunse poi con voce sonnolenta, – accostati a me, vieni qui: aiutami a nettare il letto da queste briciole, ché Rosaria vuol dormire –. Ma mio padre, invece d'accostarsi al letto, si diresse all'uscio, con quel sorriso di cerimonia che la nostra ospite giudicava satanico: – Abbiate pazienza, signora, – egli disse, – ma vi pare questa l'ora di riposare? E non vi sentite soffocare in questa cameretta buia, in quest'aria di rinchiuso? Vi consiglio di alzarvi e di vestirvi, e di raggiungerci poi nel salotto, dove io vado ad aspettarvi insieme a Elisa. E date aria a questa camera, aprite le finestre.

In verità, un tal consiglio mi pareva pieno di giudizio. Ma la signora, dopo averlo udito, fissò mio padre. E nel fissarlo, a un tratto, quasi avesse nel letto, invece di poche briciole, un drago o una tarantola di fuoco, messi i piedi in terra inveí contro di lui con ogni sorta di accuse triviali. Poi movendomi incontro, mezza nuda com'era, in atto di minaccia, mi gridò: – Perché sei venuta anche oggi? Che cosa vieni a fare tu qui? Vuoi forse spiarmi? Ha paura tuo padre a venir solo da me? – E soggiunse: – Vattene, o ti do uno schiaffo! Vattene di là da Gaudiosa, e lasciami sola con tuo padre! Via!

In verità, quasi preferivo, ormai, d'essere mandata in cucina con Gaudiosa, piuttosto che assistere a cosí sciocchi tumulti. Non fossi stata, però, la vile che ero, avrei voluto ribattere a Rosaria che non io, certo, chiedevo a mio padre di accompagnarlo. Non per mia volontà ero qui: s'io potessi, a quest'ora sarei vicino alla mia Anna! Ma di tutto ciò non dissi nulla, e, coi singhiozzi in gola, ubbidii, finendo il mio dopopranzo da Gaudiosa.

Fu l'ultima visita fatta a Rosaria insieme con mio padre. In seguito, ebbi talvolta il sospetto che questi si recasse da lei: vi furono infatti dei pomeriggi ch'egli uscí a passeggio solo, senza propormi di accompagnarlo; ed altri ve ne furono ch'egli interruppe anzitempo le nostre sedute da Gesualdo, per ricondurmi a casa, e uscirsene poi di nuovo senza di me. Comunque, mi pareva ormai fuor di dubbio che per me era finita; e scacciavo fin la speranza di potere un giorno riannodare l'amicizia con Rosaria.

Intanto, era venuta la primavera: la quale, fra gli altri suoi còmpiti, era tenuta a produrre un evento da me molto atteso. Voglio dire che ormai, con la nuova stagione, la gatta di Gesualdo non tarderebbe troppo a dare alla luce i suoi gattini. Io guardavo a tale evento sperato e necessario come ad una specie di faro: ché, seppure dovevo sgombrare dall'anima un desiderio supremo (non ignoravo infatti il divieto di mia madre all'introdurre bestie in casa), tuttavia quella nidiata basterebbe a rendermi felici le ore trascorse da Gesualdo. Avevo osato, un giorno, chiedere a costui quale sarebbe stato, supponiamo, il numero dei figli della gatta. Al che Gesualdo, con la malagrazia solita, aveva risposto: – Uhm, che so! Quattro, cinque! – e a tal notizia mi s'era gonfiato il cuore per la troppo viva allegria. In verità, avevo saputo che le madri gatte son gelose della loro prole; ma tuttavia, pensavo, non mi mancherebbe qualche occasione per godere, non vista dalla madre, di una vicinanza, di una società squisita, forse di una confidenza! Già, di certo, seguitavo a dirmi, di tanti gattini, non tutti erediteranno il carattere maligno e forastico della madre. Uno, almeno, ve ne sarà, d'indole assolutamente diversa, e chi sa ch'egli non diventi un amico mio! A tale idea, rappresentandomi fin nelle minuzie le nostre mutue soddisfazioni, avrei voluto bruciare in una vampata sola i giorni che ancor ci separavano da quello del felice parto!

Ahimè, che il caro giorno fu di lutto invece! Un pomeriggio, scendendo nella cantina con mio padre, vidi la gatta, snella e macilenta fuori dell'usato, aggirarsi laggiú, fra le panche e i tavolini, come fra enormi rocce desertiche. Inquieta, col muso basso, piú che mai sospettosa degli uomini, essa levava dei miagolii singolari, colmi di panico e di speranza. E chi sa quali ricerche sterminate credeva di compiere la solitaria, mentre rifaceva giri e giri sempre nel medesimo spazio! In breve, non tardammo a conoscere ch'essa chiamava i suoi gattini, i quali, venuti appena alla luce, erano stati affogati, tutti insieme, da Gesualdo. Simile azione mi rese l'oste aborrito al punto che non potei piú guardarlo in volto. Se avveniva per caso ch'egli m'interpellasse mi chiudevo in un silenzio arcigno; ma quando lo incontravo nei sogni, egli assumeva le sembianze di Caboni.

I pomeriggi all'osteria si ripetevano cosí, monotoni e tristi, da una settimana all'altra. Col mutar della stagione, l'umore di mio padre s'era fatto piú taciturno: egli non teneva piú le sue pompose conferenze agli altri avventori, che d'altronde eran diminuiti di numero, poiché la primavera invitava a luoghi piú aperti. Non mancava mai, però, un gruppo d'assidui giocatori di carte, i quali avevan pure invitato mio padre a entrar nel gioco; ma egli aveva rifiutato, preferendo di starsene coi suoi pensieri. E con me, dovrei soggiungere; senonché, della mia persona, egli, al solito, non pareva tener conto. E in tal modo passavano le ore d'Elisa, l'imbronciata e docile fanciulla, avvezza alla malinconia. Nelle macchie di vino della tavola, io mi fingevo geografie strane, non troppo dissimili da quelle che mio padre fanciullo vedeva nell'aperto firmamento; cosí cercavo di svagarmi, ma a distrarmi dalle mie noie immaginose veniva ogni tanto una bestemmia, gettata là, dai giocatori, in mezzo alle frasi della partita. A distrarmi, direte! Sí, appunto. Le suore infatti mi avevano spiegato, con lor convincenti prove, che ogni bestemmia aggiunge una spina nella corona del Cristo. E m'avevano altresí insegnato una preghiera francese, che ogni fanciullo cristiano, allorché oda altri bestemmiare, ha l'obbligo di recitare fra sé nella mente. In tal preghiera, il fanciullo orante invita il Cristo ad accostarsi a lui, sí ch'egli possa, con la propria mano innocente, togliergli dal cuore la spina che il bestemmiatore v'ha confitto, e intercedere nel tempo stesso contro il medesimo bestemmiatore iniquo, e gli altri peccatori tutti « i quali non sanno ciò che si fanno. Amen ». Con diligenza, ogni volta che nella cantina di Gesualdo risuonava un'empia esclamazione, io recitavo fra me detta preghiera francese. E l'apparizione di un bel giovane d'Oriente, dai capelli sciolti sulle spalle, dal volto rigato di lagrime, in atto di porgermi fiducioso, sulla palma, il proprio cuore affinché io glielo guarissi: quest'apparizione sanguinante e adorabile scendeva a visitare la trista Elisa durante le ore pomeridiane all'osteria.

Fra quelle noie, soprattutto mi angustiava il caparbio, geloso pensiero di Anna che passava il suo pomeriggio senza di me. Con la nuova stagione, l'antico rimpianto s'era incrudelito: e il perché lo vedremo. Or mentr'io pensavo ad Anna, a chi altri, se non a lei stessa, pensava colui che mi sedeva di fronte? Una sola padrona, io credo, possedeva insieme la mia mente e quella di mio padre. Strani rivali, invero!

PARTE SESTA

Il Postale

O pernice mia dei monti, lévati, e scuoti l'ala
e scaccia il corvo nero che ti dorme a fianco.
Canto popolare greco

Sciocca! tante arie per un anello!
Frammento di SAFFO

Un incontro fra parenti.

Fin dai primi giorni della primavera, che fu, quell'anno, calda e precoce, mia madre aveva interrotto la sua clausura per riprendere con me le passeggiate pomeridiane. Uscito appena mio padre, ella si vestiva in fretta e mi conduceva fuori, senza curarsi di sapere prima s'io avessi o no terminato i miei còmpiti. Ciò non avveniva in altri tempi; ed era, anche, insolita la regolarità di queste passeggiate, che si ripetevano ogni dopopranzo e sempre lungo una medesima direzione, pur non avendo, in apparenza, mèta alcuna. Al contrario di quel che soleva in passato, mia madre non preferiva, adesso, i sobborghi solitari o i giardini spogli e poco frequentati della periferia; ma, attraversate velocemente le strade larghe e sudice dei quartieri nuovi, entrava nella città vecchia, e qui rallentava il passo, pur camminando silenziosa e senza guardarsi intorno, secondo il suo costume. Nella città vecchia, poi, sceglieva sempre uno stesso percorso; ma, simile ad insetto alato che giri intorno a una fiamma, ogni volta si addentrava un poco di piú negli antichi quartieri. Io non sapevo ch'ella compiva, con ciò, un atto d'audacia: la vedevo però farsi via via piú timida e il febbrile suo polso mi rivelava il suo batticuore. Finché, senz'altro motivo apparente che il suo capriccio, si arrestava; e dopo aver esitato un poco, riluttante e affascinata, si voltava d'un tratto e ritornava precipitosamente indietro. All'opposto di quando era venuta, adesso, nel tornare, attraversava quasi fuggendo la città vecchia, e appena fuor da quelle mura si rilasciava, e prendeva un passo lento di sonnambula. Sentivo il suo braccio appesantirsi, e un'espressione smemorata, piena di disgusto, velava il suo viso.

Ci riaccoglieva cosí il nostro quartiere, dove l'aria primaverile attirava in istrada i ragazzi chiassosi, i vecchi impiegati in pensione dai logori soprabiti, le malvestite borghesucce in cappello, e i giovanotti senza lavoro, malandati e torvi all'aspetto come uscissero appena di carcere. La moglie del portinaio sedeva sulla soglia, e nel cortile numerosi ragazzetti figli d'inquilini giocavano a rincorrersi intorno al palmizio, mentre le loro madri e sorelle affacciate alle finestre dialogavano a gran voce. Rientravamo nelle nostre stanze che il sole era ancora alto. Appena giunta, mia madre si distendeva sul letto di nonna Cesira, dove rimaneva fino a buio, come già nell'inverno, fra languori e inquietudini; ed io, portati i miei quaderni nella medesima cameretta, facevo i miei còmpiti senza lasciarmi distrarre dalle voci rumorose del cortile.

Vi ho detto che ogni pomeriggio la nostra passeggiata si prolungava di qualche tratto; e non trascorsero molti giorni che, infine, la mèta fu raggiunta.

Non vi è dubbio che mia madre si era ripromessa quel giorno, con un atto della volontà, simile vittoria. Piú d'una volta, mentre ci vestivamo per la passeggiata, io la vidi interrompersi e farsi esangue, come per il montar d'un sentimento troppo forte che scaccia ogni altro potere; ma appena fummo in istrada, una specie di violenta gaiezza le contrasse il viso.

Diversamente dal solito, ella non rallentò, oggi, l'andatura neppure dentro la città vecchia; ma il suo veloce moto aveva un che di convulso, per cui somigliava al volo basso d'un uccello in arie burrascose. Era per me gran fatica adeguarmi al suo passo, mentre, seguendo l'itinerario consueto, ella oltrepassava le straducce popolari prossime alle mura; e la piazza del mercato, invasa a quell'ora da frotte di ragazzi; e l'angusta via dell'Università, dove la bottega dei libri usati aveva ancora i battenti chiusi per il riposo pomeridiano. Di qui si usciva sul Corso, poco frequentato in quelle prime ore del dopopranzo; e dopo una piazza alberata, di belle proporzioni, sulla quale un Caffè esponeva all'aperto i suoi tavolini fra piante di limoni fiorite, si entrava nell'intricato quartiere di Sant'Agata.

Intorno alla chiesa della Santa, si raggruppavano antichi palazzi, adibiti per lo piú a monasteri, a congregazioni o ad altri uffici devoti; e costruzioni cadenti, abitate da turbe di poveri. Attraversando le numerose piazzette e i vicoli, ogni tanto s'incontrava un'abitazione patrizia: riconoscibile al portone gigantesco, guardato da un borioso portiere, e alla corte stemmata che si scorgeva al di là, col suo tappeto d'erba.

Era la prima volta ch'io vedevo questa parte della città vecchia; ma dovevo ritornarvi, in seguito, abbastanza spesso perché ognuna delle sue straducce mi rimanesse segnata nella memoria. Un certo suo vicolo terminava con una breve gradinata in salita, di pietra liscia: percorsi che avemmo questi pochi gradini, mia madre ed io ci trovammo all'ingresso d'una piazzetta circolare.

Fu qui che mia madre si fermò e lasciò la mia mano indolenzita; il primo istante, ella parve incerta se ritornare indietro a precipizio, come faceva gli altri giorni, e riguardò i gradini che conducevano al vicolo; ma come se quella breve discesa le desse il capogiro, volse di nuovo il capo verso la piazza.

Le vidi montare alla fronte un rossore di sofferenza; e dopo ebbe una specie di singulto: non saprei dire se infantile risata di trionfo, o scossa di pianto nervoso. Rimanemmo, quindi, ferme, l'una a fianco dell'altra, al termine della scala.

Sulla piazzetta non c'era anima viva. Il selciato era fatto di quelle antiche pietre riquadre, non connesse esattamente l'una all'altra, che dànno ai passi di chi le calpesta una risonanza sotterranea. Proprio accanto a me, sulla parete a cui, stanca, io mi appoggiavo, una maschera di marmo corroso versava un filo d'acqua dentro una lustra conca di marmo color d'avorio. Avevo sete, ma non osai bere a quella fontana, senza il permesso di mia madre, a cui mi peritavo di volger la parola.

Ella se ne stava ferma, e tutta tremante, un sorriso spaventato sui labbri; e teneva fisso uno sguardo temerario, quasi allucinato, su un antico palazzetto che si levava in fondo alla piazza, di fronte a noi. Di un colore bianco grigiastro, esso apriva, sulla facciata, finestre rade, e armoniosamente distanti: ognuna delle quali recava un ben lavorato balconcino marmoreo. In alto, il cornicione scolpito fingeva un ricco festone d'edera e tralci; e in basso, nel centro d'uno zoccolo scolpito anch'esso a bizzarre figure di grifoni e di draghi, una piccola gradinata di marmo, fra due balaustre, conduceva al massiccio portoncino. Questo era chiuso; e nessun segno di vita appariva in quel momento nel palazzetto. Né s'udiva alcun rumore se non quello leggero della fontana e voci confuse che salivano alla piazza dai vicoli sottostanti.

Trascorsero cosí alcuni minuti di quiete e di solitudine. Avvezza ai capricci di mia madre, io li secondavo umilmente senza ricercarne i motivi; e rimasi silenziosa al suo fianco. Immobile all'imbocco della piazza, ella aveva adesso nella persona un'attitudine d'abbandono e di riposo. Riuniva placidamente sul grembo le mani, a cui si attorcigliavano i logori cordoni della sua borsetta. E negli occhi spalancati, che non lasciavano di mirare il palazzetto di fronte, le si era acceso un lagrimoso splendore.

Il rumore d'un campanello suonato nell'interno del palazzo giunse,

537

attutito, fino ai nostri orecchi. Quasi nel medesimo istante furono aperti i due battenti del portoncino e si vide, nell'interno, un servitore farsi da un lato dell'ingresso in attitudine rispettosa. Passò ancora qualche minuto, e poi tre signore uscirono dal portoncino, e, discesa lentamente la piccola scalinata, si allontanarono a piedi girando sulla destra del palazzo; il quale nella parte retrostante, prolungata dal muro di cinta delle antiche scuderie, si affacciava, come appresi piú tardi, su un quartiere solitario di ville e di grandi viali. Come le tre signore scomparvero dietro il palazzo, il portoncino fu richiuso. L'apparizione era stata breve, ma pur cosí breve tempo era bastato alla mia curiosità di fanciulletta per osservare le tre dame una ad una. La prima, una vecchia dalla figura grande e pingue, dal passo un po' irregolare, vestiva a lutto con un velo nero che, avvolgendosi intorno al suo cappello, le ricadeva dinanzi sulla spalla destra. La seconda, al cui braccio ella si appoggiava, era piú giovane, scialba d'apparenza, e anch'essa vestita a lutto, ma con un semplice cappello di feltro senz'alcun velo. E la terza, che si teneva un poco indietro, una cameriera forse, vestiva di un color grigio cenere con scarpe nere e un goffo cappellino di paglia.

Già queste signore non si vedevano piú, allorquando, volgendomi a mia madre, io mi accorsi ch'ella fissava uno sguardo dilatato, ma astratto e quasi inespressivo, là dove, un secondo prima, esse erano sparite alla nostra vista. Sembrava interdetta, colpita forse da un qualche aspetto delle loro persone: e che un dubbio ancora informe le tentasse la mente. D'un tratto, un colore terreo le scese sul volto, e negli occhi le si affacciò una specie di orrore: – Elisa! Elisa! – gridò; ma senza badare s'io la seguivo, attraversò di sbieco la piazza.

La raggiunsi mentre, incerta ella medesima sui propri scopi, si agitava dall'uno all'altro lato d'una discesa angusta, fra due palazzi di nobile apparenza che aprivano, ambedue, sulla piazza, i loro ingressi principali. Nel suo rapido passaggio davanti al primo palazzo, ella aveva, sembra, destato la curiosità o il sospetto del portiere: questi infatti aveva lasciato il suo posto di guardia nell'atrio, sulla piazza, e si affacciava all'imbocco della discesa, donde osservava mia madre con una certa diffidenza e alterigia. Tuttavia, com'ella lo guardò a sua volta, egli portò la mano al proprio berretto gallonato d'oro.

Paventando non so qual danno od offesa per mia madre da parte di quell'uomo autorevole in fastoso costume, io presi in fretta la mano di lei. Mia madre mi lasciò la sua manina, che parve insensibile al mio tocco. Ella guardava l'ignoto portinaio con occhi severi e imbambolati, movendo risolutamente verso di lui dalla straducola: – Ascoltate! – lo apostrofò con voce dura, appena gli fu da presso, – quella che abita là, – e col mento indicò il palazzetto delle tre signore, – donna Concetta Cerentano, perché porta il lutto? – e nel dir cosí ella fece con la mano un gesto sulla propria spalla, come a descrivere il velo della vecchia.

Il portinaio, dopo aver fatto, al nome di Cerentano, autorevoli cenni di assenso, squadrò mia madre dalla testa ai piedi e le domandò: – È molto che mancate da queste parti?

– Sí-sí molto! – esclamò bruscamente mia madre. E col viso imbronciato d'un bambino che, durante una febbre, si sdegna contro i propri delirî, ingiunse: – Rispondete!

Colui si meravigliò della curiosa arroganza ch'ella mostrava nei modi: – Vi ho fatto una simile domanda, – le spiegò, ergendosi, con voce risentita, – perché, da quando la conosco io, che da venti anni guardo questo portone, donna Cerentano, là di fronte, non ha mai lasciato il lutto. Vuol dire che prima vestiva a nero per la vedovanza, in memoria di don Ruggero suo sposo, e ora si è messa il velo cosí, – (egli imitò il gesto di mia madre), – perché porta il lutto del padroncino, suo figlio.

– Di chi? – esclamò mia madre.

– Del figlio suo, – ripeté il portiere, guardandola sbigottito e incerto, – che le è morto quest'inverno: don Edoar...

Sentii la mano di mia madre farsi fredda. – Andiamo! andiamo! – ella mi esortò con una voce senza coscienza, dal timbro mutato, acerbo, sí da somigliar quasi a voce di fanciulletta mia pari. In un baleno, mentr'ella si voltava, mi apparve il suo viso terreo, dove gli occhi si spalancavano cosí neri e senza luce da parer vuote occhiaie. Poi subito ella staccò la sua mano dalla mia, fuggendo come una baccante giú per la discesa e attraverso le vie che conducevano a casa nostra, mentr'io la seguivo da presso chiamandola e singhiozzando. Quasi non mi accorgevo dei passanti che si fermavano stupiti a guardarci; né degnai d'una risposta quanti, impietositi, m'interrogavano.

Presto mia madre fu vinta dall'affanno, e rallentò la sua fuga. Avanzava tenendosi le due mani sul petto, gli occhi fissi e vuoti; e dalle labbra semiaperte le sfuggiva un rauco, stridulo respiro. Benché sfinita dalla corsa, io non mi staccai dal suo fianco. Avvertii lo sguardo della nostra portinaia che ci seguiva pieno di stupore: e, lungo la scala, mi sforzai di sorreggere mia madre, che si trascinava di gradino in gradino quasi sui ginocchi.

Toccò a me di frugare nella sua borsetta per trarne le chiavi e di aprire, non senza stento, l'uscio d'ingresso. Ella si abbatté sul letto, stremata, ed io mi accovacciai presso di lei, per terra, appoggiando al letto la fronte. Tutta in sudore, ella giaceva di traverso sulla coperta, coi denti che le battevano, e i grandi occhi aperti e impauriti. Il suo respiro affannoso si andava diradando; ma d'improvviso ella si drizzò a sedere sul letto e portando i due pugni alla bocca prese a gridare, con un accento isterico e selvaggio che mi sgomentò. – Mamma! mamma! – la chiamavo inutilmente; quand'ecco, ella tacque, e si pose in ascolto, come un animale all'agguato. S'era udito, nell'anticamera, il suono familiare della chiave infilata nella toppa, e il cigolío dell'uscio d'ingresso: era mio padre che, di turno sul *postale* in partenza alla mezzanotte, rincasava per dormire qualche ora, avanti di mettersi in viaggio.

Mia madre mi guardò sospesa, con le labbra palpitanti, lo sguardo tagliente, ed io sentii ch'era gelosa, fino alla ferocia, di quella sua misteriosa sventura: gelosa, intendo, soprattutto nei riguardi di mio padre. Ubbidendo alla sua muta volontà, io svelta uscii dalla camera incontro a mio padre, e a voce bassa lo avvisai ch'ella era rincasata dal passeggio in preda a una grande stanchezza e aveva dato ordine di non disturbarla, e di lasciarla dormire. Mio padre mi credette: e mia madre, quasi fosse mia complice nella menzogna, non fece udire piú dalla camera né un rumore né una voce.

In cucina, aiutai mio padre a preparare un cartoccio con pane e qualche altro cibo da portar via sul *postale*: ché egli doveva rimanere in viaggio fino alla notte seguente. E poi mi accinsi a fare i còmpiti, mentre lui si ritirava a riposare nel salotto.

Dopo un certo intervallo, mi levai dal tavolino, e, in punta di piedi, attraversato il corridoio, accostai l'orecchio all'uscio chiuso di mia madre: non si udiva alcun rumore se non, dopo qualche secondo di attento ascolto, un respiro affannoso. Mi feci coraggio, ed entrai: mia madre allora drizzò un poco il capo e mi volse uno sguardo incosciente. Come prima, ella giaceva sul letto, sveglia e tutta vestita, nella camera quasi buia; io la lasciai subito, temendo d'infastidirla, e tornai pian piano in cucina.

Venuta la sera nel silenzio delle nostre stanze, cenai con vivande fredde avanzate dal mezzogiorno, poiché non sapevo accendere il fuoco; apprestai pure, sulla tavola di cucina, un poco di pietanza per mio padre, uso a consumare la sua cena avanti di recarsi ai viaggi notturni. Infine, disposi con gran cura su di un vassoio la cena di mia madre, alla quale avevo riserbato le cose migliori, e mi recai da lei. Ma ella rifiutò il cibo senza dir parola, con occhi attoniti da malata. Alla luce delle lampade, si scorgeva ch'ella doveva aver sofferto in quelle ore assalti violenti, sebbene silenziosi: era spettinata, aveva delle ditate rossastre sulla gola, e sulle palme e sulle labbra delle piccole ferite, come se, lei medesima, si fosse data dei morsi. Io la liberai dalle forcine, le accomodai le trecce per la notte: ed ella mi lasciò fare, incantata, simile a una bambola. Cosí pure, mentre si andava spogliando con gesti meccanici e senza memoria, non respinse i miei ferventi aiuti.

Un'ora prima di mezzanotte, mi ridestò, dal salotto vicino, il suono soffocato della sveglia che mio padre usava porre sotto il proprio guanciale. Si udí poi qualche rumore discreto nel salotto e in cucina, e, poco piú tardi, la porta d'ingresso cigolò pianissimo sui cardini: mio padre era uscito.

Io non mi riaddormentai subito: nella nostra camera faceva caldo, sí che perfino il leggero bruciare del lumino da notte, in quell'aria chiusa, mi pareva una vampa. Le coltri invernali, non ancora tolte dai letti, mi pesavano, e sotto le coltri, sentivo ardere come fuoco il corpo di mia madre, per il salire della febbre. Quando mi riaddormentai, mi parve confusamente, in sogno, di dividere la mia camera con un animale selvatico, o una fiera. Mi riscossi, e, in un dormiveglia, m'avvidi che mia madre scesa dal letto percorreva a piedi nudi la stanza, avanti e indietro, e gemeva con un suono interrogante e caparbio: tale ch'io credetti di riudire la gatta di Gesualdo, il giorno che andava in cerca dei suoi gattini.

In camera nostra, quella sera, nessuno aveva pensato a caricare la sveglia. Ridestandomi, non chiamata, alla luce del giorno, io vidi mia madre dormire supina accanto a me: sporgeva un poco il labbro inferiore, e aveva le palpebre schiacciate sull'orbita, a somiglianza d'una morta. Io scesi dal letto pian piano, badando a non ridestarla, e passai nella cucina dove, alzato lo stuoino della finestra, giudicai, dalla freschezza della luce, che doveva da poco esser nato il sole. Un uccellino, posatosi, chi sa per quale fantasia della sua mente, sul triste palmizio del cortile, cinguettava, salutando forse la mattiniera Elisa.

Mi mortificava alquanto il pensiero di non saper accendere il fuoco: mi raffiguravo, con giubilo, quale gloria sarebbe stata per me poter dire a mia madre: – È tutto pronto, la colazione è servita! – Ma purtroppo, il mio tentativo non riuscí che a riempire la cucina di fumo, e dovetti rinunciare. Scesi bensí nella strada, lasciando accostato l'uscio, per acquistare il latte dal capraio girovago; e, rientrata, mi affaccendai con solerzia a spazzare la cucina, a tagliare il pane, a lavare i piatti della sera avanti. Poi scivolai silenziosa nella camera dove mia madre ancor dormiva, e, col batticuore, raccolsi da terra le sue scarpette; avevo deciso di lustrargliele con le mie mani, e, nel compiere

541

tale impresa, la fierezza e la venerazione mi fecero spuntare dagli occhi le lagrime.

In verità, m'impiastricciai non poco di vernice le mani maldestre; ma pure quelle scarpe impolverate, dalla suola consunta e dal tacco alla francese fiaccato e logoro, quelle adorate scarpette acquistarono un'apparenza più brillante per opera mia. Sí che, fatto il segno della croce, ringraziai Gesú Cristo per avermi assistito: non dubitavo, infatti, ch'Egli presiedesse a tutte le minuzie della mia vita quotidiana.

Allorché ritornai nella camera per rimettere le scarpette al loro posto, vidi che mia madre s'era alzata, e, seduta sull'orlo del letto, aveva incominciato a vestirsi. Col busto chino, si fermava il legaccio d'una calza, e mi gettò un'occhiata obliqua. Le domandai, tutta tremante, se fosse guarita, ma accorgendomi che aveva dei brividi, le dissi con premura di non alzarsi: io stessa avrei provveduto a tutto, anche a far la spesa, e (aggiunsi), a cucinare. A queste parole, ella ebbe un'espressione severa e ombrosa e, torcendo le labbra, disse che della spesa non si curava e che voleva uscire per motivi suoi propri. Devotamente allora le infilai le scarpe, senza ch'ella notasse quant'eran lustre; e come fu tutta vestita, temendo che, da sola, potesse cadere sulla via, decisi di mancare la scuola e di seguirla: né lei me lo vietò.

Sebbene non fossi mai stata là dove ella mi conduceva, dalle botteghe di statuari e di fiorai che aprivan le mostre lungo la strada e dall'aspetto di quanti, insieme a noi, la percorrevano, intuii, prima ancor di arrivarvi, che ci dirigevamo al camposanto. Sapevo che mia madre aveva in odio questo luogo; e che la povera nonna, come già l'altro mio nonno Teodoro, dal giorno che vi giaceva sepolta non era stata mai visitata da nessuno. Ma certamente, se oggi mia madre veniva qui, era per visitare quello sconosciuto don Edoardo del quale avevamo il giorno prima udito l'annuncio di morte.

Appena fummo dentro al recinto, io rimasi incantata dallo spettacolo primaverile che ci si offerse. Sui prati circostanti, intorno alle statue ed ai simboli cristiani erano sparsi i bei colori della stagione; gli alberi gettavano lunghe, appena tremolanti ombre su quel suolo luminoso. Come alle processioni solenni, un aroma liturgico si mescolava con gli odori boschivi e campestri: e le voci degli uccelli scherzavano, senza turbare il quieto, sacerdotale suono della campana.

Fino a questo giorno, il solo spettacolo di morte da me veduto era stata la povera nonna Cesira sul suo lettuccio; e vi dissi appunto, in quell'occasione, che tale spettacolo non m'era apparso tetro né luttuoso: al contrario. Oggi, il giardino del cimitero mi rinnovò tale semplice e fiduciosa immagine della morte. Io non dubitai, nel mio cuore, che le anime dei morti qui dormienti fossero tutte state assunte al Paradiso: anzi, mi venne il sospetto che in qualche parte del cimitero si levasse la scala di cui racconta la Bibbia nel libro di Giacobbe; e che le invisibili anime dei morti salissero e scendessero, lungo quella scala, dal giardino ai loro bei palagi.

Fra simili pensieri, guardai mia madre, sperando che lei pure si sentisse consolata al trovarsi in questa indulgente dimora. Ma subito mi accorsi che ella non portava qui la pietà e la religione dovute ai luoghi consacrati: sulla sua fronte corrugata, i neri sopraccigli si riunivano dando al suo viso un'espressione selvaggia, ed ella appariva tanto sfigurata ch'io ne ebbi paura, credendo di scorgere Satana alle sue spalle. Certo ella non veniva qui, come una fedele cristiana, per inginocchiarsi e piangere su un sepolcro, invocando pace all'anima di colui che vi giaceva rinchiuso. Ciò che la guidava, non era una speranza, ma un furore, simile a quello d'un naufrago che, affamato di cibo, morda la sabbia; appena entrata, già ella pareva ricacciata indietro dall'odio e dalla ripulsa che provocavano in lei le sepolture. Si aggirava in mezzo a queste esitando, senza leggerne le iscrizioni, quasi avesse rinunciato alla ricerca prima ancora di iniziarla. In realtà, ciò ch'ella voleva era inutile cercarlo in questo o in altri luoghi; e il sentimento che la guidava era un peccato mortale.

Ella pareva combattuta fra una negazione e un'accettazione, l'una e l'altra presuntuose ed empie. L'una, infine, prevalse; e rifiutando di piú cercare la terra che seppelliva Edoardo, mia madre si allontanò dal cimitero come chi fugge da una rovina.

Come ci ritrovammo a casa, pochi minuti piú tardi, ella pareva non ricordarsi che eravamo nella nostra camera, e vi si aggirava al pari d'una creatura selvatica portata in un luogo straniero. Senza motivo spostava ora un oggetto, ora un altro, sbigottita, si sarebbe detto, alla vista delle cose piú comuni. Or si sedeva sull'orlo del letto ancor disfatto, curvando con rilasciatezza il capo; or si alzava e camminava fino allo specchio fissandolo piena di paura, quasi vi vedesse un'intrusa. Poi s'interruppe in tale ozioso affaccendarsi, e cadde in ginocchio presso il letto, come per disporsi a una preghiera; ma il suo viso rabbioso e avido contrastava con l'attitudine del suo corpo. Ella appoggiò la tempia sulla sponda, poi si nascose il viso dietro le palme in atto di pudore, e sussultando esclamò con voce ispirata e mansueta:
– Edoardo! dove sei? rispondimi, Edoardo mio.

– Vogliono farmi credere che tu non esisti, – riprese in tono violento, scoprendo gli occhi minacciosi e neri, – vogliono farmi credere che sei uno scheletro, m'hanno mandato a cercarti in mezzo alle croci.

O amore mio, non sottometterti! ricordati di Anna! svegliami da questo sogno!

E nel modo piú inatteso, volgendosi a me di cui fino allora pareva ignorare la presenza esclamò, con una espressione malvagia e sfrontata:

– Vieni qui, tu, avvicinati, piccola bigotta: credi tu nell'inferno? Sperduta, balbettante, io dissi: – Credo... nel Paradiso.

– Credi nel Paradiso! – ella ripeté ridendo e contraendosi in volto per la collera, sí ch'io temetti le sue percosse, – e allora voglio che tu lo sappia: io conobbi l'angelo, il principe del Paradiso. È mio cugino, anzi mio fratello carnale, si chiama Edoardo. Prima ch'io conoscessi tuo padre, ci amavamo, lui ed io. Ma egli m'abbandonò e non si curò piú di me. Da allora non l'ho incontrato mai piú, e non ho avuto mai piú sue notizie, neppure un saluto, cosí che a volte sospettavo egli fosse in viaggio, a volte che fosse qui in città... Egli non mi degnò mai neppure d'un ricordo, ché era un uomo troppo bello per darsi pensiero d'una donna. Ma io, per tutti questi anni, non ho pensato che a lui. Non amo che lui, non ho altro piacere, altra memoria, altro compagno che lui, non ho altro riposo. E adesso vogliono farmi credere che è morto, il mio bel padroncino, il mio fratello caro, il mio bel corpo d'amore, che è scheletrito! Ah, da ragazza, io volevo disonorarmi per lui, tanto l'amavo, ma lui non mi volle. Cercavo la mia perdizione come un trionfo, e lui non mi volle. Oggi io so, io capisco perché lui mi lasciò virtuosa: fu perché la mia anima avesse maggior prezzo. E adesso, ascolta, tu sei testimone, ragazzina: io vendo la mia anima all'inferno, in cambio d'essere svegliata da questo sogno, e ritrovare Edoardo!

Come sopraffatta da un disgusto, ella interruppe le sue temerarie parole; quanto a me, tremavo in ogni nervo, le superstizioni del Convento m'assalivano in folla. Non osavo girar gli occhi nel timore di scorgere per la stanza delle visioni: pensavo che le pareti brulicassero di demoní; che sul nostro letto, sempre spoglio d'immagini devote, balenasse un'effigie infernale; che al di sopra del tavolino da notte, là dove i buoni cristiani appendono l'acquasantiera, agonizzasse un pipistrello con le ali aperte e inchiodate. Che negli angoli, si affacciasse a spiare, a sorridere, occhialuto e malaticcio, il mio persecutore notturno, il tristo Caboni. Di minuto in minuto, credevo d'udire dei sibili, delle risate, e un frastuono di catene annunziante Lucifero in persona, che, in forma di capra, veniva a sancire il patto. Aspettavo che un tempestoso risucchio montasse dal profondo della terra fino ai nostri piedi, ingoiando la camera e mia madre con essa. E neppure

544

osavo (tanto mi soggiogava il timore di mia madre), fare il segno della Croce.

A veder mia madre, adesso, si sarebbe detto che davvero fosse una posseduta dai demonî. Accovacciata in terra, le dita aggrappate alla sponda del letto, seguitava a scrollare il capo come se volesse schiantarselo e ripeteva: – No, no, no! – coi denti serrati e schiumanti. Poi cessò di piangere, e s'irrigidí nelle membra come chi raccolga le forze per un'aspra lotta corpo a corpo; ma, vedendola, invece, trasognarsi e chiudere le palpebre, io vinsi la paura e corsi in suo aiuto.

Docile di nuovo com'era stata la sera innanzi, ella mi assecondò mentr'io la prendevo per mano e la facevo adagiare sul letto. Le asciugai dalla faccia il sudore, le scostai dalla fronte i capelli intrisi; e girato lo sguardo, m'avvidi che nessun orrendo spirito abitava la camera. Dalla chiusa finestra salivano voci rade e rumori, si udí la sirena della vetreria di là dalla montagna di cocci e, dal piazzale della chiesa, lo scampanio che annunciava il mezzogiorno. Simili suoni suscitarono intorno a me un'aria nuova, di vacanza, e insieme mi richiamarono alla mia recente trasgressione: giacché gli altri giorni, a quest'ora medesima, io sedevo ancora in classe, lontano di qui, e udivo altre voci da queste.

Accostai gli scuri, affinché mia madre potesse riposarsi. Ella giaceva supina, coi piccoli piedi accostati l'uno all'altro nelle scarpette ricopertesi di polvere; aveva un lamento gentile, sempre piú leggero, come una bambina che s'addormenta dopo un capriccio: e si assopí.

Io mi ritirai nella cucina, per non darle noia; ma nella solitudine, ripensando a quanto era accaduto, ruppi in un pianto sconvolto. Non ignoravo i terribili supplizi riserbati a chi patteggia col demonio, e sapevo che costui può in qualsiasi momento reclamare l'anima che gli si è venduta. Mi rappresentavo, perciò, l'infausto visitatore che s'impadroniva di mia madre sotto i miei occhi. Oppure, mi figuravo ch'egli giungesse quand'io ero a scuola, o a mia insaputa, di notte, mentr'ero immersa nel sonno; cosí che, al risveglio, io non troverei piú mia madre al mio fianco, e soltanto un odore di fosforo e una nera ombra di capra sulla parete rimarrebbero a testimoniare l'evento. Ma in ogni caso, pur se presente e sveglia, che cosa avrei potuto io fare per difendere mia madre? Nulla, giacché Satana esercitava un suo diritto, e neppure il segno della croce varrebbe piú contro di lui. Mi sarebbe concesso, almeno, di aggrapparmi a mia madre, e seguirla, fin nella perdizione? di porgerle, nell'inferno, qualche ristoro? Ed ecco, io la vedevo crocifissa al suolo con chiodi aguzzi, la faccia rivolta contro la terra. Oppure diritta, con le braccia legate sulla schiena da una ruvida corda, i capelli sciolti, il volto ripiegato e morente; e sotto i bianchi piedini un serpe che snodandosi la avvinghiava e la mordeva al petto. O ancora, la vedevo in una folla di suoi simili, scapigliata, urlante, fuggire per una montagna dirupata: eternamente inseguita dalle capre demoniache, le quali, ghiotte di sale, usano succhiarlo dal sangue dei peccatori.

Tutti, insomma, i supplizi infernali che avevo udito descrivere mi attraversavano la mente. Nella cucina solitaria, mi facevano paura i miei stessi singulti, e mi sentivo cosí indebolita e diaccia che temevo di svenire. Ma udendo nel cortile, fra voci di donne, lo strepito dei ragazzetti che rincasavano da scuola, ripresi coraggio; e, segnatami, mormorai fiduciosamente una preghiera i cui concetti voglio qui ripetervi affinché si sappia quale logica usava, per convincere Iddio, l'accorta Elisa.

Ciò di cui mi pareva necessario lasciar convinto l'Eterno, affinché perdonasse a mia madre, era che il patto di costei col Maligno non andava inteso alla lettera, anzi che le sue sconsiderate parole non andavan tenute in nessun conto, e bisognava addirittura scancellarle dalla storia e dall'aria stessa che le aveva accolte. A tal fine, io non mi rivolsi propriamente all'Eterno, ma all'indulgente Maria, la quale nella preghiera *Salve, Regina*, è detta *Avvocata nostra*. E la supplicai di dimostrare a Dio che mia madre nel momento che pronunciava le parole fatali, non era in sé: anzitutto per essersi levata appena da una notte di febbre, e in secondo luogo per aver parlato in un trasporto di dolore a causa d'un suo fratello carnale ch'era morto. Or v'è forse al mondo persona piú infelice d'una sorella che rimane orbata (in tal modo mi espressi, e non posso nascondervi nulla), orbata d'un suo fratello carnale? No, perché, se tutti gli uomini son fratelli tra loro, i fratelli e le sorelle carnali hanno una parentela ancor piú stretta, son come due in uno, per esser nati da una stessa donna. Una tale spiegazione (che nel presente caso non era, poi, del tutto esatta), suonò forse superflua agli onnisapienti orecchi della mia avvocata; ma io non gliela risparmiai. Né bastò: l'argomento piú giusto per impetrare il perdono a mia madre mi balenò nel pensiero all'ultimo momento, come una scoperta, ed io lo suggerii senza indugio alla mia Avvocata: – Ti supplico o Maria, – le dissi, – ricordati quante volte mia madre affermò di non credere nella religione e nell'esistenza dei santi, e neppure dei demonî. Dunque, se non crede nell'inferno, come può aver parlato sul serio dicendo di far patto? Salve, Regina! tu capisci, per far patto con una persona qualsiasi bisogna aver in mente che questa persona esiste, altrimenti il nostro patto non sarà che una buffonata e un imbroglio. Amen.

Quest'ultimo argomento mi parve senza paragone il piú persuasivo; onde, terminata la mia curialesca preghiera, mi sentii piena di fiducia. Ma volli per di piú rassicurarmi, con una prova, di avere convinto il Giudice immortale; e con tale intenzione, accostàtami alla finestra, chiusi forte le palpebre, e mi dissi: – Se, appena apro gli occhi, mi apparirà per primo una cosa di color bello e allegro, ciò vorrà significare che mia madre ha ottenuto il perdono di Dio; se, al contrario, mi apparirà una cosa di brutto e triste colore, sarà segno che mia madre è perduta.

Con questo pensiero, mi sporsi un poco dal davanzale sul cortile; e al primo riaprir gli occhi, vidi, stesa ad asciugare su di uno spago fuor della finestra di fronte, una vesticciola di lana rossa, che apparteneva alla figlia minore d'una nostra dirimpettaia. Altre volte, vedendo quella veste addosso alla sua proprietaria, io l'avevo ammirata proprio a causa del suo colore fiammante: per cui giudicai fausto al di là d'ogni aspettazione il segno datomi dal cielo. E piena di gaudio, rassicurata sulla sorte di mia madre, piegai la fronte sulla tavola di cucina, la cui lisa tovaglia d'incerato si bagnò del mio pianto.

Quel giorno, io desinai con un poco di pane e frutta: quanto a mia madre, ella pareva dimentica del pasto e dei propri doveri familiari. Seguitava a dormire, supina, il suo respiro era molle e placido, e una tinta rosea le si era sparsa sulle guance. Passarono cosí alcune ore; io sedevo nel salotto sfogliando i miei libri, allorché, verso le tre e mezzo, ora abituale della nostra passeggiata, dalla camera vicina mia madre chiamò, con una fresca voce delirante: – Elisa! Elisa! – Mi levai per accorrere, ma in quel momento stesso ella apparve sull'uscio: sulle sue guance il roseo colore del sonno s'era fatto piú intenso, i suoi begli occhi avevan preso un riflesso azzurro: – Usciamo, vieni, – ella mi disse con dei modi nervosi e frettolosi, quasi ilari. Le chiesi se prima non volesse mangiare qualcosa, ma rispose che al ritorno avrebbe cenato con me. Uscimmo, e il suo passo, dapprima un poco incerto, come di convalescente, presto divenne naturale e spedito.

Ripercorremmo la medesima strada del pomeriggio precedente; ma stavolta, invece di fermarci all'ingresso della piazzetta, la attraversammo, e proseguimmo fin dietro l'angolo di palazzo Cerentano, là dove s'erano avviate il giorno avanti, sparendo ai nostri occhi, le tre signore. Questa breve e stretta viuzza aveva su un lato il palazzo Cerentano, coi suoi cortili e le vecchie scuderie; sul lato opposto due grandi palazzi antichi, congiunti, all'altezza del primo piano, da un ponticello di pietra, e, in apparenza, entrambi disabitati. Fra i ciottoli che pavimentavano la viuzza cresceva l'erba, e l'angusto spazio era invaso dalla piena, accecante luce del pomeriggio, giacché il muro di cinta dei Cerentano lasciava libera la vista dei cieli aperti. Mia madre ed io ci fermammo sotto l'arco del ponticello sospeso fra i due palazzi; ed eran trascorsi pochi minuti allorché, puntuale, svoltò dall'angolo di palazzo Cerentano, sul lato opposto al nostro, la medesima compagnia del giorno prima. Anche oggi, le due signore a lutto precedevano di qualche passo la terza, vestita di grigio. Giunte alla nostra altezza, le due piú giovani ci gettarono appena lo sguardo distratto di chi s'incontra con uno sconosciuto qualsiasi. La dama piú vecchia, poi, non parve neppur vederci; senonché, fatti pochi passi, ella si arrestò, quasi ad un richiamo della mente, e si volse indietro verso mia madre con una espressione di ricerca e di anelante stupore. Sebbene dubbiose, all'aspetto, sul perché di tale fermata, le due sollecite accompagnatrici la imitarono.

Il volto di mia madre si fece di fuoco; ma poiché l'altra seguitava a fissarla, ella non esitò piú, e, senza lasciar la mia mano, animata e ardita come un arcangelo, le mosse incontro attraverso la via.

La vecchia ci aspettò, senza distogliere dalle nostre figure i suoi torbidi occhi inquieti. Della medesima statura di mia madre, e alquanto ricurva nel dorso, ella aveva un volto scavato e macerato, in contrasto con la persona, quasi deforme per la pinguedine; era bianca al pari di una sepolta, e di sotto il cappello le sfuggivano da ogni parte i capelli grigi, spezzati, e ribelli al pettine come quelli delle furie. Le sue mani grasse, monacali, tremavano e si torcevano intorno al suo bastoncino di canna, e le sue pupille mezzo spente si dilatavano all'avvicinarsi di mia madre. – Augusta! chi è essa? chi è? – domandò ella poi, con tono di morbosa tirannide, alla signora piú giovane che la sorreggeva. L'interrogata si confuse, come una a cui la persona di mia madre era ignota del tutto; ma tosto mia madre, con voce palpitante e timida, rispose: – Sono vostra nipote, Anna Massia.

A questo nome, la signora chiamata Augusta esitò, poi stupefatta corrugò i cigli, chiudendosi in una espressione di riserbo. Nel suo volto macilento, precocemente rugoso, lo sguardo raggiato e nero, che dichiarava la piú docile sommissione alla vecchia, si empiva di sospetto e di malevolenza posandosi su di noi. La vecchia invece ripeté piú e piú volte fra sé, come una solitaria che farnetichi, il nome di Anna Massia; e subitaneamente s'illuminò, come se non soltanto avesse riconosciuto mia madre, ma avesse con lei lunga dimestichezza:

548

– Ah, vieni qui, vieni qui da me, – disse, nel tono ilare d'una conversazione fra amiche. Indi, avida, soggiunse: – Hai notizie di lui? ti ha scritto?

Udendo tale domanda, in fretta in fretta Augusta sollevò i sopraccigli, come per ammonire mia madre. Questa, dopo una breve titubanza, ebbe un gran tremito, il rossore le salí al viso; chinando la testa, in una sorta di rapimento, sorrise e mormorò: – Sí, mi ha scritto.

– Hai qui la lettera? – chiese, impaziente, l'altra; e alla risposta di *no*, pronunciata a malincuore da mia madre, apparve, piú che delusa, angosciata all'estremo, come se una sventura s'abbattesse su di lei: – Allora perché sei venuta! – esclamò, – vieni qui, e non mi porti la sua lettera! Che ne hai fatto, l'hai perduta? Confessa, l'hai buttata fra gli stracci, a marcire, l'han rósa i topi... l'han divorata... – e nel dir ciò, la strana vecchia parve d'un tratto fissarsi su un pensiero, un lampo di ragione le attraversò lo sguardo. Ma come se una tal luce fosse proprio la cosa piú malaugurata e temibile, Augusta intervenne in fretta a dire: – Mamma, mamma, si rassicuri. La signora promette di tornare domani e di portare con sé la lettera. È vero, signora? – e volse a mia madre uno sguardo ammonitore e contegnoso.

– Verrai? verrai dunque? – domandò la vecchia a mia madre. Questa annuí piú volte: allora, la speranza colorò di una tinta violacea le gote della vecchia, nel suo sguardo rifattosi incosciente splendette una disumana passione: – Bada, ti aspetto, – ella aggiunse. Poi credendo di aver sorpreso non so che cenno della figlia, si volse a costei piena d'ira: – Che vuoi, tu? – gridò, – perché fai dei segni? Tu mi credi una cieca, e vuoi proibirle di venire da me, ti conosco, maligna, intrigante! Che tu non fossi mai nata! Le suggerisci d'ingannarmi. Ma ricordati: *chi offende il padre e la madre perirà di duplice morte*. Non sei tu la padrona, son io.

A simile rimprovero, non saprei dire se giusto o ingiusto, gli occhi della figlia si empirono di pianto. – Mamma, mamma, che dice mai, – balbettò ella, con un tremito del suo scarno viso, macchiàtosi tosto d'un rosso intenso sugli zigomi. Poi segnandosi e baciandosi le dita con fervore cupo e magico, ella soggiunse: – O Vergine incoronata del Rosario, sant'Agata mia miracolosa, – e voltasi a mia madre, in atto di fredda sommissione, le disse: – Vi prego, venite domani.

Di nuovo mia madre annuí. La signora vecchia, a guardar mia madre, parve rassicurarsi, e silenziosa, ieratica, le porse la mano da baciare, come le superiore dei conventi. Mia madre, che non baciava mai la mano della mia superiora, baciò stavolta la mano della vecchia. – Addio, – questa le disse con voce acuta, – ti aspetto come l'Ostia, sangue mio.

Intanto, Augusta bisbigliava in disparte con la donna in grigio, la quale, tenendosi un poco indietro, aveva assistito a tutta la scena. Essa ascoltò la sua padrona chinando piú volte, rispettosamente, il capo, e si appressò a noi, mentre la vecchia proseguiva la passeggiata, nel suo passo irregolare e pesante, gravando col suo corpo massiccio sul braccio della figlia.

Donna Augusta, ci comunicò la donna in grigio, donna Augusta, la sua padroncina, le aveva ordinato di far sapere qui, alla signora Anna Massia, che la volontà di donna Concetta sua madre era legge per lei. Quindi, se donna Concetta desiderava ricevere la signora Anna, nessuno si opporrebbe a questa visita. Circa la lettera promessa, la stessa donna Augusta s'incaricherebbe di preparare una finta lettera che la signora Anna potrebbe ritirare all'ingresso del Palazzetto, domani, avanti di presentarsi a donna Concetta. S'intende, che la signora Anna dovrebbe prestarsi alla commedia misericordiosa, fingendo d'aver ricevuto tale lettera proprio in questi giorni, dal cugino don Edoardo. Giacché, pur non essendone informata, la signora Anna aveva forse capito ormai che la povera donna Concetta non era piú cosciente della realtà, e cioè della morte, avvenuta lo scorso inverno, del suo figliolo don Edoardo: ella se lo figurava ancor vivo, e in viaggio, com'era fino a pochi mesi prima, e tutti in casa erano d'accordo a favorirla in questa illusione. Non era la prima volta che le si mostravano delle lettere contraffatte, di mano di donna Augusta, facendole credere ch'eran lettere del figlio. Donna Augusta si sforzava d'imitare il meglio possibile lo stile e la scrittura di don Edoardo, ma del resto la povera donna Concetta non era in grado ormai di distinguere certe differenze, tanto piú che la sua vista negli ultimi tempi s'era molto offuscata. Ella non riusciva neppure piú a scrivere una lettera di propria mano, e dettava le risposte per il figliolo alla medesima donna Augusta. Tutte queste cose, donna Augusta le faceva sapere alla signora Anna affinché questa domani, durante la sua visita, evitasse per carità ogni discorso inopportuno o imprudente e si comportasse in modo da non guastare, anzi da alimentare l'illusione di donna Concetta. Tutto ciò, s'intende, sempre nel caso che la signora Anna si risolvesse all'annunciata sua visita.

A simile discorso della donna, mia madre rispose, come poco prima, con un semplice annuire del capo; e alla donna, eseguita la commissione, non restava ormai che ritirarsi e lasciarci andare per la nostra via. Ma, forse desiderosa di sfogo per esser condannata a dividere i tetri giorni delle padrone, colei sembrava in vena di loquacità. Poiché le due signore da un pezzo erano sparite, ci informò che era stata esonerata dal raggiungerle e che le basterebbe muover loro incontro piú tardi, per espressa concessione di donna Augusta; e come se ciò le valesse di scusa, invece di rientrare nel palazzetto ci accompagnò per un lungo tratto e seguitò a discorrere, mentre mia madre l'ascoltava appena. Anzitutto, ci fece sapere d'esser nata in casa Cerentano, da una coppia di servitori della casa, e di aver trascorso al palazzo i quarantacinque anni della sua vita, e visto morire don Ruggero, e nascere i signorini. E che donna Concetta l'aveva allevata da quella santa cristiana che era, nel timor di Dio, come soleva con tutte le ragazze cresciute in casa, e con la stessa figliuola sua, donna Augusta. (A queste parole della donna, io che la guardavo curiosamente notai che in realtà ella aveva comune con donna Augusta una cert'aria goffa e intristita, da conversa, e cosí pure i modi nervosi e un poco spaventati; ma era piú anziana di donna Augusta, di statura piú piccola, e invece dei begli occhi della padroncina aveva occhi stretti, infiammati e sempre in movimento). Presentatasi dunque a noi, di cui sapeva la parentela coi Cerentano, la donna incominciò a deprecare con voce isterica e dolorosa la catena di sventure ond'era vittima la famiglia: prima c'era stata la morte prematura di don Ruggero, poi quella di don Edoardo e, in conseguenza, la malattia di donna Concetta, sciagura piú d'ogni altra pietosa. Donna Concetta, ella ci raccontò, dopo aver seppellito il figlio con le medesime cure usategli in vita (da quella santa madre che era), terminato, dunque, l'estremo suo dovere materno, non aveva piú potuto reggere alla sorte. Ella aveva conservato la coscienza durante tutta la malattia di lui, durante l'agonia; gli aveva chiuso gli occhi, aveva accompagnato la salma di lui per tutto il viaggio, dal lontano sanatorio alla città natale. Aveva lei stessa provveduto alla gran pompa dei funerali, cui volle ad ogni costo partecipare anch'essa in persona, e fino all'ultimo istante era rimasta in sé. Ma, tornati a casa dal cimitero, s'era udita a un tratto, fin dai sottosuoli e dalle camere della servitú, la voce di donna Concetta urlare per tutte le stanze del palazzo: – Edoardo Edoardo! Edoardo mio! – Poi s'era veduta donna Concetta correre attraverso gli appartamenti chiamando il figlio per ogni dove, cosí che s'era raccolta gente nella piazza. Ella aveva in mano il Crocifisso d'avorio posto di solito innanzi all'inginocchiatoio nella sua camera; e vi premeva sopra la bocca ripetendo: – Edoardo! Edoardo mio! –

come se baciasse il corpo di suo figlio. S'abbatteva di schianto sui ginocchi e inarcando la schiena gridava verso il cielo: – Rendetemi il figlio mio! Voglio il martirio, voglio salire sulla croce, voglio sudare il Tuo sangue, Cristo! Ma ridammi il figlio mio! Voglio Edoardo mio! – Poi d'impeto balzava in piedi, con gli occhi iniettati, e riprendeva a correre a precipizio, urtando con la fronte i muri, e gli spigoli delle porte. Era inutile cercar di frenarla: nei suoi muscoli s'era sviluppata una tal violenza, che incuteva paura. I suoi capelli, tutti arruffati, sembravano vivi, e a toccarli crepitavano come spine. Certo, se quello stato le fosse durato di piú, ella avrebbe finito col dannarsi, troncando con le proprie mani la sua vita prima del termine stabilito per lei. Ma giunta nell'ingresso, davanti allo scalone, la si era veduta perdere i sensi e cadere a terra; ed ella doveva aver preavvertito quest'insulto, e cercato di resistervi, giacché, quando i familiari la raccolsero, aveva i denti confitti nel labbro cosí duramente da parere una maschera feroce. Al suo rinvenire, ella aveva perduto memoria che suo figlio era morto, o per dir meglio questa realtà si lasciava intravvedere da lei solo a tratti, in modo imperfetto e mutevole. Accadeva però, talvolta, che ad un discorso imprudente, o ad un incontro, o senza apparente motivo, la sua coscienza, per la durata d'un lampo, s'illuminasse. Qualsiasi altra condizione era da augurarsi a donna Concetta piuttosto che simili istanti, nei quali sembrava ch'ella vedesse aprirsi il teatro della morte, vero e agghiacciante e senza nascondigli, aperto dal principio alla fine. Sí, era maggior misericordia assecondarle l'insania: e ciò era còmpito soprattutto di sua figlia Augusta, giacché, si può capirlo, chi altri avrebbe sostenuto, alla lunga, un dovere simile? La gente, si sa, per quanto abbia cuore cristiano, è incline a dimenticarsi dei poveri morti; e quello stesso amico che riceveva dalla lor persona, quand'eran vivi, speranza e piacere, allegrezza e voluttà, adesso invece li riguarda come figure d'orrore, e di sanguinosa malinconia. Chi dunque, chi, fuor della devota Augusta, vorrebbe per compagna donna Concetta? La quale in ogni ora delle proprie giornate non pensa che a lui, non parla che di lui, non ascolta nessun racconto, né fantasia, né promessa che non riguardi lui. Non la sfiora neppure il sospetto che il tempo, la salute e i pensieri altrui possano avere un valore, o un peso. Nessuno è suo prossimo, fra i viventi; ed ella non dubita che tutti sian carne da sacrificio, in onore di lui. Né il suo vaneggiare funereo, e il pauroso corteggio d'ombre di cui va cinta, sono i soli motivi che allontanano da donna Concetta fin le persone piú caritatevoli. Il peggio sta in ciò, che ella, da quando il figlio le è morto, ha sviluppato un cuore barbaro, e pieno d'odio; né si capisce

come la sua devozione alla Chiesa possa accordarsi con tanta spieta-
tezza. Anche il suo stato, sebben degno di compassione, può giustificare
soltanto in parte la sua cattiveria. In verità, fuor dell'unico amore che
la consuma, ella pare in guerra con tutti i viventi: si direbbe ch'ella
accusa ognuno anzitutto d'esser vivo e poi di non consumare il resto
della propria vita amando, al pari di lei, lo spettro di don Edoardo.
La prima vittima di tutto ciò è la povera donna Augusta: la quale,
malgrado sia per natura aspra e bisbetica, fin da bambina fu la schiava
e di sua madre, e di suo fratello; e continua ad esserlo ancor oggi che
è signora. Ella passa buona parte delle sue giornate vicino a donna
Concetta; l'accompagna tutti i pomeriggi, come oggi, per una passeggiata di un'ora lungo viali solitari e salubri, affinché la vecchia non
deperisca rimanendo sempre rinchiusa; e si adopera in ogni modo ad
alleviare la condizione di donna Concetta, favorendola nei suoi capricci, sopportando le sue collere, e fingendo fede alle sue visioni e
chimere di povera pazza. Ma donna Concetta la rimerita con l'odio,
le accuse e la persecuzione. Le pietose finzioni di donna Augusta non
riescono ad appagarla. Non ch'ella riconosca l'inganno; ma sembra
avvertirne, tuttavia, l'essenza effimera e vacua, come di risposte incomplete, e troppo povere, alla sua domanda incessante. Irrequieta, bramosa, e mai sazia, ella incolpa d'ogni suo tormento donna Augusta; e
la conversazione di costei, la sua docile commedia, i ricordi, i progetti per un ritorno di Edoardo prossimo o lontano, tutte, insomma,
le compiacenti invenzioni della figlia pietosa, assai spesso la irritano
invece di consolarla. Da parte sua, donna Augusta, a differenza del
suo povero fratello, non fu mai creatura d'ingegno fantastico, di spirito
vivace, e la madre stessa la trattò sempre come una inferiore: ond'ella,
con le modeste risorse della sua mente, non è molto adatta all'ardua
parte che le è toccata. Si aggiunge che, pur avendo idolatrato il fratello
(e tal sentimento rende la sua commedia ben piú amara), ella ha nella
sua vita altri doveri in piú di quelli di sorella e di figliola, essendo lei
stessa maritata, e madre di famiglia. Don Alfonso Ventura, suo sposo,
è assai contrariato per le quotidiane assenze di sua moglie: e d'altronde, donna Concetta non vorrà mai saperne di lasciare il palazzetto
dov'è cresciuto Edoardo, e di trasferirsi presso la figlia, a palazzo Ventura. A tal proposito, si noti che donna Concetta, pur senza considerar
morto il figliolo, stranamente compie in onor suo quelle offerte me-
moriali e quei riti cari ai defunti. Per esempio, ella porta il velo giú
sulla spalla destra, com'è l'uso per la morte d'un figlio maschio, e trasforma talvolta in solenni camere ardenti le stanze dov'egli visse. Ma

di tutto ciò, la donna soggiunse, mia madre avrebbe potuto rendersi conto di persona.

Quindi ella spiegò che aveva voluto raccontarci tutto questo per uno scrupolo di coscienza, affinché mia madre sapesse che cosa l'attendeva a palazzo Cerentano. A questo punto, ella accennò con simpatia fervida e allusiva a quanto lei stessa, facendo parte, si può dire, della famiglia, non ignorava, ai bei tempi di don Teodoro Massia... Ma mia madre, che pareva distratta e come assente, a tale accenno aggrottò i sopraccigli, ed ebbe negli occhi un lampo altezzoso e severo; per cui la donna si affrettò a cambiare il tema del proprio discorso.

Per tornare, ella riprese, a donna Augusta, si può capire qual vita fosse la sua. Durante gli ultimi mesi, ella aveva perduto quel poco di colorito e di floridezza delle membra acquistati col matrimonio, e andava riducendosi uno scheletro. Era esausta, e i medici temevano che facesse la stessa fine di suo fratello, se continuava cosí. Perciò, sia detto in confidenza, mia madre compieva una vera carità visitando la zia (che pareva tanto ansiosa di riceverla), e sollevando per un poco dai suoi doveri la povera donna Augusta. Costei, forse, da principio, farebbe il viso ostile, per gelosia, per selvaticheria, per chi sa che cos'altro... – ma basta, – s'interruppe la donna, – non è affar mio d'interessarmi a certe questioni –. E concluse dichiarando che la sua parte era fatta, ella aveva detto ciò che aveva da dire; ma certo, se la signora Anna veniva a trovar la sua povera zia Concetta, Dio misericordioso le renderebbe merito per questa grande carità.

Benché fossimo lontane, oramai, dal quartiere dei Cerentano, la donna aveva seguitato a parlare in tono basso, anche se veemente, e a guardarsi intorno con sospetto ad ogni parola. Mia madre, ripeto, le aveva pòrto appena un'attenzione sognante e vaga; del resto, ella vacillava un poco, e pareva avanzare in una nebbia. Il pensiero ch'era digiuna dal giorno innanzi mi tornò alla mente, distraendomi un poco dalla mia meditazione fantastica: non avevo infatti, da parte mia, perduto una sola parola della narratrice vestita di grigio. E con grande violenza, le figure fino ad oggi sconosciute dei miei parenti Cerentano s'erano impadronite della mia dolorosa immaginazione.

Capitolo secondo

Nostro ingresso al palazzo del Cugino.

La notte che seguí alla scena sopra narrata, eravamo sole in casa, mia madre ed io, giacché mio padre, partito la notte prima, non sarebbe tornato fino all'alba. A una cert'ora (doveva esser circa l'una di notte), mi avvenne per caso di risvegliarmi; e mi accorsi che mia madre non era piú nella camera e che l'uscio sul corridoio era aperto. Le vicende di quei due ultimi giorni m'avevan reso nervosa, ed ero stata proprio allora visitata da sogni inquietanti. Perciò, le diaboliche immaginazioni della vigilia mi assalirono di nuovo; e, sebbene fossi quasi paralizzata dallo spavento, scesi dal letto, e camminai, guardinga, alla ricerca di mia madre. Uscita nel corridoio, ripresi un po' di coraggio scorgendo la luce accesa nello stanzino di mia nonna; e spiando per l'uscio semiaccostato, vidi con sollievo che la mia paura era stata vana. Mia madre, in camicia, le trecce mezzo disfatte, scriveva, seduta al medesimo tavolino dov'io solevo fare i còmpiti nei nostri pomeriggi solitari. La debole lampada da scrittoio bastava per illuminare in basso, con una luce verdastra, l'intera piccola stanza. La persona discinta di mia madre, con la sua grassezza maestosa e un po' guasta, simile a quella delle orientali, gravava singolarmente sulla sediolina già di nonna Cesira, e adesso mia, ch'era la sola nella camera. Ella avvertí forse il leggerissimo scalpiccío dei miei piedi nudi, poiché si volse di scatto, mostrando le pupille minacciose, quasi abbaglianti; ma, intimorita, io trattenni il fiato, e mi ritirai contro la parete del corridoio. Ond'ella si rassicurò, e riprese a scrivere.

Avevo paura di ritornare sola a letto, e mi fermai là, contro il muro, presso l'uscio socchiuso. Mia madre scriveva con lentezza e diligenza, e la sua mano, come di scolara ai primi esercizi, pesava sul foglio, tanto che udivo lo scricchiolío della penna. Ma si sarebbe detto che l'anima della scrivente, piena di dovizia e d'impeto, corresse avanti

555

alle frasi scritte, ed ella dovesse frenarla, con sua gran pena. Difatti, ogni poco s'interrompeva, e traeva un sospiro schiantato, o un lamento di mansuetudine e angoscia. Mentre scriveva, poi, le salivan dalla gola suoni rauchi, palpitanti, ch'io dapprima credetti dei singhiozzi; ma erano invece delle risa soffocate, come se le cose che scriveva le svegliassero un timido compiacimento.

Guardando furtivamente per lo spiraglio, vedevo la sua schiena piegata, su cui scendeva, come alle fanciulle, una delle sue grosse e lunghe trecce. Infine ella si levò, e, accaldata, si scostò l'altra treccia dal collo, e se la gettò indietro sulla schiena. Il suo volto acceso, misterioso e aspettante pareva quello d'una ragazza, e i suoi labbri sanguigni, separandosi appena appena, alla guisa d'un boccio frugato da un insetto, sembravan farsi piú gonfi. Le sue mani tremavano orribilmente.

Ella andò alla finestra, e l'aperse, alzandone lo stuoino. Era una notte di scirocco, si vedevano agitarsi le foglie nere del palmizio: appoggiatasi al davanzale, mia madre ebbe un gemito futile e interrogativo, quale di gatta, o di altra creatura selvatica, che avverte per la prima volta il morso dell'amore, e si avventura nelle tenebre. Il vento era cresciuto: un umido soffio investí mia madre, facendo svolazzare le corte ciocchettine sulle sue tempie, e la sua camicia sgualcita: un secondo soffio penetrò nella stanza, e i fogli scritti volaron via dal tavolino, e si sparpagliarono sul pavimento. Mia madre si voltò, in atteggiamento di difesa, con gli occhi sgranati e rifulgenti di paura; indi ravviatasi i capelli con la mano, si chinò a raccogliere quei fogli. Ma come li ebbe raccolti, rimase accovacciata in terra, e incominciò a baciarli con l'amarezza carnale di una che, divisa dall'amato, ne vada baciando le care vesti. Poi si lasciò cadere i fogli in grembo, e seguitò a baciarsi le sue proprie mani, lisciandosi i polsi con la gota: – È Anna, è Anna tua, – bisbigliò piú volte, in disordine, presa da un capriccio febbrile; e fra simili carezze, una dolorante civetteria le tramutò il viso. Un grande, severo sospiro le salí dal petto, e, pensosa, con le mani abbandonate nel grembo, gli occhi radiosi e alti, ella esclamò: – Ah, mio angelo! Angelo mio!

Nel vento incostante, si udiron le prime gocce di pioggia battere sullo zinco delle grondaie. Ma da principio il vento non cadde, anzi acquistò maggior impeto, trascinando la pioggia, e alzandola a volo, in folate quasi di nebbia, il cui sentore umido e fresco giunse fino a me. In quel punto, una raffica sbatté le impannate della finestra, e chiuse con un colpo l'uscio dello stanzino, onde io mi trovai nelle tenebre, interrotte solo, in fondo al corridoio, là dove s'apriva la nostra camera, dal baleno rossastro del lumino da notte che vacillava all'aria delle fessure. Un terrore nuovo e molteplice m'invase; m'impauriva l'uscio chiuso dello stanzino, donde poteva, da un momento all'altro, apparire mia madre, e sorprendermi alzata ad origliare in quell'ora della notte; e ancor peggio m'impauriva quel rosso lume della mia camera. Di piú, ero sbigottita dalla cattiva coscienza, e dal fascino del temporale che s'avanzava. Per qualche secondo, rimasi ferma dov'ero, come fossi stata presa in una tagliola; ma all'improvviso, inebriata dallo spavento, senza piú pensare a ciò che facevo mi detti a picchiare contro l'uscio dello stanzino, chiamando fra i singhiozzi mia madre. E girata la maniglia, entrai.

Avanzandosi dalla finestra che aveva allora allora richiuso, mia madre mi domandò, tutta pallida, che cosa accadesse: e intanto cercava istintivamente col piede nudo una delle sue ciabattelle, che giacevano rovesciate sotto il tavolino. Balbettai che nulla accadeva, soltanto io m'ero spaventata a trovarmi sola nel letto, e nel mezzo di un temporale. – Ah! – disse mia madre, – anatroccola paurosa! – e non mi volse altro rimprovero, ma anzi, mentre s'infilava le ciabattelle, mi disse: – Andiamo, ora, Elisa, andiamocene in camera nostra, – con quell'aria di confidenza palpitante, giocosa eppure edificante nel tempo stesso, che si ritrova talvolta nelle giovani monache, quando chiacchierano fra loro.

Poi spense il lume, e, stringendo i fogli che aveva scritto, mi ricondusse in camera, dove si coricò accanto a me, coi suoi fogli sotto il cuscino. Intanto, s'era scatenato il temporale: mancava il tuono, o meglio lo si udiva rumoreggiare in una grande lontananza, come un barbaro tutto armato che suonando il tamburo camminasse di là dal mare, nei regni africani donde vengono le estati e gli scirocchi. Ma sopra i tetti vicini, e intorno alla nostra casa, si udiva il frastuono battagliero delle grondaie, e i lunghi scrosci dentro le tubature, e poi, nella mischia del vento e dell'acqua, la ghiaia piú minuta rimbalzare festante, e i fili di ferro della biancheria lamentarsi, e i fumaioli di lamiera stridere come civette. Tutto ciò non mi faceva piú spavento, al contrario, mi invitava al sogno. Mi pareva, in sogno, d'essere nel cortile, sotto la pioggia, e di udire in alto, in cima al palmizio, una sottile musica di flauto; agile quanto una giovane Mora, mi arrampicavo lungo il tronco del palmizio; e giunta sveltamente alla cima, scoprivo che il creduto flauto era invece un gatto. Il quale, trovandosi isolato lassú nel mezzo della bufera, miagolava aiuto. Era un gattino di rara bellezza, con occhi color d'oro, maliziosi eppure pieni di malinconia. Estatica, lo accarezzai con le mie dita negre (mi accorgevo per l'appunto, adesso, ch'ero non piú

Elisa, ma una fanciulla africana), e pensai nel tempo stesso, colma di rimpianto, che certo il gattino, per via della mia pelle cosí scura, mi disprezzerebbe e non vorrebbe esser mio. Ma il gattino si strisciò contro le mie guance, miagolando cosí dolcemente da parere, piuttosto che un micio, un usignolo. Or che accade? L'ultima sua nota si fa alta, sterminata: sembra l'acuta voce di una cantante divina, di una cantante-tigre... Che avviene mai? perché tremo di paura? Ma in realtà, quel che udivo era la sirena delle sette, che chiamava gli operai della vetreria.

Quel giorno, ci recammo per la prima volta a palazzo Cerentano. Il servitore che ci aperse il portoncino, evidentemente già istruito riguardo alla nostra visita, ci pregò di attendere nel vestibolo, e premette il bottone di un campanello. A tale chiamata, apparve la medesima cameriera in grigio del giorno prima. Essa ci mosse incontro frettolosa, e, bisbigliando qualche parola a mia madre, le consegnò una lettera (certo la finta lettera del nostro cugino Edoardo preparata da donna Augusta); poi ci guidò per la scalinata principale che, costruita a lato dell'entrata, si snoda, con un vago moto ricurvo, su per l'alto vestibolo verso gli appartamenti superiori.

Il vestibolo in penombra, scintillante di specchi e di marmi screziati, si termina a destra con questa bellissima scala. La quale, come il pavimento del vestibolo, è tagliata in un marmo di color bianco-violaceo, e chiusa su un lato da una balaustra leggiadra dello stesso marmo. La prima, e piú ampia, delle sue lente volute, forma col suo fianco, nel vestibolo, una parete incavata, sormontata dalla balaustra, e recante nel suo leggero semicerchio tre nicchie poco profonde, ciascuna piú alta seguendo l'inalzarsi della scala. In ciascuna di queste nicchie si ammira un ben lavorato busto marmoreo; ma dei tre busti, il piú amabile senza dubbio è il terzo, raffigurante una dama antica dalla solenne acconciatura e dallo scollo altissimo e rigido, la quale nei suoi tratti minuti sembra una bambola di marmo, e ha qualche somiglianza, come piú tardi notai, col nostro defunto cugino Edoardo. Essa, invero, è una bisava di Ruggero Cerentano « il Normanno ».

Un tappeto di stinto color purpureo ricopre da cima a fondo la scalinata, che riceve luce, all'altezza di ciascun piano, da finestrelle affacciate su uno stretto vicolo e velate da tende: perciò la scalinata non conosce il sole, ma un chiarore quasi immutabile, tranquillo e cinereo.

La parete che, opposta alla balaustra, cinge la scala, è tutta rivestita di un arazzo, che ne accompagna, dall'inizio fino al fastigio, i giri lenti e armoniosi, interrotto soltanto dalle finestre e porte adorne di stucchi e di fregi. Di color bruno appassito e verde-cilestro, esso raffigura una selva popolata d'aquile e di pavoni, d'ippogrifi, di scoiattoli e di volpi: e nessuno di questi animali, fuori dell'aquila, in atteggiamento di riposo, ma tutti intenti ai loro giochi e salti, e tutti fra loro diversi, benché simili nel colore. Io non conobbi mai, però, l'intero svolgersi della scena, giacché ogni volta che ci recammo dai Cerentano, mia madre ed io, ci arrestammo all'appartamento di Concetta; né io mai, per quanta brama ne avessi, osai di spingermi, magari di corsa e per un solo minuto, piú in là, fino al termine della scala.

Quel giorno, poi, ch'ero entrata nel palazzo per la prima volta, io mi tenevo stretta a mia madre, osando appena di gettare intorno occhiate furtive: difatti, mai prima d'oggi avevo veduto una ricchezza simile (se non nelle chiese addobbate per qualche grande funzione), ed ero tanto intimorita che mi tremavano i ginocchi.

Tre sono i grandi miti dei poveri fanciulli: il Paradiso, il miracolo, e la ricchezza, e questi grandi miti si confondono insieme e si spiegano a vicenda. La Vergine possiede le qualità di una maga regina, il Paradiso è un feudo ducale. Il Nazareno, lasciata in terra la sua tunica di povero ebreo, si veste di porpora come un principe della Chiesa; i suoi mille servi e paggi, sia gli arcangeli e i serafini giganti che i gaudiosi cherubini nani, penetrano dovunque, e possono, volendo, eseguire i piú bizzarri prodigi, come i genî delle *Mille e una notte*. La volta celeste è una caverna d'oro, il privilegio dei santi e dei martiri è l'oro, la colomba spirituale è raggiata d'oro, la Trinità si asside in trono d'oro. E le magioni terrestri dei ricchi appaiono, di rimando, una dimora del mistero, e del magico oltretomba.

La cameriera in grigio ci informò che donna Concetta non aveva dimenticato il nostro incontro del giorno prima, e la visita promessa (le avveniva talvolta di dimenticare, soprattutto i fatti piú recenti); ma, al contrario, ci aspettava, e aveva perfino voluto rinunciare alla solita passeggiata per timore che noi giungessimo nel frattempo al palazzo. Cosí parlando, la donna ci precedeva alacre verso i piani superiori; ed io vidi, intanto, che mia madre sogguardava, di nascosto, la lettera consegnatale poc'anzi da colei nel vestibolo; e dopo averla strizzata e appallottolata nel pugno con una sorta di dispregio, come un oggetto inservibile, se la lasciava cadere nell'ampia tasca della gonna.

Eravamo giunte, intanto, al secondo piano; e la cameriera, sospinto un uscio a doppio battente, ci introdusse in una galleria ben rischiarata da tre finestre a balconcino, che davano sulla piazza. Di fronte alle tre finestre, si allineavano altrettanti usci, e la donna scomparve per uno di questi, lasciandoci ad attendere nella galleria. Mentr'io volgevo gli occhi vaghi e timidi ai quadri dalle tinte corrusche, e alle mensole intarsiate su cui s'ammiravano statuine dai festosi colori, udimmo avvicinarsi un passo inquieto, pesante, e sull'uscio appena richiuso dalla cameriera apparve donna Concetta. Ella mi gettò un severo sguardo allarmato, e, come se mi vedesse ora per la prima volta, domandò a mia madre chi mai fosse questa bambina; ma poi, non sembrò neppure prestare orecchio alla risposta di mia madre e, senza piú occuparsi di me, ci precedette lungo il corridoio oscuro, dall'alto soffitto, che conduceva alle sue stanze.

In fondo al corridoio, aspettava, in attesa di ordini, la solita cameriera in grigio; ma zia Concetta la licenziò bruscamente, ordinandole di recarsi dabbasso. Quanto ad Augusta, essa non comparve mai, né a questa, né alle successive nostre visite; evidentemente, ella preferiva di non incontrarci. Del resto, fuori di zia Concetta e di qualche domestico, non ci accadde mai di avvicinare nessun altro personaggio di casa Cerentano.

Fin dal corridoio per ove zia Concetta ci guidava, si avvertiva un odore macerato e dolce, simile a quello che impregna le stanze dei Monasteri. Ma piú forte, e quasi estenuante, era tale odore in camera di zia Concetta, dov'ella ci fece entrare, chiudendo poi subito l'uscio. Malgrado fossimo appena in primavera, in quella camera si respirava un'aria afosa: le finestre, addobbate con tende pesanti, eran chiuse come d'inverno, e davanti a grandi ritratti fastosamente incorniciati, bruciavano dei lumi votivi, quali si usa porre per devozione dinanzi alle immagini dei celesti e dei defunti. Una eccessiva quantità di fiori, soprattutto di quelle specie dall'odore acuto che si suole preferire alle altre per adornar gli altari, onoravan pure quei medesimi ritratti; ma in gran parte piegavano appassiti, o languivano, come se anch'essi, in quell'aria viziata e in quella poca luce, si facessero esausti.

La camera, assai grande, aveva nel fondo un'ampia alcova con l'antico letto matrimoniale di Ruggero e Concetta Cerentano. Crocifissi scolpiti e pitture sacre pendevano dalle pareti; ma i ritratti venerati con lumi e fiori e gli altri innumerevoli che popolavano la camera, quasi tutti raffiguravano uno stesso personaggio dall'aspetto giovane e gentile, il quale (lo capii subito), non poteva esser altri che il nostro cugino Edoardo. Le sue sembianze d'una grazia singolare lo facevano riconoscere agevolmente anche in quei ritratti che lo mostravano bambino o fanciullo, nelle pose e negli abiti i piú diversi.

Al trovarsi fra quei ritratti, mia madre sbigottí, e incominciò a lagrimare. Ella tentò di asciugarsi le guance con le dita, e la zia, che non aveva veduto le sue lagrime, s'insospettí a quel gesto, e le domandò duramente: – Perché piangi? – Mia madre parve spaventarsi e si affrettò a rispondere: – Che dice mai, donna Concetta? io non piango mica, – girando un poco il viso sulla spalla per celarlo alla zia. Sempre cosí dura e coraggiosa con gli altri, ella era docile, quasi umile con la vecchia. Quanto a me, zia Concetta m'ispirava soggezione e timore piuttosto che pietà: sebbene affannasse, ella non pareva mai stanca, e trascinava su e giú per la camera il suo corpo massiccio con un'aria dispotica, e quasi accusatrice. I suoi neri grandi occhi si figgevano ogni tanto addosso al suo prossimo come per indagare, e poi si distraevano d'improvviso; e a motivo della sua nuca un po' curva, che pareva deformata da un giogo, per guardar verso l'alto si volgevano faticosamente di sbieco, nel quale atto Concetta somigliava una cavalla inselvatichita, e nemica all'uomo. Ella serbava, ancora, i segni d'una passata bellezza, e anzi (come testimoniavano i ritratti dove la si vedeva piú giovane, a fianco del figlio), aveva qualche somiglianza con mia madre, sí che pure uno straniero avrebbe indovinato ch'erano parenti. Anche in certe rare inflessioni della voce, ella ricordava mia madre: tuttavia, tali somiglianze non bastavano per farmi amare zia Concetta, e del resto esse balenavano solo di rado, per me, in quella trista rovina.

La nostra ospite non ci invitò a sederci, e rimase lei stessa in piedi, senza trovare riposo alla sua faticosa irrequietudine. Pareva che non avesse piú in mente lo scopo principale della nostra visita, vale a dire la lettera di Edoardo; e dopo aver tanto ansiosamente atteso mia madre, adesso ci lasciava in disparte, assorta in suoi pensieri solitari, e ci gettava delle occhiate, come a domandarsi chi mai fossero queste due straniere. Ogni tanto, s'arrestava in un punto della camera, e, appoggiata al suo bastone, rimaneva taciturna, con una espressione triste e ieratica: sembrava allora, con quei grigi capelli sconvolti, un'arruffata, gigantesca civetta.

D'un tratto si volse a mia madre, e le domandò: – È molto tempo che non lo vedi?

Mia madre diventò di fiamma, e balbettava non so quali parole. Ma l'altra, senza ascoltare la sua risposta, le si fece piú vicino, e con irruenza minacciosa, quasi l'avesse invitata per aggredirla, ammoní:

– Sappilo, cara mia, mio figlio, il giorno ch'è uscito da questa città maledetta, l'ha voluta cancellare dalla terra. L'ha cancellata, sí, via! e di questa gentaccia di qui non vuol piú nemmeno sentirne parlare: né d'amici, né d'*amiche*, né di parenti: « *Oh, mamma, taci, – dice, se mi capita di nominargli il Tale o il Talaltro di qui, – taci,*

non farmi sapere di loro. È una noia perfino il supporre che esistano ».
È una noia perfino il supporre che esistano! – ripeté la vecchia, con
una risata vittoriosa e crudele.

Questa risata le provocò un grave affanno; ma come l'affanno si
placò, tosto, ritrovando, con una sorta di ostinazione faticosa, il tema
del suo discorso, ella riprese a parlare. Vantava le ragioni del figlio,
accusando gli abitanti della città di non esser cristiani, ma barbari, e
raccontando sul conto loro ogni sorta d'infamie e di nefandezze. In
tal discorso, la sua sgraziata voce cavernosa prendeva degli accenti or
declamatorî, solenni, ed or misteriosi, come di chi svela delitti occulti.
Ed io la udivo sbigottita e incredula, giacché non avevo mai prima
saputo che la gente, seppure barbara, potesse commettere cosí orridi
peccati.

– Vuoi saperlo? Essi ridono al passaggio del Santissimo, è la verità, figlia mia, non sono ancor cieca, li ho veduti ridere, con questi
miei due occhi, il mattino della santa Pasqua. Loro preferirebbero,
certo, ch'io fossi cieca, ma io li ho veduti e testimonierò contro di
loro il giorno della Vendetta. Li ho veduti che mostravano di segnarsi
col segno della croce, e in realtà facevano dei moti sconci e tracciavano
i circoli del demonio. Vade retro, Satana! E le fanciulle di qui, mentono, mentono tutte in confessione, per paura che la lastra del confessionale alle loro parole s'arroventi come il fuoco. Esse s'accostano al
Sacramento con le labbra dipinte, e mordono l'Ostia coi denti. Prima
della Comunione, mangiano tutte in branco finché la loro ghiottoneria
non è sazia, e fanno delle scommesse, a sfida di Nostro Signore... poi,
ricevuta l'Ostia, fan le viste di raccogliersi come sante, col viso fra le
mani, ma in realtà, dietro le dita scostate, cosí, ammiccano ai loro
innamorati. Ebbi una volta una cameriera, si chiamava Ginevra... Lontano da me, Satana! Essa fu trasformata in un demonio... Tu sei vedova?

Mia madre mormorò: – Sono maritata, – ma l'altra, senza ascoltarla, esclamò, in tono trionfante e malvagio: – Lui non si sposa! non
si sposa con nessuna!

E proseguí, ridendo estasiata: – Sai che cosa m'ha detto? M'ha
detto: «Mamma, indovina il nome della mia futura moglie». Io, per
gioco, gli dicevo questo o quel nome di ragazze, ragazze della nostra
migliore nobiltà, s'intende, le piú ricche ereditiere... Ma lui sempre:
«No, non indovini», e rideva con un'aria maliziosa. «Ebbene, gioia
mia, – gli dico infine con un sospiro, – io non indovino. Svelamelo
tu». Allora lui mi spettina un po' i capelli (è uno scherzo che gli piace
fare, è d'un umore sempre scherzoso), e mi dice piano nell'orecchio

562

il nome: *Concettella*. Io mi riaggiusto i capelli, lo bacio e dico: «Adesso che sei bambino... ma da grande cambierai pensiero, la lascerai per un'altra la tua Concettella». Lui si raccoglie, medita e dice fingendo d'accigliarsi: «Bene, sí, la lascerò per un'altra. Indovina chi sarà?» E siccome io non indovino, mi scosta i capelli dall'orecchio e senza poter vincere il riso mi mormora: *Donna Concetta.* «Eh, cuore mio santo, tu mi solletichi col tuo fiato!» Ed egli allora prende a solleticarmi la gola con la mano, e dice: «Ridi, ridi, Concetta!»... Vieni qua, vieni qua con me, guardalo...

E piena di compiacenza e d'autorità, la zia sospinse mia madre dinanzi a questo e a quel ritratto, fra i moltissimi che tappezzavano la stanza, illustrandone con mille particolari il luogo, il tempo e l'occasione; ma a motivo della sua vista inferma ella non distingueva i ritratti uno dall'altro e li additava in confuso. Era strano udire come, parlando del figlio, la sua voce mutasse: per solito rauca e senile, essa ritrovava, in questa illusione, degli accenti sonori e melodiosi. Vi si poteva riconoscere quel timbro, da me già lodato altre volte, e particolare, sembra, alle donne della nostra regione, nel quale odi riecheggiare un'antica maternità e l'invocazione carnale dolersi come il canto d'un prigioniero. Ad ascoltarla, si ricordavano i canti delle monache alle Messe solenni: quando, nascoste dietro il recinto del coro, le Sorelle inebriate sciolgono le lor voci di soprano.

Mia madre, ubbidiente all'invito della zia, levava lo sguardo a ciascun ritratto. Da principio, in quei suoi sguardi si leggeva un orribile turbamento; ma dopo un poco, essi splendettero d'una volontà visionaria e chimerica.

In una fotografia, ricordo, Edoardo appariva, infante di pochi mesi, in grembo a Concetta: la quale, assisa su uno sgabello, reggeva con la destra il figlio di cui stringeva, con la sinistra, l'irrequieta manina. Con la mano rimasta libera, Edoardo afferrava la catena di sua madre: e in tale atto, mostrava un umore festante. Egli aveva il capo cinto da una gran cuffia a crespe, e portava sulle fasce una veste lunghissima, la quale, piuttosto che per un bambino in fasce, sembrava cucita per una regina. Tal veste, allacciata dietro con un alto nastro di seta, nascondeva il braccio di Concetta, ripiegato a sostenere il figlio: e scendeva fino a terra con le sue trine e gale.

In un altro ritratto, Edoardo appariva un poco piú grande, ma ancora in vesti femminee. L'abito che egli indossava, con gonna a campana adorna di nastri, gli lasciava le spalle nude come un abito da ballo. Su quelle spallucce candide, scendeva, avvolta in boccoli, la chiara capigliatura e dalle corte maniche rigonfie uscivano, riunendosi insieme sul petto, le braccia tonde e minute. In simili vesti, Edoardo poteva venir confuso con una ballerina, se non fosse che in un altro ritratto, un poco piú in là, egli riappariva in abito di ragazzo, ma con la medesima capigliatura lunga e inanellata, e il medesimo volto di bambina che aveva nel ritratto precedente. Stavolta, il suo costume somigliava a quello di un elegante scudiero; ed egli era in compagnia d'un cane ancor cucciolo che, in attitudine sottomessa, gli giaceva ai piedi.

Altrove lo si vedeva insieme alla piccola sorella Augusta. E poi coi capelli tagliati corti, come si conviene a un maschio, e ben ravviati, la scriminatura nel mezzo della fronte. Eccolo, quindi, fanciullo, nell'ampia giacca di velluto stretta alla cintura, con polsini e collaretto insaldato, cravatta bianca e pantaloni lunghi donde sbucano i piedi minuscoli in rilucenti scarpini. Eccolo in groppa a un cavallo; e in piedi, accanto al medesimo cavallo del quale, in atto carezzevole, sfiora la criniera con la guancia. Qui siede al pianoforte, qui suona la chitarra, qui è d'umore allegro, e qui pare aggrondato. Eccolo giovinetto, in abito invernale, che fa sfoggio di sé, e fuma la pipa; eccolo vestito di bianco, seduto in posa indolente sulla balaustra. Qui, fattosi un uomo, ha le pupille accese ed esaltate, le orbite cave e le guance magre; altrove, riappare ingrassato e florido, in un costume da montagna; e qui, lo si rivede sotto un sole abbagliante, seduto in un lettuccio, con un viso magro, imbronciato e quasi adulto, mentre mira, fuor della finestra, a certi lontani abeti, e posa la sua piccola mano sul davanzale.

Poi riappare, glorioso e avventato all'aspetto, fra belle dame, in abito da società; e vestito da viaggio, sull'orlo d'una fontana marmorea; e in islitta, dentro un paesaggio di neve; e al braccio di Concetta, galante e allegro come se conducesse a passeggio la sua cara moglie.

Fermandoci, cosí, un poco davanti ai diversi ritratti, mia madre, ed io che la seguivo passo passo, percorremmo insieme la stanza come una galleria di pitture, dietro la dissennata guida della zia. La quale, oltre a non distinguere piú i ritratti coi suoi occhi infermi, sembrava (come i miei lettori avran già notato), aggirarsi disorientata nelle dimensioni del tempo, sí che presente, passato e futuro eran tutt'una cosa per lei. Nel giro di un minuto, la udivi parlare di suo figlio Edoardo or come di uno tuttora bambino, e presente nella casa, magari intento a giocare nella prossima stanza o immerso nel sonno dentro il suo lettuccio; or come di una creatura da lungo tempo trapassata; or come di un bel giovane che in questo momento stesso, mentre noi chiacchieravamo di lui, godeva ogni sorta di onori e di passatempi in qualche cortese metropoli del globo. Si sarebbe detto, insomma, che la mente di zia Concetta fosse una stanza devastata, donde ella raccoglieva i tragici oggetti familiari senz'ordine o coerenza alcuna. Ciò faceva sí che alla mia fantasia, il personaggio di questo grande cugino o fratellino di mia madre, già alquanto misterioso, apparisse sempre piú vago e multiforme.

Arrivate che fummo sotto l'alcova, mia madre ebbe un sussulto; e ritraendosi un poco, distolse lo sguardo dalle fotografie della parete. Queste fotografie erano state prese, la maggior parte, durante gli ultimi mesi di vita di Edoardo, e il giovane, fuori che per l'illusa Concetta, vi appariva quasi irriconoscibile. Ma Concetta le prediligeva fra tutte, le aveva raccolte intorno a sé nell'alcova, e ricordava a memoria il posto di ciascuna. – Perché ti stacchi da me? Perché tremi? – ella domandò a mia madre: – I ritratti che qui vedi, – seguitò, – li prendemmo in montagna, quando lui era malato. Guarda, c'erano due letti nella sua camera: uno per lui, e uno per me.

Mia madre, ubbidiente, guardò, pur esprimendo con lo sguardo spaurito la riluttanza e la negazione (e in seguito ella rifuggí sempre dal posar gli occhi su quei tristi ritratti dell'alcova): – Quando lui s'ammala, – seguitava intanto zia Concetta, – non vuole nessun altro che me, per vegliarlo, nella camera. Ed io, lo affiderei forse a una infermiera prezzolata? No, non temere, Edoardo, cuore mio prezioso, tua madre non ti lascia neppure un momento. Certe volte soffre d'insonnia, e di tanto in tanto mi richiama: *Concetta! dormi?* Io, seppure m'ero assopita, mi scuoto di soprassalto, e rispondo: *Non dormo, no, no, Edoardo mio*, giacché lui s'offende se altri dorme accanto a lui mentr'egli rimane sveglio. Anche la mattina, vorrebbe che tutta la casa si risvegliasse insieme con lui. Balza dal suo lettino, e scuote la governante, poi desta i suoi cuccioli, i suoi gatti, poi corre da me e mi racconta i propri sogni, e vuol sentire i miei... rimane lí ad ascoltare, seduto su quella sediolina vicino al mio letto, con gli occhi attenti, come se udisse chi sa che belle favole d'autore!

E zia Concetta ci indicò, ai piedi del suo letto nell'alcova, un'elegante poltroncina intarsiata, fabbricata all'incirca sulla mia misura, e che io, devo dirlo, invidiai non poco al cugino Edoardo.

– Sovente, – riprese ella a raccontare, – sovente, malgrado l'insonnia e la malattia (perch'egli, tu sai, fu molto malato), malgrado tutto, lui, angelo santo e senza pensieri, ha un umore scherzoso: « Concetta, – mi dice, – non ti pare, a dormire noi due nella stessa camera, d'esser tornati alle notti ch'ero bambino, e volevo dormire con te, nel letto matrimoniale? Mi pareva chi sa quale onore! » E ridiamo insieme, rido con lui come fossi tornata ragazza! Ah, benedizione mia, guardatelo, e ditemi se c'è una donna al mondo che non perderebbe la testa per lui! E lui lo sa, veramente, d'esser bello: già, se pure non l'avesse saputo, sua madre non ha fatto che dirglielo da quando ha incominciato a dargli il latte. Ah, cara mia, vedesti mai la perfezione delle forme sulla terra? Cosí è lui; guardate i suoi ritratti, se non son degni di stare su un altare. E lui lo sa, e gli piace di farsi fotografare e ritrarre, e sempre si ricorda di sua madre. Da tutti i siti per dove passa, mi manda le sue fotografie, coi suoi amici, le sue amiche... ah, ma quelle amiche, lui, sa in che conto tenerle! la vera amica sua, lui la conosce: « Concettella, – mi dice, – stammi vicino, non mi lasciare, tu sei tutto per me ». Eh, amor mio, se non c'era Concetta tua, chi t'avrebbe guarito? Lassú, con quelle infermiere rozze, sporche, quelle sgualdrine, che quando accudiscono ai malati, han la mente ai propri amanti. E i dottori, anche quelli! gente senza coscienza, che non vale nulla e non sa nulla, vedono venti malati in un giorno, che cosa gliene importa delle vene mie? Ah, Dio li ha dannati tutti, ma tua madre la sa, la medicina che fa miracoli: è il cuore di tua madre, Edoardo mio, che arde e sanguina per la tua bellezza. Voglio mostrarlo a Cristo durante l'Elevazione, questo cuore cristiano, voglio offrirlo in voto!... Certe volte, cara mia, stammi a sentire, mio figlio s'amareggia; confronta i ritratti, si specchia: « Sono mutato? sono mutato molto? » Ebbene, non ricadrà infermo mai piú, ho compiuto un voto, un gran voto, tutta la città piegò le ginocchia davanti a questa madre; durante l'elevazione dell'Ostia, il vescovo (era il vescovo in persona che diceva Messa), il vescovo si sentí ispirato, e gridò i nostri due nomi uniti. Ho la promessa di Cristo, figlia: Edoardo e Concetta non saranno divisi mai! per lui soffersi tanto che meriterei le stigmate della Croce. E me lo hanno ridotto in questo modo! Chi me lo ha mutato, chi me lo ha sfigurato in questo modo?

E inaspettatamente, Concetta levò un grido acuto. Ella sembrava attraversata da un intenso orrore, come creatura leggendaria durante una metamorfosi. Ma fu un passaggio fugace, del quale, un momento dopo, ella non serbava piú memoria alcuna.

Poi volle condurci in camera d'Edoardo. Essendo questi partito per sempre dalla casa prima di compiere la sua maggiore età, la sua camera era rimasta la stessa di quando egli era ragazzo e adolescente. Sotto l'alto soffitto gaiamente affrescato, essa non era molto ampia, e a dispetto dei mobili ricchi e massicci, non ispirava soggezione. Sulle bianche pareti fregiate di stucchi, fra i quadri, gli specchi e i graziosi paralumi un poco stinti, figuravano dei ben incorniciati disegni, dal tratto ancora inesperto: opere dello stesso Edoardo. Le tende delle finestre erano ricamate con fili di seta variopinti; e i fiori e frutti disegnati sul grande tappeto vincevano quelli della natura col loro smagliante colore. La cosa che piú mi colpí fu, presso il letto di noce pesante, una culla dorata in forma di cigno, a cui dal capo, gentilmente recline in cima al lungo collo, piovevano, come dal capo di una dama, dei veli scoloriti. Ciò mi fece quasi pensare che il cugino avesse un proprio figlio ancor piccolo, il quale dormiva in camera con lui; ma poi sapemmo, invece, che la culla aveva appartenuto allo stesso cugino Edoardo quand'era in fasce, e che il suo posto, durante molti anni, era stato nell'appartamento dei bambini. Solo da qualche tempo, per ordine di Concetta (ispirata da chi sa quali affetti chimerici), essa era stata tolta dal suo posto e veniva trasportata di qua e di là, or in questa camera, or in camera della stessa Concetta, sotto l'alcova. Come una barca senza timone, in balía d'un vento capriccioso.

Per quel che mi riguarda, a me questa camera del cugino parve cosí attraente, che avrei accettato volentieri di giacervi a lungo malata, al posto di Edoardo. Una sospesa, delicata felicità vi faceva cenno da ogni parte, e vi si respirava un'aria di leggerezza e di riposo, come in un piccolo sontuoso giardino sul far della sera, allorché da poco gli ospiti ciarlieri sono andati via, e i trilli vespertini degli uccelli si sono appena spenti. Al pensiero che il suo caro ospite era morto, vi si entrava, naturalmente, guardinghe e sommesse; ma si provava, non so perché, nel tenere un tal contegno, quel gusto di futile solennità e di commedia che prova una bambina allorché cammina in punta di piedi perché la sua bambola dorme.

Sul tavolino da notte, si vedevano dei fogli rigati da musica con poche note manoscritte. Infatti, ci spiegò Concetta, fin da bambino Edoardo non voleva mai coricarsi se non aveva a portata di mano simili fogli: giacché gli accadeva talvolta, cosí egli affermava, di comporre in sogno frammenti di canzoni e brevi melodie: e voleva esser pronto a trascriverle al primo risveglio, avanti di dimenticarle.

Appena sulla soglia di questa camera, mia madre ricominciò a lagrimare infrenabilmente; ma stavolta zia Concetta non se ne avvide. Ella era tutta infervorata a mostrarci questo e quell'oggetto, e a raccontarci sulla vita e sul carattere d'Edoardo ogni sorta di minuzie, che a lei parevan tutte importanti. Con aria confidenziale, e quasi complice, chiamò mia madre presso il letto, e, sollevatone dalla parte dei piedi il materasso, le mostrò immagini di santi e amuleti ch'ella vi aveva cucito, e grazie ai quali, affermò, Edoardo sarebbe risparmiato dal malo influsso e dal dolore dovunque si trovasse: – Non passa una sera o una mattina, – ella dichiarò a voce bassa, – ch'io non venga a fare il segno della Croce su questo letto. Lui non deve saperlo, – aggiunse sospirando, – perché, quando sono con lui, respinge il segno di croce, e io devo farlo per lui di nascosto, dietro la sua porta. Ah, testolina ostinata! – e in tale esclamazione, Concetta baciò il guanciale del letto. – Le amiche mie, – riprese poi a dire, – le amiche mie vorrebbero che mi decidessi a tagliargli i capelli, dicono che è grande ormai, che non è giusto pettinarlo ancora da bambina, coi capelli lunghi sulle spalle. Ma a me non basta il cuore di metter le forbici in quella capigliatura di seta; quando lui fa il bagno, io gliela strizzo, madida, nel pugno, e per ischerzo provo a dirgli: «ecco che cosa rimane dei tuoi capelli! », e lui piange, perché ci tiene, lui pure, al suo tesoro, ai suoi capelli preziosi. E le ciglia che aveva! eran cosí lunghe e fitte che talora nel sonno gli si imbrogliavano, e la mattina io dovevo sbrogliargliele col pettine. Lui si fidava solo di me per quest'operazione, a nessun altro era permesso di pettinargli le ciglia: mi chiamava tutto agitato, e poi metteva giú la testolina sul guanciale, a occhi chiusi... Ah, Dio... sí, sí, gli tagliai i capelli quand'ebbe sette anni, li tenevo dentro il mio scrigno, piú cari d'una collana di brillanti. Ma poi, sentimi, cara mia, vieni qui, che a te lo dico: ebbene, li ho usati per ricamare la pianeta che offersi in occasione della sua malattia. Fu allora che offersi i miei ori, le mie gioie... Sí, per te, mio bel figlio maschio! per te, onore nostro, signorino nostro caro! Ah, che cosa non darebbe Concetta per te? Io, – proseguí in orgoglioso delirio, con gli occhi fatui e cupi, – io, quella mattina, sulla montagna, non volli che nessun'altra mano toccasse il suo corpo delicato, signorile. Lo lavai, gli rimisi al collo la catena del battesimo, ch'egli s'era tolta e che avevo portata sempre io per lui, lo vestii, lo pettinai. Le suore dicevano che la sua bellezza era un miracolo, non s'era mai veduto nessun altro conservar tanta bellezza dopo tanto dolore. «Guardatelo, – udivo che si ripetevan l'una con l'altra, – guardate, sembra un bambino, tanto è sereno e fresco. Sorella, oh, Maria Santa! è dunque il riflesso delle candele o son io che lo vedo cosí? guardate se non ha i colori sulle guance, e su quella bocca che pare un garofano! È degno di sposare in cielo la vergine sant'Agnese. Vorrei che non finisse mai questa veglia ». Un'altra lo paragonava al re Salomone quando s'incontra con la regina di Saba. E in verità, – qui la voce di Concetta assunse un tono pomposo, mondano, – in verità, non dovrei dirlo io, che sono sua madre, ma non credo che il letto nuziale di re Salomone fosse addobbato con maggior lusso. In meno di nove ore, avevo fatto venire d'oltre frontiera due tappeti orientali, e dei candelabri e vasi d'argento ch'erano stati un tempo in un castello degli Absburgo. Uno dei due tappeti copriva tutta la camera, e l'altro, meno ampio, ma assai piú prezioso, era posto sotto il letto. La coperta del letto era di pizzo di Fiandra antico (anch'essa proveniva dal castello), e sotto il capo, per copriguanciale, c'era un esemplare unico (tu non mi crederesti se te ne dicessi il prezzo), una scena di Annunciazione lavorata interamente a punto velato su fondo oro. Le pareti eran drappeggiate da cima a fondo di broccato oro scuro, e la stanza era illuminata da novantotto ceri: ventiquattro intorno al letto, e settantaquattro, in due file, tutto intorno alle pareti. Fra le due file di ceri, intorno alla camera, c'era un tappeto di camelie bianche, mughetti e muschio. E intorno al letto, s'alternava coi ceri una fila di calle altissime, alte piú di un metro, e una seconda fila di gigli. I ceri facevano una luce come di mezzogiorno, e i presenti bisbigliavano che non avevano mai assistito a una funzione altrettanto fastosa. Eppure, due suore, di quelle che stavan lí inginocchiate, due carmelitane, avevan vegliato una volta perfino un'Altezza di famiglia reale, uno scandinavo, ch'era stato in cura in quelle stesse montagne. Le suore dicevano... (credevan ch'io non avessi piú sensi per udirle, ma ricordo ogni lor parola), le suore dicevano... – a questo punto il viso di zia Concetta si spogliò dell'incosciente esaltazione e prese una strana espressione sonnolenta. – Edoardo! Edoardo! – ella ripeté con una voce da spettro; e ruppe in singulti aridi e senili fissandoci come per interrogarci. Allora mia madre mormorò: – Le ho portato la lettera... – e con dita convulse estrasse non già la lettera d'Augusta, spiegazzata, che aveva in una tasca della gonna; ma un'altra, sua propria, che aveva dentro la borsetta. Né certo occorre dirvi che la notte avanti, allorché io l'avevo sorpresa a scrivere nella stanzina di mia nonna, ella scriveva appunto questa lettera.

Capitolo terzo

Tre donne innamorate di lui.

Durante le settimane che seguirono, la nuova relazione con la folle zia Concetta trasformò l'esistenza e l'umore di mia madre. Poiché era incominciato il caldo, mio padre viaggiava a preferenza sui treni serali e notturni; e mia madre approfittava delle nostre notti solitarie per levarsi, e scrivere a se medesima le finte lettere d'un cugino che non esisteva piú. La mia presenza non la importunava; ormai, s'io mi svegliavo durante la notte e vedevo il suo posto vuoto, potevo senza timore insinuarmi nella stanzina della nonna. Mia madre sollevava appena il capo dai fogli, e, veduto ch'ero io, riabbassava gli occhi e riprendeva a scrivere, come se fosse entrato soltanto un topo domestico o una inerme farfallina notturna. Talvolta, io mi svegliavo d'improvviso nello stesso momento ch'ella si accingeva a scendere dal letto per recarsi alla sua strana corrispondenza: e allora, levatami insieme con lei, potevo assistere a quell'incredibile lavoro dal principio alla fine. Solo di rado, ella mi proibí di seguirla; ovvero, svegliatami dopo di lei, trovai l'uscio della nonna chiuso a chiave. Erano, quelle, notti amare per me: paurosa della solitudine, non potevo riaddormentarmi, e certe volte, per non tornare a letto sola, rimanevo in piedi dietro quell'uscio chiuso donde filtrava un sottile barlume.

Per fortuna, ripeto, ciò accadeva di rado; anzi, avrei motivo di credere (se non m'illude la mia presunzione), che a mia madre piacesse di avere questa fedele, innocua partecipe dei suoi miraggi avventurosi. La sua passione era troppo disperata e insolita perch'ella potesse tenerla tutta in sé, e non confidarsi con alcuno. Io fui, per lei, credo, quello che son le vecchie nutrici per le fanciulle innamorate delle antiche tragedie e delle favole. Ad ogni modo è certo, sebbene inverosimile, ch'ella giunse fino a confidarsi con me.

Non domandatemi quale spiegazione io tentassi di dare ai suoi misteri: poiché io li accettavo com'erano, senza cercarne affatto la spiegazione. Ella sedeva allo scrittoio della nonna, ed io, poco lontano da lei, mi sedevo o mi distendevo sul lettuccio, dove talvolta mi coglieva il sonno. In tal caso, venuta l'ora di tornare nel nostro letto, ella mi ridestava, con una voce raddolcita e ancora vibrante, e talvolta, s'io barcollavo mezzo addormentata, mi guidava cingendomi col braccio, come fosse un'amica mia.

Le prime righe di quelle sue false lettere, ella le scriveva adagio, e un poco a stento, sforzandosi d'imitare i caratteri del cugino: ma ben presto la sua scrittura diventava rapida e affannosa. Le sue pupille acquistavano uno straordinario splendore, i suoi labbri sbocciavano mollemente e parevan tinti di carminio, e un rossore ardente le accendeva non solo la faccia, ma fino alle spalle mezze nude. Si capiva allora, da tali segni, ch'ella era lontana ormai dalla povera Elisa, e anche dalla vera se stessa. Il suo viso si trasmutava ad ogni istante, quasi che sotto i suoi occhi, sul foglio, non vi fosser delle righe di scrittura che avanzavano rapide; ma un teatro impercettibile, divino, ove si rappresentava per lei sola un'opera commovente e deliziosa. Le sue guance si rigavano di lagrime, e spesso, deposta la penna, ella si copriva con le mani il volto che follemente rideva: come se qualcosa di cui sentiva vergogna le fosse pur motivo d'una grande allegrezza. Talora, forse inconsciamente, ripeteva bisbigliando le frasi che scriveva; e d'un tratto, con gli occhi estatici e un sorriso di amicizia meravigliosa, si abbatteva in un sospiro sul foglio e lungamente vi poggiava la guancia.

Quando poi, terminata la lettera, si levava dallo scrittoio, non sempre aveva voglia di ritornare subito nella nostra camera, a coricarsi; ma, come tra fanciulle al ritorno da una festa, sovente si attardava a discorrere con me di ciò che tanto le era piaciuto. E sedutasi presso di me, sul lettuccio della nonna, mi diceva, con un sorriso di segretezza: – Elisa, guarda qui, sulla mia guancia: vedi questa cicatrice che ho presso il labbro? – In verità, là dov'ella m'indicava, si scorgeva un segno appena riconoscibile, poco piú di una minuscola ombratura sulla pelle. – Sai come fu? – ella seguitava, ridendo come una pazza, – me la feci io da ragazza, col ferro da ricci –. Poi girando il collo verso di me, e rovesciandosi contro la spalliera del letto, mi domandava, piena di lusinghe: – Gli vuoi bene anche tu, Elisa? dimmi, gli vuoi bene anche tu, al nostro caro cugino? – Oh, – si lagnava poi, levandosi in piedi, e raccogliendo con le due mani, sul capo, la massa dei suoi capelli, – sono tutta accaldata, sono in sudore. Che notti calde. L'estate è venuta prima del tempo, quest'anno, – e come a malincuore soggiungeva:. – È tardi. Andiamo, Elisa.

Ma, giunte in camera, ritardava il momento di coricarsi, e, quasi a darsi dei pretesti, si annodava e scioglieva i capelli, spostava questo o quell'oggetto, ripiegava un indumento. Nell'andatura e nelle movenze, era diversa da prima: si sarebbe detto che ogni gesto, o moto, e fin il toccare un oggetto qualsiasi, le provocasse un piacere occulto, e una mansueta angoscia. Messasi a letto, poi, non si distendeva subito; ma, posta sotto il guanciale la lettera che aveva scritta, si teneva col busto fuor delle coltri e la testa appoggiata contro lo schienale di ferro. Cosí restava per qualche minuto, con gli occhi chiusi; e si capiva che non era addormentata, perché il suo volto non esprimeva riposo, ma un fervore estremo. Contro lo schienale di ferro adorno di pietruzze che scintillavano un poco al chiarore del lumino da notte, lei, pallida, imperlata di sudore sulla fronte e sopra i labbri, un tremolio nei cigli, somigliava alla Madonna solitaria che è dipinta su uno scuro fondo d'altare, nel nostro monastero. La quale (cosí attestano le suore e il popolo), tanto si turbò, un giorno, a un'orazione che udiva, da tradire con un piccolo moto della palpebra il proprio rapimento.

Era bello addormentarsi in una simile quiete gaudiosa. Ma c'eran delle notti che mia madre si levava irrequieta, e girava tristemente gli occhi infossati, sfiorita e livida in faccia. Allora, di nuovo ella usava con me l'antica violenza, e mi scacciava dalla stanzina della nonna dove la sua lettera giaceva interrotta sullo scrittoio; oppure, accovacciatasi presso il letto, si dibatteva in rabbiosi singulti, e alle mie domande gridava: – Taci, taci, via di qui, sciocca fastidiosa! Ch'io non ti veda, ch'io non veda nessuno! Non voglio veder piú nessuno!

Ma tali crisi di tristezza diventarono piú rade col passar dei giorni.

Almeno due volte alla settimana, ci recavamo al Palazzetto, e certo mia madre vi sarebbe andata tutti i giorni se non avesse temuto di sembrare indiscreta agli invisibili parenti Cerentano. Ogni volta, al nostro arrivo, zia Concetta la rimproverava, pur senza ragione alcuna, dicendole: – Sei in ritardo! perché tardi sempre? perché non ti sei fatta vedere in questi giorni? – Allo stesso modo, ogni volta si meravigliava della mia presenza, come se non m'avesse mai veduta prima di allora, e domandava a mia madre, con aria severa e assonnata: – Chi è? Chi è essa? – Questo era, tuttavia, l'unico segno d'attenzione che mi concedeva: per il rimanente della visita, ignorava del tutto la mia persona, e ciò mi sollevava alquanto, giacché, pur frequentandola spesso, io seguitavo a temerla come il primo giorno.

Donna Concetta ci riceveva sempre nella sua camera, e a me veniva assegnata per solito una gigantesca poltrona rossa coi braccioli dorati. Là io, troppo timida per osare di spostarmi senza invito, trascorrevo rincantucciata tutto il tempo della visita; ma se mia madre e la zia si allontanavano dalla stanza per recarsi in camera di Edoardo o altrove, io balzavo giú rapidamente e le seguivo. Difatti, il pensiero di trovarmi sola nella camera di donna Concetta mi impauriva ancor piú che la presenza stessa di lei.

Se ripenso ai miei pomeriggi in quella camera, io scorgo un'immagine piena di tumulto, ma anche di gravezza e di noia. Donna Concetta, oltre che paura, m'incuteva odio, a causa del suo dominio su mia madre, la quale, dal momento che poneva piede nel palazzo, apparteneva, corpo ed anima, alla nostra ospite, e si dimenticava d'avermi dimostrato, qualche ora prima, un poco d'amicizia e di confidenza. Io la vedevo trasformarsi, innanzi a donna Cerentano, in una creatura umile e sottomessa, e avevo il sentimento che là nel palazzo si tramasse una specie di complotto, per attirarla con fàscini astrusi, irretirla e farne una schiava.

La mia compassione per la sventura di donna Concetta era vinta dall'invidia ch'ella mi destava per aver fatto nascere nostro cugino Edoardo, il che le acquistava, agli occhi di mia madre, tanta grazia e tanto potere. Mia madre e donna Concetta non parlavano che di lui solo: e in realtà, a giudicare dai loro discorsi, il cugino Edoardo doveva essere stato un personaggio quasi divino, e si capiva che mia madre lo amasse. Se almeno, pensavo, lo avessi conosciuto anch'io quand'era vivo, oggi mia madre potrebbe discorrere con me di lui, come fa con donna Concetta.

Questa vecchia, nelle sue stravaganze e contraddizioni, aveva un che di monotono, e sempre i medesimi ritornelli, come ala di mulino che gira continuamente intorno a un punto fisso: i suoi discorsi, perciò, mi snervavano, invece d'incuriosirmi. Inoltre, c'era spesso nei suoi modi la piú sgraziata violenza, e perfino la ferocia; e talora, ella maltrattava mia madre.

Ma la mia segreta rivolta nasceva soprattutto dall'umiliazione d'esser solo un'inesperta bambina, una profana sciocca fra le due devote! Somigliavo a un villanello novizio ammesso ai santi misteri d'un culto inaudito. E Concetta, la grassa, torva vestale di quel culto, chiusa nel suo principesco ritiro, spadroneggiava sui segreti della mia diletta Anna!

La vecchia non si stancava mai di mostrare tutto quanto apparteneva a Edoardo: dalle lettere ch'egli le aveva scritto durante le sue assenze, e che lei, non piú capace di rileggerle da sola, per gelosia sottraeva tosto agli sguardi di mia madre (dopo avergliene fatto ammirare, con arie di sfoggio, il pacco voluminoso); fino ai balocchi sconquassati coi quali egli giocava da bambino, e alle sue prime scarpette: la cui minuscola misura destò tanta allegrezza e compassione nel cuore di mia madre, da farla ridere sul principio, e dopo un poco rompere in pianto. Mia madre, dal canto suo, portò a far vedere alla zia, dentro una scatolina di latta, una ciocca di capelli color d'oro, regalatale in altri tempi da Edoardo; e insieme a Concetta la confrontò con un'altra piú recente, che la zia teneva sempre appesa al collo dentro un piccolo scrigno e che apparve al confronto molto piú scura, e inaridita. Le due donne non parevano mai sazie di contemplare i libri di Edoardo, la sua chitarra, le matite ch'egli usava per disegnare, spesso mordicchiate dai suoi denti; e talora, la vista di consimili, futili oggetti procurava a mia madre un tremito convulso. La zia le mostrava continuamente gli abiti del figlio (ch'ella ammucchiava nella camera e passava in rassegna uno ad uno, esigendo che venissero stirati e riordinati dalla servitú come per un vivo). E ricordo che un giorno, all'apparire di una vecchia giubba leggera, gli occhi di mia madre si oscurarono, i suoi tratti sussultarono e si coprirono di rossore: ella diede un lamento insensato, e afferrata aspramente la stoffa vi affondò il volto. – Che fai? Lascia! – le gridò allora Concetta, e le ritolse quell'abito, respingendola via con una scossa brutale.

Qualcosa di simile, in verità, accadeva ogni volta che mia madre si accostava troppo da presso a quelle reliquie d'Edoardo, o le toccava appena. Per esempio, Concetta godeva di mostrare i fogli coperti di disegni, di musiche e versi manoscritti, lasciati da Edoardo; ma, quasi temesse un furto, sorvegliava intanto mia madre con occhi sospettosi. Se poi mia madre, dimentica del divieto, prendeva in mano un foglio, per guardarlo piú da vicino, Concetta bruscamente glielo strappava dalle dita. E talvolta, mentre mia madre, accendendosi in viso d'una emozione celestiale, stava china su quelle carte, Concetta, per una decisione subitanea, chiudeva la cartella d'un colpo, e si affrettava a nasconderla.

– Mio figlio, cara mia, – raccontava ella in tono d'arrogante, altezzoso distacco, – mio figlio, per ingegno è stato sempre avanti a tutti, fin da bambino. I maestri, i professori che facevo venire per lui da lontano, anche dall'estero, mi dicevano: «Donna Cerentano, il vostro figliolo è un allievo difficile, non s'assoggetta a studi regolari. E ciò è comprensibile, poiché egli è di mente cosí precoce e pronta da intuire senza studi, e imparare in breve quanto agli altri richiede metodo e fatica. Vostra Nobiltà può andare orgogliosa di lui: certo egli arricchirà con qualche opera chiara e gloriosa il suo nome già tanto illustre ». Sí, queste precise eran le loro parole. E Sua Eminenza l'Arcivescovo, al quale ho fatto leggere delle poesie del mio bambino, ha voluto vederlo, lo ha baciato, lo ha stretto in braccio. E poiché lui, vivace com'è, fremeva un poco di tornare a giocare, egli si è messo a ridere e lasciatolo andare mi ha detto: « Donna Concetta, donna Concetta, non contrasti questo caro poetino, non lo obblighi a studiare piú del necessario. Se il Signore ha voluto fornirlo di doni cosí rari e spontanei, Lei non guasti con troppe cure umane questo grazioso arboscello del Signore. Il suo figliolo, donna Concetta, è come un puledrino d'una razza privilegiata: a lui si conviene, perché cresca secondo il disegno del Signore, una libera infanzia impetuosa, non già il sistema adatto per i cavalli comuni e da tiro. Egli è forse destinato a glorificare l'opera di Nostro Signore con l'esercizio della poesia, della pittura, dell'arte insomma. E l'arte, donna Concetta, è un fiore spontaneo, che talora può intristirsi nell'aria artifiziosa delle scuole ». Ecco il giudizio che ha dato su Edoardo mio la santa voce dell'Arcivescovo, e, credi a me, non furono né saran molte le madri cui toccò una simile soddisfazione. Per questo l'invidia mi dà la caccia. L'invidia, cara mia, ha mille orecchi, si nasconde come un ragno, e in questa città di eretici e di spergiuri essa si moltiplica, è una folla! Ma Dio, che puní Sodoma e Gomorra col fuoco, e distrusse Gerusalemme, si ricorderà pure di questa città: ah, possa io viver tanto da veder la fine! Voglio sbugiardarle tutte in faccia a Dio queste donnacce di qui, signore e non signore, questi sepolcri imbiancati! Credon forse ch'io non le riconosca perché sorridono e chinano la testa: « *Donna Concetta, donna Concetta mia!* »? No, non mi s'inganna, cara mia, io ho chi mi avverte! Con le lor maniere civili, di sante, esse non sono femmine battezzate, ma streghe, spie di Satana, ed io vorrei vederle in camera, quando si spogliano, se non hanno corpi di scheletro sotto le vesti. Forse perché ho gli occhi malati, credono d'ingannarmi? Io tengo le finestre chiuse notte e giorno contro di loro, ma se guardo attraverso la persiana, le vedo bene, non sono ancor cieca, le vedo aggirarsi per le strade, qua intorno, come tante farfalle, per imparare il luogo. Esse passeggiano di notte, secondo l'uso delle baldracche, e gettano la fattura sulle case cristiane: e cosí, con le loro spudoratezze, mi rovinarono il sangue mio, Edoardo, l'onore mio, l'invidia di tutte le madri! Ma, cara, perché se ne fuggano, basta conoscere il loro nome, ed io l'ho trovato sul santo Vangelo, perché Dio s'è messo dalla mia parte. Vieni qui, accostati, se vuoi sapere come si chiamano, ché te lo dico: *Legione*, ecco qual è il loro nome! Adesso guarda qui! – E cosí dicendo, zia Concetta indicava una teca di cristallo, posta innanzi a un ritratto d'Edoardo, e contenente certe pie reliquie, delle quali, tutta accesa di fanatismo, ella ci spiegava l'origine divina, e i poteri prodigiosi, asserendo che l'una proveniva dalle stanze di sant'Ignazio di Loyola, a Roma, l'altra dal miracoloso roseto di san Francesco, ecc. Poi con aria di trionfo e di minaccia, quale un guerriero armato che vanta la propria spada invincibile, ci informava di non essersi mai separata da quelle reliquie, neppure durante i suoi viaggi, e che, dov'eran esse, *Legione* non poteva nulla. Nel dir ciò rideva, con occhi torbidi e vendicativi, forse per accusare mia madre d'esser lei pure nel numero delle streghe indemoniate, che gettavan le fatture su Edoardo. Ma mia madre le perdonava ogni offesa, anzi talvolta si turbava, quasi volesse darle ragione dichiarandosi colpevole; e temesse sopra ogni cosa, in conseguenza delle proprie colpe, di venir espulsa dalle stanze di donna Concetta.

Costei, però, nei suoi mutevoli umori, dimenticava presto le invettive e le minacce; e potevi udirla, magari, lodare le cose stesse che aveva maledette un momento prima. Ad esempio, quelle medesime fanciulle della città contro le quali aveva imprecato, chiamandole svergognate e streghe, ella non esitava a celebrarle e a compatirle quando ciò serviva a una maggior gloria d'Edoardo. Chi l'avesse udita, un momento prima, avrebbe supposto che il Cugino era stato una vittima delle donne; ma ecco che, al contrario, adesso ella compassionava le donne, come fosser tutte vittime del Cugino; né era difficile accorgersi che la sua compassione era ipocrita e che, in realtà, per lei quella schiera di vittime piangenti era come una mostra di medaglie e di trofei. Con tono ciarliero, petulante, ella sbandierava agli occhi di mia madre i meriti e le qualità di ciascuna: citando gran numero di fanciulle patrizie che offrivano in dote feudi vasti come regni, e rifiutavano tutti i pretendenti nella speranza di venire un giorno chieste da Edoardo. Le bellezze di queste fanciulle, poi, chi le dirà? – Son tali bellezze, cara mia, che tu non ne vedesti mai di simili, perché bellezze di quella specie si tengono chiuse nei palazzi, non s'incontrano per le strade dove vai tu, cara mia. E son fanciulle appena uscite dal convento, che non levarono mai gli occhi a guardar in viso un uomo, e non sanno neppure come si nasce, perché noi, cara, usiamo istruire le fanciulle sui loro doveri di spose solo alla vigilia delle nozze, e fino a quel giorno la loro mente deve conoscere solo i pensieri degli angeli. Ecco, adesso tu lo sai che donne ha rifiutato Edoardo. Non parliamo poi delle altre, le quali non furono mai tanto matte da figurarsi ch'egli s'inducesse a sposarle. Sposar certa gente, mio figlio! Lui, che potrebbe scegliere la propria moglie, se volesse, in mezzo a una schiera d'eredi al trono!

Un giorno, zia Concetta ci mostrò, in camera d'Edoardo, il contenuto d'un certo cassetto, ch'ella aperse in atto di grande mistero, e con volto ilare, facendo segno a mia madre d'accostarsi. Questo cassetto (di cui la zia custodiva la chiave nel proprio scrigno segreto), era pieno di cianfrusaglie di poco valore, quali nastri, lettere, straccetti e fronzoli d'ogni sorta; ma simili cianfrusaglie eran tenute in gran conto dalla vecchia, perché, a quanto capimmo, esse eran tutte ricordi di fanciulle e signore alle quali il cugino Edoardo aveva fatto la corte, o che lo avevano amato al pari di mia madre quand'era ragazza. La zia si dette a frugare nel cassetto con una espressione cupida e guardinga, ma insieme esultante, come chi si accinge, e invita altri, a un gioco proibito. E traendo di fra quegli oggetti promiscui ora un ritrattino incorniciato di madreperla, grande quanto una miniatura, ora una lettera, ora una coroncina di fiori secchi, ora un albo e cosí via, li porgeva a mia madre affinché li rimirasse, e le spiegava nel tempo stesso, infatuata, la provenienza e la storia d'ogni diversa reliquia. Per esempio, questo scarpino di seta scarlatta e oro (« guarda! guarda che misura da Cenerentola! su, cara mia, mostra il tuo piede! uh, niente da fare, cara, dovresti tagliartene un pezzo per farlo entrare qui dentro! »), aveva calzato il piedino d'una prima danzatrice venuta di Francia e conosciuta fin nelle corti. La quale, scesa per la prima volta nella nostra città, la sera del debutto aveva dato un suo balletto famoso, dove essa appariva, in mezzo alle sue cinquanta ballerinette tutte in costume e scarpini bianco e argento, vestita, lei sola, di costume e scarpini rosso e oro. Alla fine di questa danza, richiamate dall'immenso applauso del pubblico, prima danzatrice e ballerinette si presentarono sul proscenio a ringraziare, tutte scalze. Nel momento stesso, un inserviente bussava al palco dei Cerentano, e porgeva al giovane Edoardo, intento ad applaudire come gli altri spettatori, una graziosa bomboniera di porcellana dorata, la quale, aperta, conteneva: che cosa? Uno scarpino rosso e oro e un messaggio: *Il Principe Sciarmante della città è pregato di ritrovare colei che smarrí questa scarpina.* Alla lettura di un simile messaggio, Edoardo (che a quell'epoca contava appena sedici anni e non aveva ancora avuto occasione, mai, di avvicinare una signora tanto famosa), tremante, commosso, si affacciò dal parapetto del palco; e di fra il grande stuolo delle ballerine, la prima danzatrice gli sorrise, protese il collo verso di lui, e là, in pieno teatro, gli gettò sulle dita un bacio d'amore.

E quest'albo («leggi, cara! leggi qui!»), conteneva il diario d'una signora forestiera, la quale, tornata in patria dopo un viaggio nella nostra città, non s'era piú potuta dimenticare del nostro Cugino. E ogni mattina, appena sveglia, e ogni sera, prima d'addormentarsi, ne tesseva perdutamente le lodi sul proprio diario, che un bel giorno aveva spedito qui a lui, chiuso con quattro sigilli di ceralacca.

E la fanciulla rappresentata in questo ritratto era una poverina che aveva bevuto il veleno, sí da ridursi sull'orlo della tomba, per essere stata abbandonata dal cugino Edoardo. E questa coroncina di fiori secchi apparteneva a una fanciulla della nostra miglior nobiltà, la quale se n'era cinta il capo, una sera, per recarsi al suo primo ballo. Ahimè, ché la sua prima serata in società doveva finire assai male! infatti, per la delusione che il cugino Edoardo non l'aveva invitata a nessun giro, la povera fanciulla era caduta a terra svenuta nel mezzo della festa. Naturalmente, nessuno avrebbe potuto indovinare l'origine del suo malore; senonché, la mattina dopo, Edoardo mentre si recava al Galoppatoio, era stato fermato dall'antica governante della fanciulla, la quale di sotterfugio gli aveva consegnato un pacchettino. Esso conteneva la coroncina già ormai sfiorita e vizza, e un biglietto con queste sole parole: *Ester. Per colpa tua!*

Riguardo, poi, a questa sottanina bianca... – be', qui sotto c'è tutta una storia che non sta bene a me di raccontare, – disse zia Concetta con un bizzarro accento di stregoneria. Indi a bassa voce ella si vantò con mia madre: – A me mio figlio dice tutte le sue avventure, non mi nasconde niente. E con me ride delle sue conquiste, perché è spensierato e innocente come un agnello. Ah, tu Dio mio, – soggiunse in uno slancio voluttuoso, – lo perdonerai seppure ha commesso qualche peccato, egli fa tutto senza malizia, solo Concetta conosce il suo cuore!

Mia madre, all'invito della zia, prendeva in mano quelle cianfrusaglie, e scorreva con lo sguardo quegli scritti, e ascoltava quei racconti. Ma aveva il viso in fiamme, e le sue pupille si muovevano sui fogli pòrtile dalla zia riluttanti e proterve, sí da far pensare che, mentre pretendevano di leggere, non leggessero nulla. I suoi gesti s'eran fatti cosí nervosi, le sue dita cosí deboli e malaccorte, che quei preziosi oggetti le ricadevan subito di mano; e in realtà si sarebbe detto, dal suo contegno, ch'ella non sapeva piú quel che si faceva e forse non udiva neppure le chiacchiere della zia. Finalmente, ella mormorò con un filo di voce: – Mi perdoni, donna Concetta, ho un piccolo capogiro, – e si allontanò dalla vecchia, sedendosi sul sofà. A mia volta, allora, io strisciai tosto fino a lei, domandandole piano, impensierita, che male avesse; ma lei, con voce velata in cui palpitava la collera, mi intimò di rimanere al mio posto, e di parlare solo quand'ero interrogata.

Da quanto precede vi sarete fatti un'idea delle conversazioni che si tenevano fra noi nelle stanze di donna Concetta. Accadeva, certi giorni, che costei si dilungasse in frivole chiacchierate, come una signora ciarliera in un salotto: raccontando aneddoti, e ridendo, e facendo mille progetti per un prossimo ritorno d'Edoardo, proprio come se lui fosse vivo, e guarito, e felice. Poi d'un tratto, mentre cosí discorreva, si mutava in volto, prendendo un'espressione sonnolenta. E proseguendo a parlare con naturalezza, ma con tutt'altra voce, una voce fredda fredda, che pareva di morta, domandava a mia madre: – Che ne sarà di lui? forse soffre? che pensi tu? credi che ancora egli soffra? – E nello stesso tono di voce quasi calmo, confidava, torcendosi le mani: – Essi, la gente, me l'hanno messo sotto terra, quando fu?, dopo *quella mattina*. Lui m'aveva ripetuto: Non permetterlo mai, Concetta. Ma venne una folla di gente, non potei piú oppormi alla legge. Io gli ero sempre stata vicina, di giorno e di notte! Di giorno e di notte, non lo lasciava mai solo sua madre! – E cosí dicendo, la zia Concetta incominciava a girare il capo angosciosamente, al pari di una malata che sogna. E con voce piú bassa, volgendosi non solo a mia madre, ma anche a me, come per chiamarci a testimonianza, ci svelava che ogni ora, ogni stagione, portava a lei, Concetta, nuovi mali. Ch'ella si figurava il corpo di lui nella terra: e s'era estate, lo pensava sofferente di arsura; e s'era inverno, infradiciato dalla pioggia. E se si udiva un passo rude, o battere gli zoccoli di un cavallo, le veniva in mente che camminassero sopra a lui. Almeno il tempo si fosse fermato, ed ella potesse pensare sempre a lui come l'aveva veduto nel dargli l'ultimo sguardo, come lei medesima lo aveva adagiato, composto! Ma no, i giorni procedevano e compievano l'opera loro, e ciò accadeva qui alla luce come anche sotto terra, dove non si può penetrare con gli occhi. Or lei, Concetta, nel seguirsi del tempo si rappresentava le trasformazioni di lui, ma non lo adorava meno in questo aspetto trasformato e rinnegava le paure dei viventi! Essi lo ripudiavano per viltà, e ciò le pareva soprattutto amaro! saperlo respinto, lui ch'era stato la vaghezza e l'invidia di tutti! Ma Concetta no, non rifuggiva dal suo viso di sepolto. Nel cuor della notte, lo vedeva d'un tratto, come se i cumuli di terra fossero nebbia trasparente, e sé medesima stesa presso il corpo adorato, senza mai lasciarlo. Lei gli carezzava i capelli delicati, le piccole mani... Qui il discorso di donna Concetta ridiventava confuso, il sussulto dei suoi labbri si trasformava in un sorriso invaghito e futile, ed ella ricominciava a vantare la bellezza d'Edoardo sul suo letto, *quella mattina*, e il numero dei ceri, e il lusso della camera, e i discorsi delle suore veglianti, e com'egli piacesse alle donne... cosí donna Concetta ritornava nel suo mondo d'inganni, e quivi ritrovava la sua compagna, Anna Massia. Difatti, finché zia Concetta attraversava quei brevi intervalli di coscienza piú lucida, mia madre (se non riusciva subito a distrarla con pretesti fallaci), l'abbandonava a se stessa, rifiutandole qualsiasi interessamento o pietà. Mentre la vecchia si dibatteva fra le sue certezze, e si nascondeva con la mano gli occhi veggenti fra miserabili gridi, mia madre si teneva da parte, corrugando la fronte in una espressione volontaria e perfino ostile: come per dichiararsi, nel suo duro mutismo, straniera a quel lutto. Ella si turbava invece, e piangeva, se avveniva che la ragione ridestasse in donna Concetta non il dolore, ma l'odio. Ciò avvenne, in realtà, piú d'una volta, magari in modo del tutto inaspettato, quando mia madre e donna Concetta sembravano in piena armonia. Simile a un ospite fiducioso che abbia accolto un traditore introdottosi sotto false spoglie, donna Concetta pareva riconoscere subitamente in mia madre una sua nemica: – Chi sei, tu? – le gridava, – chi t'ha lasciata entrare? Ti conosco, tu sei di quelle svergognate che volevano rubarmi mio figlio. Vattene, vattene mala femmina, via di qui! – Or mia madre, invece di rispondere come avrebbe dovuto a simili insulti, ve l'ho detto, piangeva; e, scacciata, rimaneva presso donna Concetta, sforzandosi di placarla con parole suadenti e carezzevoli, e di far deviare la mente di lei verso le illusioni consuete. Da parte sua, donna Concetta, finite quelle crisi effimere, tosto dimenticava i propri sdegni, e mia madre, al solito, le perdonava.

Come dirvi poi tutte le scene stravaganti alle quali la trista vecchia ci faceva assistere? Un giorno, trovavamo che aveva fatto spostare in disordine tutta la mobilia della sua camera; e il fine, a quanto ella ci svelava, era di disporre tutti gli oggetti secondo una cabala o magía di numeri, donde potrebbe nascere per lei la rivelazione e la pace. Un altro giorno, affermava che degli spiriti maligni s'erano insinuati nelle sue stanze: per cui, su ogni mensola e su ogni tavolino, fra i soliti lumi e immagini sacre, si scorgevano, come su altari profanati, di quegli amuleti usati dalla plebe superstiziosa contro il maleficio. Per esempio, una collana di monete forate, o un ferro di cavallo, o una pannocchia di granturco, o crini di cavallo, o denti di lupo. Concetta, tuttavia, temeva che non tutti gli spiriti funesti fuggissero prima di buio, nel qual caso difficilmente si potrebbe scacciarli, perché la virtú degli amuleti diminuisce nelle tenebre. Ella rimaneva per buona parte del pomeriggio circospetta e smaniosa, e s'interrompeva spesso nei discorsi per ascoltare lo strido che fa il malo spirito quando dilegua; e pronunciava una cantilena magica, terminandola col segno di croce, ogni volta che, nel suo farneticare, udiva simile strido.

Un giorno, ci ricevette in una grande confusione, fra i suoi vestiti e cappelli di lutto sparsi alla rinfusa, un baule spalancato ai suoi piedi; era vestita per uscire, e portava un grande cappello di cui nella collera lacerava il lungo velo nero. Intorno le stavano due o tre cameriere (donna Augusta, di certo presente fino a poco prima, si era ritirata, suppongo, udendo annunciare la nostra visita), e a costoro ella gridava ordini capricciosi e minacce, sí che pareva d'essere nello spogliatoio d'una funerea primadonna. Ci fu spiegato ch'ella aveva preso risoluzione, quella mattina, di partire per raggiungere Edoardo al sanatorio: al quale scopo aveva fatto tutti i preparativi, gettato i fiori, e spento le fiammelle votive nelle sue stanze; e solo con gran pena, e i soliti inganni, s'era riusciti a dissuaderla.

Un'altra volta ancora, in un dopopranzo sciroccale, la zia Concetta (ch'era sempre stata la piú onesta delle donne, sí che i suoi capelli non avevano mai conosciuto il ferro, né le sue guance la cipria), la zia Concetta ci si fece incontro con la faccia dipinta in modo eccessivo e strano. Ella aveva, però, in quella grottesca maschera, un'espressione severa, affascinata, e un portamento sacerdotale. E dai suoi discorsi incoerenti, si capí che non s'era dipinta il vecchio volto con intenzioni mondane; ma per eludere la guardia di non so quali angeli demoniaci che le interdicevano un colloquio sospirato e oggi, ingannati dalle sue sembianze false, la lascerebbero passare come una sconosciuta. Di piú, nel suo vaniloquio, alluse a una sorta d'investitura arcana ch'era legata con quell'artificio. Come se la sua bizzarra truccatura fosse richiesta da un cerimoniale per venire ammessi a certe claustrali conversazioni o misteri; e addirittura lei stessa, con simile artificio, si trasformasse in una gran suora, o in una dea.

Di tale sorta erano le visioni e i capricci fra cui viveva involta donna Concetta: soprattutto nei giorni di scirocco, burrascosi e torbidi, il suo spirito appariva turbato.

Ma un racconto che volesse soffermarsi a descrivere tutte le sue fantasie risulterebbe monotono e astruso; e non aggiungerebbe alcun pregio alla mia storia.

Mia madre, pur senza ribellarsi, assisteva con aria di freddo distacco a simili cerimonie spettrali; e il suo sguardo rifuggiva, pieno di repulsione, da quei simboli concreti della superstizione e della follia ch'erano sparsi in camera di donna Concetta. Similmente, ella nascondeva a fatica la propria noia quando, in attesa che zia Concetta ci ricevesse, la cameriera grigia, nell'anticamera, ci intratteneva con indiscrezioni e commenti intorno alla sua tetra signora. Io, che avevo imparato a leggere nell'aspetto di mia madre i suoi piú lievi mutamenti d'umore, avvertivo il penoso fastidio svegliato in lei da argomenti cosiffatti, e vedevo la contrazione del suo viso ogni volta che la donna parlava del padroncino Edoardo come si suol parlare dei defunti. Pure, mia madre non dava mai sulla voce alla donna: forse perché, nel Palazzo, dopo Concetta, solo costei si occupava delle nostre persone e mostrava gradimento, anzi una sorta di complice premura, per la nostra assiduità. Ad ogni modo, mai, prima delle visite al Palazzo, avevo veduto mia madre dominare con tanta tenacia la propria indole superba e rinunciare ad esprimere le proprie avversioni.

In realtà, ella portava nella borsetta il suo talismano: e veniva ricompensata d'ogni mortificazione o disgusto nel momento che traeva l'ultima finta lettera d'Edoardo scritta a se medesima nella notte, e la leggeva forte alla zia.

Che virtú avevano mai le sue finte lettere per avvincere tre donne? Anch'io, difatti, avevo meno in odio quei pomeriggi in grazia di esse. Nella lor voce udivo suonare una rivelazione sibillina dei misteri cui mia madre era chiamata durante le sue veglie. E come mi gloriavo d'aver partecipato a queste sue prove notturne, cosí godevo adesso di assistere alla sua rappresentazione di gala. Vedevo rivivere sul volto materno quei patimenti gaudiosi, e fuggenti giovinezze, e aspre dedizioni, la cui fiamma multiforme io, io sola avevo veduto accendersi alla sua prima sorgente e palpitare la prima volta. E per quanto io fossi ignara, per quanto bambina, ed esclusa, in questo particolare segreto Anna era piú mia che di Concetta!

Qual virtú avevano mai dunque le finte lettere per conquistare tre donne? Appena appena mia madre ne aveva mormorato il principio, che già ogni forma sgraziata o pesante, ogni colore brutto o funerario dileguava dalla camera. E vi abitava invece, pieno di festa e di fuoco, un Pensiero (non so trovare altro nome piú adatto alla sua volatile natura), del quale m'è impossibile enumerarvi, né, tanto meno, descrivervi una ad una, tutte le grazie. Egli aveva movenze ispirate, costume cavalleresco, e una civetteria gettata, in guisa di spavalda e leggera armatura, sull'amara sua voluttà. Inoltre, sulla sua bellezza ombrosa, sventolava come orifiamma la fatuità adolescente, la cara, veniale fatuità, piú dolce ai materni cuori delle donne che non l'onesto senno virile. Ma la piú singolare, la piú preziosa delle sue grazie era l'ambiguità, senza la quale nulla piace. L'ambiguità, ch'è sostanza dei sogni e degli dèi, scrittura dei profeti, e, fra i mortali, espressione degli animali piú leggiadri, delle arti piú sottili, e dolce, barbarico ritornello della natura. Egli, dico, esalava come suo proprio respiro questa grazia celeste: senza la quale nessuno troverà mai favore al cospetto d'Elisa.

Che dirvi ancora? Egli era indocile, e sottomesso, debole, e temerario; era contemplativo, e irrequieto, frivolo, e schiavo di severe passioni. Era incostante, e ostinato fino alla morte; battagliero, e disarmato come un agnello, era credulo, e malfido.

Non ignorava la paura, s'intende, e fu anche vigliacco: se no, a che avrebbe servito amarlo?

Da nessuno, meglio che da lui tu avresti potuto imparare mille piaceri ineffabili quali: curiosità verso il tuo nemico, affascinante angoscia del non capire, commedia della fuga, umiliazione e miraggio dell'inseguimento, delizioso gioco d'esser giocati, abbandono a ciò che ignori, felicità del mendicante, gloria della fenice.

Si poteva forse deplorare qualcosa di subdolo, di corrusco e perfino di animalesco ch'era in lui. Ma piuttosto che il suo peccato, questa era la sua mestizia.

In lui si avvertiva l'aggressività dolorante ch'è propria alle creature effimere nella stagione del loro piú gran fervore.

Ecco tutto quanto so dirvi riguardo al Sire luminoso e screziato, che spadroneggiava nella stanza in virtú delle finte lettere. Voi mi direte che la mia descrizione non vi soddisfa, ch'essa è incerta, disordinata, svaporata e alla fine non vi spiega l'essenza o l'indole di colui neppure quel tanto che vi basti per dare un certo credito alle mie parole. Ciò mi dispiace, ma vi ho già detto che non è possibile descrivere quell'ospite misterioso: tanto varrebbe provarsi a descrivere un aroma, o una frase musicale, o insomma ogni cosa impalpabile, e invisibile all'occhio, ma capace tuttavia di provocare dolci emozioni. Donde nascesse, poi, quel prodigio: se dalla prosa stessa delle finte lettere, o dalla voce di mia madre, o dalle passioni ch'ella nutriva, o, infine, se da Edoardo o da Anna, questo è un altro mistero. Può darsi ch'egli derivasse da tutte le suddette cause, e da altre ancora. Comunque, è sicuro ch'io posso darvi soltanto una piccola idea della sua grazia: la quale, in verità, era tanta che non c'è da stupire se colui faceva innamorare tre donne. Anzi, egli era cosí amabile che ogni suo possibile competitore vivo e corporeo sarebbe stato da noi respinto al paragone di lui pensiero.

Di noi tre, la piú felice era mia madre. Ella era, infatti, la presunta destinataria delle finte lettere: e leggendole a Concetta godeva il piacere incantevole (non ultimo, certo, fra i piaceri dell'amore), di mostrare ad un'altra donna in qual misura lei, Anna, era amata.

Or le lettere, per questo medesimo motivo, sembravan le piú adatte a provocare le gelosie di donna Concetta; ma la mente di costei non pareva discernere una precisa destinataria di quella corrispondenza. Solo in una maniera inconseguente e labile Concetta pareva rendersi conto che le parole capaci di deliziarla eran rivolte alla piú detestata, alla piú temuta delle sue rivali. A tratti presumeva anzi, addirittura, d'esser lei la destinataria, e vedeva in Anna una sorta d'intermediaria fra lo spirito d'Edoardo e il suo. Ciò si sarebbe detto, almeno, all'udir gli accenti avidi e tirannici con cui sollecitava mia madre non appena questa le aveva annunciato una nuova lettera: – Me l'hai portata? – domandava impaziente, – dov'è? dove la tieni? – E ordinava: – Mostramela, mostramela subito, – come chi esige una cosa ch'è sua per diritto. Al cominciar della lettura, poi, non risparmiava i rimbrotti: – Leggi troppo in fretta! – gridava a mia madre, con toni da padrona; oppure: – Di certo io non sono sorda; ma tu, sei forse afona che leggi con un filo di voce? Come dice qui? Non ho inteso! rileggi –. E se una frase le piaceva piú delle altre, e la commoveva in modo violento e straordinario, con impeto afferrava i fogli dalla mano di mia madre; e baciandoli esclamava: – Ah, figlio mio, fatti baciare! ecco, un altro bacio, amore! Sia benedetto Nostro Signore che t'ha dato la parola degli angeli per la gloria della sua serva Concetta! – sí da far credere, a sentirla, che l'ispiratrice di scritti tanto ammirati non meritasse lode alcuna; ma a lei, che aveva partorito Edoardo, a lei, Concetta, tornasse tutto il merito.

Mia madre, però, non si risentiva a simili sgarbi; ella bramava soltanto di riprendere l'interrotta lettura, e presto sopiva i malumori e i capricci della vecchia, come se il suo finto messaggio avesse il potere d'una droga. Via via che la lettura procedeva, la zia non pensava piú a interromperla con le proprie bisbetiche osservazioni. Obliando ogni discordia, e straniate da se stesse, Concetta ed Anna non eran piú se non una doppia incarnazione della loro chimera unica: ed io taciturna, isolata nel fondo della mia poltrona, contemplavo quel duplice mostro d'amore.

Esse stavan sedute su un divano, fianco a fianco, le teste accostate e chine sui fogli, come due compagne di collegio intente a leggere di nascosto una corrispondenza proibita. Leggendo, spesso mia madre abbassava la voce, sí ch'io non potevo afferrare tutte le sue parole. In altri punti, non senza ostentazione, saltava un intero periodo, e alle insistenze di donna Concetta dichiarava di provar vergogna a legger forte certe cose che *lui* le scriveva. Nel dir cosí, rideva follemente, colorandosi in viso; e, cosa strana, donna Concetta non s'indispettiva, ma anzi prendeva un tono ilare, insinuante, e pieno di civetterie, per supplicare mia madre di leggerle quel preciso punto della lettera. Poiché mia madre ripeteva no no, ella tentava di decifrare con le proprie pupille incapaci la frase che la incuriosiva; e alla fine mia madre sembrava accondiscendere talvolta, e si disponeva a leggere. Ma ecco, sul punto di pronunciare quelle parole misteriose, dava un sospiro ed esclamava, vergognosa e ridente: – Ah, no, no, non sarà mai! non son cose da potersi dire a lei, donna Concetta! – e, forse a gran malincuore, s'ostinava nel rifiuto.

In simili schermaglie, entrambe, Anna e Concetta, si trasfiguravano in volto, sí che Concetta sembrava una giovane donna, e Anna una ragazza quasi ancora bambina. Bisbigliando, si scambiavano confidenze, domande e risposte, di cui non riuscivo a cogliere che il pronome *lui* mille volte ripetuto. Distinguevo, nel mormorio delle loro voci, certe note acute che parevan commenti a un alato, affettuoso compatire; e udivo mescolarsi le loro risa confidenziali e tenere, o levarsi dalla gola di mia madre una lunga risata, spontanea come una frase d'usignolo.

Se alcuni periodi di quella corrispondenza rimanevan taciuti, innumerevoli, nondimeno, v'eran le dichiarazioni d'amore che mia madre non si peritava di legger forte. Ho ancor negli orecchi il suono timido, esultante della sua voce mentre ripeteva gli ardimentosi madrigali scritti da lei medesima a se stessa. Concetta li ascoltava, in silenzio, il volto estasiato e rigato di lagrime, ovvero li lodava con esaltazione religiosa, come se mia madre le andasse leggendo un poema, o un salmo stupendo, non già un proprio segreto d'amore. Vi furon però degli istanti in cui la vecchia assunse un aspetto rigido, come ad un ricordo repentino; e contraendo la faccia interruppe mia madre per ammonirla, con voce maligna e dura: – Non credergli! dice la stessa cosa a tutte! – oppure esclamare in un'agra risata: – Quante promesse! E tu prestagli fede, stupida, ma piú tardi dovrai morderti le mani!

Quasi sempre, al termine della lettura, mia madre doveva sostenere una battaglia con donna Concetta, che insisteva per avere in dono lo scritto, di cui mia madre era oltremodo amante e gelosa. Se ben ricordo, neppure una volta mia madre cedette su questo punto; ella diventava pugnace, e perfino astuta, per difendere il proprio tesoro, e resisteva alle moine, alle implorazioni e agli ordini di donna Concetta, finché riusciva con accorti pretesti e sotterfugi a stornare i pensieri di lei dal periglioso argomento. Ricordo un giorno che donna Concetta si mostrò piú del solito pertinace nella sua volontà di posse-

dere l'ultima, preziosa lettera, di cui mia madre aveva tenuto poc'anzi
lettura; e come mia madre, da parte sua, non voleva cederle a nessun
costo quel foglio, e anzi, per timore che l'altra glielo strappasse con
la violenza, se lo nascose in seno, la vecchia proruppe: – Ah, maligna! glielo scriverò, glielo scriverò io stessa a mio figlio che tu
t'approprii di quel che m'appartiene e mi neghi il mio diritto! Che
cosa ti nascondi in petto, svergognata? Mi credi cieca, e ch'io non
t'abbia vista? io t'ho veduta, ti sei nascosto in petto un foglio, e adesso
vuoi saperlo che cosa vede questa madre? Quel foglio non è una lettera, come tu credi, e neppure uno scritto, ma un pezzo di carta strac-
cia, coperto di sgorbi e insanguinato. E tu non te ne avvedi, perché
sei una mala femmina, e Satana ti gettò negli occhi l'inganno. Ebbene,
ora frugati in petto e vedrai se in luogo di quel foglio non balzerà
fuori un corvo, o un serpente. Non osi, è vero? ti fai rossa? Via, via
di qui! Vattene, impostora! Tu m'inganni con falsi scritti, mio figlio
non si cura di scrivere a te. Egli non t'è fidanzato, né cugino... Mio
figlio è morto! Egli sta sotto terra, con le braccia in croce! – Mai,
prima, io avevo veduto mia madre turbarsi a tal punto ai folli discorsi
della vecchia. Mentre costei la accusava, ella si faceva rossa, poi livida,
girando intorno gli occhi grandi grandi, quasi per assicurarsi che nessun
altro, fuor di noi, poteva udire quelle accuse; e i suoi occhi, nel girarsi
in tal modo, si colmavano di paura, come se già vedessero avvicinarsi
chi sa quali terrificanti ospiti. Allorché la zia pronunciò le parole:
«Non t'è fidanzato, né cugino... è morto», ella protese impulsiva-
mente le mani, come a difendersi; e con voce acuta, scossa da un'isterica ambascia, esclamò: – Si fermi, donna Concetta! Non parli piú,
se teme... – Indi con un sorriso dolce si trasse dal seno la lettera, e
stando vicino alla zia, baciandole ogni poco la mano, incominciò a dirle
(e nel parlare e nel baciare le tremavano forte le labbra): – Come può
fare simili discorsi, donna Concetta? Come può offendere in questo
modo suo figlio? Non riconosce dunque piú Edoardo? Non vede che
questa è proprio la scrittura di lui?...

La sua voce era umile, carezzevole, come se parlasse ad una santa;
e l'altra già piegava alle sue morbide lusinghe; ma, occorre aggiungere,
anche stavolta, alla fine, la lettera contesa restò in possesso di mia
madre.

Capitolo quarto

Le seduzioni romantiche non erano che prose scadenti?

A questo punto, io m'immagino che i miei lettori (sempreché abbiano avuto la pazienza di seguirmi fin qui attraverso un racconto cosí scostante e lunatico), mi richiederanno di qualche ragguaglio circa i testi delle finte lettere: ché io, pur descrivendo i modi tenuti da mia madre nel comporle, e gli straordinari effetti di esse su noi tre donne, non ho dato poi, riguardo alla loro sostanza, che dei cenni vaghi, lasciando nella penombra una cosí importante documentazione. Ora, s'io fossi una raccontatrice astuta e appena un poco disonesta, mi sarebbe facile di togliermi d'impaccio rispondendo che la famosa corrispondenza, fra le sventure e le peripezie seguíte nella mia famiglia, andò tutta perduta; che la mia memoria, attraverso tanti anni, non serba se non una illusoria, ineffabile eco dei messaggi letti dalla voce di mia madre, in quei lontani pomeriggi, e tanto dolci alle mie orecchie puerili. Che, insomma, i testi delle finte lettere non esistono piú, né possono quindi venir chiamati a testimonio; e che sul conto di essi, come per certe storie di popoli distrutti, bisogna accontentarsi delle incerte risonanze trasmesse dalla leggenda.

In tal modo, io potrei lasciare i miei lettori, sebbene inappagati, illusi tuttavia che quel carteggio racchiudesse chi sa qual meraviglioso poema d'amore. Un simile poema, benché non manifesto a nessuno, farebbe pur sempre parte della mia storia; e compensando, coi suoi splendori invisibili, le visibili pecche di questa, darebbe forse un pregio alla mia opera oscura, fornirebbe occasione di ricerche agli storici, e procurerebbe, forse, fama all'autrice.

Tutto ciò, non lo nego, è assai tentante; ma avendo io promesso una cronaca veritiera, e non dei giochi letterari, scaccio ogni tentazione, e rimango fedele alla verità.

La quale, eccola: il carteggio del finto Cugino esiste ancora, è in mio possesso (per via di casi che si narreranno a suo luogo); e anzi, in questo momento che scrivo, è qui, sotto i miei occhi. Tuttavia, non soltanto io non m'indurrò certo a trascriverlo su queste pagine (a prezzo di scontentare, forse, qualche lettore appassionato di epistolografia); ma provo un ritegno amaro e geloso al semplice discorrerne con altri. E se non fosse per la sincerità promessa, e per la necessità di non sottrarre alle mie Storie familiari una cosí importante documentazione, io lascerei volentieri nell'oblio e nel riposo quest'unica testimonianza superstite del patetico romanzo di Anna.

Né la mia riverenza naturale, e la pietà dovuta ai morti, son le sole cause della mia riluttanza. All'inizio di questo libro, accennai già, mi pare, che i soli documenti a me rimasti del nostro dramma erano cosiffatti da accrescere la mia giovanile incertezza, invece che scancellarla. Io alludevo, nel dir ciò, appunto all'Epistolario del finto cugino: il quale Epistolario è una testimonianza cosí oscura, e infida, che non può non turbare chi, come Elisa, lo guardi con una mente non libera, confusa da amari affetti.

La prima domanda di cui la mia povera mente fu continuo trastullo durante i trascorsi anni, era: – Ma infine, chi è mai questo finto cugino, mandatario delle lettere? – Giacché, sebbene io sapessi che queste erano scritte dalla mano di Anna, m'era difficile rinunciare alla presunzione ch'ella avesse un compagno, quantunque invisibile, nel fantastico gioco; e la persona di costui s'andava mescolando, nella mia memoria, con la persona di Anna. La quale si trasformava cosí in una specie di Centauressa, posseduta da quelle avverse divinità meridiane che usano travagliare simili numi pluriformi.

Come si sa, per Elisa bambina, la domanda suddetta (seppure ella avesse osato proporsela), non poteva avere che una risposta, necessaria e naturale: poiché Anna affermava che la corrispondenza notturna era opera del Cugino, la piccola Elisa non poteva attribuirla se non a lui. A quel medesimo personaggio, dico, che mia madre amava, e zia Concetta vantava e piangeva; e che aveva dormito infante nell'antiquata culla imperiale; e folleggiava adesso, in un modo capriccioso e problematico, fra il mondo dei vivi e quello dei defunti.

Non troppo diversamente dalla puerile Elisa, uno che si dilettasse di studi occulti o di magía risponderebbe alla medesima sopracitata domanda con la supposizione che l'ispiratore, e quindi il vero autore delle lettere, fosse precisamente lo stesso Edoardo, o meglio quella seconda forma di lui che la morte aveva sottratto ai comuni occhi corporei. Senonché, pur se il giudizio illuminato non rifuggisse da simili, torbidi vapori, vi sarebbe sempre la grave obiezione che nell'epistolario, come vedremo, troppo scarsi indizi lasciano intravvedere la presenza del nostro caro Edoardo, e troppi, al contrario, accusano quella di spiriti irriconoscibili, e del tutto difformi da lui. Questi ultimi spiriti sono d'una specie tale che una persona timorata quanto superstiziosa attribuirebbe addirittura l'Epistolario al demonio. Ma, non bastasse la puerile fiducia di Elisa nella nessuna validità del diabolico patto di Anna, si aggiungerebbe, a farci ripudiare la detta attribuzione, anzitutto il nostro convincimento che il demonio, come ogni malfattore astuto, evita di lasciare prove scritte dei propri imbrogli; e poi, la constatazione che in questo carteggio, fra i molti accenti stonati, di timbro infernale, si distingue ogni tanto una rara, lontanissima vocina nel cui timbro riconosci la delicata scuola del Paradiso. Ora, quando mai si dette il caso che il diavolo collaborasse con un Celeste? Satana, è noto, ha i suoi motivi per rifuggire da simili, gloriose contaminazioni.

E allora? Altra risposta non rimane fuor di quella che darebbe un onesto scienziato, un medico, o semplicemente un uomo di senno: vale a dire, che questo carteggio, scritto per mano di Anna, è in tutto e per tutto opera di Anna stessa: ibrido frutto d'una povera mente morbosa, sfogo romantico d'una passione insoddisfatta.

Questa ipotesi, senza dubbio la piú ragionevole, è per Elisa una funesta consigliera di lagrime. Difatti, se m'induco ad accettarla, il finto Epistolario si trasforma per me in uno specchio, in cui l'amato viso di Anna mi appare cosí imbruttito e stravolto, che memoria, volontà e fantasia mi suggeriscono di scegliere una menzogna in luogo di questa diagnosi. La quale, dov'io spiavo il mistero e la malizia, pone d'un tratto la malattia e il decadimento. Di Anna, di questo duplice mio idolo, della mia dormiente, preziosa Fenice, fa un oggetto di miseria e di pietà. E infine, sull'Epistolario fantastico, sul nostro carteggio famoso, sparge il tristo pallore dell'insania, e l'informe noia della morte.

Conchiudere con una diagnosi di tal sorta è cosa agevole ai profani; ma colei che sulle rovine dell'antico romanzo materno costruí la chiesa delle proprie frottole: Elisa, voglio dire, sarà perdonata del fantastico turbamento che, contro ogni ragionevole considerazione, la invade mentre sfoglia queste finte lettere. È un fatto che, al toccar questi fogli, io tremo fino a lasciarmeli sfuggire dalle dita: e ciò non solo per i ricordi e gli affetti violenti che mi legano ad essi; non solo per la folle testimonianza che essi recano riguardo alla sorte di Anna; o perché ho vergogna e rimorso di frugare in un segreto altrui. Insieme a tali sentimenti c'è in me un timore, quasi un'aspettativa, di effetti imprevedibili, assurdi, e ribelli alla mia ragione: come se fra questi poveri fogli si celasse un'insidia, e le frasi del finto amante si traducessero, a leggerle, nel linguaggio onnipotente delle streghe.

Dopo tutte queste chiacchiere, io devo ai miei lettori una descrizione, sia pure discreta e succinta, delle finte lettere. Ed essi ne trarranno quelle conclusioni che paiano piú attraenti al loro gusto.

Sono in tutto e per tutto una ventina di lettere, alquanto prolisse e lunghe, scritte su fogli di carta ordinaria, di quella che si compera nelle tabaccherie. L'inchiostro è di cattiva qualità, sbiadito, e forma qua e là delle gore come se lo scritto fosse stato bagnato di lagrime. I fogli sono per lo piú sgualciti, consunti, e ciò ispira un senso d'intimità patetica, e di compassione mortale: s'indovina ch'essi furono preziosi e cari alla loro destinataria (che bizzarro sapore mordace ha nel presente caso questa parola!) la quale dovette vagheggiarli e baciarli, e occultarli come tesori, e portarli chiusi in seno.

Riconosco nella scrittura i familiari caratteri di mia madre, mantenutisi un poco informi, e scolastici, sebbene, quando scrisse queste lettere, ella s'avviasse ai trent'anni. A proposito di tali caratteri, ho fatto una scoperta singolare. Dovete sapere che fra le carte di mia madre rimaste nelle mie mani v'è un paio di bigliettini scritti dal vero Edoardo a sua cugina Anna, al tempo, come appare dalle date, del loro idillio. Or s'io confronto questi veri autografi del cugino con le finte lettere di lui, m'accorgo che mia madre, nell'affermare alla zia mezzo cieca: « è proprio la sua scrittura », non mentiva del tutto, e che, invero, anche occhi piú sani di quelli di zia Concetta avrebbero forse potuto cadere nell'inganno. Né la somiglianza delle due scritture si doveva a un'artificiosa imitazione di mia madre: infatti, se nelle prime righe ella si sforzava d'imitare i diletti caratteri di lui, ben presto, assunta nelle sue regioni illusorie, lasciava ogni artificio. E allora io non vorrei che qualcuno s'inducesse perciò a supporre un qualche intervento ultraterreno o invisibile. Dio vi guardi da simili fumi! ecco, per disingannarvi del tutto, degli altri autografi di mia madre, da me serbati: autografi, dico, di nessuna importanza, quali note di spese fatte, ricevute di pagamenti e perfino certi vecchi quaderni d'esercizi, del tempo ch'era fanciulla. Ebbene, anche in detti autografi la sua scrittura appare tanto simile a quella, un poco piú matura, di Edoardo, da poter quasi confondersi con essa, soprattutto allorché quest'ultima s'abbandona alla foga. Del resto, la somiglianza delle scritture non è troppo rara tra fratelli o congiunti d'un medesimo sangue: per cui, ritrovarla fra due cugini non è affatto un prodigio fuor della natura. Tal cosa potrà fornire argomento di studio ai grafologi e psicologi, non ai patiti della magía.

Mia madre, come sapete, era cresciuta piuttosto incolta, pur essendo figlia d'una maestra; per cui (non voglio nasconder nulla), l'Epistolario è sparso d'errori d'ortografia, di grammatica e di sintassi: tali che già al tempo ch'esso fu scritto la prima della classe Elisa non ne avrebbe ammesso di simili. Io temo proprio che Edoardo, piú letterato di sua cugina, avrebbe arricciato il naso vedendo la propria firma sotto simili spropositi. Allo stesso modo che, avvezzo a poetare fin dai suoi primi anni, egli rinnegherebbe con disdegno, io temo, lo stile di questi componimenti epistolari. Il quale non si può certo chiamare un bello stile: nei suoi momenti piú accesi, esso tocca tutt'al piú un'enfasi a buon mercato, imitata dai romanzi a dispense. Non si vergogna di mostrarsi maligno, dissoluto e perverso (non di rado argomenti crudeli, e perfino infami, vi son trattati con un tono che diremmo ingenuo se la parola non fosse fuor di luogo), e d'altra parte, invece, usa modi tortuosi e sibillini, quasi un linguaggio cifrato, per nominare cose di cui tutti usano pronunciare il nome apertamente: ad esempio, la morte. Si direbbe che per lo svergognato mandatario di queste lettere la morte sia la peggior vergogna.

Ed eccoci, infine, al punto di svelare qualcosa riguardo al contenuto delle lettere: il quale è di tal sorta ch'io sospetterei d'avere sotto gli occhi non i veri originali di quell'antica corrispondenza, ma delle grottesche falsificazioni, se non sapessi che un simile sospetto non ha alcun fondamento probabile.

Il fatto è che questi saggi epistolari non soltanto mancano di bellezza e di allegria, ma, in piú luoghi, sono espressione di bruttezza, malinconia, e tetra crudeltà. Essi paiono uno scherno e uno stravolgimento maligno e i loro argomenti sono, il piú delle volte, quasi un'amara, deforme contraffazione di tutto quanto fece sempre il piacere e la grazia degli amanti. Piuttosto che accordo e felicità, essi spirano quasi sempre martirio, mortificazione e castigo; ma soprattutto, vi ripeto, scherno, astruso scherno. Quali travisamenti o ludibrî pervertivano dunque le illusioni di mia madre durante le nostre veglie famose? Come poteva ella accogliere con tanto gaudio, e materna dolcezza, questi fantasmi contratti e snaturati? E la zia Concetta, e io, di quali beffardi spiriti eravamo schiave, per deliziarci di recitazioni cosí selvatiche e stolte allo stesso modo che se avessimo ascoltato un eccelso trovatore?

Qua e là, è vero (già lo accennai piú sopra), attraverso questa ingrata lettura un tenero appello risuona, o si dispiegano frasi adorabili, quali consolazioni vigilanti al letto d'un malato. Ma sono passaggi effimeri. Come se il languido volto della luna s'affacciasse appena (per nascondersi tosto impaurito), su una selva annuvolata e contorta.

Ecco quali son le altre, e non certo meno importanti, ragioni, che mi ritengono dal trascrivere qui i testi delle finte lettere. La lettura di simili pagine, certo, non darebbe gusto a nessuno. E di malavoglia io m'induco a tracciarne qui un'immagine succinta che basti a dimostrare la disgraziata vanità e l'eresia di questo ibrido intrigo.

Incomincerò con una interrogazione in accento di elegia: dov'è, in questo Epistolario, l'affascinante Pensiero del quale noi tre donne ci innamorammo, e dov'è, almeno, la cara, celebrata figura del cugino Edoardo quale tutti la conobbero in vita? Assai di rado essa si lascia intravvedere in queste lettere: e quando vi s'affaccia, ha la forma d'un'ombra piangente, e bisognosa di pietà. Poiché il finto cugino, mandatario delle lettere, si presume un convalescente sempre in viaggio, lo scrivente data i propri messaggi dalle piú famose e diverse città della terra, e descrive se stesso come uno sfavillante, fantastico viaggiatore. Ma invece, si direbbe quasi, a una approfondita lettura, ch'egli è un povero prigioniero impedito dal suo carceriere maligno a scrivere ai propri cari se non artificiosi messaggi; nei quali gli riesce tuttavia, a dispetto del carceriere, d'insinuare talvolta di sotterfugio una verace allusione inavvertita, quasi un'eco dei propri lamenti.

Come vi dicevo, quasi ogni lettera è datata da una città diversa, e per lo piú, nell'esordio, l'errante mandatario s'indugia a parlare del suo nuovo soggiorno. Una lettera per esempio incomincia: *Cara Cugina, ti scrivo da Parigi, la « Ville Lumière » dei folli carnevali, la Babilonia d'Occidente, sentina di tutti i vizi e vertice di tutti i trionfi mondani...*, e un'altra: *Anna! eccomi a Costantinopoli, regno delle Mille e una notte, nido opulento di favorite e di vizir...*, e una terza: *Oh, mia sposa, come descriverti questa metropoli indiana, tenebroso connubio di fasto e di degradazione...*, e via di seguito. Da detti esordi, avrete potuto già farvi un'idea dello stile di questo carteggio.

Tuttavia, se un tale stile conserva il proprio carattere goffo e comune durante tutto il resto della lettera, le precisazioni geografiche dell'esordio (tutte della razza di quelle su citate), valgono invece, a quanto sembra, soltanto come un fittizio avvio, un motivo convenzionale utile ad intonare la composizione stravagante. Nel seguito della lettera, infatti, le singole città descritte dal viaggiatore come suo presente soggiorno, si spogliano degli attributi particolari a ciascuna, famosi da secoli, e abusati, di cui, come d'un manto propiziatorio, si coprivano nell'esordio. E pur serbando i soliti nomi presi in prestito dall'Atlante, in realtà, cosí come ce le mostra il viaggiatore, non somigliano per nulla, non dico alle loro omonime, ma a nessuna città ritrovabile sulla sfera terrestre; e il finto viaggiatore svela, nel descriverle, una selvaggia ignoranza della storia e della geografia. Pur figurando, come s'è visto, su diverse, e magari opposte, latitudini, le sue città si rassomigliano tutte: sí da apparir quasi, infine, un'unica metropoli stesa per tutto il globo, voglio dire per quella parte del globo cui si dà il nome di *Estero*. È inutile soffermarsi sugli inverosimili particolari di questa oscura Babilonia. Basti dire che in essa il teatro, i fuochi e la gioielleria d'Oriente s'incontrano col macchinoso tumulto occidentale; a un aureo brulichio di terrazze merlate, di pinnacoli e di guglie s'alternano panorami di cemento e d'acciaio. E il medioevo germanico leva le sue tetre, mistiche architetture fra le grandi sabbie e i mari africani.

La folla sregolata che pullula fra queste mura si distingue, sembra, per una triste indolenza accoppiata a un'arida ferocia. E i pochissimi eletti (fra cui s'annovera lo scrivente in primo luogo), vi godono privilegi addirittura disumani, di contro all'innumerevole stirpe dei paria che esiste solo per adorarli.

La forma di governo ivi trionfante è certo (sebbene lo scrivente non precisi nulla in proposito), la monarchia assoluta. Vengon citati senza risparmio, infatti, imperatori, sultani, re e regine coi quali, a ciò che sembra, il viaggiatore è in grande confidenza, anzi familiarità. Purtroppo, non risulta dalle lettere che questi coronati amici del viaggiatore siano docili e gentili coi loro soggetti come lo sono con lui. Al contrario, le loro imprese, celebrate e vantate dal finto cugino, convertirebbero alla repubblica, se fossero documentate, anche i monarchici piú accaniti. Si direbbe che per il viaggiatore e per i suoi re il piú delizioso privilegio del potere sia la profanazione e l'ingiustizia, e l'onore di un sovrano si misuri col numero delle sue vittime. Or la cosa piú triste è che il finto viaggiatore, proclamato sposo di Anna, si vanta di partecipare a simili esercizi di sovranità dei suoi regali anfitrioni, e ciò, a sentirlo, non senza suo piacere e gloria.

A una malvagità cosí stolta il viaggiatore fantastico accoppia una civetteria, e una compiacenza di se stesso che sarebbe irritante pure in una cortigiana di mestiere nonché in un fortunoso giovane nobiluomo. Ora, noi non ignoriamo che nostro cugino Edoardo era un giovinetto piuttosto vanesio; ma la sua affettuosa vanità, non meno della sua delicata cattiveria somigliano ai corrispondenti attributi del fantastico viaggiatore nella stessa misura che un gattino appena svezzato, il cui sottile e trepido miagolio imita gli accordi d'una viola d'amore, somiglia a una ruggente tigre adulta, o ad una iena.

E a questo proposito, giova notare che, sebbene il finto cugino dichiari alla sua destinataria un amore iperbolico, in realtà la sua corrispondenza farebbe pensare ch'egli ama solo se stesso. E si ama in un modo che al suo confronto Narciso, morto per folle adorazione di sé, era un tiepido amante. Il povero Narciso, infatti, morí consunto dalla propria passione: il suo fu, infine, il dramma d'un amore infelice. Ma il nostro viaggiatore, invece, non si consuma, al contrario, si nutre della propria passione idolatra ed è ghiotto di questo suo cibo insolito in un modo cosí selvaggio e inverecondo che si arderebbe dalla voglia di mortificarlo, magari sfregiandolo nelle sue beltà, per esempio tagliandogli il naso; se non ci si ricordasse a tempo che, per fortuna, il nostro viaggiatore non esiste. È un fatto che re Salomone non volse alla regina di Saba neppure la decima parte dei complimenti che questo adoratore fanatico volge alla grazia sua propria. Egli contempla le proprie bellezze ad una ad una, poi nei loro reciproci accordi, poi nel loro insieme, poi nei loro singoli accordi coi vari colori dell'iride e con le eleganze della moda. E si perde in queste inesauribili contemplazioni come in un labirinto. In una lettera, egli confida di aver trascorso l'intera notte a piangere e a lamentarsi di solitudine, per essere capitato in una camera d'albergo priva di specchi.

Il peccaminoso gusto per argomenti cosiffatti è, nel caso del nostro mandatario, un segno di singolare malizia: giacché si capisce che la descrizione di tante bellezze erranti e inafferrabili dovesse rendere piú acerba l'attesa della destinataria. Osserviamo inoltre che, per cantare le proprie laudi, egli sa provvedersi d'uno stile, sebbene spudorato fino al disgusto, però eloquente e amoroso; mentre che, per dichiarare amore alla destinataria, il suo vocabolario, salvo qualche eccezione, è cosí dozzinale e stantío da sembrar copiato sul *Segretario galante*.

Infine, quali soddisfazioni, quali ricompense promette ad Anna, in cambio della sua dedizione, questo cicisbeo scomunicato? Ecco: sovente, egli le annuncia il proprio ritorno prossimo, e le descrive la lor futura casa nuziale. La quale, guardando a queste descrizioni, meriterebbe il nome di reggia. E si direbbe inventata dalla cupa malinconia germanica perché la gelosia meridionale vi elegga la propria dimora. Il finto cugino afferma ch'essa è costruita in luogo alto e inaccessibile; ma poi ce ne dà un quadro tale, che la nostra mente si raffigura piuttosto una magione sotterranea. La sua qualità precipua, vantata con vero accanimento dal cugino, è, a quanto pare, l'aver essa tutti i muri *chiusi*, e quindi nessuna uscita e nessuna comunicazione col di fuori. Si deve forse intendere che neppure le luci naturali del cielo hanno il diritto di penetrarvi: difatti, il cugino parla con gran pompa di fiaccole, di candelabri, di lampadari, e di tutti gli artifici delle tenebre, senza mai ricordare gli astri del giorno e della notte. Descrive gran numero di saloni, d'aule, di navate e di alcove e non fa cenno di nessun giardino, o altana o terrazza, di nessun luogo, insomma, posto sotto il cielo aperto. E mentre per tutte le sue stanze è grande sfolgorio di diamanti, di rubini e d'altre gemme e pietre egli bandisce da sé, o trascura, le piante, i fiori, e ogni altra bellezza germogliante alla luce. Anche gli animali sono assenti nel palazzo: ad eccezione dei cavalli, che il cugino accoglie in gran numero, e conosce per nome uno ad uno. Ma veramente, per quanto il padrone esalti le loro stalle principesche, e le loro magnifiche bardature, si ha compassione di questi eleganti corsieri, destinati a consumare i loro giorni innocenti dentro un palazzo murato.

Tale è l'abitazione dove, senza temer piú di fughe, separazioni, abbandoni e tradimenti, i due cugini amanti vivranno in solitudine e in clausura. Nessun parente o amico, ci è dato supporre, potrà visitare la loro casa. E si direbbe che, per gelosia, ciascuno dei due rinchiusi voglia esser l'unica persona amabile e bella su cui l'altro può posare gli occhi. Difatti, lo scrivente accenna agli altri abitanti della sua casa, e cioè famigli, servi, staffieri, come a personaggi truci, animaleschi, i cui nomi o nomignoli, citati qua e là nelle lettere, suonano degradazione e spregio, e non somigliano ad alcun appellativo umano.

Le lettere annunciano simile soggiorno come un premio, quasi che solo in un'abitazione cosiffatta l'invidioso amore conceda agli amanti trionfo e pace. Ma viene il sospetto che, in luogo di una sposa amata, il mandatario voglia una specie di sacerdotessa il cui solo còmpito sia di adorare le bellezze di lui sposo. E che, per attirare la propria vittima, egli usi fra i molti artifici la corruzione, sfoggiando gli ori, le gemme e gli altri splendori minerali dei quali Anna è tanto ghiotta. Questa parte della corrispondenza somiglia piú d'ogni altra a un gioco istrionico; ed esala una grottesca romanticheria, per nulla conforme ai gusti del vero Edoardo. Anche qui, vien fatto di chiedere: «dove sei tu, gentile cugino? Certo non può piacere a te, o giovane spensierato, la tenebrosa signoria che ti riserbano queste lettere. Forse, il palazzo di cui, secondo questi trionfanti messaggi, tu saresti il padrone, è in realtà il tuo carcere. E ci par quasi di scorgere, in fondo a quelle stanze murate, il tuo sembiante lagrimoso».

Dove sei, cugino? or ecco, mentre ripetevamo questa sconsolata domanda, si scopre, leggendo, una frase nella quale il Cugino, o Pensiero, innamorato è senza dubbi riconoscibile. Vi ho già detto che talora il tristo Epistolario ci riserba simili fortune. Ma in questi casi, la doppia ispirazione di Edoardo e d'Anna, commista in romantiche forme, suggerisce al mandatario dei modi cosí patetici. Cosí acuti e presenti sono i sospiri segnati su queste carte con un inchiostro sbiadito che la riverenza dovuta agli amanti ci invita a ritrarci con discrezione.

Basta: nel seguito del mio racconto dovrò soffermarmi di nuovo sul contenuto del carteggio. Per adesso, avanti di chiudere questo capitolo, basterà accennare alle bizzarre volontà del finto cugino, o viaggiatore incorporeó. Or con un linguaggio delicato, scrupoloso come quello d'un pio confessore che impartisce la penitenza a una giovinetta novizia; ed or con un piglio sfacciato e triviale, egli non esita a consigliare alla destinataria ogni sorta di dannazioni e di vergogne; e ciò con una curiosa semplicità, come se le azioni da lui consigliate non fossero colpe, ma doveri, o, addirittura, meriti. Ad esempio, egli esorta la cugina a finirla, a raggiungerlo, a rendersi tosto *sua pari*; come se ciò non significasse *morire* ma equivalesse a un travestimento o ad una commedia. Altrove, accusando i tormenti della gelosia per esser Anna una donna maritata, la consiglia a *liberarsi* dal marito. Ma, bisogna aggiungere, questo suggerimento criminoso appare di rado nelle lettere, e sempre in aspetto velato e subdolo, come se ad Anna mancasse il coraggio finanche di trascrivere simili dettami. Per quel che riguarda, poi, la gelosia del mandatario e la parte di Francesco nelle lettere, avremo presto occasione di riparlarne.

Piú spesso, invece, il finto cugino ordina ad Anna dei sacrifici crudeli e astrusi, non molto diversi da quelli che vengono compiuti per idolatria fra le tribú dei barbari: e infatti, solo una stolta barbarie può giungere a tanta fanciullaggine e odio di sé. Egli le ordina, per esempio, di ferirsi una palma, e di scrivere col proprio sangue i loro due nomi uniti; e poi di tener sempre celato in petto lo scritto, come usano le devote con *l'abitino* delle sante. Oppure, le impone di bruciarsi *con un ferro da ricci* il petto fra le due mammelle, cosí che non le sia piú concesso di mostrarsi troppo scollata. Ancora, le ordina digiuni, e lunghe adorazioni inginocchiata in terra, e spossanti pellegrinaggi ai luoghi dei loro amori: alla guisa d'una divinità vanesia e capricciosa.

Questi sacrifici, nell'espressa intenzione del cugino, valgono come prove d'amore, o come penitenza o riscatto di non so quali offese ch'egli lamenta da parte di lei. Non posso dire con certezza quanti di essi ne compí fedelmente, e quanti altri si apprestasse a compierne la barbara devota. Di uno, però, forse uno dei piú amari, so dire con certezza che fu compiuto: e di questo, d'altronde, l'effetto, se non l'intenzione, si manifestò allora agli occhi di tutti.

Capitolo quinto

Mia madre fa un peccato e un'offerta espiatoria.

Vi dissi già di quanto apparisse mutata mia madre dacché era incominciata la nostra assiduità presso Concetta. Ora, via via che si susseguivano le nostre visite al Palazzo, il suo mutamento si faceva piú profondo e visibile: e all'avvicinarsi dei mesi estivi, mia madre appariva quasi trasformata.

Non credo che in nessuna precedente epoca della sua vita ella fosse mai stata altrettanto bella. Il suo viso serbava adesso, giorno e notte, quella freschezza estrema che già lo attraversava per attimi durante le nostre prime veglie notturne. Il suo pallore si tingeva d'un lieve incarnato, e l'occhio, intorno all'iride grigia e lucente, si velava d'un vapore azzurro che dava ai suoi sguardi il color del cielo. I capelli attorcigliati sulla nuca in una lenta crocchia erano il nero, unico ornamento del suo collo candido e nudo, cosí nobile nella sua povertà. E il suo corpo grande, materno, aggiungeva a queste sue bellezze un sentimento di maturità e di languore, sí ch'ella risaltava, vicino alle ragazze, come una sovrana rispetto alle sue damigelle. Trasandata, senza belletti né cipria, ella splendeva piú delle signore eleganti e dipinte. E faceva venire in mente i colorati uccelli dei Tropici, i quali s'adornano, senza pensarci, della propria sontuosità naturale, respirandola nel clima fiammeggiante e pigro dei loro paesi.

Fu quello il solo tempo della mia vita che lo schivo mio cuore conobbe i piaceri della civetteria. Difatti, in istrada quasi tutti i passanti fissavano mia madre con ammirazione, molti si voltavano a riguardarla, e alcuni le volgevano, a voce alta o bisbigliando, parole invaghite. Lei, però, camminava, secondo il suo costume, tanto assorta in se medesima e noncurante, che d'esser guardata neppur s'avvedeva, e rispondeva alle lodi, le rare volte che vi porgeva ascolto, con un rigido e severo atteggiamento del capo. A me, invece, l'ammirazione da lei suscitata era motivo di grande e presuntuoso piacere. Proprio come una civetta, non perdevo neppure uno degli omaggi che la seguivano, e di ciascuno godevo come del primo. Fiera al pari del paggio che regge lo strascico alla sposa, o del ragazzo che, in testa alla processione, porta lo stendardo della santa, avrei voluto che tutte le compagne di scuola mi vedessero, e mi ritenevo una delle prime signore della città.

Anna aveva dunque aggiunto ai suoi molti prestigi il trionfo, per meglio avviluppare nelle sue reti la frivola Elisa.

Anche nell'indole, Anna appariva mutata non meno che nell'aspetto. L'antico suo dispregio e rancore verso gli altri pareva dissolversi, e spesso ella lasciava stupiti coloro che l'avevano conosciuta prima. Quale una distesa gelata, che il viaggiatore credeva un lago di ghiaccio; e che invece, alla stagione tiepida che discioglie le nevi, gli si rivela per una vallata profonda, verdeggiante, nel pieno d'una fioritura selvaggia a lui forestiero ignota.

Le maniere di mia madre, nei suoi radi e casuali rapporti col prossimo, s'eran fatte piú indulgenti, e quasi gioconde; fin la sua voce aveva un altro suono, palpitante, sensibile e un poco incrinato. V'eran dei momenti in cui mia madre sembrava ansiosa di perdonare a tutti le loro colpe, ed anche di comunicare con tutti, sebbene in un modo effimero, ché senza posa ella si perdeva a vagheggiare un suo privilegio occulto e indivisibile, un miracolo inaspettato della sua sorte. Quindi, pur con l'apparenza della simpatia, rimaneva, in realtà, sempre distratta e appartata. Simile ad un fanciullo ispirato, che, pur mescolandosi un poco agli studi, ai giochi degli altri, ogni momento è rubato ad essi dalle voci dei celesti araldi chini su di lui. Né, in luogo dell'antico odio, gli estranei potevano concederle amore o simpatia: soltanto una subdola, e vendicativa diffidenza.

Con me, però, ella non si celava! E quei giorni, che mi preparavano cosí grandi sventure, furono i piú felici della mia fanciullezza.

La realtà, infatti, oltrepassava i miei sogni piú temerari: Anna mi trattava ormai come un'amica, e non solo accettava i miei servigi, ma quasi mi chiedeva protezione, spogliandosi per me d'ogni pudore e d'ogni segretezza. Mostrava nei miei riguardi la massima indulgenza, ridendo con leggerezza di certi miei falli puerili che in altri tempi l'avrebbero resa furiosa. E arrivava fino a scherzare con me, assumendo delle arie di fanciulla che mai prima avrei potuto aspettarmi da lei.

Per esempio, notando a un tratto, mentre mi si confidava, l'espressione intenta e piena di sussiego ch'io prendevo nell'ascoltarla, usciva in una risata allegra, e tirandomi per le due trecce mi faceva dondolare un poco avanti e indietro. Oppure avveniva, cosa inaudita! che, in compagnia d'estranei, mi sogguardasse con occhi furbeschi e languenti, come per un richiamo lusinghevole a ciò che sapevamo noi due sole.

Verso mio padre, ella mostrava un altero distacco, e quasi dell'ironia, ma non piú l'odio di poche settimane avanti: egli era, tuttavia, la sola persona che ancora ritrovasse in lei la nota asprezza. Ma piano piano, come un'ultima ombra fredda che svanisce allorché il sole tocca il culmine, tale asprezza s'andò attenuando in una specie di distratta indulgenza. In realtà, io credo, Anna somigliava a un grande ambizioso, il quale, giunto ai massimi onori, non pone piú mente a certe sue povere inimicizie di ragazzo. Ella risparmiava il suo nemico per un sentimento non di carità, ma di gloria. Certa del proprio bene, non curava nessun'altra cosa, e confidava che, là dov'essa aveva il proprio aereo tesoro, nessuno piú potesse raggiungerla né farle male. Per questo, non fuggiva piú mio padre come una volta, e appariva, quand'egli era presente, meno severa e scontrosa. Nelle piccole questioni familiari, si mostrava piú arrendevole; e, pur mantenendosi alquanto taciturna con lui, non poteva tuttavia, nel volgergli il piú casuale discorso, soffocare quelle nuove, dolci modulazioni della voce, che parevan dare ad ogni parola da lei pronunciata un senso di lusinga. Allo stesso modo, la carezzevole voluttà che la accompagnava in ogni suo atto la faceva sembrare, suo malgrado, sempre gentile.

Al veder ch'ella non lo odiava piú, mio padre parve ringiovanito; ma non era difficile d'indovinare quali tormenti gli causava la speranza. Egli non trovava riposo, e spesso, rinchiusosi nel salotto, come soleva, per dormire un poco durante il giorno, dieci minuti dopo ritornava fra noi nella cucina. Offriva a mia madre ogni sorta di umili servigi, aveva delle turbolente, animalesche allegrezze, e, cosa insolita, mi abbracciava stretta, lasciando la mia guancia irritata dai suoi baci. D'altro canto, cercava di sfuggire, e di sottrarsi; e come chi teme, se si mostra indiscreto, di perdere i favori d'un potente, nelle ore libere adduceva questo o quel pretesto per assentarsi da casa. Erano, per lo piú, dei pretesti poco convincenti; e nel dirli, prima d'accingersi a uscire, egli guardava sua moglie, quasi illuso ch'ella potesse invitarlo a non affannarsi per motivi cosí futili, e a restare con noi. Ma lei non l'aveva forse neppur udito e non diceva nulla: onde egli usciva nel gran caldo per ritornare troppo presto, tutto in sudore, con la finta spavalderia d'un ragazzetto che vuol mostrarsi indipendente, ma appena, poi, si allontana un poco dalla madre, non sa che uso fare della propria libertà.

Non imprecava piú contro la gravezza del lavoro sui *postali*, e talora si perdeva a discorrere del futuro, enunciando propositi grandiosi quanto inverosimili. A quel che sembra, egli non voleva perdere l'occasione di profondere la sua magniloquenza e le sue stolide manie di grandezza. Mia madre, forse, non lo ascoltava nemmeno, o, in ogni caso, non si curava di rispondergli: sul viso di lei non si scorgeva nessun altro segno se non un sorriso ambiguo, fra l'indifferenza e lo stupore, simile al sorriso d'una morta.

Venne il giugno, che fu caldo, quell'anno, come una piena estate, con l'unico ristoro dei temporali portati dallo scirocco. Incurante dei tristi doveri quotidiani che, senza affetto, s'era imposta dopo il matrimonio, mia madre si abbandonò del tutto all'indolenza nativa. Alla mattina, adesso, lagnandosi che il caldo la spossava, ella indugiava a lungo nel letto: sí che, secondo i miei voti, toccava a me di servirla e di sbrigare, avanti di recarmi a scuola, le prime faccende quotidiane. Avevo imparato anche ad accendere il fuoco, finalmente, e, con quest'ultima vittoria, le mie filiali ambizioni furono esaudite. Al suono mattutino della sveglia (ch'io stessa, da qualche tempo, caricavo ogni sera), balzavo fuor dal letto con una sorta d'orgasmo, timorosa, se indugiavo appena un minuto, di cedere all'indolenza e al sonno. E in verità sentivo non poca voglia di cedere, ma l'esser costretta ad un sacrificio aumentava il mio grande onore e la mia presunzione. Fino il non ricever mai, per tanto zelo, nessun elogio da mia madre, m'accendeva di gratitudine: sembrandomi ch'ella, cosí tacendo, riconoscesse il mio diritto d'esser sua serva.

Allorché, alzandomi, io la esortavo a riposare ancora, a non darsi pensiero di niente, nella mia voce premurosa risuonava, io credo, un'eco di boria. D'altronde, simili esortazioni eran superflue, o meglio, utili solo alla mia vanità: Anna infatti si lasciava servire naturalmente, come s'io fossi sua madre, e lei la mia bambina viziata.

Si accontentava solo di domandarmi, con voce neghittosa, se avessi terminato i còmpiti di scuola. A dire il vero, in quei giorni io trascuravo alquanto lo studio, e certo dovetti solo all'antico mio prestigio, o alla pochezza delle mie concorrenti, se mantenni in classe il primato fino alla chiusura del corso; ma tuttavia rispondevo a mia madre d'aver eseguito scrupolosamente ogni mio dovere. Né lei badava troppo alla mia risposta: lisciava, sbadigliando, la fresca tela del cuscino con la guancia accaldata, e richiudeva le palpebre. Uscivo ch'ella ancor sonnecchiava nel letto: e mi doleva di lasciarla. Ma verso la metà di giugno, secondo il solito, le scuole si chiusero per le vacanze d'estate, e io potei dedicarmi tutta a lei.

Ella pareva ormai non aver nessun interesse, né forza, né volontà, se non per la sua passione segreta. Non si occupava piú delle faccende, e non le importava nulla che la polvere e il sudiciume invadessero le stanze; quanto a me, sebbene mi sforzassi di sostituirla, ero troppo inesperta, e debole e inetta, cosí che in casa regnava il peggior disordine. La sola persona, tuttavia, che avrebbe potuto ribellarsi, voglio dire mio padre, non accusava nessun disagio: egli non badava ad altro che a meritare la strana benevolenza di mia madre, a trepidare ad ogni suo mutamento d'umore, e a sperare nella felicità.

Fra le mie nuove incombenze, toccava a me, adesso, di uscire per le spese domestiche. Un giorno, mentre, con la mia grossa sporta appesa al braccio, mi affaccendavo dall'una all'altra bottega, feci un incontro inaspettato: m'incontrai, cioè, con Rosaria. Fu lei che mi riconobbe da lontano, mi chiamò e mi rincorse: era, secondo il solito, sgargiante, imbellettata, e risonante d'ori. Mi parve diventata piú grassa e imponente: sudava per la corsa e aveva le nude, lentigginose braccia arrossate qua e là dal sole estivo.

A quell'apparizione, io mi feci di fuoco, ma piuttosto per la sorpresa che per il piacere. Difatti, da quando il mio vero e grande amore aveva raggiunto la beatitudine perfetta, io non avevo piú neppure pensato a Rosaria, e anzi al vederla, adesso, mi domandavo come avessi potuto provare un cosí forte affetto per lei. Di piú, le ultime visite fattele in compagnia di mio padre m'avevan riempito d'amarezza, ed io gliene serbavo rancore. Ella, tuttavia, pareva non tener conto, anzi non avere neppur coscienza delle gravi offese da me subite: al contrario, si comportava in una maniera espansiva, pomposa e condiscendente, come se non dubitasse d'avere innanzi a sé una sua grande amica, pronta a mentire e a dannarsi l'anima per renderle servigio. Di certo, ella rimase convinta che il rossore della mia faccia al vederla fosse di commozione e di allegrezza.

L'averla incontrata dalle nostre parti non era un caso straordinario come a me sembrava: ella, infatti, non osando mettere in opera la sua minaccia di cercare mio padre all'ufficio o a casa, e non osando neppure avvicinarsi troppo a tali vietate dimore, andava aggirandosi, da alcuni giorni, là dove si poteva sperare ch'egli passasse. La fortuna, invece, le aveva soltanto concesso d'incontrarsi con la mia persona; e decisa a valersi, bene o male, di questo incontro, commossa e impaziente ella mi propose di sederci insieme alla latteria, per mangiare le paste e sorbire il gelato al cioccolatte. Ma io, superba in cuore dei grandi còmpiti cui sacrificavo senza rimpianto certe frivolezze, rifiutai l'invito, spiegando che mia madre m'aspettava con le spese per il desinare. Allora, ella mi spinse in un angolo della via riparato dal sole, e con irruenza mi domandò notizie di mio padre.

Io non le risposi null'altro se non ch'egli viaggiava sempre sui *postali* e nelle ore libere usciva quasi sempre solo senza dirci dove andasse. A queste notizie, lei mi afferrò una spalla, e stringendomela forte s'informò s'egli lasciasse supporre d'avere qualche altra signora, qualche amica; ma io, tentando di liberare la mia spalla, risposi che non sapevo niente di ciò, non sapevo niente di niente.

– Ecco! – ella esclamò piena di corruccio, – da te non si può avere nessuna soddisfazione! – E poi mi raccontò che da piú d'un mese mio padre non s'era fatto vivo con lei, pur avendole promesso di ritornare. Ed ella, sebbene conoscesse ch'era un uomo senza onore, continuava ad aspettarlo ogni domenica, ed anzi solo per lui si tratteneva ancora nella nostra città. Dalla Capitale, tutti la sollecitavano: anzitutto la sua amica, che insisteva per riavere il proprio appartamento di qui, a lei ceduto in prestito, e poi tutti i suoi conoscenti. E lei seguitava ad inventare ogni sorta di scuse, tanto che un suo amico, un vero signore, e una persona ammodo, il quale valeva per mille impiegatucci come mio padre e la amava alla follia: un milionario!, s'era disgustato e non voleva piú saperne di lei. Ecco quanto le costava l'amore per mio padre! Tutto ciò, mio padre doveva saperlo; ella mi ingiungeva di raccontargli tutto (badando bene che non sentisse mia madre), e di avvertirlo, in piú, che si ingannava se credeva di finirla cosí... che lei, Rosaria, non meritava e non sopportava simili affronti... E qui Rosaria prese a singhiozzare mordendo dei lunghi guanti di trina che stringeva nel pugno.

S'io ricordo qui la sostanza del suo discorso, tralascio le contumelie e le minacce infernali ch'ella aggiunse all'indirizzo di mio padre, raccomandandomi di riferirgli tutto, ogni parola. Accennò pure alla questione del debito, ch'egli non le aveva pagato, e m'incaricò di dirgli che se non altro per quest'obbligo d'onore avrebbe dovuto presentarsi a lei; ma subito si spaventò d'aver parlato in tal modo, e mi raccomandò di non tener conto di questa sua parola, di non farne cenno a mio padre, di ripetergli, sí, tutto ciò che lei m'aveva detto, ma di non fiatare sul debito... Cosí ciarlando turbinosamente, ella non cessava di stracciare i suoi guanti coi morsi, e di piangere e singhiozzare, senza occuparsi affatto dei passanti che si voltavano allo spettacolo.

Piena di vergogna, io diventavo ogni minuto piú impaziente di accomiatarmi, e infine le sussurrai: – Bene, adesso... addio... devo andare. – Eh, quanta fretta! – ella esclamò gettando lampi dagli occhi, – la gran signora di tua madre non morirà mica se mangerà il suo pranzo due minuti piú tardi!

Questo discorso finí di rendermela odiosa. Ella poi non voleva lasciarmi s'io non le giuravo di riferire a mio padre ogni cosa nel preciso modo che lei me l'aveva detta. Ma io le feci osservare che giurare non è permesso, un giuramento, pur se veritiero, è un peccato secondo la legge cristiana. Ed ella mi guardò con ammirazione, al sentirsi fare la lezione da me.

Cosí mi lasciò andare, ed io, poi, non trasmisi affatto a mio padre il suo messaggio, e gli tacqui perfino d'averla incontrata. S'io tacqui, fu certo per timidezza di fronte a mio padre, ed anche perché mi ripugnava ormai d'aver parte in segreti che mia madre non doveva conoscere. Ma il motivo principale del mio silenzio fu ch'io volevo far dispetto a Rosaria, e vendicarmi dei dispiaceri avuti in altri tempi da lei. Dimostrare, soprattutto, che, non amandola piú, ero libera di disubbidirle, e non ero una schiava ai suoi comandi.

Mi figuravo, cosí, che fra me e Rosaria tutto fosse finito. E avrei certo creduto a una favola se m'avessero detto che, non molto tempo dopo l'incontro di quel giorno, la sorte doveva riunirci ancora una volta insieme per non separarci mai piú.

La grande luce del giorno annoiava mia madre e la indeboliva al punto ch'ella pareva caduta in una specie di continuo, leggero malore. Passava intere giornate mezzo svestita sul suo letto disfatto, quasi sorridendo nella sonnolenza, con gli occhi aperti e umidi. La piú piccola fatica le dava disgusto, eppure ella si levava e usciva qualche volta, anche nelle ore torride, non soltanto per le visite alla zia, ma apparentemente senza scopo alcuno. Ciò avveniva una o due volte alla settimana: talvolta io l'accompagnavo ed ella mi conduceva a certi squallidi e vecchi quartieri, ancor piú poveri del nostro, e nei quali, in verità, io non vedevo nulla che mi attraesse. Ma ella, invece, pareva ricevere un turbamento quasi religioso dal loro sordido aspetto, e non era difficile indovinare che cercava laggiú delle immagini defunte. Altre volte, usciva da sola, e al suo ritorno, io capivo ch'era stata ancora laggiú, vedendo le sue scarpe e vestiti coperti di polvere, i suoi pomelli infocati, gli occhi febbrili, e la sua nervosa malinconia. Accadeva in simili occasioni che agitata, collerica, piangesse o mi maltrattasse per un nonnulla. Ma dopo queste crisi, diventava piú stanca e piú dolce di quanto non fosse mai stata, misericordiosa come una santa, e mi pregava di starle accosto, di tergerle il sudore, col tono di chi vuol farsi perdonare un'offesa. Invero, nessuna offesa poteva venirmi da lei: perfino la sua brutalità m'era cara, perché ad essa tornava il merito della sua cortese pietà.

Salvo che nei giorni suddetti, mia madre evitava d'uscir di casa, e trascinava le ore nell'ozio sospirando il ritorno della sera. Col buio, una vita violenta entrava in lei. Si sarebbe detto ch'ella personificava una forza intensa, a cui, come fiamme, si tendevano dalla penombra tutte le cose; ma nel tempo stesso si aveva il senso che, al pari d'una fragile corda vibrante, ella potesse spezzarsi ad ogni minuto. Diventava irrequieta, avventata, facile alle risa e al pianto; i suoi capelli, allorché si pettinava avanti di coricarsi, crepitavano sotto il pettine, dando un piccolo e fatuo sfavillio.

Quanto a me, stanca delle mie giornate laboriose, m'ero appena coricata che già cadevo in un sonno profondo, in cui giacevo immersa, quasi sempre fino al mattino. Sí che mia madre, in quelle notti, trascorreva senza compagna le affascinanti sue veglie. Talora, avvertivo l'attimo preciso ch'ella si levava dal letto, ma solo come un evento remoto, irreale, subito confuso nel sonno. Altre volte, afferravo in un dormiveglia i suoi dolci lamenti e le sue voci enfatiche: si aggirava per le stanze, nel buio o nella burrascosa luna del solstizio, come una sonnambula, cercando inquieta Edoardo. Ovvero, sporgendosi dal davanzale sull'umida e deserta tenebra di fuori, mormorava dei richiami, e delle strane promesse di lussuria, che suonavano per me misteriose al pari di vaticinî.

Una notte, fui ridestata del tutto da un pianto doloroso e acuto. Ebbi spavento perché, dal giorno che la nostra fantastica illusione era cominciata, non avevo piú udito la voce di mia madre esprimere un simile dolore. Mi accorsi subito ch'ella non era nel letto, ma non riuscii da principio a scorgerla, per via che d'estate, dormendo con la finestra aperta, non accendevamo il lucignolo che avrebbe attirato gli insetti notturni; e dal cielo illune scendeva nella camera appena un debole riflesso. Pur senza vederla, intesi subito tuttavia ch'ella era in preda alle solite immaginazioni della sua insania, e che nel pianto invocava il nome del cugino, lo accusava di tormentarla e gli chiedeva pietà. Piú volte la udii ripetere: – Io credo in te! credo in te! credo che tu puoi tutto ciò che vuole il tuo capriccio! – con l'accanimento disperato di una suora, che, tentata da dubbi nella sua cella, trascorra la notte in penitenza a pregare. E dopo un poco, volgendo gli occhi per la camera, scorsi in un angolo la bianca macchia della sua camicia da notte, e, senza vederla in viso, mi accorsi ch'ella stava in ginocchio e a mani giunte come per un'orazione cristiana.

Le parole ch'ella andava dicendo, e la folle volontà che suonava nella sua voce, ridestarono in me degli antichi, superstiziosi terrori; al punto ch'io non osai chiamarla, né muovermi, né quasi far udire il mio respiro. Ella accusava il suo diletto, perché, dopo aver avuto da lei tante prove di fede, non si manifestava ancora, e non le svelava la propria figura, finendo questa lunga attesa ch'ella non sopportava piú. E poi, con accenti da strega, lo chiamava e lo richiamava per nome. Temeva egli forse, gli domandava ridendo, temeva egli forse di farle paura? Ah, che idee strane! in verità, la faceva ridere come una pazza il pensiero che *lui* potesse temere d'impaurirla. Ecco, ella era qui, lo aspettava: ch'egli si mostrasse, si mostrasse almeno per un minuto, magari sotto un aspetto fantastico, incorporeo, come un'allucinazione della vista! E se non voleva mostrarsi, le usasse la carità, allora, di toglierle il giusto uso dei sensi, cosí che i suoi propri nervi, e gli occhi e l'udito si facesser gioco di lei, suscitandole apparizioni menzognere. Ella voleva esser l'ingannatrice di se stessa; e lusingarsi e innamorarsi d'una finzione, vaneggiando dietro le invenzioni della sua propria mente! Sí, voleva credere al non vero ed esser cieca alla realtà che le era insopportabile nel suo squallore da quando lui l'aveva esaltata con la sua promessa! Fra simili insane preghiere mia madre rimaneva ferma nella stessa posa in cui l'avevo scorta al primo momento, con le mani giunte, e in ginocchio; e quantunque non distinguessi bene il suo viso, indovinavo ch'ella fissava l'oscurità come se per opera del suo sguardo la sostanza delle tenebre potesse comporsi nella figura del Cugino.

Allora, per la prima volta dopo molti giorni, costui parve alla mia mente non già il familiare, luminoso Pensiero del quale m'ero innamorata; ma una sorta di folletto ibrido e maligno, che si faceva gioco delle nostre esistenze, e che, apparendomi nella nostra camera, mi avrebbe empito d'orrore.

Ma nessun segno apparve nell'oscurità, e neppure il piú lieve rumore turbò la calma afosa della notte; io mi feci coraggio e chiamai pian piano mia madre. Ella sussultò, forse inconsapevole ch'io l'avevo fin qui veduta e ascoltata; e, come se l'incanto fosse stato rotto dalla mia voce, ubbidiente al mio richiamo si avvicinò al letto. Il suo pianto si fece tuttavia piú forte, e, rannicchiandosi, come soleva, sul pavimento, presso la sponda, ella incominciò a confidarmi le sue pene. Mi disse che la voce incessante di lui la perseguitava, bisbigliandole nell'orecchio i loro ricordi piú felici, e carezzandola con promesse cosí

606

incantevoli ch'ella non poteva piú sopportare l'attesa. Che, per ubbidire agli ordini del Cugino, ella era tornata a pellegrinare nei luoghi dei loro antichi convegni; e in certi momenti le era parso di veder balenare qua e là a un crocicchio, o dietro le vetrate di una caffetteria, la figura del giovinetto; ma un istante dopo, s'era accorta d'aver avuto una semplice illusione, prodotta da un gioco d'ombre nel sole, o da un riflesso nel vetro. Eppure il miraggio aveva potuto illuderla tanto che gli era corsa incontro, avvertendo già quasi, nelle mani, la freschezza della tela di lino che il giovane usava per gli abiti d'estate; e, nella bocca, il sentore particolare delle labbra di lui, della sua gota ancora imberbe, delicata e tiepida. Cosiffatti miraggi e sentori e voci erano la sua peggiore condanna: giacché, nel momento stesso che il cugino si rappresentava a lei come una cosa viva e prossima, si negava; e nulla concedeva di sé che non fosse inafferrabile e fatuo, quanto un soffio. Ciò la gettava nell'impazienza e nei dubbi piú meschini: eppure, ella non ignorava che solo una cosa, e cioè la diversità presente delle loro due persone, la separava ancora da Edoardo. Ciò ch'ella doveva odiare, era il suo proprio corpo, giacché era questo il muro che le impediva di vedere e di toccare il cugino; e basterebbe distruggere questo solo ostacolo per unirsi a lui. In verità, ella odiava il proprio corpo ed era spesso tentata, come le suggeriva il suo angelo, di liberarsene con le proprie mani; ma era una vigliacca, le mancava la forza al momento della decisione. Perché dunque lui non le veniva in aiuto? perché non la liberava infliggendole magari i peggiori strazi? Qualsiasi strazio inflittole da lui le sarebbe piaciuto... Cosí detto mia madre si raccolse il volto fra le mani ed esclamò: – Edoardo! fa' di me quel che tu vuoi, fa' di me quel che tu vuoi, – ridendo flebilmente, come una bambina assopita che una sua compagna vellichi con una piuma.

All'udire tali discorsi, io piansi, intendendo ch'ella chiedeva al cugino di farla morire. E parlando in quel tono saggio e ragionevole che negli ultimi tempi usavo talora con lei, tentai dissuaderla da una voglia cosí funesta. Ammisi anzitutto che, sí, non avendo fede nel Signore, ella potesse anche esser contenta di morire prima del termine stabilito. Ma non pensava che, morendo, avrebbe lasciato me sola nella sventura? e come avrebbe potuto, dunque, esser felice insieme al Cugino, sapendo che la sua felicità era causa del mio dolore? Certo, la visione della mia faccia lagrimosa avrebbe guastato la sua gaiezza. Perfino Lazzaro in Paradiso era addolorato vedendo le sofferenze del ricco Epulone, che pure lo aveva trattato in vita con disprezzo e crudeltà. E dunque, avrebbe lei potuto assistere al tormento di una che l'aveva amata e sempre continuerebbe ad amarla? Invece, io la supplicavo di sopportare la vita per amor mio, fino al giorno ch'io pure fossi vecchia e in età di morire: cosí potremmo spegnerci ambedue nello stesso giorno, e poi, tutti e tre uniti, io, lei e il Cugino, trascorrere l'eternità sempre insieme e in gran festa.

Credevo d'avere usato degli argomenti giusti e persuasivi; tanto piú terribile, perciò, mi suonò all'orecchio la perversa risata con cui mia madre interruppe il mio discorso. Ella rise cosí per qualche secondo, poi disse: – Ah, vicino a me e a lui non c'è posto per te, povera Elisa! – e ripeté – povera Elisa, povera Elisa, – in accento schernitore, seguitando a ridere con un gusto che pareva echeggiare una intesa malvagia. Come se là accanto a lei fosse presente anche il cugino, e insieme si divertissero a ridere di me.

Veramente mai, neppure al tempo della sua peggior cattiveria, avevo ricevuto da mia madre una risposta cosí crudele.

Due o tre giorni dopo la scena descritta, avvenne che, al termine di una delle nostre visite al Palazzo, la cameriera (istruita certo da Augusta), consigliò mia madre di aspettare almeno un paio di settimane prima di ritornare per un'altra visita. Infatti, certi parenti di don Ruggero, residenti al Nord, dovevan passare per la nostra città recandosi a un loro feudo, e avevano annunciata l'intenzione di fermarsi una diecina di giorni a palazzo Cerentano. Si aspettava il loro arrivo da un'ora all'altra, e poiché la loro presenza causerebbe un insolito movimento nella casa, e donna Concetta sarebbe assiduamente circondata da quella premurosa parentela, sembrava opportuno che mia madre interrompesse le sue visite fino a dopo la partenza di coloro. Certo anche mia madre capirebbe tale opportunità e scuserebbe l'avvertimento... E la cameriera suggerí essa stessa a mia madre una data conveniente, in cui potremmo, senza imbarazzo, ripresentarci alla casa della zia.

L'interruzione all'amata abitudine turbò l'umore di mia madre e accrebbe il disordine della sua mente. Difatti, le frequenti visite a zia Concetta eran l'unico avvenimento delle sue giornate oziose, anzi l'unica norma della sua presente vita. Ella non aveva altra società che zia Concetta. E solo vicino alla madre di Edoardo poteva illudersi d'accostarsi un poco alla presenza carnale di lui.

Si era in luglio, l'aria nella città era polverosa e soffocante, ma mia madre non soffriva piú del gran caldo come al principio dell'estate. Guarita dell'inerzia che la spossava durante le lunghe ore di luce, parve a un tratto, come le piante dei climi aridi, attingere nell'aridità la propria esuberanza, la propria forma irregolare e fantastica. Divenne preda a una costante animazione, che non si volgeva ad alcuna attività proficua (ella, anzi, ancor piú di prima, trascurava ogni suo dovere e viveva nell'ozio), e destava in chi la vedesse un sentimento quasi doloroso. Tutti conoscono l'affetto mescolato di pietà che si prova dinanzi al fervore eccessivo di certi fanciulli, soli e disarmati nel freddo regno degli adulti.

Mia madre parve sopraffatta da una ricchezza troppo grande, che non trovava oggetti su cui prodigarsi. Mi accadeva di vederla, lei che un tempo mostrava sdegno e ripugnanza per gli animali, accarezzare la criniera d'un cavallo, o il dorso d'un sonnolento asinello aggiogato; o fissare le pupille attente e commosse nei patetici occhi d'un cane; o ridere al guardare una ingorda capretta che brucava l'erba; o godere di lisciare lungamente la testolina d'un gatto sdraiato al sole, accostando la guancia alla pelliccia vellutata di lui.

Talora, vinta d'un tratto da una sorta di frenesia festosa, immergeva il viso nelle proprie vesti, come per celarlo, e incominciava a ridere. Ovvero, stranamente si baciava le sue proprie braccia, e si accarezzava i capelli; ma simili stranezze preludevano sovente a inaspettati mutamenti d'umore, a rabbie, a violenze, e a lagrime estenuate.

Lei cosí avara, un tempo, dei propri affetti, mostrava una emotività singolare e sproporzionata alle cause: la volgare musica d'un organetto, fermatosi sotto le finestre, la turbava al pari d'un coro meraviglioso; si commuoveva al sottile odore selvatico dei papaveri ch'io raccoglievo per lei sulla montagna di cocci (mentr'io ricordavo che, un tempo, ella lasciava morire per incuria fino le rose). Ed echi lontani, voci delicate o festanti, aromi campestri portati dal vento estivo, mille sentori e suoni ch'io non avvertivo neppure, le davano una sorta di stupore carezzevole, che tardava a dileguarsi: mentre che il suono d'un campanello, lo sbatter d'un uscio, o una voce concitata, la impaurivano, come s'ella fosse sempre in attesa di chi sa quale arcano intervento nella sua sorte.

Talvolta, improvvisamente mutava di colore e mi diceva: – Elisa! che è questo? non hai sentito chiamare dabbasso? – oppure: – non odi un passo sulla scala? – e sebbene io le dicessi che non s'udiva nulla, mi faceva nervosamente segno di tacere, e rimaneva in ascolto.

Il vizio dell'iracondia si riaccese in lei piú forte, e un nulla la irritava, soprattutto contro mio padre. Ma ella non sapeva piú tenere il contegno vendicativo e umiliante del quale un tempo era stata maestra; e simile a certe deboli ragazzette che presumono troppo di sé, allo scoppiar d'un litigio ben presto si lasciava sopraffare dal pianto. A questi pianti, si abbandonava con una sorta di violento gusto, come

se, appartata da noi, si consolasse fra le braccia d'un suo amico segreto, il solo che poteva intenderla.

Una compiacenza misteriosa apparve in ogni sua movenza, come se
uno, invisibile a noi, fosse sempre là a sussurrarle nell'orecchio le
lodi delle sue bellezze, e lei, costretta a tacere, per divieto, questo
suo romanzo incantevole, godesse di lasciare, almeno, indovinare la
sua gloria.

Ogni suo gesto era un subdolo tradimento dei suoi segreti, e alludeva a chi sa quali peccati o trionfi. Ma, sebbene tanto compiaciuta di
sé, ella diventò nell'aspetto sempre piú trasandata. Interrotte le visite
al Palazzo, rimaneva spesso in casa durante l'intero giorno, e non si
curava di vestirsi né di pettinarsi. Alla mattina, s'infilava al posto
della camicia da notte una semplice sottoveste, o la vestaglia di cotone
leggero, e fino all'ora di dormire s'aggirava discinta, coi capelli scomposti come al momento che s'era levata dal letto, i piedi nudi nelle
ciabattelle consunte. Il suo fosco, ombroso pudore dinanzi a mio padre, parve d'improvviso caduto, ed ella non ebbe piú alcun ritegno di
spogliarsi e di acconciarsi in presenza di lui, ma anzi ostentava in questi
atti una noncuranza provocatrice, e un languore maligno, quasi un
piacere della spudoratezza. In verità, fin da piccolina io m'ero avvezzata a vederla spogliarsi con libera semplicità e senza vergogna quando
eravamo sole noi due; ma tale materna costumanza, che a me pareva
naturale ed eterna, non rassomigliava in nulla a questo suo nuovo comportamento. Allora, come già vi dissi, ella usava comportarsi innanzi
a me con la medesima placidità distratta che se fosse stata sola, e non
si nascondeva alla mia innocenza come non ci si nasconde agli occhi
degli innocenti animali; a me il suo corpo appariva casto e venerabile
come una statua consacrata né avrei potuto mai rassomigliarlo a quello
delle altre donne.

Adesso, invece, mentre ad usci spalancati, in camera, si toglieva
l'abito e si sganciava il busto; o, seduta mezzo nuda sul divano del
salotto, si infilava le calze quasi indugiando, aveva, pur senza guardarci, nelle sue pupille scure un'espressione accesa e sfrontata con
cui sembrava rinnegare il suo sposalizio, la sua maternità, e avere a
scherno la nostra devozione. Ostentava sovente le sue bianchissime
spalle, e il petto mezzo scoperto, con l'aria di dire a mio padre: « Vedi
quanto son bella. E sono amata. E ti odio ». E spesso prorompeva
senza ragione in risate morbide e squillanti in cui mi pareva di riudire,
esclamate in mille toni, le parole: « Povera Elisa! Povera Elisa! Povera Elisa ».

Dimentica del rispetto dovuto a se stessa e al proprio orgoglio,

610

sembrava gustare una sorta di gioia torbida nell'impartire ordini a mio padre, come a un servo, e nel vederlo ubbidire. Egli le ubbidiva sempre. Una sera, al ritorno da uno dei nostri soliti assurdi vagabondaggi, trovammo mio padre già in casa; e lei, tutta accaldata, ansante, appoggiandosi col gomito al ripiano della credenza, gli si rivolse con una voce ilare e volgare che non pareva la sua, comandandogli di slacciarle le scarpe. Egli si dispose subito a ubbidirle, chinandosi ai suoi piedi; quando d'un tratto, chi sa perché, la vista di lui destò in mia madre un riso prolungato, folle, ch'ella fu incapace di calmare sebbene si lagnasse di provarne un acuto dolore al petto: e che rassomigliava non tanto a uno sfogo di gaiezza, quanto a una crisi nervosa. Cosí ridendo e lagnandosi nel tempo stesso, come in preda a una sofferenza, mia madre si abbatté a sedere col capo riverso, scuotendosi tanto che le forcine le caddero dalla crocchia; intanto ella si brancicava la camicetta e tentava di liberarsi dal busto che la opprimeva. E come mio padre ed io venimmo in suo soccorso, poggiò sulla spalliera della sedia il volto chiazzato di rossore, dalla bocca ilare, sogguardandoci con occhiate oblique e sonnolente. Ogni tanto, si volgeva trasognata alla mia voce febbrile, che la supplicava di tornare in sé. Io temevo infatti, inspiegabilmente, che quella risata la uccidesse gettandola nell'inferno, come un peccato mortale; e non riconoscevo piú la mia bella signora in quella donna sguaiata e pazza.

Fra simili disordini eran trascorsi i primi giorni di luglio; e giunse la prima domenica di questo mese. Mia madre ed io passammo la giornata in casa; mio padre, invece, dopo aver dormito qualche ora, uscí, solo, sul tardo pomeriggio. Durante il giorno, il caldo era stato insopportabile; ma verso il tramonto, un vento leggero portò un poco di refrigerio. Mia madre mi ordinò di spalancare tutte le finestre e gli usci e si sedette presso la finestra della nostra camera, in una posa tranquilla, godendo i soffi del ponente. Perché soffrisse meno il caldo, io le avevo rialzato intorno alla testa, in un'alta corona di trecce, i capelli madidi di sudore. Seduta accanto a lei, nella penombra, contemplando ora il suo bianco profilo, ora i suoi piedini nudi, vissi alcuni minuti felici.

Sul far della sera, rientrò mio padre e si sedette un poco accanto a noi; ma poiché mia madre si lagnò di aver sete, e disse che aveva voglia di ghiaccio, egli si offerse di andare a cercarne alla piú vicina birreria. Quand'egli tornò, eravamo in cucina per i preparativi della sera; mia madre si rallegrò vedendo il ghiaccio e raccoltine alcuni pezzi nelle mani vi premette contro la gola, la fronte, e le guance arrossate dall'ardore delle braci. Cosí facendo, ella dava delle piccole risate palpitanti e con sottili, incoerenti voci di spasimo ripeteva che quel ghiaccio la bruciava come un fuoco. Sí, ricordo ogni particolare di quella domenica sera, anche le cose di nessuna importanza.

Mia madre non mangiò quasi nulla, era di umore svagato, ma bizzarramente affettuoso. Volle ch'io le toccassi la guancia con la mano per sentire la freschezza che vi aveva lasciato il ghiaccio; poi trattenendo accosto al suo viso la mia sudata manina, mi disse in tono allettante, ma quasi severo: – E adesso, perché non mi baci? – Io mi strinsi a lei con impeto, e mi parve davvero, baciando il suo viso fresco, di toccare con le labbra una rosa.

Seduta presso la finestra, col capo un poco ripiegato e le opulente sue spalle mezze scoperte, ella rassomigliava proprio ad una grande rosa estiva, piena di effimero fervore e di malinconia. Non l'avevo mai tanto amata come quella sera; avrei voluto ch'ella, quale una matrigna fiabesca, mi sottoponesse a fatiche astruse e perigliose, a servigi mortali; poiché, ferita e sanguinante per sua colpa, nel mezzo d'un dolore inflittomi da lei stessa, io forse avrei potuto, col dirle: ti amo!, farle capire veramente quanto l'amassi.

I suoni delle sere domenicali giungevano, attutiti e spezzati, coi radi soffi del vento: i gridi dei gelatai, le rauche voci dei cantanti girovaghi con l'accompagno delle fisarmoniche e degli organetti, il brusio delle comitive, e la musica stridente della giostra che da qualche giorno era stata eretta non lontano dalla nostra casa. Fra i molti suoni, si distinsero alcune note d'una romanza d'amore allora in voga; e mia madre, in una maniera proterva e insieme adescatrice, simile a quella usata poc'anzi con me, disse a mio padre: – E tu, che cosa fai? Non sai piú cantare?

Indi, sempre nello stesso tono, lo invitò a cantare quella romanza; e mentr'egli cantava, mostrava di dilettarsi nell'ascoltarlo, quasi che nelle strofe amorose non riconoscesse oggi la voce odiata. C'era nel suo viso un'espressione cupida e insieme inanimata, come di chi aspiri un profumo troppo forte. La sua bocca lievemente corrucciata aveva un ansito dolce appena percettibile, e gli occhi uno splendore velato e stagnante, sí da non parere occhi di donna, bensí di gatta o di cavalla o di altra creatura inferiore e soggetta alla volontà altrui. Finita la romanza, ella fece una smorfia, e in tono arrogante, come se pronunciasse un insulto, disse a mio padre: – Tenore! – Quindi incominciò a sbadigliare, e a lagnarsi del caldo; e d'un tratto propose a mio padre d'uscire in istrada: – Tu, Elisa, – soggiunse, – non guardarmi con quegli occhi di cagnòlo spaventato. Si capisce che verrai con noi.

612

Dal tempo che incominciavano i miei ricordi, era questa la prima volta che uscivamo insieme tutti e tre, io, mio padre e mia madre. Passato il portone del casamento, l'insolito terzetto s'avviò a destra, lungo la via regolare, e scarsamente illuminata, in fondo alla quale s'apriva un largo spiazzo incolto e senza costruzioni. Come altrove già vi dissi, in primavera quello spiazzo si tramutava in una campagna erbosa e fiorita dove andavano a godere il sole i ragazzi con le loro madri. In ogni stagione, solevano accamparvisi talvolta zingari di passaggio. E nelle sere d'estate, vi si svolgevano i divertimenti popolari del quartiere, cui s'era, quest'anno, aggiunta la giostra. Per simili divertimenti a buon mercato, mia madre aveva sempre mostrato non solo disprezzo, ma fastidio: al punto che evitava di attraversare quel sito affollato e rumoroso e fin la lontana eco di quegli schiamazzi e di quelle musiche volgari bastava ad esasperarla. Stasera, invece, ella era in balía di un'esaltazione che le accendeva il sangue, trasfigurando ogni cosa intorno a lei: la festa, infatti, che si svolgeva nello spiazzo, era la medesima di tutte le domeniche, ma mia madre, in luogo di fuggirla, ne pareva attratta e addirittura incantata. Nel suo vestito di poco prezzo, negletto e senza garbo, nell'affrettata acconciatura, si muoveva col passo voluttuoso, con lo stupore inebriato e dolce di una signora a un gran ballo. Quanto a me, devo dirvi che, senza dichiararlo neppure a me stessa, in realtà avevo sempre celato una inconfessabile attrazione per quel parco sí da provare quasi un morso d'invidia vedendo le sue luminarie che splendevano da lontano. Per cui, mia madre sanciva in questa domenica un culto segreto del mio cuore; e neppure un'ambiziosa fanciulla al suo primo ingresso a Corte avrebbe potuto essere piú fiera e piú felice di me.

Nell'attraversare lo spiazzo, costeggiammo quasi la giostra, ch'io reputavo fra me a quel tempo non già un divertimento accessibile a tutti, ma una sorta di girante equipaggio riservato a qualche famiglia di altissimo rango, o favolosamente ricca, o altrimenti privilegiata. In mezzo al parco, le lampadine multicolori della giostra giravano; e intorno, sui margini, scintillavano le fiamme ad acetilene dei cocomerai, dondolavano le lanterne appese alle capanne dei limonari o dei mescitori di cocco o d'orzata, mentre che nella baracca del Tiro a segno brillavano innumerevoli, minuscole lampade, disposte in forma di cerchio o di stella, le quali altro non erano che i punti di mira dei tiratori: onde ogni momento una ne scoppiava, spegnendosi con un piccolo strepito e un tintinnío. Si aggiunga a tante e cosí diverse luci il movimento incessante della folla, e il vario frastuono delle voci, delle risa e delle musiche, su cui, di tutte piú assordante, quella monotona della giostra. Or ecco io supponevo che tutta quanta la folla, mercanti, compratori e popolo, si ritenesse privilegiata e onorata per la visita di mia madre, si accalcasse per ammirarla, e si ritraesse per lasciarla passare. Mi figurai che il valente giovane tiratore il quale, alla baracca del tiro a segno, spense, con un fitto fuoco di colpi, una perfetta stella di lampade, e guadagnò (dopo avere, s'intende, pagato i propri colpi), una bottiglia di spumante con la sua vittoria; mi figurai, dico, che questo campione fosse fiero soprattutto perché alla sua vittoria aveva assistito mia madre. Perfino nelle voci degli imbonitori, dei venditori ambulanti con le lor cassette a tracolla e dei gelatai fermi fra le stanghe del loro carrettino, perfino in queste voci credevo di sentire un'intenzione galante, o servizievole, all'indirizzo di mia madre; e sospettavo che appunto in onor di lei, per farsi belli e piacerle, quei venditori celebrassero le proprie merci con frasi cosí ricamate e fantasiose. Giudicavo, insomma, un grande avvenimento per la popolazione del quartiere il fatto che mia madre si fosse degnata finalmente di entrare nel parco e di partecipare alla festa.

In realtà, la bellezza esaltata e languida di mia madre attirava molti sguardi; ed ella, per la prima volta da quando uscivamo insieme, pareva accorgersi e compiacersi dell'ammirazione altrui. Non guardava mai nessuno in viso, ma tuttavia, se avveniva che uno sguardo estraneo si posasse su di lei con singolare ardimento, pareva ch'ella lo sentisse giacché i suoi occhi sfavillanti si raddolcivano e i suoi cigli battevano come per un cenno dietro la sua veletta nera. I suoi labbri si sporgevano in un finto broncio e una specie di sorriso invitante e malinconico le splendeva per tutta la faccia.

Cosí attraversammo il parco e ne uscimmo, ritornando sulla via di casa e lasciando dietro di noi quel gaio frastuono, sempre piú fioco ad ogni nostro passo. Mentre percorrevamo con lentezza la via, semibuia e poco frequentata in quella sera festiva, io vidi mio padre stringere il braccio di mia madre; ed ella non respingerlo come avrebbe fatto per solito, ma, quasi domata da una subitanea stanchezza, appoggiarsi alla spalla di lui con un movimento d'abbandono. Il portone del palazzo, a motivo dell'ora tarda, era ormai chiuso, e mi accorsi che mio padre faticava ad aprirlo, tanto gli tremava il polso. Egli poi ne richiuse il battente, alle nostre spalle, con una violenza inutile e smodata, causando un fracasso cupo che riecheggiò nelle volte. Ci inoltrammo lungo la scala fino al nostro terzo piano: essi mi precedevano, quasi avvinti, e vidi la bocca di mio padre accostarsi all'orecchio di mia madre bisbigliando inafferrabili parole.

Entrati appena nell'ingresso, mia madre girò l'interruttore della lampada, e in una sorta di smemoratezza o di apatia si arrestò dinanzi allo specchio dell'ombrelliera come per togliersi il cappello. In quel momento stesso mio padre sopravvenne e la strinse fra le braccia; ed ella, come già poc'anzi, non lo respinse, ma, chiusi gli occhi, prese a carezzargli, alla guisa di una cieca, il collo e il busto, con un bizzarro sorriso da malata, e un pallore estremo, e una remissiva debolezza delle membra che parevano lasciarsi alla volontà di lui. Sentii mio padre gridare: – Anna mia! – con voce d'orgoglio vittorioso; poi li vidi ambedue sparire nella *nostra* camera di cui fu chiuso l'uscio.

Allora io fuggii nella cucina, e al buio, coprendomi gli orecchi con le due mani, mi accovacciai per terra, nell'angolo del focolare, fra singhiozzi desolati e rabbiosi.

Quando, placata un poco, mi tolsi le mani di sugli orecchi, nella casa regnava il silenzio. Nessun riflesso o rumor di voci veniva dal cortile, anche le ultime finestre illuminate s'erano spente, e gli echi festosi delle strade eran cessati del tutto. Pensai d'essere stata dimenticata da ognuno; e decisi di rimanere sola, in quel nero angolo della cucina, per tutta la notte, senza dar segno di vita. Dalla gola mi salivano tuttavia lamenti e singulti ch'io mi sforzavo di soffocare; ma il sentimento piú acerbo, che mi faceva stringere i denti, era un terribile rancore verso mio padre, congiunto a una assurda smania di vendetta. Infine, tutto ciò si risolse nella grande e unica paura del buio: cosí forte, ch'io non osavo muovere un passo per accendere la lampada. Come spesso facevo in occasioni simili, mi diedi allora a balbettare in fretta in fretta una preghiera onde aver coraggio; e difatti, racconsolata un poco, stavo quasi per assopirmi, allorché un passo risuonò nel corridoio. La chiavetta dell'interruttore fu girata, e nella cucina inondata di luce l'odiata voce di mio padre esclamò: – Che fai qui, Elisa? – Ancora nella sua voce risuonava quell'accento trionfante e diabolico. – Va' dunque a dormire, – egli soggiunse, – la mamma ti aspetta.

Torcendo gli occhi per non guardarlo in faccia, uscii dalla cucina, e attesi nel corridoio finché non lo vidi ritirarsi nel salotto e chiuderne l'uscio. Allora, col batticuore, la mente ingombra di dubbi confusi e conturbanti, entrai nella nostra camera. La luce era accesa, e mia madre mi gettò uno sguardo severo senza peraltro dirmi nulla né mostrarmi in alcun modo d'avermi aspettato o di occuparsi di me. Era in piedi, mezzo svestita, presso il letto in disordine, e il suo viso, fattosi tanto pallido da sembrar d'una tinta olivastra, aveva un'espressione dura. I bei capelli, ch'io stessa le avevo pettinati nel pomeriggio, le cadevano sulle spalle arruffati e scomposti; ed ella fissava, quasi ammaliata, ora

615

il letto su cui si vedeva una delle sue scarpette, ora un suo fermaglio da capelli che giaceva in terra ai suoi piedi. Nel tempo che io, tacita, frettolosa, mi svestivo e mi coricavo, ella rimase rigida nel medesimo atteggiamento, come vinta da un incanto, fra i suoi vestiti e i suoi oggetti in disordine. Finalmente andò a spegnere il lume, ma non si coricò né si stese sul letto durante tutta la notte; svegliandomi, infatti, ogni tanto, da un sonno nervoso e leggero, la scorgevo, nel debole chiarore del sereno, o appoggiata al cassettone come se meditasse, o diritta nell'angolo della parete come una bambina in castigo. Rimaneva però silenziosa, e si muoveva senza rumore al pari d'una gatta; io non osai di chiamarla.

Era ancor notte fonda, quando mi giunse dal salotto vicino il suono soffocato della sveglia: giacché mio padre doveva trovarsi sul primo *postale* che partiva alle quattro. Mi riassopii subito, sí che non udii mio padre uscire di casa; ma egli doveva esser partito appena, quando fui ridestata da un rauco singhiozzo di mia madre. Certo, ella s'era dominata fin qui nel timore che mio padre potesse udirla piangere; e per un consimile timore non aveva osato di rifugiarsi in camera della nonna. Il suo subitaneo scoppio di pianto m'era appena giunto agli orecchi, quando, maldesta ancora, io m'avvidi ch'ella fuggiva dalla nostra camera. Un istante dopo, mi pervennero, dalla stanza della nonna, i suoi singhiozzi aridi e laceranti; e accorrendo per confortarla, io trovai l'uscio della stanzetta chiuso a chiave.

Dalle fessure non trapelava alcuna luce: evidentemente mia madre non si curava di accender la lampada, e il pensarla sola nel buio accresceva la mia pietà. Di tanto in tanto, ella interrompeva i suoi singhiozzi e con una voce monotona, crudele, come recitando una perfida litania, si dava ad accusar se stessa, ripetendo in mille modi d'esser colpevole, d'esser indegna, di meritare ogni oltraggio e ogni castigo. Poi, come se le sue proprie accuse le dimostrassero con sempre maggiore istanza la gravità della sua colpa, di nuovo prorompeva nel suo pianto aspro e isterico, invocando il nome del cugino e scongiurandolo di non condannarla. Per me che la udivo, tutto ciò era un enigma: infatti, malgrado l'impulso d'odio provato verso mio padre, io non potevo, in verità, intendere in nessun modo che cosa fosse avvenuto in quella notte, e le colpe accusate da mia madre rimanevano un mistero interdetto alla mia ragione. Né io cercavo la rivelazione di tal mistero: anzi, rifuggivo da essa, per quella istintiva difesa della propria innocenza che talora, al cospetto d'un'esperienza adulta, fa scudo a certi ombrosi fanciulli. Una cosa, però, mi apparve sicura: e cioè, che quella notte era stato commesso un affronto, e oltrepassato un limite che non si doveva varcare; e che Edoardo, il nostro nume, era offeso, il suo grazioso, incorporeo volto respingeva mia madre con atti di dolore e di sdegno, e le negava il perdono. Se avessi osato sperare ch'egli mi ascoltasse, avrei voluto intercedere a favore di mia madre. Ma come invocare il Cugino? e chi era Elisa per lui? Veramente, da molti segni, e in particolare dalla famosa risposta di mia madre, sembrava chiaro ch'egli mi giudicava un personaggio insignificante e risibile, e non voleva allacciare la piú piccola relazione con me. La mia voce varrebbe certo per lui quanto il ronzío d'un insetto. Onde io non seppi far altro che unire il mio pianto a quello di mia madre attraverso il legno dell'uscio.

Al suono dei miei singhiozzi, mia madre tacque, e, dopo un silenzio, con voce spaventata esclamò: – Chi c'è? – Son io, – risposi bussando leggermente, – Elisa –. Ma a queste mie parole udii mia madre balzare contro l'uscio, e gridarmi di là da esso, con voce minacciosa e stridula: – Che fai qui? Via, tornatene a letto, vagabonda, intrigante. Non voglio piú vederti, brutta genía dei De Salvi. Vattene, se non vuoi ch'io ti rompa il viso!

Ubbidii, pur lasciando socchiuso l'uscio della nostra camera; e rannicchiatami fra le lenzuola, piangendo invocai da Dio di farmi morire in quella stessa notte, tanto era il mio dolore per le parole déttemi da mia madre: e fra queste preghiere, soffocavo i miei gridi, temendo l'ira di lei. Dopo che lo scalpiccío dei miei piedi nudi s'era dileguato nel corridoio, ella era rimasta ancora un poco in silenzio, come in allarme; poi la udii riprendere, ma in tono basso e interrotto, le sue pietose querele, mentre il suo pianto si faceva piú raro, come quello di una bambina estenuata. Io tendevo l'orecchio all'amata sua voce, ed ero certa che non avrei potuto mai piú trovar sonno, tanto mi doleva il cuore: invece, senza avvedermene, ancora una volta mi assopii.

Non posso dirvi, perciò, in qual modo si sia svolta la notturna penitenza di mia madre nella stanzetta: mi ricordo, invece, di una scena ch'io credo d'avere intravvista nella realtà, e verso il mattino di quella famosa notte, sebbene sia possibile ch'io l'abbia soltanto sognata, e non già quel mattino stesso, ma in seguito. Mi parve, dico, di scorgere, fra il sonno e la veglia, mia madre, che ritta dinanzi allo specchio della nostra camera, nella prima luce, s'intrecciava adagio adagio i capelli. Ultimate le trecce, ella non se le fermava sul capo, ma se le lasciava pendere sul petto, ai due lati del volto; ed io vedevo riflettersi nello specchio l'immagine di lei che si contemplava con una espressione altèra e ambiziosa. Intanto, il sonno mi richiudeva gli occhi, ma prima di ricadere addormentata mi sembrava d'udire un piccolo rumore secco, ripetuto e stridulo, quasi un sottile ticchettio; però tale suono resta, anche nel ricordo, cosí vago e nello stesso tempo cosí beffardo e lugubre da somigliare, in verità, piuttosto alla fantasia di un sogno.

Il fatto si è che la mattina, al mio risveglio, m'avvidi che il posto di mia madre nel nostro letto era rimasto vuoto. E presa da nervosismo, immaginandomi chi sa quali strane sventure, corsi fuor della camera (di cui l'uscio, che io nella notte avevo lasciato accostato, era stato chiuso nel frattempo), ed entrai nella stanzetta della nonna, non piú chiusa a chiave. Vidi allora mia madre addormentata al suo scrittoio, con la guancia posata su alcuni foglietti sparsi. Ella era nelle medesime vesti succinte con cui l'avevo veduta uscir dalla nostra camera quella notte stessa, ma c'era nella sua persona alcunché di nuovo, ch'io notai subito con un brivido di spavento: le sue bellissime trecce erano state tagliate e in luogo di esse erano rimaste soltanto delle corte ciocche nere, le quali, arruffate dal sonno, lasciavano scorgere qua e là dei capelli bianchi.

Al veder questa cosa, tremando io chiamai sottovoce mia madre; ma ella s'agitò appena e si rivoltò sulla tavola, con un roco lamento di noia, senza svegliarsi. Mi sedetti allora sul lettuccio di ferro, in balía di timori inverosimili; e là rimasi rannicchiata, finché mia madre si riscosse, destata forse dai rumori mattutini della corte, o dai miei grossi sospiri. Ella girò pigramente il busto, senza levarsi dalla sedia, e al vedermi non si meravigliò né mi scacciò, ma dopo un poco mi disse: – Che hai per fissarmi in quel modo? ti faccio paura? – passandosi le dita fra i capelli, con un gesto sonnolento, e un sorriso malevolo e scaltro.

Aveva un volto sfatto, livido, e una maligna spavalderia nelle maniere. Venne a sedersi accanto a me, sul lettuccio della nonna, e una sorta di piacere le lampeggiò negli occhi alla vista del mio sgomento. Con un tono misterioso, ma cattivo, come già pregustando l'annuncio di nuove amarezze per me, disse: – Tu vuoi sapere l'accaduto, vuoi sapere, madama curiosa? – e prese una strana fisionomia, poi con voce bassa, fanatica, mi svelò che, in quella notte stessa, il Cugino le aveva dato degli ordini e imposto dei sacrifizi per punirla delle sue colpe. Ella infatti lo aveva tradito, aveva profanato il loro fidanzamento, e mancato al loro patto, coprendosi di vergogna: e adesso doveva accettare qualsiasi pena egli le imponesse.

Prima di tutto, egli le aveva ordinato di tagliarsi le trecce, delle quali, fin da ragazza, s'era troppo compiaciuta: e adesso lui le voleva in pegno. L'ordine era stato di reciderle subito, avanti il sorger del sole; ella aveva ubbidito, e nel pomeriggio si recherebbe sola dalla zia Concetta, affinché le trecce venissero poste nella camera d'Edoardo, come offerta votiva, fra i ricordi delle sue molte amanti: e ciò doveva servirle di mortificazione. Ella insisterebbe per essere ricevuta ad ogni costo da zia Concetta, pur se i parenti di Ruggero si trovavano ancora nella città; e, ammessa alla presenza della zia, si getterebbe ai suoi piedi, confessando d'essere una svergognata e una sudicia sgualdrina, e supplicando la vecchia di perdonarle. E se la vecchia le negava il perdono, ella si umilierebbe ancor peggio, e le bacerebbe i piedi, chiamandola madre benedetta e madre santa, finché non la muovesse a pietà. Cosí dicendo, mia madre s'era alzata dal lettuccio, e lagrimava, con atti, però, di esaltata vanagloria, piuttosto che di contrizione. Ella sembrava vedere nella sua prossima umiliazione quasi un gesto da regina, e si sarebbe detto che mai s'era lusingata d'esser l'eletta, e la sposa d'Edoardo, come oggi che lui la sfidava a umiliarsi.

Tale, dunque, era la penitenza inflittale dal cugino in quella notte; ma, ella aggiunse, il cugino l'aveva avvertita che la sottoporrebbe a nuove prove e a mortificazioni assai piú gravi, avanti di perdonarle. Ella però accoglierebbe come una grazia ogni nuovo dolore: poiché lui le aveva promesso che il suo perdono precederebbe di poco tempo il loro sposalizio. Intanto, era volontà di lui ch'ella non si coricasse piú nella nostra camera, nel letto matrimoniale, ma dormisse sola nella stanzuccia della nonna, e senza materasse né guanciali, distesa sui nudi ferri del letto: cosí, il suo corpo conoscerebbe un giusto tormento dopo aver soggiaciuto alla vergogna. E mia madre ebbe, nel dir queste parole, un accento di voluttà quasi religiosa.

Ella parlava, invero, delle proprie insensate macerazioni, e dei propri giochi fantastici, col tono d'una suora che abbia tradito i voti santi; ma io (tanto ero presa e allacciata nei suoi stessi sogni), non provavo stupore, né sdegno. E invece di piangere sulla stoltezza di lei, piangevo sulla crudeltà del cugino. Piangevo per i bei capelli, la cui fine m'offendeva come s'io fossi stata ferita o mutilata nella mia persona stessa; e per il male che mia madre proverebbe nel sottoporsi a penitenze tanto selvagge; e per le mortificazioni inflitte alla sua fierezza, che m'incitavano alla rivolta. Ma, piú amaro d'ogni altra cosa, mi faceva piangere il pensiero che dovrei, d'ora innanzi, dormire sola nel nostro letto matrimoniale, e sarei privata cosí della mia compagnia piú cara e del mio piú grande privilegio.

Fin da quel giorno stesso, mia madre mise in atto le volontà di Edoardo. Nel dopopranzo, mentr'io, seduta in cucina, rammendavo certi miei straccetti, ella uscí di soppiatto e a mia insaputa, certo per recarsi dalla zia. Quando, prima del tramonto, rincasò, io non fui capace di leggere sul suo volto trasognato e febbrile se donna Concetta l'avesse o no perdonata. Ella, poi, di questa sua visita al Palazzo (dove la sorte, per il volgersi degli eventi, non doveva dopo di allora condurmi mai piú), non mi raccontò né mi disse nulla, né quel giorno né in seguito.

Quella sera medesima, si trasferí dalla nostra camera nella stanzetta della nonna. E da questo punto, la nostra vicenda familiare si fa nei miei ricordi precipitosa e confusa; le poche scene che ne affiorano, e delle quali fui testimone e partecipe, mi appaiono, se le riguardo con la mia mente di allora, soltanto dei misteri inumani. Cercherò tuttavia di rievocare, come meglio posso, con l'aiuto della mia ragione adulta, gli episodi piú notevoli di quegli ultimi giorni che precedettero l'epilogo.

Mio padre non fu meno stupito e addolorato di me quando vide mia madre senza piú le sue trecce. Mia madre gli disse di averle tagliate perché quei capelli troppo lunghi le davano caldo e la importunavano: e cosí pure adduse il pretesto del caldo per il cambiamento della camera, affermando che la stanzetta della nonna era piú fresca. Ella aveva di nuovo assunto verso mio padre il contegno chiuso e aspro dei tempi peggiori, ed anche per me non aveva piú amicizia né confidenza, ma anzi una specie di avversione. Il suo fervido, incostante e affascinante umore degli scorsi giorni era scomparso: adesso, ella serbava sempre un'espressione calma e accigliata e sul suo viso c'era quel tristo pallore quasi grigio ch'io le avevo già veduto entrando in camera, nella famosa notte di domenica.

Accadde però che mio padre mostrò nel proprio contegno qualcosa d'inusitato e di nuovo. Egli non aveva piú l'antica sommissione da servo, e mentre non si rassegnava a ritrovare mia madre nemica dopo averla conosciuta dolce e affabile, sembrava persuaso d'aver conquistato un diritto su di lei nel momento stesso che, in anticamera, ella gli si era abbandonata fra le braccia. Quell'odioso accento di vittoria, inebriato e crudele, che avevo udito nel suo grido «Anna mia», riecheggiava tuttora nella sua voce ad ogni occasione. Cosí, allorquando egli si risentiva per il taglio delle trecce, diceva a mia madre: – Non dovevi, non dovevi mai tagliare i tuoi capelli, – con un tono di gelosa rivolta, come se le bellezze di mia madre non appartenessero a lei stessa, ma a lui. Quand'ella se ne stava silenziosa, egli insisteva per conoscere a che cosa ella pensava, e se avesse male, o che cosa avesse: con una ostinazione tirannica, quasi intendesse dirle: « è giusto ch'io sappia i tuoi pensieri, sono il tuo sposo ». E vedendola fredda e chiusa in sé la seguiva con degli sguardi interrogativi, aggrondati e pieni di una volontà selvaggia.

S'ella distrattamente posava una mano sulla tavola, egli posava carezzevolmente la propria mano su quella di lei; com'ella poi si ritraeva in fretta, sul viso di lui passava un'espressione ribelle e minacciosa.

Una simile, dubbiosa pace durò fin verso la metà della settimana. La terza o quarta sera, poco dopo il tramonto, mia madre, mio padre ed io sedevamo tutti e tre nel salotto, ma divisi uno dall'altro e in silenzio. Mia madre, nel vano della finestra, s'indugiava all'ultima luce in attesa d'accender le lampade; ed io, dall'angolo del divano in cui me ne stavo accovacciata, vedevo in fondo alla stanza già quasi buia risplendere gli occhi di mio padre, che non si staccavano un istante dalla persona di lei. D'un tratto, con una voce strana egli esclamò: – Anna! – e mia madre si volse, e si levò bruscamente in piedi, nell'atteggiamento d'un animale che si adombra; ma già mio padre le era vicino e la stringeva fra le braccia, come poche sere prima dinanzi allo specchio dell'ingresso. – Che fai! – gli gridò mia madre, e con la stessa violenza di chi dovesse lottare per la propria vita, si dibatté e lo respinse, ritraendosi contro la parete e sogguardandolo piena di sgomento e di repulsione. Ella tremava, e aveva tutto il volto sudato: – Che vuoi da me? – disse con voce interrotta, – guàrdati dal fare un passo verso di me. Non accostarti a me, non toccarmi, tu mi sei odioso.

La bocca di mio padre si contrasse con cattiveria: – Non m'importa di esserti odioso, – egli disse, – commettesti un errore sposandomi. Ora sei mia moglie, e farai ciò che mi piace, secondo il mio diritto.

– Tu non hai piú diritti su di me, – rispose mia madre, – io t'ho sempre odiato, e ti sposai per necessità, ma ora nessuna cosa mi è piú necessaria. Io sono in casa tua, sí, è vero: ebbene, se vuoi, scacciami, abbandonami sulla strada. Oppure vattene di qui, non curarti della mia sorte, ma lasciami, non accostarti a me. Non ti stancherai di perseguitarmi? Sbagliai sposandoti, è vero, ma adesso è finita. Voglio esser gettata sulla strada! La mia persona non t'appartiene, io non sono piú tua moglie!

Un'espressione capricciosa e sconvolta apparve sul viso di mio padre: – Non sei piú mia moglie! – esclamò egli con ira, – e allora, s'io ti sono straniero, tu eri forse una sgualdrina quando, poche sere or sono, mi sorridevi e mi adescavi? E se adesso mi respingi, tu non mi respingesti allora, e se dici di odiarmi, non erano d'odio le parole che tu mi dicevi...

Mia madre si fece bianca bianca e le tremarono le gote, sí ch'io credetti di vederla abbandonarsi a piangere per la vergogna. Invece, proruppe in una risata astiosa e impavida: – Tu hai creduto, – disse, – ch'io sorridessi a te, hai creduto che fossero per te le mie parole d'amore! Sappi ch'io non ero sveglia quella notte, agivo come in sogno. Tu eri con me, ma io, io stavo con un altro, e tu non eri che un sosia, un fantoccio. Io ti odiai sempre, e ancor piú ti odiavo allora, e amavo un altro, e sempre amai lui da che vivo. Ascolta quel che ti dico, e uccidimi pure se credi: io amo lui, lui è il mio marito, e il mio amante!

Capitolo sesto

Carcere e strazi per la mia bella.

A una persona meno sciocca e immatura ch'io non fossi, queste ultime parole di mia madre sarebbero bastate per misurare la sua delittuosa follia. Giacché, se una confessione come la sua può sembrare già inconsueta da parte di una moglie colpevole, tanto piú strana essa era da parte di una, la quale si accusava di una colpa che in realtà non aveva commesso. Ma la mia mente non era capace di simili considerazioni: le frasi di mio padre e di mia madre eran per me delle allusioni ambigue e arcane, quasi dei simboli non accessibili alla mia giovinezza. Mi sentivo, però, agghiacciare dallo spavento, poiché mia madre andava ripetendo, fra le risa, a mio padre l'invito a ucciderla; ed io corsi a ripararla con la mia persona, nel timore ch'egli davvero la uccidesse. Ma ella mi respinse, e mio padre, da parte sua, non sembrava ascoltare la sfida di lei, né prepararsi ad atti violenti. Rideva, invece, lui pure, e ripeteva: – Che dici, che cosa vuoi dire, – guardando mia madre come se vedesse uno spettro. Al che mia madre, levando il capo, con voce piena d'arroganza e di trionfo, riaffermò che sí, ella aveva un amante; non era stata dunque brava, soggiunse, a recitare la commedia? S'era fatta credere da lui, Francesco, pura, e venerare come una dea fra le donne, e intanto lo ingannava fin da principio, e intratteneva un amante quasi sotto i suoi occhi. Cosí parlando, ella rideva gloriosamente; allora mio padre, che tremava per tutto il corpo, mi ordinò di accendere il lume, giacché, disse, voleva vedere bene la faccia di una svergognata.

Alla luce, mia madre apparve ridente, con gli occhi scintillanti e le guance di una mortale bianchezza che si tingevano peraltro ogni momento d'un fuoco sottile e rapido, quasi salito col soffio dei suoi respiri. Mio padre le disse che voleva sapere il nome di colui: – S'io t'ho disonorato, – ella rispose, – vendicati sulla mia persona: ma il nome del mio amante non lo saprai mai, non te lo dirò mai –. Nel dir cosí, mi parve, ma forse fu un'illusione della mia vista, ch'ella mi ammonisse con uno sguardo lampeggiante e minaccioso: – Quando cominciò? – le chiese allora mio padre. Ella rispose d'aver sempre amato colui, d'esserne stata sempre amata, ma che da poco erano diventati *amanti*. Si sarebbe detto ch'ella provava un piacere gioioso e terribile a ripetere questa parola, alla quale mio padre trasaliva ogni volta.

– È uno di qui? – insisté egli a domandare, – vive in questa città? – È di qui, – ella rispose, – ma viaggia –. D'un tratto una sorta di trista illuminazione stravolse il viso di mio padre: – È, – diss'egli, – tuo cugino Edoardo?

Mia madre alzò una spalla, e con una voce ridente, che mi fece correre un brivido per le vene, esclamò: – Che dici, pazzo! Non sai che mio cugino è morto!

– È morto Edoardo? – disse mio padre, e mia madre, sempre con la medesima voce, rispose: – Già! non lo sai? Non sai ch'era malato qui? – e si toccò il petto.

– È morto Edoardo! – ripeté mio padre. E mi avvidi che il suo volto, contrattosi finora in una durezza volontaria e caparbia, si disfaceva, come s'egli pure avesse conosciuto e amato il cugino, e la notizia della sua morte gli recasse un dolore invincibile: – Non sapevo ch'era morto... – egli balbettò, – non lo sapevo... E sei tu, brutta sgualdrina, che mi dài per prima questa notizia!

Mia madre alzò di nuovo le spalle, e atteggiò la bocca al sorriso. – Che tu sia maledetta per avermi data questa notizia! – le gridò mio padre, con una impulsività strana e insensata. Poi, guardandola, proseguí: – Tu ridi! Ebbene, gira gli occhi a questi muri, vedi questa casa? Sappi che da questo momento essa è la tua prigione, tu non ne uscirai che morta. Ma prima di ucciderti, io saprò da te con certezza se è vero che tu m'hai disonorato, e saprò il nome di colui. Non ti lascerò dormire, sarò il tuo carceriere, il tuo aguzzino... – a questo punto mio padre si arrestò, e abbattendosi sul tappeto rovesciò la testa sul divano fra penosi e violenti singhiozzi.

Dei giorni che seguirono a questa scena, mi ricordo come d'un passaggio buio e confuso. La mia mente era abitata giorno e notte dalla paura, vivendo io nel dubbio che, ad ogni istante, mio padre potesse uccidere mia madre come aveva detto: onde spesso mi riscuotevo di soprassalto dal sonno, e sembrandomi aver udito uno scalpiccío, scendevo dal letto e, a piedi nudi, andavo ad origliare nel corridoio; oppure, uscita per le spese, m'immaginavo che in mia assenza mio padre mettesse in atto la sua minaccia, e correndo a precipizio per le strade ritornavo a casa affannosa e tutta in sudore. La condotta di mio padre, quanto mai disordinata e incoerente, aumentava la mia incertezza e la mia morbosa angoscia. Spesso egli disertava l'ufficio rimanendo intere giornate in casa: contro ogni abitudine, trascurava all'estremo la sua persona, e si aggirava per le stanze sudicio, insaccato stranamente, malgrado il caldo del luglio, in un frusto soprabito dal quale uscivano dei pantaloni sfilacciati. I capelli ricci e selvaggi, che per solito egli domava e spianava con gran cura, gli si arruffavano sul capo, e la barba non fatta da molti giorni cresceva irregolarmente sul suo volto che appariva emaciato come da una malattia. Tutto ciò, e il variare delle espressioni più diverse in quegli occhi incavati e neri sotto i folti sopraccigli; e il suo contegno fantastico e taciturno, facevan sí che la mia puerile immaginazione vedesse nella sua figura un che di brigantesco e gli attribuisse i pensieri più feroci. Quali poi fossero, in realtà, i suoi pensieri è difficile dirlo, giacché, ripeto, il suo contegno e le sue volontà mutavano da un'ora all'altra senza un'apparente ragione. Una mattina, per esempio, egli si levava tardi, con l'aria stravolta d'un febbricitante. E come ispirato da cattivi sogni, inveiva contro mia madre coi peggiori insulti, poi serrava a doppia mandata l'uscio d'ingresso, e chiudeva ogni finestra, affinché ella non potesse uscire di casa né affacciarsi e non avesse più, in tal modo, nessuna occasione di fare la mala femmina. Cosí egli le diceva, e durante lunghe ore non si staccava da lei, sedendole di fronte quale un carceriere maniaco, e trovando in ciascun suo moto o parola nuovi pretesti per offenderla, quasi che ella con ogni suo respiro tradisse dei pensieri peccaminosi. A un certo punto, disgustato, coi nervi esausti, le ordinava di versargli del vino; ella gli ubbidiva, con quei gesti infingardi, quel silenzio, e quel volto indifferente, atteggiato a una sorta di lieve sorriso, ch'eran diventati i suoi modi abituali al cospetto di lui. Dinanzi a simile maschera, egli, accendendosi via via col bere, incominciava a dirle: – Da dove ti nasce tanta presunzione e superbia? Forse credi d'esser da più delle altre donnacce perché tuo padre era un nobiluomo, un signore? Sappi che i signori son la razza più spregevole che esista, non sono che dei parassiti, degli affamatori del popolo, e le loro donne son tutte sgualdrine. Quanto a te, la povertà non t'ha insegnato nulla, hai conservato l'impronta della tua razza –. E dopo un momento, riprendeva con maggior fuoco: – Tu credi d'esser da più di me, perché tuo padre era un nobiluomo? Per questo? Ebbene, stammi a sentire, non voglio più farne mistero, alla fine! Sappi che mio padre, il mio vero padre, era più signore del tuo, era un gran barone, anzi, se vuoi saperlo con tutta precisione, un duca! Aveva il titolo di duca! S'io non lo dissi a nessuno mai, fu perché non volevo confessare che mia madre s'era comportata da sgualdrina; ma a te, adesso che ti so sgualdrina al par di lei, posso dir la verità senza offenderti! – Egli s'esaltava, prendeva un tono grandioso e trionfante nel far queste rivelazioni (sa il Cielo quanto veraci). E al veder sul viso di mia madre una lieve smorfia incredula, chiamava a testimone un morto, affermando (sa il Cielo anche qui con che fondatezza): – Se fosse vivo e presente tuo cugino Edoardo, potrebbe dirtelo lui chi fu mio padre! Lui lo conobbe, lui sapeva bene quale signore fosse! E proprio a questa mia nascita fu dovuta, se vuoi saperlo, la mia amicizia col povero Edoardo! – Ciò detto, rompeva in lagrime, ripetendo piú volte, con grande tenerezza e rimpianto, il nome dell'amico morto. Ora, il suo lutto suonava cosí patetico, e il suo discorso era stato pronunciato con accenti cosí veritieri, che, ascoltandolo, io stimavo sincere le sue rivelazioni (e tale stima, è probabile, finiva ad averne egli stesso, non già per la via della ragione, ma del sentimento). In verità, quell'intrigo di *vero padre*, e di *nonna Alessandra sgualdrina*, rimaneva per me astruso e inestricabile: ma, benché perplessa, io m'andavo convincendo d'avere antenati patrizi anche dal lato paterno. E avrei finito col non dubitarne affatto, se mia madre con un leggero alzar di spalle non avesse mostrato il proprio scetticismo o la propria indifferenza dinanzi alle rivelazioni del marito.

A lui, pur fra le lagrime, non era sfuggito quell'alzar di spalle. Ma, in luogo d'adirarsene, d'un tratto si levava tutto mutato, e gridava: – Anna! Anna! compatiscimi, hai ragione di disprezzarmi, la colpa è tutta mia! – Si recava quindi nell'ingresso, disserrava le chiusure e i catenacci dell'uscio, e riapparendo, con torbidi, esaltati occhi da ubriaco, annunciava a mia madre: – Sei libera! Perdonami la mia follia, la mia miseria; sei libera, cara, bella, mia bella signora. Sia vero o no, – soggiungeva, – che tu ami un altro, che importa! Tanto, è certo che tu non sei per me, non mi ami e non puoi amarmi! Come potevo io, maledetto bifolco, bastardo, butterato, illudermi di possedere una come te! Sei libera, sangue mio, va' pure, esci, va' a disonorarmi! – E follemente egli prendeva ad accanirsi contro se stesso, a schernirsi, oltraggiandosi con imprecazioni grottesche e sconce. Poi, con un lamento doloroso, si gettava sulla cassapanca e si addormentava.

In preda a questi freneici e cupi umori, avveniva, come v'ho detto, ch'egli per tre o quattro giorni di seguito sembrasse dimenticare del tutto i suoi doveri d'ufficio, e i suoi turni sul postale: e trascinasse le ore nell'ozio, dentro le nostre piccole stanze trasformatesi in un carcere non solo per mia madre, ma per lui stesso e anche per me. Infatti (pur se ad una ragazzina mia pari fosse stato lecito d'uscire liberamente), i miei timori m'incatenavano a colui che li suscitava e alimentava, e non mi concedevano di staccarmi dalla sua persona se non a prezzo di piú gravi ambasce. D'altra parte, quel nostro povero carcere, soffocante e tumultuoso, era ancora il luogo piú vicino al Paradiso per me: giacché in esso era chiusa, con lui, la mia Anna.

In quelle giornate lunghe e amare, ciò che piú mi sgomentava era l'appressarsi della notte. Di notte, difatti, il solo mio compenso, la presenza di mia madre, per volontà di lei mi veniva tolto. Ed io venivo esiliata nella camera che per tanto tempo avevo divisa con lei, senz'altra compagna che la mia paura.

Al terzo o quarto giorno di quasi ininterrotta prigionia, perfino il sonno, amico fedele dei fanciulli, mi abbandonava. Sola nel gran letto matrimoniale, sudata, con gli occhi aperti, avvertivo, a notte piena, nel salotto attiguo, i movimenti del mio nemico. Lo sentivo rivoltarsi sul divano-letto, e lamentarsi al pari d'un infermo, e ogni cinque minuti strofinare uno zolfanello per una nuova sigaretta; e aprire e richiudere la finestra, e mormorare fra sé. Talora si dava a parlare a mezza voce, fitto fitto, alzando a tratti il tono, irritato o enfatico; e nel suo discorso incomprensibile avvertivo delle risposte e delle interrogazioni, tanto da parermi ch'egli dialogasse con qualcuno, sebbene non s'udisse altra voce che la sua. A volte, perfino, rideva, delle risate sconnesse, ch'eran forse effetto di qualche fuggevole sogno, poiché non di rado s'interrompevano bruscamente, ed egli, come riscuotendosi, dava un sobbalzo che faceva stridere le molle del letto. A intervalli, il suono del suo russare, di là dalla sottile parete, mi faceva sperare ch'egli giacesse finalmente in un sonno pieno e tranquillo; ma ben presto si riscuoteva, con un sospiro pesante, o una esclamazione di disgusto iroso.

Nel mezzo di queste sue smanie, ecco, lo udivo levarsi, e uscire nel corridoio: per cui, spaventata, io m'alzavo a mia volta e schiuso appena appena l'uscio della mia camera, spiavo di soppiatto nel corridoio rischiarato dalla luce del salotto per vedere che cosa egli facesse. Lo vedevo allora, in piedi, presso l'uscio chiuso della stanzetta dove mia madre dormiva: ancor tutto vestito, come se non si fosse coricato affatto, e immobile, come se facesse la guardia. Il cuore mi batteva a precipizio: dopo un minuto, egli s'accorgeva che lo spiavo, e a voce bassa mi diceva: – Perché non dormi? – poi, forse leggendomi negli occhi spauriti, soggiungeva, in tono quasi di pietà: – Non aver paura, io non voglio far nessun male. Passeggio un poco perché l'insonnia mi dà noia –. Ma vedendo ch'io nel mio spavento esitavo a credergli, e

627

m'ostinavo nella mia sorveglianza, con tono rabbioso m'ordinava di coricarmi, e bestemmiava con la sua voce bassa.

In fretta richiudevo l'uscio, ma restavo all'erta, con l'orecchio teso; né saprei dire quanto si prolungasse questa innaturale mia veglia. Sentivo infine mio padre rientrare con passo strascicato nel salotto; e, piú tranquilla, potevo allora abbandonarmi al sonno. Verso l'alba, mi ridestavo a qualche movimento nel salotto: era mio padre che si levava dal divano su cui forse aveva passato le ore vegliando o, forse, da poco dormicchiava vestito. Udivo il suono attutito dei suoi passi, il crosciar dell'acqua nel lavandino di cucina, e riconoscevo tutti i rumori familiari di tante altre albe, fino al fruscío della rozza carta nella quale egli involtava la colazione. Per ultimo, udendo l'uscio di casa rinchiudersi, capivo, com'era in realtà, ch'egli, per una decisione inattesa, ritornava al suo lavoro sul *postale*. È difficile dire per qual motivo si decidesse a ciò, dopo una estenuante notte d'insonnia seguíta ad alcuni giorni d'ozio volontario. Forse, per disgusto d'una nuova giornata simile alle trascorse, o per compassione di me, oppure, ch'è piú probabile, senza motivi affatto, solo per seguire uno dei tanti impulsi dei suoi nervi agitati. Del resto, non passavano due giorni ch'egli nuovamente mancava al suo lavoro, e credo adducesse, coi suoi superiori, il pretesto d'esser malato, giacché ricordo che l'ufficio delle Poste non tardò a mandare in casa nostra un medico il quale doveva dar testimonianza della sua malattia, com'era d'uso con gli impiegati poco solerti. Questo medico, poi, visitando mio padre, lo trovò in realtà cosí disfatto e smagrito, che giustificò le sue frequenti assenze, concedendogli, anzi, alcuni giorni di riposo, e consigliandogli d'abbandonare per qualche tempo il servizio sui *postali*. Ora, mio padre, non soltanto disubbidí a tale consiglio, ma, soggetto com'era alle sue proprie, disordinate volontà, riprese il lavoro quel giorno stesso, rinunciando al permesso ufficiale datogli dal medico.

Quando mio padre era fuori di casa, le ore passavano per me piú calme: non già felici, poiché mia madre, come v'ho detto, m'aveva tolto ogni confidenza. Né l'assenza di mio padre mi liberava del tutto dall'ansietà, vivendo io nel continuo dubbio di qualche sua nuova e inattesa risoluzione. M'aspettavo sempre di vederlo rincasare fuor d'ogni regola od orario: ché già una o due volte egli aveva finto di recarsi al lavoro o ad altri impegni, ed era riapparso fra noi d'un tratto, per sorprendere mia madre. In verità, egli non avrebbe potuto sorprenderla in nessun atto che non fosse innocente; ma io, per cui le parole *adulterio, amante, sgualdrina*, eran soltanto dei suoni fantastici, ero agitata dai sospetti piú assurdi. Sospettavo che mia madre, affacciandosi, poniamo, alla finestra per guardare lo stellato, o mormorando da sola, o magari semplicemente giungendo le mani o intrecciando le dita, cadesse in peccato flagrante. Sí che mio padre, sorprendendola, per l'appunto, in un simile atto potrebbe forse aver l'ultima prova del suo peccato e vendicarsi facendola morire.

Una sera, ricordo, al finire di una trista giornata passata insieme in prigionia, ci eravamo coricati tutti e tre piú tardi del solito, io, mio padre e mia madre, ciascuno dentro la propria stanza nel nostro carcere familiare. Le strade eran già silenziose, ed anche sulla casa discese un grande silenzio. Nessun rumore veniva piú dal salotto, forse mio padre s'era addormentato, ed io, consolata da questa pace, non tardai molto a dormire. Il mio sonno durava forse da un paio d'ore, quando l'uscio di comunicazione col salotto fu aperto, ed io, subito risvegliata, vidi entrare mio padre. Finito il tempo ch'egli soleva, come nel passato inverno, entrare talvolta per guardare mia madre addormentata, una simile visita notturna era da parte di lui strana e insolita. Egli accese la lampada piccola presso il capezzale e si sedette sulla sponda del letto di fronte a me.

Per venir da me, s'era rivestito in fretta e sommariamente, infilandosi i pantaloni e il suo solito vecchio soprabito, che si apriva sul suo petto nudo, scuro e irsuto. I suoi grossi e rozzi piedi erano nudi, i capelli scarmigliati, e a me parve, piú che mai, d'aver innanzi una creatura non umana, ma selvatica e animalesca. Prima ancora ch'io fossi desta del tutto, egli incominciò a parlarmi, con voce bassa e guardinga ma con molta gravità, fissandomi con occhi di malato, lucenti e quasi supplici. Per prima cosa, e ciò mi parve strano in lui che non credeva né a Dio né a Satana, mi ammoní a rispondere sinceramente e veracemente a quanto s'apprestava a chiedermi, perché i mentitori son condannati all'inferno: come certo io sapevo, aggiunse, già prima di farmelo dire, essendo una fanciulletta devota e istruita al monastero. Dopo tale preambolo, mi avvertí che dalla sincerità della mia risposta poteva dipendere non soltanto il suo proprio onore, ma la futura sorte di mia madre e di noi tutti. Perché mia madre s'era spontaneamente accusata d'un peccato orribile, il piú grave peccato di cui possa macchiarsi una donna, come io dovevo aver capito dai loro alterchi, pur se ero troppo bambina per intendere il significato di certe cose. Ora, sebbene mia madre si fosse accusata da se stessa, proseguí egli a dire con accento pieno di speranza, lui spesso pensava che tale accusa fosse una calunnia, che ella, cioè, senza aver commesso alcun peccato, volesse infamarsi agli occhi di lui. Ma a quale scopo? Chi sa, forse per essere odiata da lui, Francesco, allo stesso modo ch'ella lo odiava: mia madre infatti lo odiava, e non poteva guarire dall'odio, benché egli la amasse piú d'ogni altro bene al mondo. Lui però aveva accettato un tale odio fin da principio, e aveva sposato mia madre sapendosi odiato; mentre che non poteva accettare il pensiero ch'ella non fosse onesta. Preferiva rinunciare per sempre alla speranza d'esser meno odiato da lei, piuttosto che saperla in colpa. Aveva sempre, infatti, venerata mia madre come la cosa piú degna di rispetto da lui conosciuta sulla terra; ed ora non poteva sostenere l'umiliazione di saperla spregevole. Giacché, non è umiliante amare chi non ci ama, né servire chi è grande, perfetto, e vale piú di noi; ma scoprire che l'oggetto da noi rispettato e venerato, e servito come il nostro Dio, come il segno ultimo cui tende il nostro orgoglio; scoprire che questo oggetto era una cosa spregevole, ecco la massima umiliazione che possa toccarci. E nel dir tali parole, mio padre ebbe nella voce quel suono d'infernale superbia non nuovo ai miei orecchi.

Guardandomi, quindi, con pupille minacciose e febbrili, prese a dire che io, certo, vivendo assiduamente al fianco di mia madre, dovevo conoscere qualcosa dei suoi segreti. E incominciò a domandarmi s'ella uscisse mai sola, e dove mi conducesse quando usciva insieme a me; e se l'avessi mai veduta discorrere con un uomo, o spedir lettere, o riceverne segretamente; e se avessi mai notato, o avuto sentore, ch'ella si recasse a qualche convegno, o ricevesse qualche visita misteriosa nelle notti che lui viaggiava sul postale... se la notte avessi udito mai delle voci sommesse nella casa... s'ella m'avesse mai fatto promettere di tacere alcunché... A simili interrogazioni, io rispondevo solo facendo di no con la testa, in preda a un terrore crescente e inesprimibile. Non dubitavo, infatti, vedendo gli occhi irosi di mio padre, ch'egli mi facesse tante domande per decidere, dalle mie risposte, se mia madre doveva o no venire uccisa. Per salvarla, bisognava, dunque, dargli le prove ch'ella non era colpevole; ma come lo potevo io, se nella mia mente regnava la piú bizzarra confusione riguardo alle colpe di lei, sí che, affermando o negando le cose da lui domandate, io temevo ugualmente di condannarla? Intravvedevo delle relazioni misteriose fra mia madre, mio padre e il Cugino: giacché la prima all'uno e all'altro s'era dichiarata colpevole di tradimento, e mio padre, dal canto suo, piangeva ogni volta che ricordava Edoardo, a tal punto lo amava. Dov'era, dunque, il peccato che offendeva mio padre, quali prove egli cercava, e quale nome? Ero tentata, quasi, nel tumulto della mia mente, di rispondere a mio padre con sincerità senza nascondergli quanto sapevo; e nello stesso tempo, di supplicarlo, usando la persuasione e la ragionevolezza, secondo il costume a me solito perfino nei miei colloqui col Signore. Di svelare, insomma, per salvar la vita di mia madre, l'unico grande segreto di lei ch'io conoscessi; e di convincere mio padre a perdonarle. Era forse male, gli avrei detto, per una donna grande, una signora, di visitare una propria parente col permesso degli altri signori del palazzo? era forse peccato di amare teneramente chi ci fu già cugino, anzi fratellino carnale, e adesso è fra gli angeli? Forse che le sorelle di Lazzaro non amavano ancora il loro fratello, benché morto, e non pregarono Gesú di risuscitarlo? e forse che Maria Vergine non piangeva ai piedi del Figlio, sebbene Lui le avesse detto: « Donna, vattene »? Cosiffatti erano i ragionamenti che si proponevano alla mia mente accorta; ma nel momento stesso che aprivo la bocca per parlare, riudivo la severa voce di mia madre che m'imponeva il segreto. Ricordavo, poi, che mia madre aveva chiamato Edoardo non soltanto *cugino*, e *fratello carnale*, ma *fidanzato* e *sposo*; e tremavo di vedere il dèmone vendicativo del cugino apparirmi nella camera, in aspetto schernitore, brandendo un paio di forbici fiammeggianti simili a due spade incrociate.

Rammento che, in quel punto, dalla finestra aperta entrò una grossa farfalla notturna, di colore bruno, e si diede a svolazzare intorno alla lampada. Ed io mi figurai, nell'immaginazione sbigottita, ch'essa fosse un qualche messaggero del cugino, magari il cugino stesso venuto sotto una finta spoglia per ammonirmi a tacere se non volevo che fra poco Anna, colpita da mio padre, cadesse morta. Ammutolita, io ruppi allora in pianto, seguitando a far di no con la testa; e incapace di dare altra risposta a mio padre, ripetei piú volte, torcendomi le dita: – No, essa non è colpevole! no! no! non è colpevole!

Fu certo il suono, pur soffocato, del mio pianto, che diede a mia madre l'avviso. Un istante dopo, udimmo uno scalpiccío nel corridoio, ed ella apparve sull'uscio. Piena di sospetto, girò gli occhi da me a mio padre; poi fissandomi con un feroce sguardo ammonitore, mi domandò: – Che sono questi pianti? perché non dormi? – e volse a mio padre un piccolo sorriso d'ironia, senza dirgli nulla. Indossava soltanto la camicia da notte, da cui spuntavano i suoi piedini nudi. Scompigliati dal sonno, i suoi capelli tagliati, che s'arricciolavano in boccoli naturali, davano alla sua testa un'apparenza bambina; e quest'apparenza, in contrasto col suo corpo grande e maestoso, la faceva rassomigliare ai giganteschi fanciulli concertanti che son dipinti lungo le pareti della nostra cattedrale. Mio padre la guardò con una espressione fosca e morbosa, come se scorgesse una visione. Ella fingeva un tranquillo tono di beffa, ma le sue pupille allarmate e interroganti e il leggero, involontario torcersi delle sue dita, rivelavano una nascosta ansietà. Ed io, grazie al mio dono di leggere talvolta nel suo cuore, subito intesi ch'ella mi sospettava di tradimento, ed era accorsa a difendere il nostro segreto. Avrei voluto spiegarle che mi sospettava a torto, ma non potevo usare altro linguaggio che quello dei miei occhi lagrimosi alzati verso i suoi; né lei parve capire un simile linguaggio, ma mostrandosi tuttavia spavalda, arricciò le labbra in un aperto sorriso di scherno, e disse a mio padre: – Che nuova è questa, commediante che sei? Non ti appaghi del tuo spettacolo diurno, e tieni teatro anche di notte, a spese di una ragazzina?

– Pur cosí bambina, – le rispose mio padre, – essa ti fa paura, perché può dire qualcosa che tu vuoi nascondere.

– Davvero! – esclamò mia madre, ridendo follemente, – davvero, tu darai prova d'una grande astuzia a subornarla. Senza dubbio, infatti, io mi sarò scelta a confidente tua figlia, ché, oltre alla sua grave età, mi si fa garante per lei la sua anima, paurosa, doppia, stupida, e capace d'ogni menzogna, pari a tutte le anime della vostra razza! – Insultandola come fai, – disse allora mio padre, – tu dimostri quanto sia malvagia e ingrata la *tua* anima. Tu odii chi piú ti ama, e siccome questa cagnòla senza cervello ti adora e ti rispetta come il suo Gesú, tu la maltratti. – Io, – rispose mia madre, sprezzante, – non voglio né il *vostro* amore né il *vostro* rispetto. Io voglio essere il *vostro* disonore, – e cosí dicendo, ella uscí in una nuova risata oltraggiosa e intrepida, in cui s'avvertiva tuttavia, quale un leggero tremore, l'ansia non dissipata per il suo caro segreto.

Alle sue parole ingiuste e crudeli, il mio pianto s'inasprí, anche perché temevo che il suo sfrontato ardimento provocasse mio padre alla vendetta. Mi accorsi invece, non senza stupore, che mio padre guardandola si trasmutava in viso, e da una espressione d'odio minaccioso passava ad una di amore esaltato e commosso. Ella non finiva ancora di ridere quando lui d'un tratto le prese ambedue le mani e incominciò a baciargliele dicendo: – Anna, Anna. Tu non vuoi il nostro rispetto! e noi, e io, non possiamo non rispettarti. Tua figlia lo ripeteva, poco fa, che tu non sei colpevole, dicono che la verità è sulle labbra dei bambini. Ed io, ogni volta che ti vedo, dubito della tua stessa testimonianza. È proprio il mio dubbio che mi esaspera piú di tutto e mi fa spesso incrudelire nelle parole. Tu dici d'avermi disonorato, ed io, contro la mia volontà, ti rispetto tanto che non posso crederti disonesta.

Ritraendosi, mia madre svincolò in fretta le proprie mani da quelle di lui. S'era fatta rossa rossa, quasi ch'egli l'avesse svergognata, invece di discolparla; fin i suoi piccoli orecchi, dai lobi forati e nudi, erano ardenti. – Tu arrossisci, – egli le disse, – anima mia. Se ora, fra un momento, mi confesserai d'aver mentito, d'esserti calunniata, io ti crederò come un cristiano alla Madonna, e mi vergognerò per averti creduto prima. In verità, non ti ho mai creduto, quando t'accusavi, e nemmeno per un minuto ho cessato di rispettarti in fondo al cuore. Avrei dovuto, s'era vero quel che dicevi, calpestarti, ucciderti, e invece, appena ti guardavo, ero tenuto dal rispetto, come se l'onestà ti fosse scritta in fronte. Dopo la tua confessione, io mi fornii, non avendo armi, d'un coltello appuntito, e lo feci affilare. E mentre mi procuravo il coltello, e l'arrotino l'affilava, ero deciso a usarlo quella notte stessa contro di te, né mi pareva che ciò dovesse costarmi pena, tanto il mio odio chiedeva soddisfazione in quel momento. Ma la notte, poi, venuta l'ora di mettere in atto il mio disegno, mi parve di vederti al di là dell'uscio chiuso, e il pensiero del tuo viso m'ispirò un rispetto cosí grande, che non osai neppure d'entrare per non offenderti. Davvero, dopo che tu hai voluto accusarti di quella infamia, talvolta io m'accorgo di rispettarti ancor piú di prima, come se tu non fossi una donna sposata, ma una ragazza innocente, e nemmeno io non t'avessi mai avuta.

E contemplando mia madre, egli prese a ridere con una sorta di carezzevole rapimento e a dire nel tempo stesso: – Ah, perdonami! perdonami! come ho potuto sospettare un momento solo che tu avessi detto il vero, come ho potuto crederti, o pazza, pazza mia cara, gloria mia!

Mentr'egli cosí parlava, mia madre, lo sguardo chino, si trastullava con un nastro della camicia da notte; dalle sue guance era svanito il rossore, ed anche il lieve affanno del suo petto si calmava. Ella ebbe un piccolo sorriso d'alterigia, e disse a mio padre:

– La verità è che tu non osi vendicarti. Potrei disonorarti sotto i tuoi occhi, e tu non ardiresti di toccarmi. Io ti faccio paura.

– Hai ragione, – le rispose mio padre, fissandola con occhi innamorati e lucenti, – forse mi risolverei prima ad ammazzarmi da me stesso che a farti male.

– Tu non ti risolveresti mai né all'una né all'altra cosa, perché sei vigliacco, – ribatté mia madre.

– Sono un vigliacco, sí, creatura mia, – le rispose mio padre, ricominciando a baciarle le mani, – io sono un vigliacco, ma tu, tu non sei disonesta. Confessa, confessa, angelo mio santo, che ti sei calunniata, che hai mentito per un capriccio, per una fantasia da bambini, ed io sarò d'ora innanzi nient'altro che un tuo servo, ti rispetterò come se tu fossi mia sorella, rispetterò l'odio che tu provi per me, e vivrò soltanto per onorarti.

Mia madre sottrasse le mani ai baci di lui, poi si fece un poco pallida e rispose, corrugando le ciglia:

– Perché avrei dovuto mentire? Si mentono certe cose? Quel che dovevo dire, l'ho detto.

Mio padre la guardò fisso. – Io non ho voluto né voglio nasconderti quel che è vero, – seguitò mia madre, – perché non posso vivere nella doppiezza. Ma non ho paura della morte, io. Se vuoi vendicarti, eccomi qua, ecco il tuo disonore –. E parlando con fervore, quasi affannosamente, riprese a dire: – Ecco la tua vergogna. Tu sei armato, l'indovino, scommetto che il coltello di cui parlavi, lo porti in tasca. E forse era proprio stanotte che volevi uccidermi; ma se hai prima interrogato tua figlia, non l'hai fatto per rassicurare la tua coscienza con delle prove prima di deciderti, l'hai fatto invece per concedere un nuovo indugio alla tua vigliaccheria. È, o non è cosí? Se non è vero quel che dico, perché indugi? che aspetti a vendicarti? – e, sebbene assai pallida, ella prese un atteggiamento sfacciato, come una che facesse delle proposte non già di morte, ma d'amore.

– Ti ho detto il perché, – rispose mio padre, con la testa curva, e lo sguardo obliquo d'un ragazzo malvagio, – è perché dubito, e invece, se t'ammazzo, voglio esser certo di mandarti alla perdizione, insieme alle meretrici e alle donnacce e agli altri rifiuti simili a te.

– Quale perdizione? – esclamò mia madre, – credi tu dunque in una perdizione? Sei forse entrato anche tu, per assicurarti la vendetta, nella Società del purgatorio e dell'inferno? Io ti conosco, tu non puoi ingannarmi. La verità è che tu hai paura –. E con accento di trionfo ella gridò: – Hai paura di me e *di lui!*

– Che hai detto? – esclamò mio padre, e proruppe in una risata. Ma in quella risata io sentii subito una minaccia cosí furiosa, che balzata giú dal letto mi posi contro mio padre, e sforzandomi di respingerlo con le due mani gli gridai: – Non avvicinarti a lei! non toccarla! esci dalla mia camera! esci dalla mia camera o ti ucciderò! – Mi figuravo di veder balenare da un istante all'altro il coltello di cui s'era parlato poco prima; ed ero decisa a disarmare mio padre, e magari a trafiggermi io stessa avanti che mia madre venisse colpita. Senonché, la volubile condotta di mio padre mi risparmiò simili prove d'eroismo; nel momento stesso che gli gridavo: – Vattene, vattene o ti uccido! – lo vidi a un tratto, in luogo di respingermi, chinarsi su di me. Sentii le sue palme stringermi il capo, e l'ispida, sudata sua faccia premere la mia faccia lagrimosa in un disordine di baci appassionati e folli. Poi bisbigliatomi: – Buona notte, Elisa –, egli uscí dalla camera senza piú guardarci, con tale tempestoso e cieco impeto che per un poco mia madre ed io sospendemmo il fiato, quasi per un dubbio condiviso che egli corresse a morire. Invece, s'udí dopo un minuto dal salotto la sua tosse di fumatore, ma fuor dell'usato tumultuosa e violenta, sí da parer mescolata di singhiozzi.

Devo qui dire che, nonostante la sua grande manifestazione di affetto, per me strana e inconsueta, io non mi sentivo neppure un poco riconciliata con lui. Anzi, oltre alla mia avversione naturale, i suoi baci avevano destato in me il sentimento confuso di subire un'ingiustizia. Le ragioni di un tale sentimento, per me riposte allora, mi si svelano in parte oggi, ed io potrei qui tradurre quella mia puerile mortificazione e ribellione all'incirca col discorso seguente:

« Ah, bugiardo! Credi ch'io non t'intenda? I tuoi baci non sono stati, in realtà, per Elisa: essi sono stati, invece, il Gran Gesto di questa tua scena notturna, la Gran Sorpresa finale, e la Parata della tua viltà. Fino a un momento prima, tu avevi addotto i tuoi dubbi di coscienza a pretesto della tua strana ignavia; ma d'un tratto, con una improvvisazione geniale, hai eletto per te la commovente parte di padre, proclamando quasi coi tuoi baci, al cospetto di Anna, che proprio io, Elisa, e il tuo amore paterno sono l'ostacolo che ti impedisce la vendetta. Commediante! Ma non credere di sedurmi con le tue false galanterie! lo vedi, io ti ho smascherato, e non li voglio, i tuoi baci traditori! »

In quel punto, mia madre mi si fece accosto, e serrandomi i polsi e scuotendomi duramente mi sussurrò pian piano: – Gli hai detto nulla? Gli hai raccontato nulla? – Io le feci segno di no. – Bada, – ella mi ammoní allora, con un sorriso misterioso che mi fece tremare piú delle sue parole stesse, – bada che *lui* ha un grande potere, può tutto ciò che gli piace. Guai, guai a te se parli! Se tu ti lascerai sfuggire una parola soltanto riguardo a ciò che sai *di noi due*, lui verrà e ti porterà via, e tu, tuo padre e tutti i De Salvi sarete precipitati sotto terra, in fondo in fondo, dove c'è soltanto il buio e dove nessuno sentirà i vostri gridi.

Conviene notare adesso che mia madre era combattuta in quell'epoca fra opposte intenzioni e gelosie: di qui le sue molte contraddizioni, che mi facevano apparire il suo romanzo sempre piú enigmatico. Oggi, io posso meglio indagare fra quegli enigmi (sebbene non esista per essi una ragionevole spiegazione), e vedere come s'intrecciassero le passioni e i capricci della mia signora immaginosa.

Per suoi mistici e occulti fini, senza dubbio (oltre che per disdegno dell'ipocrisia e per un piacere d'ostentazione che è comune a molti amanti), Anna aveva dichiarato a mio padre il proprio peccato. Ma nel tempo stesso che si proclamava adultera, ella era, come abbiam visto, una gelosa guardiana dei propri misteri. Le sole prove del suo romanzesco adulterio, voglio dire le lettere del Cugino, venivano occultate da lei con gran cura, tanto è vero che mio padre, durante le sue maniache ricerche e perquisizioni di quei giorni, non le scoprì mai. Così pure mai, nonostante la sua sorveglianza, egli sorprese mia madre a scrivere, sebbene una parte della famosa corrispondenza del Cugino, che ho qui presso di me, appaia, per il suo contenuto, evidentemente scritta allora.

Si tratta, in verità, di due lettere soltanto, le quali, al par delle altre, non portano una data precisa; ma sono, secondo ogni evidenza, le ultime dell'epistolario. In esse la scrittura è disordinata e precipitosa, lo stile esaltato e acceso all'estremo: sì che vien fatto di rievocare l'immagine romantica del cavaliere il quale, come si approssima alla mèta delle sue speranze, sfrena la sua cavalcatura a un febbrile galoppo; ovvero si pensa al tumultuoso *Allegro finale* delle Sinfonie... Simili immagini, lo so, non vi parranno troppo originali; ma non ne trovo di più adatte per descrivere il tono di queste due lettere, le quali, d'altra parte, non sono né commoventi né belle. Il sentimento che le detta non ha la grazia dell'amore: è un'accensione morbosa, priva di carità e perfino di simpatia. Lo si potrebbe paragonare alle frenesie mistiche di certi cristiani la cui vita è, peraltro, informe, piena di violenza e di perfidia: frenesie così poco somiglianti alla religione vera che molti sacerdoti le giudicano effetti di spiriti inferiori, non della divinità.

Il sentimento che predomina in queste due lettere è la gelosia: più di una volta, il cugino accusa con amarezza il *tradimento* del quale Anna si è resa colpevole una sera cedendo a Francesco. La prima lettera accenna pure al taglio delle trecce, e ad altri sacrifici ordinati ad Anna in quell'occasione; ma vi accenna come ad espiazioni già prescritte e ormai consumate, sebbene io non trovi tali precisi ordini, ai quali essa allude, in nessun'altra parte della corrispondenza. Quest'ultimo fatto mi dà motivo di supporre o che alcun'altra lettera del Cugino precedente a queste due non sia giunta in mio possesso; ovvero che il fantastico viaggiatore usasse talora di altri mezzi fuori delle lettere per comunicare con Anna.

Le frasi ora ricordate non sono le sole che confermano questo mio sospetto: non di rado, in questi fogli, si allude a solenni promesse, a patti corsi fra i due cugini, e a strane mire, come ad intese comuni e ben note a entrambi, sebbene io non ne trovi la spiegazione in nessun luogo dell'epistolario. Si può intravvedere, ad esempio, uno strano progetto di far morire Anna per mano di Francesco: progetto che piace agli amanti come un gioco beffardo, giacché, in realtà, il delitto di Francesco significherebbe per il cugino ricevere Anna dalle mani stesse del suo rivale. Per giungere a ciò, penseranno certo i profani, la via piú sicura sarebbe, è evidente, di acuire all'estremo la gelosia di Francesco, e provocarne la vendetta. Noi pure pensiamo la stessa cosa, ed ecco perché a questo punto ci viene il sospetto che una simile soluzione del dramma fosse vagheggiata, in realtà, dalla sola cugina, e che il cugino invece, pur mostrando di compiacersene, la avversasse in segreto (e qui riconosciamo la doppiezza di lui). Difatti, per esasperare la gelosia del marito, basterebbe forse che Anna mettesse in atto in qualche modo, o rivestisse di una qualche sostanza apparente, le proprie intime rivolte, dissolutezze e fughe; ma a ciò il cugino oppone ogni sorta di subdoli ostacoli: in primo luogo, la sua propria gelosia.

In queste ultime due lettere, la gelosia del cugino sorpassa ogni limite, e sembra, piú che il sentimento di un amante, la trista tirannia di una volontà egoista e malata. Egli ordina a mia madre un'assoluta clausura, le vieta qualsiasi incontro o conversazione, e fin di ascoltare canti o musiche, di leggere romanzi d'amore, e di scrivere qualsiasi cosa fuor della *loro* corrispondenza. Le rimprovera degli atti assolutamente innocenti e vuoti d'ogni malizia, da lei commessi, per lo piú, nei giorni precedenti la famosa domenica del peccato: per esempio, di avere, il tal mercoledí, al pomeriggio, accarezzato un gatto randagio, o, il tale altro giorno, la capra del lattaio girovago; o d'aver mordicchiato un fiore di tuberosa; o d'avere, una mattina, affacciandosi alla finestra, dialogato un istante, per ischerzo, con una cardellina del quarto piano, esposta sul cortile nella sua gabbia, imitandone le modulazioni con la voce. Ora, come v'accennavo a suo luogo, ricordo anch'io che mia madre ebbe diverse amabilità e fanciullaggini di tal sorta, cosí nuove per lei, durante i felici, strani giorni di quel remoto giugno. Sí, me ne ricordo e posso capire perfino che la follia d'un amante giunga a trovare in simili cose pretesti per la propria gelosia. Quel che però appare assolutamente inusitato, e bizzarro, è il linguaggio del cugino in simili occasioni. Rimproverando a mia madre d'aver accarezzato il gatto, o la capra, o ciarlato con la minuscola vicina alata, o mordicchiato il fiore, egli assume un tono di rabbioso sdegno e disprezzo contro queste creature incoscienti, un tono, insomma, identico a quello d'un geloso nei confronti dei propri rivali. E chiamando l'uno o l'altra: *un essere deforme, brutale, assoggettato a un bifolco,* o *un vagabondo, un'anima sulfurea, un ladro dagli occhi gialli,* o *una petulante stonata,* ovvero *una lunga, sciocca smorfiosa dall'aroma volgare;* trattando, dico, in simili termini gli indegni oggetti dell'attenzione di mia madre, egli ha l'aria, come dire, di contrapporsi ad esempio, e, pur disprezzando costoro, di adeguare la propria alla loro stirpe. Insomma, perdonatemi l'ipotesi assurda, si direbbe che il geloso, autore di queste lettere, non appartenga precisamente o unicamente alla famiglia umana, ma partecipi della natura caprigna, e gattesca, e floreale, e piumata, sia, infine, un uguale e un fratello di ciascun essere terrestre.

In verità, io sarei quasi tentata di sottoporre al vostro giudizio un saggio di questa scrittura ferina; ma, come sapete, provo, dinanzi al carteggio di mia madre, un sentimento invincibile di timore e di rispetto. Mi parrebbe, a ricopiarne una pagina tutta intera, di commettere non so quale arcana violazione. E per non celarvi la mia debolezza, vi confesserò che la mia mano era incerta perfino trascrivendone le poche frasi citate. Quasi temevo che quelle dispettose, bambinesche, turbolente espressioni fossero in realtà il nascondiglio di una cabala; e che si rischiasse, al formularle, di risvegliare poteri sopiti o inquietanti prodigi.

Vogliate, quindi, permettermi di non oltrepassare i limiti concessi alla mia indiscrezione. S'io mi soffermo su alcuni tratti dell'epistolario, lo faccio per illustrarvi con qualche esempio una storia la quale, sebbene fedele, può apparirvi spesso innaturale e ambigua. Ultimato il mio còmpito, ho deciso che brucerò questi foglietti ingialliti, affinché l'ingiusto e inconcepibile incanto ch'essi esercitarono al tempo della mia fanciullezza venga distrutto con essi e non debba mai più ingannare alcuno.

Mia madre, dunque, era prigioniera non soltanto della gelosia di mio padre, ma altresí di quella del cugino: onde la sua scandalosa vita di adultera trascorreva, in realtà, cosí austera e monacale che anche un indifferente, o uno straniero, avrebbe, non meno di mio padre, dubitato delle sue confessioni. Ch'io ricordi, una sola volta ella uscí di casa durante la sua prigionia e fu un pomeriggio che mio padre era assente; immaginai ch'ella si recasse dalla zia, poiché le due settimane prescritte s'erano, per l'appunto, conchiuse, e non v'era più divieto di recarsi al palazzo. Anche stavolta, mia madre uscí sola, e neppure di questa visita (che poi, per gli avvenimenti successivi, doveva esser l'ultima), non mi disse mai nulla, come della precedente: essa m'è confermata, però, da una frase del cugino, il quale nell'ultima sua lettera, dichiara ad Anna che le concede di rompere il suo voto di clausura soltanto per portare *la posta alla principessa*. Benché fra i titoli dei Cerentano non vi sia quello di Principe, è chiaro che la Principessa, nel pomposo linguaggio dello scrivente, sta a significare donna Concetta sua madre.

Ricordo che, al ritorno da quella visita, mia madre appariva ancor tutta vibrante, con lo sguardo acceso, a somiglianza d'una ragazza che abbia trascorso il pomeriggio chiacchierando del proprio amore con una fida compagna. È inutile dirvi quanto la gelosia mi tormentasse in simili circostanze, al vedermi esclusa e ripudiata. Forse il cugino era complice di mia madre contro di me in questo crudele ripudio; sebbene, in realtà, io non trovi né il mio nome né il minimo accenno alla mia persona in tutta la loro corrispondenza. Cosí pure, il cugino non fa mai parola delle terribili vendette che, secondo la minaccia di mia madre, mi riserbava nel caso ch'io tradissi i suoi segreti.

Egli non si stanca mai, però, soprattutto in queste ultime due lettere, d'insistere affinché la sua corrispondenza, e il suo romanzo con la cugina, sia celato a qualsiasi costo a mio padre. A tal proposito, io devo rammentare qui un'altra singolarità, forse la piú problematica, che io notavo allora nel contegno di mia madre, e di cui le lettere, in certo modo, mi dànno la chiave: e in verità, seppur non l'avete notata, almeno in parte, voi da soli, ho tardato troppo a parlarvene.

Si trattava d'una cosa incredibile, eppur evidente, sí ch'io non potevo negarla, malgrado il mio stupore: il fatto era che Anna, dopo la sua confessione a mio padre, non pareva risentire né dolore né noia per le amare conseguenze di simile confessione, ma anzi una sorta di godimento. Si sarebbe detto che l'esser tenuta in carcere, interrogata, spiata e perseguitata, non provocasse in lei rabbia né ambascia, ma piacere. Non era solo la fanatica gioia di una che, simile a santa, accettava ogni prova come un nuovo merito presso il suo diletto e un nuovo passo verso di lui. No, la sua gioia non era soltanto mistica; si avvertiva in essa una qualità allegra, amarognola e delicata e una pomposità non celestiale, ma terrestre. Quanto piú mio padre si convinceva che Anna fosse veramente adultera, e s'accaniva in simile convincimento, tanto piú Anna sembrava paga. Allorché lui le gridava ogni sorta di vergognosi oltraggi, lei, già cosí severa e casta, invece di rivoltarsi assumeva il portamento e l'andatura di una donna che si pavoneggia. Quand'egli, nella sua violenta insania, sconvolgeva la casa in ogni ripostiglio alla ricerca di lettere, o segni, o altre prove, ella se ne stava in un angolo, quieta, con gli occhi bassi sotto le palpebre titubanti, e ogni poco un violento rossore d'ansia e di paura le accendeva il volto.

Ma questi rossori erano il segno della sua gioia, ed ella non abbassava gli occhi per compunzione o vergogna: bensí piuttosto, per celare il fuoco di compiacenza che ardeva nel suo sguardo. La pena ch'ella soffriva per le sue lettere segrete era, in realtà, la sua piú ambíta festa, la sua fantastica gloria carnale. Ricordo d'averla sorpresa, in simili occasioni, a ridere di nascosto, dolcemente e febbrilmente.

Perché dunque amava ella tanto le persecuzioni e la prigionia? M'accadde perfino, in quei giorni, per la prima volta nella mia vita, d'udirla cantare. Fu di mattina: mio padre non s'era ancor levato dal letto, ed io, passando per il corridoio, sentii dietro l'uscio della nonna mia madre che canticchiava con una voce sottile, bassa, e un accento timido e quasi delirante. Oggi, che molte cose mi sono note, io riconosco in quelle strofe da me udite allora per la prima volta la serenata che incomincia: « Anna, perché non brilla per me sol... », di cui si è già parlato altrove in questo libro.

Il Cugino, nelle ultime lettere, appare perfettamente consapevole di tutte le persecuzioni che Anna subisce a motivo del loro amore: egli parla, anzi, come se fra Anna e lui si fosse stabilita una corrispondenza rapida e continua, ed Anna lo informasse pressoché ogni giorno di quanto accade. Le lettere son piene di patetici compianti per le sofferenze di Anna, di enfatici rimproveri a Francesco; ed esortando alla prudenza e all'astuzia, suggeriscono diversi stratagemmi affinché il marito, pur senza venir dissuaso dell'infedeltà di Anna, non conosca giammai chi è l'amante né scopra l'epistolario (s'intende che l'idea di distruggere quest'ultimo non vien concepita nemmeno). È appunto in questo drammatico intrecciarsi di gelosie ch'io trovo una chiave della misteriosa allegrezza di Anna. Nei compianti, infatti, ed esortazioni, e consigli di cui vi dico, il cugino non sa nascondere un certo tripudio, una presunzione vanitosa, come se la disperazione di Francesco, e il pericolo di Anna, gli tornassero a grande onore. S'indovina, nei due cugini amanti, un sentimento simile a quello d'un bambino il quale veda un suo gioco esser preso sul serio da persone adulte, anzi entrare nella loro storia portandovi rovina e vera angoscia. Per quanto la rovina possa coinvolgerlo e la minaccia del castigo sia grave, il piccolo avventuriero sarà esaltato nella sua vanità, perché in simili effetti straordinari vedrà una straordinaria affermazione di se stesso.

Il Cugino tradisce, scrivendo, il gusto che prova nel suo romantico gioco. Nel suo teatro, la gelosia di lui medesimo, quella di Francesco e quella di Anna, si rincorrono come, in una gabbia, giovani tigri aizzate da un fanciullesco domatore. Il personaggio di Francesco è sempre di scena, ed ha un piú forte risalto che non gli stessi protagonisti:

ché in lui, costoro vedono l'affermazione del loro romanzo. Ma sde-gnandosi contro il violento, malvagio, raffinato persecutore di Anna, la voce del cugino lascia quasi avvertire una nota d'incredulità. Men-tre che dolendosi della superba Anna martirizzata e umiliata, egli sembra gustare un sapore dolce, come se in realtà fosse lui con le sue mani, non già il marito, che martirizza per amore quella superba.

Non sarà, dunque, difficile intendere perché la mia prigioniera mostrasse tanta allegria. Per lei, nella gelosia di Francesco, meglio ancora che nella credulità della folle Concetta, s'incarnava lo spirito del Cugino. Attraverso le passioni vendicative di Francesco, l'esangue, inafferrabile viaggiatore delle lettere diventava un amante vivo. E in virtú degli oltraggi, dei castighi, del pericolo, l'immaginaria tresca di Anna non era piú soltanto una figura di favola e di delirio, ma un pec-cato carnale. Ed ora, ditemi: potrebbe forse una donna casta, avventu-rosa e superba, conoscere, già sul declino, grazie piú sottili e amori piú trionfanti? Ella godette nel tempo stesso l'orgogliosa affermazione del vero e i variopinti riflessi della menzogna. Senza macchia nella sua duplice fedeltà, comparve tuttavia nella gran veste di gala dello scan-dalo per farsi piú bella. Lo spirito che presiede alle fanciullaggini e ai giochi, signorile spirito che fugge la promiscuità e si accompagna a pochi mortali, la vide, mentre, in gara con la morte, ella spiegava la pompa delle sue donnesche fantasie, e s'innamorò di questa bianca pavona. Egli la volle vittoriosa almeno per gioco (altro campo di bat-taglia non gli è concesso), e ciò che per altri sarebbe solo sconfitta, rovina e polvere si trasformò per Anna in certezza, diletto e signoria. Ma lei, nella sua demenza idolatra, volle far sacrificio di se medesima ai suoi propri trastulli; serbando però in questa puerile, sanguinosa commedia, sempre nascosto il proprio timido pudore di ragazza, che non poté venire offeso da nessuno.

Voi mi direte, adesso, ch'ella meriterebbe un discorso piú severo. Se volete un tal discorso, chiedetelo a chi non l'ha amata. Quanto a me, ho tentato sovente, in queste pagine, d'esser severa con lei; ma ogni volta che credetti di pronunciare la sua condanna, dovetti presto accorgermi che, invece, le andavo scrivendo una strofa d'amore.

Capitolo settimo

Ambigua condotta del Cugino.

Il fantastico adulterio di Anna, non meno di una reale trasgressione, era diventato ormai quasi una nuova forma delle sue membra e della sua faccia. Dopo le scene di Francesco, e le mortificazioni e gli insulti, ella prendeva l'aria ambigua, d'involontaria allusione e di memore voluttà, che han le donne peccatrici dopo un convegno. Il viso intenerito e un po' sfatto, i labbri socchiusi e tumidi parevan serbare l'impronta dei baci; e gli sguardi elusivi, languidi, lucenti, parevan traviati da recenti visioni d'amore. Mio padre, la cui morbosa attenzione era sempre in agguato, si convinceva allora ch'ella fosse realmente in colpa. Egli ammutoliva, e ricadeva nella sua maligna inerzia, piú minacciosa forse, per i miei sensi infantili, dei suoi tumulti e delle sue grida. Talvolta, sedutosi alla tavola apparecchiata, si levava d'un tratto senza aver toccato cibo, e, pareva a noi, con una certa ostentazione, andando a rinchiudersi nel salotto: ma importava a qualcuno, forse, ch'egli desinasse o no? Si sarebbe detto, a guardar l'espressione del suo viso, ch'egli bramasse di farsi sempre piú odiare, tenendo mia madre e me sotto un continuo spavento; e che un istante di tregua gli sembrasse un'ingiustizia. Ma, in realtà, mia madre aveva forse ragione, tutto era in lui commedia e millanteria. Ciò che gli mancava non era la certezza dell'offesa, bensí il coraggio della vendetta; anch'io me n'ero quasi convinta, ma non per questo guarivo dalla paura. Egli sfogava talora la propria fantasia esasperata in gesti teatrali, dei quali vedo oggi la puerilità, ma che erano, allora, i piú adatti ad atterrire la mia giovane mente. Per esempio, una sera fece trovare a mia madre, sul comodino, un coltello appuntito, come un ammonimento o una minaccia di morte: a imitazione dei briganti che usano segnare la porta delle vittime predestinate. Un'altra sera, invece, le pose su quello stesso comodino un foglietto tutto brancicato e mac-

chiato dalle lagrime, in cui le annunciava per iscritto la propria risoluzione di uccidersi quella notte stessa s'ella non gli avesse subito,
appena letto quest'avvertimento, dimostrato con delle prove la verità
della propria colpa. In questo caso, le prometteva di sparire dalla sua
vita lasciandola libera. A simili ricatti o minacce, ricordo, mia madre
rideva, e si coricava secondo il solito nella sua stanzetta senza mostrare alcun turbamento.

Mio padre era diventato ostile anche verso di me. Svanito l'affettuoso trasporto che l'aveva spinto a baciarmi, egli aveva forse, la notte
del nostro dialogo, ripensato alle mie risposte e al contegno reciproco
mio e di mia madre, ritraendone un piú forte sospetto ch'io fossi a
parte dei segreti di lei. Certo è che dopo quella scena notturna egli
si mostrò mutato nei miei riguardi: e senza mai piú darmi baci né
carezze, incominciò a sorvegliarmi con diffidenza, guardandomi spesso
con occhi intenti e cupi, quasi sperasse di sorprendere qualche segreto di mia madre attraverso la mia condotta inabile di bambina.

Ma io ero assai piú vecchia dei miei anni nelle accortezze e negli
infingimenti, e non lasciavo trapelare nulla di quanto i due cugini
m'avevano ordinato di tener nascosto.

Una domenica dopopranzo (eran passate tre settimane dalla domenica delle trecce recise), mio padre m'invitò ad uscire con lui. Era
questa la prima volta, dall'inizio dell'estate, ch'egli mi conduceva a
passeggio, ed io lo seguii a malincuore, piena di confusione e d'inquietudine, giacché m'aspettavo che volesse interrogarmi come quella
notte. Le strade giacevano mute nella luce abbagliante e desertica, la
città sembrava morta, in quell'ora torrida l'intera popolazione dormiva, e non si sarebbe ridestata fin verso il tramonto. Le botteghe
eran tutte chiuse, perfino i caffè avevano abbassato a mezzo le saracinesche dietro le quali il cameriere di turno sonnecchiava, mentre
sulle chicchere non ancora lavate, dal fondo attaccaticcio e zucche-
rino, le mosche ronzavano ingorde. Lungo la strada, mio padre non
disse parola; ed entrati che fummo in un caffè, rimase ad aspettare ch'io finissi il mio gelato, seduto di fronte a me silenzioso e distratto. Ma non rimanemmo a lungo in quel caffè; il suo triste umore
lo rese presto impaziente, e infine, non resistendo ad una antica attrattiva, egli s'avviò, seguíto da me, sulla nota via che conduceva da
Gesualdo. Le tre del pomeriggio suonavano appena quando entrammo
nell'osteria. Questa era deserta: senza dubbio gli zingari e i carrettieri, clienti abituali di Gesualdo, preferivano, a quell'ora, di far la
siesta dentro i loro carrozzoni promiscui, o distesi, di là dalla strada,
in un campo, alla rada ombra d'un ulivo. Il rumore dei nostri passi

richiamò il padrone, il quale subito comparve dal retrobottega, con l'aspetto piú del solito giallo ed emaciato, gli occhi incavati e spenti, come quando s'era levato appena da una delle sue febbri. Ci dirigemmo alla tavola d'angolo preferita da mio padre, sotto una delle strette finestruole a inferriata: la nostra apparizione fece fuggire la gatta, che sonnecchiava su una panca e subito guizzò via, sparendo nel sottoscala.

Gesualdo serví a mio padre il vino; poi si sedette dietro il banco, sul quale appoggiò ben presto le braccia e il capo, vinto dalla sonnolenza. Anche qui nell'osteria, mio padre rimase qualche minuto silenzioso; ma bevuto il secondo bicchiere, diventò loquace, e allora dovetti accorgermi che i miei presentimenti erano giusti, e ch'egli voleva, come già quella notte, tentarmi a far la spia. Con un poco di timidezza e quasi di soggezione, ma con un accento in cui suonava già, primo effetto del vino, una sorta di patetico appello all'umana e nostra fratellanza, incominciò a dirmi che mi stimava una fanciulletta sincera, assai piú grave e matura delle altre mie simili, e studiosa e religiosa. Certo, proseguí, s'io gli avevo nascosto finora qualcosa che sapevo, se gli avevo mentito, lo avevo fatto non per malizia, ma solo per non disubbidire a mia madre e per timore che lui le facesse del male. Ma adesso, egli era qui a promettermi con giuramento di non far nessun male a mia madre, anzi di lasciarla libera e di allontanarsi da noi, pur provvedendo ai nostri bisogni, s'io gli svelavo tutta la verità, qualunque essa fosse. Mentre che, se mi ostinavo nel silenzio, tutto ciò finirebbe nel sangue. E cosí detto, egli, senza tralasciar di bere, prese a farmi delle domande non dissimili da quelle che già mi aveva rivolto nel nostro colloquio notturno. Ma io, fin dal suo primo accenno al temuto argomento, avevo corrugato la fronte in una espressione dura; e ripetevo ad ogni sua domanda, con voce sottile, monotona e caparbia, sempre un'identica risposta: «Non so nulla. Non so nulla. Non so nulla».

Mi pareva di pronunciare, con queste tre parole, una specie di versetto magico grazie al quale sarei fatta capace di resistere ad ogni assalto senza lasciar trapelare neppure un'ombra del mio segreto. – Non sai nulla, non sai nulla! – ripeté mio padre con un tono scontento e nel tempo stesso pieno d'esaltazione: – Ma, – proseguí, – se davvero sei sincera, dicendo di non saper nulla, perché tieni gli occhi bassi? – A queste parole io levai le pupille riluttanti, incontrando i suoi sguardi d'avvinazzato: – Tu, – mi diss'egli allora, con la bocca contratta, la voce impastata e un po' rauca, – tu e tua madre siete d'accordo. Tu somigli a me nei lineamenti, ma sei perfida e falsa come tua madre.

Tutti sanno quanto mi spiacesse d'assomigliare a lui, quanto ogni allusione a tale argomento mi fosse odiosa. Aggrondata, riabbassai gli occhi, e l'avversione mi gonfiò il cuore. Se mi fosse bastata l'audacia, avrei voluto gridargli: «Nero! nero! segnato da Dio! butterato!» Intanto lui si versava dell'altro vino e, diventando oltremodo loquace, pareva sempre meno rendersi conto di avere innanzi a sé soltanto una povera dispettosa ragazzetta. Parlava or come se fosse al cospetto d'un gran pubblico, or come se si confidasse con un suo amico adulto, che lo amava fraternamente e lo compativa; ora, infine, come se avesse davanti una nemica, non già una nemica bambina, qual'ero in realtà, ma una coscienza matura, capace d'intendere appieno i suoi ragionamenti e le sue rivolte. E il suo lungo monologo fu poi tanto confuso e discontinuo che devo, in verità, faticare un poco per ricordarlo qui con un certo ordine, sebbene allora la mia attenzione e curiosità ne fossero attratte all'estremo. Esso aveva ad argomento principale un personaggio che non finiva mai di affascinarmi, nonostante la sua esistenza ambigua e la sua assoluta indifferenza nei miei confronti: avrete già capito che intendo parlare del cugino Edoardo.

Altre volte, come sapete, mio padre aveva nominato Edoardo, ma oggi costui pareva diventato il suo pensiero fisso, al quale egli ritornava ogni momento con la singolare insistenza degli ubriachi. E le sue nuove rivelazioni sul nostro labile despota mi parevano cose tanto strane, ch'io non sapevo in quale stima tenerle. Poiché, se mio padre non mentiva, due soli erano i casi possibili: o che il suo Edoardo non fosse l'Edoardo vero, ma un sosia di costui, un intruso, un falsario; oppure che il cugino Edoardo dovesse riguardarsi ormai, senza piú dubbio, come la perfetta immagine della doppiezza, dello scherno e dell'ipocrisia. Mio padre parlava di lui non come d'un fidanzato e fratello di mia madre (della quale si sarebbe detto, anzi, dalle sue parole, che il Cugino non facesse gran conto); bensí come di un amico suo proprio, di Francesco, e a noi legato, per l'appunto, da tale amicizia piuttosto che dalla cuginanza con Anna. Ricordandolo, mio padre si commuoveva su se stesso, giacché, diceva, Edoardo era stato il solo amico ch'egli avesse mai avuto, il solo che gli aveva voluto bene, che non lo aveva disprezzato, che non lo aveva tradito. L'unico torto, soggiungeva poi, fatto da Edoardo alla loro amicizia, vale a dire il brusco abbandono, adesso si spiegava e si giustificava: ché certo il sapersi malato d'una malattia mortale aveva potuto snaturare e sconvolgere tutti i sentimenti a un giovinetto cosí ansioso di vivere. Adesso dunque l'ultima speranza di ritrovare il caro amico, speranza rimasta sempre accesa in fondo alla memoria (pur se quasi dimenticata nel tempo, e soffocata dall'orgoglio e dallo scetticismo), la speranza dunque era finita per mio padre, perché Edoardo era morto. Ma a questo punto mio padre abbassò il tono della voce, e sogguardando intorno con occhiate strane, mi rivelò che, da quando gli era stata annunciata la morte del Cugino, questi lo visitava assiduamente in sogno, ed era il primo artefice dei suoi contrasti e dei suoi dubbi.

Dette appena queste parole, mio padre uscí in una grossolana risata, esclamando che, naturalmente, lui non era uomo da prestar fede a suggestioni sciocche o dar corpo ai sogni. No, lui sapeva bene che del povero Edoardo rimaneva a quest'ora soltanto un nome, e poche ossa sepolte, e il resto era un'invenzione dei preti per tener a freno la poveraglia. Lui sapeva bene che i sogni non han valore se non come sintomo della nostra salute e dei nostri nervi, e sono interessanti solo per il medico. Sí, lui ragionava perfettamente e non si faceva illusioni in proposito; ma tuttavia, mentre la sua ragione gli mostrava la verità, ogni apparizione del cugino gli si insinuava, per cosí dire, nel sangue, e lo turbava al punto da non permettergli nessuna libertà d'azione o di giudizio. Il fatto è che questa apparizione pareva star sempre in agguato dietro le porte e dietro i muri, per sorprenderlo non appena lui fosse còlto o soltanto sfiorato dal sonno. Essa non lo visitava soltanto durante i riposi notturni o nelle lunghe sieste pomeridiane: bastava ch'egli si assopisse un istante, sí che appena appena le palpebre gli si chiudessero, e le voci reali gli diventassero un ronzío, ed ecco che subito, il cugino gli si mostrava, seduto su una sedia in fondo al salotto, o appoggiato con negligenza alla tavola, e gli ammiccava teneramente coi suoi begli occhi castani, come se la sua presenza fosse umana e naturale. Una volta, in sogno, mio padre gli aveva detto: – Sei di nuovo qui? Perché torni sempre in questa casa? Eppure essa non è degna d'un signore tuo pari, avvezzo alle comodità e al lusso –. Il cugino aveva tentennato il capo, e rifacendo il verso a mio padre, in aria di tenero compatimento, aveva risposto: – Perché *torno sempre!* Non sái che abito in questa casa? Non è, questa, la casa *nostra?* – Non puoi trovarti a tuo agio, in questa miseria, – aveva insistito mio padre. – Sciocco che sei, – gli aveva risposto il cugino, – tu non capisci dunque che l'amore non tien conto dei disagi? – L'amore? Quale amore? – aveva domandato mio padre. – E me lo domanda, sentite! come se lui non lo sapesse! – aveva esclamato il cugino, guardandolo con gli occhi arguti, teneri e fraterni, – come se lui non sapesse proprio nulla! Ma l'amore che ho per te, signor mio!

– Tu mi ami, dunque! – E come potrei non amarti, povero tenore fallito, brutto butterato, razza di capopopolo! Non sei dunque universalmente amato, non sei l'idolo del popolo intero? – Io, l'idolo del popolo! – aveva detto mio padre, ridendo e smaniando nel suo letto. – Ecco! dunque pretende d'ignorare anche questa! – aveva ribattuto il Cugino, – ma se, invece di poltrire ad occhi chiusi, da quel fannullone che sei, tu ti affacciassi a guardare e tendessi l'orecchio, vedresti la folla che acclama, udiresti il suono delle fanfare. Non sai dunque d'essere il loro eroe? Né che io ho promesso alla nazione di farti suo re? Essi ti aspettano, reclamano da me l'adempimento. Che attendi dunque per seguirmi? – Ma a questo punto una qualche futilità (forse un insetto che volava, le conterie del paralume che oscillavano a un soffio), aveva distratto Edoardo, i suoi sguardi s'eran persi dietro il nuovo oggetto della sua attenzione, e, quando aveva ripreso a parlare, egli, dimenticato l'argomento di poco prima, era passato a tutt'altro discorso. Spesso si notava in lui questa eccessiva inclinazione a distrarsi, pari soltanto a quella degli animali o delle creature infanti.

Un'altra sua caratteristica, la piú sconcertante senza dubbio, era la mutevolezza dei suoi giudizi e dei suoi propositi. Ad esempio, riguardo alla colpa di mia madre, pur non pronunciandosi mai chiaramente, egli assumeva degli atteggiamenti diversi, che parevan significare, di volta in volta, assoluzione o condanna. Era indubbio, però, ch'egli disprezzava la cugina: quasi ad ogni visita, con un sorriso di complicità bisbigliava nell'orecchio di mio padre: – Non dir niente a *lei*. Non voglio che *lei* mi veda, – e per lo piú invece che *Anna* chiamava mia madre *lei* o *la donnaccia*. Una volta, aveva detto severamente, con una smorfia disgustata: – All'inferno! all'inferno la donnaccia! – e soleva spesso dichiarare che mia madre era una sciocca malnata, una svaporata, un'avara, piena di grilli e di follia: – Eccoti ancora dietro a quella sciocca! – diceva, imbronciato e triste, – non ti accorgi dunque ch'essa è peggio d'una bestia, peggio d'una cagna? la cagna ama il suo padrone, sia questo un re o un mendicante, e non bada a com'è vestito. E invece lei, la donnaccia, s'innamora d'un abito, d'un'autorità, d'una signoria, reputando se stessa chi sa che gran dama, e di te, perché sei di color nero, male in arnese, e perché lavori, non fa nessun conto. La cagna festeggia il padrone al suo ritorno, lo ringrazia per il cibo che ne riceve. E al contrario costei ti detesta, ti disprezza, congiura contro di te con le sue compagne streghe, e ti accoglie col cipiglio d'una regina, mentre che invece è una tua sottoposta e una tua serva. Ma tu seguiti ad amarla e non pensi che a lei; di me, di questo povero Edoardo che non si lascia ingannare dal tuo vestito e ti valuta un gran signore, e per sancire il tuo titolo ti riserba un regno, e non disapprova la tua pelle scura, anzi proprio a motivo di essa ti stima piú bello e amabile. Di Edoardo, ecco, che ti giudica il giovane piú grazioso del mondo proprio in virtú della tua goffaggine, e che dei tuoi difetti si serve per pungerti un poco, e giocare con te, e amarti meglio; e poi, fra sé, in segreto, li considera la nota suprema della tua grazia. Di Edoardo, solo perché non è una ragazza ed è malato di una malattia mortale, del povero Edoardo non t'importa nulla.

Mio padre si agitava nel sonno, e voleva giustificarsi, rispondere all'amico che ciò era ingiusto, ch'egli non aveva mai cessato di volergli bene. E non ricordava dunque, Edoardo, d'essere stato lui, lui proprio, ad andarsene senza un addio, buttando via la loro amicizia come un oggetto fuori uso? Tutto questo avrebbe voluto dire mio padre; senonché, proprio allora una qualche inezia, un avvenimento impercettibile e insignificante distraeva l'attenzione di Edoardo. I suoi begli occhi si mettevano ad inseguire quella futile novità la quale, ripeto, magari altro non era che il girellare d'un moscerino, o la frangia del paralume mossa da un fiato. Sembrava che, per il Cugino, spettacoli di questo genere fossero non meno interessanti e importanti che la passione, l'amore o l'amicizia; e in ciò, veramente, egli somigliava piuttosto ad un gatto che ad un uomo.

Avveniva pure che, senza un motivo visibile, nel mezzo d'un discorso bruscamente egli ammutolisse e cambiasse espressione. La sua faccia sembrava rimpicciolirsi, diventava terrea, disfatta, gli si chiudevano le palpebre, e i suoi labbri si muovevano in un balbettío. Straniato da Francesco, e dal luogo, in piedi nel mezzo della stanza egli iniziava una strana pantomima da marionetta, sconnessa e fragile al pari d'un delirio. Nei gesti, nelle frasi di lui, Francesco riconosceva talora dei frammenti di azioni o di discorsi già fatti in sua presenza da Edoardo vivo; senonché, il cugino passava in fretta, e senza scelta alcuna, da un atteggiamento a un altro del tutto differente, come se andasse raccogliendo d'intorno con avidità febbrile degli spersi, effimeri frammenti di se stesso. Ora, chinando sulla spalla il volto dalle palpebre schiacciate sull'orbita, simile ad un musicante cieco, faceva il movimento di chi suona un mandolino o una chitarra; ora s'inchinava per un baciamano o agitava le dita ad un saluto, contraendo in un sorriso mondano la sua mascherina d'agonizzante. Ora accennava un passo di ballo, or con una voce trasognata e fuggevole balbettava una frase galante, ora in tono di stizzosa querela esclamava: – Concetta! perché non la smetti di ciarlare nel corridoio? Non mi lasci dormire! toglimi il termometro! soffoco dal caldo, toglimi di sui piedi quella coperta, fa' come ti dico, se no uscirò dal letto e mi esporrò alla neve! – E mentre cosí gridava, d'un tratto mutava la smorfia di dispetto in un riso trafelato e, col busto teso all'indietro, faceva mostra di reggere le briglie, come durante una discesa in islitta. Quindi assumeva un'aria misteriosa, subdola e astuta e sussurrava, accovacciandosi sul pavimento: – Ecco un ottimo nascondiglio per il nostro bell'anello! – ma tosto si levava, e sporgendo il suo viso d'assonnato, esclamava: – Francesco! ma con chi ti perdi? non vedi ch'è una baldracca da poco prezzo? ti pare che valga la pena? – e usciva in una risata afona e convulsa.

Il piú curioso in tutto ciò, a quanto mi disse mio padre, era che lui medesimo, nel sonno, guardava a quella pantomima di Edoardo come ad una scena oltremodo comica ed esilarante, sí che dal principio alla fine, quasi assistesse ai *numeri* successivi d'uno spettacolo, si scuoteva nelle risa piú smodate. Avvertiva però, in mezzo a questa ilarità, una specie di acuta serpeggiante angoscia, simile al senso di colpa che prova un bambino quando, suo malgrado, non può trattenere il riso all'udire gli assurdi vaneggiamenti del fratellino in preda a una febbre. Egli finiva per destarsi di soprassalto, con le mandibole ancora contratte, e nella gola e nel petto un senso di bruciore e di fatica: prove, queste, che se la commedia di Edoardo era stata un sogno, le risate sue proprie invece erano state reali. Ad ogni modo, dell'ilarità che le aveva provocate non gli restava piú niente; mentre che invece la sottile angoscia annidata in esse cresceva a dismisura, e lo opprimeva come un incubo della veglia.

Oltre alle scene suddette, che sovente si ripetevano nei suoi sogni, mio padre mi descrisse varie altre apparizioni del cugino. Una volta, questi era apparso tutto festoso, trionfante, sebbene fosse lacero, a piedi scalzi, e coperto soltanto da un paio di pantaloni e da una camiciola insanguinata. – Sei pronto, Francesco, vieni? – gli aveva detto con impazienza, e mio padre l'aveva seguíto subito, come per un accordo già stabilito fra loro. S'eran trovati a camminare insieme attraverso un vallone immenso, deserto e coperto di neve, fra colline nevose e senza traccia d'uomini; in un chiarore né solare né notturno, simile a quello delle regioni boreali. Il cugino, ciarliero, fervido, andava parlando di regni, di nazioni vittoriose che li aspettavano, e affermava di scorgere già le bandiere sventolanti al di là delle colline; ma mio padre, via via che procedevano, sempre piú si sentiva stringere il cuore. Finché il cugino, indovinando il suo pensiero, s'era arrestato all'improvviso, e con una espressione astuta e sprezzante aveva detto: – Tu hai paura di lasciare *lei*, di aver perso la via di casa. Non aver paura, la tua via la ritroverai facilmente! – Quindi, con l'aria vanagloriosa d'un soldato, aveva mostrato la propria gola, quasi all'inizio del petto, rotta da una ferita donde il sangue gli colava in una striscia fino sui minuscoli piedi. E volgendosi, pari all'accorto Hänsel della favola, aveva indicato la traccia lasciata dal sangue lungo tutta la via, rosso interminabile nastrino serpeggiante nella neve: – Va', corri lungo questa pista, – gli aveva detto con una gran risata, – essa ti guiderà fino a casa. Torna dalla tua sciocca donnaccia, che ti copre di disonore. A rivederci a domani, cane vigliacco, Edoardo ti perdona e non mancherà –. A queste parole, mio padre s'era gettato sulla striscia sanguigna, ripercorrendo a precipizio la via già prima percorsa; e ad un certo punto, voltatosi ad un rauco e sanguinoso tossire, aveva scorto in fondo in fondo alla striscia la figura d'Edoardo, quasi impercettibile nella distanza, e che pure sembrava esprimere chi sa come, nel sogno, una delusione ironica. S'era svegliato allora con dei brividi freddi, sebbene la notte fosse oltremodo afosa, come se davvero l'aria invernale del sogno gli fosse entrata nelle ossa. Inoltre si sentiva vergognoso e umiliato, soprattutto a causa della frase *colei che ti copre di disonore*, che risuonava ai suoi orecchi come un oracolo maligno.

Ciò che rendeva piú conturbanti le apparizioni del cugino era la naturalezza singolare, e la piena verisimiglianza. Non accadeva, con esse, a mio padre, quanto accade spesso con le figure dei sogni che ambite, inseguite, appena giungi a toccarle rivelano la loro inconsistenza di vapori. Al contrario, il cugino diventava piú vivo, caldo e corporeo, quando si faceva piú accosto. Allorché, bisbigliando le sue confidenze, egli appressava i labbri al volto di mio padre, questi riconosceva il tenero, giovane odore del suo fiato; come pure ritrovava il senso delicato e liscio delle sue guance ancor quasi imberbi, e la mollezza delle sue ciocche, allorché il cugino, presagli una mano, se la strisciava con atti carezzevoli sulle tempie e sulle gote. Perfino un sottile fruscío della sua cravatta o della sua sciarpa (eleganze di Edoardo tanto ammirate, quand'erano ragazzi insieme, dal povero Francesco), perfino questa eco impercettibile si faceva riconoscere al di là di mille sovrapposti suoni e rumori, e dava al cuore di Francesco un affettuoso sobbalzo, quasi un benvenuto a quel sottile contrassegno di riconoscimento. Erano, infine, tali colloqui con Edoardo, un'accolta di sensazioni ritornanti, amare talvolta, ma per lo piú gentili: sensazioni che sembravano perdute, e che, in verità, Francesco aveva, durante i reali incontri con l'amico, avvertite appena, mentre che ora sembrava in esse risiedere la piú profonda fiducia e consolazione dell'amicizia.

Quando lo visitava di notte, il cugino soleva sedersi sul bordo del suo letto, e non ristava mai, durante la conversazione, dal manifestargli la propria affettuosità con mille piccoli gesti quasi inconsapevoli. Per esempio, gli accarezzava il viso, e mio padre avvertiva con delizia, nell'afa della notte, la dolce frescura di quelle manine. Oppure, distrattamente giocherellava con le sue dita, e ciò procurava a mio padre una contentezza delicata e futile, simile a quella di chi ascolti una voce squisita canticchiare uno scherzoso motivo. Una notte, egli morsicò per gioco il dito di mio padre e, risvegliandosi, questi si ritrovò sul polpastrello due leggerissime incisioni, quali potrebbero lasciarle i dentini d'un gatto. Certo s'era morsicato leggermente da se stesso, nella suggestione del sogno.

Avvenne piú d'una volta che, dopo averlo blandito secondo il solito, il cugino uscí a dire: – Davvero che, se ci penso, m'accorgo d'avere dei curiosi gusti. Eccomi qua: sono un giovane ricco, di famiglia aristocratica, inchinato da tutti, corteggiato dalle donne, e trascorro le mie nottate a chiacchierare con un impiegatuccio, una grinta sfigurata, un bastardo figlio d'un ladro e d'una disonesta villana –. Certe sere, egli si presentava tutto elegante, profumato, in abito da ballo; e avanzando dall'uscio, voltato un poco di sbieco, verso mio padre, annunciava con un'aria fra mondana e timida, non senza pavoneggiarsi leggermente: – Francesco! ecco Anonimo! Io sono Anonimo! – Altre volte, si fece d'un tratto titubante e pensieroso, e domandò a mio padre, solleticandolo affabilmente sul collo: – Di', è proprio vero che ho la morte sulla faccia? – e ridacchiò, celandosi la bocca dietro una palma, col gesto degli scolari quando in classe, a dispetto della maestra, si scambiano le lor buffonesche confidenze.

Quasi sempre il discorso andava a cadere su Anna: – Non ti vergogni, – diceva sdegnoso il cugino, – di star sempre aggrappato alle vesti delle donne? Tu non sai vivere senza onorarne una del tuo massimo rispetto: prima fu tua madre Alessandra, poi l'umanità intera sotto la specie d'una sgualdrina dozzinale, e in seguito quest'altra donnaccia. Ti voti tutto intero al tuo rispetto; e quando scopri ch'esso era malposto, ridiventi come un bambino che in una gran folla abbia smarrito la propria madre: spaurito, travolto, umiliato... Perché dunque non ti rassegni a disprezzare ciò che ami o ad amare ciò che disprezzi? – Cosí divagava Edoardo; ma alla struggente, sempre rinnovata interrogazione di mio padre: – Allora, è vero ch'*essa* è colpevole? – non dava che risposte oblique e discordanti. Una volta, per esempio, disse con un'aria stupita: – E non t'ha lei medesima confessato d'essere in colpa? – E come mio padre annuiva, egli esclamò, usando le parole stesse pronunciate da mia madre alcune notti avanti, e imitando beffardamente il tono di lei: – Perché, dunque, avrebbe dovuto mentire? Si mentono forse certe cose? – Un'altra volta, invece di rispondere, atteggiò il viso ad una consapevole e oltraggiosa ironia, e come mio padre lo incalzava: – Che vuoi significare? che intendi? – egli proruppe, sarcastico: – Ma se *non vuoi* credere, se rifiuti perfino l'evidenza, perché fingi di bramare ch'io ti convinca! – Allora, non c'è piú dubbio, essa ha detto il vero? – L'unica virtú di quella brutta malafemmina, è di non saper mentire, – dichiarò il cugino Edoardo.

Sembrava chiaro, con ciò, ch'egli confermava le colpe di Anna. Senonché, un'altra notte, con una smorfia di commiserazione e di spregio, rispondeva a mio padre: – Eh, via, come puoi presumere ch'essa sia sincera? Non t'accorgi ch'è invecchiata, brutta, grassa, a chi mai potrebbe piacere, fuori che a te? Non temere, nessuno proverà la tentazione di rapirtela, nessuno la vuole, – e concludeva il discorso in una gelida risata.

Una notte, invece, si chinò su mio padre con occhi lagrimosi e un sorriso da demonio, bisbigliando: – Francesco! Francesco! vuoi le prove, di', vuoi le prove? – e nel dir ciò si fece pallido pallido. – Essa le nasconde, – riprese poi con una voce timorosa, fioca, – le nasconde, le nasconde... – Dove... – sussurrò mio padre. Ma a questo punto il cugino si dette a crollare il capo e a far di no con l'indice. Poi si celò la faccia dietro le mani, cosí che non si poteva capire se i suoi flebili singulti fossero di risa o di pianto.

Infine, una notte Francesco sognò di entrare, armato di coltello, nella stanzetta di mia madre. Messo appena il piede sulla soglia, scorse, addossato a un angolo, in fondo, il cugino, il quale, al vederlo, gli fece un cenno d'intesa, e poi mormorò: – Dorme, – invitandolo a far piano. Dai suoi modi affabili, tranquilli, pieni di rispettosa familiarità, si capiva che non conosceva per nulla i disegni delittuosi dell'amico. Sollecito, guardingo, lo guidò al letto di Anna che era, nel sogno, coperto da un baldacchino e circondato da lunghi drappeggi, e lo esortò a sollevare il drappo. Mio padre ubbidí, e vide mia madre dormire, distesa sul letto in abito da sposa, con un calmo e dolce respiro; – Vedi quant'è innocente, – gli sussurrò il cugino, – infilale l'anello! – e cosí dicendo, sollevò lui stesso, con un sorriso, la manina di mia madre, inerte, come di bambola, tendendola a mio padre. Il quale, senza meraviglia, come se tutto ciò fosse prestabilito e nessun'altra ragione lo avesse condotto qui, infilò nell'anulare di mia madre una fede d'oro, mentre il cugino tentennava silenziosamente il capo.

Ecco ciò ch'io seppi da mio padre riguardo alle apparizioni del Cugino; ma il suo racconto, ch'io ho cercato di riferire qui con la massima chiarezza, fu in realtà confuso e imbrogliato, soprattutto dopo che il vino ebbe incominciato a offuscare la sua mente: sí ch'io faticavo a seguirlo. Ogni tanto, egli s'interrompeva e rimaneva assorto; oppure risaliva al nostro discorso iniziale, e fissando su di me gli occhi sanguigni, appannati, cercava con varî argomenti di subornarmi. Al che, innervosita, querula, io rispondevo secondo il solito: — Ma te l'ho già detto, non so nulla, io, non so nulla! — finché egli parve rassegnarsi e non m'interrogò piú. Ricominciava continuamente i suoi racconti sul cugino, e ritornava piú d'una volta a cose già dette, soprattutto pareva colpito, come da una trovata assai gustosa, dalla definizione che il visitatore aveva dato di lui: « figlio d'un ladro e d'una malafemmina villana ». Ripeteva questo motto fra crude risate, spesso e fuori proposito: approvandolo e ribadendolo con la singolare ferocia, vile, perfino impudica, degli orgogliosi allorquando si compiacciono di denigrare se stessi. Da parte mia, non potevo senza perplessità udirlo rinnegare oggi tante sue precedenti asserzioni. Qui, nell'osteria, dove mille volte aveva dichiarato d'esser figlio d'un gran signore, oggi affermava con gioia che suo padre era un ladro, e ambiva, si sarebbe detto, di imprimere questa verità nella mia mente, e di annunciarla al mondo. Or sebbene il mondo fosse nel nostro caso rappresentato dal solo Gesualdo, il quale non dava nessun segno d'interessarsi al nostro colloquio, e neppur d'udirlo, io soffrivo tuttavia d'un tormentoso disagio udendo mio padre tenere alla presenza d'estranei simili discorsi. Quanto all'asserita ladroneria del mio avo, sospettavo che, al pari forse della sua grande nobiltà, essa fosse solo una nuova millanteria di mio padre.

Come potrei ripetervi, adesso, tutte le altre chiacchiere sconclusionate e sacrileghe tenute quel giorno da costui, senza riguardo alla presenza d'una bambina? Egli affermò, fra l'altro, di odiare la propria madre, ch'era stata la prima colpevole delle sue disgrazie; e di odiare poi mia madre ch'era una donnaccia, e me, ch'ero d'accordo con lei. Spesso, con le espressioni piú brutali e sarcastiche, si rivolse alla memoria d'un certo Nicola, personaggio a me sconosciuto e del quale udivo il nome per la prima volta. E insieme a Nicola, insultò con le medesime, identiche espressioni se stesso, e perfino il Signore Iddio; come pure confuse in un medesimo linguaggio sua madre e la Madonna, mia madre e perfino Rosaria. Devo però aggiungere, se ciò può valere a giustificarlo, ch'egli ormai non era piú in sé. Per la prima volta, dacché lo accompagnavo all'osteria, lo vedevo del tutto ubriaco. Di lí a poco, nel mezzo di quelle empie bravate ripiegò pesantemente il capo sulla tavola e cadde in un profondo sonno.

Ciò mi sbigottí, s'è possibile, ancor peggio delle sue bestemmie. Sogguardai verso il banco, e vedendo che l'oste giaceva anch'egli immerso nel sopore, vinsi un poco la timidezza, e ripetutamente, a voce bassa, chiamai mio padre tirandolo per la manica della giubba. Ma egli sembrava fatto insensibile al pari d'un fantoccio, sí che, scoraggiata, e abbandonata alla piú crudele perplessità, mi rannicchiai sulla panca, nell'angolo del muro.

Il pensiero che altri avventori potessero sopraggiungere, e vedere mio padre in quello stato, mi empiva di vergogna. Cercai d'atteggiarmi a persona che se ne stesse qui all'osteria per proprio conto, del tutto indipendente dall'addormentato beone cui si trovava, per caso, di rimpetto; e con un ruvido e sospettoso cipiglio mi ritrassi ancor di piú (quasi per nascondermi), in fondo al mio sedile. Se, meditavo, la gente m'avesse interrogata riguardo a lui, la mia risposta sarebbe stata che non lo conoscevo per nulla, ch'egli non era né un mio parente né un mio amico, ma uno straniero accomodatosi alla mia tavola senza chiedermi il permesso; e dunque, per piacere non venissero piú a importunarmi sul suo conto e si rivolgessero ad altri. Cosí precisamente avrei risposto; e se poi Gesualdo fosse intervenuto a sbugiardarmi affermando che quest'ubriacone era mio padre, avrei proclamato che Gesualdo mentiva: e tanto valeva un suo *sí* quanto un mio *no*.

Di tal sorta erano i pensieri che m'occupavano mentre, sola immune dal grande sonno pomeridiano, mi consumavo nell'incertezza, nell'onta e nella noia. Vagheggiavo di fuggir di soppiatto dalla cantina, e tornare a casa da mia madre; ma non ardivo, in realtà, neppure di alzarmi un poco di tavola per isgranchirmi le gambe, e quasi non osavo di spostarmi lungo la mia panca medesima o di fiatare: a tal punto mancavo d'audacia. A malapena (non senza aver adocchiato verso il banco per assicurarmi che l'oste non mi badava), mi risolvevo talora a qualche nuovo, timido tentativo di ridestare mio padre; questi però non dava affatto segno di avvertire la mie piccole scosse, e sommesse esortazioni; sí che, infine, rinunciai del tutto alla prova.

Dovevan essere ormai passate le quattro e mezzo. Vedevo innanzi a me la testa nera e cresputa di mio padre, i suoi lunghi cigli ricurvi, e le sue mani brune e tozze, dalle unghie piuttosto sudice, fuor degli sfilacciati polsini. Le finestruole della cantina non lasciavano scorgere che il selciato polveroso e deserto, soltanto da quella in fondo s'intravvedeva un lembo di sterposa, gialla campagna. E nella quiete della canicola, non s'udivano altri suoni che il respiro grosso e rado di mio padre, ronzii di mosche intorno alle inferriate e ad intervalli, in lontananza, un frinire di cicale.

Qualche rado cliente interrompeva ogni tanto il leggero sonno dell'oste; il quale, riscuotendosi al rumore dei passi giú per la scaletta, si drizzava di malavoglia. Eran, però, sempre clienti di passaggio, i quali non prendevan posto ai tavolini, ma si facevano servire al banco, e ripartivano frettolosi: per esempio, un giovane meccanico tutto impolverato che fermò il suo camion, a motore acceso, dinanzi alla cantina; e vuotato in un sorso il suo bicchiere buttò una moneta sul banco e risalí di corsa al camion che dopo un secondo s'allontanò con fracasso. Oppure, una serva dai piedi scalzi, spedita dalla sua signora ad acquistare due soldi d'aceto; o una coppia di semiselvagge ragazzine del sobborgo, le quali, in attesa che Gesualdo riempisse il loro fiasco alla botte, mi sbirciarono con una certa curiosità, sí che il rossore mi salí alle guance. Ma per mia buona sorte, nessuno di questi affaccendati clienti parve interessarsi gran che allo scandalo di mio padre né mi rivolse parola. Quanto a Gesualdo, sbrigando il suo commercio egli ci gettava appena un'occhiata inerte e sonnacchiosa; e licenziato il cliente, e richiuso con un colpo il cassetto dei denari, subito riadagiava il capo sul banco e richiudeva gli occhi senza occuparsi di noi. Nel suo sopore, sembrava del tutto inanimato; ma di tanto in tanto s'agitava un poco e tossicchiava con un suono stridulo.

Passò in tal modo, io credo, circa un'ora. La luce mutava insensibilmente colore, facendosi rossastra e piú pacata, come quando il sole percorre la curva di ponente; e benché l'aria avvampasse tuttavia, si vedeva, di là dalle finestruole, la polvere della strada sollevarsi ai primi soffi del vento d'ovest il quale, ogni giorno d'estate, viene ad annunciare che il pomeriggio declina. Allora, mi rappresentai, tutta sgomenta, un lento seguito d'ore simili a questa, e me solitaria sulla mia panca mentre il pomeriggio percorreva il suo restante giro, finché gli ultimi colori del crepuscolo si spegnerebbero intorno. A chi potrei chiedere consiglio, aiuto? chi mai poteva liberarmi? E se, infine, la notte ci avesse sorpresi quaggiú? e se, magari, l'oste avesse chiamato le guardie? A simili immaginazioni, non seppi piú trattenere i singhiozzi, e cercai di soffocarli comprimendomi la bocca con le due palme, affinché l'oste non mi cogliesse a piangere come una ragazzina.

Una voce musicale, squillante, che lo chiamava dal pianerottolo di sopra riscosse Gesualdo; levatosi, egli uscí tosto nel retrobottega, e dal piede della scala rispose all'invisibile ostessa. Vi fu tra i due sposi un breve dialogo: la voce dall'alto, coi suoi teneri accenti strascicati, animaleschi e misericordiosi, rammentava a Gesualdo non so piú quale commissione da eseguirsi prima che suonassero le sei; dal basso la voce sgarbata dell'oste rispondeva: « sí, sí, va bene ». Allora l'acuta voce della rinchiusa tacque, mentre un passo neghittoso e greve s'allontanava dal ballatoio di sopra verso le stanze; e l'oste rientrò nella bottega.

Dopo aver armeggiato un poco fra le damigiane e le botti, egli ci gettò un'occhiata e borbottò che, quest'oggi, mio padre aveva preso la sua bottega per un dormitorio. Quindi si accostò alla nostra tavola, e, proprio in quel punto, uno dei miei maltrattenuti singhiozzi risuonò nel silenzio. L'oste mi guardò senz'ombra di sorpresa né di compassione, e mi disse aspro: – Che piangi a fare? sarebbe meglio che tu dessi una voce a tuo padre, invece! – Alzai la spalla per tutta risposta, nascondendomi la bocca con le mani, e serrando forte i labbri a comprimere il pianto. L'oste allora si chinò su mio padre e gli gridò negli orecchi: – Avvocato! Avvocato! Io ho da fare in città! Qui si chiude e si riapre stasera! Ehi! Avvocato! – ma vedendo che simili incitamenti non servivano, con la sua sorniona e brutale rozzezza si dette a scuotere il dormiente per le spalle.

Dapprima, mio padre sollevò appena il capo in una espressione torva e stravolta, ricadendo subito a giacere; poi come le scosse dell'oste raddoppiavano di violenza, si drizzò infine sul busto e aprí uno sguardo fisso, febbrile e smorto, che non si volgeva a nessuno. Sembrava non ricordarsi affatto del luogo, e il suo primo impulso fu di abbandonarsi indietro, come per distendersi e riprender sonno: sí che, se Gesualdo non l'avesse sorretto, sarebbe caduto dalla panca.

Gesualdo gli urlò nuovamente negli orecchi quanto aveva già detto prima, e cioè che la bottega si chiudeva fino a notte e bisognava andarsene. E nel tempo stesso, lo aiutò a levarsi in piedi, forzandolo ai due gomiti. Mio padre lo secondava con aria passiva e stupefatta, e stette in piedi alla guisa d'un fantoccio, la testa cadente un poco sulla spalla, il braccio sinistro rilasciato lungo il fianco e la destra aperta e appoggiata al petto. Il suo logoro vestito nero, troppo pesante per la stagione calda e troppo largo per il suo corpo smagrito, gli faceva le borse sui ginocchi, poiché da molte sere egli trascurava di stendere i pantaloni sotto il materasso, come soleva prima allo scopo di conservarne la piega. In verità, egli non aveva l'apparenza d'un avvocato, e neppure d'un impiegato alle Poste; ma d'un miserabile, d'un qualche salariato d'infimo rango che vada ad ubriacarsi la domenica. Peggio ancora, somigliava a certi giovanotti del nostro quartiere ai quali nessuno voleva dar lavoro perché si sapeva ch'erano stati in carcere, e che passavano il tempo dall'una all'altra osteria coi denari sottratti alle loro sorelle o alle loro madri. Insomma, mi veniva fatto, guardandolo, di paragonarlo ai personaggi piú sudici e disonoranti, alle

656

vergogne della società, e mi domandavo perché, perché mai la mia bella madre avesse un simile sposo.

Fra queste considerazioni amare, gli tenevo dietro a piccoli passi: giacché meccanicamente e, si sarebbe detto, senz'aver coscienza delle sue proprie azioni, egli ubbidiva all'invito dell'oste e malsicuro s'avviava all'uscita. L'oste, però, gli si fece innanzi tagliandogli il cammino, e con un gesto espressivo del pollice e dell'indice, e col tono di chi si volge ad un sordomuto, gli sillabò in faccia: – Pagare –. In fretta, mio padre cavò di tasca un biglietto di banca; ma, quando Gesualdo gli pose in mano i denari del resto, non si curò o non ebbe la forza di chiudere la palma e inerte, smemorato, li avrebbe lasciati cadere, s'io non glieli avessi ritolti, e infilati nella tasca della giubba.

A fatica, urtando contro i tavolini, si trascinò da solo fino in cima alla scaletta; ma qui giunto vacillò ed ebbe una smorfia di nausea, come per un capogiro, ed io spaventata gli dissi di sostenersi a me. Egli s'appoggiò infatti con una mano alla mia spalla, e, senza riguardo alle mie piccole forze, mi pesò addosso in tal modo che quasi mi mancò il respiro, e mi si empirono gli occhi di lagrime; tuttavia non mi lagnai, né lo respinsi, per timore che, ultima vergogna, egli non avesse a cadere in terra disteso.

Cosí ci staccammo dall'osteria di Gesualdo, il quale s'affrettò a chiudere i battenti alle nostre spalle. Il leggero vento pomeridiano non bastava ad alleviare la grave calura, e le vie rimanevano ancora quasi spopolate. Vi s'incontravano solo frotte di ragazzetti mezzi nudi che, insensibili al clima, si davano ai soliti giochi e al chiasso; oltre ai primi scarsi passeggiatori domenicali, ancora istupiditi dalla siesta interrotta anzitempo, e a qualche vagabondo che dormiva buttato in terra all'ombra d'un portone, fra nugoli di mosche. Ancora, sulla città regnava il sonno: soltanto piú tardi, calato il sole disumano, le famiglie, le ragazze a frotte sarebbero uscite agli svaghi della domenica, e incomincerebbero ad apparire i primi ubriachi, familiare spettacolo delle sere festive al sobborgo. Ma in quell'ora prematura, attraverso le vie semideserte nella piena vampa del giorno, un ubriaco aveva l'aria d'uno stralunato pioniere disceso da regioni sideree.

I mille metri di percorso dall'osteria fino a casa furono, è certo, un pellegrinaggio infernale per la fiera Elisa De Salvi. Ad ogni modo, il nostro singolare duetto riuscí a spingersi fino al termine d'arrivo. Oltrepassata appena la nostra soglia, mio padre si gettò a dormire sulla cassapanca dell'ingresso; quanto a mia madre, chiusa nella sua stanza, non s'era mostrata affatto, come non ci avesse neppure udito ritornare; ed io mi rifugiai sola in camera.

Ero grondante di sudore, e i miei piedi, nudi nei sandali estivi, eran grigi di polvere fin sulle caviglie. Il cuore mi pulsava in gola, e ardevo di sete, ma le mie furie incalzanti mi tolsero fin la volontà di bere. Entrata appena, e strappatomi dal capo il cappello di paglia, guardai con occhi dilatati l'immagine della mia persona che, le guance in fuoco, affranta, febbrile mi veniva incontro dallo specchio dell'armadio. E in quel punto stesso, ruppi in singulti e in urla soffocate, rapita da una di quelle solitarie crisi di nervi che, per esser un male da adulti piuttosto che da bambini, sono, ad un bambino, assai piú dolorose e violente. Né l'esperienza, infatti, né la ragione, possono intervenire a soccorrere il piccolo indifeso contro le scatenate passioni che lo scuotono.

La mia passione, spintasi quel giorno alla sua crisi, era l'odio e il disgusto contro Francesco De Salvi. Era avvenuto, lungo la strada, che costui, nei vapori e nelle nausee dell'ubriachezza, perdesse talora ogni ritegno e potere di volontà, comportandosi pubblicamente in tal modo che in me il ribrezzo aveva vinto perfino la vergogna. Era appunto il ricordo di ciò, e il ribrezzo che lo accompagnava e ch'io credevo per sempre inguaribile a rendere piú dolorosa la mia frenesia. Spossata e fioca per la fatica e per il pianto, ripetevo con un filo di voce:
– Sporco! sporco! ubriaco maledetto! segnato da Dio! butterato! –
e squassavo il capo, e mi torcevo le mani, accovacciata in terra presso l'armadio. Né mio padre era il solo oggetto dell'impotente mia collera; da molta gente ero stata offesa quel giorno, ma, fra tutte le altre, una persona m'aveva offeso in modo tale che, se l'avessi avuta innanzi ora, volentieri le sarei saltata agli occhi. Era questa un'ignota donna del popolo, la quale, al momento che attraversammo la sua soffocante viuzza, conversava, dalla sua finestra a pianterreno, con una sua conoscente fermatasi nella strada; e vedendomi passare in compagnia dell'ubriaco ch'io sorreggevo e spronavo ad ogni passo, esclamò in tono di commossa benevolenza: – Guarda la cara e brava creaturina come aiuta suo padre! – In verità, né la curiosità degli oziosi fermatisi a guardarci per loro passatempo; né i commenti scandalizzati di qualche sobrio cittadino; e neppure i motteggi dei ragazzacci, usi a deridere con parole antiche e sempre uguali le sconce manifestazioni dell'ubriachezza; nulla, dico, aveva potuto offendermi quanto la sciocca lode di questa temeraria! Giacché, poteva darsi per me una mortificazione piú dura? Esser creduta la devota serva d'un uomo per il quale nutrivo soltanto disprezzo e rancore, e che oggi, per l'appunto, s'era reso ancor piú odioso ai miei occhi disgustandomi col suo contegno ripugnante e coprendomi di vergogna di fronte all'intera città! S'io l'avevo aiutato, era perch'egli non aveva nessun altro a dargli aiuto, e d'altra parte,

sarebbe stato ancor piú umiliante per me affidarlo a un estraneo. Ma durante tutto il cammino, sia che lo incitassi severamente ad avanzare o che, nei suoi fastidiosi malori, cercassi di soccorrerlo e di spingerlo fuor dagli sguardi della gente; o sia che soffrissi sulla mia spalla il peso del suo corpo dinoccolato; i miei sentimenti verso di lui non erano stati che ribrezzo, onta e rivolta. Adesso, m'umiliava il sentirmi esausta, e polverosa e sudata a motivo di lui; soprattutto la mia spalla indolenzita m'umiliava, a tal punto che, fra i singulti, io la morsi a sangue.

La mia crisi di rabbia, tuttavia, fu di breve durata; in pochi minuti, estenuata dalla sua stessa violenza, essa diradò e placò gli assalti, spegnendosi in una pietosa dolce querela che infine, come una mia cantilena cantata a me stessa, m'indusse a un placido sonno.

Finita la crisi di rabbia, però, mi sopravvenne un turbamento di tutt'altra specie: intendo parlare dei gravi e fantastici dubbi ispiratimi da mio padre con le sue rivelazioni riguardo al Cugino: i quali si precipitarono ad assediarmi sul far della notte. Ognuno sa quanto potere abbiano nella nostra infanzia mille mostri invisibili di cui, nell'età adulta, scopriamo la sostanza fallace.

Per esempio, nel caso di cui si tratta, io vedo bene, oggi, quale sia l'unica spiegazione sensata delle *visite* fatte dal cugino a mio padre. È verosimile che costui, commosso dalla notizia che l'amico era morto, lo rivedesse piú d'una volta in sogno, e che tali visioni si stampassero con un risalto singolare nel suo cervello dolorante e inquieto. Ma non è altrettanto verisimile che il suo visitatore rassomigliasse esattamente a quello da lui descrittomi durante il colloquio all'osteria e, in verità, conoscendo mio padre, sono oggi alquanto scettica sulla fedeltà della sua descrizione. E non mi pare troppo ingiusto supporre che certi caratteri prodigiosi e quasi soprannaturali di quelle visite sognate fossero un'aggiunta fatta da mio padre nel fuoco del racconto.

Si può pensare, del resto, ch'egli mentisse in buona fede, ubbidendo alle suggestioni dei suoi nervi malati e del vino. Ovvero che la sua mente, in quei giorni, fosse rimasta impigliata nei suoi propri inganni. Ad esempio, la puntuale assiduità del visitatore il quale, secondo mio padre, pareva aspettarlo al varco non appena egli oltrepassasse di poco i limiti della veglia; tale misteriosa frequenza, dico, non era forse una bugia di mio padre, ma un'illusione della sua memoria. Non piú di tre o quattro volte, forse, gli era apparsa in sogno l'immagine del cugino; ma in quei suoi giorni confusi e torbidi, e quasi senza tempo, in quel disuguale alternarsi di lunghe insonnie, di sonni grevi e cupi e di effimeri sopori, tali rade apparizioni si erano moltiplicate nella sua mente come una multipla Fata Morgana attraverso i vapori del deserto.

In conclusione, oggi mi appare del tutto evidente che, non meno del fatuo viaggiatore di mia madre, il fedele visitatore di mio padre era una creatura dell'immaginazione malata.

Ma allora, invece, come non dubitavo di una qualche esistenza del primo, cosí mi convinsi che il secondo era vero anch'esso, e anzi mi apparve chiaro che, nonostante la loro diversa politica, il viaggiatore e il visitatore erano una sola persona. Mi accorsi pure dell'errore in cui viveva mio padre, giudicando le visite di Edoardo semplici sogni; ciò si doveva alla sua ignoranza del segreto di mia madre. Ma io, che conoscevo tale segreto, potevo spiegare ben altrimenti quelle visite. Io sospettavo, insomma, che il viaggiatore fosse ormai disceso in casa nostra, e vi si aggirasse come un ospite capriccioso, mostrandosi solamente quando e a chi gli piaceva.

Esitai se rivelare o no queste nuove a mia madre; ma come avrei potuto farlo, senza scoprirle nel tempo stesso l'infida condotta del cugino? quale pena sarebbe stata per lei sapersi ingannata, beffata e insultata da colui nel quale riponeva tanta fiducia! sapere ch'egli era qui, sotto i suoi occhi, e le si nascondeva e la fuggiva, mentre invece si mostrava a mio padre! sapere insomma che il Cugino, secondo ogni evidenza, si serviva di lei come di un trastullo, e si divertiva ai suoi tormenti! ebbene, appunto perciò, non era mio dovere d'illuminare mia madre, mostrandole la verità, pur se questa era crudele? già, ma se invece tutto questo, e i misteri, e le doppiezze del Cugino facevan parte d'un programma i cui fini m'erano occulti? sí che, svelando imprudentemente ciò che Edoardo voleva tener segreto, potrei forse attirare sulla nostra casa chi sa quali vendette disumane? fra simili dubbi, non sapevo quale decisione prendere; ed ero inoltre angustiata da varie paure. Mi domandavo, ad esempio, qual sorte toccherebbe a mia madre se il Cugino, prima o poi, si risolveva a tradire il segreto e a rivelare a mio padre il nascondiglio delle lettere. E molti altri possibili pericoli andavo rimuginando nella mente; ma sopra ogni altra cosa m'impauriva, in ispecie la notte, quand'ero sola in camera, la possibilità che il cugino, magari per semplice capriccio, d'un tratto si manifestasse anche a me. Un simile evento, malgrado la celebrata vaghezza d'Edoardo, mi faceva tremare solo al pensiero; e tuttavia mi sembrava, per altri versi, opportuno e augurabile, essendo io ben decisa, sempreché non ammutolissi per la terrificante visione, a parlare molto seriamente al nostro tiranno domestico. Già preparavo il discorso da farsi, che suonerebbe all'incirca come segue:

« Ti ringrazio, – avrei detto, – ti ringrazio per l'onore e il piacere che mi fai mostrandoti a me. Tu sei molto bello, ti assicuro, e perdonami, anzi, se tremo in questo modo: è appunto la tua bellezza troppo grande che mi fa tremare. Ma scusami se ti dico poi quel che penso di te: io penso che tu sei bello, ma non sei buono. Difatti, io so, avendolo udito dire da mia madre, che tu puoi fare tutto ciò che ti piace: e allora, scusami, che ti costerebbe d'esser meno falso e misterioso, e di tenere una condotta più sincera? Tu forse potresti, volendo, farci tutti felici; ma se non vuoi questo, almeno lasciaci capire che cosa vuoi, qual è il tuo scopo. Invece tu ti diverti a confondere i pensieri di mio padre e di mia madre, all'uno affermi quel che neghi all'altro, e si direbbe che ti piace di provocare litigi nella nostra famiglia. Ora, scusami, non è bene quello che fai. Non son io che te lo dico, in qualsiasi libro si può leggere che è peccato di infastidire anche un semplice passerotto per proprio divertimento. E tu, si direbbe, passi il tuo tempo a fare il vagabondo, ingannando per gioco le persone umane (mio padre e mia madre non sono credenti, è vero, ma sono pur sempre figli di Dio). Ricordati, Cugino, quel che dice il santo Vangelo: che una persona umana vale da più di molti passeri. È vero che noi siamo meno belli e importanti di te, anzi davanti a te non siamo niente, ove si eccettui mia madre, ma è forse colpa nostra? a tutti piacerebbe d'esser Signori e miracolosi come te. Dunque: se ci disprezzi, lasciaci, e se ci vuoi bene, non farci soffrire. Non supporre, adesso, ch'io non ti ami. Sei tanto bello, ch'io non cesserò mai d'amarti; e anzi non vorrei averti offeso. Ma in verità è impossibile capire che cosa t'offende e che cosa non t'offende, tu ora lodi, ora castighi senza ch'io possa mai capire le tue ragioni. Ah, Cugino, ti prego, sii buono quanto sei gran Signore: se davvero sei padrone di rallegrarci o di farci piangere, perché provi gusto a far piangere la gente? Non ho altro da dirti. Amen ».

Queste eran le cose che intendevo dire al Cugino, se lui per caso si fosse presentato a me. Il Cugino, però, fosse la sua poca degnazione verso di me, o fosse la noiosa prospettiva della mia predica (certo egli sapeva legger nella mia mente ogni intenzione riposta), non mi si mostrò né allora né mai, neppure in sogno. Sí che, mentre conosco a memoria, da mille ritratti, le sue fattezze, al contrario i suoi delicati colori, la sua voce, i suoi gesti, e in breve i suoi più vivi pregi, tanto vantati da chi li conobbe, son rimasti per me cose ignote e leggendarie. Ed io non posso rappresentarmi l'intero esser suo senza un qualche aiuto dell'immaginazione, allo stesso modo che se dovessi trattare, poniamo, del paladino Rinaldo, o del bruno Medoro, o del principe Enea.

Capitolo ottavo

Si svelano dei peccati che sbalordiscono il confessore.

Nei giorni che seguirono a quella domenica d'umiliazione, mio padre fu assiduo al suo lavoro, sí che lo vidi irregolarmente e di sfuggita. Stava cosí per conchiudersi un'altra settimana: il venerdí (s'era ai trentuno di luglio), mio padre uscí di casa nelle prime ore del dopopranzo, essendo di turno sul *postale* delle quattro, che rientrava nella nostra città all'alba del giorno dopo. Io stessa, rammento, gli preparai il cartoccio della cena: era infatti uno dei miei onori, in quell'età, di farmi assegnare un tal genere d'incombenze, e mettevo grande impegno nella fattura d'involti e di pacchi, sfoggiando addirittura un'arte raffinata nell'annodarne con bei fiocchi la cordicella. In particolare, quel giorno, mio padre si compiacque con me per l'eleganza del cartoccio; e me ne ricordo ancora, perché, da qualche tempo, avveniva di rado ch'egli prestasse attenzione a simili puerilità.

Alle prime luci della mattina seguente, io fui destata di soprassalto dal suono del campanello d'ingresso. Ancor mezzo addormentata, faticando a dissigillare le palpebre, mi dissi che certo mio padre, il quale appunto a quest'ora doveva rincasare dal suo servizio, aveva dimenticato, il giorno avanti, di prender seco le chiavi. Non era la prima volta che ciò accadeva; e di malavoglia mi accingevo a scender dal letto per andare ad aprire quando, allo strider che fece l'uscio della stanza di fronte, e ad uno scalpiccío di piedi nudi nel corridoio, intesi che mia madre m'aveva preceduto, e prontamente correva alla porta.

Già il sopore mi riafferrava, allorché udii suonar nell'ingresso una voce estranea, maschile, e blandamente ovattata, la quale, fra altre parole che non distinsi, pronunciava il nome di mio padre; e a cui la voce di mia madre rispondeva appena con dei mormorii. Dopo un istante, mia madre irruppe nella mia camera come un'inseguita e tratte fuor dell'armadio le sue vesti da uscire, prese a vestirsi con dita rapide, incoerenti, che penavano a stringere i ganci e i lacci. La luce biancastra del giorno accentuava il suo pallore; ella mi volse in fretta, nel vestirsi, gli occhi dilatati e attoniti, e mi disse di rimanere a letto quanto volevo, e di non uscire di casa, e di non aprire a nessuno se udivo suonare alla porta, ché, quanto a lei, per rientrare aveva le chiavi. Doveva recarsi fuori senza indugio perché mio padre era rimasto ferito in una disgrazia, e le era impossibile dirmi, adesso, a che ora precisa potrebb'esser di ritorno. Certo sarebbe tornata presto; ma se mi veniva fame, mangiassi pure, senza aspettarla, ciò che potevo trovare nella credenza.

Disse queste cose con una voce affrettata e atona; e un minuto più tardi, udii l'uscio d'ingresso sbatter forte dietro di lei.

Non fui più capace di riaddormentarmi; caddi però in un torpido, interrotto dormiveglia, che durò forse un paio d'ore. Il sole era già alto quando m'alzai: mi diedi a rifare i letti, e spazzar le stanze alla meglio, ma tosto mi mancò la volontà di condurre a fine queste abituali faccende. E per ingannare le ore di quella strana mattinata, presi a sfogliare i miei vecchi libri di scuola, e il romanzo di corsari donatomi da mio padre nel precedente inverno: romanzo che, peraltro, conoscevo ormai quasi a memoria.

S'udí finalmente lo scampanio del mezzogiorno; io ero digiuna dalla sera avanti, ma volli ritardare più che potevo l'ora del mio pasto, nella speranza che mia madre tornasse a tempo per desinare insieme. Ogni occupazione o distrazione utile a ingannar l'attesa mi venne a fastidio; e da questo momento, io non seppi far altro che vagare per le stanze, ora ponendomi in vedetta all'una o all'altra finestra che dava sul cortile, con gli occhi fissi all'arcata dell'androne, donde mia madre poteva spuntare all'improvviso; ed ora tenendomi all'erta in anticamera, gli orecchi tesi ai minimi rumori della scala. Ma dopo aver aspettato invano fin oltre le due e mezzo, trassi dalla credenza un poco di frutta e di pane avanzato dal giorno prima, e mi ritirai nell'anticamera semibuia per consumare qui, sola sola presso l'uscio, la mia colazione.

Or mentre, appollaiata sulla cassapanca, mangiucchiavo svogliata il mio pezzo di pane bagnato di lagrime, s'udí sul ballatoio un rapido batter di tacchetti di legno, quasi in corsa affannosa. La voce strappata e rauca del nostro campanello d'ingresso echeggiò più volte sul mio capo, quindi una mano impaziente si dette a picchiare con rabbia contro l'uscio; e com'io, che trattenevo il fiato, feci involontariamente cigolare la cassapanca su cui sedevo, raddoppiò i colpi. Io balzai giú dalla cassapanca; senza por mente a quel batter di tacchetti da donna poc'anzi udito, pensai trattarsi, forse, del Maresciallo dei Carabinieri, deciso a entrare armato, in nome della Legge, e con voce affiochita dal terrore m'indussi a domandare: – Chi è?

Una voce femminile, singhiozzante e frenetica, ma in cui vagamente avvertivo degli accenti non nuovi, proruppe allora di là dall'uscio: – Chi c'è? chi c'è in casa? Sei Elisa? sei Elisa? – Sí, – balbettai, – sono Elisa. – Apri, apri, Elisa, apri subito, – mi sollecitò la signora invisibile, riprendendo a picchiare. In preda ad acuto orgasmo, esclamai: – Non posso, in casa non c'è nessuno, la mamma non vuole ch'io faccia entrar gente –. Ma l'ostinata visitatrice mi scongiurò di rimando: – Ah, per amore della Madonna, apri, apri, Elisa mia, – con un pianto cosí straziato, e un accento cosí irresistibile, ch'io dimenticai gli ordini materni, e mi risolvetti a ubbidire. Timida, però, e circospetta, andavo schiudendo l'uscio pian piano; quand'ecco, una spinta impetuosa dal di fuori me lo spalancò, gettandomi quasi in terra; ed entrò Rosaria.

Malgrado il mio turbamento, io mirai stupefatta lo straordinario e indecoroso disordine della sua persona. Ella non aveva cappello, e la sua gran criniera cresputa, libera da pettini e da forcine, le si arruffava intorno al capo, come certe volte ch'ella ci aveva ricevuto in vestaglia o a letto. Non portava addosso alcun gioiello, e indossava per tutto vestito un soprabito da estate di seta nera, che teneva chiuso brancicandolo con una mano sul petto, e sotto il quale, come apparve al suo primo brusco movimento, era mezza nuda, discinta e senza busto, come fosse in camera sua.

Entrata che fu, ella gettò uno sguardo smarrito verso il corridoio, poi, curva su di me, di nuovo m'interrogò s'io fossi sola, se in casa non vi fosse nessun altro. E mentr'io rapida annuivo, mi strinse il volto fra le palme madide e fredde e incominciò a domandarmi in tono di minaccia: – E lui dov'è? non è qui? dove l'hanno portato? dov'è! dov'è! – Non sapendo che rispondere, io badavo a ripetere che mio padre era assente da ieri per il suo servizio, e che mia madre era uscita appena fatto giorno perché eran venuti ad avvisarla ch'egli era ferito. Allora Rosaria mi lasciò, e si sedette sulla cassapanca, e com'io, richiuso l'uscio, accesi la luce elettrica per non lasciare l'ospite al buio, lei, seduta in posa scomposta, la bocca semiaperta e affannosa, si diede a fissare con attenzione i quadrati del pavimento male rischiarati dalla lampada. Ripeteva con aspra monotonia, come una demente: – Ferito!... sí!... ferito... Ferito... È rimasto ferito! – Poi, levato su di me uno sguardo avverso, pieno di strano abbrutimento e di stupefazione, uscí d'un tratto in un alto gemito acuto, quasi cantante. E scrollando il capo con frenesia, con una voce che mi ricordò mia madre alla fu-

664

nebre nuova del cugino o la gatta di Gesualdo in cerca dei suoi figli, con una simile voce cupida, bestiale e interrogativa, si dette a invocare il nome di mio padre.

Di quando in quando, nel chiamare: – Francesco! Francesco mio! Francesco mio! – s'interrompeva, e simile a un bambino che altri cerchi distrarre dal suo pianto, fermava un poco su di me, o sulle mattonelle per terra, uno sguardo ingrandito e perplesso. Ma tosto, come se una mano violenta la riscotesse dal trasognamento passeggero, usciva ancora una volta nel suo strano grido selvatico, ricominciando a squassare il capo. Quanto a me, addossata a un angolo del muro, in piedi, la guardavo senza ben capire, e non sapevo far altro che piangere insieme a lei.

Finalmente, ella parve riaversi un poco, e, avvertendo su di sé il mio sguardo stupito, si ricompose il soprabito sul petto. Poi mostrandomi un viso mutato, compassionevole e materno, incominciò a recitarmi la cronaca del suo dolore, al modo delle semplici donne del popolo: con mille particolari, e insistenze, e ripetizioni, quali ritornelli d'un cantico luttuoso, in una voce paziente e piena di strazio. La cosa che le pareva soprattutto amara, incredibile e a cui, senza potervisi rassegnare ella ritornava piú spesso nel suo racconto, era di non avere, fino a pochi minuti prima, saputo né presentito nulla, lei, Rosaria, di quanto era accaduto a mio padre nella notte. Era uscita verso le undici, cosí raccontava, e se ne era andata a spasso in carrozza, spensierata, tranquilla, fermandosi qua e là a fare acquisti nelle botteghe. Quindi s'era attardata in una pasticceria con certe sue amiche; e verso il tocco, nel tornarsene a casa, aveva fatto fermare la carrozza davanti a un giornalaio: e il vetturino al suo comando era sceso ad acquistare per lei la piú recente edizione del giornale. Riservandosi di farselo leggere, piú tardi, da Gaudiosa, per un'ora, a casa, ella aveva avuto *quel giornale* sotto gli occhi, senza sospettare di niente; e toltasi l'abito accaldato e il busto, liberatasi del cappello, delle forcine e dei monili, aveva pranzato, mentre Gaudiosa, per alleviarle il gran caldo, la sventagliava col ventaglio. Sí, aveva mangiato, s'era rimpinzata con tutto il suo comodo, e il giornale stava ripiegato lí davanti a lei, su quella stessa tavola! Preso il caffè, e sdraiatasi per la siesta, ella, come soleva avanti di prender sonno, aveva ordinato a Gaudiosa di leggerle sul giornale i titoli di cronaca e gli spettacoli della sera. E soltanto allora, nel momento preciso che Gaudiosa pronunciava le parole: *Ultime notizie della notte*, aveva avvertito, o almeno le pare adesso, una sorta di puntura nel petto, come un presentimento. Ma era stata una cosa da poco, impercettibile, tanto è vero che un momento dopo, udendo il titolo *Tragico infortunio d'un impiegato ferroviario - Travolto mentre tenta di risalire sul treno in corsa*, ella non aveva considerato il fatto degno d'interesse, e aveva lasciato che Gaudiosa passasse ad altri titoli. Dopo un istante, tuttavia, ripensandoci, aveva ordinato a Gaudiosa di tornare indietro, e di leggere per intero il fatto dell'infortunio; ma nemmeno stavolta, a una prima lettura, aveva afferrato il senso preciso della notizia, pur udendo Gaudiosa compitare dal foglio stampato il nome *De Salvi Francesco*; ed era rimasta titubante e quasi incredula, sí che, per suo comando, Gaudiosa aveva dovuto rileggerle l'intero articolo, parola per parola. Udito l'ultimo periodo che terminava: *... tratto di sotto le ruote in fin di vita*, urlando ella aveva strappato alla serva il giornale, e febbrilmente, fra quelle migliaia di segni indecifrabili, s'era data a cercare le righe funeste, come se a lei, del tutto analfabeta, potessero significare alcunché, o dare una conferma o una prova. Ebbene, mentre fissava quella stampa, proprio come se vi leggesse, ella aveva acquistato finalmente una precisa contezza della verità. In quell'istante medesimo, tutti i suoi cinque sensi s'eran fusi nell'unica impressione d'un rombo fragoroso e d'un turbinío, come di torrente che faccia girar le ruote d'un mulino. La sua ragione s'era oscurata; e senza conoscere le proprie mire e le proprie speranze, ella s'era buttata addosso un soprabito, infilata le scarpe; e, respinta da sé Gaudiosa, era corsa in istrada, dove, salita su un'automobile pubblica, aveva gridato al conducente il nostro indirizzo. Era questa infatti la prima direzione suggeritale dalla mente in tumulto: giacché il giornale, nella sua succinta cronaca dell'infortunio, si limitava a raccontare che questo era avvenuto di notte, in aperta campagna, in seguito a una fermata sussidiaria del treno, ma non precisava il nome della località, né diceva dove fosse stato trasportato il ferito. Egli era stato raccolto «in fin di vita», cosí conchiudeva l'articolo del giornale. Stanotte, mentre lei, Rosaria, dormiva come una bestia, il suo Francesco era caduto steso nel proprio sangue. E nessun sentimento, nessun sogno l'aveva avvertita. Lei dormiva!

Non sapevo io dunque, almeno, s'egli fosse stato portato in un ospedale della nostra città, ovvero si trovasse in qualche paese piú vicino al luogo della disgrazia, lungo il percorso della ferrovia? Non avevo sentito dirne niente da mia madre? Nel farmi queste domande, la voce di Rosaria non mutava quella sua dolorosa, uniforme intonazione da cantatrice; e nel suo viso un po' reclinato sulla spalla s'era fissata una strana mansuetudine, come s'ella ripetesse le proprie interrogazioni alla guisa d'un motivo, non perché nutrisse ancora una qualsiasi speranza. Alle sue domande, intanto, io scuotevo il capo per dire che no, non sapevo nulla piú di quel che lei medesima, Rosaria, mi aveva raccontato adesso adesso. Ciò intendevo rispondere; ma potevo soltanto accennarlo, perché le lagrime m'impedivano la voce.

L'infortunio, come si seppe in seguito, era avvenuto a circa novanta chilometri dalla nostra città; e i testimoni della scena non avrebbero potuto farne una descrizione gran che piú prolissa delle poche righe uscite sul giornale, tanto essa era stata rapida e improvvisa. La colpa non era di nessuno, se non della vittima: la cui disgrazia era stata di quelle che la gente suol chiamare «stupide» e «gratuite», tanta è la sproporzione fra la posta e il rischio, fra l'effetto e la causa.

Ecco, dunque, la storia della disgrazia di mio padre, quale fu poi raccontata da un altro impiegato, suo compagno di scompartimento.

Il treno postale, sul quale essi erano di turno, s'era fermato in aperta campagna, a circa novanta chilometri, come s'è detto, dalla nostra stazione, per una manovra di servizio. Era ancor notte piena, ma dall'oscurità non veniva nessun alito di frescura; e, alle fermate, cessato l'effimero vento della corsa, il vagone-ufficio era soffocante. Dalla campagna secca e deserta sotto il plenilunio si udiva un rumore d'acqua, come d'un fiumiciattolo o sorgente che scendesse da qualche collina a pochi passi di là: e mio padre volle approfittare della sosta per uscire all'aperto, bere e rinfrescarsi il viso. Anzi, poiché l'acqua della bottiglia a cui lui stesso e il suo collega si dissetavano s'era intiepidita al caldo afoso e dava nausea piuttosto che ristoro, egli prese la bottiglia seco, ponendola nell'ampia tasca del suo camice di servizio per riempirla d'acqua piú fresca; e scese, lasciando a custodia dell'ufficio il suo compagno. Questi, chiamato di lí a poco per la consegna di certi plichi in uno scompartimento vicino, vi rimase due o tre minuti; e tornò al suo tavolino che già il treno si rimetteva in moto; ma, pur vedendo vuoto il posto di De Salvi, non se ne preoccupò affatto, convinto che, risalito da un'altra parte, il compagno non tarderebbe a rientrare nel loro piccolo ufficio. La macchina già accelerava la corsa, quando, dal finestrino aperto, egli credette di distinguere, nel fragore, dei gridi di richiamo. E si affacciò a tempo per vedere, sul nero suolo coperto di crepe, alla piena luce lunare, De Salvi che, nel suo camice sventolante, correva a precipizio verso il convoglio; evidentemente egli aveva male calcolato il tempo della manovra e s'era allontanato di troppo dalla ferrovia. Ancora una diecina di metri lo dividevano dal treno in corsa.

L'impiegato s'era appena sporto per gridare al compagno di non fare imprudenze, che già l'altro, raggiunta una vettura, riusciva ad afferrarsi a una maniglia, e anche ad aprire lo sportello: difatti questo fu trovato aperto e, anzi, fu certo la sua spinta medesima a gettare in terra il De Salvi. In quel punto l'impiegato affacciato, che per l'avanzar del convoglio aveva ormai perso di vista il compagno, credette di udirne l'urlo; ma forse fu allucinazione, perché la velocità del treno era già forte, e il frastuono avrebbe coperto la voce del caduto. Ad ogni modo, fu dato immediatamente l'allarme, e il macchinista frenò senza indugio; ma il temerario De Salvi era stato ormai travolto dalle ruote.

In tal modo s'era svolta la scena dell'infortunio, secondo la descrizione che, in seguito, ripetuta piú e piú volte, Rosaria ed io dovevamo udire dall'impiegato *viaggiante* ch'era stato compagno di mio padre sul *postale* notturno del 31 luglio. Cosí pure dovevamo apprendere che a questo medesimo impiegato, non appena, sul far dell'alba, il treno aveva raggiunto la nostra città, era stato affidato l'incarico di avvertire la signora De Salvi; ed era di lui la voce che avevo udito parlare piano nell'anticamera mentre semisveglia giacevo in letto. L'impiegato, del quale avrò occasione di parlare ancora prima di chiudere la nostra vicenda, si chiamava Giuseppe Restivo; il suo aspetto, come vedremo, era giovane, gradevole e assai bonario. Ma il suo nome e la sua persona e ogni altro possibile particolare sulla disgrazia erano ancora ignoti a me e a Rosaria in quel pomeriggio del primo d'agosto, allor che ella mi ripeteva le frasi lette sul giornale dalla piccola serva. E alle rotte sue frasi *in aperta campagna, raccolto in fin di vita*, d'un tratto la mente mi dipinse una scena immaginaria, che a me parve un ritratto del vero. Mio padre giaceva sanguinante in quella pianura fuligginosa e gelida che avevo intravista mesi prima, dopo l'unica visita fattagli con mia madre alla stazione; e su e giú, attraverso il piovasco, si aggiravano indifferenti, affaccendate, le nere figure degli operai. Mentre, dondolando il brutto capo occhialuto dal finestrino dell'*ambulante*, ovvero sopravvenendo in groppa alla sua cavalcatura, si chinava su di lui con un maligno sorriso, unico suo soccorritore, unico suo compagno, l'odiato cavaliere Caboni.

Sebbene io non avessi mai amato mio padre, tale immaginazione mi fu cosí insopportabile da inaridirmi perfino il pianto negli occhi. Le membra tese e rigide, ma scosse da un sussulto convulsivo, io gridai con agra voce di ribellione: – No! no, fa' che non sia vero, Gesú mio! fa' che non sia vero! – e mi accasciai presso la cassapanca, in modo cosí violento che i miei denti serrati batterono contro il legno dell'orlo.

668

Non saprei descrivere la terribile, arida passione che attraversava in quel momento il mio cuore. Fissavo Rosaria con occhi asciutti, senza vederla, e piú tardi ella mi disse che i miei denti stridevano e che in faccia ero diventata verde come una serpe. Al guardarmi, ella fu assalita da rimorso e acquistò d'un tratto coscienza della brutalità con la quale, accecata dal proprio dolore, aveva annunciata la sorte di mio padre a me sventurata bambina. La pietà le ridonò subitamente un lume di ragione, e, fattasi in fretta il segno della croce per chieder venia al cielo della propria leggerezza, ella si chinò su di me, e stringendomi con dita affettuose le spalle, e poi chiudendomi fra le palme il volto, mi chiamò con voce supplicante: – Elisa! che c'è? hai male? no, no, non far cosí! Elisa! Elisina mia! – (prima di lei, nessuno aveva usato, per chiamarmi, simili diminutivi). Quindi, sollecita, corse a cercar dell'acqua, poiché temeva ch'io svenissi; ma, agitata com'era, e non pratica della casa, dovette armeggiare alquanto per le stanze avanti di trovare quel che le occorreva. Ritornata, mi fece bere tenendomi sulle sue ginocchia e porgendo il bicchiere ai miei labbri, come s'io fossi una bambina malata. E in un pianto dolce e misericordioso, stringendomi al suo petto e accompagnando ogni mia sorsata con un bacio, m'andava dicendo: – Su, càlmati, non vedi chi c'è qui con te? C'è qui Rosaria tua che ti consola –. Bevuto che ebbi qualche sorso, io scostai dai miei labbri il bicchiere, ed ella, docile, lo posò sulla cassapanca presso di sé: – Maledetta che sono, – ripeteva, cullandomi e picchiandosi ogni poco la bocca con la palma, – ho parlato come una pazza, come se fossi qui a sfogarmi con gente della mia età, senz'avere né riguardo né compassione per questi poveri orecchi innocenti. Perdonami, perdonami, angioletta mia, perdona a questa malnata villana. Non riconosci piú la tua Rosaria? Pure le volevi bene una volta –. A queste parole, suscitatrici di ricordi, il suo pianto ridiventò cupo e disperato; ma bruscamente, quasi ribellandosi contro il nuovo assalto delle sue passioni, ella si levò in piedi, dicendo: – Andiamo, andiamo di là, – e mi portò sulle sue braccia in salotto, per adagiarmi sul divano-letto di mio padre.

Io la miravo, grata; né capivo ch'ella era di nuovo in uno stato quasi vaneggiante, e aveva ben altri in mente che me, pur se ubbidiva alla sua strana ispirazione materna. Dalla quale era spronata a una lotta innaturale contro i propri dolorosi impulsi, e a distornarsi dal proprio pensiero con delle ciarle: – Madonna, come s'è ridotta, questa ragazzina! – prese a dire con una voce schiantata e aspra, deponendomi sul divano, – è scheletrita, pesa meno d'un agnello –. E inginocchiata in terra presso di me, con dei gesti carezzevoli, ma con un viso che la repressa angoscia stravolgeva quanto una rabbia, andava considerando la mia persona, la quale in verità negli ultimi tempi s'era dimagrata all'estremo. Soppesava il mio braccio, i miei polpacci, mi sfiorava la spalla e le scapole sporgenti, mi stringeva appena appena, quasi a misurarmele, la vita e le caviglie; e commentava nel tempo stesso, con quella rauca voce stonata: – Ma guardate che braccino scarnito! che spallucce ha questa creatura! e il collo, che si può rinchiudere in due dita sole, come quello d'un passero! – A questo punto, ella storse con disdegno la bocca convulsa, ed ebbe negli occhi ancor pieni di strazio e lagrimosi un lampo di rancore: – È proprio vero, – enunciò, – che dal vitellino si può conoscere la buona vacca. E la tenesse almeno vestita come si deve, le mettesse addosso qualche straccetto pulito! – Nel dir cosí, ella esaminava con disprezzo le mie povere vesticciole; ma io, che giacevo ancor mezzo tramortita e tutta tremante, non coglievo nei suoi discorsi i dispregi né le critiche dirette contro mia madre. Neppure alle sue smorfie strane e violente io non davo alcun significato, e contemplavo estatica il suo volto come una maschera misteriosa. Una cosa sola era certa per me: la consolazione del suo tocco gentile e delle sue carezze. Difatti, fra quei suoi pettegolezzi deliranti e quei suoi spasimi, Rosaria mi copriva tuttavia di carezze e di baci: in virtú dei quali il color naturale ritornò sulla mia faccia, e le mie labbra, per ringraziare, accennarono un piccolo sorriso.

– Eh, povera bambina disgraziata, disgraziata come tuo padre! – esclamò Rosaria tentennando il capo con una espressione di furia; poi mi domandò se avessi mangiato qualcosa. Ma senza badare ai miei confusi cenni di risposta, m'investí d'un tratto esclamando: – E tua madre non poteva affidarti a una vicina, a una parente, a qualche diavolo? si lascia una creatura sola tutto il giorno senza un cane che le badi, a rischio di farla morire di paura! Ma già, – soggiunse drizzandosi in piedi, – lei certo non ti può soffrire, come non può soffrire tuo padre. Lei non ha viscere di madre: io, benché sporca, benché malafemmina, mi sento d'aver viscere cristiane meglio di lei!

Cosí detto, girò per la stanza il viso sfigurato, con uno sguardo non si capiva se d'amore o d'odio; e uscendo in un singhiozzo terribile proruppe: – È lei la colpa di tutto! È lei che l'ha odiato, l'ha avvilito, è lei che me l'ha ammazzato! Sarà contenta, adesso, di vederlo chiuder gli occhi e starà lí aspettando come un avvoltoio, a soffiargli in faccia la morte col suo fiato. E quelli, quei disgraziati, hanno cercato lei, hanno chiamato lei; lei può assisterlo, stargli vicino! mentre che io non ho nemmeno la grazia d'asciugargli il sudore della fronte!

Qui ella parve sul punto d'abbandonarsi a uno sfogo di singhiozzi e di lagrime; ma tosto, gettando indietro il capo e ricacciando il pianto, con una espressione risoluta e minacciosa dichiarò: – Ebbene, voglio sapere dove si trova, vederlo. Voglio rivederlo, voglio rivederlo, il mio Francesco! Andrò in cerca di lui per tutta la città, chiederò agli ospedali, alla questura, all'ufficio delle Poste, voglio trovarlo prima di notte! – Fra questi discorsi, ella rabbiosamente si stringeva i legacci allentati delle calze, si chiudeva sul petto il soprabito, e si passava le dita fra i capelli, come per assestarsi alla meglio prima d'uscire. Ma nel suo gesticolare disperato e sconnesso s'avvertiva un sentimento d'inutilità, quasi ch'ella s'accingesse al tentativo soltanto per una smania o un puntiglio, senza però alcuna fede.

– Ah, dove sei, dove sei, Francesco mio? – supplicò d'improvviso rilasciandosi, con una voce dolce, piena di sconforto e d'umiliazione. E fra le lagrime soggiunse: – Ma tanto, a che mi servirebbe sapere dove sei? Non mi lascerebbero entrare da te, *lei* mi scaccerebbe. E tu stesso, tu stesso, se ti restasse un soffio di voce, la scacceresti da te, la tua Rosaria! – A questo punto, ella si guardò intorno ancora una volta, come per dare addio alla casa del suo Francesco, e disse con una voce smorta: – Ebbene, che sto a far qui? Me ne vado, è ora.

Pareva del tutto dimentica di Elisa. Ma io, che già al veder i suoi modi feroci e bizzarri ero stata ripresa dallo sgomento, vedendola partire alzai con gesto di supplica le due mani chiuse a pugno e scossa da singulti esclamai: – No, non andartene, non andartene, se non vuoi farmi morire!

Ella mi guardò interdetta: – Ah, non lasciarmi sola, rimani qui con me! – ripetei cosí smarrita, come se davvero la sua partenza significasse per me la morte. E poiché ella impietosita mi si accostò, la afferrai per gli abiti, quasi volessi costringerla con le mie forze a restare.

– Eh, angelo mio caro, io resterei con te, – ella diceva, – ma tua madre che dirà? tua madre non mi vuole –. Neppure questo argomento, però, di solito cosí forte, valeva oggi contro la mia frenesia, e contro la tristezza che mi vinceva al pensiero della solitudine. – Rimani, rimani, – ripetevo, e ci stringemmo insieme in uno sfrenato abbraccio, e mescolammo il nostro pianto. Persuasa ad indugiarsi un poco, ella si accosciò di nuovo presso di me, e in quel punto disse, mirandomi: – Ah, come sei bella, sei tutta il ritratto di tuo padre!

Pur nella sua compiacenza, tuttavia, ella tentava di convincermi, fra dolci blandizie, della necessità di separarci. E per consolarmi, favolosamente mi prometteva, con sorrisi lagrimosi e folli, che mi lascerebbe, sí, ma ritornerebbe presto, e mi ricondurrebbe mio padre vivo e sano. E che da quel momento lei stessa, mio padre e io, vivremmo insieme noi tre soli e per sempre. Il giornale che cosa diceva infatti? Diceva *in fin di vita*. Ebbene, a quest'ora egli poteva essere ancor vivo, anzi lo era di certo, e la Madonna e santa Rosalía potevano ancora farci il miracolo.

Mentre cosí diceva per tranquillarmi, essa pareva riattingere nuova fiducia e speranza alle sue stesse parole. Un'espressione esaltata e intenta le apparve sul viso: – Vedrai, vedrai, – ripeté, – che riceveremo la grazia. Ma adesso, – seguitò, come ispirata, congiungendo insieme le mie mani, – prima ch'io esca di qui, tu, che sei un'anima innocente, devi fare un voto alla Madonna e a santa Rosalía, a nome di Rosaria –. E spiegatami in fretta la sostanza del voto, ch'era un sacrificio di tutti i suoi gioielli alle due Vergini, se, per loro intercessione, la vita di mio padre fosse salva, mi incitò a manifestare subito tale sua intenzione a quelle abitatrici del Cielo; pregandomi di trovare io stessa, meglio istruita di lei, le parole piú acconce a commuovere i loro santi orecchi.

E, aspettando ch'io cominciassi, pendeva dal mio labbro. Compresa della grande ambasceria che m'era affidata, io mi raccolsi un istante, chiamando a me tutta la mia sapienza e la mia accortezza. Ma quando mi disposi a parlare, notai che Rosaria s'era fatta confusa ed esitante, quasi per uno scrupolo sortole d'improvviso. Difatti, come già le mie labbra palpitavano per formulare il messaggio, m'arrestò in fretta con un cenno, e la vidi nel tempo stesso (lei cosí ardita e sfacciata!), coprirsi di rossore. Piegato il viso sulle mie mani congiunte, me le strinse baciandole, e bagnandole di lagrime; e mi confidò il dubbio, venutole in quell'attimo, che il suo voto potesse non ottener credito in cielo, se prima ella non si liberava la coscienza di due gravi offese, una recente e l'altra antica, da lei fatte a mio padre. Perciò, avanti d'iniziare la nostra preghiera, intendeva di confessare tali offese a me, figlia di Francesco e anima innocente, con la medesima devozione che se fosse in chiesa, al cospetto del Bambin Gesú.

Non senza curiosità, io mi disposi allora ad ascoltare la doppia confessione di Rosaria.

Incominciando dall'offesa piú recente, la mia peccatrice spiegò che essa risaliva a circa due mesi innanzi, e precisamente all'ultima volta che mio padre s'era recato a visitarla. Certo, ella soggiunse con un'occhiata dolorosa, certo egli non s'era fatto piú vedere proprio a causa di quel trattamento offensivo usatogli da lei durante l'ultima sua visita. In sostanza, ecco che cos'era avvenuto: era avvenuto che lei, Rosaria, aveva preso mio padre a schiaffi.

Nel fare questa confessione, la mia penitente ebbe in viso un'espressione di crudele rimorso; mentre che il mio aspetto dovette certo manifestare la mia incredulità e il mio sbalordimento. Rosaria, però, che mi sogguardava, credette forse di leggervi una seria riprovazione; e s'affrettò ad aggiungere che sí, riconosceva d'essersi comportata male, ma d'altra parte il suo comportamento non era poi del tutto ingiustificato: esso infatti era stato una risposta a un insulto fattole da mio padre. Un insulto supremo, unico, insomma il peggiore insulto che si possa fare a una donna. E nel dir ciò, Rosaria s'aggrondò in faccia e corrugò i sopraccigli, come se, malgrado tutto, ella non potesse ancor perdonare quell'incomparabile oltraggio.

– Ma *quale* insulto era? – io mormorai con un filo di voce: ricordavo fra me le mille contumelie e partacce che, in mia presenza, Rosaria aveva sopportato da mio padre al modo d'un'agnella; e mi dicevo che certo l'insulto doveva essere d'una gravezza inaudita. Alla mia domanda, Rosaria mi guardò perplessa; poi cominciò a dire che, veramente, era difficile spiegarmi la faccenda di quell'insulto, trattandosi d'una sorta di questioni che una fanciulletta della mia età ignora e non può capire. Ad ogni modo, ella avrebbe cercato di spiegarmi il caso con parole adatte, e senza offendere la mia santa innocenza; poi, quando fossi stata piú grande, ripensando a quel ch'ella oggi m'aveva detto, avrei potuto capirne il valore e il significato.

E con frasi studiate e incerte, con molte esitazioni e reticenze, perfino con dei pudori, la mia peccatrice s'ingegnò di farmi capire qual sorta di provocazione avesse ricevuto da mio padre. Sorridendo appena (quasi non ricordasse la presente realtà), esordí informandomi che, prima di tutto, io dovevo sapere, se ancora non me n'ero mai avvista, che lei, Rosaria, e mio padre erano in qualche modo due fidanzati. O meglio, erano stati fidanzati da ragazzi; ma adesso, mentre che lei, Rosaria, seguitava ad amare mio padre quanto e piú d'una volta, mio padre invece amava soltanto mia madre e di lei non si curava piú. Tuttavia, c'era una cosa riguardo alla quale mio padre si comportava con lei come se lei stessa, Rosaria, e non mia madre, fosse la sua vera moglie. E questa cosa era cosí importante e di prim'ordine che Rosaria, in virtú di essa, si consolava d'ogni altro affronto.

S'io poi desideravo conoscere che fosse mai questa cosa, aggiunse Rosaria, dovevo accontentarmi, per adesso, di farmene un'idea provvisoria e vaga, in attesa di averne una conoscenza precisa e definitiva non appena fossi una donna sposata. Giacché, si capisce, io dovevo diventare una signora sposata in chiesa con tutti i Sacramenti, non già una vacca al par di lei, Rosaria.

Dunque, ella seguitò, la cosa di cui si parla, per dirla con parole adatte al mio piccolo intendimento, la cosa di cui si parla era precisamente il *dormire*. E cioè, dovevo sapere che il principale motivo per cui due persone son chiamate marito e moglie, è questo: che si mettono insieme a dormire. Se due persone, uomo e donna, ma che non siano fratello e sorella, si capisce, si mettono insieme a dormire, non c'è piú niente da fare: sono moglie e marito.

Ebbene, su questo riguardo del dormire, lei, Rosaria, poteva considerarsi moglie a mio padre, mentre che mia madre non gli era niente. Anch'io, difatti, potevo testimoniarlo: era vero, sí o no, che mia madre non dormiva mai con mio padre? E a questa domanda, come punta da un sospetto, Rosaria mi gettò un'occhiata indagatrice. Ma io, con un tono tanto piú trionfale in quanto che avevo appreso giusto adesso la suprema importanza di tal cosa, la liberai subito dal dubbio, esclamando:

– No, mia madre dorme con me! – e per rispetto della verità soggiunsi: – fuorché nelle ultime notti, che ha dormito sola, per una questione che non ti riguarda.

– Va bene, questo vale per la notte, – insisté la diffidente Rosaria, – ma anche di giorno si può dormire. Durante il giorno, per esempio, lei non dorme mai con tuo padre?

– No, – risposi non senza pavoneggiarmi, – certi giorni lei si mette a dormire sola sul lettuccio della nonna, e io posso andare là a scrivere i còmpiti, per farle compagnia. E certe volte si mette a dormire sola in camera, e anche allora posso andare là e stare con lei.

– Dunque, lo vedi ch'io non ti racconto delle frottole, ma delle verità sacrosante, – esclamò Rosaria, rassicurata dalle mie conferme. E riprendendo la spiegazione interrotta, mi spiegò che mio padre, il quale, appunto, non dormiva mai con mia madre, con lei Rosaria, invece, sovente si metteva a dormire. In verità, sui primi tempi dopo quel famoso pomeriggio dello scorso inverno che l'avevamo incontrata in istrada, sui primi tempi mio padre non voleva assolutamente favorire Rosaria, la quale, ricevendolo e facendolo accomodare in casa propria, non mancava d'invitarlo a dormire. Nossignore, lui non aveva mai sonno, e quando andava in visita da lei si tirava dietro me apposta per mortificarla: e cioè per farle subito capire, senza equivoci, che lui andava a casa sua come si va al caffè, per sedersi in poltrona e far quattro chiacchiere insulse; non davvero per dormire. Ciò avvenne da principio; ma piano piano, mio padre finí col dare a Rosaria questa soddisfazione. Soddisfazione! a tale proposito, la mia penitente m'ammoní a non cadere in errore. E cioè: non dovevo mica credere, a sentirla, che mio padre le facesse poi questa grande degnazione met-

674

tendosi a dormire come lei gli chiedeva. C'erano dei signori di prim'ordine, i quali le offrivano un capitale in cambio d'un sonnellino. Mio padre, invece, per il bene che lei gli voleva, dopo aver dormito tutto un pomeriggio la salutava senza nemmeno dirle grazie. Ma basta: l'importante era che adesso, quando aveva un pomeriggio libero (per lo piú ciò avveniva di domenica), mio padre andava a farle visita solo solo, e, senza perder tempo in chiacchiere insulse, preso da un gran sonno si metteva a dormire con lei, come fosse suo marito. E appena incominciava a dormire, – qui Rosaria mostrò un viso trasfigurato, pur se rigato d'amaro pianto, – appena, dunque, dormiva, lui diventava con lei tutt'altro da quel che era di solito. Non la insultava, non la mortificava piú; ma, all'opposto, la trattava come una regina. E faceva dei complimenti cosí preziosi e cari; con una voce cosí angelica; e diventava cosí bello, che, s'io volevo tentare di figurarmelo, dovevo pensare a san Michele, al Trovatore, all'eroe Garibaldi! Davvero, potevo crederle: ché lei, Rosaria, aveva sperimentato molti mariti, essendosi coniugata e riconiugata piú volte. Ma a nessuno di coloro il dormire si addiceva quanto a mio padre. E a proposito, precisò a tal punto Rosaria, certo io non dovevo essere tanto scema da immaginarmi che il dormire degli sposi fosse un dormire semplice e qualsiasi, rassomigliasse al sonno mio, per esempio. Già, se cosí fosse, varrebbe proprio la pena di maritarsi! Tanto varrebbe di rimanere zitella, e dormire col gatto! No, il dormire che fanno gli sposi (mi bastasse di saper ciò finché rimanevo signorina), il dormire degli sposi è un dormire magnifico, tutto un unico sogno! Ma la meraviglia è questa: che moglie e marito sognano insieme un medesimo sogno uguale, e in questo sogno gemello si ritrovano insieme cosí ricchi e contenti che un pezzente, un pecoraro, quando dorme con la sua sposa, gode la stessa signoria d'un papa, – no, Dio mi perdoni, che bestemmie vado dicendo (e Rosaria si segnò), – la stessa signoria d'un principe, d'un barone! Soprattutto sul finire del sogno, un minuto arriva nel quale entrambi gli sposi volano fino all'Empireo: tanto che, se non si risvegliassero proprio in quel punto, si riterrebbero morti, e già gloriosi in cielo. E fra i due la piú gloriosa è la moglie, la quale è certa di essere, in quel minuto, l'unico tesoro del suo sposo: piú che madre, piú che sorella, tutto, insomma, per lui: il Paradiso incarnato. Allora, una come Rosaria, al trovarsi lassú insieme a uno sposo come mio padre, quasi ne ride; e avrebbe voglia di dirgli: « Tu non mi ami, non mi curi e mi disprezzi. Ma in questo momento, se t'offrissero un sacco d'oro in cambio di Rosaria, tu rifiuteresti l'oro. Ecco scancellato il mondo intero per te. Addio bellezze, addio ricchezze, addio signore e dame. Il tuo mondo è Rosaria! »

Questa era la cosa, appunto, che ricompensava Rosaria di tutte le cattiverie e gli sgarbi di mio padre. Eppure, lui non gliene risparmiava, di sgarbi! Mi bastasse sapere, ad esempio, che lei, per il bene che gli voleva, gli aveva comperato spesso dei regali, un orologio, una cravatta, una sciarpa. Ma lui, pur accettandoli, dopo averli intascati con aria sdegnosa e portati via (per rivenderseli forse, e comperarci dei doni a sua moglie) non le aveva dato mai più la soddisfazione di mettersi addosso quei segni dell'amor suo, di adornarsene sia pure una volta. No, neppure una volta le aveva dato questo piacere, come se stimasse indegno della sua persona qualsiasi oggetto gli venisse da lei (e sí ch'era sempre roba finissima, di prima qualità!) Ebbene, anche di questo, lei non se ne adontava. Che le importava più d'essere cosí angustiata e mortificata da lui? Che le importava più ch'egli non l'amasse? e che non fosse suo marito a pranzo, a cena, e alla paga del sabato sera, se poi, venuto quel momento beato, la faceva dormire come una moglie? Questa era la certezza più preziosa di Rosaria. E mio padre, sebbene, con amaro dispetto di lei, sovente mancasse ai convegni e le facesse alquanto sospirare ogni sua visita, tuttavia, non appena si ritrovavano insieme, la ripagava di tutto il patire. Difatti, ormai non c'era caso che, venuto in visita da Rosaria, ben presto egli non desse in certi piccoli sbadigli di sonno. Dopo i quali finiva sempre col mettersi giù a dormire, in quel modo signorile ed eroico che sopra s'è descritto.

Tutto dunque procedeva alla perfezione; e col passar delle settimane Rosaria s'andava quasi illudendo che, adagio adagio, mio padre si persuaderebbe di nuovo ad amarla come al tempo che erano ragazzi, e riconoscerebbe in lei la vera sua moglie. Allorché, un giorno, durante uno dei soliti loro sogni nuziali (il quale doveva purtroppo esser l'ultimo), una parola di mio padre rovinò ogni cosa. Erano proprio giunti al minuto più bello del sogno, che gli sposi volano insieme in Paradiso. Ma come Rosaria, gioiosa al pari d'un cherubino, stava per toccare le porte del cielo, mio padre con voce d'innamorato gridò:
– *Anna mia!*

Al momento di ripetermi questo grido di mio padre, Rosaria storse le labbra come chi morde un frutto perverso e acidulo; e la sua voce suonò sforzata e alquanto più bassa di tono. I suoi sguardi lampeggiarono, evitando i miei; ma io, senza comprendere, interdetta sussurrai:
– *Anna mia...* è mia madre.

– Già, è tua madre! – pronunciò Rosaria, come se queste sillabe le allegassero i denti. E, corrucciosa e disgustata, soggiunse: – Tu, si sa, non puoi capire che affronto sia stato per me sentire quel nome. Però una donna sposata mi capisce e tu, se riceverai un affronto simile da tuo marito, potrai levare su di lui non ti dico le mani, ma il coltello, e nessuno ti darà torto. Basta. Con quella sola parola tuo padre, dal Paradiso dove credevo di essere mi precipitò nel fondo dell'inferno e da pecorella che ero mi trasformò in una tigre: – Vuoi Anna tua? – gli gridai, – va', dunque, vattene da Anna tua! Ma da Rosaria non tornarci mai piú! – e poiché lui rispose a queste mie parole con lo scherno, io... lo presi a schiaffi. Dio mi perdoni, ma lui se li meritava. Cosí se ne andò.

Qui Rosaria fu interrotta da un acuto singulto; e riprese a dire, piangendo:

– Aveva sbattuto appena la porta, che spedii Gaudiosa come un fulmine a rincorrerlo (io stessa non potevo, trovandomi senza vestiti a letto); ma lui, raggiunto dalla ragazza, la scacciò con bestemmie e ingiurie delle quali mandò a dire la mia parte anche a me. E io, come Gaudiosa tornò a raccontarmi il suo bel successo, me la presi con lei tanto che fu un miracolo se non uscí ammazzata dalle mie mani. Quanto piangere ho fatto! Da quel giorno, in tutti i modi ho cercato di far sapere a tuo padre che lo aspettavo – e che mi perdonasse com'io l'avevo perdonato – e che tornasse per pietà di me. Gli ho dato la caccia dappertutto, ho girato come un'anima del purgatorio per le strade dove lui passava. Ma lui s'è ostinato e non m'ha fatto piú sapere nemmeno una parola di compassione!... fino a questo giorno! Cosí sia! Dio cosí ha voluto! – E Rosaria tacque, soffocata dal pianto.

Ella si asciugò gli occhi con la mia vesticciola; poi, vinto l'affanno, passò a confessarmi la seconda offesa fatta a mio padre.

Seconda, come s'è detto, nella sua confessione, ma *prima* nel tempo, e, occorre aggiungere, alquanto piú grave dell'altra: forse per questo motivo, Rosaria, a imitazione delle penitenti codarde, se l'era riserbata per dopo.

A me, invero, questa seconda confessione suonò solo sibillina e stramba, ancor piú della precedente. Ma la stessa cosa, spero, non potrà accadere ai miei lettori, i quali, a differenza di me, confessora ingenua, non ignorano certi antichi peccati di Rosaria. È una fortuna per loro: giacché il discorso tenutomi dalla mia peccatrice fu cosí confuso, ed ermetico, e sconnesso; e soffocato da gemiti e singulti; e interrotto da assalti di rimorso durante i quali la colpevole si puniva da se stessa mordendosi le mani, battendosi coi pugni il viso e copren-

677

dosi dei piú feroci improperi; insomma, fu un garbuglio tale che sarebbe occorso non un confessore, ma un indovino, per cavarne un peccato ragionevole.

Io, per mio conto, non potei capire piú di quanto segue: che lei, Rosaria, al tempo antico, era sposa di mio padre, amata e onorata da lui come una Maddalena; quando, un giorno, sporca donnaccia qual'era (ma tale l'aveva fatta sua madre e non poteva cambiarsi), aveva venduto l'amore e l'onore di mio padre per dei gioielli. Non basta: il piacere di sfoggiare questi gioielli in istrada, al ristorante e per i caffè l'aveva consolata del perduto possesso di mio padre in meno di ventiquattr'ore. E ancora non basta: fino all'ultimo recente incontro (sarebbe come dire il famoso convegno degli schiaffi), ella aveva giurato e spergiurato a mio padre di non aver mai fatto un simile mercato di lui medesimo. Ebbene, oggi, ella si dichiarava qui, al cospetto del Cielo, mentitrice e spergiura.

Dopo simile dichiarazione, accompagnata da un violento gesticolare e da molte amare lagrime, Rosaria spiò sul mio volto l'effetto della propria sincerità. E vedendomi, oltre che sbalordita, piuttosto perplessa, ebbe un istante d'esitazione; poi con atto risoluto si frugò dentro il corpetto (poco lontano da dove soleva tener celata la santa Rosalía), e compunta ne staccò un gingillo minuscolo ivi appeso con una spilla. Dapprima, come s'accingesse a farmi chi sa che rivelazione, tenne chiuso il gingillo nel pugno; finalmente schiuse la mano a mezzo e me lo mostrò nella palma raccolta, con l'aria di chi mostra un segno d'infamia e tuttavia non senza una certa compiacenza di padrona. Riconobbi allora il bellissimo anello, adorno d'un rubino e d'un diamante, che il giorno del nostro primo incontro avevo veduto splendere sulla sua mano; e misteriosamente sparirne, per non riapparirvi in seguito mai piú. In quella prima rapida apparizione esso aveva con la sua doppia luce vinto ai miei occhi i mille splendori della mia signora straordinaria; ed anche oggi, al vederlo, non seppi nascondere l'invaghita ammirazione del mio cuore. La mia penitente allora alitò col respiro sulle due gemme incastonate e se le stropicciò contro la seta della sottoveste per farne meglio risaltare il pregio. E com'io rimiravo estatica il multiplo, iridato sfavillio del diamante e il profondo, puro fuoco del rubino, mi confidò che l'anello le era stato donato da un gran signore innamoratosi di lei follemente, uno della vera nobiltà, un feudatario delle alte sfere. Di costui, Rosaria non aveva piú notizie da allora né le importava d'averne; ma l'anello, oltre ad essere il primo oggetto di gran prezzo da lei posseduto, era stato nella sua vita l'araldo e il segnale dell'abbondanza. Il giorno stesso (molti anni fa), che se l'era infilato al dito per la prima volta, ed era andata in giro a sfoggiarlo, quel medesimo giorno (oro chiama oro), ella s'era imbattuta in un Pollo Faraone, che ad ogni chicchirichí sprizzava monete. Cosí dalla sera alla mattina aveva cambiato stato. E da misera ciabattona senza camicia, che cavarsi un dente cariato costava piú di lei, s'era ritrovata signora. Da quel giorno, teneva l'anello come una sorta di faro o specchietto per la fortuna; e aveva tal fede superstiziosa nei suoi poteri che non se ne separava mai, né di giorno né di notte, portandolo nascosto addosso anche quando non lo teneva al dito. E qui, la mia penitente, con voce quasi strozzata dal rimorso, mi confessò di non distaccarsi dal prezioso amuleto neppure in certe occasioni, come dire in quelle meravigliose dormite o sogni che faceva insieme a mio padre: durante le quali teneva l'anello celato o qua o là, sotto i panni o per il letto, ma sempre in vicinanza della propria persona. Tuttavia, soggiunse, un poco di coscienza pure le restava: tanto è vero che, sebbene mio padre non potesse riconoscere l'anello non avendolo mai prima veduto, ella, per una sorta di scrupolo o timore, non osava adornarsene in presenza di lui, nemmeno adesso ch'eran passati tanti anni; e non dimenticava di sfilarselo dal dito e di nasconderlo prima d'ogni loro incontro: quasi che su quelle due pietre mio padre potesse leggere la vera storia dell'antico delitto, o il nome del donatore.

Il qual donatore dell'anello, notò fra parentesi Rosaria, oltre ad essere il gran signore e gentiluomo che s'è detto, era anche il peggior malfattore, il peggior bruto e impostore nato da madre cristiana; e il piú nero traditore di mio padre. Lei, Rosaria, da parte sua, l'aveva sempre detestato e schifato; i regali da lui ricevuti, e in particolare l'anello, quelli no, erano un altro conto. La grazia di Dio è sempre buona grazia, la roba porta sempre salute e onore, e ai regali, se non ti vengon da un lebbroso, digli sempre benvenuti e benedetti. Si guarda in faccia alla mercede, non al pagatore. E anche sul quattrino del porcaro c'è stampato sopra il muso di Sua Maestà il Re.

Questa mirabolante esplosione di sapienza fu conclusa da Rosaria con un gran sospiro, che avrebbe potuto sembrare di liberazione. Invece, esso fu il preludio a uno scoppio d'acuto pianto: nel mezzo del quale, con voce rotta, ella proclamò: – Ma io, se avessi avuto un poco di rispetto e di coscienza, avrei fatto meglio a buttarlo in un pozzo, quest'anello, invece di tenerlo caro come la medaglia della comare! Buttarlo, avrei dovuto, maledetta me, come i danari di Giuda! sí, che Dio mi faccia morire impestata! ch'io per quest'anello ho venduto il mio Francesco! – e in simile sconcertante affermazione, Rosaria fissò, fra le lagrime, l'anellino che le scintillava in mezzo alla palma dischiusa. Con lo sguardo inorridito, ma tuttavia soggiogato, col quale una bambina fisserebbe, senza osar di scacciarla, una vespa posatasi sulla sua piccola mano.

Quindi, Rosaria serrò l'anello nel pugno e levato il pugno al cielo girò all'intorno uno sguardo cosí febbrile e rovente ch'io sospesi il fiato supponendo che si accingesse a far in qualche modo giustizia dello sciagurato gingillo. E tale fu, suppongo, il primo violento consiglio della sua collera; senonché, non senza un turbamento sacro, ella tosto si rammentò d'aver promesso il gioiello alla Vergine: – Oh, Maria, – bisbigliò, segnandosi premurosa con due dita del pugno che rinchiudeva l'anello, – perdona alla mia testa matta! non pensavo che quest'anello non è piú mio, ma tuo... – Quindi, riaperta la mano a rimirare il bel cerchio gemmato, osservò: – Veramente, sarebbe degno piuttosto del demonio che della Madonna; ma anche le ortiche diventan gigli sull'altare di Maria Santissima –. E dopo nuovi segni di croce, baciò l'anello divenuto santo, e me lo porse affinché a mia volta io vi deponessi un bacio. Poi se l'infilò al dito, con atto sconsolato e umile, decidendo che l'avrebbe tenuto là, per propria mortificazione, fino all'istante che, ricevuta la grazia, insieme lo recheremmo alla Vergine: – Ah, bella Madre! – invocò, fra singulti e gemiti, – Tu mi vedi se son sincera. Vorrei, per tutte le volte che l'ho sfoggiato, che questo cerchio mi consumasse il dito, come un anello di fuoco! – E, gli occhi fissi sulla propria mano gemmata che le giaceva abbandonata in grembo, la mia peccatrice rimase per qualche minuto taciturna, immersa in uno di quegli stupori che succedono di solito alle ubriachezze.

Poi, levati gli occhi, li girò lenta lenta per la stanza; e io li vidi, in questo lento moto, riempirsi di nuova ambascia e di paure, come s'andassero risvegliando in un luogo terribile e fantastico. Allora, timidamente, m'informai se la confessione fosse finita, e se fosse ora di recitare la nostra preghiera; e Rosaria, in risposta, mi dette solo una occhiata senza espressione, quasi che, in quell'intervallo di silenzio, avesse dimenticato il nostro voto. Ma subito si riscosse, e con ansia superstiziosa m'esortò a incominciare l'orazione; e come ambedue ci fummo poste in ginocchio, lei per terra e io sul divano, nei suoi occhi gonfi e arrossati si riaccese una fanatica speranza.

La mia voce timorosa aveva pronunciato appena: – O Maria bella madre di Gesú, o santa Rosalía nostra... – quando, in una pausa, s'udí lo scatto della serratura alla porta d'ingresso. Dopo una breve titubanza, tralasciata l'orazione, io balzai giú dal divano per correre incontro a mia madre che rincasava; ma questa era già sulla soglia del salotto, di fronte a noi due.

Capitolo nono

L'anello torna alla sua prima padrona.

Ella m'apparve tanto invecchiata e irriconoscibile, ch'io fui per gettare un grido.

Nei suoi leggeri abiti d'estate, sembrava infagottata stranamente, come avesse freddo; e non solo il suo volto, ma fin le sue mani e le sue braccia, nude fino al gomito, erano d'un pallore quasi innaturale. Sotto il cappello di paglia, fra i ricci in disordine, le sue fattezze apparivan devastate, il naso affilato, cereo come quello d'una morta, le labbra rilasciate e anelanti. E gli occhi si dilatavano in una espressione indifesa, piena d'orrore e di paura.

Rosaria che, balzata in piedi, si riassestava alla meglio il vestito, al vederla avvampò sotto le chiazze sbiadite del belletto, poi si fece pallida e urlò:

— Francesco? —

dando in un piccolo riso delirante e amaro che pareva la sua propria risposta a simile domanda.

Ma a trovarsi innanzi quella sconosciuta dall'apparenza stravagante, dall'abito in disordine, che l'interpellava con brusca familiarità, mia madre riacquistò per un momento la sua nativa alterigia. Misurò l'estranea con un rapido sguardo di stupore, che esprimeva un giudizio oltraggioso, e voltasi a me disse con disdegno:

— Chi è questa donna? io non la conosco.

Come udí tali parole, Rosaria parve invasata dai demoni. Il suo bizzarro piccolo riso si tramutò in una risata vendicativa, piena di spasimo e di ferocia: — Ah, tu non mi conosci! — ella urlò con voce sguaiata, — tu non mi conosci, già, ma io sí, ti conosco, brutta assassina! Sei tu quella che ha ammazzato il mio Francesco! Sí, mio, mio, non tuo! Tu non hai nessun diritto! Sei tu che l'hai fatto morire. S'egli fosse stato il mio sposo, non l'avrei mandato a dannarsi la vita

682

sui treni giorno e notte. Lui si dannava per te, per farti vivere da signora, e tu, invece di gratitudine, gli portavi odio, lo scacciavi come un appestato. E che cos'avevi per crederti da piú di lui? Che cos'avevi? tu avresti dovuto baciar la terra per dove lui passava, ché non lo ritroverai piú un altro Francesco. Io le so, le so tutte le tue cattiverie, perché, devi saperlo, *signora mia*, tuo marito veniva qui, fra queste braccia mie, a sfogare il cuore! E io oggi sono a casa tua per dirtelo in faccia, sulla tua faccia senza fede né battesimo, che tu l'hai fatto morire di veleno, l'hai voluto morto! e trionfa, adesso. Ma dovresti salire sulla forca, per il male che facesti...

A questo punto Rosaria interruppe le proprie affannose invettive, disarmata dal contegno dell'avversaria. Mia madre infatti, dopo averla fissata in volto con grandi occhi spauriti, senza replicarle una sillaba, era andata a sedersi su un basso panchettino addossato al muro. Là ella parve rinchiudersi in un isolamento selvatico, dimenticandosi di noi; e nel silenzio che seguí all'urlío di Rosaria, prese a dire, torcendosi le mani, con una voce sottile e gelata: – Sí... è vero... è vero... sono stata io... l'ho assassinato... sono un'assassina, è vero... – Nelle sue pupille assenti e solitarie s'ingrandiva una paurosa veggenza: – E adesso son sola, – esclamò volgendo la testa in qua e in là con fatica, e senza mai guardarci, – son sola, non ho piú marito, non ho piú nessuno. Lui m'amava, lui solo m'amava, e io l'ho respinto per amare uno spettro. E adesso non ho piú nessuno, son sola. Francesco! Francesco mio! – Nel momento ch'ella pronunciava questo nome, io, che le stavo accosto, notai che le sue pupille s'erano abbassate, e miravano con attenzione un qualche oggetto sul pavimento, colmandosi di una passione tenera e inesprimibile. Allora, seguendo il suo sguardo, scopersi che l'oggetto della sua attenzione era un paio di sdrucite scarpacce usate da mio padre in casa, le quali sporgevano un poco di sotto uno stipo, a un passo da noi. Erano, esse, oltre a qualche avanzo di sigaretta nel portacenere, e ad una catasta di vecchi giornali, i soli segni lasciati da lui nella stanza, poiché da anni egli soleva, prima di recarsi all'ufficio, riporre la propria roba nell'armadio, o dentro la cassapanca in anticamera, per non guastar l'apparenza del salotto. Or mia madre contemplava quelle miserabili scarpacce con una devozione a cui non si poteva dar altro nome che *amore*. E con una voce anch'essa d'amore, violenta e acerba, chiamava e richiamava mio padre. Indi i suoi occhi presero a errare da Rosaria a me, con uno sguardo che pareva insieme rimproverarci, minacciarci, e chiederci aiuto. Un malsano, persistente rossore le salí alle guance e alla fronte, io sentii che la sua mano, poc'anzi gelida, bruciava. Accostatasi a lei, Rosaria s'avvide, al toccarla, che aveva la febbre.

Nel suo generoso istinto, ella dimenticò ogni rancore; e sorreggendo mia madre alla vita, la condusse in camera dove l'aiutò a spogliarsi e a coricarsi. E come la rabbrividente persona di mia madre, nella sua camicia da notte di mussola bianca, s'accingeva a entrare in letto, in quel momento preciso io ebbi una bizzarra chiaroveggenza. Per la prima volta (quasi che Rosaria mi trasmettesse un suo muto giudizio, crudele pur nella carità), vidi che il corpo della mia Anna, della piú bella fra tutte le donne, aveva in realtà perduto ogni avvenenza, e deformato dalla grassezza, invecchiato precocemente, non era altro che una rovina. Questa conoscenza subitanea rese il mio amore per lei piú violento, e quasi terribile.

Un altro motivo di pietà fu il vedere, mentr'ella si spogliava, che aveva qua e là sul povero corpo delle piccole piaghe. Forse, per via che durante tutti quei giorni aveva dormito sui nudi ferri del letto, ubbidendo al voto fatto al Cugino; o forse per causa di qualche altra penitenza che s'era inflitta in onore di lui.

La febbre le salí rapidamente, ma, fino a sera, ella conservò la coscienza e la memoria. Durante tale intervallo, non dormí neppure un minuto, e, come già prima nel salotto, seguitò a non rivolgerci la parola e a non far caso alcuno di noialtre. Non ci respingeva dalla camera, e non sembrava neppure infastidita dalla nostra presenza, ma rifuggiva dai nostri sguardi, e quasi sempre teneva il capo nascosto sotto il lenzuolo. Si capiva, tuttavia, ch'era sveglia, da certi movimenti convulsivi del suo corpo e da strida soffocate, angosciose che spesso si lasciava sfuggire dalle labbra: tre o quattro volte, poi, balzò d'improvviso a sedere sul letto, quale vittima che tenti liberarsi da una macchina di tortura. Ma tosto fissava il vuoto innanzi a sé con occhi atterriti e si richiudeva il viso nelle palme: come se là, fuor dal suo buio nascondiglio, le si manifestasse in pieno l'impassibile figura della sua persecuzione.

Finalmente, parve acquietarsi, e il suo corpo, avviluppato nella coperta, non ebbe altro moto che il faticoso respiro della febbre. Rosaria allora s'indusse a lasciarci per poco: il tempo, mi spiegò bisbigliando, d'avvertire un medico e di recarsi a dar ordini a Gaudiosa. Dopo di che, sarebbe tornata subito da noi. Aveva infatti deciso d'assumersi fin da quella sera stessa in luogo di mia madre, se questa non si fosse riavuta, tutte le pratiche e i doveri che necessariamente derivavano dalla nostra disgrazia.

Durante la breve assenza di Rosaria, mia madre si mantenne muta e quasi immobile: sí che l'avrei creduta addormentata se non avessi intravisto, da un lembo sollevato del lenzuolo, le sue pupille deste sotto la lucida patina della febbre. Una mortale solitudine regnava nella nostra casa cui salivano dalla via, nel sole declinante, le voci spensierate del sabato sera. In realtà, si poteva misurare, nella presente occasione, il vuoto che la nostra famiglia aveva saputo fare intorno a sé. Non avevamo un solo amico in tutta la città; e mai, ch'io ricordi, in quei dieci anni, alcuno dei vicini aveva passato la nostra soglia. Come già nella casa dove aveva abitato fanciulla con nonna Cesira cosí qui nella sua casa di sposa mia madre, per non confondersi col troppo umile vicinato, aveva drizzato intorno a noi una muraglia di gelo e di rancore. Se una sventura simile alla nostra fosse toccata ad un'altra famiglia del caseggiato, subito sarebbe incominciato il pellegrinaggio delle conoscenti a quella porta, e le stanze avrebbero risuonato di compianti. Alla nostra casa invece non si presentò nessuno, salvo, sul tardi, la portiera, invitata da una generosa mancia di Rosaria. Essa ebbe a dirci d'aver già, fin dalla mattina, offerto i propri servigi a mia madre la quale li aveva però respinti con tale brutalità da non invogliarla a ripetere il tentativo; e per sua natura, invero, mia madre era di quelli che nella disgrazia rifuggono piú che mai dalla società, e si adombrano alla compassione altrui.

Non si può negare ch'ella avesse ottenuto ciò che voleva: l'importuna pietà della gente non venne a ombrare il nostro dolore. Se dalle finestre del cortile, o dagli usci socchiusi del ballatoio, sguardi indiscreti si appuntarono talora verso la nostra casa, furono sguardi di curiosità, non di simpatia. Ma perfino la curiosità, che non di rado ci attira il prossimo piú della compassione, era in questo caso mescolata d'una fredda riluttanza, che le vietava di svilupparsi in un interesse vivace. E fuor che dalla parte di Rosaria, il silenzio e l'indifferenza circondarono la nostra rovina fino all'ultimo.

Rosaria tornò sul tramonto. Ella aveva approfittato della breve sosta a casa sua per rivestirsi, mettersi il cappello e incipriarsi il viso; ma non era cosí fastosamente dipinta come di solito, e non portava alcun ornamento, a eccezione dell'anello col diamante e il rubino. Supponendo, dal silenzio della casa, che mia madre dormisse, entrò nella nostra camera in punta di piedi; e m'annunciò a voce bassa che prima di notte avremmo la visita del dottore.

Mia madre non dormiva, ma si sarebbe detto, a guardarla, ch'era immersa in uno stupore incosciente. Sopraffatta dalla febbre, aveva respinto il lenzuolo, scoprendo il volto e metà del busto. Il suo volto era acceso da un cupo rossore, sí da parer quasi piagato; ma la bocca socchiusa aveva un'apparenza illusoria di floridezza, come d'un frutto spaccato dall'arsura: e nel disegno qualcosa d'infantile. Anche gli occhi, morbosamente lucenti, avevano perduto la loro espressione di paura; come Rosaria attraversò la camera, essi seguirono il suo passaggio per gli sfavillanti vapori del crepuscolo con lo sguardo trasognato d'un bambino che segua una nube.

Rosaria si fermò nel vano della finestra, volgendo il profilo ai vetri; e le magnifiche luci del sole calante s'accentrarono sul diamante ch'ella portava al dito. Attirato da quel fuoco minuscolo, lo sguardo di mia madre si posò sull'anello; e in lei vi fu un mutamento subitaneo, quale potrebbe avvenire nel bambino già detto se d'un tratto, nella sua nube, egli vedesse accendersi un fuoco soprannaturale.

Con nostro grande stupore, mia madre si drizzò sul gomito, facendo segno a Rosaria d'accostarsi al letto. Rosaria le ubbidí senza indugio, ed ella, presale la mano inanellata, fissò le due gemme con una espressione mescolata di sospetto, d'invidia e di tripudio febbrile. Poi con una voce tentennante, roca, ma indagatrice tuttavia, domandò:

– Chi t'ha dato quest'anello?

Confusa, Rosaria mormorò che il gioiello le apparteneva da molti anni, ma ch'ella era legata da giuramento a non dire il nome del donatore. Mia madre allora, la fronte corrugata, levò gli occhi su di lei e, guardandola in faccia, con un sorriso di malizia e di trionfante voluttà, disse: – E-do-ar-do Ce-ren-ta-no.

A questo nome, Rosaria ritrasse la mano in fretta; ed io, piena di meraviglia, girai lo sguardo da lei a mia madre, non sapendo che pensare dei loro intrighi. Ma in verità Rosaria, che, come già sapete, ignorava del tutto la parentela d'Edoardo e di mia madre, il loro romanzo d'amore e l'origine dell'anello, non doveva essere meno stupefatta di me.

Come si vide sfuggir l'anello, mia madre s'oscurò, e tentò di drizzarsi sul busto; ma ricadde, e, puntandosi sul gomito ai guanciali, disse con quella sua svigorita, affannosa vocina in cui suonava una volontà quasi spasmodica:

– Dammi quell'anello, è mio!

Turbata alla bizzarra imposizione, Rosaria si discostò d'un passo dal letto; e invano mia madre, sgomenta, si sforzò di protendersi verso di lei, ché, per la seconda volta, il peso della febbre la riabbatté sui guanciali. Allora, ella ebbe un piccolo sorriso penoso: e mirò l'avversaria al modo che un mortale, atterrato in duello da Giove contro il quale osò cimentarsi nella sua protervia, mirerebbe il grande e burrascoso iddio.

Nervosamente s'aggrappò con le dita alle coperte, mentre sul suo volto l'ostinazione cedeva a una bramosa umiltà. E fu in tono di lusinga irresistibile, e quasi di civetteria, che supplicò, vòlta a Rosaria:

– Ah, non negarmi quell'anello! È mio! Dammelo! È una morta che te lo chiede! Dammelo!

Piú volte, con insistenza, ripeté simile supplica, e una sorta di panico entrò nella sua voce, che pareva venir meno, e nel suo piccolo, disarmato sorriso. Allora Rosaria, che non lasciava di guardarla, fu preda a un tratto d'una strana palpitazione. I suoi occhi s'empirono di lagrime, e cercarono i miei, quasi a chiedermi consiglio; ma nell'istante medesimo la vidi sfilarsi impetuosamente l'anello e, dopo averlo baciato con devozione, porgerlo a mia madre esclamando:

– Prendilo, figlia benedetta, è tuo!

Mia madre glielo strappò dalle dita; e, come paurosa che la donatrice avesse a ripentirsi, volle tosto adornarsene la sinistra, spoglia, al par della sua compagna, d'ogni ornamento, ed anche della fede d'oro. Nell'infilarsi all'anulare il prezioso cerchio, fu corsa da un brivido visibile. Rapidamente, da infocata che era, si fece tutta bianca, salvo due strisce vermiglie sui pomelli; e fissò la propria mano gemmata con un sorriso gelido e aspro. Indi si rivolse a Rosaria e interrogò, sospettosa: – È mio, adesso? è proprio mio? me lo lasci e non me lo riprendi mai piú? non me lo toglierai quando m'addormento? – Udendo tali domande, io, alquanto perplessa, guardai Rosaria: sospettavo io pure, in verità, ch'ella avesse fatto soltanto mostra d'accondiscendere, come usano le accorte nutrici, allorché il bambino, nervoso per sonno, s'incapriccia del loro monile di coralli, e non s'acquieta con nessun altro giuoco. Ma Rosaria, invece, a mio grande conforto, s'indignò della diffidenza di mia madre, e le riconfermò solennemente che non le ritoglierebbe mai piú quanto le aveva donato, accompagnando la promessa con un segno di croce, per chiamarne a testimonia la Vergine.

Mia madre trasse un sospiro; e, con subitaneo vigore, sollevatasi sul busto, appoggiò il dorso alla spalliera del letto. Poi chinando la testa ricciuta, e incanutita anzitempo, si dette a incurvare e a rigirare in atti vanesî la mano adorna dell'anello, ridicendosi con una ilare, lamentante voce, ch'esso era suo, era suo, nessuno glielo ritoglierebbe mai piú. Presto il senso delle sue parole si smarrí in un suono indistinto, simile alla querela dei colombi: in cui, tuttavia, pareva d'udire un dialogo, piuttosto che un monologo, tanto esso era tumultuoso, e volubile. Fu allora che mia madre, levata la testa, ci guardò con occhiate insane, come se non ci riconoscesse piú; e Rosaria impaurita girò l'interruttore della lampada, essendo ormai la camera quasi al buio. Ma all'accendersi della luce elettrica, la malata cadde in ismanie, gridando che Francesco, a scorger di sotto l'uscio il lume acceso, entrerebbe, e la sorprenderebbe con l'anello; ond'io corsi a spegnere, e lei parve calmarsi un poco. In quella rada penombra crepuscolare, non potevamo piú distinguere bene l'espressione del suo volto, quand'ella incominciò a ridere, e con una voce sonora, in cui credetti udir l'eco di accenti non suoi, già altrove uditi, si dette fieramente a parlare di sé, e di Edoardo, e d'Augusta. Ed io capii dai suoi modi e dalle sue parole, sebbene incoerenti, ch'ella non riconosceva piú se medesima, e confondeva la propria persona con quella della nostra vecchia parente Concetta. Come se parlasse d'un'assente, nominava Anna Massia, ora per esaltarla, ora al contrario per maledirla; e d'Edoardo parlava come d'una sua propria creatura; e accusava Augusta, e altri interlocutori misteriosi, d'inganni e di delitti; soggiungendo fra esclamazioni invasate d'esser libera ormai dei loro inganni, e ch'essi non la terrebbero piú incarcerata in questa città funerea. Poi si rivolgeva a un invisibile servitorame, ripetendo piú volte d'esser la padrona, la padrona, finché la sua voce, stranamente illimpidita e chiara, tornò rauca.

Or la sua rassomiglianza con la vecchia Concetta, da me già notata prima d'oggi, sembrava accrescersi oltremodo all'incerto chiarore della sera; sí che nella bianca faccia di Anna, nella sua testa arruffata, negli occhi cupi, io credetti riconoscere in quel momento l'aspetto medesimo di Concetta Cerentano. E tremando chiamai mia madre; ma quella bianca forma senile che farneticava con se stessa non s'accorse di me.

Il lungo crepuscolo estivo era finito; ma la luna sorgeva presto in quelle sere, e ricordo d'averne veduto poco piú tardi, al di là dei vetri d'una finestra, il disco rosseggiante salire, cinto da un alone caliginoso. Esso è l'ultimo segnale che attesti, nella mia memoria, la naturale rotazione del tempo in quella prima settimana d'agosto: poiché, con l'ora serale di quel sabato primo agosto, incomincia l'agonia di mia madre, che durò undici giorni, a quanto mi fu detto in seguito. Ed io, degli undici giorni ch'essa durò, non ricordo la successione naturale, né distinguo la luce dalla notte. Non avverto la vicenda delle ore, non vedo se la nostra camera è illuminata dal sole o dalle lampade elettriche; se con me nella camera v'è Rosaria, o la portinaia, o il dottore, o l'infermiera notturna fornita da Rosaria, o tutta questa gente insieme. Non so dire se le notti mi corico in un letto, se mi spoglio, se dormo, se mi pongo a tavola per desinare. E non ritrovo né un viso, né un aspetto, né un oggetto qualsiasi sul quale la mia attenzione si sia fermata nemmeno per un minuto. In quell'informe scenario senza sfondi e senza tempo, non c'è davanti a me null'altro fuor che Anna in agonia.

Piú d'una volta, in quei giorni, Rosaria si sforzò con mille insistenze, lusinghe e promesse, di togliermi da quella camera e di condurmi a casa sua, o almeno di farmi distrarre un poco, accompagnandomi a passeggio. Ma io, com'ella stessa mi raccontò piú tardi, al solo udire simili proposte impallidivo, rompevo in pianto, e minacciavo, se m'avessero allontanato da *lei*, di precipitarmi da una finestra giú sul selciato, di strangolarmi con le mie proprie mani, e altre stoltezze cosiffatte. E mentre mi rivoltavo in questo modo, il tumulto dei miei nervi e del mio cuore era cosí visibile da lasciare intendere a ognuno che la mia salute avrebbe sofferto ancor di piú per il distacco da mia madre che per la continua vista del suo male. Onde Rosaria, e con lei la portiera del palazzo, e ogni altra sollecita persona, rinunciarono del tutto a staccarmi di là.

Durante gli undici giorni ch'io dico, mia madre non cessò mai di delirare, né altro era il suo male, né d'altro essa moriva, che del suo delirio. In verità, il suo veleno mortale nasceva da quei medesimi, fantastici vapori donde prima, nelle nostre care veglie notturne, le fioriva l'idillio e l'estasi; e dei quali, simili ad astri melanconici nel loro alone, van cinti i principali personaggi della nostra dinastia. Donde nascevano, infatti, le smanie della lunatica Cesira? e la decadenza magniloquente di Teodoro? e i furfanteschi ideali di Nicola Monaco? e le millanterie di Francesco? e il nostro fatuo viaggiatore, in compagnia del suo gemello, il visitatore Anonimo? E non furono quei vapori medesimi che, addensatisi, calarono un fitto riparo nero intorno alla dolorante Concetta? E non sono, quei fumi, i soli, incorporei compagni della solitaria Elisa? Infine, avete ormai le prove che, nella mia prima introduzione al presente libro, io vi dissi il vero: quei vapori lunari ed erràtici sono i soli numi della mia epopea familiare, e Anna, la piú bella, rimase fedele ad essi fino alla fine, e offerse la propria anima ad essi.

La malattia la consumò in modo estremo: in undici giorni, la sua persona grande e matronale si ridusse a una forma scheletrita. Però, in quel corpo consunto risiedeva un vigore selvaggio, e instancabile: tenuta da un'insonnia quasi continua, mille volte ella si levava dal letto, e ora, percorrendo i suoi chimerici teatri, vagava interminabilmente per la stanza; ora, còlta da un'impazienza furiosa, voleva affrettare la morte. E tentava di precipitarsi fuori, lottando contro chi glielo impediva: ovvero, supplicava i presenti di finirla, e chiedeva per pietà un coltello, una corda, al modo d'un maniaco che chiede la sua droga. Da quel preciso momento del sabato sera in cui ci aveva gridato di spegner la lampada, ella non riconosceva piú alcuno di noi, confondendo i presenti con gli assenti, i vivi coi morti; e similmente ignorava il luogo in cui si trovava, il tempo e infine se stessa. Chi potrà dire in quante e in quali persone si trasformò durante undici giorni, e quali sorti la travolsero? Era impossibile riconoscere quali ombre dei suoi ricordi e delle sue immaginazioni ella credesse d'impersonare giacché si trasformava senza tregua e in fretta passava dall'uno all'altro discorso, legando senza nesso alcuno i più varî argomenti. E inaspettatamente trasmutava un'espressione di paura in una minaccia, e da una stanchezza esausta le nasceva un'asprezza agguerrita. Si sarebbe detto che successivamente una disordinata folla di spiriti entrasse nel suo corpo snervato; ma questa folla molteplice soggiaceva a una condanna comune di dolore o di fatica. Mai quelle care fattezze si atteggiavano alla gratitudine, o al piacere, o all'estasi, o si componevano in un pieno riposo. Ora l'inferma sembrava intenta ad attraversare coi suoi piedi nudi delle sabbie brucianti, ora al contrario si lagnava d'esser circondata da ghiacci, o di dover guadare paludi, o scalare montagne, ovvero si copriva il volto e gridava, sembrandole di precipitare in qualche gola profonda. La malattia le suscitava intorno paesaggi barbari e mai visti; ma la nostra camera, dove per tanti anni aveva dormito nel gran letto matrimoniale insieme a Elisa, ella non la riconosceva più. La si udiva, nei suoi sconclusionati discorsi, pronunciare or questo or quel nome, e rivolgersi con voce supplichevole, o imperiosa, o dolente, a suo padre Teodoro, a Francesco, a sua madre Cesira, a Edoardo, e anche a molti altri dei quali non avevo mai, prima, inteso il nome sulle sue labbra; ma della povera Elisa, che la seguiva lagrimando nei suoi pellegrinaggi sterminati, e che la chiamava mille volte, ella non si ricordava neppure di sfuggita, e quando le si rivolgeva la confondeva con altri. Non di rado, spaventata, si aggrappava all'infermiera, o a Rosaria, o ad Elisa stessa (pur senza riconoscerla), per chiedere aiuto; ma Elisa, che avrebbe attraversato il fuoco dell'inferno per soccorrerla, non poteva far nulla per lei.

Di rado ella cadeva in brevi sopori, ma anche allora i suoi mormorii dolorosi e i suoi piccoli moti convulsi lasciavan capire che ritrovava nei sogni i terrori della veglia. Pure, questi intervalli erano per me pieni di speranza e, quando non m'assopivo a mia volta, io li passavo in preghiere esaltate, e offrivo a Dio segretamente i voti più pazzi e inattuabili, aspettandomi, in cambio, di veder mia madre al suo risveglio guardarmi con occhi umani e chiamarmi per nome con la morbida voce che aveva prima della malattia. Ma presto mia madre si riscuoteva con un sussulto ed io rivedevo quegli occhi insani e riudivo quella voce lacerante.

In due sole occasioni ella diede segno di riconoscermi o di ricordarsi di me. La prima fu un giorno che, se ben rammento, eravamo sole in casa (v'era forse l'infermiera, che riposava nel salotto attiguo alla nostra camera). La malata dormiva, e il suo sonno, pur non sembrando, all'apparenza, libero da travagli e da ombre, era piú profondo del solito: le sue palpebre sfiorite si schiacciavano sull'orbita, e il suo immobile volto corrugato, quasi intento, faceva pensare che, per la prima volta dall'inizio della malattia, la sua mente si fosse fissata su un qualche oggetto, sia pure in sogno. Non saprei dire da quanto tempo ella giacesse cosí, allorché d'improvviso la vidi rizzarsi sul busto, senza però cessar di dormire né mutare l'espressione del volto, e, ad occhi chiusi, con delle bizzarre mosse circospette, posare i piedi in terra; poi, con lenti passi da automa, nella lunga camicia da notte che le ricadeva intorno al corpo scarnito, avviarsi all'uscita della camera. Io conoscevo molte storie di sonnambuli, pur non avendone mai visto alcuno; e, memore d'aver letto o udito dire che è grave errore svegliar bruscamente chi si leva e cammina nel sonno, sebbene sbigottita mi tenni muta dov'ero, senza osar d'interrompere in nessun modo l'avanzata di mia madre. La quale, uscita dalla nostra camera, s'era diretta allo stanzino della nonna, dove la udii frugare leggermente, col rumore che farebbe un topo; né piú d'un minuto era trascorso quando la vidi riapparire sulla soglia. Era sempre addormentata, aveva sempre la medesima espressione sulla faccia; e, in atto guardingo, protendeva la destra, mentre con la sinistra si stringeva contro la vita un fascio di fogli scritti, nei quali un sentimento sicuro mi fece ravvisare tosto le fantastiche lettere del Cugino. Giunta al letto, ne sollevò un poco il materasso, e, attraverso uno strappo della tela, v'introdusse i fogli; indi, girò dalla mia parte il suo volto corrugato, cieco, e rimpicciolito dalla febbre; e si pose sui labbri il piccolo indice macilento, quasi a intimarmi la segretezza per ciò che sola io avevo visto.

Fu questa, durante undici giorni, l'unica volta che mia madre alluse in qualche modo al nostro comune passato; ma ella mi riservava un'ultima, straordinaria consolazione.

Ciò accadde il dodici d'agosto (era un mercoledí), poco dopo mezzogiorno. Fin dalla sera innanzi, mia madre era rimasta a giacere supina, senza piú la forza di levarsi dal letto; ma se la sua persona estenuata non lottava piú coi suoi delirî, la sua coscienza, ormai sottile come un filo, pareva follemente tremare nel loro assedio incessante. In simile stato ella durò tutta la notte e parte della mattina: le sue labbra s'agitavano di continuo, in un balbettio febbrile e senza suono; le sue mani annaspavano sul lenzuolo, e le palpebre mezze chiuse lasciavano intravvedere un terribile sguardo innocente, pieno d'ignoranza e di spasimo. Questa fase del suo male somigliava all'agonia di certi gracili insetti alati, che tu guardi dibattersi su un vetro; e ti sforzi di concepire il nesso fra la loro esistenza impercettibile e il loro smisurato dolore; ma al folle paragone la tua ragione manca. Nessuno fra i violenti spettacoli dati in quei giorni dalla malata era stato altrettanto pietoso quanto il vedere una grande, superba donna ridursi a similglianza di specie cosí deboli ed esigue.

Dovevan esser circa le dieci di mattina quand'ella cadde in un pesante sonno. Per la prima volta in undici giorni i suoi muscoli e le sue fattezze giacquero immobili e distesi e la sua mente parve sgombra da ogni incubo. Tuttavia, neppure una bambina mia pari poteva illudersi troppo a veder quell'inanimato abbandono, simile a un deliquio piú che ad un riposo. Il respiro della dormiente non era affaticato, ma raro e quasi inavvertibile; il suo volto cinereo non esprimeva che l'assenza. E i suoi capelli diradati e strappati, che nessuno pettinava per non tormentare il suo capo dolente, davano a quella fronte riversa una espressione di rovina e di malinconia; come s'ella giacesse lí uccisa dopo essere stata offesa e percossa.

Questo suo sonno durava ancora quando la sirena della vetreria suonò per gli operai l'uscita di mezzogiorno. Al lungo segnale, la dormiente non si riscosse né ebbe alcun moto, quasi fatta insensibile ad ogni stimolo. Ad assisterla, nella camera, c'era, oltre a me, Rosaria, da poco sopraggiunta; ed entrambe ci tenevamo ferme e tranquille, evitando ogni rumore, per non disturbare il suo riposo.

Ancora per un breve intervallo ella giacque supina e senza movimento; ma non piú di due minuti, forse, eran trascorsi dallo spegnersi della sirena, quand'io vidi l'amato suo capo sollevarsi poco poco di sul guanciale, poi riposarvisi di nuovo dolcemente, senza aprir gli occhi. I suoi tratti palpitarono, un leggerissimo incarnato le colorò le guance; e inaspettatamente, ella prese a ridere fra sé. Nel tempo stesso, con voce fioca, ma udibile, pronunciò il mio nome.

Io volai verso il letto; e di nuovo ella mosse i labbri a dire: Elisa, Elisa, in un debole riso di malizia e di allegria, come se nominasse il piú comico personaggio che sia dato d'incontrare al mondo. Ciò non era proprio del tutto lusinghiero; ma io non pensavo certo ad offendermi. Al subitaneo spettacolo di quel volto rifiorito, m'inondò il cuore la speranza, anzi la certezza che mia madre guariva. E stringendole la sinistra inanellata che scintillava sul lenzuolo, mi detti a chiamarla e a richiamarla in una sfrenata gioia.

Pur seguitando a dormire, mia madre parve accorgersi della mia

692

vicinanza, e riconoscermi: infatti ella rinchiuse nella sua la mia mano, e la premette fugacemente, quasi in segno d'intesa. Nel far ciò, ripeté di nuovo il mio nome: poi dette un sospiro, corrugò la fronte e tacque. Istantaneamente, il colore si spense sulle sue gote, e sentii la sua mano allentare la stretta, e raffreddarsi: non d'un tratto, bensí con lentezza, quasi insensibilmente. Ansiosa, ma senza alcun sentimento preciso, io rimanevo al suo capezzale, allorché Rosaria s'appressò in fretta e si chinò a guardarla con un'aria turbata: indi, preso di sul cassettone un piccolo specchio, glielo accostò alla faccia. Non sapendo spiegarmi il perché di un simile gesto vanesio, io dubitosa osservavo Rosaria: la quale, riguardato fissamente lo specchio, lo depose in silenzio sul tavolino da notte. Poi con un'espressione composta e religiosa mi ritolse la mano di mia madre, per incrociargliela, insieme con la destra, sul petto; e in atto di grande solennità si fece il segno della croce.

Il significato dell'intera scena penetrò, allora, nella mia mente tarda. Io presi a battere i denti cosí forte che rovinai, assordata dal loro rumore fantastico; un vento invernale mi aggirò, fui succhiata da una gelida acqua senza lumi. E l'amata camera materna, accesa dal mezzogiorno d'agosto, fuggí per sempre dai miei sguardi, come una nave straniera.

EPILOGO

seguíto da un «Commiato» in versi

Dopo i fatti narrati nell'ultimo capitolo io giacqui malata e senza coscienza per circa tre settimane; durante le quali i miei ricordi s'interrompono. Mi ritrovo in un pomeriggio di settembre, già in via di guarigione, in casa di Rosaria: non, s'intende, la casa dove in seguito avrei trascorso tanti anni e dove vivo tuttora; ma la prima casa, quella dove mio padre ed io solevamo recarci insieme.

Rosaria mi aveva trasportato lassú fin dal primo giorno della mia malattia, cedendomi la propria cameretta e adattandosi a dormire nel salotto. Ella mi spiegò ch'io ero stata in fin di vita, e che la mia guarigione era senza dubbio un miracolo dovuto alle sue lagrime e alle sue orazioni. Giacché al vedermi morire, cosí ella diceva, le era entrato nel cuore un tale strazio che le sembrava di perdere il suo Francesco per la seconda volta. S'era accorta allora del grande affetto che, senza quasi accorgersene, aveva concepito per me; e appunto in quell'occasione aveva fatto voto di adottarmi, se mi salvavo, e di allevarmi e amarmi come sua figlia per tutta la vita. Ed ecco, stavolta il Signore le aveva fatto la grazia: d'ora innanzi noi due saremmo vissute sempre insieme, e cosí le sembrerebbe quasi di non avere del tutto perduto il suo Francesco.

Nel dirmi queste cose, ella mi baciava e m'accarezzava, e mi chiamava *la sua Franceschina* estasiandosi ogni momento alle mie somiglianze con mio padre, come se le scoprisse oggi per la prima volta. Durante i giorni ch'io rimasi ancora a letto, non s'allontanò quasi mai dal mio capezzale; e m'annunciò che, appena fossi guarita, m'avrebbe portato via con sé, a Roma, dov'ella aveva fretta ormai di ritornare, non avendo piú nulla che la trattenesse qui.

D'altra parte, la sua amica, che occupava il suo appartamento a Roma avendole ceduto in cambio il proprio nella nostra città, da piú di due mesi la sollecitava a tornare, desiderando rientrare in possesso delle proprie stanze. Quindi, concluse Rosaria, dovevo sforzarmi di guarire presto.

Mentr'io giacevo malata, ella aveva pietosamente compiuto gli ultimi suoi doveri di cristiana verso i miei genitori, i quali riposavano l'uno accanto all'altro nel cimitero della nostra città. S'era anche occupata dei nostri interessi familiari, incaricando un avvocato suo amico di seguitare a difenderli dopo la nostra partenza. I quali interessi consistevano nella vendita della nostra povera mobilia, ch'era stata posta sotto sequestro dai creditori di mio padre subito dopo la sua morte, e che poi, come si vide, fu valutata cosí poco da non bastare nemmeno a pagare tutti i suoi debiti. Onde Rosaria intervenne generosamente coi propri mezzi, per non lasciar disonorato il nome di mio padre fra i nostri concittadini.

Nei disordinati e tetri giorni ch'eran seguíti alla nostra doppia sventura, ella non aveva neppure trascurato di mettere in salvo le carte, lettere e fotografie già appartenute ai miei genitori, le quali certo in avvenire mi sarebbero state care per il loro ricordo. Fra l'altro, v'era un fascio di lettere, di cui, nelle smanie della febbre, io avevo parlato piú volte, gridando spaventata che mio padre non doveva vederle, e ripetendo ch'erano nascoste in un materasso: dove appunto, dopo le esequie di mia madre, Rosaria, sola nella nostra casa vuota, le aveva ricercate e trovate. Ella ignorava, disse, quel che v'era scritto, giacché non sapeva leggere; ma, nel dubbio che contenessero dei segreti, le aveva rinchiuse in una cassettina che mi affidò, promettendo di consegnarmene la chiave appena fossi piú grande.

Eccovi, dunque, spiegato il motivo per cui le fantastiche lettere del Cugino sono in mio possesso. Questo possesso mi appare oggi una colpa, ed io sono presa da timore come chi abbia commesso un furto: poiché intendo che Anna, celando gli amati fogli nel suo letto di morte, si lusingava forse di portarli via con sé, insieme all'anello col diamante e il rubino. Or se il suo desiderio fu esaudito riguardo all'anello, la sorte volle, invece, che l'epistolario rimanesse nel mondo; e forse, mentr'io lo sfoglio, la sua gemmata padrona s'aggira intorno a me gelosa, fra rimpianti e sospiri.

Ma non passerà molto che, scritta appena la parola *fine* a queste memorie io darò alle fiamme l'Epistolario fantastico: in tal modo, spero, l'ombra materna sarà placata.

Prima di salutare per sempre, insieme coi miei lettori, la mia città, teatro della presente storia, devo adesso ricordare ancora un paio di fatti collegati con la nostra vicenda familiare. Il primo riguarda Alessandra De Salvi mia nonna paterna, della quale i conoscenti di mio padre ignoravano quasi tutti l'esistenza, preferendo egli, per solito, d'esser creduto orfano, che figlio d'una povera contadina. Era avvenuto che nel veloce seguito delle nostre sventure nessuno aveva pensato ad avvertirla, e poiché i giornali non arrivavano fino al suo paese, ella, al pari dei suoi compaesani, ignorava ancora la fine del figlio quando già da due settimane questo giaceva sepolto. S'aggiunga che nell'ultimo tumultuoso periodo della sua vita egli non s'era piú curato di rispondere alle lettere della madre, e nemmeno di ritirare un pacco da lei spedito a mezzo del corriere paesano, e depositato da costui, secondo il solito, in un piccolo ufficio di spedizioni della nostra città. Non ricevendo neppure una riga di ringraziamento riguardo a questo pacco, di cui piú volte essa aveva scritto al figlio nelle sue lettere, Alessandra, preoccupata, pregò il corriere, al suo successivo viaggio, di portarle nostre notizie precise. Or il corriere, dopo averle promesso di recarsi al nostro indirizzo, non mantenne la parola, a causa delle sue troppe faccende. E al suo ritorno al paese, non seppe dare ad Alessandra altra notizia sicura se non che il pacco giaceva tuttora, non ritirato, all'ufficio delle spedizioni; ma a questa verità aggiunse, per non confessare d'aver mancato alla promessa, delle nuove ambigue e poco soddisfacenti, affermando d'averci, sí, cercato nel nostro quartiere, ma che all'indirizzo datogli da Alessandra eravamo sconosciuti, ecc. Alessandra, nella sua ignoranza, era confusa e incerta, né sapeva a chi rivolgersi, tanto piú che il figlio l'aveva sempre tenuta all'oscuro delle proprie abitudini cittadine. Finalmente, dopo aver esitato parecchi giorni, ella si decise al famoso viaggio che per dodici anni aveva sempre rimandato, e, carica d'offerte per gli sposi e per la nipotina, senza annunciare la sua venuta partí per la nostra città. Quand'ella, non senza fatica, trovò la nostra via e il nostro portone, la nostra casa era abbandonata già da tre giorni, e v'erano stati apposti sull'uscio i suggelli del sequestro; e fu sotto l'arcata del cortile, presso la *guardiola* dei portieri, che Alessandra, per bocca della portinaia, apprese le sue sventure. La portinaia l'informò poi che la sua nipotina era stata portata via da una signorina molto caritatevole e distinta, e le scrisse a memoria, su un pezzo di carta, il nome e l'indirizzo di Rosaria. Ma sia che l'indirizzo fosse inesatto, o che la povera Alessandra, sbalordita e sconvolta com'era, si sperdesse nelle strade, il fatto è che la notte la sorprese mentre ancora, inutilmente, ella vagava alla nostra ricerca. Non sapendo ove rifugiarsi, ella ritornò alla stazione e di là riprese il treno per il suo paese: donde ci raggiunsero, a Roma, varî telegrammi e lettere firmate, a nome di lei, dal parroco. Da allora, fra me e mia nonna Alessandra continua una rada e ineguale corrispondenza. Da molti anni, inoltre, io le invio, per generosità di Rosaria, un piccolo sussidio che la aiuta a vivere. Ella, però, sebbene ormai vecchia, è ancora sana e forte, e lavora al pari d'una ragazza. Abita nella solita vecchia casa di sua proprietà e dorme nella camera sul vicolo dove forse ancora, ogni sabato sera, s'odon gli strepiti di Gabriele ubriaco. Mille volte m'ha scritto la sua intenzione di venire a trovarmi a Roma, e mille volte m'ha pregato di andare un poco lassú, nel paese di mio padre; ma ancora non ci siamo incontrate mai. Della mia sorte, del resto, Alessandra è contenta e superba: ella giudica la fortuna di Rosaria quasi favolosa, e Rosaria stessa una sorta di gentildonna santa. Cosí, fra le comari, va celebrando la propria nipote, come prima andava celebrando il proprio figlio: e queste glorie l'accompagnano e la rallegrano nella sua vecchiezza.

Un altro fatto che non voglio lasciare nell'oblio riguarda un personaggio del tutto secondario: e precisamente quel Giuseppe Restivo, impiegato alle Poste, che viaggiava insieme a mio padre la notte della disgrazia (il fatto cui alludo, però, non è luttuoso né triste, al contrario; e anche per questo motivo non mi dispiace di ricordarlo, a sollievo dei miei lettori).

Nei giorni successivi alla disgrazia di mio padre, Rosaria, per trovare un qualche conforto, soleva, come avviene, ricercare tutte le persone ch'erano state vicine all'amato, e le sembrava di stordire il proprio dolore parlando con esse di lui. Fra gli altri, il detto Restivo era il meglio informato e il piú cortese. E sebbene non fosse stato mai in grande intimità con mio padre (il quale, fuor d'Edoardo, non ebbe mai nessun amico), tuttavia, per la sua spontanea bontà, per il suo naturale amore delle ciarle, e, infine, per una subitanea accensione del suo cuore nei confronti dell'interlocutrice, non si stancava di rievocare, di ragionare e di argomentare insieme a lei sul triste soggetto che la appassionava. Intanto, l'ardente Restivo s'accendeva sempre piú di Rosaria: la quale, mai troppo avara di sé con gli amanti, tanto meno poteva esserlo con un amico di Francesco, e suo proprio consolatore. Infine, l'impiegato perse del tutto la testa: al punto che quando Rosaria si fu trasferita a Roma, egli si fece assegnare il servizio del *postale* notturno per Roma; e come questo, entrato nella stazione della detta città verso l'alba, vi sostava per sessanta minuti, egli volava presso Rosaria, per trascorrere quei minuti fra le sue braccia. Indi ritornava a precipizio sul treno. Ciò durò alcuni mesi, durante i quali, nella misura dei suoi mezzi modesti, l'innamorato Restivo si rovinò e si coprí di debiti per l'amore di Rosaria; ma lei, stanca d'essere svegliata a quell'ora del mattino, un bel giorno mise il catenaccio alla porta. E l'amante troppo mattutino fu lasciato fuor dell'uscio quel giorno e per sempre.

Non so che cosa sia avvenuto di lui: spero che il suo cuore bonario e prodigo abbia incontrato un cuore gemello, piú fedele di quello di Rosaria. Ma se lo ricordo qui, è soprattutto perché devo a lui alcuni particolari sul passato dei miei genitori. Ad esempio, appresi da lui, che la raccontava in mia presenza a Rosaria, la storia della famosa serata all'Opera, ricordata nella Quinta Parte del presente libro.

Dai discorsi, pur indulgenti o addirittura lusinghieri, ch'egli faceva sull'argomento di mio padre, si capiva tuttavia che i colleghi delle Poste non perdonavano a costui, mentr'era vivo, la sua poca socievolezza, e il gran mistero che faceva intorno alla propria persona e alla propria famiglia, del quale ultimo suo vizio solevano talvolta scherzare fra loro dietro le sue spalle. Essi gli serbavano della vera acrimonia per via che in tanti anni di comune lavoro alle Poste egli non s'era mai degnato d'invitare nessuno di loro a casa propria, né (se non v'era proprio costretto), di presentare alcuno alla propria signora. Si diceva che il motivo di ciò fosse, oltre alla superbia innata, una sua morbosa gelosia; ma, (ebbe a dire lo stesso Restivo, in confidenza, a Rosaria), veramente quei pochi che avevano potuto avvicinare la signora De Salvi, fra i quali era lui medesimo, la giudicavano per nulla attraente: una gigantessa pallida, male infagottata, e per di piú cosí malevola e scostante e dura di cuore da non giustificare affatto ai loro occhi le gelose apprensioni del marito.

Il quale, da parte sua, soggiungeva Restivo, pur non essendosi fatto amico nessuno, godeva tuttavia, per la serietà con cui compieva i suoi doveri, la stima di superiori e colleghi. Solo negli ultimi tempi, il suo servizio lasciava molto a desiderare. Egli appariva di umore piú che mai cupo e selvatico, la sua salute era scossa e i suoi nervi estenuati a tal punto ch'egli era perennemente in uno stato d'irritazione, o al contrario, di sonnolenza, fino a cader sovente addormentato in pieno servizio. In breve, occorreva non poca pazienza a sopportarlo, il suo rendimento era diventato assai scarso, e già s'andava dicendo in ufficio che i superiori avevano intenzione di dispensarlo d'autorità dai suoi còmpiti finché non si rimettesse in salute. Ecco qual era, detto in succinto, il ricordo lasciato da mio padre fra i suoi compagni delle Poste.

701

S'era circa ai dieci di settembre, quando, al seguito di Rosaria, io lasciai per sempre la mia città natale, diretta a Roma. La notte avanti, ero rimasta per molte ore insonne, a causa del grande avvenimento che m'aspettava l'indomani. Il pensiero del prossimo viaggio era pèr me, nel tempo stesso, eccitante e amaro; ma l'amarezza vinceva, poiché partire dalla città significava abbandonare per sempre *loro* e ciò mi pareva un tradimento. Per quanto cercassi di persuadermi che i miei genitori erano morti, e quindi esuli dalla terra, non sapevo liberarmi dal sentimento che, sebbene morti, essi soggiornavano in qualche modo ancora nella nostra città; dove, se vi fossi rimasta, avrei forse finito con l'incontrarli di nuovo; e certo essi mi rimproveravano vedendomi in viaggio, mentre loro giacevano sotterrati.

Fra simili pensieri, più volte, nella notte, soffocai contro il cuscino i miei pianti. Infine mi riuscí d'addormentarmi ed ebbi un sogno bislacco e assai ridicolo, mandatomi, forse, da qualche santo d'umore scherzoso, per consolarmi un po'. Sognai dunque che Rosaria ed io, giunte a Roma, trovavamo la stazione popolata d'una gran folla, che recava magnifici drappi di seta, bandiere e stendardi e, preceduta da tamburini e trombettieri, circondava acclamando il nostro treno. Ora, mentr'io mi domandavo chi potesse essere il personaggio degno di tanti onori, notavo con mia meraviglia, sulle bandiere e i drappi e gli stendardi, ricamata a lettere d'oro, la scritta: *Viva Elisa*; e al tempo stesso distinguevo, nel clamore della folla, il suono di queste medesime parole. Non basta: entrando nella città, vedevo le finestre, i portoni e i tranvai festosamente imbandierati; e ogni volta che, dubbiosa, interrogavo un cittadino sul motivo di tanto tripudio, m'accadeva come al Gatto con gli stivali, per conto del suo padrone signore di Carabas. Voglio dire che, alle mie domande, tutti rispondevano con meraviglia: – Ma come! Non sapete perché si fa festa oggi? perché è arrivata Elisa! – E m'accorgevo che sui muri, da ogni parte, era scritto col carbone *Viva Elisa, Viva Elisa!*, e tutti i Romani, signorili e solenni all'aspetto, agitavano i fazzoletti dalle finestre e dai balconi e gettavan fiori sul mio passaggio.

La mattina, aiutando Rosaria nei preparativi della partenza, le raccontai questo sogno; a nessun altro l'avrei mai raccontato, ma Rosaria aveva saputo, coi suoi modi, guadagnarsi la confidenza fin della schiva Elisa. Ora, sia per divertirsi un poco ai miei danni, sia per incoraggiarmi a partire, udito il sogno Rosaria mi rispose con grande serietà che si trattava, certo, d'un sogno profetico, anzi d'una straordinaria e precisa anticipazione del vero. Giacché lei, per l'appunto, il giorno prima aveva telegrafato ai Romani la nuova del mio arrivo imminente; e senza dubbio a quest'ora la cittadinanza era tutta in subbu-glio, e mi preparava accoglienze magnifiche, essendo l'arrivo di Elisa De Salvi, per la città di Roma, un evento importantissimo e secolare.

A tale strabiliante rivelazione di Rosaria, la vicina partenza, non si può nasconderlo, m'apparve sotto un aspetto assai promettente; al punto che mi venne quasi una smania di ultimare i preparativi e di correre alla stazione (e al nostro arrivo a Roma, soggiungeremo qui in anticipo, Rosaria non finiva piú di ridere, vedendo l'espressione delusa e interrogativa della mia faccia!)

Malgrado, però, l'esaltante scenario apertosi alla mia ambizione, come il treno, dato l'ultimo fischio, incominciò la corsa che ad ogni minuto m'allontanava sempre piú dalla nostra città, io fui di nuovo sopraffatta da un'amara e terribile nostalgia. Al punto ch'ero tentata di gettarmi giú dal treno, e poi stendermi col viso contro la terra, per chiamare mia madre e supplicarla di resuscitare, di risalire nel mondo, o almeno di attirarmi sotto terra presso di sé. Ma il treno cor-reva tuttavia, trasportandomi attraverso le campagne: ed io sentii che mi tremava il mento, e dovetti fare una smorfia coi labbri per vincere i singhiozzi.

Rosaria, che mi guardava, indovinò certo la mia malinconia, poiché in fretta cercò di distrarmi in qualche modo: – Allegra, allegra, Fran-ceschina, – mi disse, – ché presto saremo a Roma. Vedrai quanto è bella! e chi sa che non pensino a farti sindachessa, o papessa! – Ma vedendo che ciò non bastava a consolarmi, aggiunse: – E adesso, stammi a sentire. Tu devi dirmi qual è il regalo che piú desideri, la cosa che piú ti piacerebbe d'avere al mondo, e Rosaria, ch'è una gran signora, appena arrivata a Roma, in parola d'onore, te la comprerà.

Io non avevo bisogno, in verità, di pensar molto per fare una scelta fra le mie voglie. Sapevo benissimo qual fosse l'oggetto che piú desi-deravo di possedere fra quanti ne contiene il mondo universo; ma avendo, fin dalla mia prima età, bramato quest'oggetto invano, prefe-rivo di tener chiuso dentro me stessa un desiderio provatosi irrealiz-zabile. Né, d'altra parte, intendevo rassegnarmi a un compromesso, accontentandomi di veder soddisfatta qualche altra mia voglia minore. Per cui, disdegnosa e intristita, alla domanda di Rosaria io tacqui.

Per un poco ella aspettò ch'io mi decidessi; ma vedendomi ostinata nel silenzio, sollecitò: – E allora? Non hai una voglia grande, enorme, non c'è un regalo che ti farebbe felice? su, dillo a Rosaria, e a meno che non sia la luna, Rosaria tua te lo darà.

Confusa da simile insistenza, io chinai la fronte; ma com'ella an-dava ridicendo: – Suvvia, cos'è che vorresti? – finalmente trassi un sospiro, e, risòltami a svelare la mia famosa occulta bramosia, malcerta, levando gli occhi appena appena, osai sussurrare:

– Un *gatto*.

Rosaria che aveva dovuto chinarsi per udirmi, sembrò non credere ai propri orecchi: – Come? – domandò, – intendi dire che la tua massima voglia sarebbe d'avere un gatto?

Io mi feci rossa rossa, e, levàti gli occhi, arditamente affermai:
– Sí.

– Un gatto! – ella esclamò quasi delusa, – ma, stupida che sei, un gatto non costa nulla. Ti si offre una buona occasione, e tu ne approfitti cosí, brava furba! Che valore ha un gatto? Di gatti se ne possono avere gratis quanti se ne vuole, se ne trovano in istrada, per i tetti, e al Colosseo ce n'è delle migliaia. Ti pare questo gran regalo, un gatto? su, pensa meglio, non vorresti proprio un altro regalo migliore?

All'udir ciò, io levai una spalla, chinai la fronte, e mi rinchiusi in un silenzio cocciuto.

Rosaria mi guardò un poco, incerta, e poi scoppiò a ridere: – eh, – esclamò, – non devi mica immusonirti per questo! T'ho forse offesa? T'ho offerto un gran regalo, ero contenta anche di spendere molti quattrini. Tu mi domandi un gatto! e va bene, se non vuoi altro, sarai servita: avrai il gatto.

A tali parole, io mi feci di fuoco, e provai quasi una sensazione di dolore, tanto la mia fortuna mi pareva incredibile.

Ma Rosaria non aveva promesso a vuoto; e come si rivelò falsa e impostora nella faccenda delle accoglienze riserbatemi dai Romani, cosí, al contrario, si dimostrò una perfetta gentildonna nella questione del gatto.

Poche ore dopo il nostro arrivo, io ebbi il mio gatto, e, da allora, non me ne sono separata piú. S'intende che, purtroppo, non si trattò sempre d'un medesimo e unico gatto: ché per la breve esistenza concessa a questa delicata specie, io dovetti esperimentare alcune tristi separazioni. Al mio primo gatto, di nome Romano, spentosi di vecchiaia, successe il nero Filippo, ucciso in una congiura di portinai. Terzo, e sopra tutti amato, è il qui presente Alvaro, solo mio compagno vivente in questa camera solitaria. Com'io m'accingo a tracciare qui sotto la parola *fine*, egli che m'è stato sempre vicino mentr'io scrivevo questa lunga storia, mi guarda coi suoi graziosi occhi fedeli. E sembra dire a Elisa che, nonostante tutto, l'innocenza e l'amicizia dureranno finché duri il mondo.

Eccomi, dunque, tornata al punto stesso donde la mia storia ebbe principio. Anche il misterioso Alvaro, di cui, se chi legge non ha dimenticato, io non volli far conoscere allora altro che il nome, si è svelato ormai.

A chi volesse poi conoscere fino alla fine la sorte di tutti i personaggi di qualche importanza apparsi in questa storia, dirò che tre o quattro anni dopo la mia partenza dalla città natale, io seppi attraverso viaggiatori venuti di là, che nostra cugina Augusta, vinta dal medesimo male di suo fratello, s'era da poco spenta nel suo bel palazzo di sposa. Il destino di Concetta Cerentano fu, dunque, di sopravvivere a tutta la sua famiglia: per lunghi anni ancora la vecchia dovette trascinarsi attraverso le sue stanze deserte, senz'altra compagna piú che la propria luttuosa follia. La quale l'ha accompagnata fino alla sua morte, avvenuta, come seppi da una notizia di giornale, soltanto pochi anni fa.

Io spero che, insieme alle altre inquiete ombre della nostra famiglia, Concetta abbia a quest'ora chiarezza e pace.

Riguardo agli spiriti che mi sono piú cari, voglio dire Anna, Edoardo e Francesco, io vagheggio per loro piú care speranze. Per esempio, m'immagino che là dove essi dimorano, e dove certo tutt'altre leggi da quelle della terra regolano amori e nozze, essi avranno potuto formare tutti e tre insieme una famiglia, godendo senza peccato del loro reciproco, triplice amore. Acceso da questo amore fraterno, forse il loro innocente trio familiare forma a quest'ora nel firmamento una costellazione, che sarà senza dubbio detta *del Cugino*. E se a noi non sarà concesso altro premio che di contemplare dalla terra l'allegrezza di questo nodo stellare, saremo paghi.

A questo punto, o lettore, non mi rimane che dirti addio. Ma prima di prender commiato, io devo farmi perdonare in qualche modo la pochezza di tatto e di discernimento da me dimostrata nel trascurare fino alla fine un personaggio dei piú amabili e importanti, voglio dire il Gatto Alvaro. Ecco perciò, in guisa di compenso e al tempo stesso di commiato, il

CANTO PER IL GATTO ALVARO

Fra le mie braccia è il tuo nido,
o pigro, o focoso genio, o lucente,
o mio futile! Mezzogiorni e tenebre
son tue magioni, e ti trasformi
di colomba in gufo, e dalle tombe
voli alle regioni dei fumi.
Quando ogni luce è spenta, accendi al nero
le tue pupille, o doppiero

del mio dormiveglia, e s'incrina
la tregua solenne, ardono effimere
mille torce, tigri infantili
s'inseguono nei dolci deliri.
Poi riposi le fatue lampade
che saranno al mattino il vanto
del mio davanzale, il fior gemello
occhibello.

        E t'ero uguale!
Uguale! Ricordi, tu,
arrogante mestizia? Di foglie
tetro e sfolgorante, un giardino
abitammo insieme, fra il popolo
barbaro del Paradiso. Fu per me l'esilio,
ma la camera tua là rimane,
e nella mia terrestre fugace passi
giocante pellegrino. Perché mi concedi
il tuo favore, o selvaggio?

   Mentre i tuoi pari, gli animali celesti
gustan le folli indolenze, le antelucane feste
di guerre e cacce senza cuori, perché
tu qui con me? Perenne, tu, libero, ingenuo,
ed io tre cose ho in sorte:
prigione peccato e morte.
Fra lune e soli, fra lucenti spini, erbe e chimere
saltano le immortali giovani fiere,
i galanti fratelli dai bei nomi: Ricciuto,
Atropo, Viola, Fior di Passione, Palomba,
nel fastoso uragano del primo giorno...
E tu? Per amor mio?

   Non mi rispondi? Le confidenze invidiate
imprigioni tu, come spada di Damasco le storie d'oro
in velluto zebrato. Segreti di fiere
non si dicono a donne. Chiudi gli occhi e cantami
lusinghe lusinghe coi tuoi sospiri ronzanti,
ape mia, fila i tuoi mieli.
Si ripiega la memoria ombrosa
d'ogni domanda io voglio riposarmi.
L'allegria d'averti amico
basta al cuore. E di mie fole e stragi
coi tuoi baci, coi tuoi dolci lamenti,
tu mi consoli,
o gatto mio!

Appendice

Cronologia della vita e delle opere

1912-22 Elsa Morante nasce a Roma, in via Aniero 7, il 18 agosto 1912; è figlia di Irma Poggibonsi – moglie di Augusto Morante – e Francesco Lo Monaco. Venuta alla luce dopo Mario, morto in tenerissima età, è la secondogenita della famiglia; a lei seguiranno tre fratelli: Aldo, Marcello e Maria. La madre, ebrea originaria di Modena, è maestra alle scuole elementari; il padre anagrafico è istitutore al riformatorio romano «Aristide Gabelli». Ad alcuni mesi dalla sua nascita, la famiglia Morante si trasferisce nel quartiere Testaccio. Elsa non frequenta le scuole elementari, e per qualche tempo viene ospitata in una villa del quartiere Nomentano dalla madrina, donna Maria Guerrieri Gonzaga: «ero una bambina anemica; la mia faccia, fra i riccioli color "ala di corvo", era pallida come quella di una bambola lavata, e i miei occhi celesti erano cerchiati di nero. Venne un giorno una lontana parente, che aveva per sua sorte favolosa sposato un conte ricchissimo. Ella mi guardò con pietà e disse: "La porto a vivere con me, nel mio giardino"».

I quaderni risalenti a questo periodo già contengono, tra i disegni, storie, poesie e dialoghi.

1922-30 La famiglia Morante si trasferisce nel quartiere Monteverde Nuovo, dove Elsa si iscrive dapprima al ginnasio, poi al liceo. Verso i diciotto anni, dopo aver conseguito il diploma, lascia la famiglia e va a vivere per conto proprio. Per la mancanza di mezzi economici abbandona l'università (facoltà di lettere) a cui si era iscritta e si mantiene dando lezioni private di italiano e latino, aiutando gli studenti a compilare tesi di laurea e pubblicando poesie e racconti su riviste.

1930-35 Dopo alcune sistemazioni provvisorie, Elsa prende in affitto un alloggio in corso Umberto. Inizia a collaborare al «Corriere dei Piccoli» e a «I diritti della scuola» sul quale dal 1935 esce a puntate il romanzo *Qualcuno bussa alla porta*.

1936-40 Comincia la collaborazione al «Meridiano di Roma» con i racconti *L'uomo dagli occhiali*, *Il gioco segreto*, *La nonna* e *Via dell'angelo* poi raccolti nei volumi *Il gioco segreto* e *Lo scialle andaluso*. Nel 1936 conosce Alberto Moravia con il quale inizia di lí a un anno una relazione. Risale a questo periodo un quaderno di scuola intitolato *Lettere ad Antonio*, uno dei piú importanti documenti intimi rimastoci, un diario personale di fatti reali e descrizioni di sogni. Collabora, talvolta con pseudonimi, al settimanale «Oggi» sul quale pubblica racconti e cura la rubrica «Giardino d'infanzia». Traduce *Scrapbook* di Katherine Mansfield (*Il libro degli appunti*, Longanesi 1941).

1941-43 Il 14 aprile 1941, lunedí dell'Angelo, Elsa sposa Alberto Moravia e con lui si stabilisce in un piccolo appartamento in via Sgambati dove rimarrà, salvo i temporanei spostamenti dovuti alla guerra, fino al 1948. Presso l'editore Garzanti nella collana «Il delfino» esce la raccolta di racconti *Il gioco segreto*. È di questo periodo il quaderno di scuola intitolato *Narciso. Versi, poesie e altre cose molte delle quali rifiutate* che contiene progetti di lavoro, testi abbozzati e poesie. Nel settembre 1942 esce da Einaudi la fiaba *Le bellissime avventure di Caterí dalla trecciolina* (il cui nucleo originale risale ai tempi del ginnasio), illustrata dalla stessa Morante. Ha inizio nel frattempo la stesura del romanzo *Menzogna e sortilegio* originariamente intitolato *Vita di mia nonna*; in esso la saga di una famiglia del Sud italiano è raccontata e ricostruita da un membro dell'ultima generazione, Elisa, che ha scelto di confinarsi nella propria stanza.

Essendo Moravia accusato di attività antifasciste, la coppia si sposta verso Sud, stabilendosi a Fondi, un paese di montagna della Ciociaria, in attesa della liberazione.

1944-48 Dopo un breve soggiorno a Napoli, Elsa comincia la seconda stesura di *Menzogna e sortilegio*. Il racconto *Il soldato siciliano*, poi raccolto nel volume *Lo scialle andaluso*, inaugura la collaborazione con l'«Europeo» su cui uscirà anche *Mia moglie*.

Nel 1947, tramite Natalia Ginzburg, manda *Menzogna e sortilegio* in lettura all'Einaudi che lo pubblicherà l'anno successivo.

1948-49   Le condizioni economiche di Elsa e Alberto Moravia vanno via via migliorando ed Elsa visita per la prima volta la Francia e l'Inghilterra. Nell'agosto 1948 *Menzogna e sortilegio* vince il premio Viareggio. La coppia abbandona la casa di via Sgambati e acquista un attico nei pressi di piazza del Popolo, in via dell'Oca 27; Moravia, inoltre, compra per Elsa uno studio ai Parioli. Nel 1950 inizia a collaborare con la RAI curando la rubrica settimanale di critica cinematografica intitolata «Cronache del cinema»; interromperà tuttavia la collaborazione di lí a due anni, a causa delle ingerenze dei dirigenti.

1950-57   Nel 1950 ha inizio la collaborazione con il settimanale «Il Mondo» sul quale cura la rubrica «Rosso e Bianco»; nel novembre comincia a lavorare a *Nerina*, un romanzo d'amore presto abbandonato che confluirà però nel racconto *Donna Amalia*. Tra l'aprile e il giugno del 1951 scrive il racconto *Lo scialle andaluso* che uscirà in «Botteghe Oscure» nel 1953. Nella primavera del 1952 comincia la stesura di *L'isola di Arturo*, pubblicato da Einaudi nel 1957, con il quale vincerà il premio Strega. La storia della difficile maturazione di un ragazzo che vive quasi segregato nel paesaggio immobile dell'isola di Procida, accanto all'imponente presenza del penitenziario.

Con una delegazione culturale visita nel marzo l'Unione Sovietica e in settembre la Cina.

1958-61   Esce da Longanesi la raccolta di poesie *Alibi*, ed Elsa comincia, interrompendosi tuttavia nel 1961, a lavorare a un romanzo intitolato *Senza i conforti della religione*, la storia della caduta di un idolo, la fine di una divinità-fratello distrutta e smascherata dalla malattia. Nel settembre del 1959 parte per New York e Washington dove si trattiene fino alla fine di ottobre. Durante il viaggio incontra Bill Morrow, un giovane pittore newyorkese con il quale instaura un'intensa amicizia. Qualche tempo dopo Morrow lascia gli Stati Uniti per trasferirsi a Roma. Elsa frattanto, pur non abbandonando la residenza coniugale e il proprio studio ai Parioli, si trasferisce in una nuova casa tutta per sé in via del Babuino. Nel numero di maggio-agosto di «Nuovi Argomenti» escono come «saggio sul romanzo» nove risposte ad alcuni quesiti letterari posti dalla rivista. Tali risposte sono poi state raccolte in *Pro o contro la bomba atomica* uscito da Adelphi nel 1987. Nel 1960 invitata al XXXI congresso internazionale del Pen Club

711

parte con Moravia per Rio de Janeiro e trascorre qualche tempo in Brasile. Nel gennaio 1961 si reca in India dove la attendono Moravia e Pasolini: visitano Calcutta, Madras, Bombay e il Sud del paese.

1962-65   Nel 1962, presentato da Moravia, Bill Morrow inaugura una mostra personale alla Galleria La Nuova Pesa di Roma. Nell'aprile dello stesso anno, tuttavia, dopo aver fatto ritorno a New York, Bill Morrow perde tragicamente la vita precipitando nel vuoto da un grattacielo. Nell'autunno Moravia lascia via dell'Oca mentre Elsa continua a risiedere nell'attico di via del Babuino. Nel novembre del 1963 esce da Einaudi la raccolta di racconti *Lo scialle andaluso* ma ogni altro progetto è interrotto e a chi le chiede notizie sul suo lavoro dice di scrivere pochissimo. Nell'autunno del 1965 compie un secondo viaggio negli Stati Uniti trascorrendovi le feste natalizie; di lí raggiunge il Messico, dove il fratello Aldo è dirigente della Banca Commerciale di Città del Messico, per poi spostarsi nello Yucatán.

1966-70   Compone i poemi e le canzoni che andranno a formare *Il mondo salvato dai ragazzini*, edito da Einaudi nel 1968. Una raccolta di poemi e canzoni diretta «all'unico pubblico che oramai sia forse capace di ascoltare la parola dei poeti», i ragazzi, ingenui custodi dell'unica felicità possibile, quella dell'innocenza astorica e barbara. Nel 1969 prepara per i classici dell'Arte Rizzoli il saggio introduttivo sul Beato Angelico dal titolo *Il beato propagandista del Paradiso*. Trascorre l'estate del 1970 in Galles a casa dell'amico Peter Hartman.

1970-75   Tra la fine del 1970 e l'inizio del 1971 Elsa comincia a formulare l'idea de *La Storia*, un'«Iliade dei giorni nostri», nata in seguito alla lettura dei greci ritrovati tra le pagine dei quaderni di Simone Weil. La stesura del romanzo la impegnerà fino al 1973. Uscito nel 1974, incontrando un immenso successo popolare ma anche la violenta opposizione dell'*establishment*, il libro racconta l'odissea bellica dell'Italia e del mondo, opponendo alla Storia l'umile microcosmo di una famiglia romana, composta da una donna insicura, un ragazzo, un bambino e un paio di cani.
Nel 1975, in compagnia dell'amico Tonino Ricchezza, trascorre qualche settimana a Procida, l'ultimo soggiorno nell'isola di Arturo; nell'agosto comincia un romanzo dal titolo *Superman*, ma il progetto viene subito abbandonato.

1976-80 Comincia la stesura di *Aracoeli* che la terrà impegnata per cinque anni. Il dolente ritratto di un personaggio «diverso», che disperatamente cerca di ricostruire la figura materna perduta.
Nel marzo del 1980 dopo essersi banalmente rotta un femore viene ricoverata e operata alla clinica «Quisisana».

1981-85 Nel dicembre del 1981 *Aracoeli* è terminato, ma i continui dolori alla gamba la costringono a restare immobile a letto e a farsi ricoverare in una clinica di Zurigo. Le sue condizioni fisiche migliorano leggermente e nel novembre del 1982 esce da Einaudi *Aracoeli*. Presto però la salute di Elsa subisce un peggioramento impedendole di camminare: trascorre le proprie giornate a letto e nell'aprile del 1983 tenta il suicidio aprendo i rubinetti del gas. Viene trovata priva di sensi dalla domestica e trasportata in ospedale dove, diagnosticatale una idroencefalia, è sottoposta a un intervento chirurgico. Le cure non danno tuttavia i risultati sperati ed Elsa non lascerà piú la clinica. Il 25 novembre 1985, verso mezzogiorno, Elsa Morante muore d'infarto.

Bibliografia essenziale ✳

OPERE DI ELSA MORANTE

Narrativa e poesia

Le bellissime avventure di Caterí dalla trecciolina, Einaudi, Torino 1942 (nuova edizione riveduta e ampliata: *Le straordinarie avventure di Caterina*, ivi 1959).
Il gioco segreto, Garzanti, Milano 1941.
Menzogna e sortilegio, Einaudi, Torino 1948.
L'isola di Arturo, Einaudi, Torino 1957.
Alibi, Longanesi, Milano 1958.
Lo scialle andaluso, Einaudi, Torino 1963.
Il mondo salvato dai ragazzini, Einaudi, Torino 1968.
La Storia, Einaudi, Torino 1974.
Aracoeli, Einaudi, Torino 1982.
Diario 1938, a cura di A. Andreini, Einaudi, Torino 1989.
Opere, 2 voll., a cura di Carlo Cecchi e Cesare Garboli, Mondadori, Milano 1988.

Saggistica

Gli scritti saggistici di Elsa Morante, mai raccolti in volume dall'autrice, si trovano nel volume postumo *Pro o contro la bomba atomica e altri scritti*, a cura di Cesare Garboli, Adelphi, Milano 1987. Diamo qui le indicazioni bibliografiche relative a ciascun testo.

Umberto Saba in «Notiziario Einaudi», IV, 1957, n. 1, pp. 11-12.
Risposte a Nove domande sul romanzo in «Nuovi Argomenti», 1959, nn. 38-39, pp. 17-38.

Risposte a *Otto domande sull'erotismo in letteratura* in «Nuovi Argomenti», 1961, nn. 51-52, pp. 46-49.

Risposta a *Dieci voci per «Il silenzio»*, in «L'Europa letteraria», v, 1964, n. 27, p. 126.

Il beato propagandista del Paradiso, presentazione a *L'opera completa dell'Angelico*, Rizzoli, Milano 1970, pp. 5-10.

Traduzioni

Katherine Mansfield, *Il libro degli appunti*, Longanesi, Milano 1945.

– *Il meglio di Katherine Mansfield*, Rizzoli, Milano 1945.

BIBLIOGRAFIA CRITICA

Sussidio indispensabile per la conoscenza di Elsa Morante sono gli apparati biografici e bibliografici a cura di Carlo Cecchi e Cesare Garboli nell'edizione di tutte le opere, Milano 1988 (si vedano soprattutto le sezioni *Cronologia*, *Bibliografia* e *Fortuna critica*).

P. Pancrazi, *Scrittori d'oggi*, Laterza, Bari 1950.

C. Varese, *Cultura letteraria contemporanea*, Nistri-Lischi, Pisa 1951.

E. Cecchi, *Di giorno in giorno*, Garzanti, Milano 1954.

G. Debenedetti, *L'isola di Arturo*, in «Nuovi Argomenti», maggio-giugno 1957.

G. De Robertis, *Altro Novecento*, Le Monnier, Firenze 1962.

G. Barberi-Squarotti, *La narrativa italiana del dopoguerra*, Cappelli, Bologna 1965.

E. Siciliano, *L'anima contro la storia: Elsa Morante*, in «Nuovi Argomenti», marzo-aprile 1967.

G. Montefoschi, *Funzione dei personaggi e linguaggio in «Menzogna e sortilegio» di Elsa Morante*, in «Nuovi Argomenti» n.s., 15 (1969).

A. R. Pupino, *Strutture e stile della narrativa di Morante*, Longo, Ravenna 1969.

C. Garboli, *La stanza separata*, Mondadori, Milano 1969.

L. Stefani, *Elsa Morante*, in «Belfagor», XXVI (1971).

C. Sgorlon, *Invito alla lettura di Elsa Morante*, Mursia, Milano 1972 (nuova ed. 1985).

C. Cases, *La Storia. Un confronto con «Menzogna e sortilegio»* in «Quaderni Piacentini» 53-54 (1974), poi in *Patrie lettere*, nuova edizione, Einaudi, Torino 1987.

P. P. Pasolini, *Descrizioni di descrizioni*, Einaudi, Torino 1979.

R. Dedola, *Strutture narrative e ideologia nella «Storia» della Morante*, in «Studi novecenteschi», 15, 1976.

G. C. Ferretti, *Il dibattito sulla «Storia» di Elsa Morante*, in «Belfagor», XXX, 1975.

G. Venturi, *Elsa Morante*, La Nuova Italia, Firenze 1977.

D. Ravanello, *Scrittura e follia nei romanzi di Elsa Morante*, Marsilio, Venezia 1980.

C. Samonà, *E. Morante e la musica*, in «Paragone» 432, febbraio 1986.

A. Moravia, *La leggerezza di Elsa*, «Corriere della Sera», 11 luglio 1987.

G. Pampaloni, paragrafo dedicato a *La Storia* e *Aracoeli* in *Storia della letteratura italiana*, Garzanti, Milano 1987, pp. 439-441.

G. Fofi, *La pesantezza del futuro*, in «Paragone», n. 450, agosto 1987.

Gruppo la luna, *Letture di Elsa Morante*, Rosenberg & Sellier, Torino 1987.

F. Fortini, *Nuovi Saggi Italiani*, Garzanti, Milano 1987.

AA. VV., *Festa per Elsa*, a cura di A. Sofri, inserto in «Reporer», 7-8 dicembre 1985.

G. Bernabò, *Come leggere «La Storia» di Elsa Morante*, Mursia, Milano 1988.

G. Fofi, *Pasqua di Maggio*, Marietti, Genova 1988.

C. Garboli, *Scritti servili*, Einaudi, Torino 1989.

C. Cases, saggio sulla connotazione mitologica dell'*Isola di Arturo*, «l'Indice», marzo 1989.

C. Garboli, *Falbalas*, Garzanti, Milano 1990.

– Prefazione a *Alibi*, Garzanti, Milano 1990.

AA. VV., *Per Elisa. Studi su «Menzogna e sortilegio»*, Nistri-Lischi, Pisa 1990.

AA. VV., Atti del Convegno «Per Elsa Morante» (Parigi 15-16 gennaio 1993), Linea d'Ombra editore, Milano 1993.

Indice

p. V   *Introduzione* di Cesare Garboli

Menzogna e sortilegio

5   Dedica per Anna *ovvero* alla Favola.

   Introduzione alla Storia della mia famiglia

11   I. Una sepolta viva e una donna perduta.

16   II. Santi, Sultani e Gran Capitani in Camera mia.
      (S'annuncia il misterioso Alvaro).

26   III. Gli ultimi Cavalieri dalla Trista Figura.

   Parte prima   L'erede normanno

35   I. Una città retriva.
      Presentazione della mia famiglia.
      La cena sulla neve.

46   II. (Si dà inizio alle mie Storie familiari).
      Mia nonna fa un matrimonio d'interesse.

57   III. Progetti per l'Estero.
      Primo saluto del Cugino ad Anna.

74   IV. Nicola Monaco diffama il Cugino e tesse imbrogli.

99   V. Concetta si libera dei dannati.
      La fine d'un imbroglione.

107   VI. La fine d'un nobiluomo romantico.
      Armida la gallina.

115   VII. La figlia del bottegaio si mortifica.
      S'ode per un istante la voce del Cugino.

Parte seconda   La cuginanza

p. 125   I. Malizioso e straordinario accidente.

139   II. Anna glorificata.
       Dono dell'anello.

157   III. Donne scontente, donne maligne e donne gelose.

165   IV. Nuovi sconclusionati colloqui degli amanti acerbi.
       Si riparla dell'Estero
       con l'intervento di Manuelito il Matador, dello Zarevic, ecc.
       La cicatrice.

186   V. Il Cugino recita versi oscuri.

Parte terza   L'anonimo

211   I. Entra in scena il butterato.
       Incominciano le sue millanterie.

229   II. I due diventano amici.
       Rosaria al bivio fra l'onestà e il disonore.

251   III. La baronessa madre arriva in città.

262   IV. L'anello cambia padrona.

283   V. Catastrofe provocata da un Anonimo.
       Il monocolo misterioso.
       Una bella donna scacciata dalla città.

Parte quarta   Il butterato

319   I. Si ritorna ai bei tempi di Nicola Monaco.

342   II. Il butterato ha qualche sfortuna in amore.

372   III. La fine d'un vecchio ateo (con una dubbia conversione
       in extremis).
       Breve soggiorno di Francesco in purgatorio.

398   IV. Il Cugino incontra la paura e volta le spalle alla compagnia.

404   V. Mia madre fa un matrimonio d'interesse.

428   VI. La casa nuziale.

Parte quinta   Inverno

439   I. Il butterato ha nuove sfortune in amore.
       Una patrizia si umilia.
       Breve e trascurabile apparizione d'una finta monaca.

457   II. Una signora di mio gusto.

489   III. S'incomincia con una vistosa lode di Elisa.
       Di nuovo la medesima signora del capitolo precedente.
       Una serata all'Opera.
       L'«ambulante» e il brutto Caboni.

p. 510   IV. Un ritrovo mal frequentato.
          Il butterato si vanta e un carrettiere racconta un'assurdità infernale.

522   V. Amare visite e amara strage.

          Parte sesta   Il Postale

535   I. Un incontro fra parenti.
555   II. Nostro ingresso al palazzo del Cugino.
570   III. Tre donne innamorate di lui.
587   IV. Le seduzioni romantiche non erano che prose scadenti?
598   V. Mia madre fa un peccato e un'offerta espiatoria.
623   VI. Carcere e strazi per la mia bella.
642   VII. Ambigua condotta del Cugino.
662   VIII. Si svelano dei peccati che sbalordiscono il confessore.
682   IX. L'anello torna alla sua prima padrona.

695   Epilogo   seguíto da un «Commiato» in versi

          Appendice
709   Cronologia della vita e delle opere
715   Bibliografia essenziale

Stampato per conto della Casa editrice Einaudi
presso Mondadori Printing S.p.A., Stabilimento N.S.M., Cles (Trento)

C.L. 13602

Edizione								Anno			
6	7	8	9	10	11	12		2001	2002	2003	2004